PRINCIPES DE
MACROÉCONOMIE

N. Gregory Mankiw
Harvard University

Germain Belzile
HEC Montréal

D1372441

PRINCIPES DE
MACROÉCONOMIE

N. Gregory Mankiw

Germain Belzile

Principles of Macroeconomics
Second Canadian Edition
par N. Gregory Mankiw, Ronald D. Kneebone,
Kenneth J. McKenzie, et Nicholas Rowe
© 2002, Nelson, une division de Thomson Canada Limited

© 2004, Groupe Beauchemin, éditeur ltée
3281, avenue Jean-Béraud
Laval (Québec) H7T 2L2
Téléphone : (514) 334-5912
          1 800 361-4504
Télécopieur : (450) 688-6269
www.beaucheminediteur.com

ISBN 2-7616-1969-2
Tous droits réservés

Dépôt légal : 3e trimestre 2004
Bibliothèque nationale du Québec
Bibliothèque nationale du Canada

Imprimé au Canada
1 2 3 4 5   07 06 05 04

Nous reconnaissons l'aide financière du gouvernement du Canada
par l'entremise du Programme d'aide au développement de
l'industrie de l'édition (PADIÉ) pour nos activités d'édition.

Collaborateur à l'adaptation :
Christian Corno

Chargées de projet :
Corinne Audinet-Dumont, Karine Méthot

Coordonnatrice à la production :
Maryse Quesnel

Traduction :
Cotramar

Révision linguistique :
Annie Pronovost

Indexeure :
Isabelle Léger

Recherchistes :
Kenza Alami, Valérie Beauchamp

Mise en pages :
Caractéra inc.

Correction d'épreuves :
Marie Pedneault

Réalisation de la page couverture :
François Verreault

Photo de la couverture :
photodisc

Impression :
Imprimeries Transcontinental inc.

Cet ouvrage fait référence à des sites Internet. Pour vous faciliter l'accès à ces sites et pour vous assurer de la qualité
de ces références, consultez nos signets Internet à l'adresse suivante : www.beaucheminediteur.com/macroeconomie.
Nos signets Internet sont mis à jour régulièrement. Si vous avez des questions ou des commentaires à nous faire parvenir,
écrivez-nous à webmestre@beauchemin.qc.ca.

Illustrations : Lamberto Alvarez, Fort Worth, Texas. Les illustrations mettent en relief les notions abordées dans un chapitre
au sujet des affaires et du marché économique. Lamberto Alvarez, artiste et illustrateur qui a obtenu des prix d'excellence
pour ses réalisations, est surtout connu grâce à ses illustrations dans plusieurs magazines et journaux, dont certains sont
membres du syndicat de distribution *Pen Tip International Features*. Il a également écrit et publié un roman illustré,
intitulé *Muneca*, en collaboration avec son ami Michael H. Price.

Les documents de Statistique Canada ont été reproduits avec l'autorisation du ministre de l'Industrie.
De plus amples renseignements peuvent être obtenus dans les bureaux régionaux de Statistique Canada,
sur son site Web à l'adresse suivante : www.statcan.ca ou en téléphonant sans frais au numéro : 1 800 263-1136.

À Catherine, Nicholas et Peter,
Ma contribution pour les générations futures.

À Denyse, la femme de ma vie,

À Louis Phaneuf et à Gérard Bélanger,
qui m'ont donné le goût de l'économie.

N. Gregory Mankiw est professeur d'économie à l'université Harvard. Il a fait ses études à l'université de Princeton et au MIT (Massachusetts Institute of Technology). Il a enseigné la microéconomie, la macroéconomie, les statistiques et les principes de l'économie. De plus, il a donné des cours de voile à Long Beach Island.

Le professeur Mankiw est un auteur prolifique. Ses articles ont paru dans diverses publications pédagogiques, telles que *American Economic Review*, *Journal of Political Economy* et *Quartely Journal of Economics*, de même que dans *The New York Times*, *The Financial Times* et *The Wall Street Journal*. En outre, il a été chroniqueur pour le magazine *Fortune* et il est l'auteur d'un ouvrage d'économie qui a remporté beaucoup de succès: *Macroeconomics* (édité chez Worth Publishers). Parallèlement à ses activités d'enseignement et d'écriture, le professeur Mankiw a occupé un poste de directeur pour le Monetary Economics Program du National Bureau of Economic Research, groupe de recherche (de réflexion) de Cambridge, au Massachusetts; il a aussi travaillé comme consultant pour la Federal Reserve Bank de Boston et le Congressional Budget Office.

Le professeur Mankiw demeure à Wellesley, au Massachusetts, avec son épouse Deborah et ses enfants, Catherine, Nicholas et Peter.

Germain Belzile est titulaire d'un baccalauréat en économie de l'Université Laval et d'une maîtrise en sciences économiques de l'Université du Québec à Montréal. Après des études de doctorat, il a enseigné à l'UQÀM et à l'UQAH. Depuis 1999, il est chargé de formation à l'Institut d'économie appliquée de HEC Montréal. Au BAA, il donne et coordonne le cours d'introduction à la macroéconomie et des cours de microéconomie appliquée, d'économie de l'entreprise et d'économie internationale. Aux cycles supérieurs, il donne des cours de macroéconomie et de théorie des jeux, ainsi que des cours synthèse au MBA et à la M. Sc. Avec son collègue Martin Coiteux, il a remporté le Prix de technopédagogie de HEC et reçu une mention pour le Prix du ministre de l'Éducation en 2001. Germain Belzile vit à Montréal avec sa conjointe et ses deux enfants, Marc et Zoé.

PRÉFACE

« L'économie étudie comment l'homme se comporte dans la vie de tous les jours. » C'est ainsi qu'Alfred Marshall, le grand économiste du XIXe siècle, a défini la science économique dans son livre *Principles of Economics.* Bien que l'étude de l'économie ait beaucoup évolué depuis, cette définition reste aussi pertinente aujourd'hui qu'elle a pu l'être en 1890, au moment de la parution de la première édition de l'ouvrage de Marshall.

Pourquoi donc devriez-vous vous intéresser à cette science, vous, étudiants du XXIe siècle ? Nous vous proposons trois raisons.

Premièrement, la science économique peut vous aider à comprendre le monde dans lequel vous vivez. Vous vous posez sans doute des questions qui relèvent de l'économie. Par exemple, pourquoi est-il si difficile de trouver un appartement à Montréal ? Pourquoi les compagnies aériennes proposent-elles des billets aller-retour à tarif réduit, si le voyageur reste en escale le samedi soir ? Pourquoi Céline Dion obtient-elle de si gros cachets pour ses engagements ? Pourquoi le niveau de vie est-il si faible dans plusieurs pays d'Afrique ? Pourquoi est-il facile de trouver un emploi à certaines époques et beaucoup plus difficile à d'autres ? L'économie peut vous aider à répondre à ce genre de questions.

Deuxièmement, la connaissance de la science économique peut vous aider à mieux vous tirer d'affaire et à mieux participer à la vie économique. Au cours de votre vie, vous devrez prendre plusieurs décisions d'ordre économique. Pendant vos études, vous devez décider combien d'années vous resterez à l'école. Au moment où vous vous mettrez à travailler, vous aurez à décider de quelle façon vous dépenserez votre revenu, combien d'argent vous épargnerez et quels genres d'investissements vous ferez. Il se pourrait que vous soyez un jour à la tête d'une entreprise, grande ou petite, et que vous ayez à déterminer le prix des produits que vous aurez fabriqués. Les connaissances que vous allez acquérir dans les chapitres qui suivent vous fourniront une nouvelle perspective sur des décisions de cette nature. L'étude de l'économie ne peut pas vous garantir la fortune, mais elle peut vous donner des outils susceptibles de vous aider.

Troisièmement, l'étude de l'économie vous aidera à mieux comprendre les possibilités et les limites de la politique économique. En tant que citoyens, vous contribuez à choisir les politiques qui déterminent l'allocation des ressources du pays. Quand vous réfléchissez à la politique qui vous semble idéale, vous vous posez des questions sur l'économie. Quels sont les effets d'un type de taxe par rapport à un autre ? Comment le libre-échange nous touche-t-il ? Quelle est la meilleure façon de protéger l'environnement ? De quelles façons le déficit budgétaire d'un pays influe-t-il sur l'économie ? Ces questions préoccupent les décideurs un peu partout dans le monde.

En somme, les principes de l'économie s'appliquent à une foule de situations. Ainsi, plus tard, que vous lisiez un journal, que vous dirigiez une entreprise ou que vous soyez à la tête du pays, vous vous féliciterez d'avoir étudié l'économie.

N. Gregory Mankiw
Germain Belzile

Août 2004

COMMENT CE LIVRE EST-IL CONSTRUIT ?

Ce livre a été conçu de manière à présenter la matière sous forme condensée et agréable à utiliser. Voici un bref aperçu de son contenu. Ce survol devrait permettre tant aux étudiants qu'aux enseignants de comprendre le plan général de l'ouvrage qu'ils ont entre les mains.

Le manuel *Principes de macroéconomie* commence par quatre chapitres d'introduction, dans lesquels est élaboré un « coffre à outils » de base pour l'analyse économique.

Le chapitre 1, « Dix principes d'économie », présente aux étudiants la vision du monde de l'économiste. Il introduit les principaux concepts qui sont au cœur de la science économique, tels que le coût de renonciation, le raisonnement à la marge dans la prise de décision rationnelle, le rôle et l'importance des incitatifs, les bénéfices associés aux échanges et à la spécialisation et l'efficience des marchés. Ces concepts seront repris à plusieurs occasions dans le livre, puisqu'ils constituent la base de toute analyse économique. Dans le manuel, un pictogramme placé en marge du texte signalera une référence à l'un de ces dix principes élémentaires.

Le chapitre 2, « Penser comme un économiste », examine de quelle façon les économistes conçoivent leur discipline. On y décrit le rôle des postulats dans le développement d'une théorie et on y introduit la notion de modèle économique. On y commente aussi la responsabilité des économistes en matière de politique économique. L'annexe de ce chapitre présente une brève récapitulation de l'art d'utiliser les graphiques et rappelle la prudence dont on doit faire preuve au moment de les interpréter.

Le chapitre 3, « Interdépendance et gains tirés de l'échange », présente la théorie des avantages comparatifs. Cette théorie explique pourquoi les individus commercent avec leurs voisins et pourquoi les pays commercent entre eux. Puisque le but de l'économie est d'analyser comment le marché coordonne les multiples décisions individuelles de production et de consommation, il est tout naturel de comprendre en quoi la spécialisation et les échanges peuvent être bénéfiques.

Le chapitre 4, « Les forces du marché : l'offre et la demande », introduit les notions fondamentales d'offre, de demande et d'équilibre de marché.

L'étude de la macroéconomie à proprement parler commence au chapitre 5. Notre approche consiste en premier lieu à examiner l'économie dans une perspective de long terme, c'est-à-dire lorsque les prix sont flexibles. Nous passons ensuite à l'étude de l'économie à court terme, soit une situation où les prix sont rigides. Nous croyons que cette façon de faire simplifie grandement l'étude de la macroéconomie, et cela, pour plusieurs raisons. Premièrement, nous pouvons aisément relier l'hypothèse classique de la flexibilité des prix à l'offre et à la demande, que les étudiants viennent d'aborder au chapitre 4. Deuxièmement, la dichotomie classique permet de diviser l'analyse du long terme en plusieurs petites parties, plus facilement assimilables. Troisièmement, étant donné que le cycle économique peut être vu comme une déviation de l'économie par rapport à sa croissance tendancielle de long terme, il est plus naturel d'étudier ces déviations temporaires après avoir compris les équilibres de long terme. Finalement, la théorie macroéconomique du court terme ne fait pas autant consensus entre les économistes que celle du long terme. Pour toutes ces raisons, la plupart des cours de macroéconomie de niveau supérieur introduisent le long terme avant le court terme. Nous voulons offrir les mêmes avantages aux étudiants qui abordent la macroéconomie avec le présent manuel.

Revenons maintenant à la description plus détaillée du contenu des chapitres qui suivent. Nous commençons l'étude de la macroéconomie par la mesure des données et des variables macroéconomiques. Dans le chapitre 5, « Le revenu d'un pays », nous examinons le produit intérieur brut, ainsi que d'autres mesures provenant des comptes nationaux. Le chapitre 6, « La mesure du coût de la vie », permet d'aborder l'indice des prix à la consommation.

Les trois chapitres qui suivent s'intéressent au comportement de l'économie réelle à long terme. Dans le chapitre 7, intitulé « La production et la croissance », on s'intéresse aux facteurs qui causent d'importantes variations dans le niveau de vie à travers le temps et l'espace. Le chapitre 8, « L'épargne, l'investissement et le système financier », présente les diverses institutions financières de l'économie et leurs rôles dans l'allocation des ressources. Le chapitre 9, « Le taux de chômage naturel », se penche sur les facteurs déterminant le taux de chômage à long terme, dont la recherche d'emploi, le salaire minimum, la syndicalisation et les salaires d'efficience.

Après cette étude de l'économie réelle à long terme, on se tourne vers l'évolution de la monnaie et des prix à long terme. Le chapitre 10, « Le système monétaire », montre comment l'économiste envisage la monnaie et comment la banque centrale en contrôle la quantité en circulation. Le chapitre 11, « La croissance monétaire et l'inflation », expose la théorie classique de l'inflation et discute des coûts qu'elle impose à la société.

Les deux chapitres suivants présentent la théorie macroéconomique de l'économie ouverte, en maintenant les hypothèses des prix flexibles et du plein-emploi. Le chapitre 12, « Les principes macroéconomiques de base d'une économie ouverte », explique la relation entre l'épargne, l'investissement et la balance commerciale ; il expose également la différence entre le taux de change réel et le taux de change nominal, ainsi que la théorie de la parité des pouvoirs d'achat. Le chapitre 13, « Une théorie macroéconomique de l'économie ouverte », présente un modèle classique des flux de biens et de capitaux. Ce modèle permet d'éclairer certains thèmes, tels le rapport entre les déficits budgétaires et les déficits commerciaux et les effets macroéconomiques des politiques commerciales. Étant donné que chaque enseignant voudra accorder une importance plus ou moins grande à ces notions, nous avons présenté ces chapitres de façon à ce qu'ils puissent être utilisés de différentes façons. Ainsi, on peut choisir de couvrir le chapitre 12 mais d'ignorer le chapitre 13, de sauter ces deux chapitres, ou encore de reporter l'étude de l'économie ouverte à la toute fin du cours.

La théorie de l'économie à long terme ayant été présentée dans les chapitres 7 à 13, nous nous tournons ensuite vers les fluctuations économiques à court terme, soient les mouvements autour de la tendance à long terme. Cette organisation simplifie l'enseignement du court terme, car les étudiants ont normalement assimilé, à ce stade, les concepts de base de la macroéconomie. Le chapitre 14, « L'offre et la demande agrégées », présente d'abord quelques faits concernant le cycle économique, avant d'introduire le modèle de l'offre et de la demande agrégées. Le chapitre 15, « Les impacts des politiques monétaire et budgétaire sur la demande agrégée », explique comment les décideurs peuvent utiliser les outils à leur disposition pour déplacer la courbe de la demande agrégée. Le chapitre 16, « L'arbitrage à court terme entre l'inflation et le chômage », explique pourquoi les décideurs, qui contrôlent la demande agrégée, font face à un arbitrage entre l'inflation et le chômage. On examine pourquoi cet arbitrage existe à court terme, pourquoi il change au fil du temps et pourquoi il n'existe plus à long terme.

Le livre se clôt avec le chapitre 17, « Cinq controverses sur la politique macroéconomique ». Ce chapitre aborde cinq débats importants concernant la politique macroéconomique : 1. Les autorités monétaires et budgétaires doivent-elles tenter de stabiliser l'économie ? ; 2. Les banques centrales devraient-elles être indépendantes ? ; 3. Une banque centrale doit-elle viser l'inflation nulle ? ; 4. Le gouvernement doit-il rembourser la dette publique ? ; 5. Doit-on modifier la fiscalité pour encourager l'épargne ? Les étudiants sont encouragés à se forger une opinion à la lumière des arguments, favorables ou défavorables à chaque position, qui sont présentés dans ce chapitre.

LES OUTILS D'APPRENTISSAGE

L'objectif premier de ce livre est de donner aux étudiants les outils de base de la théorie économique qui leur permettront de mieux comprendre ce qui se passe autour d'eux. Dans cet esprit, nous avons eu recours aux outils d'apprentissage suivants.

◆ **Les objectifs du chapitre.** Chaque chapitre débute par une énumération succincte des objectifs poursuivis. L'énumération des quatre ou cinq leçons essentielles du chapitre permettra aux étudiants d'en percevoir le fil conducteur pendant la lecture.

◆ **Les études de cas.** La théorie économique n'a d'intérêt que si elle peut être appliquée. Dans chaque chapitre, des études de cas se donnent précisément cette mission : montrer la pertinence des concepts présentés.

◆ **Coupures de presse.** Dans la même veine, un choix d'articles de journaux récents permet d'illustrer un concept ou une problématique particulière. Un petit logo représentant un journal réfère à un article reproduit en fin de manuel.

◆ **Bon à savoir.** Ces petits encadrés offrent du matériel additionnel. Qu'il s'agisse de compléments théoriques ou de retour sur l'histoire de la pensée économique, ils offrent aux étudiants la possibilité d'élargir leur perspective sur l'économie.

◆ **Définition des concepts clés.** Lorsqu'un concept clé est introduit, il est en caractère gras dans le corps du texte. De plus, la définition de ce concept est placée en marge du texte, facilitant ainsi le repérage.

◆ **Minitest.** À la fin de chaque section importante, un minitest est proposé aux étudiants. Puisque l'objectif consiste à vérifier leur compréhension de la matière, les étudiants incapables de répondre rapidement à ces questions devraient reprendre la lecture de la section concernée.

◆ **Résumé.** Chaque chapitre se termine par un bref résumé de la matière, qui permettra aux étudiants de revoir les idées les plus importantes qui y ont été présentées.

◆ **Concepts clés.** À la fin de chaque chapitre, on retrouve une liste des concepts clés qui y ont été présentés. Pour permettre un repérage facile, la page de référence est indiquée.

◆ **Questions de révision.** Afin de donner aux étudiants une vision d'ensemble de la matière présentée, le chapitre se termine avec quelques questions de révision.

REMERCIEMENTS

La production d'un manuel de macroéconomie est une affaire d'équipe.
J'aimerais donc remercier l'équipe de la maison Beauchemin pour sa ténacité,
ses encouragements, ses conseils, son professionnalisme… et sa patience:
Corinne Audinet-Dumont et Karine Méthot, chargées de projet; Christian Corno,
qui a révisé plusieurs chapitres et rédigé le chapitre sur la courbe de Phillips;
Julie Fortin et Michel-Carl Perron, responsables respectivement de l'édition et de
la production de l'ouvrage; Annie Pronovost, responsable de la qualité du français,
Marie Pedneault, correctrice d'épreuves, et les recherchistes Kenza Alami et
Valérie Beauchamp. À toutes ces personnes qui ont contribué à
la réalisation de ce projet, j'exprime ma profonde reconnaissance.

J'aimerais remercier les personnes suivantes pour leurs conseils et leurs
commentaires judicieux: Martin Coiteux (HEC Montréal), Nathalie El Grably
(HEC Montréal et UQÀM), Michel Normandin (HEC Montréal), Alain Pâquet
(UQÀM) et Jean Soucy (UQÀM et HEC Montréal). Je voudrais également
remercier Francine Germain, Lorraine Brisson et Jacinthe Lalonde du
département d'économie de l'UQÀM pour leur précieuse collaboration.
Bien sûr, je demeure responsable de toute erreur ou mauvaise interprétation.

Par ailleurs, je m'en voudrais d'oublier Benoît Pépin,
mon collègue et ami: merci pour cette aventure.

Enfin, merci à ma conjointe et à mes enfants pour leur patience et
leurs encouragements tout au long du processus d'écriture de cet ouvrage.

Germain Belzile

Août 2004

TABLE DES MATIÈRES

PREMIÈRE PARTIE
INTRODUCTION

DEUXIÈME PARTIE
LES DONNÉES DE MACROÉCONOMIE

CHAPITRE 5
LE REVENU D'UN PAYS 83

TROISIÈME PARTIE
L'ÉCONOMIE RÉELLE À LONG TERME

CHAPITRE 7
LA PRODUCTION ET LA CROISSANCE 117

CHAPITRE 8

**L'ÉPARGNE, L'INVESTISSEMENT
ET LE SYSTÈME FINANCIER 147**

CHAPITRE 9

LE TAUX DE CHÔMAGE NATUREL 173

**QUATRIÈME PARTIE
LA MONNAIE
ET LES PRIX
À LONG TERME**

CHAPITRE 10

LE SYSTÈME MONÉTAIRE 201

CINQUIÈME PARTIE
LES PRINCIPES MACROÉCONOMIQUES DES ÉCONOMIES OUVERTES

CHAPITRE 12
LES PRINCIPES MACROÉCONOMIQUES DE BASE D'UNE ÉCONOMIE OUVERTE 247

SIXIÈME PARTIE
LES FLUCTUATIONS ÉCONOMIQUES DE COURT TERME

CHAPITRE 16
ARBITRAGE À COURT TERME ENTRE L'INFLATION ET LE CHÔMAGE 363

SEPTIÈME PARTIE
EN DERNIÈRE
ANALYSE

CHAPITRE 17
CINQ CONTROVERSES
SUR LA POLITIQUE MACROÉCONOMIQUE 391

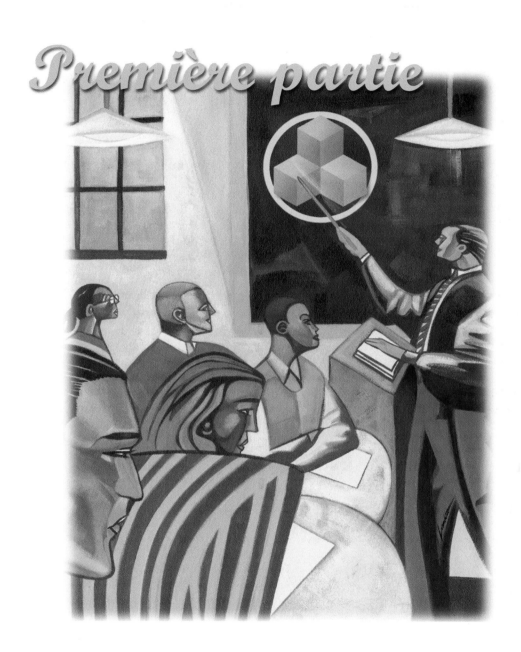

Première partie

INTRODUCTION

1

À LA FIN
DE CE CHAPITRE,
VOUS SEREZ
EN MESURE...

*d'appréhender
l'économie en tant que
science de l'allocation
des ressources rares*

*de saisir certains des
arbitrages auxquels sont
soumis les individus*

*de comprendre ce que l'on
entend par coût de
renonciation*

*de saisir le rôle du
raisonnement à la marge
dans la prise de décision*

*d'observer l'influence
des incitatifs sur
le comportement
des individus*

*de voir dans quelle mesure
les échanges entre les
individus et entre les
nations profitent à tous*

*de prendre conscience du
fait que, bien qu'ils soient
imparfaits, les marchés
constituent un bon moyen
d'allouer les ressources*

*de considérer les facteurs
déterminants de certaines
tendances de l'économie
générale.*

DIX PRINCIPES D'ÉCONOMIE

Le terme *économie* vient du grec «administration de la maison». À première vue, cela peut sembler étrange, mais en réalité l'économie et la gestion d'une famille se ressemblent à bien des égards.

Un ménage doit faire de nombreux choix. Il doit déterminer les tâches qui seront effectuées par les membres et définir ce que chacun d'eux en retirera. Par exemple, qui préparera le souper? Qui fera la lessive? Qui reprendra du dessert? Qui choisira l'émission de télévision? En somme, la famille doit répartir les ressources rares entre ses membres, selon les capacités, les efforts et les désirs de chacun.

À l'instar d'un ménage, une société doit faire des choix. Elle doit décider des tâches à réaliser tout comme de leur distribution. Certains devront produire de la nourriture, d'autres fabriquer des vêtements, et d'autres encore concevoir des logiciels. Après avoir assigné la main-d'œuvre (de même que les terres, les bâtiments et les machines) à ces différents métiers, la société doit allouer les biens et les services ainsi produits. Elle doit décider qui mangera du caviar et qui mangera des pommes de terre, qui conduira une Porsche et qui prendra l'autobus.

Rareté
Situation où les besoins dépassent les ressources dont on dispose pour les satisfaire. Ce concept illustre le caractère limité des ressources de la société.

Économie
Étude de l'utilisation de ressources rares pour satisfaire des besoins illimités ; étude de la manière dont la société alloue ses ressources rares.

La rareté des ressources rend leur allocation essentielle. Cette **rareté** se traduit par le caractère limité des ressources dont dispose la société, celle-ci ne pouvant produire tous les biens et services dont la population a besoin. Tout comme une famille ne peut offrir à ses membres tout ce qu'ils veulent, une société ne peut satisfaire aux aspirations de tous.

L'**économie** consiste à étudier la manière dont la société alloue ses ressources rares. Dans la plupart des contextes sociaux, les ressources ne sont pas allouées par un seul planificateur central, mais plutôt par les activités combinées de millions de ménages et de firmes. Les économistes étudient ce qui motive les décisions des individus : leur volonté de travailler, leurs habitudes d'achat, d'épargne et d'investissement. Ils observent également les interactions entre les individus et se penchent sur les façons dont les millions d'acheteurs et de vendeurs d'un bien en fixent ensemble le prix de vente et la quantité vendue. Enfin, les économistes analysent les forces et les tendances de l'économie générale, notamment l'augmentation du revenu moyen, la proportion de la population qui ne trouve pas d'emploi et le taux d'augmentation des prix.

La science économique comporte certes de multiples facettes, mais son champ est unifié par plusieurs principes fondamentaux. Dans ce chapitre, nous étudierons les *dix principes d'économie*. Ces principes, qui reviennent tout au long de l'ouvrage, sont introduits ici pour donner une vision globale de ce qu'est l'économie. Ce chapitre offre donc un aperçu des chapitres suivants.

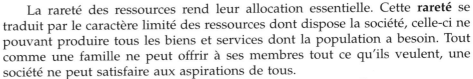

COMMENT LES GENS PRENNENT-ILS DES DÉCISIONS ?

La nature de l'« économie » n'a rien de mystérieux. Que l'on parle de l'économie de Montréal, de celle du Canada ou de l'économie mondiale, on ne fait référence à rien d'autre qu'à un groupe de personnes interagissant au quotidien. Le comportement de l'économie ne fait que refléter le comportement des individus qui en font partie. L'étude de l'économie commence donc par les quatre principes ayant trait à la prise de décision individuelle.

PRINCIPE N° 1: LES GENS SONT SOUMIS À DES ARBITRAGES

**Lire l'article
page 411**

« On n'a rien pour rien. » Cet adage résume bien la première notion relative à la prise de décision. Pour obtenir ce que nous voulons, nous devons habituellement renoncer à autre chose qui nous tient à cœur. Prendre une décision, c'est faire un arbitrage entre un objectif et un autre.

Prenons le cas d'une étudiante qui décide de l'allocation de sa ressource la plus précieuse : son temps. Elle peut consacrer tout son temps soit à l'étude de l'économie, soit à l'étude de la psychologie, ou encore répartir son emploi du temps entre ces deux matières. Pour chaque heure passée à étudier un sujet, elle renonce à une heure consacrée à l'autre. Et chaque heure d'étude est une heure de moins pour faire la sieste, se promener à bicyclette, regarder la télévision ou travailler à temps partiel pour se procurer un peu d'argent de poche.

Examinons maintenant le cas de parents aux prises avec les difficultés de la gestion du revenu familial. Ces derniers peuvent acheter de la nourriture, acheter des vêtements ou se payer des vacances. Ils ont aussi le choix d'économiser une partie de leur revenu pour leur retraite ou pour financer les études universitaires de leurs enfants. Lorsqu'ils décident de dépenser un dollar supplémentaire pour ces biens, ils en ont un de moins à dépenser pour les autres.

À l'échelle de la société, les arbitrages revêtent une autre forme. L'arbitrage le plus classique est celui des «canons ou du pain». Plus on affecte de ressources à la défense nationale pour protéger les frontières d'une éventuelle agression (les canons), moins il en reste pour améliorer le niveau de vie par les biens de consommation (le pain). Un autre arbitrage important de la société contemporaine oppose un environnement propre à un niveau de revenu élevé. En effet, la législation exige des firmes qu'elles réduisent la pollution, ce qui se répercute sur le coût de production des biens et des services. Ces hausses de coûts influent à leur tour sur les bénéfices, entraînent une diminution des salaires, provoquent une augmentation des prix ou les trois à la fois. Les lois sur la pollution offrent l'avantage de protéger l'environnement et la santé, mais du même coup, elles entraînent une baisse des revenus des entreprises, des travailleurs et des consommateurs.

La société doit aussi choisir entre efficience et équité. L'**efficience** signifie que la société profite au maximum des ressources rares. L'**équité** concerne la juste répartition des bénéfices de ces ressources entre tous les membres. En d'autres termes, l'efficience se réfère à la taille du gâteau tandis que l'équité renvoie à la manière dont on le partage. Lors de l'élaboration des politiques publiques, ces deux objectifs entrent souvent en conflit.

Efficience
La capacité de la société à tirer le maximum de ses ressources rares.

Équité
La capacité de répartir de façon juste la richesse entre l'ensemble des agents.

Considérons l'exemple des politiques visant une distribution plus équitable du bien-être économique. Certaines de ces politiques, comme les prestations d'aide sociale ou d'assurance-emploi, tentent d'aider les plus démunis de la société. D'autres, comme l'impôt sur le revenu des particuliers, réclament des mieux nantis une contribution plus grande que celles des autres membres de la société pour couvrir les dépenses du gouvernement. Si ces politiques ont le mérite d'assurer une plus grande équité, elles ont en revanche un coût sur le plan de l'efficience. En effet, en augmentant le fardeau fiscal de certains contribuables, la redistribution des revenus réduit la rémunération du travail, ce qui incite ces personnes à travailler moins et, par conséquent, à produire moins de biens et de services. Autrement dit, lorsque le gouvernement essaie de partager le gâteau économique en parts plus égales, ce gâteau devient plus petit.

Le fait de savoir que les gens sont soumis à des arbitrages ne nous dit pas quelle décision ils devraient prendre. L'étudiante n'abandonnera pas nécessairement l'étude de la psychologie pour avoir plus de temps à consacrer à l'économie. La société ne doit pas renoncer à protéger l'environnement uniquement parce que les lois environnementales risquent d'entraîner une baisse de notre niveau de vie. Il ne faut pas abandonner les plus démunis sous prétexte que cette aide modifie les incitatifs au travail. Néanmoins, il importe de prendre conscience de ces arbitrages, car on ne peut prendre de bonnes décisions sans comprendre toutes les options existantes.

PRINCIPE N° 2: LE COÛT D'UN BIEN EST CE À QUOI IL FAUT RENONCER POUR L'OBTENIR

En raison des arbitrages auxquels les gens sont soumis, la prise de décision implique de comparer les coûts et les avantages des diverses options possibles. Dans la plupart des cas, le coût d'une action n'est pas aussi évident qu'il y paraît.

La décision de poursuivre des études universitaires constitue un bon exemple. Le bénéfice réside dans l'enrichissement intellectuel et de meilleures possibilités de carrière, mais quel en est le coût? Pour répondre à cette question, on peut être tenté de faire l'addition des différents frais engagés: droits de scolarité, livres, hébergement et nourriture. Ce total ne représente pourtant pas le coût exact de ce à quoi il faut renoncer pour une année à l'université.

Cette réponse pose donc un premier problème : certains éléments inclus dans cette addition ne correspondent pas aux coûts réels liés aux études supérieures. En effet, même si l'on arrête d'étudier, on continue d'avoir besoin de se loger et de se nourrir. Ces frais d'hébergement et de nourriture ne pèsent donc dans la balance que s'ils excèdent ceux que l'on aurait payés en temps normal. En fait, le coût d'une chambre et de la nourriture sur le campus a de fortes chances d'être inférieur au coût habituel du logement et de la nourriture. Dans ces circonstances, les économies réalisées sur le gîte et le couvert représentent l'un des bénéfices des études universitaires.

Un second problème de calcul se pose : on ne tient pas compte du coût le plus important des études universitaires, à savoir l'investissement en temps. Une année passée à assister aux cours, à lire des manuels et à rédiger des travaux, c'est une année de moins de vie professionnelle. Pour une majorité d'étudiants, le principal coût de l'éducation universitaire correspond au salaire qu'ils n'auront pas gagné.

Le **coût de renonciation** d'un bien est ce à quoi il faut renoncer pour l'obtenir. Avant de prendre quelque décision que ce soit, comme dans l'exemple des études universitaires, il faut être conscient des coûts de renonciation associés à chaque action envisageable. Les athlètes qui ont l'occasion de gagner des millions en abandonnant leurs études universitaires pour devenir des sportifs professionnels savent parfaitement que le coût de renonciation associé à l'université est très élevé. Il n'y a donc rien d'étonnant à ce qu'ils décident qu'un tel sacrifice n'en vaut pas la peine.

Coût de renonciation
Ce à quoi il faut renoncer pour obtenir quelque chose. Meilleure possibilité à laquelle on a renoncé en prenant une décision, en faisant un choix.

PRINCIPE N° 3 : LES GENS RATIONNELS RAISONNENT À LA MARGE

Les décisions à prendre au cours de l'existence sont rarement tranchées et comportent la plupart du temps bien des nuances. Lorsque vient le temps de souper, le choix qui s'offre à vous n'oppose pas l'option de manger comme un ogre à celle de jeûner ; il consiste plutôt à décider de reprendre ou non une cuillerée de purée de pommes de terre. Quand vient le temps des examens, vous n'avez pas à choisir entre étudier 24 heures par jour ou tout laisser tomber, mais plutôt à choisir entre passer encore une heure à réviser ou regarder la télévision. Les économistes emploient le terme **changements marginaux** pour décrire les petits ajustements marginaux apportés à un plan d'action existant. Il faut garder à l'esprit que le mot « marge » signifie ici « écart », ces changements marginaux se limitant à de petits ajustements autour de l'action prévue.

Changements marginaux
Petits ajustements effectués à la lisière d'un plan d'action.

Dans bien des cas, c'est en raisonnant à la marge que les gens prennent les meilleures décisions. Imaginons que vous demandiez à l'un de vos amis son opinion sur le nombre d'années d'études nécessaires. S'il compare le niveau de vie d'une personne ayant un doctorat à celui d'un décrocheur du secondaire, vous lui répondrez sans doute que cet exemple ne vous aide nullement à prendre une décision. Vous avez déjà fait des études et vous envisagez probablement d'y consacrer encore une ou deux années supplémentaires. Pour faire ce choix, il vous faut identifier les bénéfices additionnels qu'une année d'étude supplémentaire vous apportera (un meilleur salaire pour l'avenir et le plaisir d'étudier), de même que les coûts additionnels (droits de scolarité et perte de salaire durant les études). En comparant ces *bénéfices marginaux* et ces *coûts marginaux*, vous pourrez juger si une année supplémentaire vaut le sacrifice.

Prenons l'exemple d'une compagnie aérienne qui évalue la possibilité de faire payer les passagers en attente. Supposons que le vol transcanadien d'un avion de 200 places coûte 100 000 $. Le coût moyen de chaque siège sera donc de 100 000 $ divisé par 200 passagers, soit 500 $. Il est tentant de conclure que cette compagnie aérienne ne devrait jamais vendre un billet d'avion à moins de 500 $. Cependant, en réalité, cette compagnie peut voir ses profits augmenter en raisonnant à la marge. Imaginons que l'avion s'apprête à décoller avec 10 sièges vides et qu'un passager en attente est prêt à payer 300 $ pour monter à bord. La compagnie devrait-elle accepter? Certainement. S'il y a des places libres dans l'avion, le coût additionnel d'un passager supplémentaire est ridicule. Même si le *coût moyen* de transport de chaque passager s'élève à 500 $, le *coût marginal* pour ce passager se limite à peu de chose près à un sac de friandises et à une canette de boisson gazeuse. Si ce passager en attente paye un tarif supérieur au coût marginal, la vente de ce billet est rentable.

Comme ces exemples le prouvent, les individus et les sociétés prennent de meilleures décisions lorsqu'ils raisonnent à la marge. Un décideur rationnel ne se lance dans une action qu'en sachant que le bénéfice marginal excède le coût marginal.

PRINCIPE N° 4 : LES GENS RÉAGISSENT AUX INCITATIFS

Puisque les gens prennent leurs décisions en comparant les coûts et les bénéfices, leur comportement se modifie généralement en fonction de ceux-ci. Autrement dit, les gens réagissent aux incitatifs. Par exemple, lorsque le prix des pommes monte, les gens en consomment moins et mangent plus de poires. Les producteurs de pommes décident alors d'embaucher plus d'employés pour ramasser plus de pommes, car les bénéfices sur les ventes de pommes augmentent également. Comme on le voit dans le cas du marché des pommes, le prix affecte le comportement des acheteurs et celui des vendeurs. C'est là un élément fondamental pour comprendre le fonctionnement de l'économie.

JOSÉ THÉODORE. Une vedette du hockey comprend parfaitement les coûts de renonciation et les incitatifs. Les études universitaires lui coûteraient une fortune s'il devait renoncer à une carrière en or dans la LNH.

Les décideurs publics ne devraient jamais négliger les incitatifs, car de nombreuses politiques changent les coûts et les bénéfices prévus, ce qui modifie les comportements. Ainsi, une taxe sur l'essence pousse les automobilistes à conduire de petites voitures économiques. Elle les encourage également à opter pour les transports en commun et à résider plus près de leur lieu de travail. Si cette taxe devenait suffisamment importante, les conducteurs se tourneraient éventuellement vers les voitures électriques.

Lorsque les hommes et les femmes politiques négligent de tenir compte des effets incitatifs de leurs décisions, ils obtiennent parfois des résultats inattendus. Prenons l'exemple de la réglementation ayant trait à la sécurité automobile. De nos jours, toutes les voitures disposent de ceintures de sécurité, mais ce n'était pas le cas il y a 40 ans. À la fin des années 60, le livre de Ralph Nader *Unsafe at Any Speed* fit de la sécurité automobile une préoccupation publique. La réaction du Parlement fut d'approuver une réglementation obligeant les compagnies à doter tous leurs nouveaux véhicules d'un certain nombre de dispositifs de sécurité, dont les ceintures de sécurité.

Quel a été l'effet de ces lois sur la sécurité routière? Leur effet direct paraît évident. La présence des ceintures de sécurité dans tous les véhicules a incité les conducteurs et les passagers à les boucler, augmentant ainsi les chances de survivre à un accident grave. De toute évidence, les ceintures de sécurité sauvent des vies.

Toutefois, l'histoire ne se termine pas là. Pour bien comprendre les conséquences de cette loi, il faut aussi tenir compte du changement de comportement des individus en fonction des incitatifs. Dans ce cas, l'élément pertinent concerne la vitesse et la prudence. Conduire lentement et prudemment coûte en effet assez cher en raison de la perte de temps et d'énergie du chauffeur. Les individus rationnels, lorsqu'ils décident de conduire prudemment, comparent

Lire l'article
page 412

le bénéfice marginal de la conduite prudente avec son coût marginal. Ils ralentissent et font plus attention lorsque le jeu en vaut la chandelle : la sécurité paye. C'est pourquoi ils conduisent plus lentement et plus prudemment sur les routes enneigées que sur les chaussées sèches et dégagées.

Examinons maintenant comment une loi sur les ceintures de sécurité modifie le calcul des coûts-bénéfices d'un conducteur rationnel. Les ceintures réduisent les risques de blessures ou de décès ; elles diminuent donc les coûts des accidents. En revanche, elles réduisent les bénéfices de la conduite lente et prudente. Les conducteurs réagissent aux ceintures de sécurité comme ils réagiraient à une amélioration des conditions routières : ils accélèrent et prennent des risques. Cette législation entraîne donc paradoxalement un nombre plus élevé d'accidents.

Quel est l'effet de cette loi sur les statistiques d'accidents de voiture mortels ? Les conducteurs qui bouclent leur ceinture de sécurité ont plus de chances de survivre à un accident, mais ils sont également plus susceptibles d'avoir un accident. Le résultat net est donc ambigu. De plus, une conduite imprudente entraîne des conséquences néfastes sur les piétons (et sur les conducteurs qui ne portent pas leur ceinture). La loi est donc préjudiciable puisque les risques d'être impliqués dans un accident augmentent sans être contrebalancés par la protection de la ceinture. En conséquence, une loi sur les ceintures de sécurité a tendance à augmenter le taux de mortalité des piétons.

À première vue, cette discussion sur les incitatifs et les ceintures de sécurité peut sembler relever d'une pure spéculation. Pourtant, dans une étude réalisée en 1975, l'économiste Sam Peltzman a démontré que les lois sur la sécurité automobile avaient, pour la plupart, entraîné ce type de conséquences. Il a prouvé que ces législations provoquent à la fois moins d'accidents mortels, mais plus d'accidents tout court. En conclusion, le nombre de décès des conducteurs diminue, mais celui des piétons augmente.

L'analyse de Peltzman concernant la sécurité automobile démontre le principe général selon lequel les individus réagissent aux incitatifs. La plupart des incitatifs étudiés par les économistes sont beaucoup plus directs que ceux qui découlent des lois sur la sécurité routière. Ainsi, tout le monde admet que les taxes sur l'essence, beaucoup plus élevées en Europe qu'au Québec, incitent les conducteurs à acheter de plus petites cylindrées. Néanmoins, comme le montre l'exemple des ceintures de sécurité, ce type de politique peut parfois avoir des conséquences imprévisibles. Dans l'analyse d'une politique, il faut considérer non seulement les effets directs, mais aussi les effets indirects des incitatifs. Tout changement de politique provoque une modification des comportements.

MINITEST : Énumérez et décrivez brièvement les quatre principes de la prise de décision individuelle.

COMMENT LES INDIVIDUS INTERAGISSENT-ILS ?

Les quatre premiers principes présentés concernent la prise de décision individuelle. Toutefois, dans la vie, bon nombre de nos décisions personnelles concernent également autrui. Les trois principes suivants touchent les interactions entre individus.

PRINCIPE N° 5: LES ÉCHANGES AMÉLIORENT LE BIEN-ÊTRE DE TOUS

Vous avez probablement déjà entendu dire que les Américains sont nos concurrents économiques à l'échelle mondiale. D'une certaine manière, c'est exact, car les Canadiens et les Américains produisent souvent le même type de biens. Nortel et Lucent rivalisent sur le marché des télécommunications. Molson et Miller s'adressent aux mêmes consommateurs de bière.

Pourtant, il est facile de s'égarer lorsqu'on aborde la question de la concurrence entre nations. Le commerce entre le Canada et les États-Unis n'est pas une compétition sportive où il y a un gagnant et un perdant. Les échanges commerciaux entre deux pays profitent à tout le monde.

Pour comprendre pourquoi, considérez l'impact des échanges sur votre famille. Lorsque l'un de vos proches cherche du travail, il fait concurrence aux membres des autres familles qui sont également à la recherche d'un emploi. Les familles entrent aussi en compétition lorsqu'elles vont magasiner, chacune cherchant à acheter les meilleurs articles au plus bas prix. En un sens, du point de vue économique, les familles rivalisent les unes avec les autres.

Pourtant, votre famille n'aurait aucun avantage à s'isoler des autres. Si tel était le cas, elle devrait produire elle-même ses aliments, confectionner ses vêtements et construire sa maison. Votre famille a donc beaucoup à gagner en échangeant avec les autres. Les échanges permettent à chaque personne de se spécialiser dans le domaine où elle excelle, qu'il s'agisse de l'agriculture, de la couture ou de la construction. Grâce à ces échanges, les gens peuvent se procurer une plus grande variété de produits et de services à un meilleur coût.

Tout comme les familles, les pays ont avantage à commercer les uns avec les autres. Ces échanges leur permettent de se spécialiser dans un domaine tout en bénéficiant d'une plus grande variété de produits et de services. Les Américains, de même que les Japonais, les Égyptiens et les Brésiliens, sont donc à la fois nos partenaires et nos concurrents à l'échelle de l'économie mondiale.

THE WALL STREET JOURNAL

«Pour dix dollars par semaine, tu peux regarder le baseball sans te faire harceler pour couper le gazon!»

PRINCIPE N° 6: LES MARCHÉS REPRÉSENTENT EN GÉNÉRAL UNE FAÇON EFFICIENTE D'ORGANISER L'ACTIVITÉ ÉCONOMIQUE

L'effondrement du système communiste dans l'ancienne Union soviétique et l'Europe de l'Est représente probablement l'événement le plus marquant de la fin du XXe siècle. Les pays communistes se fondaient sur la prémisse selon laquelle une planification centrale étatique constituait la meilleure manière de gérer l'économie. Les planificateurs décidaient donc des biens et des services à produire, de leur quantité, de même que des individus qui devaient les produire et les consommer. Cette planification centralisée reposait sur la théorie sous-jacente selon laquelle seule l'autorité gouvernementale était en mesure d'organiser l'activité économique pour assurer le bien-être de la nation.

À l'heure actuelle, la plupart des pays ont abandonné cette planification centralisée et tentent de mettre sur pied une **économie de marché**. Dans ce type d'économie, les décisions de millions d'entreprises et de ménages remplacent celles des planificateurs centraux. Les entreprises décident des gens à employer et des biens et services à produire. Les ménages choisissent l'entreprise où ils vont travailler et la manière de dépenser leurs revenus. Ces entreprises et ces ménages interagissent sur des marchés; les prix et l'intérêt individuel motivent leurs décisions.

Le succès des économies de marché intrigue à première vue. Après tout, dans une économie de marché, personne ne se préoccupe du bien-être économique de la société dans son ensemble. Les millions de vendeurs et d'acheteurs

Économie de marché
Économie dans laquelle l'allocation des ressources repose sur les décisions décentralisées des ménages et des firmes interagissant sur les marchés des biens et des services.

d'immenses quantités de biens et de services ne pensent qu'à leur propre intérêt. Pourtant, en dépit de ces prises de décision décentralisées et de l'égoïsme des agents, les économies de marché ont été remarquablement efficaces dans l'organisation de l'activité économique et dans la promotion du bien-être économique général.

Dans son livre publié en 1776, *Recherches sur la nature et les causes de la richesse des nations*, Adam Smith a fait l'observation la plus célèbre de toute la science économique : les ménages et les entreprises interviennent sur les marchés comme s'ils étaient guidés par une « main invisible » qui les conduit vers des solutions de marché avantageuses. En étudiant l'économie, vous apprendrez que les prix sont un instrument qui permet à cette « main invisible » de diriger l'activité économique. Les prix reflètent à la fois la valeur d'un bien pour la société et son coût de production. Les entreprises et les ménages considèrent les prix lorsqu'ils décident d'acheter et de vendre et, inconsciemment, ils tiennent compte des bénéfices et des coûts sociaux de leurs actions. Au bout du compte, les prix guident ces agents de façon à obtenir des résultats qui, dans bien des cas, maximisent le bien-être de toute la société.

De cette remarquable capacité de la « main invisible » à guider l'économie découle un corollaire important : lorsque le gouvernement empêche un ajustement naturel des prix par l'offre et la demande, il empêche également la « main invisible » de coordonner les millions de ménages et d'entreprises qui composent l'économie. Voilà qui explique l'effet pervers des impôts sur l'allocation des ressources : ils modifient les prix et, par conséquent, les décisions des ménages et des entreprises. Cette intervention publique cause un dommage encore plus

important lorsqu'elle vise à contrôler directement les prix, comme c'est le cas pour la réglementation des loyers. De là vient également l'échec du communisme, au sein duquel les prix n'étaient pas fixés par le marché mais dictés par les organismes de planification. Ces organismes ne disposaient pas de l'information véhiculée par les prix dans un marché libre. Les planificateurs ont perdu la partie en essayant de diriger l'économie avec une main attachée dans le dos — la « main invisible » du marché.

PRINCIPE N° 7 : LE GOUVERNEMENT AMÉLIORE PARFOIS LES SOLUTIONS DE MARCHÉ

La règle selon laquelle les marchés constituent un excellent moyen d'organiser l'activité économique comporte quelques exceptions notables. L'intervention du gouvernement se justifie pour deux raisons principales : promouvoir l'efficience et assurer l'équité. Autrement dit, la plupart des politiques visent à augmenter la taille du gâteau ou à le diviser différemment.

La « main invisible » conduit habituellement les marchés à allouer les ressources de manière efficiente. Néanmoins, pour diverses raisons, il arrive que cette « main invisible » ne parvienne pas à assumer son rôle. Les économistes emploient l'expression **défaillances du marché** pour renvoyer à ces situations où le marché ne parvient pas à résoudre, par lui-même, l'allocation efficiente des ressources.

Les externalités sont une cause possible des défaillances du marché. L'**externalité** résulte de l'effet des actions d'une personne sur le bien-être d'un tiers. La pollution constitue l'exemple classique d'un coût externe. Si une usine de produits chimiques n'a pas à acquitter le coût de l'émission de ses fumées, il y a fort à parier qu'elle les rejettera dans l'atmosphère sans compter. Dans ce domaine, l'État peut intervenir pour accroître le bien-être au moyen d'une réglementation environnementale. L'exemple classique de bénéfice externe concerne la création du savoir. La découverte importante d'un scientifique crée une ressource précieuse pour l'ensemble de la communauté. En pareilles circonstances, les autorités sont en mesure d'accroître le bien-être en subventionnant la recherche fondamentale — ce qu'elles font d'ailleurs.

Le **pouvoir de marché** représente une autre cause possible de défaillance du marché. Ce pouvoir représente la capacité d'un individu (ou d'un petit groupe d'individus) à influer indûment sur les prix. Supposons que tous les habitants d'une ville aient besoin d'eau mais qu'il n'y ait qu'un seul puits. Le propriétaire de ce puits dispose d'un fort pouvoir de marché — dans le cas présent un *monopole* — sur la vente d'eau potable. Ce propriétaire échappe à la concurrence rigoureuse qui permet à la « main invisible » de sauvegarder les intérêts de chacun. Dans une telle situation, vous verrez que la réglementation des prix fixés par un monopole peut accroître l'efficience économique.

Une autre faille de cette « main invisible » consiste en son incapacité à assurer une distribution équitable de la richesse. L'économie de marché rétribue les individus selon leur capacité à produire des biens que les autres veulent acheter. Le meilleur joueur de hockey du monde gagne plus d'argent que le meilleur joueur d'échecs parce que le public accepte de payer beaucoup plus cher pour assister à un match de hockey qu'à un tournoi d'échecs. La « main invisible » ne garantit pas non plus une nourriture suffisante pour tous, des vêtements convenables et des soins de santé appropriés. Nombre de politiques publiques, tels l'impôt sur le revenu et le système d'aide sociale, visent une redistribution plus juste des richesses.

Le fait d'affirmer que le gouvernement améliore parfois les solutions du marché ne signifie pas que c'est toujours le cas. Les décisions politiques ne sont pas prises par des saints ; elles sont adoptées à la suite d'un processus politique

Défaillances du marché
Situations dans lesquelles le marché, livré à lui-même, ne parvient pas à allouer les ressources de manière efficiente.

Externalité
Effet du comportement d'un agent sur le bien-être d'un tiers.

Pouvoir de marché
Capacité d'un agent économique (ou d'un petit groupe d'agents) à influer sur les prix du marché.

imparfait. La mise en place de certaines politiques répond parfois uniquement à l'influence de puissants intérêts. D'autres fois encore, certaines décisions bien intentionnées ont été prises par des dirigeants mal informés. L'étude de l'économie a notamment pour objectif de vous permettre de juger si une politique gouvernementale se justifie ou non du point de vue de l'efficience ou de l'équité.

▌ **MINITEST :** Énumérez et décrivez brièvement les trois principes liés aux interactions économiques.

COMMENT L'ÉCONOMIE FONCTIONNE-T-ELLE ?

Après avoir vu comment les individus prennent leurs décisions et interagissent en composant ce que l'on nomme « l'économie », nous verrons maintenant les trois derniers principes s'appliquant au fonctionnement général de celle-ci.

PRINCIPE N° 8 : LE NIVEAU DE VIE D'UN PAYS DÉPEND DE SA CAPACITÉ À PRODUIRE DES BIENS ET DES SERVICES

À l'échelle mondiale, il existe une disparité colossale entre les niveaux de vie des pays. En 2004, le revenu du Canadien moyen avoisinait 32 000 $. La même année, le revenu du Mexicain moyen n'était que de 9 000 $ tandis que celui du Rwandais moyen n'excédait pas 350 $. Il n'est guère surprenant de constater que de telles disparités ont une incidence sur la qualité de vie des habitants. Les citoyens des pays riches, comparativement à ceux des pays à faible revenu, possèdent plus de téléviseurs et de voitures, ont une meilleure alimentation, de meilleurs soins de santé et une espérance de vie supérieure.

L'évolution de ces niveaux de vie au fil du temps est également importante. Au Canada, dans les dernières décennies, les revenus ont augmenté de 2 % par année (en tenant compte de l'augmentation du coût de la vie). À ce rythme, le revenu moyen double tous les 35 ans. Au cours du dernier siècle, ce revenu moyen s'est multiplié par huit.

Comment expliquer ces écarts énormes entre les pays ? La réponse est étonnamment simple. Cet accroissement des niveaux de vie dépend essentiellement des différences de **productivité** entre les pays — c'est-à-dire de la quantité de biens et de services produits par heure travaillée. Dans les pays où les travailleurs produisent une grande quantité de biens et de services par unité de temps, la majorité des citoyens jouit d'un niveau de vie élevé ; dans les pays où les travailleurs sont moins productifs, la majorité des gens ne peut compter que sur de maigres moyens de subsistance. De la même manière, le taux de croissance de la productivité influe directement sur le taux de croissance du revenu moyen.

Bien qu'elle semble couler de source, la relation fondamentale entre la productivité et le niveau de vie a des implications considérables. Si la productivité constitue le facteur déterminant du niveau de vie, les autres facteurs ne revêtent dès lors qu'une importance relative. Ainsi, il peut être tentant d'attribuer aux syndicats ou à la loi sur le salaire minimum l'augmentation du niveau de vie des travailleurs canadiens au cours du dernier siècle. En réalité, le véritable responsable est la hausse de productivité des travailleurs. Certains analystes ont attribué le ralentissement de la croissance des revenus des Canadiens au cours des 30 dernières années à la concurrence accrue avec le Japon et les autres

Productivité

Rapport entre la productivité et la quantité de travail utilisée.

pays. Dans ce cas, cependant, au lieu d'incriminer la bonne performance des autres pays, il faudrait plutôt dénoncer la faible croissance de la productivité canadienne.

Cette relation entre la productivité et le niveau de vie a également des implications importantes sur le plan des politiques économiques. Afin de saisir les conséquences des interventions politiques sur notre niveau de vie, il faut évaluer leur effet sur notre capacité de produire des biens et des services. Ainsi, pour améliorer le niveau de vie en augmentant la productivité, les décideurs doivent s'assurer que les travailleurs ont une formation suffisante et pertinente. Ils doivent aussi voir à leur fournir les outils nécessaires pour produire des biens et des services tout en mettant à leur disposition une technologie de pointe.

Dans les années 80 et 90, l'essentiel du débat au Canada portait sur les déficits budgétaires — soit l'écart entre les recettes et les dépenses gouvernementales. Comme nous le verrons, ces préoccupations budgétaires concernaient essentiellement l'impact négatif de ces déficits sur la productivité. Lorsque le gouvernement comble un déficit budgétaire, il emprunte sur les marchés financiers, à l'instar d'un étudiant qui contracte un emprunt pour payer ses études ou d'une entreprise qui s'endette pour construire une nouvelle usine. En empruntant pour combler ses déficits, le gouvernement réduit d'autant les fonds disponibles pour les autres emprunteurs, puisque le déficit budgétaire diminue automatiquement l'investissement en capital humain (les études universitaires) et physique (les usines). Comme des investissements moindres aujourd'hui signifient une productivité plus faible dans l'avenir, on considère que les déficits budgétaires gouvernementaux ralentissent la croissance du niveau de vie.

PRINCIPE N° 9 : LES PRIX MONTENT LORSQUE LE GOUVERNEMENT ÉMET TROP DE MONNAIE

En janvier 1921, un quotidien allemand coûtait 0,30 mark. Moins de deux ans plus tard, en novembre 1922, ce même journal coûtait 70 millions de marks, les autres prix ayant tous connu le même sort. Cet accroissement du niveau général des prix constitue l'un des épisodes inflationnistes les plus spectaculaires.

Le Canada n'a jamais connu, même de loin, une **inflation** comparable à celle de l'Allemagne dans les années 20, mais le problème de l'inflation s'est parfois posé. Au cours des années 70, le niveau général des prix a plus que

Inflation
Augmentation générale des prix.

«Cet article coûtait peut-être 1,29 $ lorsque vous avez commencé
à faire la queue, mais il coûte maintenant 1,49 $!»

doublé. En revanche, dans les années 90, l'inflation ne dépassait pas 1,5 % par année. Avec un tel taux, il aurait fallu plus de 50 ans pour que les prix doublent. En raison des nombreux coûts reliés à une inflation galopante, tous les responsables des politiques se préoccupent du maintien de l'inflation à des niveaux acceptables.

D'où vient l'inflation ? Dans la majorité des cas d'inflation forte ou persistante, l'origine est la même : la création monétaire. Lorsque l'État émet de grandes quantités de monnaie, la valeur de celle-ci s'effondre. Dans l'Allemagne des années vingt, la moyenne des prix triplait mensuellement, de même que la quantité de billets imprimés. L'histoire économique du Canada, notoirement moins dramatique, conduit à la même conclusion. L'inflation galopante des années 70 était liée à une croissance très rapide de la masse monétaire alors que l'inflation réduite des années 90 était associée au contrôle de cette même masse monétaire.

PRINCIPE N° 10 : À COURT TERME, LA SOCIÉTÉ EST SOUMISE À UN ARBITRAGE ENTRE L'INFLATION ET LE CHÔMAGE

Si l'inflation semble si facile à expliquer, pourquoi les gouvernements n'arrivent-ils pas à s'en débarrasser ? En grande partie parce qu'on considère souvent que la réduction de l'inflation entraîne une augmentation temporaire du chômage. Cet arbitrage entre inflation et chômage se traduit par la **courbe de Phillips,** d'après le nom du premier économiste qui s'est intéressé à cette relation.

Courbe de Phillips
Courbe qui illustre une relation d'arbitrage à court terme entre inflation et chômage.

La courbe de Phillips continue de susciter des controverses parmi les économistes, mais la plupart d'entre eux acceptent aujourd'hui l'idée d'un arbitrage à court terme entre l'inflation et le chômage. Cela signifie simplement que plusieurs politiques économiques, sur une période d'un an ou deux, poussent l'inflation et le chômage dans des directions opposées. Les décideurs sont soumis à cet arbitrage, que l'inflation et le chômage soient élevés (comme au début des années 80) ou qu'ils soient faibles (comme à la fin des années 90).

Pourquoi sommes-nous soumis à cet arbitrage ? L'explication la plus répandue repose sur la lenteur d'ajustement des prix. Imaginons que le gouvernement réduise la quantité de monnaie en circulation dans l'économie. Les prix ne diminueront pas immédiatement. Il faudra plusieurs années avant que toutes les entreprises publient de nouveaux catalogues, que les syndicats acceptent des concessions salariales et que tous les restaurants impriment de nouveaux menus. En réalité, les prix sont rigides à court terme.

En raison de cette rigidité des prix, les effets à court terme des interventions publiques peuvent différer de ceux à long terme. Lorsque le gouvernement réduit la masse monétaire, il limite par la même occasion les dépenses faites par les agents. Une réduction de ces dépenses, associée à des prix trop élevés, fait baisser les ventes de biens et de services. Cette chute des ventes provoque des mises à pied. En conséquence, la réduction de la quantité de monnaie augmente temporairement le chômage jusqu'à ce que les prix s'ajustent complètement.

Bien qu'il soit généralement temporaire, l'arbitrage entre l'inflation et le chômage peut parfois durer plusieurs années. La courbe de Phillips devient alors essentielle pour comprendre le déroulement des phénomènes économiques. Du reste, nos gouvernements peuvent, par les politiques économiques, influencer le niveau d'inflation et de chômage. En effet, en modifiant le niveau des dépenses publiques, en changeant la fiscalité ou en influençant la masse monétaire en circulation, les pouvoirs publics affectent le taux de chômage et le taux d'inflation. Comme les politiques budgétaires et monétaires ont des effets potentiellement très puissants, il n'est pas étonnant d'assister à des débats sur la pertinence de leur utilisation.

MINITEST : Énumérez et décrivez brièvement les trois principes liés au fonctionnement de l'économie.

CONCLUSION

Vous avez maintenant un aperçu de ce qu'est l'économie. Les prochains chapitres seront consacrés au développement du principe de la rationalité des agents, au fonctionnement des marchés ainsi qu'à celui des économies. La maîtrise de ces connaissances exige certains efforts. L'économie repose en fait sur quelques principes fondamentaux pouvant s'appliquer à une variété de situations.

Tout au long de cet ouvrage, nous nous référons aux *dix principes d'économie* résumés dans le tableau 1.1. Le plus souvent, vous trouverez des blocs de construction dans la marge, comme c'est le cas maintenant. Lorsque l'icône n'y figure pas, vous devez garder ces blocs de construction à l'esprit, car même l'analyse économique la plus raffinée repose sur ces dix principes.

Tableau 1.1

DIX PRINCIPES D'ÉCONOMIE

COMMENT LES GENS PRENNENT-ILS DES DÉCISIONS ?	N° 1 :	Les gens sont soumis à des arbitrages.
	N° 2 :	Le coût d'un bien est ce à quoi il faut renoncer pour l'obtenir.
	N° 3 :	Les gens rationnels raisonnent à la marge.
	N° 4 :	Les gens réagissent aux incitatifs.
COMMENT LES INDIVIDUS INTERAGISSENT-ILS ?	N° 5 :	Les échanges améliorent le bien-être de tous.
	N° 6 :	Les marchés représentent en général une façon efficiente d'organiser l'activité économique.
	N° 7 :	Le gouvernement améliore parfois les solutions de marché.
COMMENT L'ÉCONOMIE FONCTIONNE-T-ELLE ?	N° 8 :	Le niveau de vie d'un pays dépend de sa capacité à produire des biens et des services.
	N° 9 :	Les prix montent lorsque le gouvernement émet trop de monnaie.
	N° 10 :	À court terme, la société est soumise à un arbitrage entre l'inflation et le chômage.

Résumé

◆ Les mécanismes de prise de décision individuelle se caractérisent fondamentalement par les arbitrages entre des objectifs contradictoires, puisque le coût d'une action se mesure en fonction de la renonciation à d'autres possibilités. Finalement, les gens rationnels prennent leurs décisions en fonction des bénéfices et des coûts marginaux, et modifient leur comportement en fonction des incitatifs.

◆ Les mécanismes d'interaction entre les agents reposent sur trois idées essentielles : les échanges profitent à tous, les marchés représentent une bonne façon d'organiser les échanges et les gouvernements peuvent parfois améliorer les solutions de marché en cas d'échec ou d'injustice.

◆ Les mécanismes généraux de l'économie nous enseignent que les niveaux de vie dépendent directement de la productivité, que la croissance de la masse monétaire est la cause première de l'inflation et que la société est soumise à court terme à un arbitrage entre l'inflation et le chômage.

Concepts clés

Changements marginaux, p. 6
Courbe de Phillips, p. 14
Coût de renonciation, p. 6
Défaillances du marché, p. 11
Économie, p. 4
Économie de marché, p. 9

Efficience, p. 5
Équité, p. 5
Externalité, p. 11
Inflation, p. 13

Pouvoir de marché, p. 11
Productivité, p. 12
Rareté, p. 4

Questions de révision

1. Citez trois exemples d'arbitrages auxquels vous serez confrontés au cours de votre vie.

2. Quel est le coût de renonciation d'une séance de cinéma ?

3. L'eau est essentielle à la vie. Le bénéfice marginal d'un verre d'eau est-il important ou négligeable ?

4. Pourquoi les décideurs doivent-ils tenir compte des incitatifs ?

5. Pourquoi le commerce international n'est-il pas un jeu avec des gagnants et des perdants ?

6. Quel est le rôle de la « main invisible » sur le marché ?

7. Donnez les deux raisons principales de défaillance du marché en illustrant chacune par un exemple.

8. Pourquoi la productivité est-elle importante ?

9. Expliquez l'inflation et son origine.

10. Comment l'inflation et le chômage sont-ils reliés à court terme ?

2

PENSER COMME
UN ÉCONOMISTE

Chaque discipline possède son propre langage et sa manière de penser. Les mathématiciens parlent d'axiomes, d'intégrales et d'espaces vectoriels. Les psychologues s'expriment en se référant aux notions du moi, du ça et de la dissonance cognitive, tandis que les avocats emploient les termes de juridiction, de délit civil et de commutation de peine.

Comme toutes ces disciplines, l'économie possède également son propre vocabulaire: offre, demande, élasticité, avantage comparatif, surplus du consommateur, perte sèche. Dans les chapitres suivants, vous vous familiariserez avec de nouveaux termes et avec des mots courants auxquels les économistes accordent une signification particulière. À première vue, ce nouveau vocabulaire peut vous sembler inutilement compliqué, mais vous constaterez rapidement qu'il vous permettra d'appréhender une nouvelle réalité.

Ce livre vise principalement à vous apprendre à penser comme un économiste. Bien sûr, cela prendra du temps. On ne devient pas économiste du jour au lendemain, pas plus qu'on devient mathématicien, psychologue ou avocat en un jour. Combinant à la fois la théorie, les études de cas et les coupures de presse, ce livre vous initiera à cette façon de voir la réalité et vous permettra d'en maîtriser les fondements.

Avant de plonger dans le vif du sujet et d'aborder les détails de l'économie, il est essentiel d'avoir une vue d'ensemble de la perception du monde propre aux économistes. Par conséquent, ce chapitre aborde la méthodologie inhérente à cette discipline. De quelle façon les économistes abordent-ils une question ? Qu'est-ce qui distingue leur vision particulière ?

L'ÉCONOMISTE EN TANT QUE SCIENTIFIQUE

Les économistes s'efforcent de traiter leur sujet avec l'objectivité propre aux scientifiques. Ils abordent l'étude de l'économie comme un physicien examine la matière ou comme un biologiste se penche sur l'étude de la vie. Ils élaborent des théories et recueillent des données qu'ils analysent afin de corroborer ou de réfuter ces théories.

De prime abord, le fait de considérer l'économie comme une science peut sembler déroutant. Après tout, les économistes ne manipulent ni éprouvettes ni télescopes. Toutefois, l'essence de la science ne se trouve-t-elle pas dans la *méthode scientifique* — l'élaboration objective et la mise à l'épreuve des théories sur le fonctionnement du monde ? Cette méthode de recherche s'applique donc aussi bien aux phénomènes économiques qu'à la pesanteur ou à l'évolution des

« Oui, Laurent, je suis spécialiste en sciences sociales. Je suis incapable d'expliquer l'électricité ou les choses de ce genre, mais si tu veux en savoir plus sur les gens, je suis ton homme. »

espèces. Comme le faisait remarquer Albert Einstein, «la pensée scientifique n'est rien d'autre qu'une version plus pénétrante des idées de tous les jours».

Même si cette affirmation vaut autant pour les sciences sociales, telle l'économie, que pour les sciences naturelles, telle la physique, la plupart des gens n'ont pas l'habitude d'observer la société avec le détachement d'un scientifique. Pour commencer, voyons donc comment les économistes appliquent la méthode scientifique à l'observation de l'économie.

LA MÉTHODE SCIENTIFIQUE : L'OBSERVATION, LA THÉORIE ET LE RETOUR À L'OBSERVATION

Selon ce qu'on raconte, Isaac Newton, le célèbre scientifique du XVIIᵉ siècle, fut un jour intrigué par une pomme tombant d'un pommier. Cette observation l'amena à formuler la théorie de l'attraction gravitationnelle, laquelle s'applique non seulement aux pommes mais également à deux objets quelconques dans l'univers. Les expériences subséquentes ont démontré que la théorie de Newton s'appliquait dans de nombreuses circonstances (mais pas dans toutes, comme Einstein le fera remarquer plus tard). La physique newtonienne est parvenue à expliquer tellement de phénomènes qu'on l'enseigne encore aujourd'hui à tous les étudiants du premier cycle en physique à travers le monde.

Cette interaction entre la théorie et l'observation existe également en économie. Un économiste qui vit dans un pays où les prix montent en flèche voudra vraisemblablement élaborer une théorie de l'inflation. Il pourra soutenir que l'inflation survient lorsque le gouvernement émet trop de monnaie (d'après l'un des *dix principes d'économie* présentés dans le chapitre 1). Pour corroborer sa théorie, cet économiste recueillera et analysera les données concernant les prix et la masse monétaire dans de nombreux pays. Si l'augmentation de la masse monétaire n'est en aucun cas liée à une flambée des prix, il doutera de la validité de sa théorie sur l'inflation. Si, au contraire, les données internationales montrent une corrélation directe entre l'augmentation de cette masse monétaire et l'augmentation des prix, comme cela est effectivement le cas, alors il confirmera son hypothèse.

Même si, à l'instar des autres scientifiques, les économistes s'appuient sur la théorie et l'observation, ils se butent à un obstacle qui complexifie leur travail : la difficulté de réaliser des expériences. Les physiciens ont la possibilité de faire tomber des objets en laboratoire pour obtenir les données confirmant leurs théories de l'attraction gravitationnelle. Cependant, les économistes n'ont pas le droit de manipuler à leur gré la politique monétaire simplement pour obtenir des données utiles. Les économistes, tout comme les astronomes et les spécialistes en biologie évolutionniste, se contentent donc des données qui sont à leur disposition.

Plutôt que de mener des expériences en laboratoire, les économistes examinent attentivement les données historiques. Lorsqu'une guerre au Moyen-Orient interrompt l'approvisionnement en pétrole, les prix grimpent sur le marché mondial. Un tel événement fait chuter le niveau de vie des consommateurs de pétrole et de produits dérivés, et les gouvernements se trouvent alors devant des choix difficiles. Les économistes, pour leur part, profitent de l'occasion pour étudier les effets de cette ressource naturelle essentielle à l'économie mondiale, bien au-delà de la durée de la guerre. Tout au long de cet ouvrage, nous aurons recours à des exemples historiques. L'intérêt de ces exemples ne se limite pas à la compréhension des événements passés : elle permet d'illustrer et d'évaluer les théories économiques actuelles.

LE RÔLE DES POSTULATS

Si vous demandez à une physicienne le temps qu'il faut à une bille pour tomber du dixième étage, elle vous répondra en supposant que la bille tombe dans le vide. À l'évidence, cette supposition est fausse. Dans la réalité, l'immeuble est entouré d'air, lequel exerce une friction sur la bille et la ralentit dans sa chute. Néanmoins, la physicienne fera remarquer qu'une friction aussi faible a un effet pratiquement négligeable. Le fait de postuler que la bille effectue sa chute dans le vide simplifie considérablement le problème sans pour autant en fausser le résultat.

Les économistes se servent des postulats pour la même raison : ils leur permettent de simplifier le monde pour le comprendre. Dans le cas d'une étude sur le commerce international, on suppose que le monde se compose de deux pays, et que chacun d'eux produit uniquement deux biens. Dans les faits, il existe des dizaines de pays, produisant chacun des milliers de biens. En nous limitant à deux pays et à deux biens, nous pouvons mieux nous concentrer sur le phénomène à étudier. Après avoir saisi le commerce international dans ce monde imaginaire, nous sommes en mesure de mieux le concevoir dans le monde complexe où nous vivons.

L'art de la pensée scientifique — qu'elle concerne la physique, la biologie ou l'économie — réside dans l'élaboration de postulats. Supposons que nous fassions tomber un ballon du toit de l'immeuble au lieu d'une bille. Notre physicienne devra remettre en cause le postulat de l'absence de friction, car l'air exerce une plus grande friction sur un ballon que sur une bille. Dès lors, le postulat du vide, admissible dans le cas de la bille, ne s'applique plus au ballon.

De la même manière, les économistes font varier les postulats en fonction des questions traitées. Imaginons que vous vouliez connaître le comportement de l'économie lorsque le gouvernement modifie la quantité de monnaie en circulation. L'un des éléments importants de cette analyse concerne l'évolution des prix. Certains ne changent que rarement ; c'est le cas du prix des magazines vendus en kiosques qui varient seulement tous les deux ou trois ans. Dans notre étude sur les conséquences des politiques, conscients de cette réalité, nous formulerons des postulats différents en fonction des divers horizons prévisionnels considérés. Nous supposerons ainsi que les effets de la politique ne se feront pas sentir à court terme. Nous pourrons même en arriver à formuler la supposition extrême et artificielle selon laquelle les prix restent totalement rigides. À l'inverse, afin d'examiner les effets à long terme, nous partirons du présupposé selon lequel les prix sont totalement flexibles. Tout comme la physicienne employait deux postulats distincts pour l'étude de la chute d'une bille ou d'un ballon, les économistes partent de suppositions différentes lorsqu'ils étudient les effets à court et à long terme d'une modification de la masse monétaire sur les prix.

LES MODÈLES ÉCONOMIQUES

Au secondaire, les professeurs de biologie enseignent les rudiments de l'anatomie à l'aide de mannequins de plastique comportant les principaux organes : le cœur, le foie, les reins, etc. Ces mannequins leur permettent de montrer aux élèves la disposition des principaux organes du corps humain. Bien entendu, ces modèles ne représentent pas à l'identique un véritable corps humain et personne ne les confond avec la réalité. Il s'agit de répliques simplifiées, comportant très peu de détails. Néanmoins, malgré ce manque de réalisme — ou, en fait, grâce à lui — l'étude de ces modèles simplifiés aide à comprendre la physiologie humaine.

Les modèles dont se servent les économistes pour expliquer la réalité sont des diagrammes et des équations qui remplacent en quelque sorte les mannequins de plastique. À l'instar des mannequins des professeurs de biologie, le modèle économique sacrifie bien des détails pour se concentrer sur l'essentiel. Au lieu de négliger certains muscles et capillaires, ils font abstraction de certains phénomènes économiques.

Lorsque nous examinerons les divers problèmes économiques dans cet ouvrage, nous emploierons des modèles fondés sur des postulats. Tout comme la physicienne considérait la friction de l'air comme négligeable dans l'analyse de la chute de la bille, les économistes présument que de nombreux détails n'ont pas de véritable pertinence dans l'étude du problème envisagé. Tous les modèles, qu'ils soient issus de la physique, de la biologie ou de l'économie, simplifient la réalité pour en faciliter la compréhension.

LE PREMIER MODÈLE : LE DIAGRAMME DES FLUX CIRCULAIRES

La réalité économique englobe des millions de personnes se consacrant à une multitude d'activités : acheter, vendre, travailler, louer, produire, etc. Pour interpréter son fonctionnement, il faut trouver une façon de simplifier notre perception de cette myriade d'activités. En d'autres termes, nous devons disposer d'un modèle expliquant de manière générale l'organisation de l'économie et les interactions des agents économiques.

La figure 2.1 fournit un modèle visuel de l'économie, appelé **diagramme des flux circulaires**. Ce modèle ne comporte que deux types d'agents : les ménages et les entreprises. Les entreprises produisent des biens et des services grâce aux intrants, tels que le travail, la terre, le capital (immeubles et machines). On appelle ces intrants *facteurs de production*. Les ménages détiennent les facteurs de production et consomment les biens et les services produits par les entreprises.

Ces ménages et ces entreprises interagissent sur deux types de marchés, à tour de rôle en tant que vendeurs et acheteurs : le *marché des biens et des services* où les ménages acquièrent la production des entreprises ; le *marché des facteurs de production*, où les ménages fournissent aux entreprises les intrants afin de produire ces biens et ces services. Le diagramme des flux circulaires est une façon simple de représenter les transactions économiques entre les ménages et les entreprises.

La boucle intérieure du diagramme représente le flux réel entre les ménages et les entreprises. Les ménages vendent leurs facteurs de production — travail, terre et capital — aux entreprises qui les utilisent pour produire des biens et des services, lesquels sont vendus aux ménages sur le marché des biens et des services. Ainsi, les facteurs de production circulent des ménages vers les entreprises tandis que les biens et les services transitent des entreprises aux ménages.

La boucle extérieure de ce diagramme correspond au flux de dollars. Les ménages dépensent de l'argent pour acheter des biens et des services produits par les entreprises. Celles-ci consacrent ces revenus à l'acquisition de facteurs de production, comme les salaires des employés ; ce qui leur reste correspond au profit des propriétaires, lesquels font eux-mêmes partie des ménages. Les dépenses pour les biens et les services se trouvent donc à circuler des ménages vers les entreprises, tandis que les revenus, sous forme de salaires, loyers et profits, transitent des entreprises aux ménages.

Parcourons ce diagramme en suivant le chemin d'une pièce de un dollar circulant d'une personne à l'autre dans l'économie. Prenons comme point de

Diagramme des flux circulaires
Modèle qui fait état de toutes les transactions entre les ménages et les entreprises dans une économie simple.

départ les ménages, le dollar se trouvant plus précisément dans votre porte-monnaie. Vous avez envie de prendre un café. Vous dépensez alors ce dollar sur le marché des biens et des services, au restaurant du coin, pour consommer votre boisson favorite. Ce même dollar devient un revenu dans la caisse enregistreuse de cet établissement. Toutefois, il n'y demeure pas longtemps, car cette entreprise achète, avec ce même dollar, des intrants sur le marché des facteurs de production. Elle peut l'employer pour payer le loyer de l'espace commercial occupé ou encore les salaires des employés. Dans un cas comme dans l'autre, ce dollar réintègre le revenu d'un ménage et retourne encore une fois dans le porte-monnaie d'un travailleur. À cette étape, l'histoire se répète et le flux circulaire de l'économie reprend de plus belle.

Le diagramme des flux circulaires de la figure 2.1 constitue un modèle simplifié de l'économie et ne s'embarrasse pas de détails qui, dans certaines circonstances, seraient importants. Un diagramme circulaire plus complexe et plus réaliste comprendrait notamment le rôle du gouvernement et du commerce international. Néanmoins, ces détails n'ont rien de crucial pour la compréhension de l'organisation économique. En raison de sa simplicité, ce diagramme est plus aisé à garder à l'esprit lorsqu'on réfléchit aux interactions des divers agents économiques.

Figure 2.1

LES FLUX CIRCULAIRES.
Ce diagramme représente schématiquement l'organisation de l'économie. Les ménages et les entreprises interviennent sur le marché des biens et des services (où les ménages et les entreprises sont respectivement les acheteurs et les vendeurs) et sur le marché des facteurs de production (les ménages et les entreprises étant cette fois-ci respectivement les vendeurs et les acheteurs). La boucle extérieure représente le flux de dollars alors que la boucle intérieure représente le flux réel.

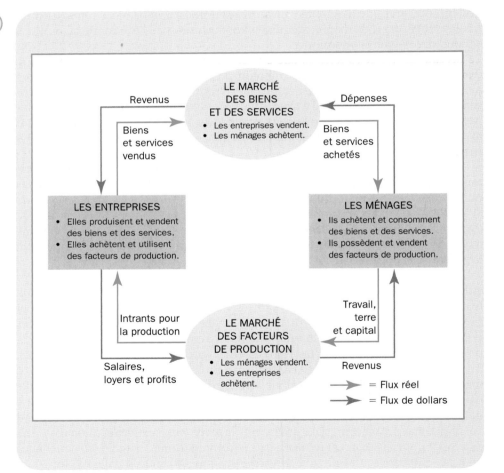

LE DEUXIÈME MODÈLE : LA COURBE DES POSSIBILITÉS DE PRODUCTION

À la différence du diagramme des flux circulaires, la plupart des modèles économiques mettent à profit les mathématiques. Afin d'illustrer certains concepts fondamentaux, examinons maintenant le modèle de la courbe des possibilités de production.

Dans la réalité, les économies produisent des milliers de biens et de services, mais pour les besoins de cet exemple, l'économie n'en produira que deux : des ordinateurs et des automobiles, ces deux industries requérant la totalité des facteurs de production. La **courbe des possibilités de production** illustre les différentes combinaisons de production accessibles (dans le cas présent, celle des automobiles et des ordinateurs) compte tenu des facteurs de production et de la technologie disponibles.

La figure 2.2 constitue un exemple de courbe des possibilités de production. Dans ce contexte économique, si toutes les ressources sont allouées à l'industrie automobile, on produit 1 000 automobiles et aucun ordinateur. À l'inverse, lorsque toutes les ressources sont allouées à l'industrie informatique, on produit 3 000 ordinateurs et aucune voiture. Les deux extrémités de la courbe des possibilités de production représentent ces situations extrêmes. Si les ressources sont réparties entre les deux industries, la production pourrait être de 700 voitures et de 2 000 ordinateurs, tel que l'illustre le point A de la courbe. En revanche, la rareté des ressources empêche toute production au point D, car l'économie ne dispose pas des facteurs de production nécessaires pour atteindre ce niveau. En d'autres termes, elle est en mesure de produire à n'importe quel point se situant sur la courbe ou à l'intérieur de celle-ci, mais jamais au-delà.

On considère qu'une allocation est *efficace* si l'économie tire le maximum des ressources rares dont elle dispose. Les points situés sur la courbe (plutôt qu'à l'intérieur) correspondent aux niveaux de production efficaces. Lorsque l'économie se situe au point A, il est impossible de produire davantage d'un bien sans en produire moins de l'autre. Le point B représente quant à lui une allocation *inefficace*. Pour une raison quelconque, peut-être un chômage trop élevé, l'économie produit moins qu'elle ne le pourrait compte tenu de ses

Courbe des possibilités de production (CPP)
Courbe qui trace la frontière entre les combinaisons de biens et de services qu'il est possible de produire avec nos ressources et celles qui sont irréalisables.

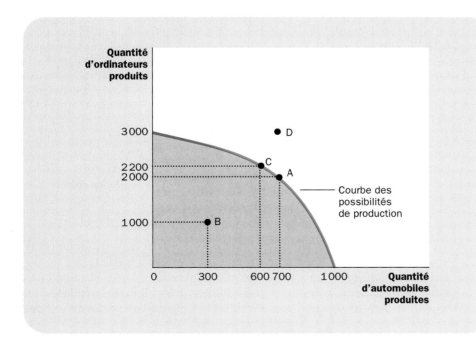

Figure 2.2

LA COURBE DES POSSIBILITÉS DE PRODUCTION. Cette courbe indique toutes les combinaisons de production — dans ce cas particulier, celles des automobiles et des ordinateurs — que l'économie est en mesure de produire. Ces combinaisons se situent sur la courbe ou à l'intérieur de celle-ci, mais jamais au-delà, compte tenu de l'insuffisance des ressources disponibles.

ressources : 300 voitures et 1 000 ordinateurs. En éliminant la cause de cette inefficacité, la production pourrait passer de B à A, augmentant ainsi simultanément la production de voitures (à 700) et d'ordinateurs (à 2 000).

Selon l'un des *dix principes d'économie* abordés dans le chapitre 1, les individus doivent se livrer à des arbitrages. La courbe des possibilités de production illustre l'un des arbitrages auquel se heurte la société : une fois le niveau d'efficacité atteint, la seule façon d'augmenter la production d'un bien consiste à diminuer celle de l'autre. Lorsque la production passe de A à C, on produit un plus grand nombre d'ordinateurs au détriment des voitures.

Selon un autre des *dix principes d'économie,* le coût d'un bien correspond à ce à quoi on doit renoncer pour l'obtenir, c'est-à-dire à son *coût de renonciation.* La courbe des possibilités de production démontre que le coût de renonciation d'un bien se mesure par la quantité d'un autre bien. Ainsi, lorsque la société redistribue certains de ses facteurs de production de l'industrie automobile à l'industrie informatique, en faisant passer la production de A à C, elle renonce à 100 voitures pour obtenir 200 ordinateurs supplémentaires. Par conséquent, lorsque la production se trouve au point A, le coût de renonciation de 200 ordinateurs correspond à 100 voitures.

On remarquera que la courbe des possibilités de production de la figure 2.2 est arquée. Le coût de renonciation des automobiles, mesuré en nombre d'ordinateurs, dépend des quantités produites de chaque bien. Lorsqu'on utilise toutes les ressources pour fabriquer des automobiles, cette courbe se redresse sensiblement, car même les employés et les machines les mieux adaptés à la fabrication d'ordinateurs produisent maintenant des automobiles. On assiste à une croissance notable de la production d'ordinateurs pour chaque voiture non construite. À l'inverse, lorsque l'économie consacre l'essentiel de ses ressources à la production d'ordinateurs, la courbe des possibilités de production s'aplatit. Dans ce cas, l'industrie informatique emploie les ressources les plus appropriées, et l'abandon de chaque voiture ne permet qu'un faible accroissement du nombre d'ordinateurs.

Cette courbe des possibilités de production illustre l'arbitrage que l'on doit faire entre la production de différents biens à un moment donné, mais cet arbitrage est susceptible d'évoluer dans le temps. Si, par exemple, le progrès technologique de l'industrie informatique permet d'augmenter le nombre d'ordinateurs produit par employé, dès lors, pour une quantité donnée d'automobiles, l'économie sera en mesure de fabriquer plus d'ordinateurs. La courbe des possibilités de production se redressera alors, comme le montre la figure 2.3. Cette croissance économique fera passer la production de A à E. La société disposera ainsi d'un plus grand nombre d'ordinateurs et d'automobiles.

La courbe des possibilités de production a le mérite de simplifier la réalité complexe de l'économie pour faire ressortir et préciser les concepts fondamentaux. Elle nous a permis d'illustrer quelques principes du chapitre 1 : la rareté, l'efficacité, l'arbitrage, les coûts de renonciation et la croissance économique. Vous retrouvez ces concepts sous de multiples formes tout au long de vos études en économie. La courbe des possibilités de production est une façon simple de vous les rappeler.

LA MICROÉCONOMIE ET LA MACROÉCONOMIE

L'étude d'un ensemble de phénomènes donnés s'effectue souvent sous différents angles. Prenons la biologie comme exemple. Les spécialistes de la biologie moléculaire étudient les composés chimiques des êtres vivants. Ces biologistes se consacrent à l'étude des constituants moléculaires des cellules qui composent la structure des organismes vivants. Par ailleurs, ceux qui s'intéressent

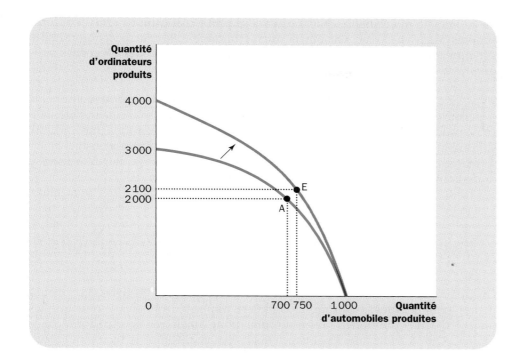

Figure 2.3

LE DÉPLACEMENT DE LA COURBE DES POSSIBILITÉS DE PRODUCTION. Une augmentation de la productivité dans l'industrie informatique augmente la production d'automobiles et d'ordinateurs et déplace la courbe vers le haut.

à la biologie évolutionniste étudient les nombreuses variétés de plantes et d'animaux et leur évolution au cours des siècles.

L'économie comporte également plusieurs branches, allant de l'étude des décisions individuelles des ménages et des entreprises jusqu'à l'observation des interactions entre les ménages et les entreprises sur certains marchés spécifiques, en passant par l'analyse du fonctionnement général de l'économie qui regroupe les actions de l'ensemble des agents sur l'ensemble des marchés.

La discipline économique se divise traditionnellement en deux grands domaines : la **microéconomie,** soit l'étude de la prise de décision des ménages et des entreprises et de leurs interactions sur des marchés spécifiques et la **macroéconomie,** soit l'étude des phénomènes économiques pris globalement. Un spécialiste en microéconomie pourra analyser les effets de la réglementation des loyers sur le marché résidentiel de Montréal, les conséquences de la concurrence étrangère sur l'industrie automobile canadienne, ou encore les effets de la fréquentation scolaire obligatoire sur les salaires. Quant au spécialiste en macroéconomie, il examinera les conséquences des emprunts du gouvernement fédéral, l'évolution du taux de chômage, les politiques visant à améliorer la croissance du niveau de vie national.

La macroéconomie et la microéconomie sont étroitement liées. Comme les changements qui affectent l'économie dans son ensemble relèvent, ultimement, des décisions prises par des millions d'individus, il devient impossible de comprendre la macroéconomie sans prendre en considération les décisions microéconomiques qui la conditionnent. Prenons l'exemple d'une spécialiste en macroéconomie cherchant à étudier l'effet d'une diminution de l'impôt sur le revenu sur la production de biens et de services. Pour analyser cette question, elle devra, dans une perspective microéconomique, examiner l'impact de cet allègement fiscal sur les décisions de consommation des ménages.

En dépit de leurs liens directs, la microéconomie et la macroéconomie ont des champs d'étude nettement délimités. En économie, tout comme en biologie, il paraît logique de commencer par la plus petite échelle. Cependant, ce n'est ni obligatoire, ni toujours recommandable. Bien que la biologie évolutionniste se construise, d'une certaine façon, à partir des molécules, elle est différente

Microéconomie
Étude de la prise de décision des ménages et des entreprises et de leurs interactions sur les marchés.

Macroéconomie
Étude des phénomènes économiques considérés globalement, notamment l'inflation, le chômage et la croissance économique.

de la biologie moléculaire, chacune ayant sa problématique et sa méthodologie propres. Il en va de même pour la microéconomie et la macroéconomie. Elles s'intéressent à des phénomènes différents, emploient parfois des approches radicalement distinctes et sont souvent enseignées séparément.

> **MINITEST :** Expliquez pourquoi l'économie est considérée comme une science. ◆ Tracez la courbe des possibilités de production d'une société ne produisant que de la nourriture et des vêtements. Identifiez une combinaison efficace, une combinaison inefficace et une combinaison inaccessible. Illustrez les effets d'une sécheresse. ◆ Donnez une définition de la microéconomie et une autre de la macroéconomie.

L'ÉCONOMISTE EN TANT QUE CONSEILLER POLITIQUE

On demande bien souvent aux économistes d'expliquer l'origine des phénomènes économiques : pourquoi le chômage frappe-t-il plus les jeunes que les vieux ? Quelles politiques faut-il adopter pour améliorer la situation économique ? Que devrait faire le gouvernement pour améliorer le bien-être économique des adolescents ? Lorsque les économistes tentent d'expliquer le monde, ils se comportent comme des scientifiques. Quand ils essaient de l'améliorer, ils deviennent des conseillers politiques.

L'ANALYSE POSITIVE ET L'ANALYSE NORMATIVE

Afin de délimiter clairement les deux rôles d'un économiste, commençons par l'étude du vocabulaire. Les scientifiques et les conseillers politiques poursuivent des objectifs différents et emploient un langage distinct.

Prenons l'exemple de deux personnes en train de discuter de la législation relative au salaire minimum. Voici un extrait de leur dialogue :

Benoît : – C'est la loi sur le salaire minimum qui provoque le chômage.
Amélie : – Le gouvernement devrait augmenter le salaire minimum.

Que vous soyez d'accord ou non avec ces déclarations, remarquez qu'Amélie et Benoît n'ont pas du tout le même discours. Benoît s'exprime comme un scientifique : il décrit le fonctionnement du monde. Amélie parle comme une conseillère politique : elle indique une manière de changer le monde.

Énoncé positif
Proposition qui essaie de décrire l'état du monde.

Énoncé normatif
Proposition qui essaie de déterminer ce que devrait être le monde ; jugement de valeur.

Les énoncés se classent généralement dans deux catégories. Ainsi, en tentant de décrire la réalité telle qu'elle *est*, Benoît formule un **énoncé positif.** En revanche, en décrivant la réalité telle qu'elle *devrait être*, Amélie formule un **énoncé normatif,** lequel a un caractère prescriptif.

La différence essentielle entre les énoncés positifs et les énoncés normatifs réside dans la manière dont nous les justifions. En principe, nous pouvons infirmer ou confirmer les énoncés positifs en nous basant sur des observations. Un économiste pourra évaluer l'affirmation de Benoît en analysant les données de l'évolution conjointe du salaire minimum et du taux de chômage. En revanche, la justification des énoncés normatifs porte à la fois sur des faits et sur des jugements de valeur. Il est impossible d'évaluer l'affirmation d'Amélie sur la simple base des données empiriques. Décider du bien-fondé d'une politique dépasse le domaine scientifique et relève à la fois de nos positions en matière d'éthique, de religion et de philosophie politique.

« On alterne ? Je formule la politique, tu la mets en application et il l'explique. »

Certes, les énoncés positifs et les énoncés normatifs se rejoignent. Notre compréhension du fonctionnement du monde influe sur nos propositions normatives concernant les politiques à adopter. S'il est vrai, comme l'énonce Benoît, que la loi sur le salaire minimum provoque le chômage, cela nous conduira à rejeter les conclusions d'Amélie visant à augmenter ce dernier. Un fait demeure toutefois : nos énoncés normatifs ne peuvent pas découler uniquement d'une analyse positive. Ils s'appuient également sur nos jugements de valeur.

Au cours de vos études en économie, gardez à l'esprit cette distinction entre les énoncés positifs et les énoncés normatifs. Notre discipline s'efforce d'expliquer le fonctionnement de l'économie sans pour autant renoncer à tenter de l'améliorer. Quand vous entendrez des économistes formuler des propositions normatives, vous saurez que de scientifiques qu'ils étaient, ils sont devenus des conseillers politiques.

DES ÉCONOMISTES À OTTAWA

Le président américain Harry Truman a déclaré un jour qu'il aimerait trouver un économiste n'ayant qu'un seul côté. Lorsqu'il interrogeait ses conseillers économiques, ceux-ci lui répondaient toujours : « D'un côté… mais de l'autre… »

Truman avait parfaitement raison de remarquer que les conseils des économistes sont rarement simples. Cette tendance vient directement de l'un des *dix principes d'économie* du chapitre 1 : les gens sont soumis à des arbitrages. Les économistes sont conscients des arbitrages sur lesquels reposent de nombreuses décisions politiques. Une politique peut améliorer l'efficience au détriment de l'équité ou bien elle peut profiter aux générations futures en portant préjudice à la génération actuelle. Si un économiste déclare que toutes les décisions en matière de politiques économiques n'ont rien de sorcier, il convient de s'en méfier.

Le gouvernement canadien, à l'instar des autres gouvernements, s'appuie sur les conseils des économistes. Ceux du ministère des Finances contribuent à l'élaboration de la politique budgétaire. Ceux du ministère de l'Industrie conçoivent les lois antitrust et contribuent à leur mise en application. Ceux du ministère des Affaires étrangères et du Commerce international participent aux négociations des accords commerciaux avec les autres pays. Ceux du Développement des ressources humaines analysent les données sur les travailleurs et les chercheurs d'emplois et formulent les politiques relatives à la main-d'œuvre. Les économistes d'Environnement Canada prennent part à l'élaboration de la réglementation environnementale. L'Agence canadienne de développement international compte sur des économistes pour formuler des recommandations sur les projets de développement internationaux. Les économistes de Statistique Canada recueillent les données analysées par ceux qui formuleront des recommandations politiques. Enfin, la Banque du Canada, l'institution responsable de la politique monétaire canadienne, emploie environ deux cents économistes pour l'analyse des marchés et des perspectives macroéconomiques.

Les économistes qui ne travaillent pas comme fonctionnaires donnent également des conseils politiques. L'Institut C.D. Howe, l'Institut économique de Montréal et d'autres organisations indépendantes publient des rapports économiques concernant les problèmes de l'heure, tels que la pauvreté, le chômage et la dette. Ces analyses visent à influencer l'opinion publique de même qu'à formuler des recommandations sur les politiques gouvernementales. Le tableau 2.1 dresse une liste des sites Internet de certaines de ces organisations.

L'influence des économistes sur la politique ne se limite pas à leur rôle de conseillers. Par leurs recherches et leurs écrits, ils ont une portée indirecte sur la politique, comme l'économiste John Maynard Keynes le fit un jour remarquer :

> « Les idées des économistes et des politicologues, qu'ils aient tort ou raison, exercent souvent une emprise plus importante qu'on ne le croit. De fait, elles mènent pratiquement le monde. Les individus pragmatiques, qui se pensent libres de toute influence intellectuelle, rabâchent les idées d'un économiste disparu. Ces gouvernants perturbés, qui entendent des voix, alimentent leur délire des écrits des scribouillards universitaires d'hier. »

Ces mots, écrits en 1935, demeurent toujours aussi vrais. En fait, le « scribouillard universitaire » qui influence aujourd'hui la politique économique est bien souvent Keynes lui-même.

MINITEST : Donnez un exemple d'énoncé positif et d'énoncé normatif.
◆ Nommez trois organismes gouvernementaux qui prennent conseil des économistes.

Tableau 2.1

SITES INTERNET. Les organisations suivantes engagent des économistes et influent sur la politique économique.

Statistique Canada	http://www.statcan.ca
Environnement Canada	http://www.ec.gc.ca
Ministère des Finances du Canada	http://www.fin.gc.ca
Industrie Canada	http://www.ic.gc.ca
Commerce international Canada	http://www.itcan-cican.gc.ca
Développement des ressources humaines Canada	http://www.hrdc.gc.ca
Banque du Canada	http://www.bank-banque-canada.ca
Institut C.D. Howe	http://www.cdhowe.org
Institut économique de Montréal	http://www.iedm.org
Institut de recherche en politiques publiques	http://www.irpp.org

POURQUOI LES ÉCONOMISTES NE S'ENTENDENT-ILS PAS ?

«Même en mettant tous les économistes bout à bout, ceux-ci ne parviendraient pas à une conclusion.» Cette boutade de George Bernard Shaw est tout à fait révélatrice. On critique fréquemment les économistes pour leurs recommandations politiques contradictoires. Le président américain Ronald Reagan avait fait remarquer en plaisantant que si le jeu *Quelques arpents de pièges* avait été conçu par des économistes, il comprendrait trois mille réponses pour cent questions.

Pourquoi cette discipline semble-t-elle se contredire si souvent dans les conseils aux dirigeants ? Citons deux raisons fondamentales :

◆ les économistes divergent d'opinion sur la validité des diverses théories économiques en présence ;

◆ les économistes ont des valeurs différentes et, par conséquent, une vision normative différente des objectifs que devrait poursuivre la politique économique.

Revenons sur chacune de ces raisons.

DES RAISONNEMENTS SCIENTIFIQUES DIVERGENTS

Il y a plusieurs siècles, les astronomes arguaient pour décider lequel de la Terre ou du Soleil se trouvait au centre du système solaire. Plus près de nous, les météorologues débattent de la possibilité d'un réchauffement de la planète et des raisons qui l'expliqueraient. La science cherche à comprendre le monde qui nous entoure. Dans cette quête incessante de la vérité, il n'est pas étonnant de voir apparaître de profonds désaccords entre chercheurs.

Les économistes ne font pas exception à cette règle. Il s'agit d'une science toute récente où il reste beaucoup à découvrir. Les querelles entre économistes proviennent souvent de leurs désaccords sur la validité des différentes théories, de même que sur l'importance à accorder aux nombreuses variables en jeu.

Par exemple, les économistes divergent d'opinion quant au prélèvement des impôts. Certains sont partisans d'un impôt sur le revenu des ménages, d'autres d'un impôt sur leur consommation (dépenses). Les tenants d'une fiscalité sur la consommation affirment qu'elle encouragerait les familles à faire des économies, puisque leur épargne serait à l'abri du fisc. Cette hausse de l'épargne accélérerait à son tour la productivité et augmenterait le niveau de vie. Quant aux partisans de l'imposition actuelle sur le revenu, ils sont convaincus que l'épargne n'augmenterait guère à la suite d'une modification du régime fiscal. Ces deux groupes d'économistes possèdent donc des visions normatives différentes de la fiscalité, lesquelles reposent sur des conceptions positives différentes de l'effet des incitatifs fiscaux sur le comportement des agents.

DES VALEURS DIFFÉRENTES

Imaginons que Pierre et Paul consomment la même quantité d'eau tirée du puits communal. Afin de payer l'entretien de ce dernier, la municipalité taxe tous les résidents. Pierre, qui dispose d'un revenu de 50 000 $, paie une taxe de 5 000 $, soit 10 % de son revenu. Paul, qui ne gagne que 10 000 $, paie 2 000 $, ce qui équivaut à 20 % de son revenu.

Un tel régime est-il équitable ? Quelqu'un paie-t-il trop de taxes ? Quelqu'un n'en paie-t-il pas assez ? Le fait que les revenus de Pierre proviennent d'un héritage ou des longues heures qu'il consacre à un emploi ennuyeux pèse-t-il dans la balance ? Le fait que les maigres ressources de Paul soient attribuables à sa santé fragile ou à sa décision de poursuivre une carrière théâtrale importe-t-il ?

Il s'agit de questions difficiles sur lesquelles les gens se mettent rarement d'accord. Il n'y a rien d'étonnant à ce que deux experts engagés par la municipalité pour examiner le régime fiscal requis pour couvrir les frais d'entretien du puits en arrivent à des recommandations contradictoires.

Cet exemple fort simple illustre la raison pour laquelle les économistes ne s'entendent pas sur les politiques économiques à adopter. Comme nous l'avons vu précédemment dans la discussion entourant la dichotomie « énoncé positif/énoncé normatif », il est impossible d'évaluer les politiques économiques sous le seul angle de l'analyse scientifique. Les économistes formulent des recommandations contradictoires parce qu'ils nourrissent des conceptions normatives différentes. Et même l'étude approfondie de l'économie ne nous dira pas qui, de Pierre ou Paul, paie trop pour son eau.

LA PERCEPTION ET LA RÉALITÉ

En raison des différences de raisonnement scientifique et de système de valeurs, les désaccords entre les économistes sont inévitables. Cela dit, il ne faudrait pas exagérer leur importance. Dans bien des cas, les économistes partagent le même avis.

Le tableau 2.2 présente dix propositions concernant les politiques économiques. Lors d'une enquête réalisée dans le monde des affaires et dans les sphères gouvernementale et universitaire, la majorité des économistes a endossé ces dix propositions. Un tel consensus serait hautement improbable au sein du grand public.

La première proposition porte sur la réglementation des loyers. Pour des raisons que nous aborderons dans le chapitre 6, pratiquement tous les économistes reconnaissent les effets néfastes de cette réglementation sur la disponibilité et la qualité des logements de même que le caractère coûteux de cette mesure pour aider les plus démunis de la société. Néanmoins, plusieurs gouvernements provinciaux ont choisi d'ignorer cette recommandation en fixant des plafonds sur les loyers.

La deuxième proposition de ce tableau a trait aux droits de douane et aux quotas d'importation. Nous verrons dans le chapitre 3, et de manière plus détaillée dans le chapitre 9, les raisons qui poussent les économistes à s'opposer à toute restriction au libre-échange. Toutefois, au fil des ans, le Parlement a choisi de limiter les importations de certains biens. Les élections fédérales de 1988 se sont jouées sur la décision de signer ou non l'Accord de libre-échange entre le Canada et les États-Unis visant à réduire les droits de douane. En dépit de l'approbation d'une majorité d'économistes, nombre d'électeurs se sont opposés à cet accord, de même que le Parti libéral et le Nouveau Parti démocratique. Le Parti progressiste conservateur a finalement gagné ces élections de justesse et signé l'accord. Dans ce cas, les économistes étaient unanimes, mais la classe politique comme les électeurs ont choisi de les ignorer.

Si l'ensemble des experts s'y oppose, pourquoi les politiques de réglementation des loyers et des quotas d'importation perdurent-elles ? Probablement parce que les économistes n'ont pas encore réussi à convaincre le grand public de leurs conséquences ruineuses. Ce livre vise notamment à vous permettre de comprendre l'opinion des économistes sur les différentes questions économiques et, éventuellement, de vous convaincre de leur bien-fondé.

PROPOSITIONS (ET POURCENTAGES D'APPROBATION DES ÉCONOMISTES)

1. Une réglementation des loyers limite la qualité et la quantité de logements. (93 %)

2. Les droits de douane et les quotas d'importation réduisent le bien-être économique général. (93 %)

3. Des taux de change flexibles et flottants assurent un ordre monétaire international efficace. (90 %)

4. Une politique budgétaire (réduction des impôts ou augmentation des dépenses publiques) a un effet stimulant non négligeable sur une économie en situation de sous-emploi. (90 %)

5. Il est préférable d'équilibrer le budget en fonction du cycle économique plutôt que sur une base annuelle. (85 %)

6. Des versements en espèces augmentent davantage le bien-être des prestataires que des transferts en nature d'un montant équivalent. (84 %)

7. Un déficit fédéral important influe négativement sur l'économie. (83 %)

8. Le salaire minimum augmente le taux de chômage chez les jeunes et les travailleurs non qualifiés. (79 %)

9. Le gouvernement devrait réorganiser le système de sécurité du revenu selon le principe de « l'impôt négatif ». (79 %)

10. Les redevances pour rejets d'effluents, de même que les permis négociables, représentent une meilleure approche pour maîtriser la pollution que l'imposition de limites de pollution. (78 %)

SOURCE: Richard M. Alston, J.-R. Kearl, et Michael B. Vaughn, « Is There Consensus among Economists in the 1990s? », *American Economic Review*, mai 1992, p. 203-209.

MINITEST: Quelles raisons peuvent pousser les conseillers économiques du Premier ministre à diverger d'opinion sur une question de politique économique?

METTONS-NOUS AU TRAVAIL!

Dans les deux premiers chapitres de ce manuel, nous vous avons présenté les idées et les méthodes de la science économique. Nous sommes maintenant prêts à entrer dans le vif du sujet. Le prochain chapitre détaillera les principes du comportement des agents et des politiques économiques.

La progression dans cette lecture mettra vos cellules grises à contribution. Il vous sera probablement utile de garder à l'esprit certaines recommandations du célèbre économiste John Maynard Keynes :

« L'étude de l'économie ne semble requérir aucun talent particulier, ni sortant de l'ordinaire. Ne s'agit-il pas […] d'un sujet très facile en comparaison des secteurs hautement spécialisés de la philosophie ou des sciences pures ? Une discipline relativement simple, dans laquelle bien peu se distinguent! Ce paradoxe s'explique, en partie, parce que l'expert dans le domaine doit démontrer une rare combinaison de talents. Il lui faut être, dans une certaine mesure, à la fois mathématicien, historien, homme d'État et philosophe. Il se doit de comprendre les symboles mais de s'exprimer avec des mots simples. Il doit pouvoir s'intéresser aux détails sans oublier la vue d'ensemble, et dans un même raisonnement, passer de l'abstraction aux éléments concrets. Il doit étudier le présent en fonction du passé tout en se souciant de l'avenir. Rien de ce qui concerne la nature humaine ou les institutions ne doit lui échapper. Il saura se montrer simultanément résolu et désintéressé ; aussi incorruptible et détaché qu'un artiste, mais parfois aussi pragmatique qu'un homme politique. »

Tout un programme ! Mais avec un peu de pratique et de persévérance, vous vous accoutumerez progressivement à penser comme un économiste.

Résumé

◆ Les économistes tentent d'aborder l'objet d'étude avec l'objectivité des scientifiques. Comme eux, ils formulent des hypothèses appropriées et construisent des modèles simples pour comprendre le monde. Le diagramme des flux circulaires et la courbe des possibilités de production comptent au nombre de ces modèles.

◆ L'économie se divise en deux domaines : la microéconomie et la macroéconomie. Les spécialistes en microéconomie étudient les décisions des ménages et des entreprises, et leurs interactions sur les marchés. Les macroéconomistes se concentrent sur les forces et les tendances qui affectent l'économie dans son ensemble.

◆ Un énoncé positif constitue une description du monde tel qu'il est. Un énoncé normatif dépeint le monde tel qu'il devrait être. Lorsque les économistes formulent des propositions normatives, ils se comportent en conseillers politiques plutôt qu'en scientifiques.

◆ Les économistes formulent souvent des recommandations contradictoires aux dirigeants, soit parce que leurs raisonnements scientifiques sont divergents, soit parce qu'ils ne partagent pas les mêmes valeurs. Parfois, les économistes sont unanimes, mais les décideurs ont tout le loisir de les ignorer.

Concepts clés

Courbe des possibilités de
    production, p. 23
Diagramme des flux circulaires,
    p. 21

Énoncé normatif, p. 26
Énoncé positif, p. 26

Macroéconomie, p. 25
Microéconomie, p. 25

Questions de révision

1. En quoi l'économie est-elle une science ?

2. Pourquoi les économistes utilisent-ils des postulats ?

3. Un modèle économique doit-il décrire la réalité avec exactitude ?

4. Tracez et expliquez une courbe des possibilités de production dans le cas d'une économie qui produit du lait et des biscuits. Si une épidémie extermine la moitié du cheptel, comment cette courbe se comportera-t-elle ?

5. Servez-vous d'une courbe des possibilités de production pour décrire le concept d'« efficacité ».

6. Quels sont les deux grands domaines de l'économie ? Décrivez leur contenu respectif.

7. Quelle est la différence entre une affirmation positive et une affirmation normative ? Illustrez chacune par un exemple.

8. Quelle est la fonction de la Banque du Canada ?

9. Pourquoi les économistes formulent-ils des recommandations contradictoires aux décideurs ?

A N N E X E

UN TOUR D'HORIZON
DES GRAPHIQUES

La plupart des concepts étudiés par les économistes s'expriment sous une forme chiffrée — le prix des bananes, la quantité de bananes vendues, le coût de production des bananes, etc. Ces variables économiques sont très souvent liées les unes aux autres. Ainsi, la hausse du prix des bananes provoque une baisse de leur consommation. Pour illustrer les relations entre ces variables, on a recours à des graphiques.

Ces graphiques servent deux finalités. Ils facilitent l'élaboration de théories économiques en présentant les idées plus clairement que ne le feraient des équations ou des mots. En outre, lors de l'analyse des données économiques, les graphiques nous renseignent sur la corrélation des phénomènes dans la réalité. Que l'on travaille du point de vue théorique ou avec des données réelles, les graphiques organisent et mettent en relief les éléments reconnaissables parmi un foisonnement d'observations.

L'information numérique s'exprime de diverses manières, tout comme la pensée se formule de bien des façons. Un écrivain de talent choisit ses mots pour simplifier l'argumentation, agrémenter une description ou dramatiser une scène. Un bon économiste sélectionnera le type de graphique qui convient le mieux à ce qu'il cherche à démontrer.

Dans cette annexe, nous aborderons également l'utilisation des graphiques pour étudier les relations mathématiques entre les diverses variables. Nous discuterons également des pièges de la méthode graphique.

LES GRAPHIQUES À UNE VARIABLE

La figure 2A.1 présente trois types de graphiques classiques. Le *diagramme circulaire*, en (a), qui représente la répartition des revenus canadiens selon les différentes sources, dont les traitements et les salaires, les bénéfices des sociétés, etc. Chaque pointe du diagramme représente la proportion de chacune des sources par rapport au total. L'*histogramme*, en (b), établit une comparaison démographique des diverses régions du Canada. La taille de chaque bâtonnet est proportionnelle à la population de chaque région. Le *graphique de série chronologique*, en (c), illustre l'évolution de la productivité de l'économie canadienne dans le temps. Le tracé représente la production horaire annuelle. On trouve des graphiques similaires dans les journaux et les magazines.

LES GRAPHIQUES À DEUX VARIABLES: LE SYSTÈME
DE COORDONNÉES CARTÉSIEN

L'utilité des trois graphiques de la figure 2A.1 se limite à décrire les variations d'une variable dans le temps ou entre des secteurs, des régions, etc. Ce type d'information s'avère insuffisant puisqu'il ne prend en compte qu'une seule variable. Les économistes se préoccupent souvent des relations entre diverses

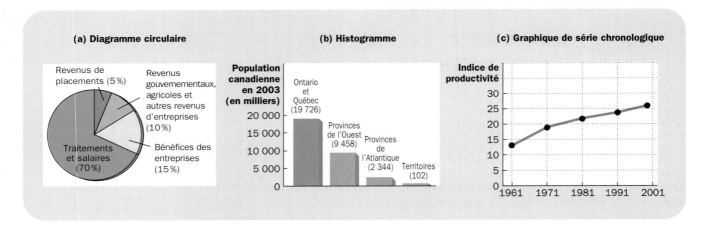

DES TYPES DE GRAPHIQUES. Le diagramme circulaire, en (a), montre la répartition des revenus canadiens en 2003 entre les différentes sources. L'histogramme, en (b), établit une comparaison entre la population de quatre régions canadiennes. Le graphique de série chronologique, en (c), représente l'évolution de la productivité de l'économie canadienne entre 1961 et 2001.

Figure 2A.1

SOURCE : (a) Statistique Canada, *Produit intérieur brut en terme de revenu*, tableau 380-0016. (b) Statistique Canada, *Population, provinces et territoires*, tableau 051-0010. (c) Statistique Canada : données concernant la productivité.

variables. Dans cette optique, ils ont besoin d'illustrer les deux variables sur un seul graphique et recourent alors au *système de coordonnées cartésien*.

Imaginons que vous vouliez examiner la relation qui existe entre le nombre d'heures d'étude et les résultats scolaires obtenus. Vous enregistrez ainsi un couple de données pour chaque étudiant : le nombre d'heures hebdomadaires passées à étudier et la note moyenne obtenue. Ces deux nombres sont mis entre parenthèses sous la forme d'une *paire ordonnée* et apparaissent sur le graphique sous la forme d'un point. Maxime est représentée par la paire ordonnée (25 heures/semaine, Moyenne de 80 %), alors que son frère Thomas sera représenté par la paire (5 heures/semaine, Moyenne de 50 %).

Il est possible de représenter ces deux paires ordonnées sur un graphique à deux dimensions. Le premier nombre de la paire, appelé *coordonnée en x*, indique la position horizontale du point. Le deuxième nombre, appelé *coordonnée en y*, donne la position verticale de ce même point. Le point d'*origine* correspond à la position où les coordonnées en x et y sont égales à 0. Les deux coordonnées de la paire ordonnée nous indiquent où se trouve le point par rapport à l'origine : x unités à la droite de l'origine et y unités au-dessus.

Le graphique de la figure 2A.2 représente la moyenne obtenue par rapport au nombre d'heures d'étude de Maxime, de Thomas et de leurs camarades de classe. Ce type de graphique porte le nom de *diagramme de dispersion* en raison du caractère éparpillé des données. Un examen rapide de ce graphique montre que les points situés le plus à droite (qui correspondent à un temps d'étude plus long) tendent également à se situer plus haut (indiquant une notation moyenne plus élevée). Comme les données concernant le temps d'étude et la notation moyenne tendent à évoluer dans la même direction, on dit que ces deux variables sont en *corrélation positive*. En revanche, si l'on représentait le temps passé à s'amuser et la moyenne des notes, il y aurait fort à parier que leur évolution serait inverse. Ces deux variables allant dans des sens opposés, elles seraient en *corrélation négative*. Dans tous les cas, le système de coordonnées fait clairement ressortir la corrélation, positive ou négative, entre les deux variables.

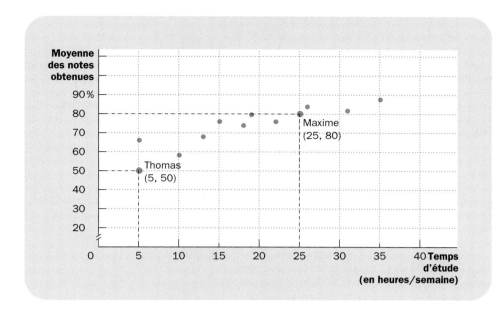

LE SYSTÈME DE COORDONNÉES CARTÉSIEN. La note moyenne se situe sur l'axe vertical (l'ordonnée), tandis que le temps d'étude se situe sur l'axe horizontal (l'abscisse). Maxime, Thomas et leurs camarades de classe sont représentés par des points. Le graphique montre clairement que les étudiants qui étudient le plus obtiennent les meilleures notes.

LES COURBES ET LE SYSTÈME DE COORDONNÉES

Les étudiants qui passent plus de temps à étudier ont tendance à obtenir de meilleures notes, mais d'autres facteurs entrent également en ligne de compte : une solide préparation, le talent, la qualité de l'enseignement et même un petit déjeuner nutritif. Le diagramme de dispersion de la figure 2A.2 ne permet pas d'isoler l'effet du temps d'étude sur les notes par rapport à celui des autres variables. Néanmoins, les économistes préfèrent observer l'influence d'une variable sur une autre, toutes choses étant égales par ailleurs.

Pour mieux comprendre cette démarche, considérons l'un des graphiques les plus utiles en économie — la *courbe de demande*. Cette courbe représente l'effet du prix d'un bien sur la quantité demandée par les consommateurs. Avant d'examiner cette courbe, considérons le tableau 2A.1 indiquant le nombre de livres achetés par Geneviève en fonction de l'évolution de son revenu et du prix des romans. Lorsque ces derniers sont bon marché, elle en achète à profusion, mais dès que leur prix augmente, elle préfère les emprunter à la bibliothèque ou aller au cinéma plutôt que de lire. De la même manière, quand elle dispose d'un revenu plus élevé, elle achète plus de romans. Ce qui revient à dire que lorsque son revenu augmente, elle consacre une part de ses revenus additionnels à l'achat de livres, et le reste à l'achat d'autres biens.

Dans ce cas, nous disposons de trois variables : le prix des romans, le revenu de Geneviève et le nombre de livres achetés. Il y a donc une variable de trop pour une représentation en deux dimensions. Pour illustrer graphiquement l'information du tableau 2A.1, il faut que l'une des trois variables demeure constante afin que nous puissions illustrer la relation entre les deux autres. Parce que la courbe de demande représente la relation entre le prix et la quantité demandée, nous considérerons d'emblée que le revenu de Geneviève est constant et nous montrerons que le nombre de romans qu'elle achète varie en fonction de leur prix.

Supposons que le revenu annuel de Geneviève soit de 30 000 $. Si l'on place le nombre de romans achetés sur l'axe des x et le prix des romans sur l'axe des y, il est possible de représenter graphiquement la colonne du milieu du tableau 2A.1. En reliant les points représentant les données de ce tableau — (5 romans, 20 $), (9 romans, 18 $), etc. —, on obtient une droite. Cette droite, tracée dans la figure 2A.3, correspond à la courbe de demande de romans de Geneviève ; elle

Tableau 2A.1

LES ROMANS ACHETÉS PAR GENEVIÈVE. Ce tableau indique le nombre de romans achetés par Geneviève en fonction de leur prix et de ses revenus. Pour un niveau de revenu donné, il est possible de représenter le prix et la quantité pour tracer la courbe de demande de romans de Geneviève, comme sur la figure 2A.3.

| | REVENU | | |
PRIX	20 000 $	30 000 $	40 000 $
20 $	2 romans	5 romans	8 romans
18	6	9	12
16	10	13	16
14	14	17	20
12	18	21	24
10	22	25	28
	Courbe de demande D_3	Courbe de demande D_1	Courbe de demande D_2

Figure 2A.3

LA COURBE DE DEMANDE. La droite D_1 indique que, son revenu étant considéré comme constant, la consommation de romans de Geneviève est fonction de leur prix. Puisqu'il existe une relation négative entre le prix et la quantité demandée, la courbe de demande a donc une pente négative.

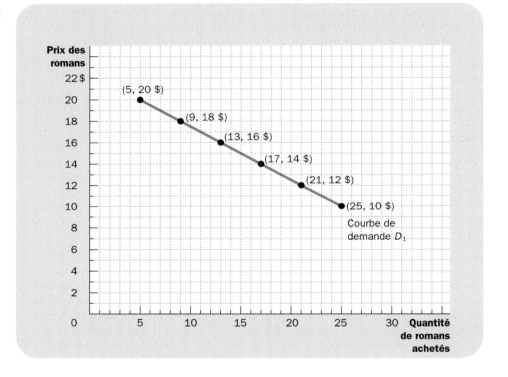

indique le nombre de romans achetés par Geneviève en fonction des différents prix. Cette courbe a une pente négative, indiquant ainsi que l'augmentation des prix réduit la quantité demandée. Comme la quantité de romans achetés et le prix vont dans des sens opposés, on dit que ces deux variables sont en *corrélation négative*. (À l'inverse, lorsque les deux variables se déplacent dans le même sens, la courbe a une pente positive, ces deux variables étant en *corrélation positive*.)

Imaginons maintenant que les revenus de Geneviève augmentent pour atteindre 40 000 $ par année. Geneviève achètera plus de romans, à un prix donné, qu'elle ne le faisait avec un revenu inférieur. Comme nous l'avons fait pour la courbe de demande précédente correspondant à la colonne du milieu du tableau 2A.1, nous pouvons maintenant tracer une nouvelle courbe de demande correspondant aux données de la colonne de droite de ce même tableau. Cette nouvelle courbe (D_2) se situe à droite de la précédente (D_1) sur la figure 2A.4 et elle est passablement identique. En conséquence, nous dirons que la courbe de demande de Geneviève se *déplace* vers la droite lorsque ses revenus augmentent. De manière identique, si le revenu de Geneviève se réduit à 20 000 $ par année, elle achète moins de romans à un prix donné et la courbe de demande se déplace vers la gauche (D_3).

Il faut bien faire la différence, en économie, entre les *déplacements le long d'une courbe* et les *déplacements d'une courbe*. Comme le montre la figure 2A.3, si Geneviève gagne 30 000 $ par année et que les romans coûtent 16 $ l'unité, elle en achètera 13 par année. Si le prix des romans tombe à 14 $, elle en achètera 17 par année. Cependant, la courbe de demande ne change pas de place. Geneviève n'achète pas plus de livres *pour chaque prix donné*, mais chaque fois que ce dernier diminue, il y a un déplacement de gauche à droite sur la courbe de demande. En revanche, si les romans restent au même prix (16 $) mais que les revenus de Geneviève atteignent 40 000 $, sa consommation de romans passe alors de 13 à 16 livres par année. Parce qu'elle achète plus de livres *pour chaque prix donné*, c'est la courbe de demande qui cette fois se déplace vers la droite, comme le montre la figure 2A.4.

Il est facile de savoir si c'est la courbe qui se déplace. Chaque fois qu'une variable ne figurant sur aucun des deux axes est affectée, la courbe se déplace. Comme le revenu n'apparaît ni sur l'axe des *x* ni sur l'axe des *y*, la courbe de demande doit se déplacer chaque fois que ce revenu varie. Toutes les modifications des habitudes de consommation de Geneviève, à l'exception du prix des romans, occasionneront un déplacement de la courbe de demande. Si la bibliothèque ferme ses portes, Geneviève devra acheter tous les titres qu'elle se propose de lire et augmentera du même coup sa consommation de livres pour chaque prix donné; la courbe de demande se déplacera alors vers la droite. Si le prix du billet de cinéma diminue et que Geneviève passe plus de temps dans les salles obscures qu'à côté de sa lampe de chevet, la courbe de demande se déplacera vers la gauche. En revanche, lorsqu'une variable représentée sur l'un des axes du graphique est affectée, la courbe reste à la même place et on parlera alors d'un déplacement le long de cette courbe.

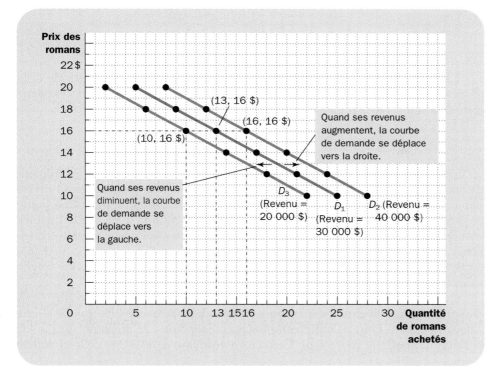

Figure 2A.4

Les déplacements de la courbe de demande. La localisation de la courbe de demande de Geneviève dépend de ses revenus. Plus elle gagne d'argent, plus elle achète de romans à un prix donné, et plus la courbe de demande se déplace vers la droite. La courbe D_1 représente la demande de Geneviève pour un revenu annuel de 30 000 $. Si son revenu passe à 40 000 $ par année, la courbe se déplace en D_2. S'il tombe à 20 000 $ par année, cette courbe se déplace en D_3.

LA PENTE

L'une des questions qui nous viennent à l'esprit concerne l'influence des prix sur les habitudes de consommation de Geneviève. Si la courbe de demande de la figure 2A.5 est très abrupte, cela signifie que Geneviève achète pratiquement le même nombre de livres sans égard à leur prix. Si, à l'inverse, cette courbe s'aplatit, c'est que Geneviève achète beaucoup moins de romans lorsque leur prix monte. Pour répondre à la question concernant l'influence d'une variable sur une autre, il faut aborder le concept de *pente*.

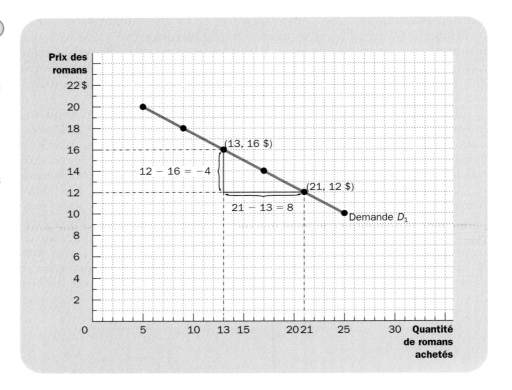

Figure 2A.5

LE CALCUL DE LA PENTE D'UNE DROITE. Pour calculer la pente d'une courbe de demande, il faut considérer les variations de x et de y lorsqu'on passe du point (21 romans, 12 $) au point (13 romans, 16 $). La pente correspond au ratio entre la variation de y (-4) et la variation de x ($+8$), soit $-1/2$.

La pente d'une droite correspond au ratio entre la distance verticale et la distance horizontale lorsqu'on se déplace le long de cette droite. On exprime cette définition par l'équation suivante:

$$\text{pente} = \frac{\Delta y}{\Delta x}$$

où la lettre grecque Δ (delta) représente le changement de la variable. Autrement dit, la pente de cette droite équivaut au «dénivelé» (changement en y) divisé par la «distance» (changement en x). Une droite ascendante aura une pente positive forte ou faible selon qu'elle sera accentuée ou non. Une droite inclinée vers le bas aura quant à elle une pente négative. Une droite horizontale correspond à une pente nulle, l'ordonnée ne changeant pas dans ce cas; une droite verticale a pour sa part une pente infinie, y pouvant prendre n'importe quelle valeur sans que la valeur de x change.

Quelle valeur la pente de la courbe de demande de Geneviève a-t-elle? Tout d'abord, comme la droite est inclinée vers le bas, nous savons qu'elle a une valeur négative. Pour calculer cette valeur, choisissons deux points situés sur la ligne. Lorsque le revenu de Geneviève équivaut à 30 000 $, celle-ci achète

21 romans coûtant 12 $, ou 13 romans coûtant 16 $. En appliquant la formule de la pente, nous prenons en compte la dénivellation entre ces deux points, laquelle équivaut à leur différence. Nous soustrairons donc les valeurs de l'un des points des valeurs de l'autre:

$$\text{pente} = \frac{\Delta y}{\Delta x} = \frac{\text{première coordonnée en } y - \text{seconde coordonnée en } y}{\text{première coordonnée en } x - \text{seconde coordonnée en } x} = \frac{12 - 16}{21 - 13} = \frac{-4}{8} = \frac{-1}{2}$$

La figure 2A.5 illustre graphiquement ce calcul. Si vous essayez de refaire ce calcul pour deux autres points, vous devriez obtenir exactement le même résultat, soit −1/2. L'une des propriétés fondamentales de la droite est d'avoir une pente identique en tous points. Cela n'est pas vrai des autres types de courbes, dont l'inclinaison varie selon les points.

La courbe de demande de Geneviève démontre que ses achats varient selon les prix. Une faible pente (dont la valeur se rapproche de zéro) signifie que la courbe de demande est relativement plate. Dans ce cas, Geneviève modifie grandement sa consommation selon les changements de prix. Une courbe plus abrupte indique que la pente est relativement forte et, dans ce cas, la variation des prix des romans n'influe guère sur sa consommation.

LES CAUSES ET LES EFFETS

Les économistes utilisent souvent des graphiques pour étayer un raisonnement sur le fonctionnement de l'économie. En d'autres termes, ces graphiques leur permettent de démontrer comment une série de phénomènes en *cause* une autre. Dans le cas d'une courbe de demande, la cause et l'effet ne font aucun doute. En faisant varier le prix des romans, tout en maintenant toutes les autres variables constantes, on constate un changement dans la quantité demandée de livres par Geneviève. N'oublions pas cependant que cette courbe de demande concerne un exemple fictif. Lorsqu'il s'agit des données réelles, il est souvent beaucoup plus difficile de savoir comment une variable influe sur une autre.

La première difficulté dans la recherche de cette causalité réside dans la nécessité de maintenir tous les autres facteurs constants. À défaut d'y parvenir, on risque d'isoler deux variables et d'en *omettre* une autre pourtant plus susceptible d'être la cause recherchée. Dans le cas où nous avons correctement identifié les deux variables, un autre problème risque de se poser — la *causalité inverse*. Autrement dit, nous pouvons décider que A provoque B, alors qu'en réalité B est à l'origine de A. Les pièges de la variable omise ou de la causalité inverse exigent un grand discernement avant d'utiliser des graphiques pour tirer des conclusions sur les causes et les effets.

Les variables omises. Prenons un exemple pour illustrer comment une variable omise peut conduire à un graphique trompeur. Poussé par la préoccupation publique concernant un nombre élevé de décès attribuables au cancer, le gouvernement confie une étude exhaustive à la société Services Statistiques Big Brother inc. Cette dernière analyse les divers éléments trouvés au domicile des individus pour identifier la présence de facteurs cancérigènes. Elle arrive à établir une relation entre les briquets trouvés au domicile et la propension d'un des membres de la famille à développer une tumeur cancéreuse. La figure 2A.6 montre cette relation.

Que faire d'un tel résultat? Big Brother recommande une intervention publique rapide: le gouvernement doit taxer la vente des briquets pour décourager leur consommation. La firme recommande également de faire figurer l'étiquette suivante sur tous les briquets: «Big Brother considère que ce briquet présente un danger pour la santé.»

GRAPHIQUE COMPORTANT UNE VARIABLE OMISE. La courbe ayant une pente positive indique que les membres des ménages possédant de nombreux briquets sont les plus susceptibles de développer un cancer. On ne doit cependant pas en conclure que la possession d'un briquet cause le cancer, puisque ce graphique ne tient pas compte de la consommation de cigarettes.

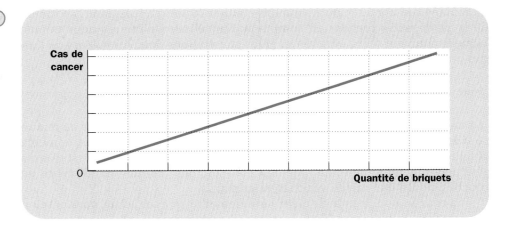

Pour juger de la validité de l'analyse de Big Brother, il est nécessaire de poser une question primordiale : outre les variables sélectionnées, Big Brother a-t-il maintenu les autres variables constantes ? Si la réponse est négative, les résultats se révèlent hautement suspects. Un raisonnement simple au vu de la figure 2A.6 consisterait à dire que les propriétaires de briquets sont également les plus susceptibles de fumer et que les cigarettes, et non les briquets, provoquent le cancer. Si la variable « fumer des cigarettes » ne demeure pas constante à la figure 2A.6, cette dernière ne nous renseigne pas sur l'effet réel de la possession d'un briquet.

Cette histoire met en évidence un principe : en lisant un graphique qui étaye un raisonnement sur les causes et les effets, il faut se demander si les résultats observés ne dépendent pas plutôt d'une variable omise.

La causalité inverse. Les économistes peuvent également se tromper en intervertissant les causes et les effets. À ce titre, supposons que l'Association canadienne des anarchistes commande une enquête sur les actes criminels au Canada et que cette étude montre, à la figure 2A.7, une relation entre le nombre de crimes violents et le nombre de policiers pour 1 000 habitants. Faisant remarquer que cette courbe a une pente positive, les anarchistes réclament la suppression du maintien de l'ordre, puisque la présence de la police ne fait qu'aggraver la criminalité urbaine.

Pour éviter les pièges de la causalité inverse, il faut mener des expériences. Pour ce faire, le nombre de policiers dans différentes villes sera choisi au hasard de façon à pouvoir examiner la relation entre le nombre d'actes criminels et l'effectif policier. La figure 2A.7 ne se fonde pas sur une telle expérience. Nous pouvons simplement y observer que les villes dangereuses disposent des corps de police les plus importants. L'explication peut tenir au fait que ces agglomérations engagent un plus grand nombre de policiers. Autrement dit, la présence des forces de police, à défaut de causer la criminalité pourrait, à l'inverse, en découler. Rien dans le graphique ne permet de préciser le sens de la causalité.

On pourrait croire qu'une façon simple de déterminer la causalité consiste à déterminer quelle variable change en premier. Si nous constatons une augmentation de la criminalité antérieure à une augmentation de l'effectif policier, nous arrivons à une conclusion. Si, au contraire, l'accroissement des forces de maintien de l'ordre précède une vague de violence, nous aboutissons à une autre conclusion. Toutefois, cette approche est trompeuse : bien souvent les individus modifient leur comportement non pas en réponse à une modification des conditions actuelles, mais plutôt par *anticipation* d'un changement futur. Pour se préparer à une vague de violence éventuelle, une municipalité pourra ainsi fort bien décider de renforcer son effectif policier. Ce problème se démontre encore

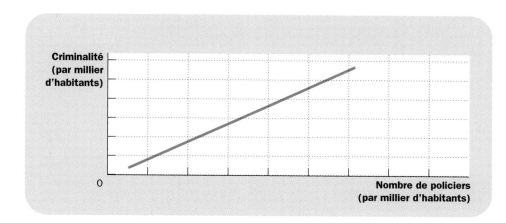

Figure 2A.7

GRAPHIQUE SUGGÉRANT UNE CAUSALITÉ INVERSE. La courbe ayant une pente positive montre que les villes où il y a une forte présence policière sont plus dangereuses. Toutefois, ce graphique ne nous dit pas si la police est cause de la criminalité ou si les villes où sévit la délinquance renforcent leurs corps policiers.

plus facilement dans le cas des bébés et des mini-fourgonnettes. Les couples achètent ce type de véhicule en prévision de l'arrivée d'un enfant. Bien que la mini-fourgonnette précède le nouveau-né, on ne doit pas pour autant en conclure que la vente de ce véhicule encourage la croissance démographique !

Il n'existe aucune règle précise permettant de conclure à une relation de causalité à partir d'un graphique. On se souviendra seulement, afin d'éviter les raisonnements économiques erronés, que les briquets ne provoquent pas le cancer (variable omise) et que les mini-fourgonnettes n'agrandissent pas les familles (causalité inverse).

3

INTERDÉPENDANCE
ET GAINS TIRÉS DE L'ÉCHANGE

Prenez une journée semblable à toutes les autres. Vous vous levez le matin, vous vous versez un jus d'orange de Californie et vous buvez un café du Brésil. Tout en déjeunant, vous regardez les nouvelles diffusées à partir de Montréal sur un téléviseur fabriqué au Japon. Vous enfilez des vêtements confectionnés en Thaïlande, faits d'un coton récolté en Géorgie. Vous vous rendez en classe dans une voiture dont les pièces viennent d'une douzaine de pays différents. Vous ouvrez votre manuel d'économie, écrit par des auteurs résidant au Massachusetts et au Québec, et publié par une compagnie québécoise sur du papier produit au Nouveau-Brunswick.

Tous les jours, vous comptez sur de nombreuses personnes dans le monde, dont vous ignorez la plupart du temps l'existence, pour vous fournir des biens et des services. Une telle interdépendance est possible grâce aux échanges commerciaux. Les personnes qui vous fournissent ces biens et ces services n'agissent ni pour votre bien, ni par simple générosité. Aucun service gouvernemental ne les enjoint de fabriquer des produits ou de vous fournir ce dont vous avez besoin. En fait, les gens qui vous approvisionnent, vous et les autres consommateurs, produisent ces biens et ces services pour obtenir quelque chose en retour.

Dans les chapitres suivants, nous verrons comment notre économie coordonne les activités de millions de gens aux goûts et aux compétences variés. Pour entamer cette analyse, voyons d'abord les raisons de cette interdépendance économique. Selon l'un des *dix principes d'économie* du chapitre 1, les échanges améliorent le bien-être de tous. Cela explique pourquoi les voisins, tout comme l'ensemble des pays, pratiquent l'échange. Dans ce chapitre, nous allons nous pencher sur ce principe. Que gagne-t-on à échanger avec les autres ? Qu'est-ce qui pousse les individus à cette interdépendance ?

ALLÉGORIE POUR UNE ÉCONOMIE MODERNE

Afin de comprendre pourquoi les individus choisissent de dépendre les uns des autres pour leurs biens et leurs services et de voir comment ce choix facilite leur existence, imaginons une économie simplifiée. Dans ce monde imaginaire, il n'existe que deux produits – la viande et les pommes de terre, et deux personnes – un éleveur de bovins et un cultivateur de pommes de terre.

Comme les avantages du commerce seront plus évidents si l'éleveur ne produit que de la viande et si le cultivateur ne cultive que des pommes de terre, partons donc de ce postulat. Selon l'un des scénarios, l'éleveur et le cultivateur peuvent choisir de s'ignorer. Après plusieurs mois passés à manger du bœuf rôti, bouilli, grillé et frit, il y a fort à parier que l'opinion de l'éleveur relativement à l'autosuffisance changera. Le fermier, lassé de consommer des pommes de terre frites, en purée, au four, au gratin, acquiescera sans doute. On voit facilement que le commerce permettra de varier les menus : chacun passant au steak frites.

Cette situation illustre de façon simpliste les avantages liés aux échanges. La démonstration serait tout aussi convaincante si chacun des protagonistes pouvait également produire l'autre bien, à un coût certes plus élevé. Imaginons donc que le cultivateur peut lui aussi élever du bétail et produire de la viande, mais sans grand succès. De la même manière, l'éleveur peut cultiver des pommes de terre, mais dans une terre ne convenant pas vraiment à cette culture. Nous voyons alors facilement que ces deux personnes ont tout avantage à se spécialiser dans le domaine où elles réussissent le mieux, puis à échanger leurs produits.

Les avantages de l'échange paraissent toutefois moins évidents dans le cas d'un individu capable de produire efficacement *tous* les biens. Pour poursuivre notre exemple, supposons que l'éleveur surpasse le fermier dans la production bovine *de même que* dans la culture de la pomme de terre. Si tel est le cas, auront-ils avantage à vivre en autarcie ? Existe-t-il encore une raison de commercer ? Pour répondre à ces questions, nous devons nous pencher sur les facteurs motivant une telle décision.

LES POSSIBILITÉS DE PRODUCTION

Admettons que l'éleveur et le fermier travaillent tous deux 8 heures par jour en décidant soit de consacrer tout leur temps à la culture des pommes de terre ou à l'élevage des bovins, soit de répartir leur temps entre ces deux activités. Le tableau 3.1 présente les quantités produites par heure, par chacune des personnes. Le fermier peut produire 1 kilo de viande ou 1 kilo de pommes de terre à l'heure. L'éleveur, qui a une productivité supérieure, arrive à obtenir 8 kilos de viande ou 2 kilos de pommes de terre par heure.

LES POSSIBILITÉS DE
PRODUCTION DU FERMIER
ET DE L'ÉLEVEUR

	QUANTITÉS PRODUITES EN 1 HEURE (EN KILOS)		QUANTITÉS PRODUITES EN 8 HEURES (EN KILOS)	
	VIANDE	POMMES DE TERRE	VIANDE	POMMES DE TERRE
FERMIER	1	1	8	8
ÉLEVEUR	8	2	64	16

Le graphique (a) de la figure 3.1 montre les quantités de viande et de pommes de terre que peut produire le fermier. S'il consacre 8 heures par jour à la culture des pommes de terre, il en récolte 8 kilos, mais il ne produit pas de viande. À l'inverse, s'il se consacre intégralement à l'élevage, il produit alors 8 kilos de viande mais aucune pomme de terre. En répartissant son temps également entre les deux activités (4 heures pour chacune), il obtient 4 kilos de pommes de terre et 4 kilos de viande. Ces trois possibilités, et toutes celles qui sont intermédiaires, sont illustrées sur ce graphique.

La droite ainsi tracée représente la courbe des possibilités de production du fermier. Comme nous l'avons expliqué dans le chapitre 2, cette courbe représente toutes les possibilités de production d'une économie. Elle illustre l'un des *dix principes d'économie*: les gens sont soumis à des arbitrages. Dans ce cas, l'arbitrage concerne la production de viande et la production de pommes de terre. Vous vous souvenez sans doute de la courbe des possibilités de production du chapitre 2 et de sa forme arquée. Or, dans la situation présente, la technologie de production du fermier pour les deux biens en question (présentés dans le tableau 3.1) lui permet de passer d'un bien à un autre à un taux constant. Le tracé de la courbe des possibilités de production est donc une droite.

Le graphique (b) de la figure 3.1 illustre la courbe des possibilités de production de l'éleveur. S'il consacre l'intégralité de sa journée à cultiver des pommes de terre, il en récoltera 16 kilos sans produire de viande. À l'inverse, s'il se consacre à l'élevage, il produira 64 kilos de viande sans récolter aucune pomme de terre. S'il répartit son temps également entre ces deux activités (4 heures pour chacune), il obtiendra 8 kilos de pommes de terre et 32 kilos de viande. La courbe des possibilités de production illustre, cette fois encore, tous les résultats possibles.

Si chacun des deux producteurs décide de vivre en autarcie au lieu de commercer, il consommera ce qu'il aura produit. Dans cette hypothèse, la courbe des possibilités de production représente également la courbe des possibilités de consommation. En l'absence d'échange, la figure 3.1 montre les différentes combinaisons alimentaires possibles du fermier et de l'éleveur.

La courbe des possibilités de production a le mérite de décrire les arbitrages auxquels est soumis chacun de nos protagonistes. Toutefois, elle ne nous indique nullement ce qu'ils décideront de faire dans la réalité. Pour comprendre leur choix, nous devons connaître leurs goûts. Supposons qu'ils choisissent respectivement les combinaisons représentées par les points A et B de la figure 3.1: le fermier produit et consomme 4 kilos de pommes de terre et 4 kilos de viande, tandis que l'éleveur produit et consomme 8 kilos de pommes de terre et 32 kilos de viande.

La courbe des possibilités de production. Le graphique (a) illustre les combinaisons possibles de viande et de pommes de terre produites par le fermier. Le graphique (b) illustre les combinaisons possibles de viande et de pommes de terre produites par l'éleveur. Ces deux courbes correspondent aux données du tableau 3.1 et respectent l'hypothèse selon laquelle le fermier et l'éleveur travaillent chacun 8 heures par jour.

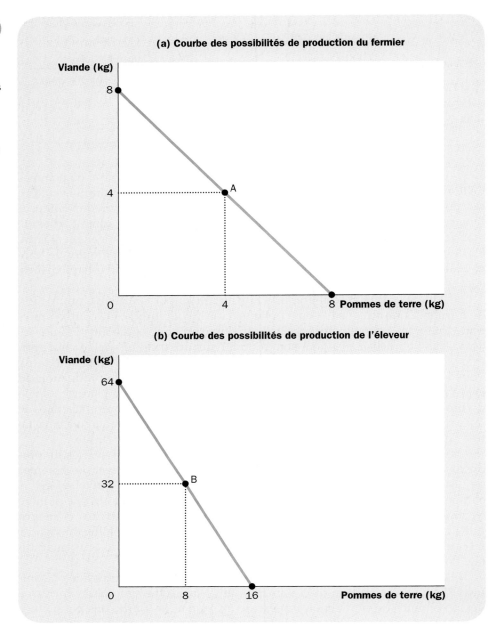

LA SPÉCIALISATION ET LES ÉCHANGES

Après plusieurs années passées à se nourrir selon la combinaison B, l'éleveur a une idée et décide d'en discuter avec le fermier.

ÉLEVEUR: Salut! J'ai un marché à te proposer! J'ai trouvé le moyen de nous faciliter la vie. Je crois que tu devrais cesser de faire de l'élevage pour te consacrer entièrement à la culture des pommes de terre. D'après mes calculs, si tu travailles 8 heures par jour, tu peux en produire 8 kilos. Tu me donnes 3 de ces 8 kilos, et je te donne 6 kilos de viande en retour. Au bout du compte, tu mangeras 5 kilos de pommes de terre et 6 kilos de viande chaque semaine au lieu des 4 kilos de pommes de terre et des 4 kilos de viande que tu as maintenant. Si tout marche comme prévu, nous aurons *tous les deux* plus de nourriture. [Et pour prouver son argumentation, il lui montre le graphique (a) de la figure 3.2.]

FERMIER : (*quelque peu sceptique*) Intéressant. Mais je ne comprends pas vraiment pourquoi tu me fais cette offre. Si ce marché est si avantageux pour moi, il ne peut pas te convenir aussi.

ÉLEVEUR : Mais bien sûr ! Si je consacre 1 heure de mon temps à élever du bétail au lieu de cultiver des pommes de terre, je produirai 8 kilos de viande additionnels et 2 kilos de pommes de terre en moins. Mais comme tu me donneras 3 kilos de pommes de terre en échange de mes 6 kilos de viande, je disposerai de 1 kilo de pommes de terre et de 2 kilos de viande supplémentaires. Résultat : je pourrai consommer ces deux produits en quantité plus grande que maintenant. [Il lui montre le graphique (b) de la figure 3.2.]

FERMIER : Je ne sais pas… Cela me semble trop beau pour être vrai.

ÉLEVEUR : Ce n'est pas aussi compliqué que cela en a l'air. Tiens, j'ai résumé mon offre dans un tableau simple. [L'éleveur lui tend le tableau 3.2.]

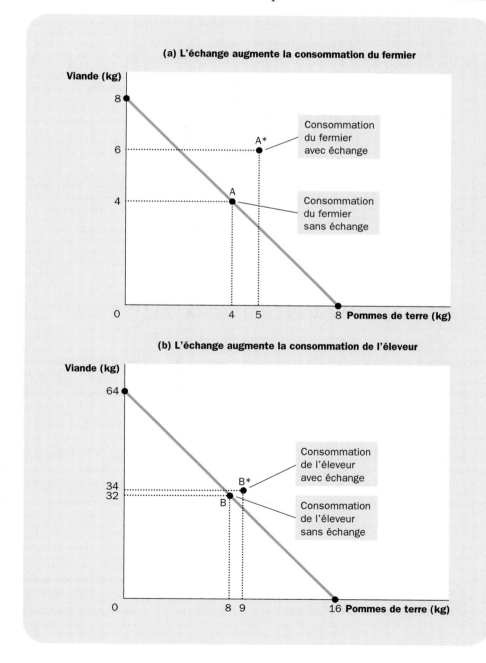

Figure 3.2

LA FAÇON DONT LE COMMERCE FAVORISE LES POSSIBILITÉS DE CONSOMMATION. La proposition de l'éleveur offre à chacun une combinaison de viande et de pommes de terre impossible à réaliser sans échange. Dans le graphique (a), la consommation du fermier passe du point A au point A*. Dans le graphique (b), la consommation de l'éleveur passe du point B au point B*. Cet échange permet à chacun de consommer plus de viande et plus de pommes de terre.

| | SANS ÉCHANGE | AVEC ÉCHANGE | | | |
	PRODUCTION ET CONSOMMATION	PRODUCTION	ÉCHANGE	CONSOMMATION	GAINS
FERMIER	4 kg de viande 4 kg de pommes de terre	0 kg de viande 8 kg de pommes de terre	Reçoit 6 kg de viande contre 3 kg de pommes de terre	6 kg de viande 5 kg de pommes de terre	2 kg de viande 1 kg de pommes de terre
ÉLEVEUR	32 kg de viande 8 kg de pommes de terre	40 kg de viande 6 kg de pommes de terre	Donne 6 kg de viande contre 3 kg de pommes de terre	34 kg de viande 9 kg de pommes de terre	2 kg de viande 1 kg de pommes de terre

Tableau 3.2

LES AVANTAGES DU COMMERCE

FERMIER : *(après avoir pris le temps de l'étudier)* Ces calculs m'ont l'air corrects, mais il y a quelque chose qui m'intrigue. Pourquoi cet arrangement nous conviendrait-il à tous les deux ?

ÉLEVEUR : Parce que le commerce nous permet de nous spécialiser dans ce en quoi nous excellons. Tu vas passer plus de temps à faire pousser des pommes de terre et moins de temps à élever du bétail. Je consacrerai plus de temps à l'élevage qu'à la culture des pommes de terre. En fin de compte, la spécialisation et le commerce nous permettront de manger plus de viande et de pommes de terre sans pour autant travailler davantage.

MINITEST : Dessinez la courbe des possibilités de production de Robinson Crusoé, un naufragé qui passe son temps à ramasser des noix de coco et à pêcher du poisson. Cette courbe limite-t-elle sa consommation de noix de coco et de poissons s'il vit en autarcie sur son île ? Se heurterait-il aux mêmes limites s'il pouvait commercer avec les autochtones de l'île ?

LE PRINCIPE DE L'AVANTAGE COMPARATIF

L'explication des avantages du commerce avancée par l'éleveur, bien que correcte, pose problème : si ce dernier réussit mieux que le fermier dans l'élevage du bétail comme dans la culture de pommes de terre, comment le fermier pourra-t-il se spécialiser dans une activité qui lui convient ? En effet, il ne semble exceller dans aucun domaine. Pour résoudre ce problème, il faut aborder le principe de l'*avantage comparatif.*

Pour ce faire, demandons-nous qui, dans l'exemple donné, est en mesure de produire le plus de pommes de terre au meilleur prix : le fermier ou l'éleveur ? Il existe deux réponses possibles à cette question et chacune d'elles résout le problème et permet de comprendre les avantages liés au commerce.

L'AVANTAGE ABSOLU

Une première réponse concernant le coût de production des pommes de terre consiste à comparer les intrants nécessaires aux deux producteurs. L'éleveur ne prend qu'une demi-heure pour produire 1 kilo de pommes de terre, tandis que le fermier a besoin d'une heure. En fonction de ces données, on aura tendance à conclure que le coût de production de l'éleveur est inférieur à celui du fermier.

Les économistes emploient le terme **avantage absolu** lorsqu'ils comparent la productivité d'une personne, d'une entreprise ou d'une nation à une autre. On considère que le producteur qui utilise le moins d'intrants pour produire un bien dispose d'un avantage absolu. Dans notre exemple, l'éleveur dispose d'un tel avantage pour les pommes de terre comme pour la viande, parce qu'il va plus vite que le fermier pour ces deux types de production.

Avantage absolu
Avantage que détient une personne sur une autre lorsque, avec la même quantité de facteurs de production, sa production est supérieure.

LE COÛT DE RENONCIATION ET L'AVANTAGE COMPARATIF

Il existe une autre façon de calculer le coût de production des pommes de terre. Au lieu de comparer les intrants nécessaires, on peut comparer les coûts de renonciation. Dans le chapitre 1, nous avons vu que le **coût de renonciation** d'un bien équivaut à ce à quoi il a fallu renoncer pour l'obtenir. Dans l'exemple précité, nous avons supposé que le fermier et l'éleveur passaient, tous deux, 8 heures par jour à travailler. Le temps consacré à la culture des pommes de terre réduit donc d'autant le temps consacré à l'élevage du bétail. Lorsque l'éleveur ou le fermier répartissent leur temps de production d'une manière différente, ils se déplacent le long de leur courbe des possibilités de production ; d'une certaine manière, ils se servent d'un bien pour en produire un autre. Le coût de renonciation correspond donc à l'arbitrage auquel chacun d'eux est soumis.

Coût de renonciation
Ce à quoi il faut renoncer pour obtenir quelque chose. Meilleure possibilité à laquelle on a renoncé en prenant une décision, en faisant un choix.

Observons d'abord le coût de renonciation du fermier. Il prend 1 heure pour produire 1 kilo de pommes de terre. Cela signifie qu'il consacrera 1 heure de moins à l'élevage. Puisque sa production de viande équivaut à 1 kilo par heure, chaque heure consacrée à la culture des pommes de terre signifie 1 kilo de viande en moins. Par conséquent, le coût de renonciation de 1 kilo de pommes de terre est de 1 kilo de viande. La courbe des possibilités de production reflète ce coût de renonciation. La courbe descendante du graphique (a) de la figure 3.1 a une pente négative égale à −1.

Prenons maintenant le coût de renonciation de l'éleveur. Chaque heure passée à cultiver des pommes de terre plutôt que d'élever des bovins se traduit par une augmentation de la production de pommes de terre de 2 kilos pour une diminution de 8 kilos de viande. En conséquence, chaque demi-heure consacrée aux pommes de terre augmente sa production de 1 kilo et diminue celle de la viande de 4 kilos. Son coût de renonciation pour 1 kilo de pommes de terre équivaut donc à 4 kilos de viande. La courbe des possibilités de production de l'éleveur est représentée sur le graphique (b) de la figure 3.1. Elle reflète ce coût de renonciation, la pente étant égale à −4.

Le tableau 3.3 présente les coûts de renonciation de la viande et des pommes de terre pour les deux producteurs. Remarquez que le coût de renonciation pour la viande correspond à l'inverse de celui des pommes de terre. Puisque 1 kilo de pommes de terre coûte quatre kilos de viande à l'éleveur, un kilo de viande lui coûte donc 0,25 kilo de pommes de terre. De la même façon, puisque 1 kilo de pommes de terre coûte au fermier 1 kilo de viande, 1 kilo de viande lui coûte alors 1 kilo de pommes de terre.

Les économistes emploient le terme **avantage comparatif** pour décrire le coût de renonciation de ces deux producteurs. Celui qui a le coût de renonciation le plus faible dispose d'un avantage comparatif pour la production de ce bien. Dans notre exemple, le coût de renonciation du fermier est inférieur à celui de l'éleveur pour les pommes de terre (1 kilo de viande au lieu de 4). En revanche, le coût de renonciation de l'éleveur est plus faible que celui du fermier pour la production de la viande (1/4 de kilo de pommes de terre au lieu de 1 kilo). Ils bénéficient chacun d'un avantage comparatif ; le fermier pour la production de pommes de terre, et l'éleveur pour la production de viande.

Avantage comparatif
Avantage que détient une personne ou un pays dans la production d'un bien ou d'un service lorsqu'il peut produire ce bien à un coût de renonciation moindre.

LES COÛTS DE RENONCIATION
DE LA VIANDE ET DES POMMES
DE TERRE

	COÛT DE RENONCIATION DE 1 KG DE…	
	VIANDE (EN TERMES DE POMMES DE TERRE SACRIFIÉES)	POMMES DE TERRE (EN TERMES DE VIANDE SACRIFIÉE)
FERMIER	1	1
ÉLEVEUR	1/4	4

Notez qu'il serait impossible pour une seule et même personne de disposer d'un avantage comparatif pour les deux produits. Comme le coût de renonciation d'un bien équivaut à l'inverse du coût de renonciation de l'autre, un coût de renonciation relativement élevé pour un produit entraîne un coût de renonciation relativement faible pour l'autre. L'avantage comparatif reflète le coût de renonciation relatif. À moins que deux producteurs n'aient exactement le même coût de renonciation, l'un des deux aura toujours un avantage comparatif dans la production d'un bien, tandis que l'autre aura un avantage comparatif dans la production de l'autre bien.

L'AVANTAGE COMPARATIF ET LES ÉCHANGES

Les bénéfices tirés de l'échange découlent des différences entre les coûts de renonciation et, par conséquent, des avantages comparatifs respectifs. Lorsque chacun se spécialise dans la production de biens pour lesquels il dispose d'un avantage comparatif, la production totale augmente. En d'autres mots, aussi longtemps que les coûts de renonciation sont différents pour deux personnes, chacune tire profit d'un échange en obtenant un bien à un prix inférieur à son propre coût de renonciation.

Revenons sur la proposition précédente en adoptant le point de vue du fermier. Celui-ci reçoit 6 kilos de viande en échange de 3 kilos de pommes de terre. En d'autres mots, il paie chaque kilo de viande au prix de 1/2 kilo de pommes de terre. Le prix qu'il paie pour la viande est donc inférieur à son propre coût de renonciation, lequel est de 1 kilo de pommes de terre par kilo de viande. Par conséquent, il a tout intérêt à procéder à cet échange puisqu'il lui procure de la viande meilleur marché.

Mettons-nous maintenant à la place de l'éleveur. Il achète chaque kilo de pommes de terre au prix de 2 kilos de viande, soit à un prix inférieur à son coût de renonciation, lequel est égal à 4 kilos de viande par kilo de pommes de terre. Par conséquent, ce dernier a également tout intérêt à acheter des pommes de terre à ce prix.

Les gains tirés de cet échange sont attribuables au fait que chacun se concentre sur l'activité pour laquelle son coût de renonciation est le plus faible : le fermier consacre plus de temps à la culture des pommes de terre tandis que l'éleveur en consacre davantage à la production de la viande. La production totale de pommes de terre et de viande augmente et le fermier et l'éleveur profitent tous deux de cette augmentation. Morale de l'histoire : *les échanges améliorent le bien-être de tous, parce qu'ils permettent une spécialisation dans les activités où chacun dispose d'un avantage comparatif.*

MINITEST : Robinson Crusoé ramasse 10 noix de coco et attrape 1 poisson par heure. Son ami Vendredi ramasse 30 noix de coco et attrape 2 poissons par heure. À combien le coût de renonciation d'un poisson équivaut-il pour Robinson ? Et pour Vendredi ? Qui dispose d'un avantage absolu dans la pêche ? Qui dispose d'un avantage comparatif dans la pêche ?

L'APPLICATION DE L'AVANTAGE COMPARATIF

Le principe de l'avantage comparatif explique l'interdépendance et les bénéfices tirés des échanges. Puisque cette interdépendance est omniprésente dans le monde moderne, il n'est pas étonnant que le principe de l'avantage comparatif ait de multiples applications. En voici deux exemples, l'un plutôt fantaisiste et l'autre tout à fait pratique.

JOSÉ THÉODORE DEVRAIT-IL TONDRE SON GAZON LUI-MÊME ?

José Théodore est un athlète hors pair. Considéré par plusieurs comme l'un des meilleurs gardiens de la Ligue nationale, il bloque les rondelles mieux que la plupart des autres gardiens de la LNH. Il excelle probablement dans une foule d'autres activités. Il y a fort à parier qu'il est capable de tondre son gazon plus rapidement que quiconque. Toutefois, même s'il *est capable* de le faire, cela veut-il dire qu'il *devrait* le faire ?

Pour répondre à cette question, reprenons les concepts de coût de renonciation et d'avantage comparatif. Supposons que Théodore prend 2 heures pour tondre son gazon. Durant ces mêmes 2 heures, il pourrait tourner une publicité et gagner 10 000 $. En revanche, sa jeune voisine Amélie peut tondre son gazon en 4 heures. Durant cette période, si elle avait travaillé au restaurant du coin, elle aurait gagné 40 $.

Dans cet exemple, le coût de renonciation de la tonte du gazon pour Théodore s'élève à 10 000 $, alors que celui d'Amélie s'élève à 40 $. Certes, parce qu'il est le plus rapide des deux, Théodore dispose d'un avantage absolu pour entretenir la pelouse, mais Amélie détient un avantage comparatif dans la tonte de gazon parce que son coût de renonciation est nettement inférieur à celui du hockeyeur.

Dans cet exemple, les bénéfices tirés de l'échange sont énormes. Théodore a tout intérêt à tourner cette annonce publicitaire et à engager Amélie pour tondre la pelouse. Aussi longtemps qu'il lui donne plus de 40 $ et moins de 10 000 $, les deux font une excellente affaire.

LE CANADA DEVRAIT-IL COMMERCER AVEC D'AUTRES PAYS?

Importations
Ensemble des biens et des services achetés à l'extérieur du pays.

Exportations
Biens ou services produits à l'intérieur du pays et vendus à l'étranger.

**Lire l'article
page 413 et 414**

Les avantages de la spécialisation et du commerce valent non seulement pour les individus, comme le fermier et l'éleveur, mais également pour les peuples des différents pays. Une foule de produits appréciés des Canadiens est fabriquée à l'étranger, et de nombreux produits fabriqués au Canada sont vendus à l'extérieur. Les marchandises produites à l'extérieur et consommées sur le marché intérieur sont des **importations,** tandis que les marchandises produites dans le pays et vendues à l'étranger sont des **exportations.**

Afin de voir les bénéfices que des pays retirent du commerce, prenons l'exemple de deux pays, le Canada et le Japon, et de deux produits : la nourriture et les voitures. Imaginons que ces deux pays fabriquent des automobiles tout aussi efficacement l'un que l'autre : un travailleur canadien et un travailleur japonais fabriquent tous deux 1 voiture par mois. En revanche, comme le territoire du Canada est plus vaste et plus riche, sa productivité agricole est meilleure : un agriculteur canadien produit 2 tonnes de nourriture par mois alors que son homologue japonais n'en produit que 1 tonne par mois.

Selon le principe de l'avantage comparatif, chacun des produits devrait être fabriqué par le pays pour lequel le coût de renonciation est le plus faible. Comme le coût de renonciation de 1 voiture équivaut à 2 tonnes de nourriture au Canada et à seulement 1 tonne au Japon, le Japon dispose donc d'un avantage comparatif dans la production automobile. Ce pays devrait produire plus de voitures qu'il ne lui en faut pour son propre marché intérieur et en exporter au Canada. Réciproquement, comme le coût de renonciation de 1 tonne de nourriture équivaut à 1 voiture au Japon mais seulement à 1/2 voiture au Canada, le Canada possède un avantage comparatif dans la production de nourriture. Il devrait donc produire une quantité de nourriture supérieure à ses propres besoins de consommation afin de l'exporter au Japon. La spécialisation et le commerce permettent à ces deux pays de disposer de plus de nourriture et de plus de véhicules.

Dans la réalité, bien entendu, le commerce entre les nations est infiniment plus complexe. Nous y reviendrons dans le chapitre 9. Notons simplement que la complexité provient de la multitude des intérêts de la population de chaque pays. Le commerce international peut détériorer la situation de certains résidents, même s'il améliore la situation globale du pays. Lorsque le Canada exporte de la nourriture en important des voitures, les conséquences sur l'agriculteur canadien sont tout à fait différentes de celles touchant les travailleurs de l'industrie automobile. Toutefois, contrairement aux opinions fréquemment énoncées par la classe politique et les journalistes, le commerce international n'a rien d'une guerre où il y a des vainqueurs et des vaincus. Les échanges permettent à tous les pays d'atteindre une plus grande prospérité.

MINITEST : Imaginez que le dactylographe le plus rapide du monde ait également une formation de neurochirurgien. Devrait-il continuer à taper son courrier ou engager une secrétaire ? Expliquez.

BON À SAVOIR

Le legs d'Adam Smith et de David Ricardo

Les économistes ont compris depuis longtemps le principe de l'avantage comparatif. Le texte suivant, du grand économiste Adam Smith, l'illustre à merveille :

> « Tout père de famille sage a pour maxime de ne jamais produire dans son foyer les choses qui lui coûtent plus cher à produire qu'à acheter. Le tailleur ne se met pas à faire des chaussures, il les achète du bottier. Et le bottier ne prend pas le soin de faire ses vêtements mais il emploie le tailleur. Le fermier n'essaie ni de faire des chaussures ni de faire des vêtements, mais il emploie le bottier et le tailleur. Tous recherchent leur propre intérêt, et utilisent leur propre industrie d'une manière à disposer d'un avantage sur leurs voisins et à pouvoir acheter de celui-ci une part de ses productions, ou ce qui revient au même, avec le prix d'une part de celle-ci, tous les autres biens dont ils ont l'usage. »

Cette citation de Smith est tirée de son livre *Recherches sur la nature et les causes de la richesse des nations* publié en 1776, lequel constitue un point tournant dans l'analyse du commerce et de l'interdépendance entre

pays. Cet ouvrage incita David Ricardo, un courtier millionnaire, à se convertir à l'économie. En effet, en 1817, dans son ouvrage *Des principes de l'économie politique et de l'impôt*, il a élaboré le principe de l'avantage comparatif tel que nous le connaissons aujourd'hui. Sa défense du libre-échange ne s'est pas limitée à un pur exercice théorique. Il a mis ses concepts en pratique en tant que membre du Parlement anglais, en s'opposant notamment aux lois sur les céréales qui tentaient d'en restreindre l'importation.

DAVID RICARDO

Les conclusions d'Adam Smith et de David Ricardo sur les avantages du commerce restent encore de mise. Même si les économistes s'affrontent souvent sur les questions de politique économique, ils restent unanimes dans leur approbation du libre-échange. Au reste, l'argument essentiel du libre-échange n'a guère été modifié au cours des deux derniers siècles. L'économie a sans doute élargi son champ d'études et raffiné ses théories depuis Smith et Ricardo, mais l'opposition que manifestent les économistes à l'endroit des barrières commerciales se fonde toujours en grande partie sur le principe de l'avantage comparatif.

CONCLUSION

Le principe de l'avantage comparatif démontre que le commerce enrichit tout le monde. Vous êtes maintenant en mesure de mieux comprendre les avantages liés à l'interdépendance économique. Connaissant les raisons qui rendent cette interdépendance désirable, vous vous demandez certainement comment elle est possible. Comment des sociétés libres arrivent-elles à coordonner les activités de tous les citoyens ? Qui s'assure que les biens et les services passeront de ceux qui les produisent à ceux qui les consomment ?

Dans un monde composé uniquement de deux individus, comme l'éleveur et le fermier, la réponse est simple : ils s'entendent directement pour répartir les ressources d'un commun accord. Dans le monde réel, avec ses milliards d'individus, la réponse semble moins évidente. Nous reviendrons sur cette question dans le prochain chapitre, où nous verrons que la plupart des sociétés allouent leurs ressources par l'entremise des marchés.

Résumé

◆ Chaque individu consomme des biens et des services produits par une multitude d'autres personnes, dans son pays et partout dans le monde. L'interdépendance et le commerce sont souhaitables parce qu'ils permettent à chacun de disposer d'une plus grande quantité et d'une plus grande variété de biens et de services.

◆ Il existe deux façons de comparer la capacité de deux personnes à produire un bien. On considère que la personne qui produit ce bien avec la plus faible quantité d'intrants dispose d'un avantage absolu, alors que celle qui peut le produire avec le plus faible coût de renon-

ciation bénéficie d'un avantage comparatif. Les gains tirés de l'échange proviennent de l'avantage comparatif et non de l'avantage absolu.

◆ Les échanges améliorent le bien-être de tous, car ils permettent à chacun de se spécialiser dans les activités où il détient un avantage comparatif.

◆ Ce principe de l'avantage comparatif s'applique aux pays comme aux individus. C'est en fonction de ce principe que les économistes réclament la liberté de commercer entre les pays.

Concepts clés

Avantage absolu, p. 49
Avantage comparatif, p. 49

Coût de renonciation, p. 49
Exportations, p. 52

Importations, p. 52

Questions de révision

1. Exposez la différence entre un avantage absolu et un avantage comparatif.

2. Donnez un exemple dans lequel une personne dispose d'un avantage absolu tandis qu'une autre détient un avantage comparatif.

3. Qu'est-ce qui importe le plus pour les échanges : l'avantage comparatif ou l'avantage absolu ? Expliquez

votre raisonnement en vous fondant sur l'exemple fourni à la question 2.

4. Un pays qui détient un avantage comparatif sur un bien doit-il l'exporter ou l'importer ? Expliquez.

5. Pourquoi les économistes s'opposent-ils aux politiques restrictives en matière de commerce international ?

4

LES FORCES DU MARCHÉ :
L'OFFRE ET LA DEMANDE

Lorsqu'une vague de froid frappe la Floride, le prix du jus d'orange augmente dans tous les supermarchés canadiens. Quand la chaleur revient chaque été au Québec, les chambres d'hôtel des Caraïbes voient leur prix s'effondrer. Un conflit armé au Moyen-Orient provoque une hausse des prix de l'essence à la pompe, entraînant une baisse du prix des 4 × 4 d'occasion. Quel est le point commun entre ces événements ? Ils illustrent tous le fonctionnement simultané de l'offre et de la demande.

Les termes d'*offre* et de *demande* reviennent invariablement sous la plume des économistes. Il n'y a rien d'étonnant à cela puisque ces deux facteurs conditionnent le fonctionnement de l'économie de marché. Ils déterminent la quantité des biens produits et leur prix de vente. Pour estimer l'influence d'un événement ou d'une politique sur l'économie, il faut avant tout penser en termes d'offre et de demande.

Dans ce chapitre, vous vous familiariserez avec la théorie de l'offre et de la demande. Vous étudierez les comportements des acheteurs et des vendeurs et leurs interactions. Vous analyserez comment le jeu de l'offre et de la demande fixe les prix dans une économie de marché et vous verrez qu'en retour, ces prix assurent l'allocation des ressources rares de l'économie.

À LA FIN
DE CE CHAPITRE,
VOUS SEREZ
EN MESURE...

*de comprendre
la nature d'un marché
concurrentiel*

*d'examiner
les déterminants
de la demande
sur un marché
concurrentiel*

*d'examiner
les déterminants
de l'offre
sur un marché
concurrentiel*

*de voir le rôle
de l'offre et de
la demande dans
la fixation du prix
d'un bien et des
quantités vendues*

*d'apprécier
le rôle des prix
dans l'allocation
des ressources rares
dans une économie
de marché.*

LES MARCHÉS ET LA CONCURRENCE

Marché
Rencontre entre les acheteurs et les vendeurs d'un bien ou d'un service particulier.

Lorsqu'on parle d'*offre* et de *demande*, on fait référence au comportement des agents et à leur interdépendance sur les marchés. Un **marché** se compose de vendeurs et d'acheteurs pour un certain type de biens ou de services. En tant que groupe, les acheteurs conditionnent la demande d'un produit, tandis que les vendeurs en conditionnent l'offre. Toutefois, avant d'aborder le comportement des acheteurs et des vendeurs, approfondissons la notion de « marché » et les divers types de marchés observés dans notre économie.

LES MARCHÉS CONCURRENTIELS

Il existe plusieurs catégories de marchés. Certains marchés, comme ceux des produits agricoles, sont hautement organisés. Sur ces marchés, les vendeurs et les acheteurs se rencontrent dans des enchères publiques et conviennent ensemble des prix et des ventes.

La plupart du temps, les marchés ne sont pas aussi organisés. Prenons à titre d'exemple le marché de la crème glacée dans une ville donnée. Les acheteurs ne se rencontrent pas à un moment précis. Les vendeurs, éparpillés dans la ville, proposent des produits légèrement différents. Aucun commissaire-priseur n'annonce le prix de la crème glacée. Chaque vendeur décide des prix à afficher et chaque acheteur décide de la quantité à acheter dans chaque magasin.

Pourtant, ces acheteurs et ces vendeurs constituent un marché, même s'il n'est pas organisé. Chaque acheteur sait qu'il existe plusieurs vendeurs, et chaque vendeur est conscient qu'il offre un produit comparable à celui des autres. La fixation du prix et de la quantité de crème glacée vendue ne dépend pas d'un seul acheteur ou d'un unique vendeur; elle dépend plutôt des interactions de l'ensemble des acheteurs et des vendeurs sur le marché.

Marché concurrentiel
Marché sur lequel les acheteurs et les vendeurs sont trop nombreux pour que l'un d'entre eux puisse influencer le prix du marché.

À l'instar de la majorité des autres marchés, le marché de la crème glacée est fortement concurrentiel. Un **marché concurrentiel** comporte tellement de vendeurs et d'acheteurs qu'aucun d'eux ne peut exercer à lui seul une influence décisive sur les prix du marché. Aucun vendeur de crème glacée n'est en mesure d'exercer une pression sur les prix, puisque les autres vendeurs offrent des produits comparables. Un vendeur a peu d'intérêt à baisser ses prix, et s'il les majore, les acheteurs iront ailleurs. Pour les mêmes raisons, aucun acheteur ne peut influer sur le prix de la crème glacée compte tenu de la faible quantité qu'il consomme.

Dans ce chapitre, nous observerons l'interdépendance des acheteurs et des vendeurs dans un marché concurrentiel. Nous verrons également comment l'offre et la demande conditionnent à la fois la quantité des biens vendus et leur prix.

LA CONCURRENCE PARFAITE ET LA CONCURRENCE IMPARFAITE

Nous nous concentrerons ici sur les marchés dits *parfaitement concurrentiels*. Deux caractéristiques primordiales définissent un tel type de marché: 1) Les biens mis en vente sont identiques. 2) Les acheteurs et les vendeurs sont trop nombreux pour que l'un d'entre eux puisse influer sur le prix du marché. En conséquence, dans ce marché parfaitement concurrentiel, tous doivent accepter le prix du marché et sont qualifiés de *preneurs de prix*.

L'hypothèse de la concurrence parfaite s'applique fort bien à certains marchés. C'est le cas du marché du blé, où des milliers de fermiers vendent leurs récoltes à des millions de consommateurs qui achètent ce blé ou les produits du blé. Comme aucun acheteur ni aucun vendeur n'est en mesure de modifier à lui seul le prix du blé, tous se conforment au prix fixé.

Néanmoins, les biens et les services ne s'échangent pas tous sur des marchés parfaitement concurrentiels. Sur certains marchés, il n'y a qu'un offreur qui détermine à lui seul le prix de vente. On parle alors de *monopole*. Votre compagnie de câblodistribution est sans doute un monopole. Dès lors qu'elle est la seule dans votre ville, les résidents n'ont d'autres possibilités que de recourir à ses services.

Certains marchés se situent à mi-chemin entre la concurrence parfaite et le monopole. Il peut s'agir d'un *oligopole*, où un nombre limité de vendeurs entrent en concurrence, sans forcément se livrer une lutte acharnée. L'exemple des lignes aériennes est particulièrement éloquent. Lorsqu'une liaison entre deux villes n'est assurée que par deux ou trois compagnies, ces dernières auront tendance à ne pas trop brader les prix pour maintenir leurs tarifs. Il existe un autre type de marché, *la concurrence monopolistique*, où de nombreux vendeurs offrent tous un produit légèrement différent. Chaque vendeur a la possibilité de fixer les prix de son produit, dans la mesure où il n'est pas exactement identique à celui des autres. C'est le cas de la restauration. Les propriétaires de restaurants se disputent la clientèle, chacun proposant un type de produits, une qualité de service et une liste de prix différents.

En dépit de la diversité des marchés existants, nous commencerons par étudier la concurrence parfaite, car les marchés parfaitement concurrentiels sont plus faciles à analyser. En outre, comme il existe une certaine concurrence dans la plupart des marchés, bon nombre des principes de l'offre et la demande régissant la concurrence parfaite s'appliqueront également aux marchés plus complexes.

■ **MINITEST :** Qu'est-ce qu'un marché ? ◆ Qu'est-ce qu'un marché concurrentiel ?

LA DEMANDE

Nous amorcerons notre étude des marchés par l'observation du comportement des acheteurs. Nous examinerons d'abord ce qui conditionne la **quantité demandée,** c'est-à-dire la quantité que les acheteurs désirent se procurer. Pour mieux centrer notre raisonnement, nous reprendrons l'exemple d'un produit spécifique : la crème glacée.

Quantité demandée
Quantité d'un bien ou d'un service que les consommateurs désirent acheter à un prix donné et dans une période donnée.

QUELS SONT LES DÉTERMINANTS DE LA DEMANDE INDIVIDUELLE ?

Reportez-vous à votre propre demande de crème glacée. Quelle quantité de ce produit décidez-vous de consommer chaque mois et quels facteurs interviennent dans votre décision ? Voici quelques réponses possibles.

Prix. Si le prix de la crème glacée atteint 20 $ le cornet, vous en consommerez moins. Vous achèterez plutôt du yogourt glacé. Si, en revanche, le prix passe à 0,20 $ le cornet, vous en consommerez davantage. Si la quantité demandée

Loi de la demande
Toutes choses étant égales par ailleurs, la quantité demandée d'un bien diminue quand le prix du bien augmente.

Bien normal
Bien (ou service) pour lequel la demande augmente quand le revenu des acheteurs augmente.

Bien inférieur
Bien (ou service) pour lequel la demande décroît avec l'augmentation du revenu.

Bien substitut
Bien qui peut être utilisé à la place d'un autre.

Bien complémentaire
Bien qui est utilisé en même temps qu'un autre bien.

diminue lorsque le prix augmente et qu'elle augmente lorsque le prix baisse, on peut dire de ces deux variables qu'elles sont inversement reliées. Cette relation inverse entre le prix et la quantité demandée se vérifie pour la plupart des biens, et s'avère de fait si répandue que les économistes s'y réfèrent sous le terme de **loi de la demande**: toutes choses étant égales par ailleurs, lorsque le prix d'un bien augmente, la quantité demandée diminue.

Revenu.   Si vous perdez votre emploi d'été, votre consommation de crème glacée s'en ressentira-t-elle? Elle baissera fort probablement. Une diminution des revenus signifie une réduction des dépenses totales. Vous dépenserez donc moins d'argent pour certains produits – voire pour tous. Quand la demande pour un produit chute avec la diminution des revenus, on dit qu'il s'agit d'un **bien normal.**

Les biens ne font pas tous partie des biens normaux. Lorsque la demande d'un bien augmente avec la baisse des revenus, on considère ce bien comme un **bien inférieur**. Le transport en commun peut être considéré comme un bien inférieur. Si votre revenu baisse, il est peu probable que vous achetiez une voiture ou que vous preniez un taxi. Vous prendrez sans doute davantage l'autobus.

Prix des produits connexes.   Imaginez que le prix du yogourt glacé baisse. La loi de la demande indique que vous achèterez sans doute plus de yogourt et que vous consommerez moins de crème glacée. La crème glacée et le yogourt glacé, deux desserts lactés, glacés et sucrés, répondent aux mêmes besoins. Lorsqu'une diminution du prix d'un bien réduit la demande pour un autre, les deux sont appelés **biens substituts.** Ces produits de substitution représentent une alternative de consommation, comme les hot dogs et les hamburgers, les chandails et les chemises, les entrées de cinéma et les locations de DVD.

Supposons maintenant que le prix du sirop de chocolat tombe. D'après la loi de la demande, vous en achèterez plus. Mais cette fois-ci, vous achèterez également *plus* de crème glacée, puisqu'on en mange souvent avec le sirop de chocolat. Lorsque la diminution du prix d'un bien suscite une augmentation de la demande pour un autre, ces deux produits sont dits **biens complémentaires.** Ces biens se consomment souvent conjointement: l'essence et les automobiles, les ordinateurs et les programmes informatiques, les skis et les billets de remonte-pente.

Goûts.   Le facteur le plus déterminant de votre demande est sans doute vos goûts. Si vous aimez la crème glacée, vous en achèterez régulièrement. Les économistes cherchent très rarement à comprendre les goûts, car ceux-ci dépendent de circonstances historiques, sociologiques et psychologiques, bref de considérations indépendantes de l'économie. Cela dit, les économistes observent les conséquences économiques de l'évolution des goûts.

Anticipations.   Vos attentes en ce qui concerne l'avenir modifieront sans doute votre demande actuelle d'un bien ou d'un service. En l'occurrence, si vous prévoyez une augmentation de votre salaire le mois prochain, vous serez davantage enclin à dépenser de l'argent pour vous payer une crème glacée. En revanche, si vous pensez que le prix de la crème glacée va baisser demain, vous aurez moins tendance à vous précipiter pour en acheter aujourd'hui.

LE BARÈME DE DEMANDE ET LA COURBE DE DEMANDE

Comme nous venons de le voir, un grand nombre de variables influe sur la demande de crème glacée d'un individu. Supposons que toutes ces variables demeurent constantes à l'exception d'une seule: le prix. Voyons comment le prix affecte la quantité de crème glacée demandée.

Le tableau 4.1 indique la consommation mensuelle de crème glacée d'Hélène selon le prix. Lorsque la crème glacée est gratuite, elle mange 12 cornets par mois. Lorsque le prix passe à 0,50 $ le cornet, elle en achète 10. À mesure que le prix augmente, elle réduit sa consommation. Lorsque le cornet de crème glacée coûte 3 $, elle cesse d'en acheter. Le tableau 4.1 est un **barème de demande**; il indique la relation entre le prix d'un bien et la quantité demandée.

La figure 4.1 représente graphiquement les données du tableau 4.1. Par convention, le prix de la crème glacée se trouve sur l'axe des ordonnées et la quantité de crème glacée demandée, sur l'axe des abscisses. La droite de pente négative, appelée **courbe de demande,** exprime le rapport entre le prix et la quantité demandée. La demande peut prendre la forme d'une courbe ou, comme dans notre exemple, d'une droite.

Barème de demande
Tableau indiquant la relation entre le prix d'un bien et la quantité demandée.

Courbe de demande
Courbe indiquant la quantité demandée d'un bien (ou d'un service) pour chaque niveau de prix.

Tableau 4.1

LE BARÈME DE DEMANDE D'HÉLÈNE. Ce barème montre la quantité demandée selon le prix.

PRIX D'UN CORNET DE CRÈME GLACÉE	QUANTITÉ DE CORNETS DEMANDÉE
0,00 $	12
0,50	10
1,00	8
1,50	6
2,00	4
2,50	2
3,00	0

Figure 4.1

LA COURBE DE DEMANDE D'HÉLÈNE. Cette courbe représente le barème de demande du tableau 4.1 et correspond à la quantité demandée en fonction du prix. Cette courbe présente une pente négative, parce qu'une baisse de prix entraîne une augmentation de la quantité demandée.

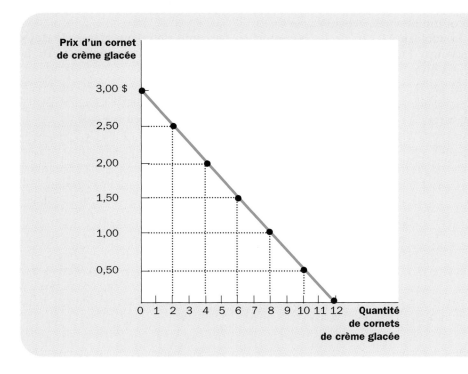

CETERIS PARIBUS

Lorsque vous observez une courbe de demande, gardez à l'esprit qu'elle a été tracée en supposant que toutes les autres variables demeurent constantes. La courbe de demande d'Hélène (figure 4.1) reflète l'évolution de la quantité de crème glacée demandée par Hélène uniquement en fonction des variations du prix de la crème glacée. Pour tracer cette courbe, on présuppose que le revenu, les goûts et les anticipations d'Hélène, de même que les prix des autres biens connexes restent constants.

Ceteris paribus

Locution latine signifiant « toutes choses étant égales par ailleurs », c'est-à-dire toutes les autres variables étant tenues constantes.

Les économistes emploient l'expression *ceteris paribus* pour indiquer que toutes les autres variables pertinentes, à l'exception de celles que l'on étudie en ce moment, demeurent constantes. Cette locution latine signifie littéralement « toutes choses étant égales par ailleurs ». Cette courbe de demande présente une pente négative parce que, *ceteris paribus*, une baisse du prix se traduit par une augmentation de la quantité demandée.

Bien que l'expression *ceteris paribus* renvoie à une situation hypothétique dans laquelle certaines variables sont tenues constantes, il n'en va pas de même dans la réalité où bien des éléments évoluent simultanément. C'est pourquoi lorsque nous recourons à l'offre et à la demande pour analyser des phénomènes ou des politiques économiques, il est opportun de savoir quelles variables ont été tenues constantes et quelles variables ne l'ont pas été.

LA DEMANDE DE MARCHÉ ET LA DEMANDE INDIVIDUELLE

Jusqu'à présent, nous avons discuté seulement de la demande individuelle pour un produit. Pour analyser le fonctionnement des marchés, il faut examiner la *demande de marché*, c'est-à-dire la somme des demandes individuelles pour un bien ou un service particulier.

Le tableau 4.2 affiche les barèmes de demande de crème glacée de deux personnes: Hélène et Pascal. Ces deux barèmes nous renseignent sur la

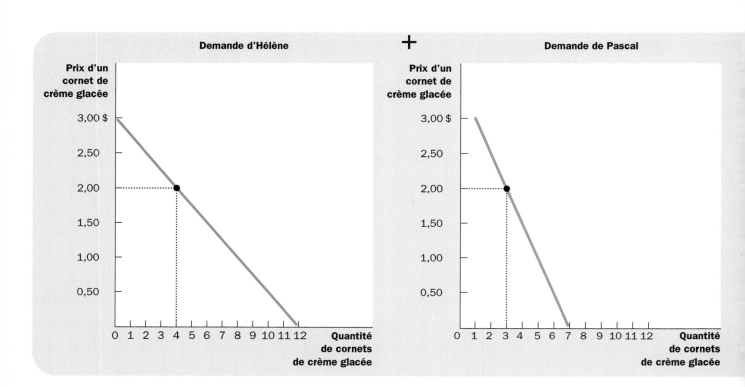

demande d'Hélène et de Pascal pour chaque prix donné. La somme de la demande de ces deux personnes correspond à la demande de marché.

Comme la demande de marché est directement liée aux demandes individuelles, elle dépend directement de tous les facteurs déterminant les demandes individuelles, c'est-à-dire les revenus, les goûts, le prix des produits connexes et les anticipations des acheteurs. Elle dépend également du nombre d'acheteurs. (Si Raymond, un autre consommateur de crème glacée, se joint à Hélène et à Pascal, la quantité demandée augmentera à tous les prix.) Les barèmes de demande du tableau 4.2 illustrent les variations de la quantité demandée en fonction du prix, tous les autres facteurs demeurant constants.

La figure 4.2 illustre les courbes de demande correspondant à ces barèmes. Remarquez que nous additionnons les demandes individuelles *horizontalement* pour tracer la courbe de demande de marché. Pour obtenir la quantité totale demandée à tous les niveaux de prix, nous additionnons les quantités individuelles figurant sur l'axe des abscisses des courbes individuelles de demande. Puisque c'est avant tout le fonctionnement des marchés qui nous intéresse, nous reviendrons fréquemment sur la courbe de demande de marché. Elle montre que la quantité totale demandée d'un bien varie en fonction du prix de ce même bien.

PRIX D'UN CORNET DE CRÈME GLACÉE	HÉLÈNE		PASCAL		MARCHÉ
0,00 $	12	+	7	=	19
0,50	10		6		16
1,00	8		5		13
1,50	6		4		10
2,00	4		3		7
2,50	2		2		4
3,00	0		1		1

Tableau 4.2

LES BARÈMES DES DEMANDES INDIVIDUELLES ET DE LA DEMANDE DE MARCHÉ. La quantité demandée sur un marché correspond à la somme des quantités demandées par chacun des acheteurs.

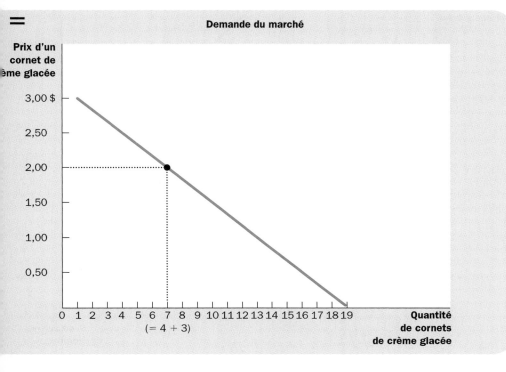

Demande du marché

Figure 4.2

LA DEMANDE DE MARCHÉ CORRESPONDANT À LA SOMME DES DEMANDES INDIVIDUELLES. La courbe de demande de marché se calcule en additionnant horizontalement les courbes de demandes individuelles. Lorsque la crème glacée se vend 2 $, Hélène achète 4 cornets et Pascal en achète 3. À un prix de 2 $, la quantité demandée sur le marché est donc égale à 7 cornets.

LES DÉPLACEMENTS DE LA COURBE DE DEMANDE

Imaginons que l'association médicale canadienne annonce soudainement une découverte: les consommateurs réguliers de crème glacée vivent plus longtemps et en meilleure santé. Comment cette annonce influera-t-elle sur le marché de la crème glacée? Cette découverte modifiera les goûts des consommateurs en augmentant la demande de crème glacée. Quel qu'en soit le prix, les acheteurs voudront en manger davantage et la courbe de demande de crème glacée se déplacera vers la droite.

Chaque fois qu'un facteur déterminant la demande varie, à l'exception du prix du bien, la courbe de demande se déplace. Comme le montre la figure 4.3, tout changement qui augmente la quantité demandée à tous les niveaux de prix déplace la courbe de demande vers la droite. En revanche, tout changement qui réduit la quantité demandée à tous les niveaux de prix déplace la courbe de demande vers la gauche.

Le tableau 4.3 énumère les variables qui jouent sur la quantité demandée dans un marché et répercutent leurs variations sur la position de la courbe de demande. Notez que le prix du bien joue un rôle particulier dans ce tableau. Comme il se situe sur l'axe vertical du graphique, un changement de prix ne signifie pas un déplacement de la courbe de demande, mais un déplacement le long de cette courbe. En revanche, toute modification du revenu, du prix des produits connexes, des anticipations, des goûts ou du nombre d'acheteurs affecte la quantité demandée pour chaque niveau de prix et se traduit par un déplacement de la courbe de demande.

En résumé: *la courbe de demande illustre l'évolution de la quantité de biens demandés lorsque les prix varient, tous les autres déterminants de la demande demeurant constants. Lorsque l'un de ces autres déterminants varie, la courbe de demande se déplace.*

Figure 4.3

LES DÉPLACEMENTS DE LA COURBE DE DEMANDE. Tout changement qui augmente la quantité que les acheteurs sont prêts à consommer pour chaque niveau de prix entraîne un déplacement de la courbe vers la droite. Tout changement qui réduit la quantité que les acheteurs sont prêts à consommer pour chaque niveau de prix entraîne un déplacement de la courbe vers la gauche.

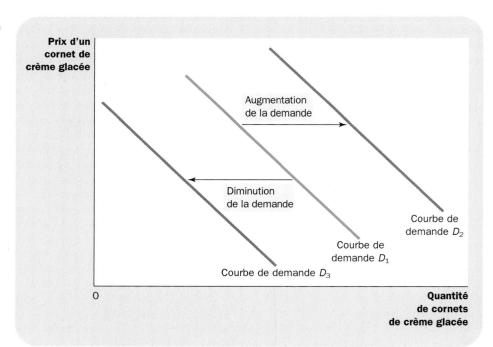

VARIABLES INFLUANT SUR LA DEMANDE	UNE MODIFICATION DE CETTE VARIABLE SE TRADUIT PAR...
Prix	un mouvement le long de la courbe de demande
Revenu	un déplacement de la courbe de demande
Prix des biens connexes	un déplacement de la courbe de demande
Goûts	un déplacement de la courbe de demande
Anticipations	un déplacement de la courbe de demande
Nombre d'acheteurs	un déplacement de la courbe de demande

Tableau 4.3

LES DÉTERMINANTS DE LA DEMANDE. Voici une liste des variables affectant la demande de marché. Remarquez le rôle particulier du prix : un changement de prix implique un mouvement le long de la courbe de demande, alors qu'un changement des autres variables se traduit par un déplacement de cette courbe.

ÉTUDE DE CAS   DEUX MOYENS DE LUTTER CONTRE LE TABAGISME

Depuis plusieurs années, nos gouvernements tentent, par toutes sortes de moyens, de réduire le nombre de fumeurs. Pour ce faire, deux types de politiques s'offrent à eux.

Une façon de réduire le tabagisme consiste à déplacer la courbe de demande de cigarettes et des autres produits du tabac. Les messages d'intérêt public (à la télé, dans les journaux), l'obligation d'imprimer des mises en garde et d'apposer des photos repoussantes sur les paquets de cigarettes, de même que l'interdiction faite aux manufacturiers de tabac de faire de la publicité, sont autant de politiques visant à déplacer la courbe de demande des cigarettes vers la gauche, comme dans le graphique (a) de la figure 4.4.

L'autre option consiste à augmenter le prix du paquet de cigarettes. À titre d'exemple, les taxes imposées par le gouvernement aux manufacturiers de tabac se répercutent sur les fumeurs par une augmentation du prix du paquet. Une telle augmentation incite les consommateurs à réduire le nombre de cigarettes qu'ils fument par jour. Dans ce cas, la réduction du tabagisme ne se reflète pas par un déplacement de la courbe de demande, mais plutôt par un mouvement le long de cette même courbe, pour atteindre un point où la quantité est inférieure et le prix, plus élevé, comme on le voit dans le graphique (b) de la figure 4.4.

Comment une augmentation de prix affecte-t-elle la consommation de cigarettes ? Pour répondre à cette question, les économistes ont tenté d'observer les conséquences d'une augmentation des taxes sur le tabac. Ils en ont conclu qu'une augmentation de 10 % du prix entraîne une réduction de 4 % de la quantité demandée. Les adolescents semblent être plus sensibles aux variations de prix : une augmentation de 10 % du prix provoque une diminution de 12 % de leur consommation.

Une question subsidiaire concerne la répercussion de l'augmentation du prix des cigarettes sur la demande de drogues, comme la marijuana. Les opposants à la taxation des cigarettes allèguent souvent que le tabac et la marijuana représentent des produits substituts, une hausse du prix du tabac encourageant dès lors la consommation de marijuana. En revanche, nombre d'experts sur la consommation abusive de drogues considèrent le tabac comme une « drogue d'introduction » qui pousse les jeunes à découvrir d'autres substances néfastes : ils ont découvert que le tabac bon marché coïncide avec une consommation accrue de marijuana. Autrement dit, le tabac et la marijuana seraient des biens complémentaires plutôt que des biens substituts.

QUELLE EST LA MEILLEURE FAÇON D'EMPÊCHER CELA ?

LE DÉPLACEMENT DE LA COURBE DE DEMANDE. Si les messages relatifs à la santé sur les paquets de cigarettes arrivent à convaincre les fumeurs de restreindre leur consommation, la courbe de demande des cigarettes se déplacera vers la gauche. Dans le graphique (a), la courbe de demande passe de D_1 à D_2. Lorsque le paquet coûte 7 $, la quantité demandée passe de 20 à 10 cigarettes par jour, comme l'illustre le déplacement du point A vers le point B. En revanche, si la taxation augmente le prix des cigarettes, la courbe de demande ne bouge pas et nous observons à la place un déplacement le long de cette courbe. D'après le graphique (b), l'augmentation du prix de 7 $ à 9 $ fait chuter la quantité demandée de 20 à 12 cigarettes par jour, comme le démontre le déplacement du point A vers le point C.

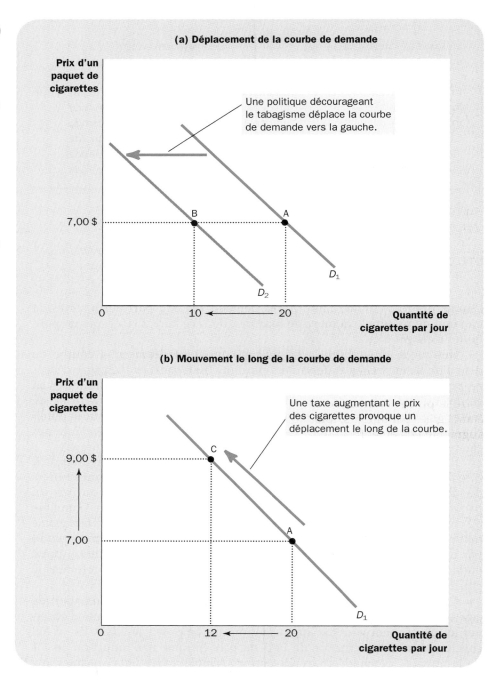

(a) Déplacement de la courbe de demande

Prix d'un paquet de cigarettes

Une politique décourageant le tabagisme déplace la courbe de demande vers la gauche.

7,00 $

B   A

D_1

D_2

0   10 ← 20   Quantité de cigarettes par jour

(b) Mouvement le long de la courbe de demande

Prix d'un paquet de cigarettes

Une taxe augmentant le prix des cigarettes provoque un déplacement le long de la courbe.

9,00 $ C

7,00   A

D_1

0   12 ← 20   Quantité de cigarettes par jour

MINITEST: Énumérez les différents facteurs influant sur la quantité de pizza que vous demandez. ◆ Élaborez un barème de demande pour la pizza et tracez la courbe de demande correspondante. ◆ Fournissez un exemple qui provoquerait un déplacement de la courbe de demande. ◆ La variation du prix de la pizza entraînerait-elle un tel déplacement?

L'OFFRE

Plaçons-nous maintenant du côté des vendeurs pour observer le marché. La **quantité offerte** représente la quantité de biens et de services que les vendeurs désirent mettre en marché. Reprenons l'exemple de la crème glacée et analysons les facteurs déterminant la quantité offerte.

Quantité offerte
Quantité d'un bien (ou d'un service) que les producteurs désirent vendre à un prix donné.

QUELS SONT LES DÉTERMINANTS DE L'OFFRE INDIVIDUELLE?

Supposons que vous dirigez l'entreprise *Régals givrés* qui produit et vend de la crème glacée. Quels facteurs déterminent la quantité de crème glacée que vous produisez et mettez en vente? Voici les réponses possibles à cette question.

Prix. Le prix de la crème glacée est certainement l'un des facteurs déterminants de la quantité offerte. Un prix élevé signifie une hausse des bénéfices, ce qui se traduit par une augmentation de la quantité offerte. En tant que vendeur, vous travaillez sans relâche, vous achetez la machinerie nécessaire et vous engagez plusieurs employés. En revanche, lorsque le prix baisse, les profits se font rares et vous produisez moins. Si cette baisse s'accentue, vous risquez même de décider d'abandonner cette entreprise et votre production cessera totalement.

Comme la quantité offerte augmente et diminue en même temps que les prix, on dit de ces deux variables qu'elles sont positivement reliées. La relation entre le prix et la quantité offerte correspond à la **loi de l'offre**: toutes choses étant égales par ailleurs, lorsque le prix d'un bien augmente, la quantité offerte augmente également.

Loi de l'offre
Toutes choses étant égales par ailleurs, la quantité offerte d'un bien augmente quand le prix du bien augmente.

Prix des intrants. La production de la crème glacée nécessite plusieurs intrants: la crème, le sucre, les aromatisants, la machinerie, l'immeuble pour abriter les installations, de même que le travail des employés qui mélangent les ingrédients et font fonctionner les machines. La hausse du prix de l'un de ces intrants réduit le bénéfice de la fabrication et, par conséquent, la quantité produite. Si les coûts de production explosent, vous risquez de fermer boutique et de cesser toute production. Ainsi, l'offre d'un bien est inversement reliée au prix des intrants nécessaires à sa production.

Technologie. Il s'agit d'un autre facteur déterminant de l'offre. À titre d'exemple, l'invention des machines à crème glacée a réduit le temps de travail nécessaire pour sa production. En diminuant les coûts de l'entreprise, le progrès technologique a accru l'offre de crème glacée.

Anticipations. La quantité de crème glacée que vous produirez dépendra également de vos prévisions. Si vous prévoyez une hausse du prix de la crème glacée, vous stockerez éventuellement une partie de votre production, ce qui réduira votre offre sur le marché actuel.

LE BARÈME D'OFFRE ET LA COURBE D'OFFRE

Les variables comme le prix des intrants, la technologie et les anticipations demeurant constantes, observez comment la quantité offerte évolue en fonction du prix. Le tableau 4.4 indique les quantités offertes par Jean, un vendeur de crème glacée, en fonction du prix de vente. Lorsque le prix de la crème glacée est inférieur à 1 $, il se retire du marché. Sa quantité offerte est fonction du

Barème d'offre
Tableau indiquant la relation entre le prix d'un bien et la quantité offerte.

Courbe d'offre
Courbe qui montre la relation entre la quantité offerte d'un bien et son prix.

prix: plus les prix montent, plus la quantité offerte augmente. Ce tableau correspond au **barème d'offre.**

La figure 4.5 illustre la relation entre la quantité de crème glacée offerte et le prix, sous forme d'une courbe appelée **courbe d'offre.** La pente positive qui la caractérise signifie, *ceteris paribus,* qu'une augmentation du prix entraîne une augmentation de la quantité offerte. La courbe d'offre peut se présenter sous la forme d'une courbe ou, comme c'est le cas dans notre exemple, d'une droite.

L'OFFRE DE MARCHÉ ET L'OFFRE INDIVIDUELLE

Tout comme la demande de marché représente la somme des demandes de tous les acheteurs, l'offre de marché équivaut à la somme des offres de tous les vendeurs. Le tableau 4.5 représente les barèmes d'offres des deux producteurs de crème glacée – Jean et Benoît. Les barèmes respectifs de Jean et de Benoît nous indiquent la quantité de crème glacée offerte en fonction des prix. L'offre de marché correspond à l'addition de ces deux offres individuelles.

Tableau 4.4

LE BARÈME D'OFFRE DE JEAN. Ce barème indique les quantités offertes en fonction du prix.

PRIX D'UN CORNET DE CRÈME GLACÉE	QUANTITÉ OFFERTE
0,00 $	0
0,50	0
1,00	1
1,50	2
2,00	3
2,50	4
3,00	5

Figure 4.5

LA COURBE D'OFFRE DE JEAN. Cette courbe, illustrant le barème du tableau 4.4, montre les variations de la quantité offerte en fonction des prix. Comme la hausse des prix se traduit par une augmentation des quantités offertes, cette courbe a une pente positive.

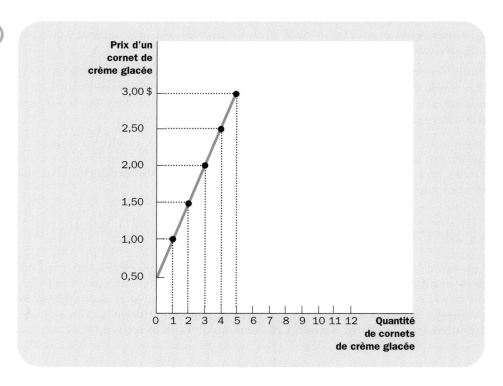

Tableau 4.5

PRIX D'UN CORNET DE CRÈME GLACÉE	JEAN		BENOÎT		MARCHÉ
0,00 $	0	+	0	=	0
0,50	0		0		0
1,00	1		0		1
1,50	2		2		4
2,00	3		4		7
2,50	4		6		10
3,00	5		8		13

LE BARÈME D'OFFRES INDIVIDUELLES ET D'OFFRE DE MARCHÉ. La quantité offerte sur le marché correspond à la somme des quantités offertes par tous les vendeurs.

L'offre de marché dépend des mêmes facteurs qui influent sur les offres individuelles, c'est-à-dire le prix des intrants, la technologie existante et les anticipations. De plus, cette offre dépend du nombre de vendeurs. (Si Jean ou Benoît se retirait des affaires, la quantité offerte sur le marché diminuerait). Les barèmes d'offre du tableau 4.5 montrent ce qu'il advient de la quantité offerte en fonction de la variation des prix, toutes les autres variables déterminant cette quantité demeurant constantes.

Les courbes d'offre de la figure 4.6 illustrent les barèmes du tableau 4.5. Comme pour les courbes de demande, nous additionnons les courbes d'offre individuelles *horizontalement* pour obtenir la courbe d'offre de marché. Pour calculer la quantité totale offerte à chaque prix, nous faisons la somme des quantités individuelles sur l'axe horizontal des courbes d'offre individuelles. La courbe d'offre de marché illustre la relation existant entre la quantité totale offerte et le niveau de prix.

LE DÉPLACEMENT DE LA COURBE D'OFFRE

Supposons que le prix du sucre s'effondre. En quoi cela concerne-t-il l'offre de crème glacée? Comme le sucre entre dans la fabrication de la crème glacée, une baisse de son prix augmentera la rentabilité des producteurs de crème glacée. Il en résultera un accroissement de l'offre: à n'importe quel prix donné, les vendeurs accepteront d'augmenter les quantités produites. La courbe d'offre se déplacera donc vers la droite.

Chaque fois que l'un des déterminants de l'offre change, à l'exception du prix, la courbe d'offre se déplace. Comme le montre la figure 4.7, tout facteur provoquant une augmentation de la quantité offerte pour chaque prix entraîne un déplacement de la courbe d'offre vers la droite. À l'inverse, tout facteur réduisant la quantité offerte pour chaque prix entraîne un déplacement de la courbe vers la gauche.

Le tableau 4.6 énumère les variables qui jouent sur la quantité offerte sur un marché et la façon dont ces variables influent sur la courbe d'offre. Notez de nouveau le rôle particulier du prix dans ce tableau. Comme il se situe sur l'axe vertical du graphique, un changement de prix ne signifie pas un déplacement de la courbe d'offre, mais un déplacement le long de cette courbe. En revanche, toute modification du prix des intrants, de la technologie, des anticipations ou du nombre d'offreurs se traduit par un déplacement de la courbe d'offre.

En résumé: *la courbe d'offre illustre l'évolution de la quantité de biens offerts lorsque les prix varient, tous les autres déterminants de l'offre demeurant constants. Lorsque l'un de ces autres déterminants varie, la courbe d'offre se déplace.*

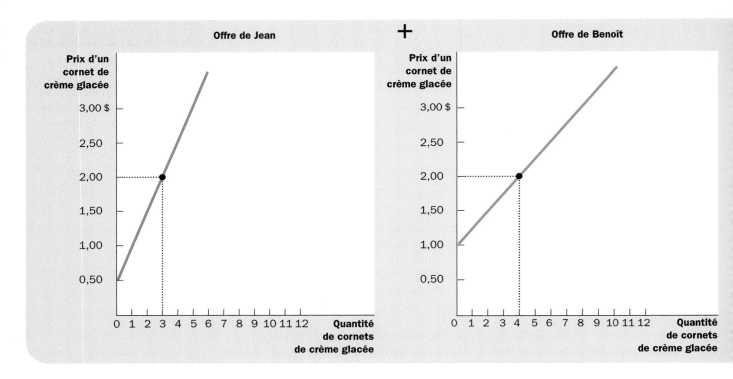

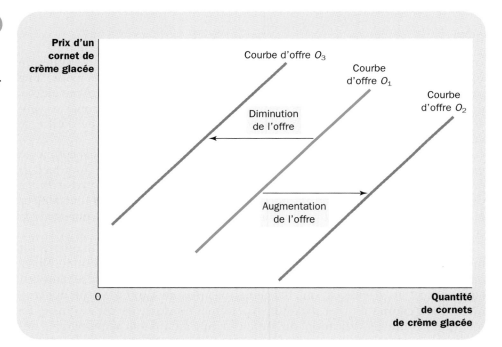

Figure 4.7

LES DÉPLACEMENTS DE LA COURBE D'OFFRE. Tout changement incitant les vendeurs à augmenter la quantité offerte à un prix donné se traduit par un déplacement de la courbe d'offre vers la droite. Tout changement réduisant la quantité offerte par les vendeurs entraîne un déplacement de la courbe d'offre vers la gauche.

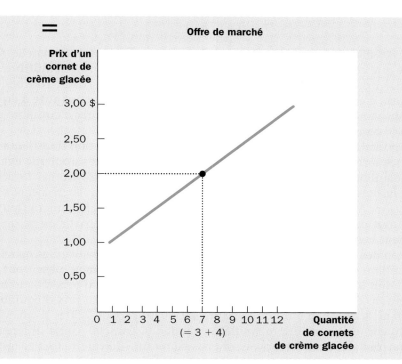

Offre de marché

Figure 4.6

L'OFFRE DE MARCHÉ EST ÉGALE À LA SOMME DES OFFRES INDIVIDUELLES. La courbe d'offre de marché s'obtient en additionnant horizontalement les courbes d'offre individuelles. Lorsque la crème glacée coûte 2 $, Jean offre 3 cornets et Benoît en offre 4. La quantité demandée sur le marché équivaut donc à 7.

VARIABLES INFLUANT SUR L'OFFRE	UNE MODIFICATION DE CETTE VARIABLE SE TRADUIT PAR…
Prix	un mouvement le long de la courbe de l'offre
Prix des intrants	un déplacement de la courbe d'offre
Technologie	un déplacement de la courbe d'offre
Anticipations	un déplacement de la courbe d'offre
Nombre de vendeurs	un déplacement de la courbe d'offre

Tableau 4.6

LES DÉTERMINANTS DE L'OFFRE. Voici une liste des variables affectant l'offre de marché. Remarquez le rôle particulier du prix : un changement de prix se traduit par un mouvement le long de la courbe d'offre, tandis qu'un changement des autres variables se traduit par un déplacement de cette courbe.

MINITEST : Énumérez les différents facteurs influant sur la quantité de pizza offerte. ◆ Élaborez un barème d'offre pour la pizza et tracez la courbe d'offre correspondante. ◆ Fournissez un exemple qui provoquerait un déplacement de la courbe d'offre. ◆ La variation du prix de la pizza entraînerait-elle un tel déplacement ?

L'OFFRE ET LA DEMANDE

Après avoir analysé l'offre et la demande séparément, nous les combinerons maintenant pour voir comment elles permettent de fixer simultanément la quantité et le prix d'un bien vendu sur le marché.

L'ÉQUILIBRE

Équilibre
Situation dans laquelle l'offre et la demande sont égales.

Prix d'équilibre
Prix qui assure l'égalité de l'offre et de la demande.

Quantité d'équilibre
Quantité offerte et demandée quand le prix assure l'égalité de l'offre et de la demande.

Surplus
Situation où la quantité offerte est supérieure à la quantité demandée.

La figure 4.8 illustre la courbe de demande et la courbe d'offre de marché. On remarque que ces deux courbes se rencontrent en un point appelé **équilibre** de marché. Le prix correspondant au point d'intersection des deux courbes se nomme **prix d'équilibre** et la quantité correspondante est dite **quantité d'équilibre.** Dans cet exemple du marché de la crème glacée, le prix d'équilibre est fixé à 2 $ le cornet et la quantité d'équilibre, à 7 cornets.

Le dictionnaire définit le mot *équilibre* comme une situation dans laquelle les diverses forces en présence s'équilibrent. Cette définition s'applique également à l'équilibre du marché. *Au prix d'équilibre, la quantité de biens que les acheteurs se proposent d'acquérir équivaut à la quantité de biens que les vendeurs sont prêts à vendre.* À ce prix, tous les agents sont satisfaits : les acheteurs ont pu se procurer tout ce qu'ils voulaient et les vendeurs se sont départis de ce qu'ils souhaitaient vendre.

L'action des vendeurs et des acheteurs fait naturellement évoluer les marchés vers l'équilibre de l'offre et de la demande. Pour voir comment, observons ce qui se produit lorsque le prix de marché ne correspond pas au prix d'équilibre.

Imaginons d'abord que le prix de marché est supérieur au prix d'équilibre, comme dans le graphique (a) de la figure 4.9. À un prix de 2,50 $, la quantité offerte (10 cornets) excède la quantité demandée (4 cornets). Cette différence crée un **surplus** : les producteurs ne sont pas en mesure de vendre tout ce qu'ils veulent au prix courant. Leurs congélateurs sont donc remplis à craquer de crème glacée qu'ils ne peuvent écouler. Ils réagissent à ce surplus en coupant les prix, qui diminuent jusqu'à atteindre l'équilibre.

Figure 4.8

L'ÉQUILIBRE DE L'OFFRE ET DE LA DEMANDE. L'équilibre correspond à l'intersection des courbes d'offre et de demande. Au prix d'équilibre, la quantité offerte équivaut à la quantité demandée. Dans ce cas précis, le prix d'équilibre se fixe à 2 $. À ce prix, la quantité offerte équivaut à la quantité demandée, soit 7 cornets de crème glacée.

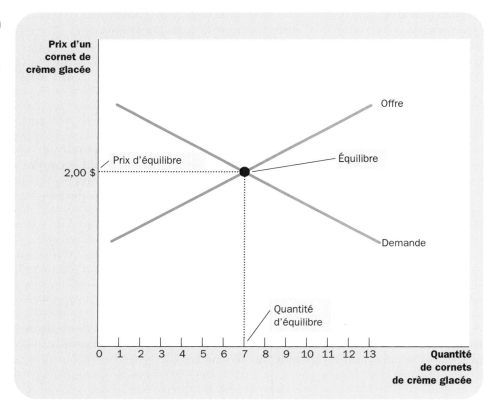

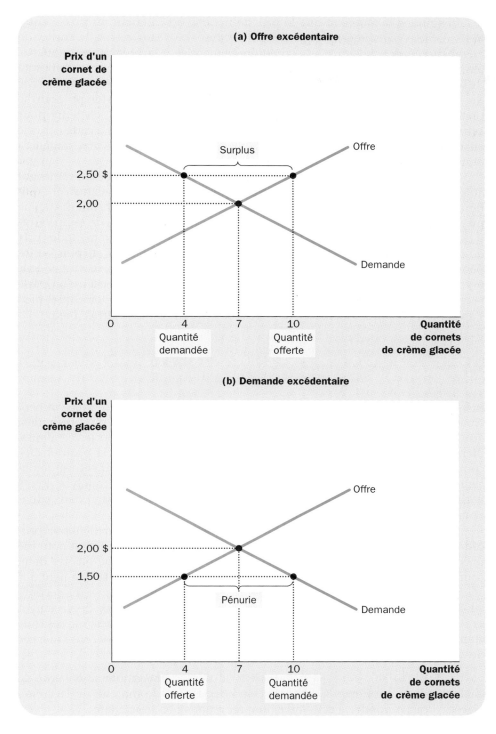

(a) Offre excédentaire

Prix d'un cornet de crème glacée

Surplus

Offre

2,50 $

2,00

Demande

0   4   7   10   **Quantité de cornets de crème glacée**

Quantité demandée   Quantité offerte

(b) Demande excédentaire

Prix d'un cornet de crème glacée

Offre

2,00 $

1,50

Pénurie

Demande

0   4   7   10   **Quantité de cornets de crème glacée**

Quantité offerte   Quantité demandée

Figure 4.9

DES MARCHÉS EN DÉSÉQUILIBRE. Le graphique (a) illustre un surplus. Le prix de marché, 2,50 $, se situe au-dessus du prix d'équilibre : la quantité offerte (10 cornets) excède donc la quantité demandée (4 cornets). Les détaillants essaient de stimuler les ventes en coupant les prix afin d'atteindre le point d'équilibre. Le graphique (b) illustre une pénurie. Le prix du marché, 1,50 $, se situe au-dessous du prix d'équilibre : la quantité demandée (10 cornets) excède la quantité offerte (4 cornets). Comme la demande dépasse nettement l'offre, les détaillants sont en position de tirer parti de cette pénurie en augmentant les prix. Dans les deux cas, l'ajustement du prix ramène le marché vers un équilibre de l'offre et de la demande.

Pénurie
Situation où la quantité demandée est supérieure à la quantité offerte.

Imaginons maintenant que le prix de marché est inférieur au prix d'équilibre, comme dans le graphique (b) de la figure 4.9. Dans ce cas, le cornet de crème glacée se vend 1,50 $ et la quantité demandée excède la quantité offerte. On se trouve alors en présence d'une **pénurie** : les acheteurs ne sont pas en mesure de se procurer ce qu'ils veulent au prix courant. En cas de pénurie sur le marché de la crème glacée, les acheteurs doivent faire la queue longtemps pour se procurer l'un des rares cornets en vente. Comme il y a trop d'acheteurs pour la quantité de biens offerts, les vendeurs auront tendance à réagir à cette pénurie en augmentant leur prix sans perdre de clients. Cette hausse des prix ramènera de nouveau le marché vers l'équilibre.

En résumé, les actions conjointes des acheteurs et des vendeurs ramènent automatiquement le prix de marché vers le prix d'équilibre. Lorsque cet équilibre est atteint, l'ensemble des vendeurs et des acheteurs est satisfait et aucune pression à la baisse ou à la hausse des prix n'apparaît. Combien de temps faut-il pour atteindre cet équilibre ? Cela dépend de la rapidité d'ajustement des prix de chacun des marchés. Dans la plupart des marchés libres, les surplus ou les pénuries restent temporaires parce que les prix finissent par retrouver leur niveau d'équilibre. Ce mécanisme est d'ailleurs tellement répandu qu'on parle parfois de la **loi de l'offre et de la demande** : le prix de n'importe quel bien s'ajuste pour assurer l'équilibre de l'offre et de la demande pour ce bien.

Loi de l'offre et de la demande
Affirmation selon laquelle le prix d'un bien s'ajuste de façon à maintenir un équilibre entre l'offre et la demande.

LES TROIS ÉTAPES POUR ANALYSER LES VARIATIONS DE L'ÉQUILIBRE

Jusqu'à présent, nous avons vu comment l'offre et la demande déterminent conjointement l'équilibre de marché, qui à son tour fixe le prix d'un bien ainsi que les quantités achetées par les consommateurs et produites par les vendeurs. Bien entendu, le prix et la quantité d'équilibre dépendent de la position des courbes de demande et d'offre. Lorsque les circonstances entraînent un déplacement de l'une de ces courbes, l'équilibre de marché change. L'analyse de ces variations se nomme *statique comparative*, car elle consiste à comparer deux situations statiques : l'ancien et le nouvel équilibre.

Pour analyser les conséquences d'un événement sur le marché, nous procédons en trois étapes. Il faut tout d'abord déterminer si l'événement entraîne un déplacement de la courbe d'offre, de la courbe de demande ou des deux courbes simultanément. Nous devons ensuite déterminer si le déplacement des courbes s'effectue vers la gauche ou vers la droite. Enfin, nous avons recours au diagramme d'offre et de demande pour observer comment ce déplacement se répercute sur le prix et la quantité d'équilibre. Le tableau 4.7 résume ces trois étapes. Pour voir le fonctionnement de ce processus, observons les conséquences de divers événements sur le marché de la crème glacée.

Exemple : une modification de la demande. Imaginons une vague de chaleur qui se prolonge. Comment cela affectera-t-il le marché de la crème glacée ? Pour répondre à cette question, reprenons nos trois étapes.

Tableau 4.7

L'ANALYSE EN TROIS ÉTAPES DES MODIFICATIONS DE L'ÉQUILIBRE

1. Déterminez si l'événement produit un déplacement de la courbe d'offre ou de la courbe de demande (ou des deux courbes à la fois).

2. Confirmez la direction dans laquelle la courbe se déplace.

3. Représentez cette évolution de l'équilibre à l'aide du diagramme d'offre et de demande.

1. En modifiant les goûts des consommateurs, la vague de chaleur affecte la courbe de demande, c'est-à-dire qu'elle incite les gens à consommer davantage de crème glacée pour tout niveau de prix. La courbe d'offre demeure inchangée puisque la chaleur n'influe pas directement sur les entreprises produisant la crème glacée.
2. Comme les gens veulent plus de crème glacée, la courbe de demande se déplace vers la droite. La figure 4.10 illustre cette augmentation de la demande, alors que la courbe passe de D_1 à D_2. Ce déplacement signifie que, peu importe le prix, la quantité demandée de crème glacée est plus importante.
3. Comme le montre la figure 4.10, une forte demande fait passer le prix d'équilibre de 2 $ à 2,50 $, alors que la quantité d'équilibre passe de 7 à 10 cornets. Cela revient à dire que la vague de chaleur augmente à la fois le prix de la crème glacée et la quantité vendue.

Déplacement des courbes et déplacement le long des courbes.
On remarquera que la canicule a fait monter le prix de la crème glacée, de même que la quantité de crème glacée offerte par les détaillants. Toutefois, la courbe d'offre ne s'est pas déplacée. En pareil cas, les économistes disent qu'il s'agit d'une augmentation de la « quantité offerte » et non d'un changement de l'« offre ».

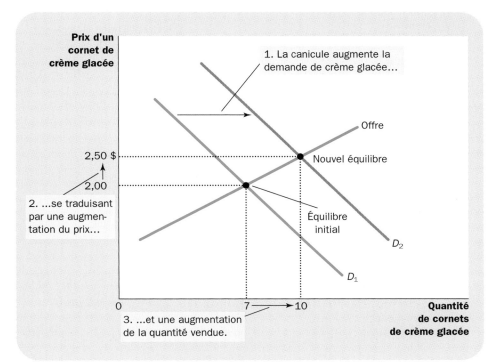

Figure 4.10

L'AUGMENTATION DE LA DEMANDE ET LA MODIFICATION DE L'ÉQUILIBRE. Un événement qui augmente la quantité demandée pour tout niveau de prix entraîne un déplacement de la courbe de demande vers la droite. Le prix et la quantité d'équilibre augmentent tous deux. Dans le cas présent, un été anormalement chaud incite les acheteurs à consommer davantage de crème glacée. La courbe de demande se déplace de D_1 à D_2, faisant passer le prix d'équilibre de 2 $ à 2,50 $ alors que la quantité d'équilibre passe de 7 à 10 cornets.

**Lire l'article
pages 415 et 416**

L'« offre » fait référence à la position de la courbe d'offre, alors que la « quantité offerte » désigne la quantité que les fournisseurs se proposent de vendre. Dans l'exemple précité, l'offre reste invariable parce que la chaleur n'amène pas les détaillants à vendre davantage à chaque prix donné. C'est la hausse de la demande à tous les prix donnés qui provoque un déplacement de la courbe de demande et fait augmenter le prix d'équilibre. Lorsque ce prix augmente, la quantité offerte augmente également ; cette augmentation se traduit par un déplacement le long de la courbe d'offre.

En résumé, un déplacement *de la courbe* d'offre s'appelle « modification de l'offre », et un déplacement *de la courbe* de demande s'appelle « modification de la demande ». Un déplacement *le long* d'une courbe d'offre fixe correspond à « une modification de la quantité offerte », et un déplacement *le long* d'une courbe de demande fixe se nomme « modification de la quantité demandée ».

Exemple : une modification de l'offre.   Supposons qu'au cours de l'été, un tremblement de terre détruise plusieurs fabriques de crème glacée. Quelles seront les conséquences de cet événement sur ce marché ? Pour répondre à cette question, reprenons nos trois étapes.

1. Le tremblement de terre affecte la courbe d'offre. En réduisant le nombre de vendeurs, le séisme modifie la quantité de crème glacée offerte à tous les niveaux de prix. En revanche, la courbe de demande reste invariable puisque ce tremblement de terre ne modifie pas directement la quantité de crème glacée que les gens entendent consommer.
2. La courbe d'offre se déplace vers la gauche parce que, pour n'importe quel prix, les quantités que les entreprises veulent vendre diminuent. La figure 4.11 illustre cette baisse de l'offre par un déplacement de la courbe de l'offre, qui passe de O_1 à O_2.
3. On observe ici un déplacement de la courbe d'offre faisant passer le prix d'équilibre de 2 $ à 2,50 $ alors que la quantité d'équilibre passe de 7 à 4 cornets. Le tremblement de terre entraîne une augmentation du prix de la crème glacée et une diminution des ventes.

Figure 4.11

LA DIMINUTION DE L'OFFRE ET LA MODIFICATION DE L'ÉQUILIBRE. Tout événement qui réduit la quantité offerte, pour tout niveau de prix, produit un déplacement de la courbe vers la gauche. Le prix d'équilibre augmente alors que la quantité d'équilibre chute. Dans le cas présent, un tremblement de terre réduit l'offre des vendeurs. La courbe d'offre passe donc de O_1 à O_2, ce qui fait augmenter le prix d'équilibre de 2 $ à 2,50 $ alors que la quantité d'équilibre passe de 7 à 4 cornets.

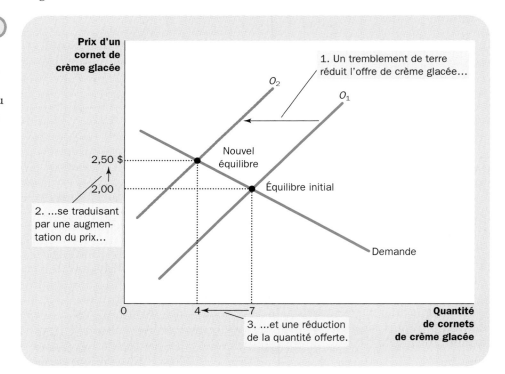

Exemple : une modification de l'offre et de la demande.   Imaginons un scénario où la canicule et le tremblement de terre coïncident. Pour analyser la conjonction de ces événements, nous suivrons encore une fois nos trois étapes.

1. Nous concluons que les deux courbes doivent se déplacer. Les conséquences de la canicule s'observent sur la courbe de demande, car les gens consomment davantage de crème glacée à tous les niveaux de prix. Simultanément, le séisme influe sur la courbe d'offre en réduisant la quantité de crème glacée produite par les vendeurs, quel que soit le prix.
2. Ces courbes se déplacent dans la même direction que dans les analyses précédentes : la courbe de demande se déplace vers la droite et la courbe d'offre, vers la gauche, comme le montre la figure 4.12.
3. Sur cette même figure, deux résultats sont possibles, selon l'importance relative du déplacement des courbes de demande et d'offre. Dans les deux cas, on assiste à une augmentation du prix d'équilibre. Le graphique (a) montre une augmentation importante de la demande alors que l'offre baisse légèrement, entraînant une hausse de la quantité d'équilibre. En revanche, le graphique (b) illustre une chute prononcée de l'offre, accompagnée d'une légère augmentation de la demande, se traduisant par une diminution de la quantité d'équilibre. Ces deux événements induisent donc automatiquement une augmentation du prix de la crème glacée, mais leurs conséquences sur la quantité échangée demeurent incertaines.

Résumé.   Nous nous sommes limités à trois exemples pour illustrer l'utilisation des courbes d'offre et de demande dans l'analyse des modifications de l'équilibre. Vous pouvez utiliser ces outils toutes les fois qu'un événement provoque un déplacement de la courbe de demande, de la courbe d'offre, ou des deux, pour prévoir les conséquences sur la quantité vendue au point d'équilibre et sur le prix de vente du produit. Le tableau 4.8 compile les résultats prévus pour toutes les combinaisons possibles de déplacement des deux courbes. Pour être sûr de bien comprendre, sélectionnez certaines combinaisons dans ce tableau et vérifiez si vous pouvez expliquer les raisons de ces prédictions.

MINITEST : Analysez les conséquences de l'augmentation du prix des tomates sur le marché de la pizza. ◆ Analysez les conséquences d'une chute du prix des hamburgers sur le marché de la pizza.

CONCLUSION : COMMENT LES PRIX PERMETTENT L'ALLOCATION DES RESSOURCES

Dans ce chapitre, nous avons analysé l'offre et la demande sur un marché unique. Même si notre démonstration s'est limitée au marché de la crème glacée, les conclusions tirées ici s'appliquent à la plupart des autres marchés. Chaque fois que vous achetez quelque chose dans une boutique, vous contribuez à la demande pour cet article. Toutes les fois que vous recherchez un emploi, vous participez à l'offre de main-d'œuvre. L'offre et la demande constituent des phénomènes économiques prépondérants. C'est pourquoi le modèle de l'offre et de la demande s'avère un outil d'analyse très utile. Nous recourrons fréquemment à ce modèle d'offre et de demande dans cet ouvrage.

D'après l'un des *dix principes d'économie* présentés dans le chapitre 1, les marchés représentent en général une façon efficiente d'organiser l'activité économique. Bien qu'il soit un peu prématuré de statuer sur l'intérêt que présentent

Figure 4.12

LES DÉPLACEMENTS SIMULTANÉS DES COURBES D'OFFRE ET DE DEMANDE. Ce graphique illustre une augmentation de la demande accompagnée d'une diminution de l'offre. Deux résultats sont possibles. Sur le graphique (a), le prix d'équilibre passe de P_1 à P_2, pendant que la quantité d'équilibre augmente de Q_1 à Q_2. Sur le graphique (b), le prix d'équilibre passe de nouveau de P_1 à P_2, alors que la quantité d'équilibre passe cette fois-ci de Q_1 à Q_2.

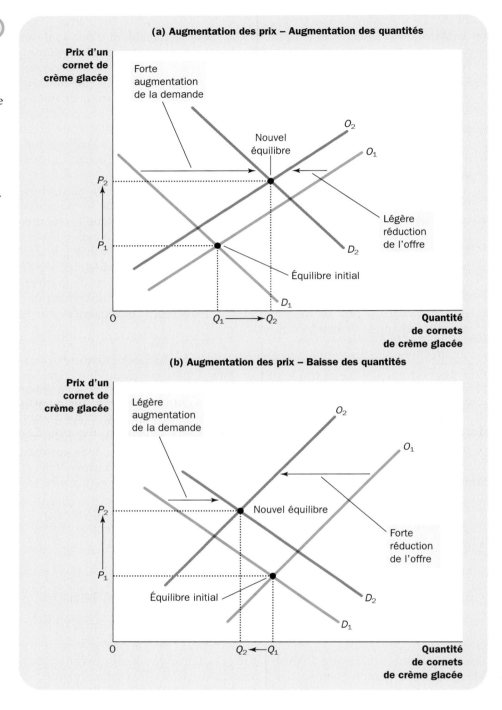

les marchés dans l'organisation de l'activité économique, nous nous sommes attardés, dans ce chapitre, à expliquer leur fonctionnement. Dans toute organisation économique, les ressources rares doivent être allouées à des usages multiples. L'économie de marché met à profit les forces de l'offre et de la demande pour y arriver. Ces forces conjuguées permettent de fixer les prix des biens et des services; ceux-ci, à leur tour, servent de signaux pour la répartition des ressources.

Prenons, par exemple, l'utilisation du front de mer. Puisque ces terrains existent en quantité limitée, le luxe de vivre près de la plage n'est pas donné à tout le monde. Qui jouit de cette ressource? Ceux qui peuvent et qui sont

Tableau 4.8

LE DÉPLACEMENT DE L'OFFRE
OU DE LA DEMANDE ET LES
CONSÉQUENCES SUR LES PRIX
ET LES QUANTITÉS

	OFFRE INVARIABLE	AUGMENTATION DE L'OFFRE	DIMINUTION DE L'OFFRE
DEMANDE INVARIABLE	P identique Q identique	P en baisse Q en hausse	P en hausse Q en baisse
AUGMENTATION DE LA DEMANDE	P en hausse Q en hausse	P incertain Q en hausse	P en hausse Q incertain
DIMINUTION DE LA DEMANDE	P en baisse Q en baisse	P en baisse Q incertain	P incertain Q en baisse

disposés à en payer le prix. Le prix du terrain en bord de mer s'ajuste jusqu'à ce que la quantité de terrains demandés soit égale à la quantité de terrains offerts. Dans une économie de marché, la répartition des ressources rares s'effectue au moyen du mécanisme des prix.

Dans le même ordre d'idées, les prix déterminent les quantités produites ainsi que le nombre de producteurs. Pour illustrer cette affirmation, prenons l'exemple de l'agriculture. La nourriture figurant au rang des biens de première nécessité, le travail des agriculteurs est crucial. Comment décider qui sera fermier? Dans une économie de libre marché, aucune agence de planification gouvernementale ne prend cette décision, ni ne se charge de l'approvisionnement alimentaire. La répartition des travailleurs dans l'agriculture s'effectue à partir de la décision individuelle de millions de personnes. Une organisation aussi décentralisée fonctionne bien parce que les décisions dépendent des prix. Les prix de l'alimentation et les salaires des travailleurs agricoles (la rémunération de leur travail) garantissent qu'une proportion suffisante d'individus se consacre à l'agriculture.

Quelqu'un qui ignorerait le fonctionnement d'une économie de marché pourrait penser qu'une telle idée est complètement grotesque. Les économies se composent de nombreuses personnes dont les activités sont interdépendantes. Qu'est-ce qui empêche la décentralisation des décisions de sombrer dans le chaos? Qui coordonne les actions de millions de personnes ayant chacune des goûts et des talents divers? Qui s'assure de la réalisation des tâches? Il n'y a qu'une seule réponse: les *prix*. Si l'économie de marché est guidée par une main invisible, selon la célèbre métaphore d'Adam Smith, alors le prix représente la baguette dont se sert cette main invisible pour diriger l'orchestre économique.

«Dix dollars…   … et soixante-quinze cents.»

Résumé

◆ Pour analyser les marchés concurrentiels, les économistes se servent du modèle de l'offre et de la demande. Dans un marché concurrentiel, les vendeurs et les acheteurs sont nombreux. Chacun d'eux n'a qu'une influence limitée sur le prix du marché.

◆ La courbe de demande révèle comment la quantité de biens demandée dépend du prix. Selon la loi de la demande, lorsque le prix d'un bien baisse, la quantité demandée augmente. En conséquence, la courbe de demande a une pente négative.

◆ Outre le prix, les autres facteurs déterminants de la quantité demandée comprennent le revenu, les goûts, les anticipations et les prix des substituts ou des compléments. Lorsque l'un de ces facteurs change, la courbe de demande se déplace.

◆ La courbe d'offre indique comment la quantité de biens offerte dépend du prix. Selon la loi de l'offre, lorsque le prix d'un bien augmente, la quantité offerte augmente également. En conséquence, la courbe d'offre a une pente positive.

◆ Mis à part le prix, d'autres facteurs déterminent la quantité offerte : le prix des intrants, la technologie et les anticipations. Si l'un de ces facteurs change, la courbe d'offre se déplace.

◆ L'équilibre de marché se situe à l'intersection des courbes d'offre et de demande. Au prix d'équilibre, la quantité demandée est égale à la quantité offerte.

◆ Le comportement des acheteurs et des vendeurs ramène naturellement le marché à son point d'équilibre. Lorsque le prix du marché excède le prix d'équilibre, un surplus se crée et provoque une chute des prix. En revanche, lorsque le prix du marché se situe au-dessous du prix d'équilibre, une pénurie provoque une augmentation des prix.

◆ Afin d'analyser les conséquences d'un événement sur le prix et la quantité d'équilibre d'un marché, nous avons recours au graphique de l'offre et de la demande. Premièrement, nous devons décider si cet événement déplace la courbe d'offre, la courbe de demande, ou les deux courbes simultanément. Deuxièmement, il faut savoir dans quelle direction se fera le déplacement des courbes concernées. Troisièmement, nous comparerons le nouvel équilibre avec l'équilibre initial.

◆ Dans une économie de marché, les prix sont des signaux qui servent à guider les décisions économiques et, par conséquent, à allouer les ressources rares. Les prix garantissent l'équilibre de l'offre et de la demande pour chaque bien mis sur le marché. Le prix d'équilibre détermine ensuite la quantité de biens que les acheteurs choisissent d'acquérir et celle que les vendeurs décident de produire.

Concepts clés

Questions de révision

1. Qu'est-ce qu'un marché concurrentiel ? Décrivez brièvement d'autres types de marché qui ne sont pas parfaitement concurrentiels.

2. Qu'est-ce qui détermine la quantité demandée par les acheteurs ?

3. Définissez le barème de demande et la courbe de demande, et décrivez leur relation. Pourquoi une courbe de demande a-t-elle une pente négative ?

4. Un changement dans les goûts des consommateurs provoque-t-il un déplacement le long d'une courbe de demande ou un déplacement de cette courbe ? Un changement de prix provoque-t-il un déplacement le long d'une courbe de demande ou un déplacement de cette même courbe ?

5. Les revenus de Popeye diminuent et il achète plus d'épinards. Dans ce cas, les épinards sont-ils un bien normal ou inférieur ? Qu'advient-il de la courbe de demande d'épinards de Popeye ?

6. Qu'est-ce qui détermine la quantité offerte par les vendeurs ?

7. Définissez le barème d'offre et la courbe d'offre, et décrivez leur relation. Pourquoi la courbe d'offre a-t-elle une pente positive ?

8. Un changement dans la technologie de production conduit-il à un déplacement le long de la courbe d'offre ou à un mouvement de cette courbe ? Un changement de prix provoque-t-il un déplacement le long de la courbe d'offre ou un déplacement de cette même courbe ?

9. Définissez l'équilibre d'un marché. Décrivez les forces qui ramènent un marché à son point d'équilibre.

10. La bière et la pizza sont des biens complémentaires, car on a coutume de les consommer ensemble. Quand le prix de la bière augmente, que se passe-t-il en ce qui concerne l'offre, la demande, la quantité offerte, la quantité demandée et le prix de la pizza sur le marché ?

11. Décrivez le rôle des prix dans une économie de marché.

La croissance
économique
atteint 3 %

IPC

LES DONNÉES DE
LA MACROÉCONOMIE

5

LE REVENU D'UN PAYS

À la fin de vos études, lorsque vous vous mettrez à la recherche d'un emploi, le succès de votre démarche dépendra en grande partie des conditions économiques. Certaines années, les entreprises augmentent leur production de biens et de services et embauchent davantage de personnel, et il est facile de trouver du travail. Mais les années où les entreprises réduisent leur production, les offres d'emploi se font rares et il faut plus de temps pour trouver un emploi. Bien évidemment, les nouveaux diplômés préfèrent entrer sur le marché du travail lorsqu'il est en pleine expansion, plutôt qu'au moment d'un ralentissement économique.

La conjoncture économique nous concerne à tel point que les journaux nous en tiennent constamment informés. On ne peut pas ouvrir un quotidien sans tomber sur une nouvelle statistique économique, qu'il s'agisse du produit intérieur brut (PIB), du taux de variation de l'indice des prix (taux d'inflation), du pourcentage de la main-d'œuvre active sans emploi (taux de chômage), du total des dépenses de consommation (ventes au détail) ou du déséquilibre entre les importations et les exportations (déficit ou surplus commercial). Toutes ces statistiques sont agrégées; elles concernent la *macroéconomie,* c'est-à-dire l'ensemble de l'économie, plutôt qu'un ménage ou une entreprise spécifique.

Microéconomie
Étude de la prise de décision des ménages et des entreprises et de leurs interactions sur les marchés.

Macroéconomie
Étude des phénomènes économiques considérés globalement, notamment l'inflation, le chômage et la croissance économique.

Le chapitre 2 a montré que la science économique est divisée en deux branches : la microéconomie et la macroéconomie. La **microéconomie** s'intéresse aux décisions des ménages et des entreprises et à leurs interactions sur les marchés. La **macroéconomie,** pour sa part, étudie l'économie dans son ensemble. Elle a pour objectif d'expliquer les changements économiques qui ont des conséquences sur les ménages, les entreprises et les marchés. Elle s'intéresse à plusieurs questions : pourquoi les revenus moyens sont-ils élevés dans certains pays et faibles dans d'autres ? Comment expliquer la hausse rapide des prix ou leur stabilité durant certaines périodes ? Pourquoi la production et l'emploi progressent-ils rapidement certaines années et régressent-ils à d'autres moments ? Quelles interventions publiques peuvent favoriser une croissance rapide des revenus, une inflation faible et le plein-emploi ? Ces questions sont toutes de nature macroéconomique, puisqu'elles concernent le fonctionnement global de l'économie.

La microéconomie et la macroéconomie sont étroitement liées pour la simple raison que l'économie se compose de l'ensemble des ménages, des entreprises et des gouvernements, en interaction sur les divers marchés. Les outils essentiels de l'offre et de la demande sont aussi indispensables à l'analyse macro-économique qu'à l'analyse microéconomique. Cependant, l'étude de l'économie dans son ensemble pose des défis intellectuels nouveaux et passionnants.

Dans ce chapitre et dans le chapitre suivant, nous étudierons les données nécessaires aux économistes et aux décideurs pour comprendre l'évolution de l'économie nationale. Le présent chapitre traite du *produit intérieur brut,* ou PIB, qui mesure le revenu total généré dans un pays. On considère cette statistique économique comme étant la mesure par excellence du bien-être économique de la société. Bien qu'elle soit loin d'être parfaite, il s'agit de la statistique la plus étudiée.

LES REVENUS ET LES DÉPENSES DANS L'ÉCONOMIE

Lorsqu'on pense au niveau de vie d'une personne, son revenu est généralement la première variable qui vient à l'esprit. Une personne qui dispose d'un revenu élevé est en mesure de subvenir à ses besoins essentiels, et même plus. On ne s'étonnera pas de constater que les mieux nantis ont également un meilleur niveau de vie : les plus beaux logements, la meilleure nourriture, les voitures de luxe, les vacances de rêve, etc.

La même logique s'applique à l'économie globale. Quand on veut savoir comment va l'économie, on se tourne normalement vers le revenu total généré par l'ensemble de la population, c'est-à-dire le produit intérieur brut (PIB).

Cette statistique mesure deux choses simultanément : le revenu total de tous les agents économiques, et la dépense totale effectuée pour acheter tous les biens et les services. Si le PIB fournit ces deux données à la fois, c'est parce que *la dépense totale dans une économie doit être égale à son revenu.*

Pourquoi ? Pour la simple raison que chaque transaction requiert deux parties : un acheteur et un vendeur. Chaque dollar dépensé par un acheteur devient un dollar de revenu pour le vendeur. Prenons un exemple fictif : Zoé paie Marc pour tondre son gazon. Dans ce cas, Marc produit un service que Zoé achète. Elle dépense 20 $ tandis que lui gagne 20 $. Cette transaction figure à la fois sur le plan de la dépense et du revenu macroéconomiques. Le PIB, qui mesure la dépense et le revenu totaux, augmente alors de 20 $.

Un diagramme des flux circulaires, comme celui de la figure 5.1, illustre cette équivalence entre le revenu et la dépense. Ce diagramme, déjà présenté au chapitre 2, fait état de toutes les transactions entre les ménages et les entreprises dans une économie simple. Les ménages achètent les biens et les services auprès des entreprises, en dépensant leur argent sur le marché des biens et des services. Ce flux de revenu des entreprises retourne par la suite sur le marché des facteurs pour payer les facteurs de production (salaires, loyers et profits). L'argent circule des ménages aux entreprises, puis retourne aux ménages, et ainsi de suite.

Le PIB de cette économie peut ainsi se calculer de deux façons : en additionnant le total des dépenses des ménages, ou encore le total des revenus (salaires, loyers et profits) versés par les entreprises. En partant du principe que toutes les dépenses deviennent des revenus, le PIB sera le même, quelle que soit la façon de le calculer.

Naturellement, l'économie réelle est beaucoup plus complexe que celle qui est schématisée à la figure 5.1. D'une part, les ménages ne dépensent pas la totalité de leur revenu, une portion de celui-ci allant dans les caisses de l'État sous forme d'impôts, et une autre étant épargnée en prévision d'une consommation future. D'autre part, les ménages n'achètent pas tous les biens et les services produits. Le gouvernement en achète également une partie, de même que les entreprises (sous forme de biens de capital). Néanmoins, que l'acheteur soit un ménage, l'administration publique ou une entreprise, chaque transaction met toujours en présence un acheteur et un vendeur. À l'échelle de l'économie globale, la dépense et le revenu sont toujours égaux.

Figure 5.1

DIAGRAMME DES FLUX CIRCULAIRES. Les ménages achètent les biens et les services des entreprises, tandis que les entreprises utilisent ces revenus pour payer les salaires des employés, les loyers des propriétaires et les profits des entrepreneurs. Le PIB équivaut au montant total des dépenses des ménages sur le marché des biens et des services. Il équivaut également au total des salaires, loyers et profits versés par les entreprises sur le marché des facteurs de production.

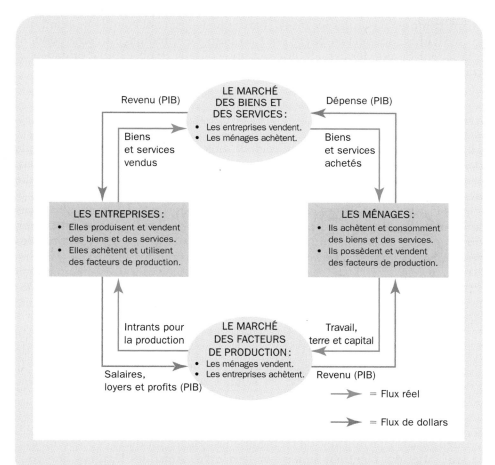

> **MINITEST :** Le produit intérieur brut mesure deux choses. Lesquelles ? Comment peut-il mesurer ces deux éléments à la fois ?

LA DÉFINITION DU PRODUIT INTÉRIEUR BRUT

Produit intérieur brut (PIB)
1. Total des revenus gagnés sur un territoire, y compris par les facteurs de production dont la propriété est étrangère.
2. Dépenses totales en biens et services finaux produits sur un territoire.

Maintenant que le produit intérieur brut a été abordé de manière générale, il est nécessaire d'en préciser le sens. Commençons en premier lieu par sa définition :

◆   Le **produit intérieur brut (PIB)** est la valeur aux prix du marché de tous les biens et les services finaux produits dans une économie durant une période donnée.

Cette définition peut paraître simple, mais en réalité, bien des problèmes subtils se posent lorsque l'on doit calculer le PIB d'une économie. Regardons attentivement chaque partie de cette définition.

« LE PIB EST LA VALEUR AUX PRIX DU MARCHÉ... »

Vous avez sûrement déjà entendu l'adage selon lequel « on ne peut pas comparer des pommes et des oranges ». C'est pourtant ce que l'on fait en calculant le PIB. On additionne toutes sortes de produits pour mesurer la production en une seule statistique. Pour y parvenir, il faut trouver un dénominateur commun à tout ce que l'on produit, en l'occurence la valeur marchande (soit le prix de vente, comprenant toutes les taxes). Parce que les prix reflètent le montant que les individus sont prêts à payer pour acquérir des produits, ils correspondent à la valeur de ces derniers. Si une pomme coûte le double d'une orange, elle contribue deux fois plus au PIB qu'une orange.

« DE TOUS... »

Le PIB est une mesure générale : il englobe tous les biens et les services produits dans l'économie et vendus légalement sur les marchés. Il mesure non seulement la valeur marchande des pommes, mais aussi celle des livres et des films, celle des coupes de cheveux, des soins de santé, etc.

Le PIB inclut également la valeur marchande des services d'habitation. Dans le cas des logements locatifs, la valeur est facile à calculer : il s'agit du loyer, qui équivaut à la fois aux dépenses des locataires et aux revenus des propriétaires. Toutefois, bien des gens sont propriétaires de leur résidence et ne paient pas de loyer. Dans ce cas, le gouvernement inclut une évaluation de la valeur locative des maisons dans le calcul du PIB. On suppose donc que les propriétaires se versent à eux-mêmes un loyer, qui représente à la fois une dépense et un revenu.

On fait la même chose pour la partie de la production gouvernementale qui n'est pas commercialisée. Dans ce cas, on mesure la valeur des coûts de production. Par exemple, les salaires des fonctionnaires représentent le coût de production des services publics ; ces salaires sont donc comptabilisés comme des dépenses publiques effectuées pour acheter des biens et des services.

Néanmoins, certains produits, parce qu'ils sont trop difficiles à évaluer, échappent au calcul du PIB. Parmi eux, les biens produits et vendus au noir, comme les drogues illicites, de même que les articles produits et consommés à la maison et qui n'entrent jamais sur le marché. Ainsi, les légumes que vous achetez à l'épicerie entrent dans le calcul du PIB, mais pas ceux que vous faites pousser dans votre jardin.

De telles exclusions risquent parfois de mener à des résultats paradoxaux. Dans l'exemple précédent, la transaction entre Zoé et Marc pour la tonte de la pelouse entre dans le calcul du PIB. Mais si Zoé et Marc forment un couple, cela change la donne. Même si Marc continue à tondre le gazon, ce service n'apparaît plus dans le PIB puisqu'il n'est plus négocié sur le marché ; cela réduit donc le PIB.

« LES BIENS ET LES SERVICES... »

Le PIB comptabilise à la fois des biens tangibles (nourriture, vêtements, automobiles) et des services intangibles (coupes de cheveux, nettoyage, traitements chez le dentiste). Lorsque vous achetez un disque compact de votre groupe préféré, vous acquérez un bien et sa valeur entre dans le calcul du PIB. De même, si vous assistez à un concert de ce même groupe, le prix de votre billet, donc la valeur de ce service, entre également dans le calcul du PIB.

« FINAUX... »

Lorsque Carlton Cards imprime des cartes de vœux sur du papier fabriqué par Domtar, le papier est considéré comme un *bien intermédiaire* et la carte comme un *bien final*. Le PIB tient uniquement compte de la valeur des biens finaux, parce qu'en ajoutant la valeur marchande du papier à celle de la carte, on compte le bien intermédiaire en double et on exagère la véritable valeur de la production.

Il y a pourtant deux exceptions à ce principe. Premièrement, on comptabilise, en considérant la variation des stocks des entreprises, les biens intermédiaires produits et stockés pour être utilisés ou vendus ultérieurement. Généralement, cette dépense est incluse dans les investissements. Lorsque ces biens finissent par être utilisés ou vendus, ils apparaissent comme des investissements négatifs dans les stocks et leur valeur est soustraite du PIB. Deuxièmement, les biens intermédiaires exportés sont considérés comme finaux (pour le pays exportateur). On comptabilise donc tous les biens exportés, qu'ils soient intermédiaires ou finaux.

« PRODUITS... »

Le PIB tient compte des biens et des services qui sont produits actuellement, mais il ne tient pas compte des transactions de biens produits antérieurement. Ainsi, lorsqu'une personne vend une automobile d'occasion, la valeur de ce véhicule ne figure pas dans le calcul du PIB. La valeur des services reliés à la revente du véhicule est cependant comptabilisée.

Quand la General Motors fabrique une nouvelle voiture, la valeur de cette voiture entre dans le calcul du PIB, que la voiture soit vendue ou non durant l'année de sa fabrication. En effet, la valeur d'un bien est toujours prise en compte durant la période de production, soit directement s'il est vendu, soit indirectement, en considérant la variation de la valeur des stocks des entreprises, s'il est vendu plus tard.

« DANS UNE ÉCONOMIE… »

Le PIB concerne la production d'un pays, à l'intérieur de ses frontières. Si un citoyen américain travaille au Canada, sa production sera considérée dans le PIB canadien. De même, si une citoyenne canadienne possède une usine à Haïti, sa production ne sera pas comptabilisée dans le produit intérieur brut canadien, mais dans le PIB haïtien. Les biens et les services inclus dans le PIB font nécessairement partie de la production intérieure, quelle que soit la nationalité du producteur.

« DURANT UNE PÉRIODE DONNÉE. »

Le PIB indique la valeur de la production, soit le total des dépenses ou du revenu, réalisée au cours d'une période spécifique, généralement une année ou un trimestre. Le PIB est donc une variable de flux.

Quand le gouvernement annonce le PIB trimestriel, il s'agit la plupart du temps du PIB rapporté «au taux annuel». Cela signifie que le chiffre publié correspond au montant des dépenses et revenus trimestriels multiplié par quatre. Cette convention permet de comparer facilement les chiffres trimestriels et annuels du PIB.

De plus, les chiffres officiels pour le trimestre peuvent être *désaisonnalisés* pour tenir compte des variations saisonnières. Ces données corrigées font mieux apparaître les fluctuations annuelles de la production des biens et des services. Comme on pourrait s'en douter, la production atteint un sommet durant la période de Noël. Les économistes et les décideurs, lorsqu'ils veulent connaître la situation réelle de l'économie, ont besoin de masquer l'influence de ces fluctuations saisonnières habituelles. C'est pourquoi Statistique Canada ajuste les données trimestrielles en corrigeant ces variations. Les données fournies par la presse sont normalement désaisonnalisées.

Revoyons maintenant la définition du PIB :

Le produit intérieur brut (PIB) est la valeur aux prix du marché de tous les biens et les services finaux produits dans une économie durant une période donnée.

Vous êtes maintenant conscients que le PIB est une mesure sophistiquée de l'activité économique. Dans les cours de macroéconomie plus avancés, vous apprendrez qu'il existe d'autres subtilités relatives à son calcul. Mais pour l'instant, il suffit de savoir que tous les mots de cette définition sont importants.

BON À SAVOIR

Variables de flux et variables de stock

Toutes les variables utilisées en macroéconomie peuvent être classées en variables de flux ou de stock. Une variable de flux possède une dimension temporelle. Pour la reconnaître, il suffit de savoir qu'elle est toujours suivie d'une durée. Par exemple, la vitesse d'une voiture sur la route (mesurée en kilomètres par heure), les achats de disques compacts (le nombre d'unités par semaine) et le revenu d'une personne (en dollars par année) sont des variables de flux. Une variable de stock, quant à elle, est une quantité instantanée : elle n'a donc pas de dimension dans le temps. On peut donner pour exemple la distance entre Montréal et Québec (250 kilomètres).

Le PIB et le revenu sont des variables de flux. Ainsi, le PIB annuel est approximativement quatre fois plus élevé que le PIB trimestriel.

Autres statistiques sur le revenu et la production

Lorsque Statistique Canada calcule le PIB trimestriel canadien, elle intègre également d'autres mesures du revenu pour dresser un portrait plus complet de la situation économique. Ces autres mesures diffèrent du PIB par l'exclusion ou l'inclusion de certaines catégories de revenus. Voici une brève définition de ces mesures, selon leur importance décroissante :

◆ *Le produit national brut (PNB)* correspond aux revenus totaux de tous les résidents d'un pays. Il diffère du PIB de la façon suivante : le PIB mesure la valeur du revenu **produit** sur un territoire, alors que le PNB mesure la valeur du revenu **reçu** par les résidents d'un territoire. La différence entre les deux définitions est subtile. Lorsque la compagnie Bombardier produit des locomotives à La Pocatière, la valeur de cette production est comptabilisée dans le PIB canadien. Si des résidents allemands possèdent des obligations de Bombardier, une partie du revenu généré par la production leur est cependant versée. De même, si la compagnie allemande BMW produit des voitures en Bavière, cette production est mesurée dans le PIB allemand. Si des résidents canadiens possèdent des titres de BMW, ils en reçoivent un revenu de placement. Pour calculer le PNB, on part du PIB et l'on soustrait les revenus versés par les entreprises et gouvernements canadiens à des non-résidents, puis l'on ajoute la valeur des revenus provenant de l'étranger et reçus par les résidents canadiens. De cette façon, on mesure bien les revenus des résidents canadiens provenant de leur apport à la production, quel que soit le lieu de cette production. En 2003, le PIB canadien était de 1 218 772 millions de dollars. Cette même année, les résidents canadiens ont reçu l'équivalent de 32 700 millions de dollars canadiens en revenus de placements étrangers, alors que les étrangers ont reçu 56 443 millions de dollars de la part d'entreprises et de gouvernements canadiens. Le PNB était donc en 2003 égal à 1 195 029 millions de dollars, pour une différence entre le PIB et le PNB de 2,0 %. Notons qu'au Canada, le PNB est toujours inférieur au PIB, car le Canada est un pays débiteur net à l'échelle internationale (les étrangers détiennent plus d'actifs canadiens que les résidents canadiens ne détiennent d'actifs étrangers).

◆ *Le produit intérieur net (PIN)* correspond au PIB diminué du montant de la dépréciation. La *dépréciation* (ou *amortissement*) correspond à l'usure des équipements et des infrastructures économiques, allant de la détérioration des camions à l'usure des ampoules. Dans la comptabilité nationale, Statistique Canada lui donne le nom de *provision pour consommation de capital*.

◆ *Le revenu intérieur net au coût des facteurs (RIN)* est le PIN, duquel on enlève la valeur des taxes indirectes (nettes des subventions). Le RIN représente la valeur de la rémunération (ou des revenus) des facteurs de production.

◆ *Le revenu disponible* correspond au revenu dont les ménages disposent après avoir payé leurs impôts et avoir reçu des transferts personnels des gouvernements. Les ménages peuvent faire deux choses avec ce revenu : l'épargner et le consommer.

Même si ces statistiques diffèrent, leurs fluctuations sont fortement corrélées. Lorsque le PIB croît rapidement, elles font de même. Lorsque le PIB chute, elles tombent également. Pour suivre l'évolution de l'économie, le type de mesure du revenu employé importe peu.

MINITEST : Qu'est-ce qui contribue le plus au PIB : la production d'un kilo de steak haché ou celle d'un kilo de caviar ? Pourquoi ?

LES COMPOSANTES DU PIB

Il existe bien des manières de dépenser au sein d'une économie. À un instant donné, la famille Tremblay dîne à la Belle Province, la General Motors construit une nouvelle usine en Ontario, la marine canadienne répare un sous-marin, et British Airways prend livraison d'un avion de Bombardier. Le PIB inclut tous ces types de dépenses liées à des biens et des services produits à l'intérieur du Canada.

Pour mieux comprendre comment l'économie utilise ses ressources rares, les économistes étudient la composition du PIB en fonction des divers types de dépenses. À cette fin, ils divisent le PIB (représenté par la lettre Y) en quatre composantes : la consommation (C), l'investissement (I), les dépenses publiques (G) et les exportations nettes (XN) :

$$Y = C + I + G + XN.$$

Cette équation est une *identité*. Elle doit se vérifier en fonction des valeurs attribuées aux variables. Dans le cas présent, comme chaque dollar dépensé se répartit entre les quatre composantes du PIB, leur total équivaut au PIB.

Nous venons de donner un exemple pour chacune de ces composantes. La **consommation** représente les dépenses des ménages pour des biens et des services, comme le repas de la famille Tremblay à la Belle Province. L'**investissement** correspond aux dépenses pour des équipements et des infrastructures, tels que l'usine de la General Motors. Cela inclut également l'acquisition des nouveaux logements. (Ce type de dépenses figure dans la catégorie des investissements plutôt que dans celle de la consommation.) Les **dépenses gouvernementales** mesurent les achats de biens et de services par les gouvernements locaux, provinciaux et fédéral, comme les salaires des fonctionnaires. Les **exportations nettes** équivalent aux dépenses pour des biens de production intérieure acquis par les étrangers (exportations), auxquelles on soustrait les dépenses pour des biens produits à l'étranger acquis par les résidents locaux (importations). La vente d'un produit canadien à un acheteur étranger, comme dans le cas de l'avion de Bombardier à British Airways, accroît le montant des exportations nettes.

Pour calculer les exportations nettes, il faut soustraire les importations des exportations. En effet, les importations de biens et de services sont comprises dans d'autres composantes du PIB. Imaginons qu'un ménage achète une voiture du fabricant allemand Volkswagen et la paye 30 000 $. Cette transaction augmente la consommation de 30 000 $, puisqu'il s'agit d'une dépense de consommation ; mais comme il s'agit d'une importation, elle diminue d'autant les exportations nettes. Lorsqu'un ménage, une entreprise ou un ordre de gouvernement achète des produits et services à l'extérieur du pays, ces achats réduisent les exportations nettes, parce qu'ils augmentent la consommation, l'investissement ou les dépenses publiques, sans pour autant faire partie du PIB.

Il faut également clarifier la notion de « dépenses gouvernementales ». Lorsque le gouvernement verse sa solde à un général, ce salaire fait partie des dépenses publiques. Mais qu'en est-il des versements du Régime des rentes du Québec à une personne âgée ? Ces dépenses sont appelées *paiements de transfert*, puisque ce versement ne se fait pas en échange de biens ou de services. D'un point de vue macroéconomique, les paiements de transfert sont considérés comme des taxes négatives. Tout comme les impôts, ce type de transfert influe sur le revenu des particuliers, sans toutefois influer sur la production économique. Comme le PIB mesure le revenu et les dépenses liés à la production des biens et des services, les paiements de transfert ne figurent pas dans les dépenses gouvernementales.

Le tableau 5.1 illustre la composition du PIB canadien pour l'année 2003, alors que le PIB annuel atteignait 1 214 milliards de dollars. Ce montant, divisé par la population canadienne — à peu près 31,5 millions — nous permet d'obtenir le PIB annuel par habitant, soit environ 38 560 $. La consommation représentait 57 % de ce montant, soit environ 21 885 $ par personne, tandis que l'investissement était de 7 770 $ par personne. Les dépenses gouvernementales s'élevaient à 7 335 $ par habitant, les exportations atteignaient 14 590 $ par habitant, et les importations, 13 015 $ par habitant. Par conséquent, les exportations nettes — soit les exportations moins les importations — se chiffraient à 1 575 $ par habitant. Cette dernière statistique est généralement positive au Canada, mais certains pays importent davantage qu'ils n'exportent.

Consommation
Biens et services achetés par les consommateurs, à l'exception de l'acquisition de logements neufs.

Investissement
Achats d'équipement, de stocks et d'infrastructures, y compris l'achat de logements neufs par les ménages.

Dépenses gouvernementales
Achats de biens et de services effectués par les différents paliers du gouvernement. Ces dépenses ne comprennent ni les paiements de transfert aux particuliers, ni les subventions, ni les paiements d'intérêts sur la dette. Elles ne comprennent pas non plus les dépenses d'investissement des gouvernements (comprises dans la catégorie de l'investissement).

Exportations nettes
Différence entre les achats par les étrangers de biens et de services produits à l'intérieur du pays (exportations) et les achats par les résidents de biens et de services produits à l'étranger (importations).

Tableau 5.1		TOTAL (MILLIONS DE $ CANADIENS)	POURCENTAGE DU TOTAL

COMPOSANTES DU PIB.
Ce tableau montre le PIB
canadien pour 2003 (total annuel)
et la ventilation de ce PIB entre
ses quatre composantes.
En consultant ce tableau, garder
en tête l'identité
Y = C + I + G + XN.

	TOTAL (MILLIONS DE $ CANADIENS)	POURCENTAGE DU TOTAL
Produit intérieur brut, Y	1 214	100 %
Consommation, C	689	57 %
Investissement, I	245	20 %
Dépenses gouvernementales, G	231	19 %
Exportations nettes, XN	50	4 %
(exportations	(460	(38 %
moins importations)	−410)	−34 %)

SOURCE : Statistique Canada.

MINITEST : Dressez une liste de vos quatre principales dépenses. Laquelle est la plus importante ?

LE PIB RÉEL ET LE PIB NOMINAL

Comme nous venons de le voir, le PIB mesure les dépenses totales d'une économie pour les produits et services de tous les marchés. Si l'on mesurait la production en unités réelles (en tonnes, par exemple), l'augmentation ou la diminution de la production serait facilement perceptible. Puisque l'on mesure le PIB en unités monétaires, un problème se pose. Si le PIB augmente d'une année à l'autre, cela peut être pour une des deux raisons suivantes : 1) l'accroissement de la production des biens et des services ou 2), l'augmentation des prix de ces biens et de ces services. Pour suivre l'évolution de la production, les économistes doivent donc faire la distinction entre ces deux phénomènes. Plus précisément, ils désirent mesurer la progression réelle de la quantité totale de biens et de services produits sans que l'augmentation des prix ne fausse les données.

Ils se servent alors du *PIB réel.* Cette statistique constitue la réponse à une question hypothétique : quelle serait la valeur des biens et des services produits durant une année donnée, si on leur affectait les prix de l'année précédente ? En évaluant la production courante selon les anciens prix, le PIB réel montre le changement effectif de la production des biens et des services au fil du temps.

Pour mieux comprendre comment on mesure le PIB réel, prenons un exemple.

UN EXEMPLE CHIFFRÉ

Le tableau 5.2 illustre les données d'une économie qui ne produit que deux types de biens : des croissants et des fromages. Ce tableau montre les quantités de croissants et de fromages produites et leur prix pour les années 2003, 2004 et 2005.

Pour calculer les dépenses totales de cette économie, on multiplie les quantités de croissants et de fromages par leurs prix respectifs. En 2003, une centaine de croissants se sont vendus à 1 $ l'unité. La valeur des croissants égalait donc 100 $. Durant la même période, une cinquantaine de fromages se

	PRIX ET QUANTITÉS			
ANNÉE	PRIX DES CROISSANTS	QUANTITÉ DE CROISSANTS	PRIX DES FROMAGES	QUANTITÉ DE FROMAGES
2003	1 $	100	2 $	50
2004	2	150	3	100
2005	3	200	4	150

ANNÉE	CALCUL DU PIB NOMINAL
2003	(1 $ par croissant × 100 croissants) + (2 $ par fromage × 50 fromages) = 200 $
2004	(2 $ par croissant × 150 croissants) + (3 $ par fromage × 100 fromages) = 600 $
2005	(3 $ par croissant × 200 croissants) + (4 $ par fromage × 150 fromages) = 1 200 $

ANNÉE	CALCUL DU PIB RÉEL (EN BASE 2003)
2003	(1 $ par croissant × 100 croissants) + (2 $ par fromage × 50 fromages) = 200 $
2004	(1 $ par croissant × 150 croissants) + (2 $ par fromage × 100 fromages) = 350 $
2005	(1 $ par croissant × 200 croissants) + (2 $ par fromage × 150 fromages) = 500 $

ANNÉE	CALCUL DU DÉFLATEUR DU PIB
2003	(200 $/200 $) × 100 = 100
2004	(600 $/350 $) × 100 = 171
2005	(1 200 $/500 $) × 100 = 240

PIB NOMINAL, PIB RÉEL ET LE DÉFLATEUR DU PIB. Ce tableau montre le calcul du PIB nominal, du PIB réel et du déflateur du PIB, dans une économie fictive qui ne produirait que des croissants et des fromages.

Tableau 5.2

PIB nominal

PIB mesuré en valeur monétaire courante, non corrigé par rapport à l'inflation.

PIB réel

PIB mesuré en unités monétaires constantes ; PIB corrigé par rapport à l'inflation.

sont vendus à 2 $ l'unité ; les dépenses équivalaient donc à 100 $. La somme totale des dépenses pour les croissants et les fromages réunis atteignait ainsi 200 $. Ce dernier montant, équivalant à la production des biens et des services au prix courant, correspond au **PIB nominal.**

Le tableau montre le calcul du PIB nominal pour les trois années en question. Les dépenses totales passent de 200 $ en 2003 à 600 $ en 2004, pour atteindre 1 200 $ en 2005. Cette augmentation est en partie attribuable à l'augmentation des quantités de croissants et de fromages vendus, mais également à la hausse des prix de ces deux articles.

Pour mesurer l'évolution des quantités produites en éliminant les effets de la hausse des prix, il faut recourir au **PIB réel,** qui correspond à la production des biens et des services évalués à prix constant. Pour les fins du calcul, nous choisirons une *année de base*, et nous appliquerons les prix des croissants et des fromages de cette année de base à toutes les autres années. Ceci nous permettra de comparer les quantités de biens produits au fil du temps.

Prenons 2003 comme année de base. Il faut donc utiliser les prix des croissants et des fromages en vigueur en 2003 pour calculer la valeur des biens et des services produits en 2003, 2004 et 2005, tel que l'illustre le tableau 5.2. Pour calculer le PIB réel en 2003, on se sert des prix des croissants et des fromages de 2003 (l'année de base) et des quantités de ces mêmes produits, la même année. (*Note importante :* pour l'année de base, le PIB réel équivaut toujours au PIB nominal.) Pour calculer le PIB réel de 2004, on se réfère aux prix des croissants et des fromages de 2003 (l'année de base), mais cette fois on utilise pour le calcul les quantités de croissants et de fromages produits en 2004.

La même méthode s'applique pour calculer le PIB réel de 2005. Puisque nous constatons que le PIB réel passe de 200 $ en 2003 à 350 $ en 2004, pour atteindre 500 $ en 2005, nous sommes assurés que cette augmentation est attribuable à l'augmentation de la production, car les prix ont été maintenus constants par rapport à l'année de base.

En résumé : *le PIB nominal évalue la production des biens et des services à l'aide des prix courants. Le PIB réel évalue cette même production à l'aide des prix d'une année de base.* Puisque le PIB réel ne tient pas compte des changements de prix, cette statistique reflète uniquement l'évolution des quantités de biens et de services produits.

Le PIB réel permet de dresser un portrait fidèle de la situation économique, puisque cette variable mesure la production des biens et des services, reflétant de ce fait la capacité de l'économie à répondre aux besoins de ses habitants. Le PIB réel donne une meilleure idée du bien-être économique que le PIB nominal. Lorsque les économistes parlent de PIB, ils réfèrent le plus souvent au PIB réel. Lorsqu'ils mesurent la croissance de l'économie, ils évaluent cette croissance du PIB réel en pourcentage d'une période à l'autre.

LE DÉFLATEUR DU PIB

Le PIB nominal reflète les prix et les quantités des biens et des services produits dans une économie en considérant l'année courante. En revanche, en maintenant les prix constants à partir d'une année de base, le PIB réel ne s'intéresse qu'aux quantités de biens et de services produits lors de la période courante. À partir de ces deux statistiques, on peut en déduire une troisième, le *déflateur du PIB*, qui mesure le niveau des prix des biens et des services.

On calcule le **déflateur du PIB** de la manière suivante :

$$\text{Déflateur du PIB} = \frac{\text{PIB nominal}}{\text{PIB réel}} \times 100$$

Déflateur du PIB
Mesure du niveau général des prix, calculé comme le rapport du PIB nominal et du PIB réel, multiplié par 100.

Puisque le PIB nominal est égal au PIB réel pour l'année de base, le déflateur du PIB pour cette même année est donc égal à 100. Pour les années subséquentes, le déflateur mesure l'augmentation du PIB nominal qui n'est pas attribuable à l'augmentation du PIB réel.

Ce déflateur du PIB (aussi appelé *indice implicite des prix du PIB)* mesure les prix courants par rapport à une année de base. Pour le vérifier, prenons deux exemples fort simples. Imaginons tout d'abord que les quantités de biens et de services produits augmentent au fil du temps, les prix demeurant constants. Dans ce cas, le PIB nominal et le PIB réel augmentent tous deux, le déflateur du PIB restant constant. Supposons maintenant que les quantités de biens et de services produits restent les mêmes mais que les prix augmentent. Dans ce deuxième cas, le PIB nominal augmente alors que le PIB réel demeure constant, entraînant donc une hausse du déflateur du PIB. Dans ces deux exemples, on remarquera que le déflateur du PIB reflète la modification des prix et non celle des quantités.

Reprenons maintenant notre exemple chiffré du tableau 5.2. Le déflateur du PIB se trouve au bas du tableau. Pour l'année 2003, le PIB nominal et le PIB réel atteignent tous deux 200 $, et le déflateur du PIB est égal à 100. En 2004, le PIB nominal passe à 600 $ tandis que le PIB réel est de 350 $: le déflateur est donc de 171. Le fait que le déflateur passe pour 2004 de 100 à 171 amène à conclure que le niveau des prix a augmenté de 71 %.

Les économistes utilisent fréquemment le déflateur du PIB pour évaluer l'augmentation moyenne des prix. Une autre mesure — l'indice des prix à la consommation — fera l'objet du prochain chapitre, qui permettra de faire ressortir les différences entre ces deux indicateurs.

MINITEST : Donnez une définition du PIB réel et du PIB nominal. Lequel représente la meilleure mesure du bien-être économique ? Pourquoi ?

ÉTUDE DE CAS   L'ÉVOLUTION RÉCENTE DU PIB RÉEL

Maintenant que nous savons définir et évaluer le PIB réel, observons ce que cette variable macroéconomique peut révéler sur l'histoire récente du Canada.

La figure 5.2 fournit les données trimestrielles du PIB réel depuis 1970. La caractéristique la plus frappante de ce graphique est la croissance du PIB réel au fil du temps. En effet, entre 1970 et 2001, le PIB réel a plus que doublé. Autrement dit, la production des biens et des services au Canada a connu une croissance d'environ 3 % par année depuis le début de la période considérée. Une telle croissance constante permet au Canadien moyen de profiter d'un niveau de vie supérieur à celui de ses parents et de ses grands-parents.

On observe également que la croissance du PIB n'est pas linéaire. La courbe ascendante du PIB réel est parfois interrompue pour refléter des périodes où le PIB a diminué — les *récessions*. Sur la figure 5.2, ces récessions sont illustrées par des barres ombrées. (Il n'existe aucune règle absolue pour déterminer le moment où le cycle économique passe par une période de récession, mais on considère souvent qu'une baisse du PIB réel durant deux trimestres consécutifs constitue une indication empirique suffisante.) Au cours d'une récession, non seulement les revenus baissent-ils, mais le chômage augmente, les profits diminuent, les faillites se multiplient, etc.

La macroéconomie se consacre en grande partie à l'explication de la croissance à long terme et des fluctuations à court terme du PIB réel. Comme nous le verrons dans le chapitre suivant, différents modèles sont nécessaires pour expliquer ces deux phénomènes. Les fluctuations à court terme représentent des déviations par rapport à une tendance à long terme, nous commencerons donc par examiner le comportement de l'économie à long terme. Les chapitres 5 à 13 étudient les principales variables macro-économiques, dont le PIB réel, et leur évolution à long terme. Partant de cette analyse, les chapitres 14 à 17 en expliquent les fluctuations à court terme.

Figure 5.2

PIB RÉEL AU CANADA.
Cette figure illustre les valeurs trimestrielles du PIB réel de l'économie canadienne depuis 1970. Les récessions, soit les périodes de baisse du PIB, correspondent aux barres verticales ombrées.

SOURCE : Statistique Canada, CANSIM, Tableau 38-0002.

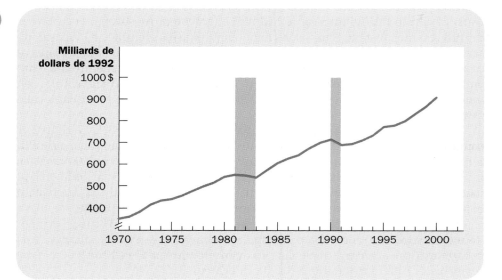

LE PIB ET LE BIEN-ÊTRE ÉCONOMIQUE

Nous avons dit que le PIB constitue une bonne mesure du bien-être économique d'une société. Maintenant que nous savons précisément de quoi il s'agit, nous sommes en mesure de discuter cette affirmation.

Le PIB mesure à la fois le revenu total et les dépenses totales de l'économie en biens et en services. Le PIB par habitant nous indique donc la moyenne des revenus et des dépenses par habitant. Une immense majorité préférant gagner plus et dépenser plus, le PIB par personne apparaît comme une mesure naturelle du bien-être économique individuel.

Cependant, tout le monde n'accepte pas la validité de cette mesure du bien-être économique. Lors de sa campagne pour les élections présidentielles aux États-Unis en 1968, le sénateur Robert Kennedy a fait une critique émouvante de certaines de ces statistiques économiques :

> « [LE PIB] ne reflète pas la santé de nos enfants, la qualité de leur éducation ni le plaisir de leurs jeux. Il ne donne aucune idée de la beauté de notre poésie ou de la solidité de nos mariages, de l'intelligence de nos débats publics ou de l'intégrité de nos fonctionnaires. Il ne mesure pas non plus notre courage, notre sagesse ou notre attachement à notre pays. Bref, il mesure tout sauf ce qui donne de la valeur à la vie, et nous dit tout sur l'Amérique à l'exception des raisons qui nous rendent fiers d'être Américains. »

Robert Kennedy a en grande partie raison. Pourquoi attachons-nous donc autant d'importance au PIB ? Simplement parce qu'un PIB par habitant élevé nous permet de bien vivre. Le PIB ne reflète certes pas la santé de nos enfants, mais les pays qui disposent d'un PIB par habitant élevé ont les moyens de s'assurer que leurs jeunes soient en santé. Le PIB ne dit rien non plus de la qualité de l'éducation. Cependant, dans les pays où il est élevé, la qualité du système éducatif est meilleure. Le PIB ne donne aucune idée non plus de la beauté de notre poésie. Pourtant, dans les pays les plus riches, les citoyens ont les moyens d'apprendre à lire et à apprécier la poésie. Le PIB ne reflète en aucune façon notre intelligence, notre intégrité, notre courage, notre sagesse, ni notre patriotisme, mais toutes ces qualités se manifestent plus facilement dans un milieu où les personnes s'inquiètent moins de leur subsistance quotidienne. En résumé, le PIB ne mesure pas directement ce qui rend la vie digne d'être vécue, mais il mesure notre capacité à obtenir des conditions propices à une bonne qualité de vie.

Le PIB n'est donc pas une mesure parfaite du bien-être. De nombreux plaisirs de la vie ne sont pas considérés dans le PIB, entre autres les loisirs. Imaginons un instant qu'au lieu de profiter des week-ends, tout le monde se mette à travailler sept jours sur sept. La production de biens et de services augmenterait, mais nous ne pourrions pas conclure à une amélioration des conditions de vie. Du point de vue du bien-être, la perte du temps de loisirs serait contrebalancée par les gains de production et de consommation.

Le PIB mesure la valeur des biens et des services, aux prix du marché. Il exclut donc la production qui ne passe pas par des marchés, et en particulier la valeur des biens et des services produits à la maison. Si un chef réalise un repas délicieux dans son restaurant, la valeur de ce repas figure au PIB. Si, par contre, il prépare le même repas à la maison pour sa conjointe, seule la valeur des ingrédients y figure. De la même façon, la garde d'enfants réalisée dans une garderie est incluse dans le PIB, contrairement à la garde assumée par les parents à domicile. Le travail des bénévoles contribue également au bien-être de la société, sans toutefois que cet apport se reflète dans le PIB.

LE PIB REFLÈTE LA PRODUCTION MAIS PAS SES CONSÉQUENCES SUR L'ENVIRONNEMENT.

Lire l'article page 417

Un autre élément n'entre pas dans le PIB: la qualité de l'environnement. Imaginons que le gouvernement élimine toutes les réglementations environnementales. Les entreprises produiraient alors les biens et les services sans tenir compte des effets de la pollution, et le PIB augmenterait. Il est fort probable, cependant, que le bien-être diminuerait. Les gains sur le plan de la production seraient loin de compenser la détérioration de la qualité de l'eau et de l'air.

Le PIB ne fait pas non plus état de la distribution du revenu. Une société de 100 personnes ayant chacune un revenu annuel de 50 000 $ a un PIB de 5 millions de dollars et un PIB par habitant de 50 000 $. Les mêmes données caractérisent une société dans laquelle 10 personnes gagnent 500 000 $ tandis que 90 autres n'ont aucun revenu. Bien peu de gens conviendraient que ces deux situations sont équivalentes. Le PIB par habitant nous renseigne sur le revenu moyen de la population, mais cette statistique peut cacher des disparités importantes.

En fin de compte, on peut conclure que le PIB est un indicateur valable du bien-être économique, tant et aussi longtemps qu'on garde à l'esprit ses limites.

ÉTUDE DE CAS   LE PIB: UNE MAUVAISE MESURE DE LA PRODUCTION D'UN PAYS?

Le PIB est une mesure importante. Il permet, lorsqu'on calcule le PIB par habitant, d'estimer le niveau de vie et le bien-être d'une population. Dans le temps et dans l'espace, on peut l'utiliser pour effectuer des comparaisons. Pour de nombreuses personnes, les mesures officielles de la production nationale sont mauvaises et sous-estiment fortement la véritable production. Qu'en est-il vraiment?

Un premier problème

En réalité, le PIB mesure la production marchande et légale d'un pays, sauf pour quelques exceptions non marchandes. Par exemple, la plus grande part de la production des gouvernements n'est pas commercialisée, mais on estime sa valeur en se basant sur le coût des facteurs. De plus, on impute aux propriétaires la valeur du loyer qu'ils occupent. La valeur des imputations non attribuables au secteur public représente environ 6 % du PIB au Canada. De façon générale, la production non marchande ou illégale est cependant exclue.

Deux omissions importantes peuvent donc être notées. Une première concerne l'économie souterraine, qui peut être définie comme la portion de l'économie totale qui n'est pas observée parce que ses acteurs tentent de dissimuler leurs activités. On classe ces activités en deux groupes:

◆   La production de biens et de services légaux, mais qui sont dissimulés afin d'éviter le paiement d'impôts ou l'observation de règlements (la construction, par exemple);

◆   La production de biens et de services illégaux (drogue, prostitution, etc.).

Il existe un deuxième problème, qui est cependant moins connu: on omet la valeur de la production ménagère, par exemple du travail domestique, des soins apportés aux membres du ménage, des courses, etc.

De nombreuses études ont tenté de mesurer l'ampleur de ces omissions. Selon la définition de l'économie souterraine retenue, Statistique Canada évalue que le PIB est sous-estimé d'une proportion allant de 1 % à 4 % de sa valeur totale. Bien que l'économie souterraine n'ait pas l'importance qu'on lui accorde souvent, elle toucherait environ un adulte sur cinq, soit comme travailleur, soit comme consommateur. Quant à la valeur du travail ménager, les différentes méthodes de calcul lui confèrent une valeur de 30 à 50 % du PIB.

Un second problème

Lire l'article
page 418

La notion de « revenu » est étroitement liée à celle de durabilité ou de pérennité. En effet, autant en comptabilité qu'en économie, on définit le revenu comme étant le montant maximal qui peut être consommé pendant une période de temps donnée, et ce, sans réduire la consommation future. Cette définition tient compte des variations de la valeur des actifs : un gain de capital est un revenu, par exemple. En outre, on utilise l'amortissement pour tenir compte du fait que, à moins de remplacer le capital usé, les possibilités futures de consommation déclineront.

Or si l'on mesure la dépréciation du stock de capital dans la comptabilité nationale, on n'en fait pas de même pour l'« usure » des ressources naturelles. Cela entraîne une surestimation du PIB. Par exemple, selon Repetto et al., la croissance du PIB réel indonésien, qui fut de 7,1 % par année en moyenne pour la période allant de 1971 à 1984, ne serait plus que de 4 % une fois ajustée.

Un autre problème relié à l'environnement concerne les coûts de la pollution. Le PIB est une mesure de bien-être. Idéalement, les coûts de la dégradation de l'environnement devraient être soustraits de la valeur de la production, alors que la valeur des activités qui améliorent l'environnement devrait être ajoutée. On obtiendrait alors un PIB « vert ».

L'ONU fournit, de par son système des comptes nationaux, une méthode de base pour mesurer les revenus, les dépenses et la richesse sur le plan national. L'organisme international publie aussi, depuis 1993, un guide qui permet d'associer des mesures économiques et des mesures environnementales. À la grande surprise des environnementalistes, tenir compte de la pollution semble n'avoir qu'un impact assez faible sur la production dans les pays développés. Le taux de croissance du PIB, qu'il soit vert ou non, demeure presque identique.

ÉTUDE DE CAS LES DIFFÉRENCES INTERNATIONALES DE PIB ET DE QUALITÉ DE VIE

L'observation des données internationales permet d'apprécier l'utilité du PIB en tant qu'indicateur du bien-être économique. Les pays riches et les pays pauvres ont des statistiques de PIB par habitant radicalement différentes. Si un PIB élevé signifie un meilleur niveau de vie, il devrait y avoir une forte corrélation entre le PIB et les mesures de la qualité de vie. C'est effectivement le cas.

Le tableau 5.3 classe 14 pays parmi les plus peuplés du monde, selon leur PIB par habitant. Il indique également l'espérance de vie (la durée prévisible de la vie estimée à la naissance), le taux d'alphabétisme (le pourcentage de la population adulte sachant lire), ainsi que l'indice de développement humain du Programme des Nations Unies pour le développement. Ces données dressent un tableau très clair de la situation. Dans les pays riches comme le Canada, les États-Unis, le Japon et l'Allemagne, l'espérance de vie approche 80 ans et seule une infime minorité ne sait pas lire. En revanche, dans les pays pauvres comme le Nigeria, le Bangladesh et le Pakistan, l'espérance de vie ne dépasse pas 50 ou 60 ans et la moitié de la population est analphabète.

Les données relatives aux autres aspects de la qualité de vie sont incomplètes, mais elles tendent à appuyer cette évaluation. Les pays qui ont un faible PIB par habitant enregistrent davantage de cas d'insuffisance de poids à la naissance, des taux de mortalité infantile et de mortalité maternelle supérieurs, davantage de cas de malnutrition infantile et une accessibilité réduite à l'eau potable. Dans ces mêmes pays, moins d'enfants d'âge scolaire vont à l'école, et le ratio entre professeurs et élèves est plus faible. Ces mêmes nations possèdent moins de téléviseurs, de téléphones, de routes asphaltées par habitant et moins de familles disposent de l'électricité. Les statistiques internationales ne laissent aucun doute sur la corrélation directe entre le PIB par habitant d'un pays et le niveau de vie de ses citoyens.

■ **MINITEST :** Pourquoi se préoccupe-t-on du PIB ?

Tableau 5.3

LE PIB, L'ESPÉRANCE DE VIE, L'ALPHABÉTISME ET LE DÉVELOPPEMENT HUMAIN. Ce tableau compare le PIB par habitant avec trois autres critères de la qualité de vie dans 14 grands pays. Les données sont pour l'année 2001.

PAYS	PIB RÉEL PAR HABITANT (EN $US)	ESPÉRANCE DE VIE (EN ANNÉES)	ALPHABÉTISME DES ADULTES (EN %)	INDICE DE DÉVELOPPEMENT HUMAIN
États-Unis	34 320 $	77 ans	99 %	0,937
Canada	27 130	79	99	0,937
Allemagne	25 350	78	99	0,921
Japon	25 130	80	99	0,932
France	23 990	79	99	0,925
Mexique	8 430	73	91	0,800
Brésil	7 360	68	87	0,777
Russie	7 100	66	99	0,779
Chine	4 020	71	83	0,721
Indonésie	2 940	66	87	0,682
Inde	2 840	63	58	0,590
Pakistan	1 890	60	44	0,499
Bangladesh	1 610	60	41	0,502
Nigeria	850	52	65	0,463

SOURCE : Programme des Nations Unies pour le développement, *Rapport mondial sur le développement humain 2003* (New York : Nations Unies), p. 238-241. Site Internet http://www.undp.org/

CONCLUSION

Ce chapitre présente la méthode employée par les économistes pour calculer le revenu total d'un pays. Ce type de calcul ne constitue toutefois qu'un point de départ. La macroéconomie se préoccupe essentiellement de comprendre les facteurs expliquant la croissance de long terme et de court terme du produit intérieur brut d'un pays. Pourquoi, par exemple, le PIB par habitant est-il plus élevé au Canada et au Japon qu'en Inde ou au Nigeria ? Quelles mesures les gouvernements des pays les plus pauvres peuvent-ils prendre pour assurer une croissance rapide du PIB ? Pourquoi le PIB canadien croît-il rapidement certaines années et régresse-t-il à d'autres moments ? Quelles mesures les dirigeants peuvent-ils adopter pour atténuer ces fluctuations ? Ce sont quelques-unes des questions que pose la macroéconomie et auxquelles nous nous efforcerons de répondre plus loin.

Il suffit pour le moment de reconnaître l'importance du PIB. Nous avons tous, dans notre vie quotidienne, une idée de la situation économique. Mais les économistes et les décideurs doivent dépasser cette vague intuition pour être en mesure de prendre de bonnes décisions. Ils ont besoin de fonder leurs jugements sur des données concrètes. La quantification, à l'aide de statistiques telles que le PIB, constitue une première étape vers la science macroéconomique.

Résumé

◆ Toute transaction requiert un vendeur et un acheteur et, par conséquent, les dépenses totales de l'économie doivent correspondre au revenu total de cette même économie.

◆ Le produit intérieur brut (PIB) mesure à la fois les dépenses totales effectuées pour acheter les biens et les services et les revenus totaux tirés de la production de ces mêmes biens et services. Plus précisément, le PIB correspond à la valeur marchande de tous les biens finaux produits dans un pays au cours d'une période donnée.

◆ Le PIB comprend quatre composantes : la consommation, l'investissement, les dépenses gouvernementales et les exportations nettes. La consommation inclut les dépenses en biens et en services des ménages, à l'exception de l'acquisition de logements neufs. L'investissement regroupe les dépenses effectuées pour de l'équipement et des infrastructures, y compris l'acquisition de logements neufs. Les dépenses gouvernementales se composent

de l'achat des biens et des services courants des gouvernements locaux, provinciaux et fédéral. Les exportations nettes sont égales à la valeur des biens et des services fabriqués sur le territoire national et vendus à l'extérieur (exportations), de laquelle on soustrait la valeur des biens et des services fabriqués à l'étranger et vendus à l'intérieur du pays (importations).

◆ Le PIB nominal évalue la production des biens et des services aux prix courants. Le PIB réel évalue cette même production en prix constants d'une année de base. Le déflateur du PIB — ratio en base égale à 100 du PIB nominal sur le PIB réel — mesure le niveau des prix dans l'économie.

◆ Le PIB par habitant constitue un bon indicateur du bien-être économique, car les gens préfèrent disposer de revenus élevés. Cette mesure est toutefois loin d'être parfaite pour mesurer le bien-être, car elle exclut, entre autres, la valeur des loisirs et d'un environnement propre.

Concepts clés

Consommation, p. 90

Déflateur du PIB, p. 93

Dépenses gouvernementales, p. 90

Exportations nettes, p. 90

Investissement, p. 90

Macroéconomie, p. 84

Microéconomie, p. 84

PIB nominal, p. 92

PIB réel, p. 92

Produit intérieur brut (PIB), p. 86

Questions de révision

1. Dites pourquoi, dans l'économie, les revenus doivent être égaux aux dépenses.

2. Qu'est-ce qui contribue dans une plus grande mesure au PIB : la production d'une voiture économique ou celle d'une voiture de luxe ? Pourquoi ?

3. Un fermier vend son blé à un boulanger pour 2 $. Avec la farine, le boulanger fabrique du pain qu'il vend à 3 $. Quelles sont leurs contributions respectives au PIB ?

4. Il y a déjà plusieurs années, Hélène a fait l'acquisition d'une collection de disques pour 500 $. Elle la revend 100 $ aujourd'hui dans une vente de garage. Quel est l'effet de cette vente sur le PIB actuel ?

5. Énumérez les quatre composantes du PIB et donnez un exemple pour chacune.

6. Pourquoi les économistes emploient-ils le PIB réel plutôt que le PIB nominal pour mesurer le bien-être économique ?

7. En 2003, l'économie produisait 100 miches de pain vendues 2 $ l'unité. En 2004, l'économie produisait 200 miches de pain vendues 3 $ l'unité. Calculez le PIB nominal, le PIB réel et le déflateur du PIB pour chaque année, en considérant 2003 comme l'année de base. Quelle est la variation en pourcentage de ces trois statistiques d'une année à l'autre ?

8. Pourquoi est-il souhaitable pour un pays d'avoir un PIB par habitant élevé ? Donnez un exemple de changement qui augmenterait le PIB sans être désirable pour autant.

6

LA MESURE DU COÛT
DE LA VIE

**À LA FIN
DE CE CHAPITRE,
VOUS SEREZ
EN MESURE...**

*de comprendre
le calcul de l'indice
des prix à
la consommation (IPC)*

*de saisir pourquoi
l'IPC est une mesure
imparfaite du coût
de la vie*

*de comparer l'IPC
et le déflateur du PIB
dans leur rôle
de mesures du niveau
général des prix*

*d'utiliser l'indice
des prix pour comparer
des valeurs en dollars
de différentes époques*

*de faire la distinction
entre le taux d'intérêt
nominal et le taux
d'intérêt réel.*

En 1957, un litre d'essence valait 43 cents le gallon, soit 9,5 cents le litre. En 2003, son prix oscille autour de 75 cents le litre. Pourquoi l'essence coûte-t-elle plus cher en 2003 que 46 ans plus tôt? Est-ce l'Organisation des pays exportateurs de pétrole (OPEP) qui serait en cause, en profitant de son monopole pour faire flamber les prix du pétrole brut? Les grandes compagnies pétrolières qui achètent cette ressource naturelle pour revendre de l'essence à la pompe auraient-elles augmenté leurs marges bénéficiaires? Ou encore cette hausse découlerait-elle inévitablement d'une augmentation de la consommation d'essence, due à l'accroissement du parc automobile, en tenant compte de l'épuisement rapide de cette ressource non renouvelable?

À première vue, cette augmentation des prix donne à penser que la valeur du pétrole aurait augmenté au cours du dernier demi-siècle à cause de sa rareté croissante. Cependant, on sait que les prix de la plupart des biens et services, ainsi que les salaires, ont également augmenté pendant la même période. Il n'est donc pas facile de savoir si l'essence est plus ou moins abordable qu'il y a 46 ans. L'essence coûte-t-elle vraiment plus cher, ou est-ce la valeur de la monnaie qui a diminué?

Dans le chapitre précédent, nous avons vu comment les économistes utilisent le produit intérieur brut (PIB) pour mesurer la quantité de biens et de services produits par une nation. Le présent chapitre expliquera comment les économistes mesurent le coût de la vie. Pour comparer les prix et les revenus d'il y a 46 ans avec ceux d'aujourd'hui, ils doivent traduire ces sommes en unités de mesure du pouvoir d'achat; c'est exactement le rôle de l'*indice des prix à la consommation*. Après avoir étudié sa construction, nous verrons comment l'utiliser, pour comparer les prix en dollars de différentes époques.

L'indice des prix à la consommation permet de suivre l'évolution du coût de la vie. Lorsqu'il augmente, une famille doit dépenser davantage pour acheter les mêmes biens et services. Les économistes emploient le terme *inflation* pour décrire cette augmentation générale des prix. Le *taux d'inflation* mesure l'évolution des prix dans le temps. Comme nous le verrons dans les prochains chapitres, l'inflation fait l'objet d'une surveillance constante au niveau macroéconomique. Elle constitue d'ailleurs une variable essentielle à l'élaboration des politiques économiques. Le présent chapitre se concentre sur la mesure de l'indice des prix à la consommation et permet de comprendre le phénomène de l'inflation.

L'INDICE DES PRIX À LA CONSOMMATION

Indice des prix à la consommation (IPC)
Mesure du niveau général des prix et du coût de la vie, traduisant le coût d'un panier donné de biens de consommation, par rapport au coût de ce même panier au cours d'une année choisie comme année de base.

L'indice des prix à la consommation (IPC) mesure le prix moyen des biens et des services achetés par un ménage type. Statistique Canada le calcule et le publie mensuellement. Nous verrons comment il se calcule et nous examinerons les difficultés posées par cette opération. Nous verrons également comment comparer cet indice à une autre mesure importante du niveau des prix — le déflateur du PIB — déjà abordée au chapitre précédent.

LE CALCUL DE L'INDICE DES PRIX À LA CONSOMMATION

Lorsque Statistique Canada calcule l'IPC et le taux d'inflation, elle se base sur les prix d'environ 600 biens et services. Pour mieux comprendre comment cette statistique est établie, choisissons une économie simple, dont la consommation se limite à deux produits : les croissants et les fromages. Le tableau 6.1 énumère les cinq étapes de calcul suivies par Statistique Canada.

1. *Composition du panier.* Pour calculer l'indice des prix à la consommation, on doit sélectionner, dans une première étape, les biens consommés par le ménage type. Si ce dernier mange plus de croissants que de fromages, alors le prix des croissants est primordial et il doit avoir une importance majeure dans le calcul du coût de la vie. Statistique Canada étudie donc d'abord le comportement des consommateurs pour composer le panier des biens et des services consommés par un ménage moyen, en pondérant selon l'importance respective de ces biens et services. Dans l'exemple du tableau 6.1, le ménage type consomme quatre croissants et deux fromages.

2. *Recherche des prix.* La deuxième étape du calcul de l'IPC consiste à trouver les prix de chacun des biens et des services du panier, et ce, pour chaque période. Le tableau fournit le prix des croissants et des fromages pour trois années consécutives.

3. *Calcul du coût du panier.* La troisième étape consiste à calculer le prix du panier pour une année donnée, à partir du prix de chaque bien et de chaque service. Le tableau 6.1 montre ce calcul pour les trois années considérées. Il faut

remarquer que seuls les prix varient : les quantités restant constantes (quatre croissants et deux fromages), c'est l'évolution des prix qui est mise en relief.

4. *Choix d'une année de base et calcul de l'indice.* La quatrième étape consiste à choisir une année de référence et à calculer l'indice, pour chaque année considérée, en se rapportant chaque fois à l'année de référence. Pour ce faire, le prix du panier de chaque année est divisé par le prix du panier de l'année de base. On multiplie ensuite ce rapport par 100 et l'on obtient l'indice des prix à la consommation.

Tableau 6.1

EXEMPLE DE CALCUL DE L'INDICE DES PRIX À LA CONSOMMATION ET DU TAUX D'INFLATION. Ce tableau illustre le calcul de l'indice des prix à la consommation et du taux d'inflation d'une économie fictive, où les consommateurs n'achètent que des croissants et des fromages.

ÉTAPE 1 : ÉTUDE DU COMPORTEMENT DES CONSOMMATEURS POUR ÉTABLIR LA COMPOSITION DU PANIER DE BIENS

4 croissants, 2 fromages

ÉTAPE 2 : RECHERCHE, POUR CHAQUE ANNÉE, DU PRIX DE CHACUN DES BIENS

ANNÉE	PRIX DES CROISSANTS	PRIX DES FROMAGES
2003	1 $	2 $
2004	2 $	3 $
2005	3 $	4 $

ÉTAPE 3 : CALCUL DU COÛT DU PANIER DE BIENS POUR CHAQUE ANNÉE

2003	(4 croissants × 1 $) + (2 fromages × 2 $) = 8 $
2004	(4 croissants × 2 $) + (2 fromages × 3 $) = 14 $
2005	(4 croissants × 3 $) + (2 fromages × 4 $) = 20 $

ÉTAPE 4 : CHOIX D'UNE ANNÉE DE BASE (2003) ET CALCUL DE L'INDICE DES PRIX POUR CHAQUE ANNÉE

2003	(8 $/8 $) × 100 = 100
2004	(14 $/8 $) × 100 = 175
2005	(20 $/8 $) × 100 = 250

ÉTAPE 5 : À PARTIR DE L'INDICE DES PRIX À LA CONSOMMATION, CALCUL DU TAUX D'INFLATION

2004	((175 − 100)/100) × 100 = 75 %
2005	((250 − 175)/175) × 100 = 43 %

Dans l'exemple de ce tableau, l'année 2003 a été choisie comme année de base. Cette année-là, le coût du panier de croissants et de fromages s'élevait à 8 $. Pour calculer l'indice des prix à la consommation des trois années considérées, on divise le coût du panier de chaque année par 8 $ et on le multiplie par 100. L'indice des prix à la consommation pour 2003 est de 100 (l'indice est toujours égal à 100 pour l'année de base). Il passe à 175 en 2004, ce qui revient à dire que le prix du panier en 2004 a augmenté de 75 % par rapport à l'année de référence, ou encore que le panier de biens coûtait 100 $ en 2003 et 175 $ en 2004. De la même manière, on peut dire que l'indice des prix à la consommation de 2005 a augmenté de 150 % par rapport à l'année de base.

En établissant l'indice des prix à la consommation, Statistique Canada tente d'inclure dans son calcul tous les biens et services achetés par le ménage type, et de les répartir selon leur importance par rapport au total.

La figure 6.1 illustre la composition des dépenses de consommation selon les différentes catégories de biens et de services. Les chiffres correspondent au pourcentage des dépenses pour chaque catégorie de biens et de services d'après le ménage type de 1992, année de la dernière mise à jour de ce panier de l'IPC. Ces pondérations ont commencé à être utilisées pour calculer l'IPC en janvier 1995. Le logement occupe une place prédominante, soit 27,9 % du budget moyen. Ce chiffre correspond au montant du loyer ou des paiements hypothécaires (ce qui veut dire qu'une augmentation des taux d'intérêt influe directement sur l'IPC). Le second poste, par ordre d'importance, revient au transport, qui inclut à la fois les dépenses pour l'achat d'un véhicule, l'essence, les tarifs aériens, les titres de transport en commun, etc. L'alimentation arrive ensuite, représentant 18 % de la valeur du panier ; elle comprend la nourriture consommée à la maison et au restaurant. La catégorie suivante — loisirs, éducation et lecture — inclut les droits de scolarité et le prix des manuels scolaires. Ce poste représente 10,4 % du budget du consommateur moyen, mais il est sans doute plus élevé dans le cas d'un l'étudiant.

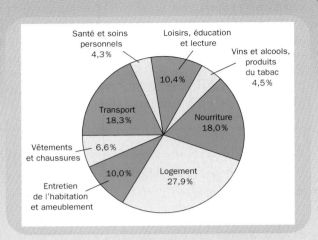

Figure 6.1

PANIER DES BIENS ET DES SERVICES. Ce diagramme en pointes montre la répartition des dépenses selon les divers biens et services achetés par le consommateur canadien type en 1992. Ces pourcentages correspondent à la pondération utilisée par Statistique Canada pour le calcul de l'IPC.

SOURCE : Statistique Canada, *Votre guide de l'utilisation de l'indice des prix à la consommation*, 1996, Catalogue N° 62-557XPB, Figure A, p. 6.

À moins que vous ne consommiez exactement les mêmes biens et services que le ménage type de 1992, l'évolution des prix de l'IPC ne correspondra pas exactement à l'évolution de votre coût de la vie.

Taux d'inflation

Taux de variation en pourcentage de l'indice des prix à la consommation entre deux périodes.

5. *Calcul du taux d'inflation.* La cinquième et dernière étape consiste à calculer le **taux d'inflation** à partir de l'indice des prix à la consommation. Ce taux d'inflation indique, en pourcentage, la variation de l'indice des prix à la consommation par rapport à celui de la période précédente. Le taux d'inflation pour deux années consécutives se calcule comme suit :

$$\text{Taux d'inflation de l'année 2} = \frac{\text{IPC de l'année 2} - \text{IPC de l'année 1}}{\text{IPC de l'année 1}} \times 100$$

Dans notre exemple, le taux d'inflation était de 75 % en 2004 et de 43 % en 2005.

Même si l'exemple choisi constitue une simplification de la réalité, il permet de comprendre comment Statistique Canada calcule l'indice des prix à la consommation et le taux d'inflation. De fait, pour évaluer la variation du coût de la vie d'un consommateur type, Statistique Canada recueille chaque mois les prix de centaines de biens et de services et les traite selon les cinq étapes expliquées ci-dessus. L'indice des prix à la consommation est rendu public mensuellement par l'intermédiaire des informations télévisées et des quotidiens.

Statistique Canada fournit, en outre, d'autres indices de prix, en particulier les indices de prix pour chaque province et pour 18 villes canadiennes, ainsi que ceux correspondant à certaines catégories spécifiques (alimentation, vêtements et logement). Cette agence gouvernementale publie également l'**indice**

des prix des produits industriels, qui mesure le coût du panier de biens et de services des entreprises (au lieu de celui des ménages). Dans la mesure où les coûts des entreprises finissent par se répercuter sur les prix à la consommation, l'évolution de l'indice des prix à la production permet de prévoir l'évolution de l'indice des prix à la consommation.

Indice des prix des produits industriels
Mesure du niveau des prix des biens et des services achetés par les entreprises.

▌ MINITEST : Expliquez brièvement comment se calcule l'indice des prix à la consommation et justifiez son utilité.

LES PROBLÈMES LIÉS AU CALCUL DU COÛT DE LA VIE

L'indice des prix à la consommation vise à mesurer l'évolution du coût de la vie. On pourrait aussi dire que l'IPC aide à prévoir l'augmentation des salaires nécessaires pour maintenir un niveau de vie constant. Cet indice, cependant, est loin d'être parfait : il se heurte à quatre difficultés, reconnues par tous, mais difficiles à résoudre.

La premier de ces problèmes se nomme *biais de substitution*. La variation des prix d'une année à l'autre ne se fait pas de manière uniforme : certains prix augmentent plus que d'autres. Les consommateurs réagissent à cette évolution inégale des prix en substituant aux biens qui renchérissent ceux dont les prix baissent ou tout au moins se maintiennent. En fait, lorsque le prix d'un certain produit augmente, les consommateurs se rabattent naturellement sur des produits moins chers. Cependant, comme le calcul de l'indice des prix à la consommation se base sur un panier préétabli, il ne tient pas compte de ces possibilités de substitution, et l'IPC a donc tendance à surévaluer l'augmentation du coût de la vie.

Prenons un exemple simple. Imaginons que, pendant l'année de base, les pommes sont meilleur marché que les poires : les consommateurs achètent donc plus de pommes que de poires. Lorsque Statistique Canada compose son panier de biens, elle y inclut dès lors davantage de pommes que de poires. L'année suivante, les poires coûtent moins cher que les pommes : les consommateurs se tourneront naturellement vers les poires et mangeront moins de pommes que l'année précédente. Mais comme Statistique Canada, dans le calcul de l'indice des prix à la consommation, se base sur un panier invariable et considère que les acheteurs consomment autant de pommes qu'auparavant, cet indice conclura à une augmentation du coût de la vie supérieure à la réalité.

L'*introduction de nouveaux produits* pose une deuxième difficulté dans le calcul de l'IPC. Lorsqu'un nouveau produit apparaît sur le marché, le pouvoir d'achat d'un dollar augmente, car il permet d'acheter un plus grand éventail de produits. Encore une fois, le panier invariable de biens et de services considéré pour le calcul de l'IPC ne reflète pas le changement dans le pouvoir d'achat.

Prenons un autre exemple. Lors de l'apparition des magnétoscopes à cassettes, les consommateurs se sont mis à regarder des films à la maison. C'était à la fois plus pratique et moins cher que d'aller au cinéma. Un indice des prix à la consommation parfaitement ajusté aurait reflété cette multiplication des magnétoscopes par une réduction du coût de la vie. Mais il n'en a pas été ainsi. Statistique Canada a fini par réviser le panier des biens pour y inclure les magnétoscopes, et l'indice des prix a reflété par la suite la variation du prix des magnétoscopes. Toutefois, l'indice des prix n'a jamais pris en compte la réduction du coût de la vie liée à l'apparition de ce nouveau produit sur le marché.

L'indice des prix à la consommation pose une troisième difficulté : la *modification non mesurée de la qualité.* Si la qualité d'un produit se détériore d'année en année, cela réduit la valeur du dollar, même si le prix du bien ne change pas. À l'inverse, si la qualité augmente d'une année à l'autre, la valeur du dollar augmente, à prix égal. Statistique Canada fait de son mieux pour rendre compte

L'APPARITION DE NOUVEAUX PRODUITS CAUSE UNE DISTORSION DE L'IPC.

des variations qualitatives. À titre d'exemple, lorsqu'un modèle de voiture est plus puissant ou qu'il consomme moins que l'année précédente, elle ajuste les prix pour tenir compte de cette amélioration, puisque l'idée fondamentale de l'indice des prix à la consommation consiste à calculer le prix d'un panier de biens et de services d'une qualité constante. En dépit de ces efforts, les variations de la qualité restent difficiles à mesurer.

Finalement, un *biais de substitution des lieux de vente* vient compliquer le problème : par exemple, lorsque les prix des biens et des services augmentent, les consommateurs se tournent plus volontiers vers les magasins à grande surface et délaissent les dépanneurs. Cette substitution n'est pas prise en compte lors du calcul de l'IPC, car les enquêteurs vérifient toujours les prix aux mêmes endroits.

Lire l'article
page 420

Les économistes n'arrivent pas à se mettre d'accord sur l'ampleur de ces difficultés, ni sur les solutions envisageables. Cette question est d'autant plus importante que de nombreux programmes gouvernementaux se servent de l'indice des prix à la consommation pour mesurer le niveau général des prix. Pour s'en faire une idée, il suffit de rappeler que l'augmentation des prestations du Régime de pensions du Canada et du Régime des rentes du Québec dépendent directement de l'indice des prix à la consommation. Certains économistes ont proposé de modifier ces programmes pour corriger les difficultés de calcul de l'IPC. Beaucoup d'études démontrent que l'indice des prix à la consommation surévalue l'inflation d'environ 1 % par année. Devant ces conclusions, le Parlement pourrait ajuster le Régime de pensions du Canada, en augmentant les prestations d'un pourcentage équivalent au taux d'inflation des prix à la consommation, diminué de 1 %. Il s'agit d'une manière passablement cavalière de régler le problème, qui permettrait néanmoins de réduire les dépenses publiques de plusieurs millions de dollars par année.

LE DÉFLATEUR DU PIB ET L'INDICE DES PRIX À LA CONSOMMATION

Dans le chapitre précédent, nous avons abordé une autre mesure du niveau général des prix dans l'économie : le déflateur du PIB. Cette statistique correspond au rapport du PIB nominal et du PIB réel. Le PIB nominal correspond à la valeur de la production aux prix courants, et le PIB réel correspond à la valeur de la production aux prix de l'année de base. Le déflateur du PIB compare donc les prix courants avec ceux de l'année de base.

Les économistes et les responsables politiques suivent attentivement la variation du déflateur du PIB, tout comme celle de l'indice des prix à la consommation, pour évaluer l'augmentation des prix. Habituellement, ces deux statistiques évoluent de façon comparable. Néanmoins, elles divergent parfois, pour deux raisons importantes.

La première différence vient du fait que le déflateur du PIB reflète les prix de tous les biens et de tous les services *produits sur le marché intérieur*, tandis que l'indice des prix à la consommation s'intéresse au prix de tous les biens et services *achetés par les consommateurs*. Imaginons, par exemple, que le prix d'un avion construit par Bombardier pour les forces armées canadiennes augmente. Même si cet avion figure dans le PIB, il ne fait pas partie du panier de biens et de services achetés par un ménage type. Par conséquent, l'augmentation de son prix entraîne l'augmentation du déflateur du PIB, mais pas celle de l'indice des prix à la consommation.

Choisissons un autre exemple : supposons que Volkswagen majore les prix de ses véhicules. Comme il s'agit d'un produit allemand, ces voitures ne figurent pas dans le PIB canadien. Cependant, les consommateurs canadiens les achètent et elles font partie du panier de biens et de services. L'augmentation du prix d'un bien de consommation importé, comme un véhicule automobile, influe donc sur l'indice des prix à la consommation, sans modifier le déflateur du PIB.

La deuxième différence, entre le déflateur du PIB et l'indice des prix à la consommation, plus subtile, provient de la pondération des prix. En effet, l'indice des prix à la consommation compare le prix d'un panier de biens et de services de l'année de base (un panier invariable) avec le prix de ce même panier pour l'année courante. Or Statistique Canada modifie rarement ce panier. En revanche, le déflateur du PIB compare les prix des biens et des services *produits de façon courante* avec ceux des *mêmes biens et services* produits pendant l'année de référence. L'ensemble des biens et des services utilisés pour effectuer le calcul du déflateur du PIB varie donc automatiquement chaque année. La différence n'a que peu d'importance quand tous les prix varient dans les mêmes proportions, mais lorsqu'il y a des changements de prix relatifs, la façon de mesurer l'indice des prix risque de se répercuter sur le taux d'inflation.

La figure 6.2 illustre le taux d'inflation annuel, calculé à la fois à partir du déflateur du PIB et de l'indice des prix à la consommation, et ce, depuis 1965. Comme on le constate, ces deux statistiques divergent parfois. Cette figure démontre toutefois que ces divergences sont l'exception plutôt que la règle. Dans le courant des années 70, le déflateur du PIB et l'indice des prix à la consommation mesuraient tous deux des taux d'inflation élevés, et des taux nettement inférieurs au cours des années 80.

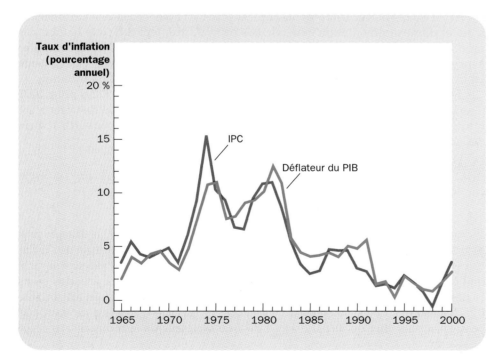

Figure 6.2

DEUX MESURES DE L'INFLATION. Cette figure illustre le taux d'inflation — la variation en pourcentage du niveau des prix — mesuré à partir du déflateur du PIB et de l'indice des prix à la consommation (données annuelles depuis 1965). Remarquez que ces deux mesures de l'inflation ont tendance à évoluer de façon semblable.

SOURCE : Statistique Canada, « Indices du produit intérieur brut (PIB), données annuelles », CANSIM, Tableau 380-0018.

> ## LA CORRECTION DES VARIABLES ÉCONOMIQUES POUR TENIR COMPTE DE L'INFLATION

La mesure du niveau général des prix permet de comparer, d'une époque à une autre, des valeurs en dollars. Maintenant que vous savez comment calculer l'indice des prix, voyons comment l'utiliser pour comparer une valeur en dollars d'hier avec une valeur en dollars d'aujourd'hui.

LA VALEUR DE LA MONNAIE AU FIL DU TEMPS

THE WALL STREET JOURNAL

| AUDIO - VIDÉO |

« Cela peut sembler un peu cher, mais n'oubliez pas que le prix est en dollars courants. »

Lire l'article
page 419

Supposons que le prix d'une New Beetle soit de 28 000 $ au Canada et de 2 000 000 ¥ au Japon. Vous viendrait-il à l'idée de dire que le prix est très inférieur au Canada, puisque 28 000 est plus petit que 2 000 000 ? Bien sûr que non. Il est évident que ces deux prix ne sont pas directement comparables, puisqu'ils sont mesurés en unités différentes (dollars et yens). Pour comparer le prix canadien avec le prix japonais, il faut transformer en dollars le prix japonais ou en yens le prix canadien.

Le même problème se pose lorsque l'on veut comparer deux valeurs en dollars de différentes années. Tout comme le yen et le dollar n'ont pas le même pouvoir d'achat, un dollar ne permet pas d'acheter la même quantité de biens et de services en 2003 qu'en 1957. En effet, la hausse graduelle des prix a érodé le pouvoir d'achat du dollar.

Revenons au prix de l'essence. Comment comparer le prix de 9,5 cents le litre en 1957 avec le prix actuel ?

Pour répondre à cette question, il faut connaître le niveau des prix de 1957 et celui d'aujourd'hui. L'augmentation du prix de l'essence est-elle simplement le reflet d'une augmentation générale des prix ? Autrement dit, cette hausse des prix de l'essence est-elle due à la perte de valeur de la monnaie ? Pour comparer le prix de l'essence de 1957 avec celui d'aujourd'hui, il faut convertir ces 9,5 cents en dollars actuels. L'indice des prix permet de mesurer l'effet de l'inflation.

Statistique Canada indique un IPC de 17,6 pour 1957 et de 122,8 pour 2003 (l'année de base étant 1992). On en déduit que le niveau général des prix a été multiplié par 6,45 (soit 113,5/17,6). Ce chiffre nous permet de convertir le prix de l'essence de 1957 en dollars de l'année 2003.

Prix de l'essence de 1957 en dollars de 2003
= prix de l'essence en 1957 × (IPC de 2003/IPC de 1957)
= 9,5 cents × (122,8/17,6)
= 66,3 cents

Le prix du litre d'essence de 1957 équivaut à 66,3 cents de 2003, soit un prix légèrement inférieur à son prix affiché en 2003. En tenant ainsi compte de l'inflation, on constate que ce prix a très peu augmenté en 46 ans ! D'ailleurs, le prix de l'essence a presque évolué au même rythme que le reste des prix des biens et des services. En fait, la faible hausse du prix réel est entièrement attribuable à la hausse des taxes diverses sur l'essence. Si un litre d'essence ne vaut pas beaucoup plus cher qu'auparavant, c'est que la valeur de la monnaie n'a cessé de fléchir.

Vous pouvez consulter une page interactive que la Banque du Canada a mise en ligne et qui permet de comparer des valeurs en dollars de différentes années (de 1914 à aujourd'hui) : **http://www.banqueducanada.ca/fr/inflation_calc-f.htm.**

ÉTUDE DE CAS   LES INDICES HOLLYWOODIENS

Quel est le film le plus populaire de l'histoire? La réponse risque de vous surprendre. On en juge habituellement le succès en fonction des recettes des salles de cinéma. En se fiant à cette statistique, *Titanic* arrive en tête, suivi de la *Guerre des étoiles* puis d'*E.T.* Pourtant, ce classement ignore un fait essentiel: l'augmentation progressive des prix, y compris ceux des entrées au cinéma. Si nous tenons compte des effets de l'inflation sur les recettes, ce classement change radicalement.

Le tableau 6.2 montre les dix succès cinématographiques de tous les temps d'après les recettes ajustées en tenant compte de l'inflation, d'une part, et en dollars courants, d'autre part. Lorsque l'on tient compte de l'effet de l'inflation sur le pouvoir d'achat de la monnaie, *Autant en emporte le vent*, tourné en 1939, arrive en première position, loin devant *Titanic*. Dans les années 30, avant l'avènement de la télévision, des millions de spectateurs allaient au cinéma chaque semaine, alors que ce n'est plus le cas aujourd'hui. Mais les recettes de cette époque figurent rarement au classement parce que le prix des billets ne dépassait pas 0,25 $. Scarlett et Rhett ont donc tout intérêt à tenir compte des effets de l'inflation…

« VRAIMENT, MA CHÈRE, LES EFFETS DE L'INFLATION ME LAISSENT PLUTÔT INDIFFÉRENT. »

Tableau 6.2

LES DIX FILMS LES PLUS POPULAIRES DE L'HISTOIRE, SI L'ON TIENT COMPTE DE L'INFLATION.

FILM	ANNÉE DE LANCEMENT	RECETTES BRUTES AUX ÉTATS-UNIS (EN MILLIONS DE $US)	RECETTES BRUTES AUX ÉTATS-UNIS (EN MILLIONS DE $US 2003)
1. *Autant en emporte le vent*	1939	198,7 $	1 187,7 $
2. *La guerre des étoiles*	1977	460,9	1 026,7
3. *La mélodie du bonheur*	1965	163,2	824,1
4. *E.T.*	1982	434,9	815,0
5. *Les dix commandements*	1956	80,0	758,1
6. *Titanic*	1997	600,8	747,4
7. *Les dents de la mer*	1975	260,0	741,1
8. *Le docteur Jivago*	1965	111,7	700,7
9. *Le livre de la jungle (dessin animé)*	1967	141,8	626,8
10. *Blanche-Neige et les sept nains*	1937	184,9	615,2

SOURCE: The Movie Times. Site Internet http://www.the-movie-times.com
Mise à jour: 10 septembre 2003

L'INDEXATION

Comme nous venons de le voir, pour comparer la valeur de la même somme considérée à divers moments, il faut utiliser les indices des prix afin de tenir compte des effets de l'inflation. Ce type de correction est courant en économie. Lorsqu'une somme en dollars est automatiquement rajustée en fonction de l'inflation, d'après un contrat ou selon la loi, on dit qu'elle est **indexée.**

De nombreuses conventions collectives signées entre les entreprises et les syndicats tiennent compte d'une indexation partielle ou totale des salaires selon l'indice des prix à la consommation. Cette disposition est une *indemnité de vie chère,* ou IVC. Cette IVC a pour résultat de faire augmenter automatiquement les salaires à chaque hausse de l'indice du coût de la vie.

Indexation
Réajustement automatique des prix et des salaires en fonction du taux d'inflation.

Cette clause d'indexation se retrouve aussi fréquemment dans la législation. Le Régime de pensions du Canada, le Régime des rentes du Québec et les prestations de la Sécurité de la vieillesse sont ainsi réévalués annuellement pour compenser l'augmentation des prix. Les fourchettes d'imposition sur le revenu personnel — les paliers de revenus au-delà desquels le taux d'imposition varie — sont également indexées en fonction de l'inflation. Il existe néanmoins bien des aspects de la fiscalité qui ne sont pas indexés, même s'ils devraient l'être. Nous reviendrons sur ces questions lorsqu'il sera question des coûts de l'inflation dans un des chapitres suivants.

LE TAUX D'INTÉRÊT RÉEL ET LE TAUX D'INTÉRÊT NOMINAL

La correction des variables économiques en fonction des effets de l'inflation est essentielle lorsqu'on examine les taux d'intérêt. Quand vous déposez des fonds dans votre compte d'épargne, vous recevez des intérêts sur cette somme. À l'inverse, lorsque vous empruntez pour payer vos frais de scolarité, vous devez payer des intérêts sur ce prêt étudiant. Ces intérêts représentent un paiement futur sur une somme passée. Les intérêts obligent donc à comparer des montants d'argent à des moments différents. Il faut alors corriger les effets de l'inflation.

Prenons un exemple. Imaginons que Christine Léconome dépose 1 000 $ dans un compte en banque, qui lui rapporte un intérêt annuel de 5 %. Après un an, 50 $ d'intérêts se sont accumulés dans ce compte. Christine retire alors 1 050 $ de la banque. Est-elle plus riche de 50 $ que lorsqu'elle a fait son dépôt il y a un an ?

La réponse dépend de ce que l'on entend par « plus riche ». Christine dispose de 50 $ de plus que l'année dernière, soit une augmentation de 5 % de son capital. Mais les prix ont augmenté pendant cette année, et chaque dollar vaut moins cher qu'avant. Son pouvoir d'achat n'a donc pas augmenté de 5 %. Si le taux d'inflation est de 2 %, le montant dont elle dispose pour l'achat de biens et de services n'a augmenté que de 3 %. Si le taux d'inflation équivaut à 10 %, le prix des marchandises a augmenté proportionnellement plus que le nombre de dollars dans son compte en banque. Dans ce dernier cas, son pouvoir d'achat a baissé de 5 %.

Taux d'intérêt nominal
Rendement de l'épargne et coût de l'emprunt non corrigés de l'inflation.

Taux d'intérêt réel
Taux d'intérêt nominal corrigé des effets de l'inflation.

Le taux d'intérêt qu'offre la banque s'appelle **taux d'intérêt nominal,** alors que le taux d'intérêt ajusté en tenant compte de l'inflation est le **taux d'intérêt réel.** Nous exprimons la relation entre le taux d'intérêt nominal, le taux d'intérêt réel et l'inflation selon la formule suivante :

> Taux d'intérêt réel = taux d'intérêt nominal − taux d'inflation
> 3 %   =   5 %   −   2 %

Le taux d'intérêt réel correspond à la différence entre le taux d'intérêt nominal et le taux d'inflation. Le taux d'intérêt nominal vous renseigne sur la vitesse à laquelle le nombre de dollars dans votre compte en banque augmente, pendant une période donnée. Pour sa part, le taux d'intérêt réel vous indique l'évolution de votre pouvoir d'achat pendant cette même période.

La figure 6.3 montre l'évolution des taux d'intérêt réel et nominal depuis 1965. Le taux d'intérêt nominal correspond au taux trimestriel des obligations de sociétés. Le taux d'intérêt réel se calcule en soustrayant l'inflation – la variation en pourcentage de l'indice des prix à la consommation – du taux d'intérêt nominal.

Il faut savoir que ces deux taux d'intérêt n'évoluent pas toujours de concert. Durant les années 70, le taux d'intérêt nominal était très élevé mais, en raison d'une inflation élevée, le taux d'intérêt réel était faible. Certaines années, ce taux d'intérêt réel était même négatif en raison de l'érosion du pouvoir d'achat par une inflation plus rapide que la valeur du taux d'intérêt nominal. Par contre, à la fin des années 90, le taux d'intérêt nominal était faible, à l'instar de l'inflation, aboutissant à un taux d'intérêt réel relativement élevé. Dans les prochains chapitres, lorsqu'il sera question des causes et des effets de l'évolution des taux d'intérêt, il faudra garder en mémoire la différence entre le taux d'intérêt réel et le taux d'intérêt nominal.

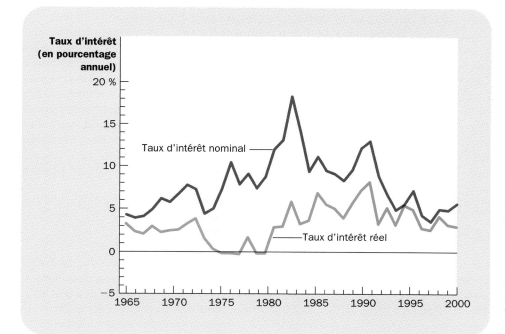

Figure 6.3

TAUX D'INTÉRÊT NOMINAL ET TAUX D'INTÉRÊT RÉEL. Ce graphique illustre l'évolution des taux d'intérêt nominal et réel depuis 1965. Le taux d'intérêt nominal correspond au taux trimestriel des obligations de sociétés. Le taux d'intérêt réel correspond au taux d'intérêt nominal moins le taux d'inflation mesuré à partir de l'indice des prix à la consommation. On remarquera que les taux d'intérêt nominal et réel n'évoluent pas toujours de concert.

SOURCE : Statistique Canada, «Statistiques du marché financier», CANSIM, Tableau 176-0043.

MINITEST : Henry Ford payait ses employés 5 $ par jour en 1914. Si l'indice des prix à la consommation était de 7,0 en mai 1914 et de 124,2 en mai 2004, combien ce chèque de paye vaudrait-il en dollars de 2004 ?

BON À SAVOIR

La formule exacte permettant de calculer le taux d'intérêt réel est :

r = (i − P) / (1 + P)

où r : taux d'intérêt réel
i : taux d'intérêt nominal
P : taux d'inflation

Dans le cas de l'exemple donné ci-dessus, le taux d'intérêt réel est donc :

R = (0,05 − 0,02) / (1 + 0,02) = 0,0294 ou 2,94 %

Le résultat donné dans le texte (3 %) est donc une excellente approximation. Cette approximation est valable tant que le taux d'inflation reste faible.

CONCLUSION

Le joueur de base-ball Yogi Berra plaisantait un jour en déclarant : « On n'a même plus quatre trente sous pour une piastre de nos jours ! » Effectivement, au cours des dernières décennies, la valeur réelle des cents et des dollars a beaucoup fluctué : le niveau général des prix a connu une hausse constante, et l'inflation a progressivement réduit le pouvoir d'achat du dollar. Lorsque l'on compare la valeur d'un même montant en dollars à des dates différentes, il ne faut jamais oublier que le dollar n'a pas la même valeur aujourd'hui que celle qu'il avait il y a 20 ans, ou — très probablement — que celle qu'il aura dans 20 ans.

Dans ce chapitre, nous avons vu comment les économistes quantifient l'augmentation du niveau général des prix, et comment ils se servent de l'indice des prix pour ajuster les variables économiques en fonction de l'inflation. Cependant, cette analyse ne constitue qu'un point de départ. Il nous faut encore examiner les causes et les effets de l'inflation, de même que ses conséquences sur les autres variables économiques. Pour ce faire, notre prochaine tâche consistera à dépasser l'étape de la simple mesure de ces indicateurs économiques. Les chapitres 5 et 6 ont permis de comprendre comment les économistes mesurent les prix et les quantités macroéconomiques ; nous sommes maintenant prêts à nous pencher sur les modèles qui expliquent les fluctuations de ces variables à court et à long terme.

Résumé

◆ L'indice des prix à la consommation compare le coût d'un panier de biens et de services pour une année donnée avec le coût de ce même panier lors d'une année de base. Cet indice reflète le niveau général des prix. Le pourcentage de variation dans le temps de cet indice des prix correspond au taux d'inflation.

◆ L'indice des prix à la consommation représente une mesure du coût de la vie qui est imparfaite pour quatre raisons. Tout d'abord, il ne prend pas en compte la possibilité pour les consommateurs de substituer à certains biens devenus trop chers d'autres biens qui seraient meilleur marché. De plus, il ne reflète pas l'augmentation du pouvoir d'achat due à l'introduction de nouveaux produits sur le marché. En outre, il ne tient pas compte des variations de la qualité des biens et services. Finalement, il néglige la possibilité que les ménages cherchent des lieux de vente à meilleur marché. En raison de ces difficultés, l'indice des prix à la consommation surévalue l'inflation d'environ 1 % par année.

◆ On se sert également du déflateur du PIB pour mesurer le niveau général des prix. Le déflateur se différencie cependant de l'indice des prix à la consommation en ce qu'il considère les biens et les services produits plutôt que les biens et les services consommés. De ce fait, les produits importés influent sur l'indice des prix à la consommation, mais pas sur le déflateur du PIB. En outre, alors que l'indice des prix à la consommation se base sur un panier de biens invariable, le déflateur du PIB modifie automatiquement les biens et les services pris en compte à mesure que la composition du PIB varie.

◆ Pour faire une comparaison valable entre deux valeurs en dollars de deux époques différentes, on ne peut pas utiliser directement les sommes en dollars de chacune de ces époques. Il faut tenir compte de l'inflation en gonflant les valeurs passées, et ce, grâce à un indice des prix.

◆ Plusieurs textes législatifs et contrats privés comportent des dispositions d'indexation, c'est-à-dire qu'ils recourent à l'indice des prix à la consommation pour corriger les effets de l'inflation. Cependant, en ce qui concerne la législation fiscale, cette indexation demeure partielle.

◆ Lorsque l'on observe les taux d'intérêt, il faut tenir compte de l'inflation. Le taux d'intérêt nominal correspond au taux d'intérêt habituellement annoncé et à l'augmentation du nombre de dollars d'un compte d'épargne au cours d'une période donnée. Par contre, le taux d'intérêt réel tient compte des variations de la valeur de la monnaie. Ce dernier taux est égal au taux d'intérêt nominal diminué du taux d'inflation.

Concepts clés

Indexation, p. 109
Indice des prix à
   la consommation (IPC), p. 102

Indice des prix des produits
   industriels, p. 105
Taux d'inflation, p. 104

Taux d'intérêt nominal, p. 110
Taux d'intérêt réel, p. 110

Questions de révision

1. Laquelle de ces deux augmentations de prix influe le plus sur l'indice des prix à la consommation : une hausse de 10 % du prix du poulet ou une hausse équivalente du prix du caviar ? Pourquoi ?

2. Citez les quatre raisons pour lesquelles l'indice des prix à la consommation constitue une mesure imparfaite du coût de la vie.

3. Si le prix d'un avion de chasse augmente, laquelle de ces deux statistiques sera la plus touchée : l'indice des prix à la consommation ou le déflateur du PIB ? Pourquoi ?

4. Pendant une période donnée, le prix d'une friandise est passé de 0,10 $ à 0,60 $. Au cours de la même période, l'indice des prix à la consommation est passé de 150 à 300. En faisant les ajustements nécessaires pour tenir compte de l'inflation, calculez la variation réelle du prix de cette marchandise.

5. Expliquez la signification du taux d'intérêt nominal et du taux d'intérêt réel. Comment sont-ils reliés ?

Troisième partie

L'ÉCONOMIE RÉELLE
À LONG TERME

7

LA PRODUCTION ET LA CROISSANCE

À LA FIN
DE CE CHAPITRE,
VOUS SEREZ
EN MESURE...

*de constater
les différences
de croissance
économique dans
le monde*

*de comprendre
pourquoi
la productivité est
le facteur qui détermine
le niveau de vie
d'un pays*

*d'analyser
les facteurs
qui déterminent
la productivité
d'un pays*

*de constater
l'influence de
la politique économique
sur la productivité.*

Il suffit de voyager pour prendre conscience des profondes disparités qui existent entre les niveaux de vie dans le monde: le Canadien, l'Américain ou l'Allemand moyen jouit d'un revenu dix fois supérieur à celui d'un Indien, d'un Indonésien ou d'un Nigérian moyen. Des différences aussi marquées sur le plan des revenus se traduisent naturellement par de grandes différences dans la qualité de vie. Les citoyens des pays riches disposent de plus d'automobiles, de téléphones et de téléviseurs, d'une meilleure alimentation, de logements plus confortables, de soins de santé de qualité supérieure et d'une plus longue espérance de vie.

Ne serait-ce qu'à l'intérieur d'un même pays, d'ailleurs, le niveau de vie a beaucoup changé au fil du temps. Durant le dernier siècle, au Canada, le revenu moyen calculé à partir du PIB réel par habitant a connu une augmentation de 2 % par année. Ce pourcentage peut paraître faible, mais avec un tel taux de croissance, le revenu moyen double tous les 35 ans. Grâce à cette croissance, le revenu moyen actuel est presque huit fois supérieur à celui d'il y a un siècle. Par conséquent, le Canadien moyen jouit d'une prospérité économique bien supérieure à celle de ses parents, de ses grands-parents et de ses arrière-grands-parents.

Les taux de croissance varient grandement d'un pays à l'autre. Certains pays du Sud-Est asiatique – Singapour, la Corée du Sud et Taiwan – ont atteint une croissance du revenu moyen de 7 % par année dans les dernières décennies. À un tel rythme, le revenu moyen double tous les dix ans. Ces pays, qui comptaient auparavant parmi les plus pauvres du monde, sont passés au rang des plus riches en l'espace d'une génération. La Chine et l'Inde, où habite le tiers de l'humanité, croissent également depuis quelques années à ce rythme élevé. Au contraire, certains pays africains, comme le Tchad, l'Éthiopie et le Nigeria, enregistrent depuis toujours une stagnation du revenu moyen.

Qu'est-ce qui explique de telles disparités ? Comment les pays riches maintiennent-ils leur niveau de vie élevé ? Quelles mesures les pays pauvres doivent-ils adopter afin de promouvoir une croissance rapide et de rejoindre les régions les plus développées ? Voilà des questions fondamentales sur lesquelles se penche la macroéconomie. Comme l'a fait remarquer Robert E. Lucas, Prix Nobel d'économie en 1995, « les conséquences de telles questions sur le bien-être de l'humanité sont tout simplement extraordinaires ; une fois que l'on se met à y réfléchir, il est difficile de penser à autre chose ».

Dans les deux précédents chapitres, nous avons vu comment les économistes mesurent les quantités économiques et les prix. Nous commençons maintenant à étudier les déterminants de ces variables. Comme nous le savons déjà, le produit intérieur brut (PIB) d'une économie mesure à la fois le revenu total et les dépenses totales pour la production des biens et des services. Le PIB réel fournit une bonne indication de la prospérité économique et sa croissance constitue une mesure fiable du progrès économique. Portons maintenant notre attention sur les facteurs qui déterminent, à long terme, le niveau et la croissance du PIB. Nous étudierons plus tard les fluctuations à court terme du PIB réel, autour de cette tendance à long terme.

Nous procéderons en trois étapes. Tout d'abord, nous examinerons les statistiques internationales du PIB par habitant. Ces données nous permettent de comprendre les différences de niveau de vie dans le monde. Nous passerons ensuite au rôle de la *productivité* – la quantité de biens et de services produits en une heure de travail ou par travailleur. Nous verrons plus particulièrement que le niveau de vie dans un pays dépend essentiellement de la productivité de ses travailleurs. Nous aborderons aussi les facteurs favorisant cette productivité. Enfin, nous établirons un lien entre la productivité et la politique économique d'un pays.

LA CROISSANCE ÉCONOMIQUE DANS LE MONDE

Pour commencer notre étude de la croissance à long terme, examinons l'évolution de certaines économies nationales depuis 1870. Le tableau 7.1 résume les statistiques du PIB réel par habitant dans 17 pays sur 130 ans d'histoire économique. La première colonne du tableau indique le pays. La seconde et la troisième colonne fournissent une évaluation du PIB réel par habitant en 1870 et tout récemment.

Ces données montrent que le niveau de vie varie considérablement d'un pays à l'autre. Le revenu par personne au Canada était en 2001 six fois supérieur à celui de la Chine et onze fois plus élevé que celui de l'Inde. Les pays les plus pauvres ont actuellement des revenus moyens que le Canada n'a pas connus

PIB RÉEL PAR HABITANT, EN DOLLARS INTERNATIONAUX DE 2001

PAYS	1870	2001	TAUX DE CROISSANCE ANNUEL MOYEN (EN POURCENTAGE)
Japon	737 $	20 683 $	2,58 %
Canada	1 695	22 302	1,99
Taiwan	1 299	16 214	1,95
Malaisie	663	7 756	1,90
États-Unis	2 445	27 948	1,88
Mexique	674	7 089	1,81
Allemagne	1 839	18 677	1,79
Thaïlande	707	6 383	1,69
Brésil	713	5 570	1,58
Tunisie	633	4 710	1,54
Le monde	**875**	**6 049**	**1,49**
Hongrie	1 092	7 434	1,47
Chine	530	3 583	1,47
Royaume-Uni	3 190	20 127	1,42
Argentine	1 311	8 137	1,40
Indonésie	654	3 256	1,23
Algérie	715	2 813	1,05
Inde	533	1 957	1,00

DISPARITÉ DE LA CROISSANCE

Tableau 7.1

SOURCE: Angus Maddison, *L'économie mondiale: Statistiques historiques*, Études du Centre de Développement, OCDE, 2001 et calculs des auteurs.

depuis plusieurs décennies. En 2001, l'Indien moyen disposait d'un revenu réel à peine plus élevé que celui du Canadien ou de l'Allemand moyen en 1870.

La dernière colonne du tableau indique le taux de croissance annuel moyen du PIB par habitant, pour la période indiquée. Par exemple, le PIB réel canadien par habitant était de 1 695 $ en 1870 et atteignait 22 302 $ en 2001, ce qui correspond à un taux de croissance annuel moyen de 1,99 %. Autrement dit, en appliquant une augmentation de 1,99 % par an pendant 131 ans à un PIB réel par personne de 1 695 $, on obtiendrait 22 302 $. Bien entendu, le PIB réel par habitant n'a pas augmenté de façon régulière de 1,99 % par année. Le taux de croissance était supérieur certaines années et inférieur à d'autres moments. Le taux de croissance de 1,99 % ne tient donc pas compte des fluctuations à court terme autour de la tendance à long terme : il représente le taux de croissance moyen du PIB réel sur une longue période.

La dernière colonne du tableau, montrant par ordre décroissant le taux de croissance moyen des 17 pays retenus, a servi de critère de classement. Le Japon se situe en tête, avec un taux de croissance moyen de 2,58 % par an. Il y a 131 ans, le Japon ne figurait pas au rang des pays riches : son revenu moyen était à peu près égal à ceux de la Thaïlande, du Brésil et de l'Algérie. Il se situait loin derrière l'Argentine et la Hongrie. Le revenu japonais en 1870 était inférieur à celui de l'Inde en 2001. Cependant, grâce à une croissance spectaculaire, le Japon est devenu une grande puissance économique disposant d'un revenu moyen légèrement supérieur à celui du Royaume-Uni, et figurant juste derrière ceux du Canada et des États-Unis. Au bas de ce tableau, on retrouve l'Inde, dont la croissance moyenne n'a été que de 1,00 % au cours de la période observée. Les habitants de ce pays continuent donc de vivre dans une pauvreté extrême.

En raison des différences entre les taux de croissance économique, le classement des pays selon leur PIB par habitant varie considérablement au fil du temps. Comme nous l'avons vu, le Japon a connu une progression spectaculaire par rapport aux autres pays. Par contre, le Royaume-Uni a reculé, de façon relative. En 1870, il s'agissait du pays le plus riche du monde, avec un revenu moyen égal au double de celui du Canada et dépassant de 30 % celui des États-Unis. Le revenu de ce pays se situe aujourd'hui en dessous du revenu moyen de ses deux anciennes colonies. Notons cependant que, pour tous les pays répertoriés dans ce tableau, le niveau de vie s'est amélioré depuis 1870.

En somme, ces statistiques démontrent que les pays les plus riches du monde ne sont pas assurés de conserver leur position, et que les pays les plus

---

BON À SAVOIR

La magie de la capitalisation et la règle du 70

On pourrait être tenté d'ignorer les différences entre les taux de croissance en raison de leur faible écart. Si l'économie d'un pays connaît un taux de croissance de 1 % tandis que celle d'un autre enregistre un taux de croissance de 3 %, ces 2 % sont-ils vraiment significatifs ?

En réalité, cette marge fait toute la différence. Même si les taux de croissance paraissent négligeables lorsqu'ils sont présentés en pourcentages, il suffit de les additionner pendant plusieurs années pour constater leur importance. Cette accumulation des taux de croissance sur une période donnée se nomme *capitalisation*.

Prenons un exemple. Imaginons que deux diplômés, Zoé et Marc, trouvent leur premier emploi à 22 ans à un salaire de 30 000 $ par année. Marc vit dans une économie dont le taux de croissance des revenus est de 1 % par an, alors que le pays de Zoé enregistre un taux de croissance de 3 %. Un simple calcul suffit pour comprendre ce qui se passe. Si l'on se reporte 40 ans plus tard, alors qu'ils ont tous deux 62 ans, Marc gagne près de 45 000 $ par année, tandis que Zoé a un revenu atteignant presque 98 000 $. La différence de 2 % entre les taux de croissance de leurs deux pays a pour résultat une différence de salaire allant du simple au double.

Examinons en détail les calculs liés à la croissance. Le salaire de Marc, après 40 ans, est égal à :

$$30\ 000\ (1 + 0,01)^{40} = 44\ 666\ \$$$

Si l'on cherchait le nombre d'années nécessaires pour faire passer le salaire de Marc de 30 000 $ à 44 666 $, en sachant que son salaire croît de 1 % annuellement, la formule à utiliser serait la suivante :

$$\ln\ (44\ 666/30\ 000)/\ln\ (1 + 0,01) = 40$$

Une méthode empirique, appelée la *règle du 70*, permet de comprendre facilement les effets du taux de croissance et de la capitalisation. Si l'on veut connaître le temps requis pour *doubler* une variable, il suffit de diviser la constante 70 par le taux de croissance par période (exprimé en pourcentage). Cette formule permet d'effectuer des calculs rapides et assez précis. Étant donné que ln (2) = 0,693147, soit presque 0,70, et que ln (1 + 0,01) = 0,00995, soit presque 0,01, on peut faire le calcul suivant : 0,70 / 0,01 (ou encore 70 / 1) = 70.

Selon cette règle, si une variable croît à un taux de x % par année, sa valeur doublera donc en 70/x années environ. Dans l'économie de Marc, les revenus ont un taux de croissance de 1 % par année ; une période de 70 ans est donc nécessaire pour que les revenus doublent. Dans l'économie de Zoé, le taux de croissance des revenus atteint 3 % par année : il faudra donc 70/3, soit 23 ans, pour voir son revenu doubler.

La règle du 70 ne s'applique pas seulement à la croissance économique, mais également à la croissance d'un compte d'épargne. Prenons un exemple : en 1791, Benjamin Franklin est mort en laissant 5 000 $ à investir durant une période de 200 ans, dans le but de financer les études des futurs médecins et la recherche scientifique. Si ce capital a rapporté 7 % par an (ce qui est parfaitement plausible), cet investissement a doublé tous les 10 ans. En 200 ans, il aura donc doublé 20 fois. Au terme des deux siècles de capitalisation, il valait logiquement $2^{20} \times 5\ 000$ $, soit 5 milliards de dollars. (En réalité, les 5 000 $ de Franklin valaient 2 millions de dollars à l'issue de ces deux siècles, car une partie de l'argent a été dépensée pendant cette période.)

Comme le démontrent ces exemples, les taux de croissance capitalisés au cours des années peuvent donner des résultats spectaculaires. Albert Einstein a d'ailleurs affirmé que la capitalisation représentait « la plus grande découverte mathématique de l'histoire ».

pauvres ne sont pas condamnés à la misère. Mais comment expliquer cette évolution? Pourquoi certains pays progressent-ils à toute vitesse alors que d'autres n'avancent que péniblement? Nous allons maintenant répondre à ces questions.

MINITEST : Quel est le taux de croissance approximatif du PIB réel au Canada cette année? Citez un pays qui a enregistré une croissance plus rapide que le Canada, et un autre qui a connu une croissance plus lente.

LA PRODUCTIVITÉ : SON RÔLE ET SES DÉTERMINANTS

D'une certaine façon, il est facile d'expliquer la grande disparité des niveaux de vie dans le monde. Comme nous le verrons, cette explication peut se résumer en un seul mot : *productivité*. D'un autre côté, pourtant, ces différences internationales restent très étonnantes. Pour déterminer la cause des grands écarts observés entre les revenus nationaux, nous devons nous interroger sur les facteurs qui influencent le niveau de la productivité.

L'IMPORTANCE DE LA PRODUCTIVITÉ

Nous aborderons cette étude de la productivité et de la croissance économique par l'établissement d'un modèle très simple, qui s'inspire du fameux roman de Daniel Defoe, *Robinson Crusoé*. Comme vous le savez peut-être, le personnage principal de ce roman, Robinson Crusoé, a fait naufrage sur une île déserte. Vivant désormais seul, il lui faut pêcher son poisson, cultiver ses légumes et confectionner ses vêtements. Nous pouvons envisager les activités de Robinson – la production et la consommation des poissons, des légumes et des vêtements – comme une économie simplifiée. Certaines des leçons que nous tirerons de l'examen de cette économie pourront aussi se vérifier dans le cas d'économies plus complexes et plus proches de la réalité.

De quoi dépend le niveau de vie de Robinson Crusoé? La réponse est évidente. S'il est pêcheur habile, excellent cultivateur et bon couturier, il vivra bien. Par contre, s'il se révèle médiocre dans toutes ces tâches, il survivra péniblement. Comme il vit en autarcie, son niveau de vie dépend directement de sa capacité de production.

La **productivité** mesure la quantité de biens et de services qu'un travailleur peut produire par unité de temps. Dans le cas de l'économie de Robinson, on constate que sa productivité détermine son niveau de vie et que la croissance de ce niveau de vie est directement liée à celle de sa productivité. Plus Robinson est efficace, plus il capture de poissons à l'heure et plus il en aura dans son assiette. S'il trouve un meilleur endroit pour pêcher, sa productivité augmentera, élevant d'autant son niveau de vie. Il aura alors le choix entre consommer davantage de poissons ou passer moins de temps à pêcher, pour se consacrer à la fabrication d'autres biens qui lui apportent aussi du bien-être.

Ce rôle clé joué par la productivité dans la détermination du niveau de vie s'applique aussi bien aux pays qu'aux naufragés solitaires. Souvenez-vous que le produit intérieur brut (PIB) mesure deux choses simultanément : le revenu total gagné par tous les agents économiques et les dépenses totales nécessaires pour acheter les biens et les services produits dans cette même économie. La raison de cette double mesure est simple : dans une économie, le revenu et les dépenses doivent s'égaler. Autrement dit, le revenu d'une économie est égal à la valeur de sa production.

Productivité
Rapport entre la production et la quantité de travail utilisée.

Tout comme Robinson, un pays a la possibilité de jouir d'un niveau de vie élevé, dans la mesure où il produit beaucoup de biens et de services. Les Canadiens vivent mieux que les Nigérians, parce que les travailleurs canadiens sont plus productifs que leurs homologues nigérians. Les Japonais ont connu un taux de croissance de leur niveau de vie supérieur à celui des Argentins, en raison d'une progression plus rapide de leur productivité. Il est utile de se rappeler ici l'un des *dix principes d'économie* du chapitre 1 : le niveau de vie d'un pays dépend de sa capacité à produire des biens et des services.

Examinons d'un peu plus près cette relation entre le PIB par habitant et la productivité. La productivité (ou productivité moyenne du travail) représente la production par unité du facteur travail. Elle peut être mesurée de deux façons différentes : soit en divisant le PIB par le nombre de travailleurs, soit en divisant le PIB par le nombre total d'heures travaillées. Dans le premier cas, la productivité représente la production qu'un travailleur peut réaliser en une année (si le PIB est mesuré annuellement). Dans le deuxième cas, la productivité mesure la production réalisée en moyenne par un travailleur durant une heure d'effort. Ces façons différentes de mesurer la productivité reflètent toutes deux l'efficacité des travailleurs. Nous retiendrons cependant, pour la discussion qui suit, la division du PIB par le nombre total d'heures travaillées.

Considérons la formule suivante :

$$\frac{\text{PIB}}{\text{population}} = \left(\frac{\text{PIB}}{\text{heures totales travaillées}}\right) \times \left(\frac{\text{heures totales travaillées}}{\text{emploi}}\right) \times \left(\frac{\text{emploi}}{\text{population}}\right)$$

Le PIB par habitant (membre gauche de l'égalité) est égal au produit de trois termes. Cette égalité est une identité car les heures travaillées, l'emploi et la population s'annulent du côté droit, ne laissant de part et d'autre que le rapport PIB/population.

Qu'est-ce qui peut faire augmenter le PIB par habitant ? Cette augmentation peut être causée par une hausse de l'un ou l'autre des termes du membre droit de l'équation, qui sont les suivants :

◆   la productivité (le PIB/heures travaillées) ;
◆   le nombre d'heures travaillées par personne employée ;
◆   la proportion de la population qui travaille.

Sur une courte période, chacun des termes du côté droit peut augmenter ou diminuer et donc contribuer à changer le PIB par habitant. Par exemple, une baisse du taux de chômage augmente la proportion de la population qui travaille et augmente donc le PIB par habitant. Si par contre les jeunes prolongent la durée de leurs études, la proportion de la population totale qui travaille diminue et le PIB par habitant s'en trouve réduit.

Cependant, lorsqu'on s'intéresse à la croissance du niveau de vie sur une longue période, la situation est différente. Si le PIB par habitant est multiplié par 13 sur une période de 131 ans (ce qui a été le cas du Canada), quels facteurs peut-on invoquer pour expliquer cette situation ? Prenons séparément chacun des termes du côté droit de la formule. Premièrement, considérons les heures travaillées par personne employée. Maddison (1998) estime que l'employé moyen travaillait 2 964 heures par année au Canada en 1870, contre 1 663 heures seulement en 1998. En effet, la semaine de travail est bien plus courte aujourd'hui, ce qui cause une réduction du PIB par habitant. Deuxièmement, voyons ce qui en est de la proportion de la population totale qui travaille. Celle-ci a sans doute un peu varié au cours du siècle : elle a dû diminuer en raison de l'augmentation de la durée des études, de la baisse de l'âge moyen de la retraite et du prolongement de l'espérance de vie ; en même temps, elle a dû augmenter en raison de la présence accrue des femmes sur le marché du travail. Par conséquent, la variation nette est sans doute relativement faible. La seule variable qui peut expliquer la hausse du PIB par habitant observée au Canada est donc la hausse de la productivité moyenne du travail, autrement dit, l'efficacité des travailleurs.

Pour comprendre les disparités observées entre les niveaux de vie des pays au fil du temps, il faut donc s'intéresser à la productivité. On en arrive tout naturellement à la question suivante: pourquoi certaines économies sont-elles plus productives que d'autres?

LES DÉTERMINANTS DE LA PRODUCTIVITÉ

La productivité semble bel et bien déterminer le niveau de vie de Robinson Crusoé. Mais qu'est-ce qui explique cette productivité? Robinson sera certainement un meilleur pêcheur s'il possède plus de cannes à pêche, s'il connaît les meilleures techniques pour attraper du poisson ou s'il invente un meilleur appât. Chacun de ces facteurs – baptisés *capital physique, capital humain* et *connaissances technologiques* – influe sur sa productivité et a son pendant dans les économies réelles complexes. Examinons maintenant chacun de ces facteurs.

Le capital physique. Les travailleurs sont plus productifs s'ils disposent d'outils de travail. L'ensemble des outils, des équipements et des immeubles utilisés pour la production de biens et de services se nomme **capital physique,** ou tout simplement *capital.* Lorsqu'ils fabriquent un meuble, les ébénistes se servent de scies, de tours et de perceuses à colonne. Ces outils perfectionnés permettent d'accélérer la production et d'améliorer la qualité du produit fini. Un menuisier mal équipé ne produira pas autant que celui qui dispose de toutes les machines sophistiquées.

Nous avons vu au chapitre 2 que les intrants utilisés pour produire des biens et des services – travail, capital, etc. – se nomment *facteurs de production.* L'une des caractéristiques essentielles du capital physique réside dans le fait qu'il s'agit d'un facteur de production *produit.* Ceci revient à dire que le capital est l'intrant d'un processus de production, mais qu'il est également l'extrant d'un processus de production antérieur. Le tour qu'utilise l'ébéniste pour produire un pied de table est en premier lieu produit par une usine de tours. Le fabricant de tours se sert lui-même d'autres équipements pour réaliser son produit. Par conséquent, le capital est un facteur de production qui entre dans la production de toutes sortes de biens et de services, y compris du capital.

Le capital humain. Le deuxième facteur déterminant la productivité est le **capital humain.** Il comprend les connaissances et les aptitudes que les travailleurs ont acquises. Ces connaissances et aptitudes peuvent provenir tant d'un apprentissage scolaire – allant de la maternelle à l'université, en passant par l'école primaire, le secondaire et le collège –, que de la formation professionnelle et de l'expérience de travail.

La formation, l'apprentissage et l'expérience paraissent certes moins tangibles que les scies circulaires, les bulldozers et les bâtiments. Pourtant, le capital humain présente bien des caractéristiques du capital physique. Tout comme ce dernier, le capital humain accroît la capacité de production de biens et de services d'un pays. Il s'agit également d'un facteur de production produit. En effet, pour augmenter le capital humain, il faut des intrants, comme les professeurs, les bibliothèques et le temps passé à étudier. On peut en effet considérer les étudiants comme des «travailleurs» ayant la responsabilité de produire le capital humain qui sera utilisé dans la production future.

Les connaissances technologiques. Troisième facteur déterminant la productivité, les **connaissances technologiques** sont tout simplement notre savoir concernant les meilleures méthodes de production de biens et de services. Il y a un siècle, la plupart des Canadiens travaillaient dans le secteur de

Capital physique
Le stock d'outils, d'immeubles et d'équipements servant à la production de biens et de services.

Capital humain
Les connaissances et les aptitudes que les travailleurs acquièrent par l'éducation, la formation et l'expérience.

Connaissances technologiques
Les connaissances de la société quant aux meilleures manières de produire les biens et les services.

l'agriculture, parce que la technologie de l'époque les obligeait à utiliser une main-d'œuvre nombreuse pour nourrir la population. Aujourd'hui, grâce aux progrès des techniques agricoles, un petit nombre de personnes suffit à produire assez de nourriture pour tout le pays. Ce changement technologique a libéré un grand nombre de travailleurs pour produire d'autres types de biens et de services.

Les connaissances technologiques prennent plusieurs formes. Certaines technologies font rapidement partie du patrimoine commun, si l'invention d'une personne est rapidement connue et utilisée par tous. Ce fut le cas du travail à la chaîne, introduit par Henry Ford mais imité très rapidement par les autres fabricants automobiles. En revanche, d'autres technologies demeurent la propriété de leurs inventeurs. La compagnie Coca-Cola est seule à connaître la recette secrète de sa célèbre boisson gazeuse. D'autres connaissances technologiques appartiennent à des entreprises durant un temps limité. Quand une compagnie pharmaceutique met au point un nouveau médicament, par exemple, le système de brevet lui octroie temporairement l'exclusivité de la production de ce produit. À l'expiration du brevet, toutes les autres compagnies ont le droit de le copier. Toutes ces formes de connaissances technologiques sont essentielles à la production des biens et des services de l'économie.

Il importe de bien faire la distinction entre les connaissances technologiques et le capital humain. Même s'ils sont intimement liés, ils présentent tout de même des différences notables. Lorsqu'on pense aux connaissances technologiques, on se réfère à la compréhension que la société a du fonctionnement du monde. Le capital humain mesure plutôt la transmission de cette compréhension aux travailleurs. Pour faire une analogie simple, disons que le savoir technologique représente le contenu des livres d'une société, alors que le capital humain représente la compréhension qu'en ont les travailleurs grâce au temps de lecture qu'ils y ont consacré. La productivité des travailleurs dépend à la fois de la qualité des manuels existants et du temps qu'ils ont consacré à leurs études.

> **MINITEST :** Nommez et décrivez trois facteurs déterminant la productivité d'un pays.

BON À SAVOIR

La fonction de production

Pour décrire la relation existant entre les intrants et la production, les économistes utilisent une *fonction de production*. Soit Y, la quantité de production, L, la quantité de travail, K, la quantité de capital physique et H, la quantité de capital humain. Nous pouvons alors poser l'équation suivante :

$$Y = A \, F(L, K, H)$$

Dans cette équation, F( ) est une fonction indiquant la façon dont les intrants se combinent dans le processus de production. La variable A représente la technologie de production existante. Le progrès technologique fait augmenter A, de sorte que l'économie produit davantage pour toute combinaison donnée d'intrants.

De nombreuses fonctions de production ont une propriété appelée *rendements d'échelle constants*. Lorsqu'une fonction de production est à rendements d'échelle constants, le doublement de la quantité de tous les facteurs se traduira par un doublement de la production. Pour représenter une telle production, on peut alors écrire l'équation suivante, pour toute valeur positive de x :

$$xY = A \, F(xL, xK, xH)$$

Le doublement de tous les intrants se traduirait dans cette équation par x = 2. Le côté droit de l'équation montre le doublement des intrants et le côté gauche, celui de la production.

Les fonctions de production de ce type ont une propriété intéressante. Posons x = 1/L. L'équation devient alors :

$$Y/L = A \, F(1, K/L, H/L).$$

Notons que Y/L représente la production par travailleur, qui est l'une des façons de mesurer la productivité. Cette équation montre donc que la productivité dépend du capital physique par travailleur (K/L) et du capital humain par travailleur (H/L). La productivité dépend également du stade d'avancement technologique, représenté par la variable A. Les trois facteurs déterminant la productivité se retrouvent donc dans cette équation.

L'IMPORTANCE DE L'ÉPARGNE ET DE L'INVESTISSEMENT

Comme le capital est un facteur de production produit, une société a la possibilité de modifier la quantité de capital dont elle dispose. Si elle produit beaucoup de nouveau capital, cette accumulation lui permettra de produire davantage de biens et de services à l'avenir. Une bonne façon de stimuler la productivité future consiste donc à investir aujourd'hui dans la production de capital.

Selon l'un *dix principes d'économie* présentés au chapitre 1, les gens sont soumis à des arbitrages. L'importance de ce principe se confirme lorsqu'on considère l'accumulation du capital. En raison de la rareté des ressources, on doit, pour produire du capital, réduire la production de biens et de services de consommation courante. La croissance rendue possible par l'accumulation du capital exige donc des sacrifices: la société doit renoncer à une partie de sa consommation actuelle pour s'assurer une plus grande consommation future.

Dans le chapitre suivant, nous verrons plus en détail comment les marchés financiers coordonnent l'épargne et l'investissement et dans quelle mesure la politique gouvernementale les influence. Pour le moment, il suffit de savoir qu'en encourageant l'épargne et l'investissement, les pouvoirs publics favorisent la croissance et, à long terme, l'augmentation du niveau de vie.

Afin de comprendre l'importance de l'investissement pour la croissance, reportez-vous à la figure 7.1 montrant des données sur 15 pays. Le graphique (a) montre le taux de croissance de chacun de ces pays au cours d'une période de 31 ans. Le classement est effectué selon ce taux, par ordre décroissant. Le graphique (b) indique le pourcentage du PIB consacré par chaque pays à l'investissement. Même si la corrélation entre la croissance et l'investissement est loin d'être parfaite, elle reste solide. Les pays comme le Japon ou Singapour, qui consacrent une grande part de leur PIB à l'investissement, ont tendance à avoir des taux de croissance supérieurs. Les pays, comme le Bangladesh et le Rwanda, qui n'y consacrent qu'une faible part de leur PIB, restent en queue de liste. Des études plus exhaustives couvrant un grand nombre de pays confirment d'ailleurs cette forte corrélation entre l'investissement et la croissance.

L'interprétation de ces données requiert cependant une certaine prudence. Comme nous l'avons vu dans l'annexe du chapitre 2, l'existence d'une corrélation entre deux variables ne suffit pas pour discerner la cause de l'effet. Il est possible qu'un taux d'investissement supérieur soit la cause d'une forte croissance, mais il est également possible qu'une forte croissance mène à un taux d'investissement élevé. Il est également possible qu'une troisième variable, négligée lors de l'analyse, soit responsable de la corrélation observée entre les taux de croissance et d'investissement. Les données en elles-mêmes ne nous fournissent pas le sens de la causalité. Néanmoins, puisque l'accumulation du capital influe de manière directe et nette sur la productivité, de nombreux économistes croient qu'un fort taux d'investissement conduit à une croissance économique rapide.

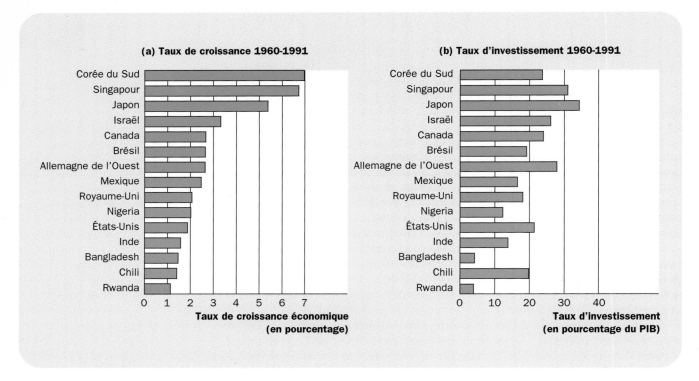

Figure 7.1

CROISSANCE ET INVESTISSEMENT. Le graphique (a) montre le taux de croissance du PIB par habitant de 15 pays, de 1960 à 1991. Le graphique (b) montre le pourcentage du PIB consacré par chaque pays à l'investissement durant la même période. Cette figure montre une forte corrélation entre croissance et investissement.

LES RENDEMENTS DÉCROISSANTS ET L'EFFET DE RATTRAPAGE

Que se passerait-il si un gouvernement, convaincu par les données de la figure 7.1, se donnait pour mission d'augmenter le taux d'épargne nationale – c'est-à-dire le pourcentage du PIB consacré à l'épargne plutôt qu'à la consommation? Comme nous le verrons au prochain chapitre, une épargne plus importante signifie que moins de ressources sont consacrées à la production de biens de consommation et que plus de ressources sont consacrées à la production de biens de capital. En conséquence, l'accroissement du stock de capital conduirait à une amélioration de la productivité et à une accélération de la croissance du PIB. Mais la croissance du PIB se maintiendrait-elle? En supposant que le taux d'épargne demeure plus élevé qu'auparavant, le taux de croissance économique serait-il accru pour une certaine période de temps seulement ou resterait-il définitivement plus élevé?

Selon la plupart des économistes, le capital est soumis à des **rendements marginaux décroissants**: à mesure que la quantité de capital augmente, l'amélioration de la production est de plus en plus faible. Autrement dit, quand les travailleurs disposent déjà d'une bonne quantité de capital pour produire des biens et des services, toute augmentation supplémentaire de capital améliore peu leur productivité. En raison des rendements marginaux décroissants du capital, l'augmentation de l'épargne n'influence la croissance économique à la hausse que durant un temps limité. À mesure que le taux d'épargne plus élevé permet d'accumuler plus de capital, les bénéfices résultant de l'accumulation du capital diminuent au fil du temps, faisant ralentir à son tour la croissance. *À long terme, l'augmentation du taux d'épargne conduit à des niveaux plus élevés de*

Rendements marginaux décroissants
Propriétés selon lesquelles le taux de croissance de la production décroît quand la quantité d'un facteur de production augmente.

productivité et de revenu, mais ne se traduit pas par des taux de croissance supérieurs de ces variables. Les études sur la croissance économique internationale indiquent que la hausse du taux d'épargne peut tout de même se traduire par une augmentation du taux de croissance durant plusieurs décennies.

La relation entre le stock de capital par travailleur et la productivité peut être illustrée dans un graphique, appelé graphique de productivité. Un tel graphique est présenté à la figure 7.2. On peut y observer que plus la quantité de capital physique disponible par unité de travail est importante, plus la productivité moyenne du travail est élevée. Cette relation positive entre le stock de capital par unité de travail et la production par unité de travail se vérifie par la pente positive de la courbe. Cette courbe a aussi une autre propriété importante: elle est concave, c'est-à-dire que la productivité augmente de moins en moins à mesure que le capital par travailleur s'accroît, ce qui veut dire que les rendements marginaux du capital sont décroissants.

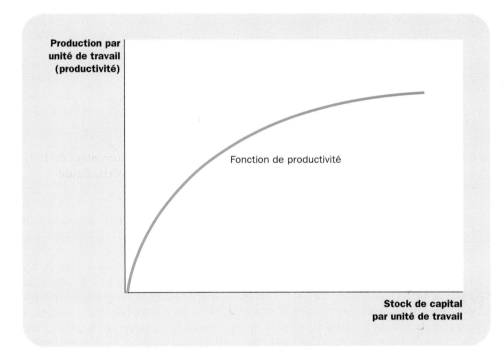

Figure 7.2

FONCTION DE PRODUCTIVITÉ. En raison des rendements marginaux décroissants du capital, une augmentation du stock de capital par unité de travail fait davantage augmenter la productivité s'il y a peu de capital au départ.

Production par unité de travail (productivité)

Fonction de productivité

Stock de capital par unité de travail

Les rendements marginaux décroissants du capital ont une autre conséquence importante: toutes choses étant égales par ailleurs, il est plus facile pour un pays de croître rapidement s'il est pauvre. On désigne parfois sous le terme d'**effet de rattrapage** (ou convergence des niveaux de vie) l'effet des conditions initiales sur la croissance subséquente. Dans les pays pauvres, l'absence des outils les plus rudimentaires est parfois la cause d'une très faible productivité. Des investissements en capital, même réduits, produisent alors une augmentation substantielle de la productivité des travailleurs. En revanche, dans les pays développés, la main-d'œuvre dispose déjà d'un fort stock de capital. Une augmentation de capital ne fait donc progresser que très légèrement la productivité. Les recherches économiques internationales confirment cet effet de rattrapage. En isolant les autres variables – comme le pourcentage du PIB consacré à l'investissement –, on constate que la productivité dans les pays moins développés tend à croître plus rapidement que dans les pays riches. Ainsi, les pays pauvres ont tendance à rattraper les pays riches en ce qui concerne le niveau de vie.

Effet de rattrapage
Phénomène selon lequel, pour une même augmentation du stock de capital par travailleur provenant de l'investissement, la productivité dans les pays pauvres a tendance à croître plus rapidement que dans les pays riches. Les pays pauvres ont alors tendance à rattraper les pays riches en ce qui concerne le niveau de vie.

Cet effet de rattrapage permet d'expliquer certains résultats de la figure 7.1. Au cours de cette période de 31 ans, le Canada et la Corée du Sud ont consacré une proportion équivalente de leur PIB à l'investissement. Le Canada n'a pourtant connu qu'un taux de croissance d'environ 2,5 %, alors que celui de la Corée, soit 7 %, paraît tout à fait spectaculaire. Cet écart s'explique par l'effet de rattrapage. En 1960, le PIB par habitant de la Corée n'arrivait pas au dixième de celui du Canada, surtout à cause d'une faible productivité issue d'un faible niveau d'investissement antérieur. En partant d'un faible stock de capital par travailleur, l'accumulation du capital entre 1960 et 1991 a fait énormément progresser la productivité coréenne, et c'est ce qui explique ce taux de croissance exceptionnel.

On retrouve également cet effet de rattrapage dans d'autres contextes. Par exemple, lorsque, à la fin de l'année, une école attribue un prix à l'étudiant qui a le plus progressé, il ne s'agit pas, la plupart du temps, de l'élève qui brillait le plus à la rentrée. Les étudiants qui commencent l'année sans faire trop d'efforts ont plus de facilité à améliorer leurs notes que ceux qui travaillent dur dès le début. On sera d'avis que le fait d'être l'étudiant qui a fait le plus de progrès est une bonne chose, mais qu'il vaut mieux être premier de classe. La même remarque s'applique à la croissance économique de la Corée du Sud, qui a progressé plus rapidement que le Canada dans les dernières décennies, mais dont le PIB par habitant est encore inférieur à celui du Canada.

Les conséquences des rendements marginaux décroissants du capital sont explorées plus en profondeur dans le dernier « Bon à savoir » du présent chapitre.

ÉTUDE DE CAS   LES RESSOURCES NATURELLES LIMITENT-ELLES LA CROISSANCE ?

La population mondiale a connu une croissance exceptionnelle depuis un siècle, et beaucoup plus de gens disposent d'un niveau de vie élevé. Le débat se poursuit cependant quant à la possibilité de maintenir cette croissance tant démographique qu'économique.

Selon nombre de commentateurs, l'épuisement des ressources naturelles finira par limiter la croissance économique mondiale. À première vue, cela semble un argument de poids. Si la planète n'offre qu'une quantité limitée de ressources non renouvelables, comment la population, la production et le niveau de vie pourraient-ils croître indéfiniment ? Les ressources pétrolières et minérales ne finiront-elles pas par s'épuiser ? Lorsque de telles pénuries surviendront, ne mettront-elles pas un terme à la croissance économique ? Elles risquent même de faire chuter le niveau de vie !

Bien que cet argument paraisse solide, la plupart des économistes ne sont pas tellement préoccupés par les limites de la croissance. En effet, le progrès technologique permet souvent de surmonter les obstacles posés par la pénurie de ressources. Une comparaison de l'économie d'aujourd'hui avec celle du passé démontre d'ailleurs que l'utilisation des ressources s'est grandement améliorée. Les voitures les plus récentes consomment moins d'essence. Les maisons neuves, mieux isolées, consomment moins d'énergie pour le chauffage et la climatisation. L'extraction du pétrole s'effectue de manière plus efficace et le recyclage permet d'économiser les ressources. La mise au point d'un carburant alternatif, comme l'éthanol par exemple, permet de substituer une ressource renouvelable à une ressource non renouvelable.

Les protecteurs de l'environnement s'inquiétaient il y a 50 ans de l'emploi excessif du cuivre et de l'étain, deux ressources cruciales à l'époque. On se servait de l'étain pour la fabrication des boîtes de conserve et les fils téléphoniques étaient en cuivre. Certaines personnes exigeaient le recyclage et le rationnement de ces deux métaux afin d'en laisser pour les générations

LE PROGRÈS TECHNOLOGIQUE
FAVORISE L'APPARITION DE NOUVEAUX
PRODUITS, COMME LES VOITURES
HYBRIDES FONCTIONNANT À LA FOIS
À L'ESSENCE ET À L'ÉLECTRICITÉ,
CE QUI RÉDUIT NOTRE DÉPENDANCE
PAR RAPPORT AUX RESSOURCES NON
RENOUVELABLES.

suivantes. Mais le plastique a remplacé l'étain dans la fabrication de beaucoup de contenants alimentaires et la fibre optique – faite à partir de sable – transmet de plus en plus les conversations téléphoniques. Dans les deux cas, le progrès technologique a permis de résoudre le problème de la pénurie qui menaçait les ressources naturelles. En fait, qui parle aujourd'hui du problème de l'épuisement du cuivre? De la même façon, William Stanley Jevons, l'un des économistes les plus célèbres de son époque, s'inquiétait de la disparition éventuelle du charbon en Angleterre. Dans son livre publié en 1865 et intitulé *The Coal Question,* Jevons prévoyait l'épuisement rapide du charbon et l'arrêt presque complet de la production industrielle au Royaume-Uni. Près de 140 ans plus tard, la Grande-Bretagne produit encore assez de charbon pour protéger, à l'aide de tarifs douaniers, les emplois de 100 000 mineurs. Comme plusieurs, Jevons avait sous-estimé les effets du progrès technologique.

Mais tous ces efforts permettront-ils vraiment la poursuite de la croissance économique? L'une des façons de répondre à cette question consiste à examiner les prix des ressources naturelles. Nous savons que dans une économie de marché, la rareté fait monter les prix. Si les ressources naturelles deviennent plus rares, leur prix ne manquera pas d'augmenter progressivement. Or c'est l'inverse qui se vérifie. Les prix de la plupart des ressources naturelles (ajustés pour tenir compte de l'inflation) demeurent stables ou ont tendance à baisser. Il semble donc que notre capacité à conserver ces ressources augmente plus rapidement que l'épuisement des réserves. L'évolution des prix ne donne aucune raison de croire que les ressources naturelles limiteront un jour la croissance économique.

LES MESURES FAVORISANT LA CROISSANCE ÉCONOMIQUE

Jusqu'à maintenant, nous avons vu que le niveau de vie d'une société dépend de sa capacité à produire des biens et des services, cette productivité dépendant à son tour du capital physique, du capital humain et des connaissances technologiques. Posons-nous maintenant la question que tous les dirigeants se posent: quel type de politique publique favorise une grande productivité et un niveau de vie élevé?

Nous avons déjà discuté de l'importance de l'épargne et de l'investissement pour expliquer l'accumulation du capital, moteur de la croissance de la productivité et du niveau de vie. Ce que nous cherchons maintenant à savoir est ceci: quelles mesures peuvent contribuer à cette accumulation du capital?

LA LIBERTÉ ÉCONOMIQUE ET LA STABILITÉ POLITIQUE

La liberté économique et la stabilité politique sont des conditions préalables à la croissance. Nous avons déjà remarqué dans le chapitre 3, qui concerne l'interdépendance, que dans une économie de marché, la production dépend de l'interaction de millions d'individus et d'entreprises. En achetant une voiture, vous achetez la production d'un concessionnaire, d'un fabricant automobile, d'une aciérie, d'une compagnie minière, etc. Cette répartition de la production entre plusieurs entreprises assure l'efficacité du processus. Pour y parvenir, on doit coordonner les transactions entre toutes les entreprises, et aussi entre celles-ci et les consommateurs. Les économies de marché assurent cette coordination grâce au système des prix. Autrement dit, la «main invisible» assure l'équilibre de l'offre et de la demande grâce aux prix du marché.

Ce qui permet à ce système de bien fonctionner est la **liberté économique**, c'est-à-dire la possibilité d'entreprendre des activités productives avec le moins d'intervention gouvernementale possible. La liberté économique est basée sur les choix individuels, l'échange volontaire, le droit de garder ce que l'on gagne et l'existence de *droits de propriété* bien définis et protégés par la loi.

Le **droit de propriété** représente d'ailleurs l'un des éléments les plus importants pour permettre au système des prix de bien fonctionner. Par droit de propriété, on entend la possibilité pour chacun d'employer ses ressources comme il l'entend. Une compagnie minière ne se lancera pas dans l'exploitation du minerai s'il existe un risque de se voir confisquer son produit : elle n'investira que si on lui garantit qu'elle pourra vendre sa production afin d'en tirer un profit. De la même manière, un entrepreneur n'investira pas dans la construction d'appartements locatifs si le gouvernement l'empêche de louer librement ses logements. Selon plusieurs analystes, l'arrêt presque complet de la construction locative au Québec, sauf celle qui est fortement subventionnée par l'État, est attribuable au contrôle du prix des loyers.

Les tribunaux jouent un rôle important dans une économie de marché : ils font respecter le droit de propriété. Le système de justice pénale sévit contre les voleurs. De plus, le système de justice civile garantit le respect des ententes entre acheteurs et vendeurs.

Dans les pays développés, on a tendance à considérer le droit de propriété comme allant de soi. Il faut vivre dans un pays moins développé pour comprendre les problèmes qui surgissent s'il y a défaillance dans ce domaine. Les déficiences de l'administration judiciaire, dans de nombreux pays, compromettent la mise en application des contrats et ne répriment pas la fraude. Dans certains cas, non seulement le gouvernement ne garantit-il pas le droit de propriété, mais de surcroît il ne le respecte pas lui-même. Pour faire des affaires dans ce contexte, les entreprises doivent soudoyer les fonctionnaires de l'État. Ce genre de corruption ralentit le fonctionnement des marchés et réduit l'épargne locale et les investissements étrangers.

Dans son livre *The Mystery of Capital*, l'économiste péruvien Hernando de Soto a étudié le manque de liberté économique dans les pays pauvres. Il a démontré qu'un citoyen qui veut installer un étal à Lima pour vendre des vêtements doit payer l'équivalent de deux ans du salaire moyen péruvien pour se procurer des permis de toutes sortes. Par ailleurs, quiconque veut acheter un terrain en Haïti doit remplir 176 documents et patienter en moyenne 19 ans. En Égypte, un citoyen qui veut construire une maison doit faire affaire avec 31 agences gouvernementales, remplir 77 documents et attendre 17 ans. La plupart des gens renoncent à ces démarches et n'ont donc aucun document prouvant qu'ils sont propriétaires de leur maison ou de leur terrain. Les emprunts pour démarrer une nouvelle entreprise sont rendus presque impossibles par l'absence de garantie. L'investissement et l'entrepreneurship sont tout simplement étouffés par l'État.

Liberté économique
La possibilité d'entreprendre des activités productives avec le moins d'intervention gouvernementale possible.

Droit de propriété
La possibilité pour un propriétaire d'utiliser ses actifs comme il l'entend, c'est-à-dire de les exploiter et d'en disposer par la vente.

Lire l'article page 420

L'instabilité politique représente également une menace pour le droit de propriété, et donc pour l'investissement. Lorsque les révolutions et les coups d'État sont fréquents, le respect futur du droit de propriété est incertain. En effet, l'arrivée au pouvoir de gouvernements révolutionnaires mène souvent à la confiscation du capital des entreprises privées, comme ce fut le cas après les révolutions communistes. Si la situation politique est précaire, les citoyens ne sont guère incités à épargner, investir ou démarrer de nouvelles entreprises. Il en va de même pour les étrangers, qui se montrent réticents à investir dans ce pays. La simple menace d'une révolution peut faire baisser l'investissement et le niveau de vie d'une nation.

Lire l'article
page 423

Par conséquent, la prospérité économique dépend aussi de la stabilité politique. Un pays qui dispose d'un système judiciaire efficace et d'une solide constitution jouira d'un niveau de vie supérieur à celui d'un autre affligé de fonctionnaires corrompus, d'un système judiciaire arbitraire et étant susceptible de faire l'objet de révolutions ou de coups d'État.

LA FISCALITÉ

L'épargne et l'investissement dépendent aussi de la politique fiscale. Comme nous le verrons au prochain chapitre, une réduction des impôts et des taxes encourage l'investissement, car les profits nets attendus de l'ajout de capital sont alors plus élevés.

L'OUVERTURE À L'INVESTISSEMENT ÉTRANGER

Certaines mesures peuvent donc encourager l'épargne et contribuer à l'augmentation des investissements et de la croissance économique à long terme. Mais l'épargne nationale ne constitue pas l'unique source des investissements : on peut aussi recourir à l'investissement étranger.

Ce type d'investissement prend différentes formes. Si, par exemple, Bombardier décide de construire une usine au Mexique, il s'agit pour les Mexicains d'un *investissement direct étranger,* car le capital mexicain est alors détenu et géré par une entreprise étrangère. Si, par contre, un Canadien achète des actions d'une entreprise mexicaine et que l'argent déboursé pour ces titres financiers est employé par la société pour construire une nouvelle usine, il s'agit d'un *investissement de portefeuille,* car le capital vient de l'étranger mais il est géré par les résidents du pays. Dans les deux cas, les Canadiens contribuent à l'accumulation du capital mexicain et leur épargne finance l'investissement mexicain.

Lorsqu'on investit à l'étranger, on espère obtenir un rendement sur cet investissement. L'usine de Bombardier augmente la productivité et le PIB mexicains, et une partie des revenus supplémentaires devient un profit. Quand un investisseur canadien acquiert des actions mexicaines, il a droit à une part des bénéfices distribués par l'entreprise aux actionnaires.

Les investissements étrangers n'ont donc pas les mêmes conséquences sur tous les indicateurs du niveau de vie. Souvenez-vous que le produit intérieur brut (PIB) représente les revenus gagnés à l'intérieur du pays, que ces revenus soient gagnés par les résidents ou par les non-résidents, alors que le produit national brut (PNB) correspond aux revenus gagnés dans le pays et à l'étranger par les résidents. Quand Bombardier inaugure son usine au Mexique, une partie des revenus revient à des gens qui ne vivent pas sur le territoire mexicain. Par conséquent, cet investissement étranger fait davantage augmenter le produit intérieur brut (PIB) du Mexique que son produit national brut (PNB).

Quoi qu'il en soit, le capital étranger constitue un apport important pour la croissance d'un pays. Même si une partie des bénéfices revient à des propriétaires étrangers, cet investissement contribue à augmenter à la fois le stock de capital, la productivité et les salaires. De plus, dans les pays en voie de développement, l'investissement étranger est une bonne façon d'acquérir les technologies de pointe. C'est pour cela que les économistes recommandent aux pays moins développés d'encourager l'investissement étranger en levant les restrictions sur la propriété de capital national par les étrangers.

Lire l'article page 422

La mission de la Banque mondiale est précisément d'encourager les investissements dans les pays pauvres. Ses fonds proviennent des pays les plus développés, dont le Canada. Ils servent à accorder des prêts aux pays en voie de développement, pour investir dans les réseaux de routes et d'égouts ou dans la construction d'écoles, par exemple. Elle conseille aussi ces pays sur la meilleure façon d'employer ces prêts. La Banque mondiale et son pendant, le Fonds monétaire international (FMI), furent créés vers la fin de la Seconde Guerre mondiale, en 1944. Cette guerre a démontré, que les souffrances économiques mènent souvent à une instabilité politique, à des tensions internationales et à des conflits. Il est donc dans l'intérêt de tous les pays d'encourager la prospérité mondiale. La Banque mondiale et le Fonds monétaire international s'efforcent de parvenir à cet objectif.

LE LIBRE-ÉCHANGE ET LA MONDIALISATION

Certains des pays les plus pauvres du monde ont tenté d'accélérer leur croissance économique par la substitution des importations, c'est-à-dire par une *politique d'autarcie*. Ce type de mesure vise à augmenter la productivité et le niveau de vie en isolant le pays du reste du monde. Les entreprises nationales réclament souvent une protection contre la concurrence étrangère pour pouvoir se développer et rester concurrentielles. Cet argument mis de l'avant par des industries naissantes a bien souvent conduit les gouvernements des pays en voie de développement à imposer des tarifs douaniers et des restrictions commerciales.

Lire l'article page 425

La plupart des économistes s'accordent aujourd'hui pour reconnaître que les pays pauvres feraient mieux d'avoir des *politiques libre-échangistes* pour s'intégrer dans l'économie mondiale. Le chapitre 3 a démontré que le commerce international enrichit tout le monde. Le commerce tient lieu en quelque sorte de technologie. Quand un pays exporte du blé et importe de l'acier, cela équivaut à trouver un moyen de transformer du blé en acier. Un pays qui élimine les barrières douanières profite en quelque sorte d'une croissance économique équivalente à celle provenant d'un progrès technologique majeur.

L'impact négatif de l'application de politiques d'autarcie est d'autant plus évident lorsqu'on considère la taille de plusieurs économies en voie de développement. Le PIB total de l'Argentine, par exemple, ne dépasse pas celui du Grand Montréal. Imaginons ce qui arriverait si le conseil municipal de cette agglomération décidait d'interdire aux résidants tout échange au-delà des limites municipales. Ne pouvant profiter des avantages du commerce, les Montréalais devraient produire tous les biens qu'ils consomment. En outre, ils devraient produire tous les biens de capital nécessaires à la production, plutôt que d'importer du matériel sophistiqué des autres villes. Le niveau de vie des Montréalais chuterait immédiatement et le problème ne ferait que s'aggraver au fil du temps. C'est précisément ce qui est arrivé à l'Argentine tout au long du XXe siècle, en raison de la politique autarcique appliquée par son gouvernement. Par opposition, les pays du Sud-Est asiatique, soit la Corée du Sud, Singapour et Taiwan, ont connu un taux de croissance élevé grâce à leur ouverture sur le monde.

Le commerce international d'un pays ne dépend pas seulement de sa politique publique, mais également de sa géographie. Les pays ayant un accès à la mer sont en mesure de commercer plus facilement que les pays enclavés à l'intérieur des terres. Ce n'est pas une coïncidence si les principales villes du monde – New York, San Francisco et Hong Kong – sont également des ports importants. Inversement, les nations qui n'ont aucun accès maritime ont plus de difficultés à échanger sur le plan international et, par conséquent, ils ont généralement un niveau de revenu inférieur à celui des autres pays. Quelques pays font cependant exception, telle la Suisse.

L'ÉDUCATION

Pour assurer la croissance à long terme, l'éducation, ou l'investissement en capital humain, s'avère aussi importante que l'investissement en capital physique. Au Canada, chaque année de formation supplémentaire signifie pour une personne une augmentation de revenus d'environ 10 %. Dans les pays peu développés, où la rareté du capital humain se fait particulièrement sentir, les écarts de salaire entre les travailleurs qualifiés et les autres sont encore plus marqués. Les mesures gouvernementales qui visent à augmenter le niveau de vie doivent donc miser sur l'amélioration du système d'éducation et de la fréquentation scolaire.

L'investissement en capital humain, tout comme l'investissement en capital physique, comporte un coût de renonciation. Dans les pays peu développés, les enfants ont tendance à abandonner l'école très tôt – et ce, même si la formation leur rapporterait beaucoup –, car ils doivent travailler pour aider leur famille à survivre.

D'après beaucoup d'économistes, le capital humain est particulièrement important pour la croissance économique, car il est porteur d'externalités positives. Une **externalité** est l'effet de l'action d'une personne sur le bien-être des autres. Par exemple, une personne instruite pourra éventuellement proposer de nouvelles idées pour produire plus efficacement des biens et des services. Si ces idées finissent par faire partie du patrimoine de connaissances communes de la société et qu'elles profitent ainsi à tous, ce sont des externalités positives de l'éducation. Cet exemple démontre que les bénéfices de l'éducation pour une société dépassent de beaucoup l'avantage que l'individu retire de sa formation et suffisent à justifier les investissements dans le capital humain par l'intermédiaire de l'éducation publique.

La *fuite des cerveaux* – ou émigration des travailleurs les plus instruits vers les pays riches, où ils profitent d'un niveau de vie plus élevé – constitue un autre problème des pays pauvres. Si le capital humain engendre des externalités positives, cette fuite des cerveaux appauvrit d'autant les pays en voie de développement. Les dirigeants de ces pays font alors face à un véritable dilemme : d'une part, le Canada et les autres pays développés offrent une meilleure formation universitaire et il est tout naturel que les étudiants des pays peu développés en profitent ; d'autre part, si certains de ces étudiants ne retournent pas dans leur pays d'origine après leurs études, la fuite des cerveaux contribue à la réduction du capital humain et à l'appauvrissement du pays.

Externalité
Effet du comportement d'un agent sur le bien-être d'un tiers.

LA LIMITATION DE LA CROISSANCE DÉMOGRAPHIQUE

La productivité et le niveau de vie d'un pays sont liés à sa croissance démographique. Étant donné que la main-d'œuvre constitue un facteur clé de l'économie, il n'est guère étonnant que les nations fortement peuplées, comme les États-Unis et le Japon, disposent d'un produit intérieur brut supérieur à celui de petits pays comme le Luxembourg et les Pays-Bas. Mais le PIB *total* ne constitue pas un indicateur fiable du bien-être national. Pour les gouvernements soucieux du niveau de vie de la population, le PIB *par habitant* est infiniment plus significatif, puisqu'il indique la quantité de biens et de services disponibles dans l'économie pour le citoyen moyen.

Quelle influence la croissance démographique a-t-elle sur le PIB par habitant? Selon les théories économiques classiques, une forte croissance démographique diminue le PIB par habitant. Cela s'explique par le fait que, à mesure que la population et l'emploi augmentent, le capital doit être réparti entre un nombre plus grand de travailleurs. La réduction de capital par personne fait diminuer la productivité et le PIB par habitant.

La croissance démographique selon Thomas Malthus

Vous avez peut-être entendu parler de l'économie comme d'une « science lugubre » (*Dismal Science*, en anglais). Cette appellation a été employée il y a bien longtemps sous l'influence de la théorie proposée par Thomas Robert Malthus (1766-1834), pasteur anglais, qui fut l'un des premiers penseurs dans le domaine de l'économie. Dans son ouvrage célèbre, intitulé *Essai sur le principe de population*, Malthus a formulé l'une des prévisions les plus sinistres de l'histoire. D'après lui, l'augmentation continuelle de la population allait finir par empêcher la société d'assurer sa subsistance et l'humanité serait dès lors condamnée à vivre dans la misère.

Le raisonnement de Malthus est fort simple. Il observe tout d'abord que « la nourriture est indispensable à la vie humaine » et que « l'attirance sexuelle est nécessaire et perdurera telle quelle ». Il en conclut donc que « la croissance démographique dépasse de beaucoup la croissance des moyens de subsistance pour l'homme ». Selon Malthus, la seule limite à la croissance démographique provient de la « misère et du vice ». Les tentatives des organismes de charité ou des gouvernements pour lutter contre la pauvreté sont donc contre-productives, car elles permettent aux pauvres d'avoir plus d'enfants, ce qui augmente encore plus la rareté des biens nécessaires à la survie.

Fort heureusement, les terribles projections de Malthus se sont révélées fausses. Même si la population mondiale a plus que sextuplé au cours des deux derniers siècles, les niveaux de vie dans le monde ont, en moyenne, grandement augmenté. La croissance économique a permis de réduire sensiblement la faim chronique et la malnutrition par rapport à celles qui sévissaient à l'époque de Malthus. Certes, la famine continue de frapper, mais elle est davantage le résultat d'une inégalité de revenus, de l'instabilité politique ou d'une mauvaise distribution des richesses que d'une production alimentaire insuffisante.

Pourquoi Malthus s'est-il trompé? Il n'avait pas prévu que la croissance de l'ingéniosité dépasserait de beaucoup la croissance démographique. De nouvelles méthodes de production et l'invention de nouveaux produits ont permis d'atteindre un niveau de prospérité supérieur à celui que Malthus – ou quiconque de son époque – aurait jamais pu imaginer. Les pesticides, les fertilisants, l'équipement agricole, le développement de nouvelles variétés de plantes ont permis à chaque agriculteur de nourrir un plus grand nombre de personnes. Le progrès technologique a apporté une prospérité qui a plus que contrebalancé l'appauvrissement provoqué par la croissance démographique.

Certains économistes vont même jusqu'à dire que la croissance démographique a permis à l'humanité d'améliorer son niveau de vie. L'augmentation de la population signifie aussi la multiplication des scientifiques, des inventeurs et des ingénieurs contribuant au progrès technologique et, par conséquent, au bien-être de tous. La croissance démographique mondiale, au lieu d'être la catastrophe qu'avait prédite Malthus, est peut-être devenue une source de progrès technologique et de prospérité.

THOMAS MALTHUS

Une forte croissance démographique a aussi une incidence sur le capital humain. Les pays dont la population croît rapidement ont une importante population d'âge scolaire. Le système d'éducation est souvent surchargé et ses performances en sont affectées.

Les disparités entre les taux de croissance démographique des différents pays sont énormes. Durant les dernières décennies, dans les régions développées comme le Canada, les États-Unis et les pays d'Europe occidentale, la population n'a augmenté que d'environ 1 % par année et l'on prévoit une diminution du taux de croissance encore plus importante. En revanche, nombre de pays africains présentent une croissance démographique de 3 % par année. À un tel taux, la population double tous les 23 ans.

On considère généralement que la réduction du taux de natalité des pays peu développés permettrait une augmentation de leur niveau de vie. Pour y parvenir, certains pays ont légiféré pour imposer un nombre maximum d'enfants par famille. C'est le cas de la Chine, qui n'autorise qu'un seul enfant par famille ; les contrevenants doivent payer de fortes amendes. Dans les pays plus libres, on essaie plutôt de réduire la croissance démographique en sensibilisant la population aux diverses méthodes de régulation des naissances.

Pour un État, la meilleure façon de réduire la natalité consiste à appliquer l'un des *dix principes d'économie,* celui qui affirme que les gens réagissent aux incitatifs. La décision d'avoir un enfant, comme toute décision, comporte un coût de renonciation. Si celui-ci augmente, les couples préféreront limiter la taille des familles. On a constaté que les femmes qui ont la possibilité de recevoir une bonne formation et d'occuper un travail intéressant ont tendance à avoir moins d'enfants. Les programmes qui prônent l'égalité des femmes et des hommes limitent donc efficacement la natalité dans les pays en voie de développement.

Notons finalement que, à mesure que le niveau de vie augmente dans les pays moins développés, le taux de natalité chute rapidement. En fait, à mesure que les revenus augmentent, les parents ont tendance à privilégier la qualité de vie offerte à leur famille plutôt que le nombre d'enfants.

LA RECHERCHE ET LE DÉVELOPPEMENT

L'augmentation du niveau de vie depuis 100 ans s'explique en grande partie par le progrès technologique. Le téléphone, le transistor, l'ordinateur et le moteur à combustion interne figurent au nombre des inventions qui ont amélioré la production des biens et des services.

Même si la majorité des innovations technologiques proviennent de la recherche privée des entreprises et des inventeurs, leur promotion est d'intérêt public. Dans une très large mesure, les connaissances constituent un *bien public* : toute nouvelle découverte vient s'ajouter au fonds de connaissances de la société et tous ont la possibilité de l'utiliser. Tout comme le gouvernement a un rôle à jouer dans la production d'un bien public, telle la défense nationale, il devrait aussi encourager la recherche et le développement de nouvelles technologies.

Le gouvernement canadien intervient très activement dans le domaine de la recherche et de la diffusion des connaissances technologiques. Par exemple, la recherche menée dans les fermes et stations expérimentales fédérales a permis l'introduction du blé Marquis dans les provinces de l'Ouest en 1911. Cette céréale mûrit plus rapidement que les autres variétés de blé, permettant ainsi d'en faire la culture dans davantage de régions des Prairies. Ce type de recherche a contribué grandement à la prospérité économique du Canada. Plus récemment, le gouvernement canadien a financé des recherches qui ont mené au développement d'un réacteur nucléaire CANDU. Les autorités publiques continuent d'encourager le progrès des connaissances au moyen de subventions, entre autres par l'entremise du Conseil de recherches en sciences naturelles (CRSN), du Conseil de la recherche médicale (CRM) et du Conseil de recherches en sciences humaines (CRSH). Les gouvernements provinciaux et fédéral soutiennent également la recherche en octroyant des dégrèvements fiscaux aux entreprises pour la recherche et le développement.

Les mesures gouvernementales encouragent aussi la recherche grâce à la protection qu'offrent les brevets. Lorsqu'une personne ou une entreprise crée un nouveau produit, comme un nouveau médicament, l'inventeur peut déposer une demande de brevet. Une fois le caractère unique de ce produit reconnu, les autorités publiques attribuent un brevet qui accorde au détenteur l'exclusivité de sa fabrication durant un certain nombre d'années. Ce brevet donne donc à l'inventeur un droit de propriété sur son invention, faisant d'un bien public (une nouvelle idée) un bien privé. En garantissant ainsi un profit aux inventeurs – même de manière temporaire –, les brevets incitent les entreprises et les individus à entreprendre ou à poursuivre des activités de recherche.

ÉTUDE DE CAS   LE LIBRE-ÉCHANGE ENTRAÎNE LA CROISSANCE

DANS SON LIVRE PUBLIÉ EN 2001, «PLAIDOYER POUR LA MONDIALISATION CAPITALISTE», LE JEUNE CHERCHEUR SUÉDOIS JOAN NORBERG SOUTIENT QUE L'OUVERTURE AU COMMERCE ET AUX FLUX FINANCIERS INTERNATIONAUX SONT SOURCE DE PROGRÈS, SURTOUT POUR LES PAYS LES PLUS PAUVRES DE LA PLANÈTE. EN VOICI UN EXTRAIT: «Le libre-échange est bénéfique parce qu'il procure plus de liberté: la liberté d'acheter ce que l'on veut de qui l'on veut, mais aussi la liberté de vendre à qui veut bien acheter. D'un point de vue économique, cela mène à une utilisation plus efficace des ressources et du capital. Une compagnie, une région ou un pays se spécialisent dans le domaine dans lequel ils ont des avantages comparatifs, et peuvent ainsi produire des biens d'une valeur plus élevée. Le capital et la main-d'œuvre de secteurs plus vieux et moins compétitifs sont transférés vers des secteurs plus dynamiques. Un pays qui adopte des politiques commerciales plus libérales entraîne son économie vers des niveaux de production et de prospérité supérieurs, et peut s'attendre à une accélération importante de sa croissance dans les années suivantes. Cela mène également à des efforts constants pour améliorer la production, parce que la concurrence étrangère force les compagnies à produire de la façon la plus efficace et la moins coûteuse possible. En bout de ligne, les consommateurs sont libres de choisir les biens et services des marchands qui leur font les meilleures offres. Plus de ressources sont ainsi épargnées et consacrées à la production, ce qui entraîne une hausse, des investissements et l'introduction de technologies plus avancées, de nouvelles méthodes et de nouveaux produits. L'argument est essentiellement le même que celui pour la concurrence en général. Il s'agit simplement d'étendre la concurrence à un champ plus vaste, ce qui la rend encore plus intense.

L'un des principaux avantages du libre-échange est difficile à mesurer. Lorsqu'un pays fait beaucoup de commerce avec le reste du monde, il importe simultanément de nouvelles idées et de nouvelle techniques. Si la Suède instaure un libre-échange complet, ses compagnies seront exposées aux meilleures méthodes de production de partout dans le monde dans leurs secteurs respectifs. Elles seront forcées d'être elles-mêmes aussi dynamiques et pourront emprunter les idées d'autres compagnies, acheter leur technologie et embaucher de la main-d'œuvre étrangère qui la maîtrise bien et qui pourra transmettre ses connaissances. L'ouverture aux idées étrangères et aux gens d'autres cultures a toujours été la voie royale vers le développement, alors que le repli sur soi mène à la stagnation. Ce n'est pas une coïncidence si les régions les plus dynamiques sont souvent situées près des cours d'eau et des villes, alors que celles qui tirent de l'arrière sont généralement des régions montagneuses et inaccessibles.

La production mondiale est aujourd'hui six fois plus élevée qu'elle l'était il y a un demi-siècle, et le commerce à l'échelle mondiale est seize fois plus important. Nous avons de bonnes raisons de croire que la production a été entraînée par le commerce. Il est difficile d'identifier les changements qui surviennent avec l'ouverture des marchés, mais pratiquement aucun économiste n'affirme que l'effet est négatif. Nous possédons une énorme quantité de données empiriques qui démontrent que le libre-échange entraîne le développement économique.

L'une des études les plus complètes qui est souvent citée est celle des économistes de Harvard Jeffrey Sachs et Andrew Warner. Ils ont examiné les politiques commerciales de 117 pays de 1970 à 1989 (voir figure 7.3). Après avoir filtré l'effet d'autres facteurs, les auteurs ont trouvé une corrélation statistiquement signifiante entre le libre-échange et la croissance, corrélation qu'ils n'ont pu établir entre, par exemple, l'éducation et la croissance. La croissance observée dans les pays pratiquant le libéralisme commercial était de trois à six fois plus élevée que dans les pays protectionnistes. Les pays en développement ayant une économie ouverte ont connu une croissance annuelle moyenne de 4,49 % au cours de ces deux décennies, alors que les économies fermées devaient se contenter d'un maigre 0,69 %. Le rythme de croissance pour les pays industrialisés ayant une économie ouverte était de 2,29 %, alors que celui des économies fermées était de seulement 0,74 %.

Il faut bien préciser qu'il n'est pas question ici de calculer les bienfaits économiques que reçoit un pays lorsque les autres sont ouverts à ses exportations, mais plutôt combien il bénéficie de l'ouverture de ses propres marchés. Les résultats montrent que les économies ouvertes ont connu une croissance plus rapide que les économies fermées *chaque année* pendant la période examinée. Aucun pays pratiquant le libre-échange répertorié dans l'étude n'a connu une croissance annuelle moyenne inférieure à 1,2 %, et aucun pays en développement parmi ceux-ci n'a connu une croissance inférieure à 2,3 % ! Dans toutes les régions du monde, y compris l'Afrique, l'adoption de politiques libre-échangistes a entraîné une accélération de la croissance peu de temps après. Les effets positifs du libre-échange étaient également observables sur une courte période. Les pays qui ont ouvert leur économie à la concurrence internationale et qui l'ont refermée de nouveau ont connu une croissance plus rapide durant cette période d'ouverture.

FIGURE 7.3 LE LIBRE-ÉCHANGE ET LA CROISSANCE DE 1970 À 1989

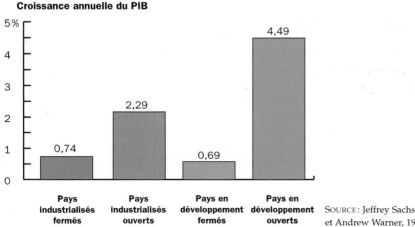

Croissance annuelle du PIB

SOURCE : Jeffrey Sachs et Andrew Warner, 1995

On ne peut pas non plus soutenir que la croissance moins rapide et la réduction des investissements étrangers ont permis aux pays protectionnistes de se développer de façon plus stable. Sachs et Warner montrent que les économies fermées sont beaucoup plus susceptibles que les économies ouvertes d'être affectées par les crises financières et l'hyperinflation. À peine 8 % des pays en développement considérés comme ouverts dès les années 1970 ont souffert de telles crises au cours des années 1980, alors que la proportion est de 80 % pour les pays protectionnistes.

De nombreuses critiques ont été faites envers ce type d'analyse de régression, que se base sur des statistiques économiques chiffrées et exclut d'autres facteurs qui peuvent affecter le résultat mais qui sont trop difficiles à mesurer. Brasser d'énormes quantités de données pose toujours certains problèmes. Comment distinguer clairement les économies ouvertes de celles qui sont fermées, ou la cause de l'effet ? Il est courant que des pays qui pratiquent le libre-échange mettent en place d'autres réformes d'inspiration libérale, comme la protection des droits de propriété, une politique monétaire anti-inflationniste ou un budget équilibré, ce qui rend encore plus difficile l'examen de chacune de ces causes. Ces problèmes d'évaluation sont bien réels et il faut toujours faire attention à ne pas faire dire aux chiffres ce qu'ils ne disent pas, mais il reste que pratiquement toutes les études sur ce sujet s'accordent sur les avantages considérables du libre-échange. Il faut tout de même y ajouter d'autres études théoriques et des études de cas consacrées à certains pays pour comparer la situation avant et après les mesures de libéralisation du commerce. Ces études font clairement ressortir les avantages du libre-échange.

Selon l'économiste Sebastian Edwards, l'important n'est pas de mettre au point des mesures exactes et objectives, mais plutôt de tester différentes variables et de voir si une tendance émerge. À l'aide de huit critères différents qui caractérisent le degré d'ouverture d'une économie, il a fait dix-huit calculs en utilisant du matériel partiellement différent et des méthodes de calcul différentes. Tous les calculs, sauf un, ont indiqué une corrélation positive entre le libre-échange et la croissance. Edwards estime que la croissance a été deux fois plus élevée dans les pays en développement qui sont libre-échangistes que dans ceux qui pratiquent le protectionnisme. Dans un rapport présenté devant une commission parlementaire en Suède, l'économiste Håkan Nordström a recensé 20 études sur la question du libre-échange. Toutes démontrent clairement que des marchés ouverts conduisent à un développement économique plus soutenu.

Les économistes Jeffrey Frankel et David Romer ont eux aussi tenté de quantifier les bienfaits du libre-échange. Dans leur analyse, ils concluent que si un pays accroît ses échanges commerciaux de 1 % en proportion de son PIB, on peut s'attendre à ce que son revenu *per capita* augmente entre 0,5 % et 2 %. Cela signifie que si le commerce augmente de 10 %, cela entraîne une augmentation du revenu des pauvres de 5 à 20 %. Il s'agit bien sûr de moyennes, mais on peut tout de même s'en servir pour faire des calculs hypothétiques et voir ce que ça signifierait pour les pauvres. Si, par exemple, le commerce du Nigeria croissait de 10 % proportionnellement à son PIB, 25 millions de Nigérians pourraient espérer échapper rapidement à la pauvreté. En Inde, dix fois plus de gens pourraient se sortir de la pauvreté absolue. Il s'agit là d'hypothèses et non de prédictions, mais elles donnent une idée du potentiel extraordinaire que représentent les échanges commerciaux.

Il existe une relation non équivoque entre la libéralisation du commerce et la croissance d'un côté, et la réduction de la pauvreté, de l'autre. On peut observer la différence en comparant des pays qui connaissent des situations similaires mais dont certains ont ouvert leurs marchés, et d'autres pas. On voit la différence entre le Viêt-nam, qui a libéralisé son commerce, et le Myanmar, qui ne l'a pas fait ; entre le Bangladesh et le Pakistan ; entre le Costa Rica et le Honduras ; entre l'Ouganda et le Kenya ; entre le Chili et ses voisins, etc.

Il ne semble cependant exister aucune relation forte et explicite entre une augmentation du commerce et un changement dans l'égalité des revenus, sauf peut-être une relation légèrement positive. La libéralisation des échanges fait des perdants, mais ceux-ci se retrouvent autant parmi les riches que parmi les pauvres. Ce sont surtout les politiques économiques en général qui affectent la répartition des revenus. On a observé des résultats contradictoires au cours des années 1990 dans les pays qui ont libéralisé leur commerce : en Chine, les inégalités ont augmenté ; au Costa Rica et au Viêt-nam, elles sont restées constantes ; et dans des pays comme le Ghana et la Thaïlande, elles ont diminué.

Après plusieurs années caractérisées par la planification économique communiste et une pauvreté généralisée, le Viêt-nam a, depuis la fin des années 1980, introduit des mesures de libéralisation de son commerce et de son marché domestique. Cela a permis une forte augmentation des exportations dans des secteurs à forte utilisation de main-d'œuvre comme les chaussures ou le riz, qui est cultivé par des paysans pauvres. Cela a été suivi d'une croissance rapide de l'économie et d'une réduction singulièrement rapide du taux de pauvreté. Alors que 75 % de la population vivait dans la pauvreté absolue en 1988, cette proportion était tombée à 58 % en 1993, et à 37 % dix ans après l'introduction des réformes. On estime que 98 % des ménages vietnamiens les plus pauvres ont vu leurs revenus augmenter durant les années 1990.

L'une des conclusions souvent ignorées de Sachs et de Warner est que parmi les économies ouvertes, celles des pays pauvres ont connu une croissance plus rapide que celles des pays riches. Il peut sembler naturel que les pays pauvres croissent plus vite que les pays riches : ils ont plus de ressources latentes à exploiter et ils profitent de l'existence des nations riches où ils peuvent exporter leurs produits et de qui ils peuvent importer du capital et des technologies plus avancés. Les pays riches n'ont pas ces avantages. Les économistes n'avaient jamais constaté un tel phénomène auparavant. La raison est simple : les pays protectionnistes ne peuvent se prévaloir de ces possibilités internationales et croissent donc moins rapidement que les pays riches. Mais lorsque Sachs et Warner ont étudié les pays en développement ouverts au commerce et aux investissements étrangers, c'est-à-dire ceux qui sont les plus susceptibles d'être touchés par l'influence des nations industrialisées, ils ont observé une croissance plus rapide que celle des pays riches. Plus ils étaient pauvres au départ, plus leur économie croissait rapidement à partir du moment où les réformes étaient mises en œuvre. Aucune relation de ce type n'existe pour les pays fermés, ce qui semble indiquer que le libre-échange est non seulement la meilleure politique pour soutenir la croissance, mais aussi la meilleure politique pour les pays en développement qui souhaitent rattraper les pays industrialisés. Les pays pauvres croissent plus vite que les pays riches dans la mesure où ils sont unis par des liens commerciaux et financiers.

On obtient les mêmes résultats pour les années 1990 (voir figure 7.4). Durant cette décennie, le PIB *per capita* a diminué en moyenne de 1,1 % dans les pays en développement dont l'économie était fermée. Dans les pays industrialisés, il a augmenté de 1,9 %, mais la plus forte croissance – 5 % annuellement, en moyenne – a été observée dans les pays en développement qui avaient ouvert leurs marchés et leurs frontières. Ce sont les pays en développement libre-échangistes qui s'enrichissent le plus vite, plus encore que les pays déjà riches. Deux chercheurs ont ainsi résumé les conclusions de leurs recherches : « Ceux qui participent au mouvement de mondialisation sont en train de rattraper les pays riches, alors que ceux qui y résistent prennent de plus en plus de retard. »

L'histoire montre bien que les économies peuvent croître plus vite si elles tirent parti de la richesse et des technologies étrangères. À partir de 1780, l'Angleterre a mis 58 ans pour doubler sa richesse. Un siècle plus tard, le

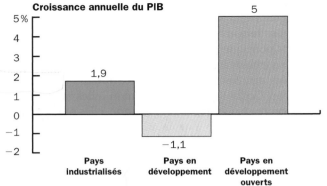

FIGURE 7.4 LE LIBRE-ÉCHANGE ET LA CROISSANCE DANS LES ANNÉES 1990

SOURCE : David Dollar et Aart Kray, 2001

Japon l'a fait en seulement 34 ans, et un autre siècle plus tard, la Corée du Sud l'a fait en onze ans. La convergence, en termes de richesse, des pays qui transigent et échangent les uns avec les autres se confirme lorsqu'on observe plusieurs autres époques et groupes de pays. Ainsi, durant la période de mondialisation de la fin du XIXᵉ siècle, des économies sous-développées comme celles de l'Irlande ou de la Scandinavie se sont rapprochées des économies plus développées. Les divergences se sont amenuisées entre les pays des zones de libre-échange que sont l'Union européenne et l'Association européenne de libre-échange. On trouve les mêmes résultats dans les différentes parties d'entités économiques de grande taille, comme les États-Unis et le Japon. Pour conclure, le libre-échange enrichit les pauvres et les riches, mais les derniers pas aussi vite que les premiers ».

Lire l'article
page 426

MINITEST : Donnez trois exemples de mesures gouvernementales permettant d'élever le niveau de vie. Est-ce que ces mesures comportent des inconvénients ?

BON À SAVOIR

L'accumulation du capital et l'état stationnaire

Dans ce chapitre, nous avons vu que le capital est soumis à des **rendements marginaux décroissants** : à mesure que la quantité de capital augmente, la croissance de la productivité est de moins en moins rapide. Autrement dit, quand les travailleurs disposent déjà d'une quantité importante de capital pour produire des biens et services, une augmentation de capital n'améliore que faiblement leur productivité.

La relation entre le stock de capital par unité de travail et la productivité peut être illustrée dans un graphique de productivité. Un tel graphique est présenté à la figure 7.5. On peut y observer que, plus la quantité de capital physique disponible par unité de travail est importante, plus la productivité moyenne du travail est éle-

vée. La courbe de productivité est cependant concave, en raison des rendements marginaux décroissants du capital.

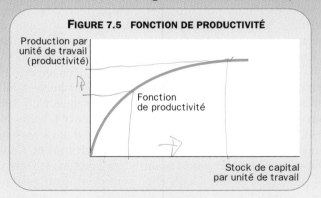

FIGURE 7.5 FONCTION DE PRODUCTIVITÉ

Observons d'un peu plus près la chaîne de causalité qui relie l'investissement au niveau de vie. À mesure que l'investissement permet d'accumuler du capital, le stock de capital par unité de travail augmente, ce qui fait augmenter la productivité et le PIB par habitant.

Soit K, le stock de capital et I, l'investissement :

$$\uparrow I \rightarrow \uparrow K \rightarrow \uparrow(K/\text{unité de travail}) \rightarrow \uparrow\text{productivité} \rightarrow \uparrow PIB \rightarrow \uparrow I$$

Cependant, en raison des rendements marginaux décroissants, à mesure que l'on accumule du capital, la productivité et le PIB par habitant augmentent de moins en moins : la croissance du niveau de vie ralentit. Éventuellement, l'ajout de capital n'a plus d'effet sur la productivité (lorsque la courbe de productivité devient horizontale) et la croissance économique s'arrête. Cette analyse est plutôt angoissante, car elle signifie que la croissance du niveau de vie devrait stopper un jour.

Va-t-on s'arrêter tout en haut de la courbe de productivité ? Même pas ! En fait, l'économie devrait cesser toute progression bien avant le moment où les rendements marginaux du capital tendraient vers zéro. Ce point d'équilibre, où la croissance de la productivité cesse, est appelé *état stationnaire*. Pour le comprendre et afin de saisir l'importance du taux d'épargne dans la détermination du niveau de vie, nous devrons nous pencher d'un peu plus près sur l'investissement.

À quoi sert l'investissement ? On serait porté à répondre rapidement que l'investissement sert exclusivement à augmenter le stock de capital. En fait, l'achat de capital remplit deux rôles : remplacer le capital qui s'est usé dans le processus de production et ajouter au stock de capital existant. La valeur du capital qui s'use est appelée *amortissement* ou *dépréciation.* Si l'investissement canadien est cette année égal à 200 milliards $ et que l'amortissement vaut 150 milliards $, on n'ajoute cette année, de façon nette, que 50 milliards $ au stock de capital de l'an passé.

Investissement = dépréciation + variation de capital

ou

Variation de capital = investissement − dépréciation

Examinons d'un peu plus près l'investissement et la dépréciation du capital. L'investissement est une fraction du PIB. La dépréciation est, quant à elle, reliée proportionnellement à la valeur du stock de capital existant. Plus le stock de capital est élevé, plus la dépréciation est importante.

Or, en raison des rendements marginaux décroissants du capital, un doublement du stock de capital ne produira pas une croissance du PIB équivalente. En fait, le PIB croîtra moins que le stock de capital. Nous voici maintenant au cœur du problème : lorsque le capital augmente, le PIB augmente d'un plus petit pourcentage. La dépréciation étant reliée au capital et l'investissement au PIB, la dépréciation augmente donc plus vite que l'investissement. Inévitablement, on en arrivera à un point où I = dépréciation : tout l'investissement ne sert qu'à remplacer le stock de capital qui s'use. Il ne reste plus rien pour augmenter le capital. Étant donné que le stock de capital stagne, la productivité et le PIB sont constants.

La croissance a donc cessé. Il s'agit là de notre état stationnaire.

Cet état stationnaire dépend du taux d'investissement (et donc du taux d'épargne) de notre économie. Les pays qui épargnent et investissent un petit pourcentage de leurs revenus, cesseront toute croissance à un niveau faible de capital et du PIB. En effet, si l'investissement est faible, la dépréciation finit par égaler l'investissement à un niveau faible de capital. Les pays épargnant beaucoup, donc davantage prêts à sacrifier la consommation présente en faveur d'une plus grande consommation future, atteindront leur état stationnaire à un niveau plus élevé de capital et du PIB. Tel qu'on l'a vu plus tôt dans ce chapitre, *à long terme, l'augmentation du taux d'épargne conduit à des niveaux plus élevés de productivité et de revenu, mais ne se traduit pas par des taux de croissance supérieurs de ces variables.*

On peut illustrer ce phénomène dans le graphique de productivité de la figure 7.6. On y voit que le pays A, qui épargne et investit un faible pourcentage de son PIB, a atteint son état stationnaire à un point en bas et à gauche le long de la courbe de productivité. Le pays B, quant à lui, épargne et investit beaucoup par rapport à son PIB. Son état stationnaire se trouve donc plus à droite et en haut, le long de cette même courbe.

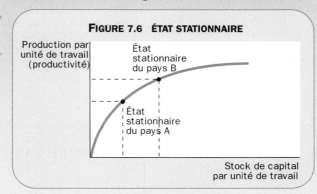

FIGURE 7.6   ÉTAT STATIONNAIRE

Si ce modèle était exact, on aurait depuis longtemps cessé toute croissance du niveau de vie au Canada. En effet, la productivité augmente de façon soutenue depuis la révolution industrielle, soit 1820 environ au pays. Or, 150 ans sont amplement suffisants pour atteindre l'état stationnaire et la stagnation du niveau de vie. Ce n'est cependant pas le cas. Comme on le constate dans ce chapitre, le PIB par habitant a même tendance à augmenter plus rapidement maintenant que durant les années 1870, 1900 ou 1920 (quoique plus lentement que pendant la période 1950-1970). Il manque visiblement quelque chose à notre modèle.

En fait, deux facteurs cruciaux sauvent les pays industrialisés (donc près de l'état stationnaire) : le progrès des connaissances (ou progrès technologique) et l'augmentation du capital humain. Rappelons-nous que ces deux variables peuvent faire augmenter la productivité du travail. Donc, s'il se produit un progrès des connaissances, toutes choses étant égales par ailleurs (entre autres, pour un niveau de capital constant), la productivité augmente. Ceci fait augmenter le PIB et l'investissement suit : l'investissement devient plus élevé que la dépréciation et le stock de capital se met à augmenter. On se dirige alors vers un nouvel état stationnaire, à des niveaux plus élevés de capital et du PIB.

Ce phénomène est illustré dans le graphique de la figure 7.7. On y voit que le changement technologique déplace la courbe de productivité et fait passer l'économie du point A au point B. Par la suite, la productivité et le PIB étant plus élevés, l'investissement augmente et on accumule du capital, ce qui nous amène au nouvel état stationnaire, au point C. Un nouveau progrès des connaissances ou du capital humain fera déplacer à nouveau la courbe et le processus continuera.

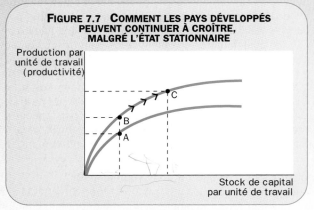

FIGURE 7.7   COMMENT LES PAYS DÉVELOPPÉS PEUVENT CONTINUER À CROÎTRE, MALGRÉ L'ÉTAT STATIONNAIRE

L'économie est initialement à son état stationnaire, au point A. Un changement technologique augmente la productivité et déplace la courbe de productivité vers le haut, nous amenant au point B. À mesure que le stock de capital augmente, l'économie se dirige vers un nouvel état stationnaire, au point C.

Tant qu'il y a progrès de la technologie et du capital humain, on peut donc repousser l'état stationnaire et continuer la croissance du niveau de vie. Mais s'il y a rendements décroissants du capital, en est-il de même des connaissances et de la qualité de la main-d'œuvre ? Autrement dit, le progrès technologique ralentira-t-il ? Plusieurs économistes se sont penchés sur cette question depuis une vingtaine d'années. Leurs réponses ne sont pas définitives, mais on croit de plus en plus que la technologie montre des rendements marginaux constants ou même croissants. Si c'est le cas, la croissance de nos niveaux de vie pourrait continuer pendant encore très longtemps.

Le moteur de la croissance de la productivité et des niveaux de vie des pays pauvres est donc l'accumulation du capital. Pour les pays industrialisés, cela n'est pas suffisant. En effet, en raison des rendements marginaux décroissants du capital, on finit par atteindre un état stationnaire, où l'investissement ne fait plus que remplacer le stock de capital qui s'use : toute croissance du capital, de la productivité et du niveau de vie cesse alors. Il faut dès lors un progrès des connaissances et du capital humain pour repousser toujours plus loin l'état stationnaire et permettre que la croissance du PIB par habitant continue. Lorsque vous entendrez des politiciens (bien informés) vous dire que, à notre époque, la recherche, le développement et l'éducation sont cruciaux pour assurer une amélioration du niveau de vie, vous comprendrez maintenant pourquoi.

ÉTUDE DE CAS   LE RALENTISSEMENT DE LA CROISSANCE DE LA PRODUCTIVITÉ

De 1959 à 1973, la productivité par heure travaillée au Canada a augmenté au rythme de 3,1 % par année. Entre 1973 et 1998, cependant, cette progression est tombée à 1 % par année. Ce ralentissement s'est traduit, comme l'on pouvait s'y attendre, par une croissance moindre des salaires réels et des revenus des familles. Il a également suscité une inquiétude généralisée à l'égard de l'économie. Cette diminution de 2,1 % de la croissance annuelle, cumulée au cours des années, a eu un grand retentissement sur les revenus. Si elle ne s'était pas produite, le revenu du Canadien moyen serait aujourd'hui supérieur de 75 % à son niveau actuel.

Ce ralentissement économique représente un grave problème. On questionne souvent les économistes sur les raisons de ce phénomène et sur la manière d'y mettre fin. Malheureusement, en dépit de recherches approfondies sur le sujet, on n'a trouvé aucune réponse certaine.

Deux faits sont cependant bien établis. Tout d'abord, la baisse de la productivité est un phénomène mondial. Au cours des années 70, la croissance économique a ralenti non seulement au Canada, mais aussi aux États-Unis, en France, en Allemagne, en Italie, au Japon et au Royaume-Uni. Certains pays jouissaient auparavant d'un taux de croissance économique supérieur à celui du Canada, mais tous ont connu le même ralentissement par rapport aux années antérieures.

Deuxième fait : le problème n'est pas attribuable aux facteurs de production facilement mesurables. Certes, on peut évaluer aisément le stock de capital physique, tout comme on peut mesurer le capital humain à partir du nombre d'années de scolarité. Mais le ralentissement de la croissance de la productivité n'est pas directement attribuable à une croissance réduite de ces facteurs.

Les économistes, après avoir éliminé les autres causes possibles, croient que la technologie est responsable. Beaucoup attribuent le ralentissement observé à une réduction des inventions de nouvelles méthodes de production de biens et de services. Or, comme il s'avère difficile de mesurer la quantité d'idées, il est difficile de confirmer ou d'infirmer cette hypothèse.

D'une certaine façon, il peut sembler étrange d'affirmer que le dernier quart de siècle fut marqué par un ralentissement du progrès technologique. Durant cette période, l'utilisation de l'informatique s'est répandue à la totalité de l'économie – une révolution technologique touchant tous les secteurs et l'immense majorité des entreprises. Cependant, pour des raisons inconnues, cette révolution ne s'est pas traduite par une accélération de la croissance. Comme l'a fait remarquer Robert Solow, Prix Nobel d'économie en 1987, « l'ordinateur se retrouve partout, sauf dans les statistiques de productivité ».

Que nous réserve l'avenir ? Le scénario optimiste prévoit que la révolution informatique stimulera la croissance économique lorsque la nouvelle technologie sera pleinement intégrée à la vie économique et qu'on aura parfaitement exploité son potentiel. Les historiens de l'économie font d'ailleurs remarquer que la découverte de l'électricité n'a eu un impact sur la productivité et les niveaux de vie que plusieurs décennies plus tard, car il a fallu trouver les meilleures façons de tirer parti de cette nouvelle ressource. L'ordinateur aura peut-être le même effet décalé. Certains observateurs croient même qu'il commence à se faire sentir, car le taux de croissance de la productivité a augmenté à la fin des années 90. Néanmoins, il est encore trop tôt pour savoir si cet effet persistera.

Pour sa part, le scénario pessimiste considère qu'après une période de progrès scientifique et technologique rapide, nous venons d'entrer dans une phase de croissance ralentie des connaissances, de la productivité et des revenus. Les données couvrant de longues périodes historiques semblent confirmer cette perception de la réalité. La figure 7.8 montre la croissance moyenne du PIB réel par habitant dans les pays développés depuis 1870. Autour des années 1970, le taux de croissance est passé de 3,7 à 2,2 %. Si on le compare à d'autres périodes historiques, le ralentissement récent de l'économie ne constitue donc pas une anomalie ; de ce point de vue, c'est plutôt la croissance rapide des années 50 et 60 qui semble extraordinaire. Les décennies qui ont suivi la Seconde Guerre mondiale représentent en effet une période de progrès technologique extrêmement rapide, peut-être suivi par un simple retour à la normale.

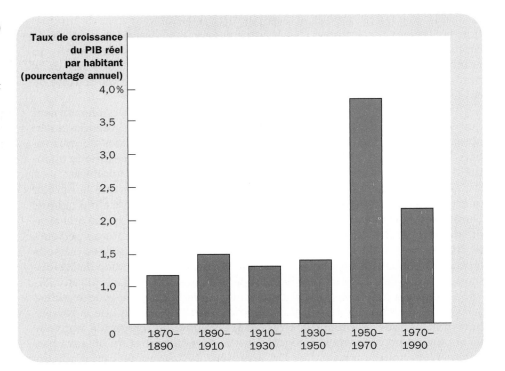

Figure 7.8

CROISSANCE DU PIB PAR HABITANT.
Ce graphique montre le taux de
croissance du PIB réel par habitant
pour 16 économies développées,
y compris celles du Canada, des
grands pays d'Europe, des États-
Unis, du Japon et de l'Australie.
Remarquez la hausse importante
du taux de croissance après 1950,
et sa chute après 1970.

SOURCE : Robert J. Barro et
Xavier Sala-i-Martin, *Economic
Growth,* New York, McGraw-Hill,
1995, p. 6.

CONCLUSION :
L'IMPORTANCE DE LA CROISSANCE À LONG TERME

Dans ce chapitre, nous avons présenté les facteurs qui déterminent le niveau de vie dans un pays et les mesures que peuvent adopter les gouvernements pour stimuler la croissance économique et augmenter le niveau de vie de la population. L'un des *dix principes d'économie* résume ce chapitre : le niveau de vie d'un pays dépend de sa capacité à produire des biens et des services. Les gouvernements qui veulent favoriser la croissance du niveau de vie doivent donc faire augmenter la capacité de production, en encourageant l'accumulation des facteurs de production et en s'assurant que ceux-ci sont utilisés de la manière la plus efficace possible.

Les économistes divergent d'opinion sur la manière de promouvoir la croissance économique. La protection du droit de propriété et le maintien de la stabilité politique représentent une contribution gouvernementale essentielle. L'intervention sous forme de subventions accordées aux secteurs industriels particulièrement importants sur le plan technologique continue cependant à faire l'objet de controverses. L'importance de ces questions est indubitable, car le monde dont hériteront les générations futures dépendra en grande partie de notre compréhension des principes fondamentaux de la croissance économique.

Résumé

◆ À l'échelle mondiale, on enregistre de grandes disparités de la prospérité économique mesurée par le PIB par habitant. Le revenu moyen dans les pays les plus développés est plus de dix fois supérieur à celui dans les pays les plus pauvres. Les écarts importants entre les taux de croissance du PIB peuvent modifier radicalement le classement relatif des pays.

◆ Le niveau de vie d'un pays dépend directement de sa capacité à produire des biens et des services. La productivité est fonction, quant à elle, de la quantité de capital physique et humain dont disposent les travailleurs, ainsi que des connaissances technologiques.

◆ Des mesures gouvernementales peuvent influer sur le taux de croissance économique de différentes manières : en encourageant l'épargne et l'investissement, en attirant les investissements étrangers, en favorisant l'éducation, en protégeant le droit de propriété, en maintenant la stabilité politique, en favorisant le libre-échange, en limitant la croissance démographique et en incitant à la recherche et au développement.

◆ L'accumulation du capital est soumise à des rendements marginaux décroissants : plus les économies disposent de capital, moins l'ajout de capital supplémentaire aura d'effet sur la production. Ces rendements décroissants font que l'augmentation de l'épargne et de l'investissement conduit tout d'abord à une hausse de la croissance, qui finit pourtant par ralentir au fur et à mesure que l'économie atteint un niveau supérieur de productivité, de revenu et de capital accumulé. C'est pour cette même raison que le rendement marginal du capital est particulièrement élevé dans les pays en voie de développement. Toutes choses étant égales par ailleurs, ces pays peuvent atteindre une croissance rapide grâce à l'effet de rattrapage.

Concepts clés

Capital humain, p. 123
Capital physique, p. 123
Connaissances technologiques, p. 123
Droit de propriété, p. 130

Effet de rattrapage, p. 127
Externalité, p. 133
Liberté économique, p. 130

Productivité, p. 121
Rendements marginaux décroissants, p. 126

Questions de révision

1. Que mesure le PIB réel d'un pays ? Que mesure la croissance du PIB réel ? Préférez-vous vivre dans un pays où le niveau du PIB est élevé avec un taux de croissance faible, ou dans un pays où le PIB est faible avec un taux de croissance élevé ? Justifiez votre réponse.

2. Nommez et décrivez trois facteurs déterminants de la productivité.

3. Dans quelle mesure peut-on dire qu'un diplôme universitaire constitue du capital ?

4. Expliquez pourquoi un taux d'épargne élevé se traduit par un niveau de vie élevé. Pourquoi un dirigeant politique renoncerait-il à encourager l'épargne ?

5. Un taux d'épargne élevé produit une croissance plus rapide ; ce phénomène économique est-il temporaire ou permanent ? Justifiez votre réponse.

6. Pourquoi l'élimination d'une restriction commerciale comme les tarifs douaniers stimule-t-elle la croissance économique ?

7. Quel est impact de la croissance démographique sur le PIB par habitant ?

8. Décrivez deux mesures qui permettraient au gouvernement canadien d'encourager le progrès technologique.

8

À LA FIN DE CE CHAPITRE, VOUS SEREZ EN MESURE...

de comprendre le fonctionnement des principales institutions financières canadiennes

d'expliquer comment les variables macroéconomiques clés interviennent dans le système financier

d'établir un modèle d'offre et de demande pour les fonds prêtables sur les marchés financiers

d'analyser, grâce à ce modèle, certaines décisions économiques prises par le gouvernement

d'évaluer l'effet des déficits et des surplus budgétaires gouvernementaux sur l'économie canadienne.

L'ÉPARGNE, L'INVESTISSEMENT ET LE SYSTÈME FINANCIER

Imaginons que vous soyez frais émoulu de l'université (diplômé en économie, bien entendu), et que vous désiriez vous lancer en affaires pour constituer une société de prévisions économiques. Avant de tirer un revenu de la vente de vos prévisions, il vous faudra acheter des ordinateurs pour effectuer vos calculs et meubler vos nouveaux locaux avec des bureaux et des classeurs. Tous ces équipements seront le capital qui vous permettra de produire et de vendre vos services.

Comment vous procurerez-vous les fonds nécessaires pour faire ces dépenses d'investissement? Peut-être disposez-vous d'économies suffisantes? Il est plus probable que, comme la plupart des entrepreneurs, vous n'ayez pas assez de capital pour financer seul le démarrage de votre entreprise; vous devrez donc trouver d'autres sources de financement. Il existe plusieurs façons de financer ces dépenses d'équipement. Vous pouvez emprunter à une banque, à un ami ou à votre famille. Dans ce cas, vous vous engagerez sans doute non seulement à rembourser ultérieurement le montant du prêt, mais aussi à payer des intérêts. Il vous est également possible d'obtenir des fonds pour démarrer votre entreprise en échange de parts de vos bénéfices futurs. D'une manière ou d'une autre, votre investissement sera financé par l'épargne de quelqu'un d'autre.

Comme nous l'avons déjà vu dans le précédent chapitre, l'épargne et l'investissement sont deux facteurs clés de la croissance économique à long terme. Dès qu'une économie épargne une portion importante de son PIB, elle dispose des ressources nécessaires pour investir dans le capital; un capital plus important accroît la productivité et le niveau de vie. Le **système financier** se compose des institutions chargées de faire coïncider l'épargne des uns avec les investissements des autres. Il nous faut maintenant expliquer comment l'épargne et l'investissement sont coordonnés. À n'importe quel moment, il y a des individus qui désirent épargner une portion de leurs revenus pour l'avenir, tandis que d'autres souhaitent investir dans des entreprises, qu'elles soient nouvelles ou déjà existantes. Comment coordonner ces deux groupes de personnes? Comment s'assurer que l'offre de fonds de ceux qui épargnent correspond à la demande de fonds de ceux qui investissent?

Dans ce chapitre, nous étudierons le fonctionnement du système financier, en commençant par les institutions financières. Par la suite, nous aborderons les relations existant entre le système financier et les grandes variables macroéconomiques, dont l'épargne et l'investissement. Pour finir, nous mettrons au point un modèle de l'offre et de la demande de fonds sur les marchés financiers. Notre analyse montrera comment le taux d'intérêt assure l'équilibre entre l'offre et la demande et comment certaines décisions économiques des gouvernements influencent ce taux d'intérêt et l'allocation des ressources financières.

Système financier
Ensemble des institutions qui contribuent à coordonner l'épargne des uns et les investissements des autres.

LES INSTITUTIONS FINANCIÈRES CANADIENNES

De façon globale, le système financier transfère les ressources des épargnants (qui dépensent moins d'argent qu'ils n'en gagnent) aux emprunteurs (qui dépensent plus d'argent qu'ils n'en gagnent). Les raisons d'économiser sont diverses: on peut vouloir financer les études universitaires de ses enfants ou s'assurer une retraite confortable. Les raisons d'investir sont tout aussi nombreuses: par exemple, l'investissement peut avoir pour but d'acheter une maison ou de créer une entreprise. Les épargnants placent leur argent en espérant le récupérer plus tard, avec des intérêts. Les emprunteurs utilisent ces fonds en étant conscients qu'ils devront non seulement les rembourser plus tard, mais aussi verser des intérêts.

Dans le système financier, un grand nombre d'institutions coordonnent les épargnants et les investisseurs. Commençons par examiner les institutions financières majeures, qui peuvent être regroupées en deux catégories: les marchés financiers et les intermédiaires financiers. Nous les examinerons tour à tour.

LES MARCHÉS FINANCIERS

Marchés financiers
Marchés qui permettent aux épargnants de transmettre des fonds aux investisseurs.

Par **marchés financiers,** on entend les interactions entre les épargnants et les emprunteurs. Les deux plus importants marchés financiers sont le marché des obligations et le marché des actions.

Le marché obligataire.   Commençons par examiner le marché obligataire. Si par exemple Intel, le fabricant de puces d'ordinateur, veut financer la construction d'une nouvelle usine pour la fabrication de semi-conducteurs, il a la possibilité de le faire directement auprès du public en émettant des obligations.

Une **obligation** est une reconnaissance de dette qui précise les engagements de l'emprunteur envers le détenteur de cette obligation. Une obligation stipule à quel moment le prêt doit être remboursé, soit l'*échéance*, de même que le taux d'intérêt payable périodiquement jusqu'à cette échéance. L'acheteur d'une obligation de Intel prêterait donc de l'argent à Intel en échange du versement périodique des intérêts et du remboursement à long terme du montant emprunté (appelé *principal* ou *capital*). L'acquéreur a le choix de conserver l'obligation jusqu'à l'échéance ou de la vendre plus tôt à quelqu'un d'autre.

Des millions d'obligations différentes circulent dans l'économie canadienne. Quand une grande entreprise, le gouvernement fédéral ou les gouvernements provinciaux ont besoin d'emprunter pour financer une nouvelle usine, un nouveau chasseur ou une nouvelle école, par exemple, ils émettent généralement des obligations. En consultant les pages financières de votre quotidien local, vous trouverez la liste des prix de ces obligations et les taux d'intérêts des émissions d'obligations les plus importantes. Même si ces obligations présentent des différences notables, elles ont toutes deux caractéristiques essentielles.

La première est le *terme*, c'est-à-dire le temps qui s'écoule entre l'émission et l'échéance. Certaines obligations ont un terme très court (quelques mois), alors que d'autres s'étalent sur une trentaine d'années. (Le gouvernement britannique émet même des obligations n'ayant aucune échéance, appelées *rentes perpétuelles — consols,* en anglais. Ce type d'obligation paye des intérêts *ad vitam*, sans remboursement de principal). Le taux d'intérêt d'une obligation dépend en partie de sa durée. En effet, les obligations à long terme présentent un risque supérieur à celui des obligations à court terme, puisque les détenteurs doivent attendre plus longtemps avant de récupérer le principal. Si un détenteur d'obligations à long terme a besoin de son argent avant la date d'échéance, il n'a d'autre choix que de vendre ces obligations à quelqu'un d'autre, parfois à rabais. Pour compenser ce risque, les obligations à long terme ont habituellement un taux d'intérêt supérieur à celui des obligations à court terme.

La seconde caractéristique essentielle d'une obligation est son *risque de crédit*, qui mesure la probabilité que l'emprunteur ne soit pas en mesure de payer les intérêts ou de rembourser le principal. Il arrive parfois que les emprunteurs déclarent faillite et ne puissent pas acquitter leurs dettes. Si le risque de faillite est important, les prêteurs exigent un taux d'intérêt élevé en compensation. Le gouvernement canadien ayant la réputation d'être un emprunteur fiable, les obligations émises par le gouvernement fédéral n'offrent que de faibles taux d'intérêt. Les provinces émettent également des obligations, mais comme ces dernières présentent un risque plus élevé, leur taux d'intérêt est supérieur. Parmi les facteurs affectant le risque de crédit des gouvernements au Canada, on retrouve l'éventualité d'une séparation du Québec du reste du Canada et le taux d'endettement. Les entreprises dont la santé financière est chancelante émettent des obligations *à haut risque*, rapportant des taux d'intérêt très élevés. Pour évaluer le risque du crédit, les acheteurs d'obligations consultent les agences de notation comme Standard & Poor's, qui portent un jugement sur les risques des différentes obligations.

Le marché des actions.   Voyons maintenant de plus près le marché des actions. Pour construire sa nouvelle usine de production de semi-conducteurs, Intel peut également lever des fonds en proposant des parts de son capital. Une **action** est un titre de propriété de la société qui donne droit à une part de ses profits. Par exemple, si Intel a émis un total de 1 000 000 d'actions, chacune des actions représente la propriété de un millionième de l'entreprise.

La vente d'actions pour obtenir du capital s'appelle *financement par capitaux propres*, alors que la vente d'obligations constitue un *financement par emprunt*. Même si les entreprises ont recours à la fois au financement par capitaux propres et au financement par emprunt pour réaliser de nouveaux investissements, les obligations et les actions sont des modes de financement très différents.

Obligation
Reconnaissance de dette par laquelle une entreprise ou un gouvernement s'engage à verser des intérêts convenus, à des dates déterminées; titre de créance.

LA BOURSE DE TORONTO

Action
Titre de propriété d'une partie du capital d'une entreprise.

Un détenteur d'actions d'Intel est en partie propriétaire de la société, alors qu'un détenteur d'obligations d'Intel en est un créancier. Si Intel fait des bénéfices, les actionnaires en profitent, alors que les détenteurs d'obligations se contenteront de recevoir l'intérêt sur ses dettes. Par contre, si Intel connaît des difficultés financières, les détenteurs d'obligations recevront leur dû avant que les actionnaires ne reçoivent quoi que ce soit. Les actions, par comparaison avec les obligations, offrent à la fois plus de risque et un meilleur potentiel de rendement du capital investi.

Une fois qu'une entreprise a émis des actions, ces dernières s'échangent sur les marchés d'actions organisés. Lors de ces transactions, l'entreprise émettrice ne reçoit rien. Aux États-Unis, les deux places boursières les plus importantes sont le New York Stock Exchange et le NASDAQ (National Association of Securities Dealers Automated Quotation system). Au Canada, la Bourse de Toronto (Toronto Stock Exchange ou TSE) domine le marché. Le Canadian Venture Exchange de Calgary, une Bourse beaucoup plus spéculative, procède à des campagnes de souscription pour les petites sociétés minières. La Bourse de Montréal, quant à elle, est maintenant spécialisée dans les produits financiers dérivés. La majorité des pays possèdent leur propre Bourse, où s'échangent les actions des compagnies locales.

L'offre et la demande pour les actions déterminent leur prix de vente. L'action est un droit de propriété sur l'entreprise. La demande pour une action et son prix reflètent les anticipations du public en ce qui concerne la rentabilité future de l'entreprise. Quand les acheteurs sont optimistes à propos de l'avenir d'une entreprise, la demande pour ses actions augmente et en fait monter le prix. À l'inverse, lorsque de maigres profits ou même des pertes sont à craindre, le prix des actions chute.

Le niveau général des prix des actions est mesuré par les indices boursiers. Les indices permettent de suivre l'évolution générale des valeurs mobilières. Un *indice boursier* correspond à la moyenne du prix d'un panier d'actions. Le plus connu des indices, le Dow Jones, se calcule depuis 1896 ; il comprend maintenant le prix des actions de 30 importantes compagnies américaines, dont General Motors, General Electric, Microsoft, Coca-Cola, AT&T et IBM. L'indice le plus connu et le plus suivi au Canada, le TSE 300, comprend le prix de 300 importantes compagnies dont les actions se transigent à la Bourse de Toronto. Ces indices boursiers font l'objet d'une surveillance constante, parce qu'ils reflètent la rentabilité attendue des entreprises et servent d'indicateurs des conditions économiques à venir.

Lire l'article
page 429

Lire l'article
page 430

LES INTERMÉDIAIRES FINANCIERS

Intermédiaires financiers
Institutions financières qui permettent aux épargnants de transmettre des fonds aux emprunteurs.

Les **intermédiaires financiers** sont les institutions financières qui permettent aux épargnants d'offrir des fonds aux emprunteurs. Le terme *intermédiaire* donne une idée juste du rôle joué par ces institutions auprès des emprunteurs et des épargnants. Nous examinerons ici deux des principaux intermédiaires financiers : les banques et les fonds communs de placement.

Les banques.   Voyons maintenant le rôle attribué aux banques dans le système financier. Si un petit épicier désire financer l'agrandissement de son magasin, il suivra probablement une stratégie différente de celle d'Intel. En effet, à la différence des grosses entreprises comme Intel, il ne pourra pas obtenir des fonds sur le marché obligataire ou sur celui des actions. La plupart des acheteurs d'actions et d'obligations préfèrent celles qui sont émises par de grandes compagnies dont la réputation n'est plus à faire. L'épicier devra donc solliciter un prêt de sa banque.

BON À SAVOIR

Comment lire les cotes de la Bourse

La plupart des quotidiens publient des pages financières qui répertorient les échanges d'actions de milliers de compagnies. Voici les informations fournies dans ces colonnes de chiffres:

◆ *Cours.* Le cours correspond au prix d'un titre; il constitue l'information la plus importante à propos d'une action. Le journal répertorie habituellement plusieurs prix différents pour un même titre. Le dernier cours, ou cours «de clôture», représente le prix de la dernière transaction effectuée la veille, avant la fermeture du parquet de la Bourse. Certains journaux indiquent également les cours «les plus hauts» et «les plus bas» de la dernière séance, et parfois de l'année précédente.

◆ *Volume.* En général, les journaux indiquent le nombre de titres d'une compagnie échangés durant la dernière séance, sous forme de volume quotidien.

◆ *Dividendes.* Les entreprises versent une partie de leurs profits aux actionnaires: ce sont les *dividendes.* (Les profits non distribués, ou *bénéfices non répartis*, servent à financer de nouveaux investissements.) On retrouve également dans les journaux les dividendes versés par l'entreprise au cours de l'année précédente et parfois le taux de rendement des actions, soit le dividende exprimé en pourcentage du cours de l'action.

◆ *Ratio cours-bénéfice.* Les bénéfices d'une entreprise représentent la différence entre ses recettes, tirées de la vente de ses produits, et l'ensemble de ses dépenses. Les bénéfices par action correspondent au profit total de la compagnie divisé par le nombre d'actions en circulation. Le ratio cours-bénéfice équivaut au cours de l'action divisé par le montant du profit par action réalisé par l'entreprise durant l'année. Généralement, ce taux se situe aux alentours de 15. Un ratio plus élevé indique un prix élevé des actions au regard des derniers résultats financiers de l'entreprise. Il y a deux causes possibles à une telle situation: ou bien l'on prévoit de meilleurs résultats à l'avenir, ou bien le titre est surévalué. Inversement, un ratio inférieur à 15 signifie une sous-évaluation de l'action ou la crainte d'une dégradation des résultats financiers.

Pour quelles raisons les journaux rapportent-ils quotidiennement ces données? Parce que bien des gens qui placent leur épargne à la Bourse les consultent chaque jour avant de décider quelles actions acheter ou vendre. D'autres investisseurs, en revanche, adoptent une stratégie d'achat à long terme: ils achètent des titres de compagnies solides et les conservent longtemps, sans se soucier des fluctuations quotidiennes rapportées dans les journaux.

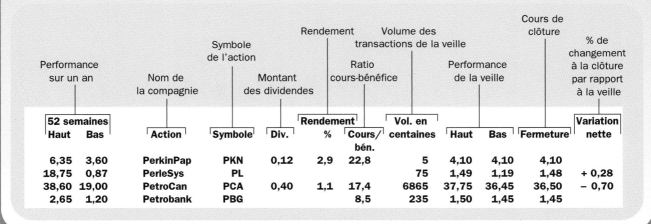

52 semaines		Action	Symbole	Div.	%	Cours/ bén.	Vol. en centaines	Haut	Bas	Fermeture	Variation nette
Haut	Bas										
6,35	3,60	PerkinPap	PKN	0,12	2,9	22,8	5	4,10	4,10	4,10	
18,75	0,87	PerleSys	PL				75	1,49	1,19	1,48	+ 0,28
38,60	19,00	PetroCan	PCA	0,40	1,1	17,4	6865	37,75	36,45	36,50	– 0,70
2,65	1,20	Petrobank	PBG			8,5	235	1,50	1,45	1,45	

Performance sur un an — Nom de la compagnie — Symbole de l'action — Montant des dividendes — Rendement — Ratio cours-bénéfice — Volume des transactions de la veille — Performance de la veille — Cours de clôture — % de changement à la clôture par rapport à la veille

Les banques sont les intermédiaires financiers les plus connus du public. Elles utilisent les fonds déposés par les épargnants pour financer les emprunts des emprunteurs. Les banques versent un intérêt aux déposants et perçoivent un intérêt supérieur des emprunteurs. Cette différence entre les deux taux d'intérêt couvre les frais de la banque et engendre un profit, qui sert à rémunérer ses propriétaires.

Outre celui d'intermédiaires financiers, les banques jouent un autre rôle dans l'économie: elles facilitent les échanges de biens et de services en permettant à leurs clients d'émettre des chèques en échange de leurs dépôts. Autrement dit, elles créent un *instrument d'échange* dont leurs clients se servent pour effectuer leurs transactions. Cette caractéristique des banques les différencie des autres institutions financières. Les actions et les obligations, tout comme les dépôts bancaires, représentent une *réserve de valeur* correspondant à la richesse provenant de l'épargne accumulée. Toutefois, l'accès à cette richesse est moins rapide, moins facile et plus onéreux que l'émission d'un chèque. Cela étant dit, nous laisserons provisoirement de côté ce second rôle des banques ; nous y reviendrons lorsqu'il sera question du système monétaire, au chapitre 10.

Les fonds communs de placement.   Qu'en est-il des fonds communs de placement ? Ce type d'intermédiaire financier prend de plus en plus d'importance dans l'économie canadienne. Un **fonds commun de placement** est une institution qui vend des parts aux investisseurs et qui utilise les fonds ainsi recueillis pour acheter un *portefeuille*, c'est-à-dire une sélection de titres financiers constituée soit d'actions, soit d'obligations, ou encore d'une combinaison des deux. Le détenteur de parts de fonds communs de placement accepte les risques de perte et les chances de rendement de son placement : si la valeur de son portefeuille augmente, il gagne de l'argent, si elle baisse, il en perd.

Les fonds communs de placement présentent l'avantage de permettre aux petits épargnants de diversifier leurs avoirs. Les détenteurs d'actions et d'obligations peuvent ainsi, selon le vieil adage, « ne pas mettre tous leurs œufs dans le même panier ». La valeur d'une action ou d'une obligation étant directement liée aux succès d'une seule compagnie, mieux vaut en effet diversifier son portefeuille en répartissant les risques entre plusieurs entreprises. Pour un petit épargnant qui ne dispose que de quelques centaines de dollars, l'achat de titres de fonds communs de placement représente un moyen simple de devenir indirectement actionnaire ou créditeur de centaines de grandes entreprises. En échange de ce service, la société qui gère les fonds perçoit annuellement, à titre de rétribution, un pourcentage du montant des actifs.

Fonds commun de placement
Institution qui vend des parts au public et consacre les fonds récoltés à l'achat d'un portefeuille d'actifs financiers.

ARLO ET JANIS – Jimmy Johnson

Les fonds de placement se targuent de plus d'offrir au public des conseils de gestionnaires financiers professionnels. Ces derniers, qui accordent naturellement une grande attention à l'évolution et aux perspectives d'avenir des compagnies dont ils acquièrent des parts, se concentrent sur l'achat d'actions de sociétés qu'ils considèrent potentiellement très rentables et vendent les parts des entreprises qui leur semblent moins intéressantes. Les gestionnaires des fonds communs de placement prétendent que ce type de gestion augmente le rendement pour les investisseurs.

Les économistes se montrent quelque peu sceptiques face à ce second argument puisque, en raison du nombre de gestionnaires financiers qui scrutent les perspectives économiques de chaque compagnie, le prix des actions reflète en général leur véritable valeur. En pratique, il est difficile de battre le marché en se défaisant des titres en perte de vitesse pour acheter les actions montantes. De fait, certains fonds communs de placement, dits *fonds indiciels,* qui achètent tous les titres d'un indice boursier, obtiennent une meilleure performance que les fonds gérés beaucoup plus activement. Cela s'explique par une diminution des salaires des gestionnaires professionnels ainsi que des coûts d'acquisition et de vente des actions.

EN RÉSUMÉ

Une grande variété d'institutions financières sont présentes dans l'économie canadienne. Outre le marché obligataire, la Bourse, les banques et les fonds communs de placement, on trouve également les caisses de retraite, les coopératives d'épargne et de crédit, les compagnies d'assurance et même les usuriers locaux. Il s'agit d'institutions fort différentes, mais lorsque l'on analyse le système financier, il importe de se concentrer sur leurs similarités plutôt que sur leurs différences. Toutes servant la même finalité : redistribuer les fonds des épargnants aux emprunteurs.

MINITEST : Qu'est-ce qu'une action ? Qu'est-ce qu'une obligation ?
Quelles sont les différences et les similitudes entre les deux ?

L'ÉPARGNE ET L'INVESTISSEMENT DANS LA COMPTABILITÉ NATIONALE

Pour comprendre l'évolution générale de l'économie, il importe de suivre l'actualité financière. Comme nous venons de le voir, les diverses composantes du système financier, soit le marché obligataire, le marché des actions, les banques et les fonds communs de placement, ont toutes pour mission de coordonner l'épargne et l'investissement. Dans le chapitre précédent, nous avons vu que cette épargne et cet investissement constituent deux éléments déterminants de la croissance du PIB et du niveau de vie ; les marchés financiers sont donc d'une importance cruciale pour les macroéconomistes.

Nous commencerons l'analyse des marchés financiers en abordant les principales variables macroéconomiques permettant d'en mesurer l'activité. Plus que le fonctionnement du marché financier, c'est sa comptabilité qui retiendra notre attention. Par *comptabilité*, nous entendons la façon de définir et d'utiliser les chiffres. Nous savons que le comptable d'une personne calcule ses dépenses et ses revenus. Il faut comprendre que le même genre de calcul peut être appliqué à l'ensemble de l'économie : c'est la comptabilité nationale, qui s'intéresse non seulement au PIB, mais aussi à diverses statistiques qui lui sont reliées.

Les règles de la comptabilité nationale présentent un certain nombre d'identités importantes. Une *identité* est une équation qui se vérifie toujours, quelles que soient les valeurs assignées aux variables, et ce, en raison de la définition même de ces variables. Les identités clarifient les relations existant entre les différentes variables. Nous donnons ci-dessous des exemples d'identités relatives aux marchés financiers.

QUELQUES IDENTITÉS

Nous avons vu que le produit intérieur brut (PIB) représente à la fois le revenu total et les dépenses totales en biens et en services d'une économie. Le PIB (représenté par la lettre Y) se divise en quatre types de dépenses : la consommation (C), l'investissement (I), les dépenses publiques courantes (G) et les exportations nettes (XN). Nous pouvons donc poser l'équation suivante :

$$Y = C + I + G + XN$$

Cette équation est une identité, puisque chaque dollar dépensé fait partie du PIB total — le membre de gauche de l'équation — et se retrouve également dans l'une des quatre composantes du membre de droite. Cette équation se vérifie toujours, en raison de la façon dont les variables sont définies et mesurées.

Pour les besoins du présent chapitre, nous simplifierons notre analyse en prenant comme exemple une économie fermée. Une *économie fermée* n'est pas à interaction avec les autres : elle ne participe pas au commerce international des biens et des services, elle n'effectue aucun emprunt et n'accorde aucun prêt en l'étranger. De toute évidence, les économies réelles sont des *économies ouvertes*, puisqu'elles interagissent entre elles sur le plan mondial. Nous reviendrons plus loin sur l'analyse macroéconomique de ces économies ouvertes ; pour l'instant, l'hypothèse d'une économie fermée nous simplifie la tâche tout en nous permettant de tirer des leçons applicables dans tous les cas. En outre, une telle hypothèse s'applique parfaitement à l'économie mondiale (dans la mesure où les échanges entre la Terre et la planète Mars restent encore fort modestes…).

Dans une économie fermée, les importations et les exportations sont nulles. Comme les exportations nettes sont égales à zéro, il est possible d'écrire l'équation du PIB de la façon suivante :

$$Y = C + I + G$$

Cette équation démontre que le PIB est égal à la somme de la consommation, de l'investissement et des dépenses publiques. Tout ce qui est produit dans un tel contexte est donc consommé par les ménages, investi, ou consommé par le gouvernement.

Pour voir ce qui se produit au niveau des marchés financiers, il suffit de soustraire les dépenses publiques (G) et la consommation (C) des deux côtés de cette identité. On obtient donc :

$$Y - C - G = I$$

Le membre gauche de l'équation (Y − C − G) exprime le revenu total disponible après avoir payé les dépenses de consommation et les dépenses publiques courantes. Ce montant représente l'**épargne nationale**, ou plus simplement l'**épargne**, désignée par la lettre S. En substituant S à (Y − C − G), nous obtenons une dernière équation :

$$S = I$$

Cette équation signifie que l'épargne est égale à l'investissement.

Pour comprendre la signification de l'épargne nationale, il convient de préciser sa définition. Convenons que T représente le montant des impôts perçus par le gouvernement auprès des ménages, moins les transferts qu'il leur verse (assurance-emploi et aide sociale, entre autres). L'équation de l'épargne nationale s'écrit donc indifféremment :

$$S = Y - C - G$$

ou

$$S = (Y - T - C) + (T - G)$$

Ces deux équations sont équivalentes, puisque les deux T de la seconde équation s'annulent. Cependant, elles correspondent chacune à une façon différente de mesurer l'épargne nationale. Dans la seconde équation, l'épargne se décompose en deux parties : l'épargne privée (Y − T − C) et l'épargne gouvernementale ou publique (T − G). On peut donc réécrire ainsi l'équation qui définit l'épargne :

$$S = S_P + S_G$$

Revenons sur les deux composantes de l'épargne. L'**épargne privée** correspond au revenu disponible des ménages, soit le revenu moins les impôts, auquel on soustrait les dépenses de consommation. Plus précisément, les ménages engendrent une épargne à partir de Y, après avoir payé des impôts équivalant

Épargne nationale (épargne)
Revenu (PIB) diminué de la consommation et des dépenses publiques courantes.

Épargne privée
Partie du revenu des ménages après impôts qui n'est pas consacrée à la consommation.

à T et consacré un montant C à la consommation. L'épargne privée équivaut donc à (Y − T − C). Pour sa part, l'**épargne publique** comprend l'excédent des revenus fiscaux du gouvernement, une fois qu'il a assumé les dépenses publiques courantes. Le gouvernement perçoit des recettes fiscales équivalant à T, qui sont ensuite diminuées du montant G de ses dépenses pour les biens et les services courants. Lorsque T est supérieur à G, l'État enregistre un **surplus budgétaire,** puisqu'il reçoit plus d'argent qu'il n'en dépense. Ce surplus (T − G) correspond à l'épargne publique. Si, à l'inverse, le gouvernement dépense plus qu'il ne perçoit d'impôts, G est alors supérieur à T, et le gouvernement accuse un **déficit budgétaire**; l'épargne publique (T − G) a alors une valeur négative.

Voyons maintenant comment ces identités comptables interagissent sur les marchés financiers. L'équation S = I fait apparaître un élément important : *pour l'économie dans son ensemble, l'épargne doit être égale à l'investissement.* Cela nous amène à poser quelques questions fondamentales : quels mécanismes garantissent une telle identité ? Qui assure la coordination entre le montant que les épargnants décident de mettre de côté et les sommes que les investisseurs se proposent de dépenser ? C'est dans le système financier que se trouve la réponse : le marché obligataire, le marché des actions, les banques, les fonds communs de placement et les autres intermédiaires et marchés financiers se situent entre les deux membres de l'équation qui met en relation l'épargne et l'investissement. Leur rôle est de diriger l'épargne nationale vers l'investissement national.

LA DISTINCTION ENTRE ÉPARGNE ET INVESTISSEMENT

Les termes *épargne* et *investissement* peuvent prêter à confusion. Ils sont couramment utilisés et parfois de façon interchangeable. Pourtant, en macroéconomie, et plus précisément en comptabilité nationale, il importe de les distinguer et de les employer avec précaution.

Prenons un exemple. Imaginons que Laurent gagne beaucoup plus d'argent qu'il n'en dépense; il dépose donc les montants épargnés à la banque ou bien il achète des obligations ou des actions. Comme son revenu est supérieur au montant qu'il consacre à la consommation, il se considère comme un «investisseur». Toutefois, d'un point de vue macroéconomique, on le qualifie plutôt d'épargnant.

Dans le vocabulaire de la macroéconomie, l'investissement correspond à l'achat de nouveau capital, comme les équipements ou les bâtiments. Quand Paul contracte un emprunt à la banque pour se construire une nouvelle maison, il contribue à l'investissement national. De même, Bell Canada contribue à l'investissement en employant le produit de la vente de ses actions pour faire construire une nouvelle usine.

L'équation S = I indique que l'épargne est égale à l'investissement pour l'économie globale, même si cela ne se vérifie pas à l'échelle d'un ménage ou d'une entreprise. L'épargne de Laurent dépasse son investissement, et il peut déposer l'excédent dans un compte en banque. Paul investit plus qu'il n'épargne et emprunte la différence à la banque. Cette dernière, ainsi que les autres institutions financières, permet l'existence de telles différences entre l'épargne et l'investissement individuels, puisqu'elle finance les investissements des uns avec l'épargne des autres.

MINITEST : Donnez une définition de l'*épargne privée*, de l'*épargne publique*, de l'*épargne nationale,* ainsi que de l'*investissement.* Quelles relations existent entre ces différents concepts ?

ÉTUDE DE CAS   **L'ÉPARGNE ET L'INVESTISSEMENT AU CANADA**

Depuis quelques années, de nombreux commentateurs ont remarqué une baisse importante du taux d'épargne personnelle au Canada. Cette diminution de la « prévoyance » des familles inquiète beaucoup certains observateurs du marché financier. Qu'en est-il exactement ?

LA MESURE DE L'ÉPARGNE ET DE L'INVESTISSEMENT

En théorie, l'épargne est la part du revenu qui n'est pas utilisée pour les dépenses courantes. L'investissement, quant à lui, représente la valeur des dépenses autres que courantes, et qui peuvent faire augmenter les revenus futurs. Par exemple, si les revenus d'une personne sont de 1 000 $ et qu'elle consacre 900 $ à l'épicerie, aux loisirs, au logement et au transport, sa consommation est de 900 $ et son épargne de 100 $. Qu'elle utilise elle-même ces 100 $ pour faire un investissement ou qu'elle les prête à un autre investisseur, cela n'a aucune importance : l'épargne est toujours de 100 $.

Officiellement, dans les comptes nationaux, l'investissement est défini comme les dépenses des entreprises et des gouvernements en capital fixe et en infrastructures, ainsi que les dépenses en construction résidentielle par les ménages. Toute autre dépense des ménages, des entreprises et du gouvernement est donc une dépense courante. Cette définition de l'investissement pose un premier problème. En effet, bien d'autres dépenses peuvent potentiellement augmenter les revenus futurs et devraient donc être considérées comme de l'investissement. Citons entre autres les achats de biens durables, les dépenses en éducation, en recherche et en développement, les achats d'ordinateurs par les ménages, certaines dépenses militaires et les achats de logiciels.

Si l'on considérait ces dépenses comme de l'investissement, les dépenses courantes seraient plus faibles et l'épargne plus élevée. Cela a pour résultat que l'épargne est sans doute sous-estimée, au Canada comme ailleurs.

LA MESURE DU REVENU DISPONIBLE

Le revenu disponible est la somme de tous les revenus (le PIB) moins les impôts nets (après transferts). La part de ce revenu disponible qui n'est pas consommée officiellement est l'épargne privée.

Or un gain de capital n'est pas considéré, dans la comptabilité nationale, comme un revenu. Voici donc un nouveau problème : lorsque les placements des ménages prennent de la valeur, en raison d'un marché boursier haussier, par exemple, une augmentation de la consommation devient possible. Cela peut se faire en réalisant le gain de capital (c'est-à-dire en vendant l'actif qui a pris de la valeur) ou en empruntant face à la valeur nette accrue. Une décision de ne pas augmenter la consommation aujourd'hui revient à reporter à plus tard cette consommation. Pour un économiste, cela est une décision d'épargne, et la valeur de cette épargne devrait être ajoutée au revenu disponible.

Il est donc fort possible que le revenu disponible soit sous-estimé en période de forts gains de capital.

LA CHUTE DU TAUX D'ÉPARGNE AU CANADA

L'épargne officielle des ménages a fortement diminué au Canada durant les années 90. D'un niveau historique d'environ 10 % du revenu disponible durant les années 70 et 80, le taux a chuté à 5 % en 1996 et est devenu négatif par la suite. Il est possible d'expliquer en partie cette chute par deux phénomènes. Premièrement, la consommation est de plus en plus surestimée, en raison de la sous-estimation de l'investissement; les changements causés par la réduction en importance relative du secteur manufacturier et l'augmentation du secteur des services jouent ici un rôle important. En effet, les dépenses en éducation et en achat de logiciels sont de plus en plus importantes. Deuxièmement, le revenu disponible est en réalité plus élevé que celui qui est mesuré officiellement, en raison des énormes gains de capital réalisés dans le marché boursier pendant les années 90. Or une sous-évaluation du revenu disponible ou une surévaluation de la consommation ont toutes les deux la même conséquence : l'épargne est sous-estimée.

Une partie de la chute du taux d'épargne des ménages peut aussi être attribuée à la faiblesse de l'économie canadienne dans les années 90, qui a fait stagner le revenu disponible. La hausse du taux de chômage a contribué à ralentir la croissance des revenus. En outre, leurs importants déficits ont incité les gouvernements à hausser les taxes et les impôts. Partant, la chute du taux d'épargne personnelle est sans doute bien moins dramatique que le portent à croire les mesures de Statistique Canada.

LE MARCHÉ DES FONDS PRÊTABLES

Nous avons étudié le rôle au niveau macroéconomique des institutions financières essentielles de notre économie; nous sommes maintenant en mesure de construire un modèle des marchés financiers, pour expliquer comment ces derniers coordonnent l'épargne et l'investissement. Ce modèle servira également à analyser les différentes politiques gouvernementales ayant une influence sur l'épargne et l'investissement.

Pour simplifier les choses, supposons qu'il n'existe qu'un seul marché financier dans l'économie : le **marché des fonds prêtables**. Tous les épargnants y amènent leurs fonds et tous les emprunteurs y obtiennent leurs prêts. Par conséquent, les *fonds prêtables* représentent la part des revenus que les gens ont décidé d'épargner et de prêter plutôt que de la consacrer à la consommation. Posons également l'hypothèse qu'il n'existe qu'un seul taux d'intérêt sur ce marché, représentant à la fois le rendement de l'épargne et le coût des emprunts.

Ce marché financier fictif ne correspond évidemment pas à la réalité, puisqu'il existe de nombreux types d'institutions financières. Mais cette simplification nous permet de construire un modèle économique simple, comme nous l'avons déjà fait au chapitre 2.

Marché des fonds prêtables
Marché sur lequel se rencontrent les agents économiques qui épargnent (offre de fonds) et ceux qui investissent (demande de fonds).

L'OFFRE ET LA DEMANDE DE FONDS PRÊTABLES

Le marché des fonds prêtables, comme tous les autres marchés économiques, est régi par la loi de l'offre et de la demande. Pour comprendre son fonctionnement, nous devons commencer par repérer les sources de l'offre et de la demande de fonds prêtables.

L'offre des fonds prêtables provient des agents économiques disposant d'un revenu qu'ils souhaitent épargner et prêter. Ce prêt peut s'effectuer directement, comme lorsqu'un ménage achète les obligations d'une compagnie, ou encore indirectement, par l'intermédiaire d'un dépôt bancaire qui servira à financer un prêt. Dans les deux cas, l'offre de fonds prêtables provient de l'épargne.

La demande de fonds prêtables vient à la fois des ménages, des sociétés et des gouvernements, qui désirent contracter des emprunts pour financer leurs investissements. La demande peut venir par exemple des familles qui prennent une hypothèque pour s'acheter une maison, des compagnies qui s'endettent pour acheter de nouveaux équipements ou construire une usine, ou encore des gouvernements qui ont besoin de fonds pour construire des ponts. Dans ces trois cas, la demande de fonds prêtables est une demande pour fins d'investissement.

Le taux d'intérêt correspond au prix de l'emprunt, c'est-à-dire qu'il équivaut au montant que les emprunteurs paieront pour obtenir ce prêt et que les prêteurs recevront en retour. Un taux d'intérêt élevé augmente le coût des emprunts et, par conséquent, réduit la quantité demandée de fonds prêtables. En revanche, ce taux d'intérêt élevé attire les épargnants et augmente la quantité offerte de fonds prêtables. Autrement dit, les courbes de demande et d'offre de fonds prêtables sont respectivement à pente négative et positive.

La figure 8.1 montre le taux d'intérêt assurant l'équilibre entre l'offre et la demande de fonds prêtables. Au taux d'équilibre indiqué (5 %), la quantité de fonds prêtables demandée est égale à la quantité de fonds prêtables offerte, soit 120 milliards de dollars. Comme sur les autres marchés, le taux d'intérêt s'ajuste

« Ah ! Encore ces sacrés taux d'intérêt qui se font aller ! »

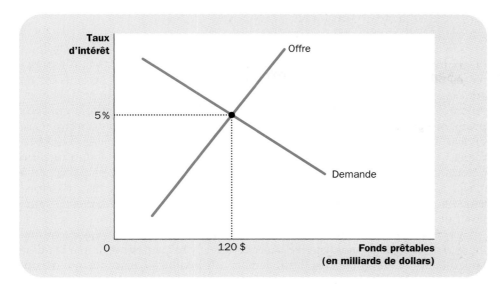

Figure 8.1

MARCHÉ DES FONDS PRÊTABLES. Le taux d'intérêt assure un équilibre entre l'offre et la demande de fonds prêtables. L'offre provient de l'épargne nationale, constituée de l'épargne privée et de l'épargne publique. La demande émane des entreprises, des gouvernements et des ménages qui veulent emprunter pour investir. Dans ce cas-ci, le taux d'intérêt d'équilibre se situe à 5 %, et les 120 milliards de dollars de fonds prêtables sont à la fois demandés et offerts.

pour atteindre son niveau d'équilibre. Si le taux d'intérêt est inférieur au taux d'équilibre, la quantité de fonds prêtables offerte est inférieure à la quantité demandée ; il en résulte une pénurie de fonds prêtables, ce qui incite les prêteurs à augmenter le taux d'intérêt. Par contre, si le taux d'intérêt est supérieur au niveau d'équilibre, la quantité des fonds prêtables offerte dépasse la quantité demandée : les prêteurs se retrouveront en compétition pour fournir des fonds aux rares investisseurs et les taux d'intérêt auront tendance à baisser. De cette façon, le taux d'intérêt finit par atteindre le niveau auquel l'offre et la demande s'équilibrent.

On se souviendra que les économistes établissent une distinction entre le taux d'intérêt réel et le taux d'intérêt nominal. Le taux d'intérêt nominal, qui est celui que diffusent les médias, correspond au rendement de l'épargne et au coût de l'emprunt. Le taux d'intérêt réel équivaut au taux d'intérêt nominal corrigé de l'inflation. Puisque l'inflation réduit peu à peu la valeur de la monnaie, le taux d'intérêt réel représente le rendement réel de l'épargne et le vrai coût de l'emprunt. L'offre et la demande de fonds prêtables dépendent du taux d'intérêt réel plutôt que du taux d'intérêt nominal : le taux d'intérêt d'équilibre de la figure 8.1 doit donc être interprété comme étant le taux d'intérêt réel. Dans ce chapitre, le terme *taux d'intérêt* désigne le taux d'intérêt *réel*.

Le modèle d'offre et de demande des fonds prêtables démontre que les marchés financiers fonctionnent comme les autres marchés de l'économie. Sur le marché du chocolat, par exemple, le prix s'ajuste en fonction de l'offre et de la demande, comme si une « main invisible » coordonnait le comportement des producteurs de chocolat et celui des consommateurs de chocolat. Une fois que l'on a compris que l'épargne représente l'offre de fonds prêtables et que la demande correspond à l'investissement, on saisit mieux comment le taux d'intérêt équilibre l'offre et la demande sur le marché des fonds prêtables, en coordonnant le comportement des épargnants et celui des investisseurs.

Grâce à cette analyse du marché des fonds prêtables, nous sommes en mesure d'évaluer l'incidence des différentes politiques gouvernementales concernant l'épargne et l'investissement. Comme le modèle utilisé illustre l'offre et la demande, nous étudierons ces politiques selon les trois étapes présentées au chapitre 4, c'est-à-dire en nous posant les questions suivantes : ces politiques influent-elles sur la courbe d'offre ou la courbe de demande ? Dans quelle direction se produit le déplacement ? Comment l'équilibre est-il modifié dans le graphique d'offre et de demande ?

UNE PREMIÈRE POLITIQUE ÉCONOMIQUE : LA FISCALITÉ ET L'ÉPARGNE

Les familles canadiennes épargnent sensiblement moins que les familles japonaises ou allemandes, mais plus que les familles américaines. Les raisons de ces disparités internationales restent obscures. Toutefois, la plupart des décideurs considèrent que le faible taux d'épargne des Canadiens pose un sérieux problème. Selon l'un des *dix principes d'économie* énoncés au chapitre 1, le niveau de vie d'un pays dépend de sa capacité à produire des biens et des services. Comme nous l'avons vu au chapitre 7, l'épargne est, à long terme, un déterminant important de la productivité d'un pays. Si le Canada parvenait à élever son taux d'épargne au niveau de celui d'autres pays, le taux de croissance du PIB augmenterait et le niveau de vie des citoyens canadiens s'améliorerait plus rapidement.

Un autre des *dix principes d'économie* indique que les gens réagissent aux incitatifs. Bien des économistes se basent sur ce principe pour dire que le faible taux d'épargne au Canada est partiellement attribuable à la fiscalité, qui décourage l'épargne. Les gouvernements fédéral et provinciaux tirent une bonne partie de leurs ressources de l'impôt sur le revenu ; or le revenu inclut les intérêts et les dividendes provenant de l'épargne. Pour comprendre l'effet de cette politique, prenons l'exemple d'une jeune femme de 25 ans qui économise 1 000 $ et qui, à 30 ans, les investit dans une obligation qui rapporte un intérêt annuel de 9 %. En l'absence d'imposition sur les intérêts, ce montant initial de 1 000 $ vaudrait 13 268 $ 25 ans plus tard ; mais si cet intérêt est imposable, à un taux de 33 %, par exemple, le taux d'intérêt se trouve réduit à 6 %. Dans ce cas, le montant épargné ne dépasse pas 5 743 $ au bout de 30 ans. En réduisant les revenus à long terme, l'imposition des revenus d'intérêt affaiblit l'incitation à épargner.

Afin d'encourager l'épargne, de nombreux économistes proposent de modifier la fiscalité. Par exemple, l'introduction de la taxe fédérale sur les produits et services (TPS), en 1991, a reçu l'approbation de la plupart des spécialistes. Comme il s'agit d'une taxe à la consommation, elle encourage l'épargne, puisque le revenu non dépensé n'est pas taxé. Les taxes de vente provinciales sont un autre exemple de taxe à la consommation. L'Alberta est la seule province qui n'impose pas une telle taxe, mais les avantages d'une imposition sur la consommation plutôt que sur le revenu sont tels que les économistes fiscaux insistent pour que l'Alberta se conforme aux autres provinces. Un élargissement des contributions permises aux régimes enregistrés d'épargne-retraite constituerait également une incitation à l'épargne. En investissant dans des REÉR, les ménages profitent en effet d'une exonération fiscale qui contribue à encourager l'épargne. À la figure 8.2, on peut voir les effets de tels incitatifs sur le marché des fonds prêtables.

Tout d'abord, il faut se demander sur quelle courbe du modèle d'offre et de demande des fonds prêtables cet allégement fiscal aurait un impact. Comme elle inciterait les ménages à épargner davantage, et ce, *quel que soit le taux d'intérêt*, cette mesure fiscale modifierait la quantité de fonds prêtables pour tous les taux d'intérêt. En conséquence, la courbe d'offre de fonds prêtables se déplacerait. Cependant, la courbe de demande resterait identique, ces modifications fiscales n'influençant pas les montants que les investisseurs désirent emprunter, quel que soit le taux d'intérêt.

Maintenant, essayons de comprendre dans quel sens s'effectuerait le déplacement de la courbe d'offre. L'épargne étant moins lourdement imposée que sous le régime fiscal actuel, les ménages, incités à épargner davantage, consommeraient moins. Ils déposeraient les fonds additionnels à la banque ou achèteraient des obligations. Par conséquent, l'offre de fonds prêtables augmenterait, et la courbe d'offre se déplacerait vers la droite, soit de O_1 à O_2, comme le montre la figure 8.2.

Imaginons que l'on vous offre le choix entre gagner 100 $ tout de suite ou 100 $ dans 10 ans. Que choisiriez-vous ? La réponse est vite trouvée. Il s'avère bien plus avantageux de prendre les 100 $ tout de suite, de les déposer à la banque et de les retirer dans 10 ans, augmentés des intérêts. Conclusion : un montant d'argent aujourd'hui vaut plus que le même montant plus tard.

Passons maintenant à une question plus difficile : imaginons que l'on vous offre le choix entre gagner 100 $ tout de suite ou 200 $ dans 10 ans. À présent, quel sera votre choix ? Si l'on veut opter pour la réponse la plus avantageuse, il faut comparer la même somme à différentes époques. Les économistes utilisent pour ce faire le concept de *valeur actualisée*. La valeur actualisée de tout montant à recevoir ultérieurement correspond au montant que vous devriez placer aujourd'hui, aux taux d'intérêts en vigueur, pour obtenir cette somme dans le futur.

Pour vous familiariser avec le concept de la valeur actualisée, considérons d'abord quelques problèmes simples.

Question : Si vous placez 100 $ dans un compte bancaire aujourd'hui, combien vaudront-ils dans N années ? Autrement dit, quelle est la valeur future de ces 100 $?

Réponse : Posons r, le taux d'intérêt exprimé en décimales (un taux d'intérêt de 5 % équivaut à r = 0,05). Si cet intérêt est payé annuellement et s'il est déposé sur ce compte afin de rapporter des intérêts supplémentaires (opération appelée *capitalisation* ou *intérêts composés*), ce montant de 100 $ correspondra à $(1 + r) \times 100$ $ après un an, à $(1 + r) \times (1 + r) \times 100$ $ après deux ans, à $(1 + r) \times (1 + r) \times (1 + r) \times 100$ $ après trois ans et ainsi de suite. Au bout de N années, cette somme de 100 $ deviendra $(1 + r)^N \times 100$ $. À titre d'exemple, si nous investissons la somme de 100 $ à un taux d'intérêt annuel de 5 % durant 10 ans, la valeur future de ces 100 $ correspondra à $(1,05)^{10} \times 100$ $, soit 163 $.

Question : Supposons maintenant que vous allez recevoir 200 $ dans N années. Quelle est la valeur présente de ce versement futur ? Plus simplement, quel montant d'argent devez-vous déposer dans votre compte en banque aujourd'hui pour obtenir 200 $ dans N années ?

Réponse : Pour répondre à cette question, il suffit de se reporter à la question précédente. Nous avons calculé la valeur future d'un montant d'argent à partir de sa valeur actuelle en multipliant cette dernière par le facteur $(1 + r)^N$. Pour obtenir la valeur actualisée d'une somme future, nous *divisons* cette somme future par le facteur $(1 + r)^N$. La valeur actualisée de 200 $ dans N années équivaut à 200 $ $/(1 + r)^N$. Si nous déposons ce montant en banque aujourd'hui, nous obtiendrons après N années un montant

équivalant à $(1 + r)^N \times [200$ $ / (1 + r)^N]$, soit 200 $. Par conséquent, si le taux d'intérêt annuel est de 5 %, la valeur actuelle de 200 $ dans 10 ans est égale à 200 $ $\times (1,05)^{10}$, soit 123 $.

Ce calcul est un exemple de la formule générale, qui s'énonce comme suit : *si r est le taux d'intérêt, le montant M à recevoir dans N années a une valeur actualisée de M/(1 + r)^N.*

Revenons maintenant à notre question de départ : est-il préférable de choisir 100 $ aujourd'hui ou 200 $ dans 10 ans ? Selon notre calcul de la valeur actualisée, en considérant un taux d'intérêt de 5 %, on peut conclure qu'il est préférable de choisir les 200 $ dans 10 ans, puisque cette somme future a une valeur actualisée de 123 $ qui est supérieure aux 100 $ offerts aujourd'hui. Il vaut donc mieux attendre 10 ans.

Cependant, la réponse à cette question dépend du taux d'intérêt. Si le taux d'intérêt était de 8 %, la somme de 200 $ dans 10 ans aurait une valeur actualisée de 200 $$/(1,08)^{10}$, soit 93 $. Dans ce cas-là, vous auriez tout avantage à prendre les 100 $ aujourd'hui. Pourquoi le taux d'intérêt intervient-il dans votre choix ? Parce que plus il est élevé, plus vous gagnez de l'argent en déposant votre montant à la banque, et plus il est intéressant d'obtenir les 100 $ dès maintenant.

Le concept de valeur actualisée a de nombreuses applications, y compris dans les décisions prises par les compagnies lorsqu'elles évaluent les avantages d'un investissement. Imaginons que la General Motors envisage de construire une nouvelle usine, dont le coût est de 100 millions, et que cette usine rapporte 200 millions dans 10 ans. La compagnie doit-elle se lancer dans ce projet ? Les dirigeants de General Motors doivent prendre une décision identique à celle que nous venons d'examiner. Avant de se prononcer, il leur faut comparer la valeur actualisée du rendement de 200 millions par rapport au coût d'investissement de 100 millions.

Le choix de la compagnie dépendra donc du taux d'intérêt. Si ce dernier est de 5 %, la valeur actualisée du rendement de 200 millions sera de 123 millions, et la General Motors choisira d'investir 100 millions. En revanche, si le taux d'intérêt s'élève à 8 %, la valeur actualisée du rendement sera seulement de 93 millions de dollars et la compagnie laissera tomber le projet. Le concept de valeur actualisée permet donc d'expliquer pourquoi l'investissement – et la quantité demandée de fonds prêtables – diminue lorsque le taux d'intérêt augmente.

Voici une autre application à ce concept de valeur actualisée : imaginez que vous gagniez un million de dollars à la loterie, mais que cette somme ne vous soit versée qu'à raison de 20 000 $ annuellement sur une période de 50 ans. Combien ce gros lot vaut-il en réalité ? Après avoir effectué 50 calculs identiques à celui de la question précédente (un pour chaque paiement) et additionné les résultats, vous vous rendrez compte que la valeur actualisée du montant de ce gros lot, à 7 % d'intérêt, n'est que de 276 000 $!

AUGMENTATION DE L'OFFRE DE FONDS PRÊTABLES. Un allégement fiscal qui encouragerait les Canadiens à épargner davantage aurait pour conséquence un déplacement vers la droite, de O_1 à O_2, de la courbe de l'offre de fonds prêtables. Cette modification de l'offre ferait baisser le taux d'intérêt d'équilibre et stimulerait l'investissement. Dans cet exemple, le taux d'intérêt d'équilibre passe de 5 % à 4 %, et la quantité d'équilibre des fonds épargnés et investis passe de 120 milliards à 160 milliards de dollars.

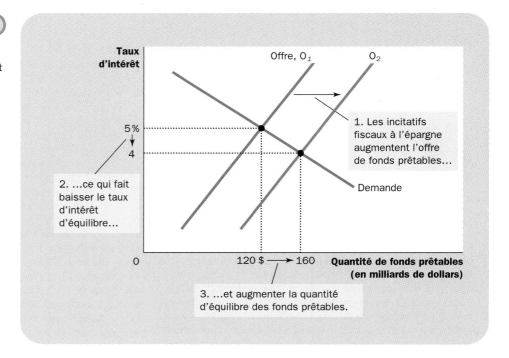

En observant le graphique, il est possible de comparer l'ancien et le nouvel équilibre: l'augmentation de l'offre de fonds prêtables a pour résultat une réduction du taux d'intérêt de 5 % à 4 %. Cette baisse fait passer la quantité de fonds prêtables de 120 milliards à 160 milliards de dollars. Le déplacement de la courbe d'offre modifie l'équilibre du marché le long de la courbe de la demande. Les ménages et les entreprises empruntent davantage pour investir, en raison de la diminution du taux d'intérêt. En conséquence, *cette modification de la fiscalité encouragerait l'épargne, en faisant baisser le taux d'intérêt et en stimulant l'investissement.*

Si les économistes sont d'accord pour reconnaître les effets de l'augmentation de l'épargne, ils restent néanmoins divisés sur le type de mesures fiscales à mettre en œuvre pour y parvenir. Une majorité d'entre eux endosse les réformes fiscales destinées à augmenter l'épargne et à stimuler l'investissement et la croissance économique. Pourtant, certains restent sceptiques sur l'effet d'une telle mesure sur l'épargne nationale, et mettent également en doute l'équité de ces mesures fiscales. Ils font plutôt valoir que, en ce qui concerne les contributions aux REÉR, les principaux bénéficiaires sont ceux qui jouissent d'un revenu élevé. Nous reviendrons plus en profondeur sur cette question à la fin du volume.

UNE DEUXIÈME POLITIQUE ÉCONOMIQUE: LES IMPÔTS ET L'INVESTISSEMENT

Supposons maintenant que le Parlement adopte une loi qui offre une réduction d'impôt à toutes les entreprises qui construisent une nouvelle usine. C'est essentiellement ce que fait le gouvernement lorsqu'il accorde un *crédit d'impôt pour investissement*. Examinons les effets d'une telle législation sur le marché des fonds prêtables, comme l'illustre la figure 8.3.

Premièrement, une telle loi aurait-elle un impact sur l'offre ou sur la demande? Comme ce dégrèvement fiscal incite les entreprises à investir et, par conséquent, à emprunter davantage, il change l'investissement quel que soit

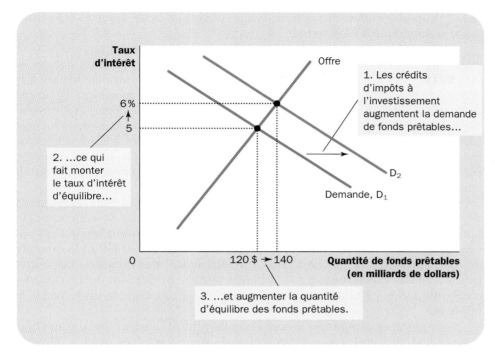

Figure 8.3

AUGMENTATION DE LA DEMANDE POUR LES FONDS PRÊTABLES. Si l'adoption d'un crédit d'impôt à l'investissement incite les entreprises canadiennes à investir davantage, la demande pour les fonds prêtables augmente. Le taux d'intérêt d'équilibre augmente également, et cette hausse stimule l'épargne. Dans ce cas, un déplacement de la courbe de demande de D_1 à D_2 fait passer le taux d'intérêt d'équilibre de 5 % à 6 %, tandis que la quantité d'équilibre des fonds prêtables épargnés et investis passe de 120 milliards à 140 milliards de dollars.

le taux d'intérêt, ce qui a pour résultat de modifier la demande de fonds prêtables. En revanche, comme ce dégrèvement n'affecte pas directement l'épargne, il n'influe pas sur l'offre de fonds prêtables.

Ensuite, voyons dans quel sens s'effectuera le déplacement de la courbe de demande. Les entreprises ont tout intérêt à investir davantage : la quantité de fonds prêtables demandée augmentera, et ce, pour tout niveau du taux d'intérêt. La courbe de demande se déplacera donc vers la droite, de D_1 à D_2, comme on peut le voir sur le graphique 8.3.

Enfin, observons le changement de l'équilibre : l'augmentation de la demande pour les fonds prêtables fait grimper le taux d'intérêt de 5 % à 6 %. Les ménages réagissant à la hausse du taux d'intérêt en épargnant plus, la quantité de fonds prêtables offerte s'accroît et passe de 120 milliards à 140 milliards de dollars. Ce changement de comportement se traduit par un mouvement le long de la courbe d'offre. Par conséquent, *si une modification de la fiscalité encourage les investissements, le résultat sera une augmentation du taux d'intérêt, de l'épargne et de l'investissement.*

UNE TROISIÈME POLITIQUE ÉCONOMIQUE : LES DÉFICITS ET LES SURPLUS BUDGÉTAIRES PUBLICS

Durant le dernier quart de siècle, les déficits gouvernementaux ont constitué l'un des problèmes économiques les plus sérieux au Canada. Lorsqu'il dépense plus que ses recettes fiscales, le gouvernement accuse un déficit budgétaire ; s'il dépense moins que ses recettes fiscales, il dispose d'un surplus budgétaire. La somme de tous les déficits budgétaires accumulés, diminués de la somme des surplus budgétaires, correspond à la dette publique. De 1975 à 1997, le gouvernement fédéral a enregistré d'importants déficits budgétaires, qui l'on conduit à s'endetter lourdement. Durant la même période, de nombreux gouvernements provinciaux se sont également endettés, provoquant une forte hausse de la dette publique provinciale. Au cours des dernières années, un important débat a fait rage à propos des effets de ces déficits sur l'allocation des ressources et la croissance économique à long terme.

On peut analyser les effets d'un déficit budgétaire en reprenant les trois étapes déjà utilisées pour observer le marché des fonds prêtables, comme le montre la figure 8.4. Nous commencerons par voir quelle courbe se déplace lors d'une augmentation du déficit budgétaire, en gardant à l'esprit que l'épargne nationale, à l'origine des fonds prêtables, englobe à la fois l'épargne privée et l'épargne publique. Une modification du solde budgétaire a des conséquences sur l'épargne publique et donc sur l'offre de fonds prêtables. Mais ce déficit ne modifie pas la quantité de fonds demandée, quel que soit le taux d'intérêt, puisque les ménages, les gouvernements et les entreprises continuent à vouloir emprunter pour financer leurs investissements.

Dans une deuxième étape, il faut déterminer dans quel sens s'effectue le déplacement de la courbe d'offre de fonds prêtables. En cas de déficit budgétaire public, l'épargne publique devient négative. Autrement dit, lorsque le gouvernement emprunte pour financer son déficit budgétaire, il réduit la quantité de fonds prêtables disponibles pour l'investissement des ménages, des entreprises… et des gouvernements. Un déficit budgétaire déplace donc la courbe d'offre de fonds prêtables vers la gauche, de O_1 à O_2, comme on le voit à la figure 8.4.

Pour terminer, comparons le nouvel équilibre avec l'ancien. Sur ce graphique, lorsque le déficit budgétaire réduit l'offre de fonds prêtables, le taux d'intérêt grimpe de 5 % à 6 %. Cette hausse du taux se répercute sur le comportement des ménages et des entreprises sur le marché des emprunts, en les incitant à demander moins de fonds. Le nombre d'acquéreurs de nouvelles maisons diminue et les entreprises réduisent leurs investissements. Cette réduction de l'investissement, due aux emprunts publics, se nomme **effet d'éviction.** Ce phénomène économique est représenté sur le graphique par un déplacement de la courbe de demande, qui passe d'une quantité demandée de 120 milliards à une quantité demandée de 80 milliards de dollars. Quand le gouvernement emprunte

Effet d'éviction
Réduction de l'investissement provoquée par l'endettement public.

Figure 8.4

CONSÉQUENCES DU DÉFICIT BUDGÉTAIRE GOUVERNEMENTAL. Quand le gouvernement dépense plus qu'il ne perçoit en recettes fiscales, le déficit budgétaire réduit l'épargne nationale. L'offre des fonds prêtables diminue et le taux d'intérêt d'équilibre augmente. En empruntant pour financer son déficit budgétaire, le gouvernement produit un effet d'éviction sur les emprunts des ménages et des compagnies souhaitant financer leurs investissements. Dans le cas présent, la courbe d'offre se déplace de O_1 à O_2, le taux d'équilibre passe de 5 % à 6 % et la quantité d'équilibre des fonds prêtables diminue de 120 milliards à 80 milliards de dollars.

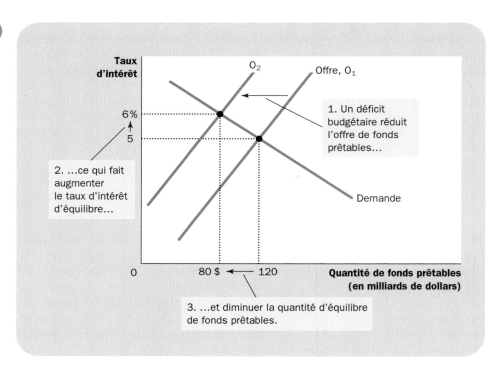

1. Un déficit budgétaire réduit l'offre de fonds prêtables…

2. …ce qui fait augmenter le taux d'intérêt d'équilibre…

3. …et diminuer la quantité d'équilibre de fonds prêtables.

pour financer son déficit budgétaire, il évince donc les emprunteurs privés désireux de financer leurs investissements.

Ce qu'il faut retenir en ce qui concerne les déficits budgétaires publics et leurs conséquences sur l'offre et la demande de fonds prêtables est ceci : *un gouvernement qui réduit l'épargne nationale, à cause de ses déficits, fait monter les taux d'intérêt et réduit l'investissement.* Comme l'investissement est essentiel à la croissance économique à long terme, les déficits gouvernementaux limitent le progrès économique.

Une suite ininterrompue de déficits budgétaires, comme celle qui a été enregistrée au Canada de 1975 à 1997, risque de plonger l'économie dans un **cercle vicieux** : les déficits provoquent un ralentissement économique, qui à son tour réduit les recettes fiscales et augmente les prestations de l'assurance-emploi et des autres programmes de soutien au revenu des ménages ; la baisse des recettes fiscales, conjuguée à la hausse des dépenses publiques, creuse encore les déficits et ralentit d'autant la croissance économique. Une grande majorité d'analystes considèrent que le déficit budgétaire du gouvernement canadien, de 1975 à 1997, a placé le pays dans un tel cercle vicieux. Or, la seule manière de briser ce cercle vicieux consiste à augmenter le taux d'imposition, tout en réduisant les dépenses publiques pour éliminer le déficit persistant, mais cela conduit à une croissance ralentie et peut-être à un accroissement du déficit. La hausse rapide des taux d'imposition et les coupes dans les dépenses de santé, de défense, de services sociaux et d'éducation, à la fin des années 80 et au début des années 90, étaient inévitables, en raison de l'endettement chronique des gouvernements.

Les surplus budgétaires gouvernementaux ont exactement l'effet contraire des déficits. Lorsque les recettes du gouvernement sont supérieures à ses dépenses, il consacre ce surplus budgétaire à rembourser une partie de la dette publique et contribue ainsi à l'épargne nationale. *Un surplus budgétaire augmente l'épargne publique, ce qui a pour effet d'augmenter l'épargne nationale et l'offre de fonds prêtables. Cela fait baisser les taux d'intérêt et stimule l'investissement.* L'augmentation de l'investissement se traduit à son tour par une accumulation de capital et une augmentation de la croissance économique.

Alors que la succession de déficits budgétaires risque de pousser l'économie dans un cercle vicieux en aggravant le déficit et en ralentissant la croissance, une série de surplus budgétaires place l'économie dans un **cercle vertueux**. Dans ce cas, les surplus augmentent la quantité de fonds prêtables disponibles et font tomber les taux d'intérêt, ce qui stimule l'investissement et accélère la croissance économique. Comme cela provoque une hausse des recettes fiscales et une diminution des dépenses dans les programmes de soutien du revenu, les surplus budgétaires ont tendance à se perpétuer. Ce cercle vertueux, que l'on a aussi appelé le «dividende fiscal», offre au gouvernement des options très intéressantes : il peut éventuellement réduire les impôts, augmenter les dépenses sociales ou rembourser la dette accumulée. À la fin des années 90, les sévères mesures économiques appliquées au Canada avaient permis de constituer des surplus importants et croissants.

MINITEST : Si une majorité de Canadiens vivaient «sans se soucier du lendemain», quelles seraient les conséquences sur l'épargne, sur l'investissement et sur le taux d'intérêt ?

Cercle vicieux
Cycle qui apparaît lorsque les déficits gouvernementaux réduisent l'offre de fonds prêtables, ce qui fait augmenter les taux d'intérêt, décourage l'investissement et entraîne une croissance économique plus faible. Cette faible croissance économique a pour résultat des revenus de taxation plus faibles et des dépenses plus élevées pour les différents programmes de soutien du revenu. Cette hausse des dépenses entraîne à son tour des déficits budgétaires encore plus grands.

Cercle vertueux
Cycle qui apparaît lorsque les surplus (excédents) budgétaires augmentent l'offre de fonds prêtables, ce qui réduit les taux d'intérêt et stimule l'investissement, résultant en une croissance économique plus rapide. Cette croissance entraîne des revenus de taxation plus élevés et des dépenses plus faibles dans les différents programmes de soutien du revenu ; cette situation conduit à son tour à des surplus budgétaires plus importants, et ainsi de suite...

BON À SAVOIR

Dépenses ou impôts?

On entend souvent les économistes préconiser l'élimination du déficit budgétaire gouvernemental par une baisse des dépenses publiques plutôt que par une hausse des impôts. Cela est-il dû à un parti pris idéologique, ou d'autres raisons peuvent-elles être invoquées pour expliquer ce choix?

Pour bien comprendre ce parti pris, il faut revenir à la définition de l'épargne nationale:

$$S = S_p + S_G$$
$$S = (Y - T - C) + (T - G)$$

L'épargne nationale (S) est égale à la somme de l'épargne privée (S_P) et de l'épargne gouvernementale (S_G).

Si le gouvernement diminue G (les dépenses publiques), il augmente l'épargne gouvernementale, sans toucher à l'épargne privée. L'épargne nationale augmente donc de façon certaine. Si le gouvernement choisit plutôt d'augmenter T (recettes fiscales moins transferts), qui se trouve dans les deux termes de droite, il augmente l'épargne publique tout en réduisant l'épargne privée (car le revenu disponible diminue). L'effet net sur l'épargne nationale devrait donc être moins important. Si l'on ajoute l'effet négatif d'une hausse des impôts sur le désir de travailler et d'investir (car les ménages conserveront une plus petite part de leurs revenus), on comprend mieux les suggestions des économistes.

ÉTUDE DE CAS   **L'ALOURDISSEMENT DE LA DETTE PUBLIQUE CANADIENNE**

Les déficits budgétaires ne sont devenus chroniques au Canada qu'à partir du milieu des années 70. De 1950 à 1974, le gouvernement fédéral a enregistré autant de déficits que de surplus budgétaires, et la plupart des déséquilibres budgétaires n'avaient qu'une faible importance. Cependant, de 1975 à 1997, le gouvernement fédéral est entré dans un cycle de déficits majeurs. En 1998, pour la première fois en 28 ans, le gouvernement fédéral a affiché un surplus budgétaire, qui s'élevait à 3,5 milliards de dollars, et a consacré cette somme au remboursement d'une partie de sa dette.

La figure 8.5 représente la dette du gouvernement fédéral ainsi que les dettes combinées des gouvernements provinciaux, exprimées en pourcentage du PIB. Tout au long des années 50 et jusqu'en 1975, le ratio dette-PIB fédéral a décliné. En effet, même si un déficit budgétaire survenait régulièrement pendant cette période, il était assez modeste pour que la dette publique

«Notre programme de réduction de la dette est simple, mais il demandera des dépenses importantes.»

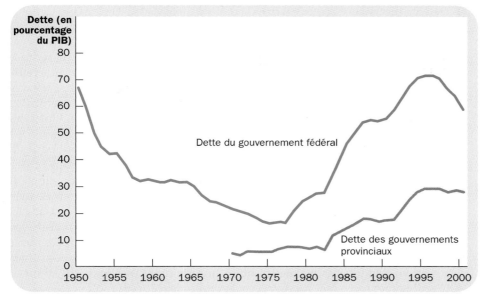

SOURCES : Calcul des auteurs, à partir des données de Statistique Canada. La dette publique nette correspond à la différence entre l'actif financier et le passif. La dette fédérale nette est extraite des séries D469420 de CANSIM. Les données sur l'actif et le passif des gouvernements provinciaux se retrouvent dans les matrices 3202-3211 de CANSIM. Le calcul de la dette publique nette du Québec requiert un ajustement pour le Régime des rentes du Québec. Cette correction des données se retrouve dans les séries D151784 de CANSIM. Les statistiques du PIB proviennent des séries D16439 de CANSIM.

Figure 8.5

DETTES FÉDÉRALE ET PROVINCIALES AU CANADA. Voici la dette du gouvernement fédéral et les dettes combinées des dix gouvernements provinciaux, exprimées en pourcentage du PIB. On ne dispose des données sur la dette des gouvernements provinciaux que depuis 1970. La dette fédérale a enregistré une chute spectaculaire après la Seconde Guerre mondiale, mais a commencé à grimper rapidement en 1975, en raison d'une suite ininterrompue de déficits gouvernementaux majeurs. Depuis 1983, les gouvernements provinciaux ont également participé à cette augmentation de la dette publique.

croisse plus lentement que le PIB. Comme le PIB représente une mesure de la possibilité pour l'État de lever des taxes, une baisse du rapport dette-PIB indique, dans une certaine mesure, que le gouvernement vit selon ses moyens. Or cela n'est plus du tout le cas après 1975, alors que l'accumulation des déficits budgétaires fait croître la dette publique plus rapidement que le PIB. Le ratio dette-PIB a donc augmenté rapidement même si, en trois occasions (1982, 1989 et 1996), le gouvernement est parvenu à en limiter l'accroissement. Les deux premières fois, cet arrêt temporaire fut suivi d'un ralentissement économique qui a de nouveau gonflé les dépenses publiques et réduit les recettes fiscales, ce qui a relancé l'accumulation de la dette. À partir de 1996, l'effort pour museler la dette publique a porté ses fruits et le gouvernement fédéral a réussi à faire réduire le rapport dette-PIB de 71 % en 1996 à 42 % en 2004.

Jusqu'en 1982, les gouvernements provinciaux ont conservé, dans leur ensemble, un niveau d'endettement relativement constant par rapport au PIB. Même si les provinces connaissaient des déficits budgétaires, la croissance de la dette combinée de toutes les provinces ne dépassait pas celle de l'économie. Par conséquent, le ratio dette-PIB provincial s'est maintenu à environ 6 % de 1970 à 1982. Une importante récession, en 1982, s'est soldée par de graves déficits et une augmentation du ratio dette-PIB provincial, qui a atteint 30 % en 1995 et qui s'est ensuite mis à décliner lentement.

Comme nous l'avons déjà vu dans le chapitre précédent, l'épargne nationale est un déterminant essentiel de la croissance économique à long terme. En détournant une partie de l'épargne privée pour financer leurs déficits budgétaires, les gouvernements réduisent les ressources normalement destinées aux investissements et, par conséquent, diminuent le niveau de vie des générations futures. Au cours des dernières années, les citoyens canadiens ont pris conscience de ce problème. Les partis politiques de tous les horizons au pouvoir au Canada, allant du gouvernement NPD en Saskatchewan aux progressistes-conservateurs en Alberta, en passant par le Parti québécois et le gouvernement libéral à Ottawa, ont adopté des mesures économiques visant la réduction des déficits. D'ailleurs, aucun parti politique important ne prêche plus le retour aux déficits publics importants et persistants du passé.

ÉTUDE DE CAS   ## LE DÉBAT SUR L'UTILISATION DES SURPLUS BUDGÉTAIRES

À partir de 1993, le gouvernement fédéral a pris des mesures pour réduire son déficit. Il a si bien réussi qu'il enregistre régulièrement des surplus budgétaires qui lui permettent de rembourser une partie de sa dette. Certains analystes calculent que le gouvernement canadien annoncera à l'avenir des surplus budgétaires de l'ordre de 20 milliards de dollars par année. Plusieurs gouvernements provinciaux ont également réduit leurs déficits et affiché des surplus ces dernières années. Ce changement dans les finances publiques a créé un nouveau débat au Canada : au lieu de se préoccuper de l'ampleur des déficits budgétaires, on s'intéresse maintenant aux effets de la réduction du déficit et des surplus futurs sur l'allocation des ressources et la croissance économique à long terme.

De nombreux analystes préfèrent conserver les surplus, au lieu de les éliminer par des dépenses supplémentaires ou une baisse des impôts. Leur proposition se base sur les arguments de la discussion précédente : conserver les surplus budgétaires permettra de réduire la dette publique, de stimuler l'investissement privé et de favoriser la croissance à long terme.

D'autres personnes adoptent un point de vue différent. Selon eux, les surplus budgétaires doivent servir à augmenter les dépenses gouvernementales en infrastructures, en santé et en éducation. Ils expliquent cette conclusion en avançant que les investissements publics dans ces domaines ont un rendement plus élevé que celui des investissements dans la construction d'usines ou de logements. D'autres encore favorisent une réduction d'impôts, arguant qu'une baisse des taux d'imposition conduira à une meilleure allocation des ressources ; ils croient que, sans baisse importante des recettes fiscales, les gouvernements seront tentés d'investir dans des projets peu productifs.

Le débat sur la répartition des surplus budgétaires actuels et futurs se poursuit, même si la récente augmentation des dépenses publiques en santé et en sécurité nationale a fait fondre les surplus fédéraux. Tous les points de vue présentés ci-dessus sont valables ; le choix dépend de la valeur que l'on accorde à l'investissement privé par rapport à l'investissement public, de l'opinion que l'on a des distorsions causées par les impôts et les taxes, et des probabilités que le processus politique puisse éliminer le gaspillage dans l'administration publique.

BON À SAVOIR

Règles budgétaires

Afin de réduire et même d'éliminer leurs déficits, plusieurs gouvernements provinciaux ont adopté des *règles budgétaires*. Ces dernières ont pour objectif de rendre impossible la création et l'accumulation de déficits écrasants, aujourd'hui ou plus tard. Pour ce faire, elles fixent une limite au déficit gouvernemental, au taux d'imposition, au niveau des dépenses, à l'encours de la dette ou à l'ensemble de ces éléments.

La plupart des États des États-Unis limitent les taux de taxation et les dépenses publiques et disposent de règles budgétaires contraignantes. En Californie, par exemple, le taux d'imposition personnel doit rester constant, tandis qu'en Arizona, les impôts ne doivent pas dépasser 7 % du revenu personnel. La majorité des États ont adopté depuis longtemps des règles qui restreignent les déficits budgétaires.

Ce n'est que récemment que les gouvernements provinciaux canadiens les ont imités. En 1993, le Nouveau-Brunswick a été le premier à déposer un projet de loi pour restreindre l'importance du déficit budgétaire. En 1995, l'Alberta a adopté le *Debt Retirement Act* interdisant les déficits budgétaires, tout en établissant un calendrier pour l'élimination de la dette provinciale nette. Le Manitoba l'a suivi en 1995, par l'annonce d'une disposition sur les pénalités à imposer aux membres du Cabinet provincial en cas de déficit. C'est également en 1995 que la Saskatchewan a adopté le *Balanced Budget Act*, qui requiert entre autres la publication d'un plan financier quadriennal de chaque gouvernement nouvellement élu, plan qui interdit des dépenses plus importantes que les revenus. Pourtant, alors que les gouvernements provinciaux adoptaient ces règles budgétaires, le gouvernement fédéral s'est montré très réticent à prendre des mesures semblables.

Il faut d'ailleurs comprendre que l'adoption de règles budgétaires par un gouvernement pose problème car, après une élection, un nouveau gouvernement peut parfaitement décider de les annuler. Ce fut le cas en Colombie-Britannique en 1992, lorsque la nouvelle équipe au pouvoir abrogea les dispositions législatives, adoptées par le gouvernement précédent, limitant l'accroissement des dépenses. C'est pour cette raison que les économistes favorisent des règles budgétaires difficiles à abolir, comme celles qui ont récemment été adoptées en Alberta à la suite d'un référendum. Selon l'*Alberta Taxpayers Protection Act*, aucun gouvernement albertain n'a le droit d'adopter une taxe de vente provinciale sans qu'elle soit majoritairement approuvée lors d'un référendum.

La majorité des études réalisées par les économistes sur l'efficacité des règles budgétaires montrent que ces dernières réduisent les déficits gouvernementaux et permettent d'éliminer plus rapidement les déficits imprévus. Les règles budgétaires semblent également augmenter la probabilité d'un faible rapport dette-PIB. Malheureusement, de tels résultats exigent des sacrifices : les règles budgétaires réduisent la latitude des dirigeants en cas d'événements économiques fortuits et imprévus. Imaginons par exemple qu'une nouvelle technologie énergétique rende totalement obsolescents les gisements de gaz et de pétrole de l'Alberta, entraînant la perte de milliards de dollars de redevances. Comment le gouvernement albertain pourrait-il faire face à cette crise, alors que la législation l'empêche de présenter un budget déficitaire ?

Les travaux sur les conséquences des règles budgétaires se fondent sur l'expérience des États américains, mais les responsabilités budgétaires et les sources des recettes fiscales des provinces canadiennes diffèrent substantiellement de celles du pays voisin ; l'efficacité des règles budgétaires est donc encore incertaine pour le Canada. Il faudra attendre plusieurs années pour savoir si ces règles budgétaires permettent d'atteindre les objectifs visés. Les économistes devront également évaluer les avantages de ces règles, afin de s'assurer qu'ils sont plus importants que leurs coûts.

CONCLUSION

Dans *Hamlet,* la pièce de Shakespeare, Polonius recommande à son fils de ne prêter ni d'emprunter d'argent à personne. Si tout le monde suivait ce conseil, ce chapitre serait inutile.

Mais l'opinion de Polonius n'aurait pas reçu beaucoup d'appuis chez les économistes. Dans notre monde, on emprunte et on prête souvent, généralement pour une bonne raison. On emprunte pour se lancer en affaires ou acquérir une maison, et on prête dans l'espoir que l'intérêt garantira une retraite confortable. Le système financier coordonne l'ensemble de ces activités d'épargne et d'emprunt.

Par bien des aspects, les marchés financiers ressemblent aux autres marchés de l'économie. Le prix des fonds prêtables (le taux d'intérêt) est déterminé, tout comme les autres prix, par l'offre et la demande. On peut analyser les déplacements de l'offre et de la demande sur les marchés financiers comme dans les autres marchés. Selon l'un des *dix principes d'économie* déjà étudiés au chapitre 1, les marchés sont en général une façon efficace d'organiser l'activité économique. Ce principe s'applique également aux marchés financiers ; en assurant l'équilibre entre l'offre et la demande de fonds prêtables, ceux-ci contribuent à allouer de la meilleure façon possible les ressources rares de l'économie.

À la différence des autres marchés, cependant, les marchés financiers font le lien entre le présent et l'avenir. Les épargnants offrent des fonds prêtables de manière à convertir une partie de leurs revenus actuels en pouvoir d'achat futur ; les emprunteurs demandent ces mêmes fonds pour investir aujourd'hui, ce qui leur permet d'augmenter leur capital et de produire ultérieurement des biens et des services. Le bon fonctionnement des marchés financiers est donc essentiel pour la génération actuelle, mais également pour les prochaines générations qui hériteront de ce patrimoine.

Résumé

◆ Le système financier canadien regroupe plusieurs composantes : le marché obligataire, le marché des actions, les banques et les fonds communs de placement. Il permet de redistribuer l'épargne des différents agents économiques vers les entreprises, les gouvernements et les ménages désirant investir.

◆ Les identités fondamentales de la comptabilité nationale mettent en évidence les relations entre les variables macroéconomiques. Dans le cas particulier d'une économie fermée, l'épargne nationale doit être égale à l'investissement. Les institutions financières sont l'intermédiaire par lequel l'épargne des uns finance les investissements des autres.

◆ Le taux d'intérêt est déterminé par l'offre et la demande de fonds prêtables. L'offre de fonds provient des ménages, des gouvernements et des entreprises qui décident d'épargner une partie de leurs revenus et de les prêter ; la demande émane des ménages, des gouvernements et des entreprises qui empruntent pour investir. Pour analyser l'impact d'une politique économique ou d'un événement sur le taux d'intérêt, il faut considérer ses conséquences sur l'offre et la demande de fonds prêtables.

◆ L'épargne nationale est égale à la somme de l'épargne privée et de l'épargne publique. Un déficit budgétaire gouvernemental correspond à une épargne publique négative, qui a pour conséquence de réduire l'épargne nationale et l'offre de fonds prêtables finançant les investissements. Lorsqu'un déficit gouvernemental a un effet d'éviction sur l'investissement, il limite la croissance à la fois de la productivité et du PIB.

Concepts clés

Action, p. 149
Cercle vertueux, p. 165
Cercle vicieux, p. 165
Déficit budgétaire, p. 155
Effet d'éviction, p. 164
Épargne nationale (épargne), p. 154

Épargne privée, p. 154
Épargne publique, p. 155
Fonds commun de placement, p. 152
Intermédiaires financiers, p. 150
Marché des fonds prêtables, p. 157

Marchés financiers, p. 148
Obligation, p. 149
Surplus budgétaire ou excédent budgétaire, p. 155
Système financier, p. 148

Questions de révision

1. Quel rôle joue le système financier? Nommez et décrivez deux marchés qui font partie du système financier ainsi que deux intermédiaires financiers.

2. Pourquoi les détenteurs d'actions et d'obligations ont-ils tout intérêt à diversifier leurs avoirs? Quel type d'institutions financières facilite le plus cette diversification?

3. Qu'est-ce que l'épargne nationale? l'épargne privée? l'épargne publique? Quelles sont les relations entre ces trois variables?

4. Qu'est-ce que l'investissement? Quelle relation existe-t-il entre l'investissement et l'épargne nationale?

5. Donnez un exemple de réforme fiscale qui aurait tendance à augmenter l'épargne privée. Quelles seraient les conséquences de l'application de cette mesure sur le marché des fonds prêtables?

6. Qu'est-ce qu'un déficit budgétaire gouvernemental? Comment influe-t-il sur les taux d'intérêt, sur l'investissement et sur la croissance économique?

9

LE TAUX DE CHÔMAGE NATUREL

À LA FIN DE CE CHAPITRE, VOUS SEREZ EN MESURE...

de comprendre comment on calcule le taux de chômage

d'expliquer pourquoi le chômage peut être la conséquence de la recherche d'emploi

d'expliquer pourquoi le chômage peut résulter des lois sur le salaire minimum

de constater que les négociations entre les entreprises et les syndicats peuvent créer du chômage

d'estimer l'impact qu'a, sur le chômage, la décision des entreprises de payer des salaires d'efficience.

La perte d'un emploi est certainement une expérience économique pénible à vivre. La plupart des gens comptent sur un salaire pour maintenir leur niveau de vie et plusieurs retirent de leur travail un sentiment d'accomplissement personnel. Une mise à pied signifie à la fois une réduction immédiate du niveau de vie, des inquiétudes concernant l'avenir et une atteinte à l'estime de soi. On ne s'étonne donc pas que les partis politiques fassent campagne en insistant sur la création d'emplois.

Dans les deux chapitres précédents, nous avons étudié les facteurs qui déterminent le niveau de vie d'un pays et sa croissance. Nous savons déjà qu'un pays qui épargne et investit une part importante de ses revenus jouit, en ce qui concerne son capital physique et son PIB, d'une croissance supérieure à celle d'un pays qui épargnerait et investirait moins. Dans ce chapitre, nous verrons que le taux d'emploi est aussi un facteur déterminant du niveau de vie. Un pays où le taux d'emploi est élevé aura un PIB supérieur à un pays dont une grande partie de la population est désœuvrée. En effet, les personnes qui

173

cherchent un emploi ne contribuent pas à la production de biens et de services. Même si le chômage est inévitable dans une économie complexe comportant des milliers d'entreprises et des millions de travailleurs, son taux varie grandement selon les pays et les époques.

Le chômage se divise en deux catégories : le chômage à long terme et le chômage à court terme. Le *taux de chômage naturel* est le taux de chômage normal pour une économie. Le *chômage cyclique* correspond aux fluctuations du chômage de part et d'autre du taux de chômage naturel, résultant des fluctuations de l'activité économique. Nous étudierons le chômage cyclique de façon plus détaillée lorsqu'il sera question des fluctuations économiques de court terme, plus loin dans cet ouvrage. Nous nous bornerons pour le moment à aborder les facteurs déterminants du taux de chômage naturel. Pour commencer, il faut bien comprendre que le qualificatif *naturel* ne signifie nullement qu'un tel taux de chômage est désirable ; il ne signifie pas non plus que ce taux soit constant, ni imperméable aux décisions économiques gouvernementales. Il indique simplement que le chômage naturel ne disparaît pas de lui-même, même à long terme.

Nous commencerons par déterminer les caractéristiques du chômage en nous posant les trois questions suivantes : comment le gouvernement mesure-t-il le taux de chômage ? Quels problèmes pose l'interprétation de ces données ? Combien de temps les personnes sans emploi restent-elles généralement au chômage ?

Nous verrons ensuite pourquoi le chômage touche en permanence les économies et comment les dirigeants politiques peuvent aider les chômeurs. Nous examinerons quatre causes du taux de chômage naturel : la recherche d'emploi, le salaire minimum, les syndicats et le salaire d'efficience. Nous constaterons également que le chômage ne peut pas être attribuable à une cause unique. De fait, ce phénomène provient d'un grand nombre de problèmes interreliés. Il n'existe pas de solution simple permettant de réduire le taux de chômage naturel et, par la même occasion, d'alléger les souffrances des chômeurs.

LA DÉFINITION DU CHÔMAGE

Commençons par énoncer la signification exacte du terme *chômage*, avant d'aborder la façon dont il est calculé par le gouvernement, les problèmes posés par l'interprétation du résultat de ces calculs et la durée normale d'une période de chômage.

LA MESURE DU CHÔMAGE

C'est Statistique Canada qui calcule le taux de chômage. Cet organisme publie chaque mois des données statistiques sur le chômage, ainsi sur les types d'emplois, le nombre d'heures moyen de la semaine de travail et la durée des périodes de chômage. Ces données proviennent de l'«Enquête sur la population active» (EPA), étude réalisée régulièrement auprès d'environ 50 000 ménages canadiens.

D'après les réponses à ce sondage, Statistique Canada répartit les adultes de ces ménages (âgés de 15 ans et plus) en trois catégories :

◆ occupés (ou en emploi)

◆ en chômage

◆ inactifs

On considère qu'une personne est employée si elle a occupé un emploi rémunéré pendant la semaine précédente. Une personne est au chômage si elle n'a pas occupé un emploi rémunéré et si elle a été mise à pied temporairement, si elle recherche un emploi ou si elle attend de commencer un nouvel emploi. Lorsqu'une personne ne satisfait pas aux conditions précédentes, par exemple une étudiante à plein temps, une femme au foyer, une personne retraitée ou dans n'importe quelle autre situation, elle est considérée comme inactive. La figure 9.1 montre la répartition de la population âgée de 15 ans et plus en mars 2004.

Une fois que Statistique Canada a réparti entre les trois catégories toutes les personnes adultes interrogées lors de l'enquête, un certain nombre de calculs lui permet de dresser un portrait du marché du travail. Statistique Canada définit la **population active** comme la somme des personnes occupées et des chômeurs.

Population active = personnes occupées + personnes en chômage

Statistique Canada définit le **taux de chômage** comme le pourcentage de la population active qui ne travaille pas :

$$\text{Taux de chômage} = \frac{\text{nombre de personnes en chômage}}{\text{population active}} \times 100$$

On calcule ce taux de chômage non seulement pour l'ensemble de la population adulte, mais également pour certains groupes plus ciblés : les jeunes, la population plus âgée, les hommes ou les femmes, etc.

Statistique Canada publie aussi des données sur le **taux d'activité,** c'est-à-dire le pourcentage de la population âgée de 15 ans et plus faisant partie de la population active :

$$\text{Taux d'activité} = \frac{\text{population active}}{\text{population âgée de 15 ans et +}} \times 100$$

Population active
Le nombre total de personnes qui ont un emploi ou qui en cherchent un.

Taux de chômage
Pourcentage de la population active en chômage.

Taux d'activité
Pourcentage de la population âgée de 15 ans et plus faisant partie de la population active.

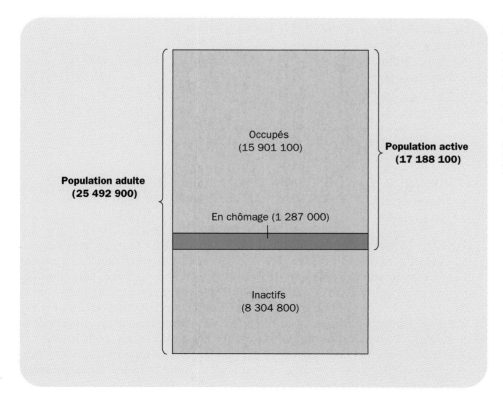

Figure 9.1

RÉPARTITION DE LA POPULATION EN MARS 2004. Statistique Canada divise la population adulte en trois catégories : occupés, en chômage et inactifs.

SOURCE : Statistique Canada, http://www.statcan.ca/francais/Pgdb/lfsadja_f.htm

Ce dernier taux indique quelle proportion de la population a décidé de participer au marché du travail. Tout comme le taux de chômage, le taux d'activité est calculé pour l'ensemble de la population et pour certains groupes particuliers.

Examinons les données pour mars 2004 : à ce moment, 15 901 100 personnes étaient occupées, alors que 1 287 000 se trouvaient en chômage.

À partir de ces données, nous pouvons calculer la population active :

$$\text{Population active} = 15\ 901\ 100 + 1\ 287\ 000 = 17\ 188\ 100$$

Nous pouvons aussi calculer le taux de chômage :

$$\text{Taux de chômage} = (1\ 287\ 000/17\ 188\ 100) \times 100 = 7,5\ \%$$

L'ensemble de la population canadienne âgée de 15 ans et plus totalisait 25 492 900. Sachant cela, il est possible de calculer le taux d'activité :

$$\text{Taux d'activité} = (17\ 188\ 100/25\ 492\ 900) \times 100 = 67,4\ \%$$

Le tableau 9.1 regroupe les statistiques sur les taux de chômage et d'activité de certains groupes particuliers. Si l'on observe attentivement ce tableau, deux observations sautent aux yeux. Tout d'abord, les femmes présentent un taux d'activité et de chômage inférieurs à celui des hommes du même âge. Deuxièmement, les jeunes de 15 à 24 ans sont plus durement frappés par le chômage que le reste de la population active. D'une façon générale, les données montrent que la participation au marché du travail varie grandement selon les divers groupes de la population active.

Tableau 9.1

STATISTIQUES SUR L'EMPLOI SELON LES DIVERSES CATÉGORIES DE TRAVAILLEURS. Ce tableau montre le taux de chômage et le taux d'activité de diverses catégories de travailleurs en février 2004.

CATÉGORIE DE TRAVAILLEURS	TAUX DE CHÔMAGE	TAUX D'ACTIVITÉ
Hommes et femmes, 15 ans et plus	7,9 %	66,5 %
Hommes, 15-24 ans	17,4	62,8
Hommes, 25-44 ans	8,1	91,5
Hommes, 45 ans et +	6,3	59,3
Femmes, 15-24 ans	12,2	61,3
Femmes, 25-44 ans	6,3	81,9
Femmes, 45 ans et +	4,9	45,2

SOURCE : Statistique Canada, matrice 3701 CANSIM.

ÉTUDE DE CAS   LE TAUX D'ACTIVITÉ DES HOMMES ET DES FEMMES DANS L'ÉCONOMIE CANADIENNE

Au cours du siècle dernier, le rôle de la femme dans la société canadienne a considérablement évolué. Diverses raisons sont invoquées par les commentateurs sociaux pour expliquer ce phénomène. D'une part, le progrès technique a grandement contribué à réduire le temps nécessaire aux tâches ménagères, grâce aux machines à laver et à sécher le linge, aux réfrigérateurs, aux congélateurs et aux lave-vaisselle. D'autre part, la régulation des naissances a permis de restreindre le nombre d'enfants par famille. Enfin, cette modification du rôle de la femme est aussi attribuable à l'évolution des mentalités. Cette coïncidence de différents facteurs a profondément modifié la société en général, et l'économie en particulier.

C'est probablement sur le marché du travail que les conséquences d'une telle conjoncture se sont davantage fait sentir. La figure 9.3 présente les taux d'activité des hommes et des femmes au Canada depuis 1951. Tout juste après la Seconde Guerre mondiale, les hommes et les femmes contribuaient de manière fort différente à la société : une grande majorité des hommes participaient à la population active, soit 84 %, alors que seulement 24 % des femmes faisaient de même. Cette disproportion s'est atténuée durant les dernières décennies, les femmes s'intégrant graduellement au marché du travail. Les données de février 2004 montrent que 61,1 % des femmes font maintenant partie de la population active, contre 72,1 % des hommes. Sur le plan du taux d'activité, les hommes et les femmes progressent donc vers l'égalité.

Si l'augmentation de la participation des femmes au marché du travail s'explique facilement, la baisse du taux d'activité des hommes semble déconcertante à première vue. Cependant, plusieurs raisons expliquent ce phénomène. Tout d'abord, les adolescents vont à l'école plus longtemps que leurs pères et que leurs grands-pères. Ensuite, les hommes prennent leur retraite plus tôt et vivent plus longtemps. Enfin, la participation des femmes au marché du travail incite plus de pères à rester au foyer pour s'occuper des enfants. Or les étudiants, les retraités et les pères au foyer, s'ils ne cherchent pas d'emploi ou n'en occupent pas, ne figurent pas dans les statistiques de la population active.

LES FEMMES SONT PLUS NOMBREUSES QUE JAMAIS DANS LA POPULATION ACTIVE.

Grâce à ces données, les économistes et les décideurs politiques peuvent suivre l'évolution de l'économie. La figure 9.2 compare le taux de chômage au Canada et dans trois régions : les provinces de l'Atlantique (Terre-Neuve-et-Labrador, Île-du-Prince-Édouard, Nouvelle-Écosse et Nouveau-Brunswick), les provinces du Centre (Québec et Ontario), et celles de l'Ouest (Manitoba, Saskatchewan, Alberta et Colombie-Britannique). On constate la présence constante d'un certain chômage, variant au cours des années. On remarque également des différences dans le taux de chômage et ses variations annuelles selon les régions. Par exemple, le taux de chômage des provinces de l'Atlantique est toujours supérieur à celui du reste du Canada et la différence tend à se creuser depuis 1970. En revanche, le taux de chômage des provinces de l'Ouest est généralement inférieur à celui du reste du pays ; néanmoins, à la fin des années 80, il était plus élevé que la moyenne canadienne. Cela peut s'expliquer par la chute des prix du pétrole et du gaz naturel, qui a nui à l'économie de cette région, tout en étant profitable au reste du pays. Finalement, le taux de chômage des provinces du Centre suit le taux de chômage national, ce qui est tout à fait logique, puisque cette région regroupe 60 % de la population active du pays.

Figure 9.2

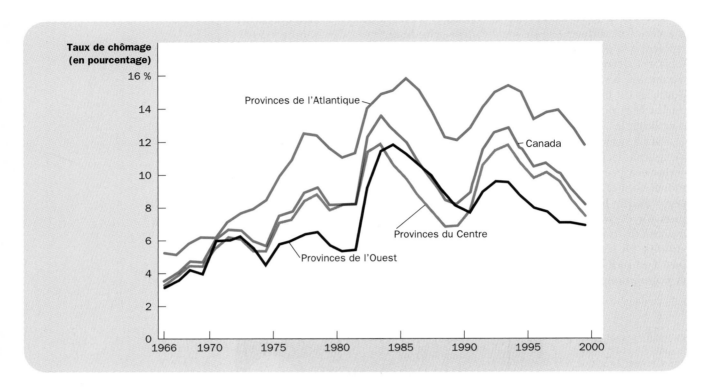

TAUX DE CHÔMAGE NATIONAL ET RÉGIONAUX, 1966-1999

SOURCE : Statistique Canada et calculs des auteurs.

Figure 9.3

TAUX D'ACTIVITÉ DES HOMMES ET DES FEMMES AU CANADA DEPUIS 1951. Ce graphique indique les pourcentages d'hommes et de femmes faisant partie de la population active. Durant les dernières décennies, beaucoup de femmes sont entrées dans la population active, alors qu'une partie des hommes l'ont quittée.

SOURCES : Données de 1966-1999, Statistique Canada. Valeurs observées de 1951 et de 1961 de F.H. Leacy, dir., *Statistiques historiques du Canada*, 2ᵉ éd., (Ottawa : Statistique Canada, 1983). Les chiffres de 1952 à 1960 et de 1962 à 1965 proviennent d'une interpolation linéaire à partir des valeurs observées en 1951, 1961 et 1966.

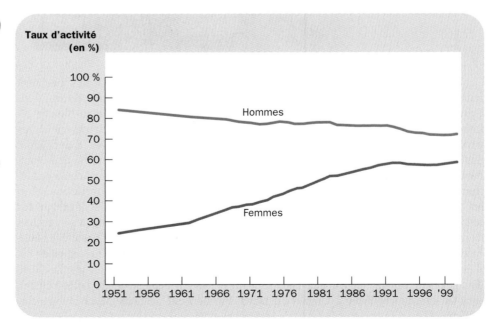

LE TAUX DE CHÔMAGE, UNE STATISTIQUE FIABLE?

Mesurer le taux de chômage est une opération plus complexe qu'on ne le croit. Alors qu'il est facile de faire la différence entre une personne qui travaille à temps plein et une personne sans emploi, la distinction entre une personne en chômage et une personne qui ne fait pas partie de la population active est beaucoup plus subtile.

De plus, les entrées et les sorties de la population active représentent un phénomène courant. Plus d'un tiers des chômeurs est constitué de personnes qui viennent d'intégrer la population active. Ces nouveaux venus sur le marché de l'emploi sont, entre autres, les jeunes à la recherche d'un premier emploi, par exemple les étudiants nouvellement diplômés, mais surtout les travailleurs qui reviennent sur le marché du travail après un épisode d'inactivité. De plus, la moitié des périodes de chômage se terminent par une sortie de la population active.

En raison de ces mouvements constants de la population active, les statistiques s'avèrent difficiles à interpréter. D'une part, certains chômeurs ne cherchent peut-être pas très activement un emploi, se souciant avant tout d'être admissibles aux prestations d'assurance-emploi, un programme de soutien financier aux chômeurs. Il serait plus réaliste de considérer qu'ils ne font pas partie de la population active ou même, dans certains cas, qu'ils occupent un emploi. D'autre part, des personnes ne figurant pas dans la population active désirent travailler, en réalité. Après avoir cherché longtemps sans succès, ils y ont renoncé. On les qualifie de **travailleurs découragés,** car ils ne font plus partie des statistiques du chômage, même s'ils sont véritablement des travailleurs sans emploi. Selon de nombreuses estimations, le taux de chômage augmenterait de 0,5 % si l'on tenait compte de cette catégorie de travailleurs.

Il n'est guère facile de transformer le taux de chômage calculé par Statistique Canada, pour en faire une mesure plus fiable des conditions réelles du marché du travail. Quoique imparfaite, cette mesure reste néanmoins une donnée utile pour estimer le nombre de sans-emploi.

Travailleurs découragés
Travailleurs qui quittent la population active, parce qu'ils désespèrent de trouver un emploi.

QUELLE EST LA DURÉE MOYENNE D'UNE PÉRIODE DE CHÔMAGE?

Pour se faire une idée de la gravité du problème du chômage, il faut savoir s'il s'agit d'un phénomène de court ou de long terme. Si le chômage reste de courte durée, on est tenté de penser qu'il s'agit d'un problème mineur. Les travailleurs ont évidemment besoin de quelques semaines avant de retrouver un travail qui correspond à leurs goûts et à leurs compétences. Par contre, si ce phénomène perdure, on aura tendance à croire qu'il s'agit d'un problème grave. Une période d'inactivité prolongée risque d'avoir, pour un chômeur, d'importantes conséquences économiques et psychologiques.

Comme la société semble considérer la durée du chômage comme un facteur important pour en déterminer la gravité, les économistes se sont sérieusement penchés sur la question. Ils en sont arrivés à une conclusion importante, bien qu'en apparence paradoxale: *la plupart des épisodes de chômage sont de courte durée, mais la plupart des chômeurs, quelle que soit la période observée, sont chômeurs depuis longtemps.*

Pour comprendre cette affirmation, prenons un exemple. Imaginons que vous visitiez un bureau de l'assurance-emploi toutes les semaines durant une année entière. Chaque semaine, vous rencontrez quatre chômeurs. Trois d'entre eux sont les mêmes durant toute l'année, alors que le quatrième change toutes les semaines. D'après votre expérience, conclurez-vous que le chômage est un phénomène à court ou à long terme?

Un simple calcul permet de répondre à cette question. Vous avez rencontré durant cette année un total de 55 chômeurs: 52 d'entre eux n'ont pas eu d'emploi pendant une semaine, alors que les trois autres ont cherché du travail pendant un an. Cela veut dire que 95 % des épisodes de chômage (52 personnes sur 55) durent une semaine et peuvent donc être considérés comme étant à court terme. En revanche, si nous considérons la durée totale du chômage, nous constatons que trois personnes n'ont pas trouvé de travail durant un an, soit un total de 156 semaines (52 semaines × 3), auquel il faut additionner les 52 semaines des chômeurs de courte durée. On obtient un total de 208 semaines de chômage. Selon cette méthode de calcul, 75 % du chômage (156 semaines sur 208) est imputable à trois personnes qui n'ont pas travaillé durant toute l'année. Par conséquent, la majeure partie du chômage observé pendant cette période est de longue durée.

Il faut donc être prudent en interprétant les données et en suggérant des formes d'aide aux sans-emploi, car la plupart des gens au chômage retrouvent du travail rapidement. Par exemple, en 1996, 28 % des chômeurs canadiens ont retrouvé un emploi en moins de quatre semaines, et 25 % ont patienté entre cinq et treize semaines. C'est donc que la majorité des chômeurs n'a connu qu'une courte période de chômage. Le vrai problème du chômage était attribuable aux 47 % de chômeurs qui sont restés sans travail pendant plus de quatorze semaines.

Lire l'article page 431

LE CHÔMAGE, UNE RÉALITÉ IMMUABLE ?

Jusqu'à maintenant, nous avons parlé de la méthode de calcul du taux de chômage, de la difficulté d'interpréter les statistiques ainsi que des caractéristiques de la durée du chômage. Le concept de chômage est donc à présent clairement défini. Pourtant, nous n'avons pas encore abordé les causes du chômage.

Sur la plupart des marchés, les prix assurent un équilibre entre l'offre et la demande. Sur un marché du travail idéal, les salaires devraient assurer l'égalité entre la quantité de travail demandée et la quantité offerte, et ainsi garantir le plein emploi de tous les travailleurs.

Taux de chômage naturel
Taux de chômage autour duquel fluctue le taux de chômage observé. Taux de chômage vers lequel l'économie tend à long terme.

La réalité est bien loin de cet idéal. On trouve toujours des gens sans travail, même en période de prospérité économique. La figure 9.4 compare le taux de chômage canadien observé et le taux de chômage naturel. Le **taux de chômage naturel** correspond au taux vers lequel l'économie tend à long terme. On ne peut pas le déterminer avec précision, mais la plupart des économistes s'accordent à penser qu'il tourne autour de 6 à 8 % au Canada. Ils parviennent à cette estimation du taux de chômage naturel en examinant les variables qui, selon eux, causent ce chômage. Nous reviendrons sur ces éléments déterminants à la fin du chapitre.

Les valeurs du taux de chômage naturel indiquées à la figure 9.4 n'engagent que les auteurs du présent ouvrage. Comme ce taux est estimé, il reste contestable. Les fluctuations illustrées sur cette figure proviennent cependant d'un assez large consensus, parmi les économistes, sur l'évolution du taux de chômage naturel canadien depuis 1966. Au cours des années 70 et 80, le taux de chômage naturel a pour ainsi dire doublé, passant de 4 % à plus de 8 %. Il s'est mis à diminuer à la fin des années 90. En 2004, selon l'opinion majoritaire, le taux de chômage naturel était légèrement inférieur au taux de chômage observé.

Chômage cyclique ou conjoncturel
Écart du taux de chômage par rapport à son taux naturel.

La figure 9.4 indique également que le taux de chômage observé fluctue de part et d'autre du taux de chômage naturel, les différences entre ces deux taux étant dues au **chômage cyclique ou conjoncturel.** Le chômage cyclique est causé par les fluctuations économiques de court terme. Nous y reviendrons plus loin, lorsqu'il sera question des fluctuations annuelles du chômage autour de son taux naturel. Pour l'instant, nous ne tiendrons pas compte des fluctuations à court terme, et nous nous concentrerons sur le problème du chômage chronique dans les économies de marché. Nous étudierons donc les facteurs déterminants du taux de chômage naturel.

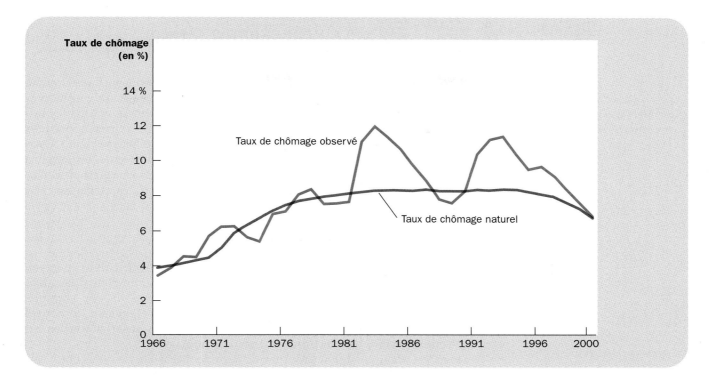

TAUX DE CHÔMAGE OBSERVÉ ET TAUX DE CHÔMAGE NATUREL, 1966-2000. La plupart des économistes considèrent que le taux de chômage naturel a augmenté durant les années 70 pour se stabiliser autour de 8 % durant les deux décennies suivantes. La différence entre le taux de chômage observé et le taux de chômage naturel équivaut au chômage cyclique.

SOURCES: Statistique Canada, séries D980745 et estimation des auteurs.

Figure 9.4

Il y a quatre causes qui peuvent expliquer le chômage à long terme. La première d'entre elles est en lien direct avec le temps nécessaire aux travailleurs pour trouver un emploi qui leur convient. On nomme **chômage frictionnel** le chômage découlant du processus d'appariement des emplois et des travailleurs; ce type de chômage ne dure le plus souvent que pendant de courtes périodes.

Les trois autres explications du chômage découlent du fait qu'il n'y a pas suffisamment d'emplois dans le marché du travail pour permettre à tous ceux qui le veulent de travailler. Cette situation correspond à une offre de travail supérieure à la demande. Le type de chômage ainsi créé est qualifié de **chômage structurel** et s'étend généralement sur une plus longue durée. Cela se produit lorsque les salaires sont, pour une raison quelconque, supérieurs au niveau d'équilibre. Nous examinerons trois raisons possibles de ce déséquilibre des salaires: les lois sur le salaire minimum, les syndicats et les salaires d'efficience.

Chômage frictionnel
Chômage causé par le temps qu'il faut aux travailleurs pour rechercher et trouver les emplois correspondant le mieux à leurs capacités et à leurs goûts.

Chômage structurel
Chômage causé par une insuffisance du nombre d'emplois disponibles par rapport au nombre de personnes désirant travailler.

▎**MINITEST :** Comment mesure-t-on le taux de chômage? Comment le taux de chômage peut-il surestimer le nombre de personnes sans emploi? Comment peut-il le sous-estimer?

1. LA RECHERCHE D'EMPLOI

Recherche d'emploi

Processus par lequel les chômeurs recherchent un emploi correspondant à leurs capacités et à leurs goûts.

La recherche d'emploi est l'une des quatre causes du chômage. La **recherche d'emploi** est le processus par lequel les travailleurs cherchent un emploi correspondant à leurs qualifications. Si tous les emplois proposés et tous les travailleurs étaient homogènes, n'importe quel travailleur pourrait occuper n'importe quel poste et la recherche d'emploi ne poserait aucun problème. Dans la réalité, les travailleurs ont des aptitudes et des goûts différents, les emplois sont hétérogènes et l'information concernant les candidats et les emplois disponibles circule lentement entre les multiples entreprises et les ménages.

LE CHÔMAGE FRICTIONNEL EST INÉVITABLE

Ce type de chômage provient souvent des changements de la demande de travail de la part des différentes entreprises. Lorsque les consommateurs décident d'acheter les ordinateurs de marque Compaq plutôt que Dell, par exemple, Compaq embauche et Dell licencie. Les employés de Dell cherchent un nouvel emploi et Compaq doit sélectionner des travailleurs pour les postes nouvellement créés. Cette transition produit une période de chômage.

De même, chaque région produit une gamme différente de biens et de services. Si la production régionale varie, cela conduit à une hausse du chômage dans un coin du pays alors qu'une autre région embauche. Supposons que le prix du pétrole diminue. Les producteurs albertains réagiront en réduisant leur production et en licenciant du personnel. Au même moment, la baisse du prix de l'essence stimule les ventes des producteurs d'automobiles ontariens, augmentant ainsi leur production et l'embauche. Ces fluctuations de la composition de la demande industrielle ou régionale s'appellent *variations sectorielles*. Elles ont pour conséquence un chômage temporaire, car il faut du temps aux chercheurs d'emploi pour trouver du travail dans un autre secteur.

Les transformations continuelles de l'économie rendent inévitable le chômage frictionnel. Il y a un siècle, la fabrication d'automobiles, l'exploitation du pétrole et l'industrie aéronautique n'occupaient qu'une part mineure de l'économie canadienne. Aujourd'hui, ce sont des secteurs économiques très importants. Inversement, l'agriculture, qui était la principale source d'emplois au Canada en 1911, est aujourd'hui devenue une activité marginale. De tels changements mènent à la création d'emplois dans certaines entreprises et à une suppression d'emplois ailleurs. Le résultat final est une amélioration de la productivité et du niveau de vie. Mais au cours de ce processus, des travailleurs des secteurs en perte de vitesse se retrouvent chômeurs et en recherche d'emploi.

Les données statistiques canadiennes démontrent que les compagnies en expansion augmentent le nombre de leurs employés d'environ 10 % par année, alors que les entreprises en décroissance en suppriment un peu moins de 10 %. Il y a donc, chaque année, un flux important de travailleurs entre les entreprises des secteurs en régression et celles des secteurs en plein essor. Ce mouvement de la population active est normal dans une économie dynamique, mais le marché du travail a du mal à apparier rapidement les chômeurs et les emplois disponibles. Des estimations récentes indiquent qu'un chômeur sur huit, au Canada, serait ainsi en chômage frictionnel.

LES POLITIQUES GOUVERNEMENTALES ET LA RECHERCHE D'EMPLOI

Même si un certain chômage frictionnel est inévitable, il est possible d'en limiter l'importance en accélérant la circulation de l'information concernant les postes offerts et la disponibilité des travailleurs. L'utilisation croissante d'Internet, par exemple, devrait faciliter la recherche d'emploi et ainsi contribuer à réduire le chômage frictionnel. Certaines mesures gouvernementales pourraient également améliorer la situation en réduisant le temps de recherche.

C'est ce que tentent de faire, de diverses manières, certains programmes gouvernementaux. Par exemple, les bureaux de placement donnent non seulement des informations sur les postes disponibles, mais également sur les programmes de formation, facilitant ainsi la reconversion de travailleurs des industries en déclin vers les secteurs en expansion et aidant les plus démunis à échapper à la pauvreté. Pour la plupart, ces programmes de formation sont gérés par l'assurance-emploi et par Emploi-Québec. Les dernières modifications du programme fédéral d'assurance-emploi réaffectent d'ailleurs une partie des fonds disponibles pour les chômeurs vers le financement des programmes de formation.

Les détracteurs de ces programmes contestent la valeur de l'intervention gouvernementale dans le processus de recherche d'emploi. Ils font valoir que le marché est plus efficace. De fait, la plupart des chômeurs trouvent un emploi sans que l'État s'en mêle. L'information sur les postes disponibles et sur les candidats en recherche d'emploi circule très bien par les annonces dans les journaux, les divers bulletins, les bureaux de placement universitaires, les chasseurs de têtes ainsi que par le bouche-à-oreille. L'essentiel de la formation des travailleurs se réalise aussi sans intervention gouvernementale, par l'intermédiaire des écoles ou d'une formation en entreprise. Les opposants aux programmes gouvernementaux considèrent que le gouvernement ne fait pas mieux – ou même qu'il fait pire – que les employeurs et les travailleurs eux-mêmes pour fournir les bonnes informations aux bonnes personnes et pour choisir les meilleurs domaines de formation. Ils prétendent aussi que les travailleurs et les employeurs font des choix plus judicieux sans intervention publique.

Au contraire, les partisans des programmes publics de recherche d'emploi pensent que ces derniers facilitent le fonctionnement de l'économie de marché et aident à maintenir le plein-emploi, tout en réduisant les inégalités inhérentes aux transformations économiques. Ils insistent particulièrement sur le fait que le secteur privé est parfois totalement incapable d'aider les personnes licenciées, particulièrement dans les cas de désastres naturels comme l'effondrement de la pêche à la morue à Terre-Neuve-et-Labrador. La disparition totale d'une industrie essentielle à la vie économique d'une région requiert, selon eux, une intervention gouvernementale. Dans de telles circonstances, il est impossible pour les chômeurs de retrouver un autre emploi dans une entreprise semblable et dans la même région. Il faut donc les former pour un nouvel emploi dans une nouvelle industrie et dans une autre région du pays. Le secteur privé est incapable de prendre en charge un tel programme de formation et de réinsertion.

L'ASSURANCE-EMPLOI

Le gouvernement fédéral canadien assume la responsabilité du programme d'**assurance-emploi**. Ce programme vise à faciliter la recherche d'emploi en octroyant des prestations aux chômeurs. Il s'agit d'un programme coûteux (en 2003, les dépenses s'élevaient à près de 12 milliards de dollars) et controversé. Nombre d'économistes sont convaincus que, si l'assurance-emploi aide les gens sans emploi, elle cause aussi une augmentation du taux de chômage en augmentant le chômage frictionnel.

Assurance-emploi
Programme gouvernemental qui permet aux travailleurs de bénéficier d'une indemnité pendant un certain temps après qu'ils ont perdu leur emploi.

Depuis 1971, deux critères servent à déterminer le montant et la durée des prestations d'assurance-emploi : la durée du travail durant l'année et le taux de chômage dans la région de résidence. La durée des prestations est directement proportionnelle au nombre d'heures travaillées. Un taux de chômage élevé dans la région permet au prestataire de se qualifier pour l'assurance-emploi avec moins d'heures travaillées et de recevoir des versements prolongés. Depuis 1971, les détails du programme ont fait l'objet de modifications fréquentes. En 2003, les travailleurs vivant dans une région où le taux de chômage excède 16 % ne doivent travailler que 420 heures (12 semaines à 35 heures par semaine) pour toucher 32 semaines de prestations. Ceux qui habitent une région où le taux de chômage est inférieur à 6 % doivent avoir travaillé 700 heures (20 semaines de travail à temps plein) pour être admissibles, et les prestataires touchent l'assurance-emploi durant un maximum de 14 semaines.

 Les caractéristiques du programme de l'assurance-emploi donnent à penser que, tout en allégeant le fardeau des chômeurs, ce programme accentue aussi le phénomène du chômage. Cette affirmation se fonde sur l'un des *dix principes d'économie* du premier chapitre : les gens réagissent aux incitatifs. Les versements de l'assurance-emploi prenant fin au moment de l'engagement dans un nouveau travail, un chômeur ne se consacrera pas entièrement à la recherche d'un emploi et sera enclin à refuser certaines offres peu alléchantes. De plus, le programme incite les gens à entrer sur le marché du travail, alors qu'ils ne l'auraient pas fait autrement. Cela s'explique facilement : l'assurance-emploi augmente le revenu total qu'ils reçoivent en travaillant. En effet, non seulement les travailleurs touchent-ils un salaire, mais ils deviennent aussi admissibles aux prestations d'assurance-emploi en quittant leur poste.

Les spécialistes en économie du travail ont observé cet effet incitatif. L'un des ministères du gouvernement fédéral, Développement des ressources humaines Canada (DRHC), publie des études qui évaluent l'impact du programme d'assurance-emploi sur le marché du travail, la distribution des revenus et le niveau de vie au Canada. Le résultat de ces études confirme les analyses des économistes en ce qui concerne l'impact de ce programme. L'une des études a prouvé que le temps requis pour être admissible au versement de prestations d'assurance-emploi avait un impact direct sur la durée d'emploi : les prestataires ont tendance à maintenir moins longtemps un lien d'emploi, afin de bénéficier des prestations. La même étude a démontré que les employeurs réagissent aussi aux incitatifs du programme : ils ne procèdent aux mises à pied que lorsque les travailleurs sont admissibles aux prestations. On peut faire l'hypothèse qu'il s'agit d'un avantage concédé aux travailleurs par les employeurs en échange d'un salaire inférieur. D'autres études ont établi une corrélation entre la probabilité de trouver un emploi et le nombre de semaines de prestations restantes : la probabilité de succès dans la recherche d'emploi augmente à l'approche de la fin des versements. Enfin, plusieurs recherches ont confirmé que le taux d'activité dépend directement de la générosité des prestations d'assurance-emploi. Tous ces résultats confirment que ce programme modifie le comportement des travailleurs en faisant augmenter le taux de chômage.

En dépit de cette augmentation, il ne faudrait pas immédiatement conclure que l'assurance-emploi est un programme désastreux. En effet, il atteint son objectif principal : réduire la précarité économique des chômeurs. De plus, comme le souligne l'une des études de DRHC, le programme permet aux sans-emploi de chercher plus longtemps et de décrocher ainsi un meilleur salaire. En vertu de ces conclusions, certains économistes arguent que l'assurance-emploi améliore l'appariement entre les chercheurs d'emploi et les emplois disponibles.

La structure du programme a beaucoup évolué au cours des années. Les modifications introduites en 1971 ont amélioré l'accessibilité à l'assurance-emploi et prolongé la durée des prestations. De nombreux économistes croient que ces changements ont provoqué une augmentation substantielle du taux de chômage naturel au Canada. Depuis 1990, les changements adoptés ont eu l'effet contraire : les conditions d'admissibilité au programme sont beaucoup plus strictes et la durée de versement des prestations moins longue. Les économistes considèrent que ces modifications ont contribué à réduire le taux de chômage naturel au Canada, qui avait atteint un sommet à la fin des années 80.

L'étude de l'assurance-emploi démontre que le taux de chômage est une mesure bien imparfaite du bien-être économique d'un pays. La majorité des économistes s'accordent à penser que l'élimination de ce programme réduirait le taux de chômage, mais ils n'arrivent pas à se mettre d'accord sur les retombées d'un tel changement sur le bien-être économique.

MINITEST : Quelles conséquences une augmentation du prix du pétrole aurait-elle sur le chômage frictionnel ? Ce chômage est-il souhaitable ? Quelles mesures le gouvernement peut-il prendre pour amoindrir l'impact de cette augmentation de prix sur le chômage ?

2. LES LOIS SUR LE SALAIRE MINIMUM

Maintenant que nous avons compris pourquoi le processus d'appariement des emplois disponibles et des travailleurs est la cause du chômage frictionnel, nous allons voir que le chômage structurel découle du manque de postes disponibles par rapport au nombre de candidats.

Pour expliquer le chômage structurel, il faut d'abord comprendre quelles sont les conséquences des lois sur le salaire minimum. Même si le salaire minimum n'est pas la raison principale du chômage dans l'économie canadienne, il a un impact sur certains groupes de travailleurs particulièrement touchés par le chômage. Par ailleurs, l'analyse du salaire minimum nous permettra par la suite de mieux comprendre les autres causes du chômage structurel.

Le salaire minimum est un prix plancher. La loi sur le salaire minimum dicte aux employeurs le salaire le plus bas qu'ils sont autorisés à payer un travailleur. Au Canada, cette somme varie d'une province à l'autre. En 2004, elle allait de 5,90 $ de l'heure en Alberta à 8,00 $ de l'heure en Colombie-Britannique. Des tarifs plus bas s'appliquent, dans certaines provinces, aux jeunes travailleurs et au personnel du milieu de l'hôtellerie et de la restauration (dont le salaire est complété par les pourboires).

Pour étudier l'impact du salaire minimum, considérons le marché du travail. Le graphique de la figure 9.5 montre ce marché qui, comme tous les autres, est soumis au jeu de l'offre et de la demande. L'offre de travail provient de la main d'œuvre et la demande, des employeurs. Sans intervention gouvernementale, les salaires s'ajustent de manière à équilibrer l'offre et la demande.

Le graphique de la figure 9.5 montre aussi le marché du travail dans le contexte d'une législation sur le salaire minimum. Si ce salaire se situe au-dessus du niveau d'équilibre, comme dans le cas illustré, la quantité offerte de travail excède la quantité demandée et du chômage apparaît. Ainsi, le salaire minimum fait augmenter le revenu des personnes ayant un emploi, mais il réduit celui des personnes qui n'en ont plus.

Pour comprendre l'impact du salaire minimum, il faut se souvenir que l'économie comprend non pas un seul, mais bien plusieurs marchés de l'emploi, selon les diverses catégories de travailleurs. Les effets du salaire minimum varient selon la compétence et l'expérience des employés. Les personnes très qualifiées et disposant d'une grande expérience ne sont nullement touchées, car

Figure 9.5

CHÔMAGE CAUSÉ PAR UN SALAIRE SUPÉRIEUR AU NIVEAU D'ÉQUILIBRE. Sur ce marché du travail, le salaire qui garantit l'équilibre se situe à la jonction de l'offre et de la demande. À ce niveau, la quantité de travail offerte et la quantité de travail demandée sont égales. Mais lorsque le salaire est artificiellement maintenu au-dessus de son niveau d'équilibre, en raison de la loi sur le salaire minimum, par exemple, la quantité de travail offerte augmente à Q^O, alors que la quantité de travail demandée tombe à Q^D. Le surplus qui en résulte, soit la différence entre Q^O et Q^D, correspond au chômage.

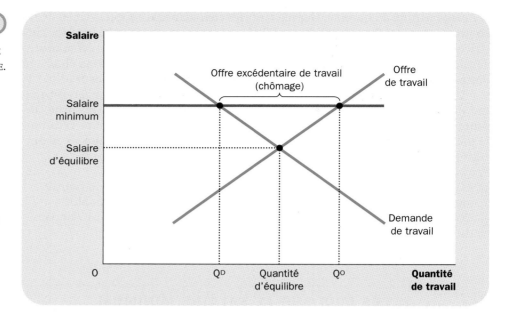

leur salaire d'équilibre dépasse nettement le salaire minimum. Dans leur cas, ce dernier ne constitue pas une contrainte.

C'est sur le marché de l'emploi des jeunes que les conséquences du salaire minimum sont les plus importantes. Les adolescents sont les moins qualifiés du marché du travail et ils manquent d'expérience. En outre, ils sont les plus susceptibles d'accepter un salaire inférieur pour obtenir une formation sur le terrain. (Certains vont jusqu'à travailler gratuitement comme stagiaires. Dans ce cas, la loi sur le salaire minimum ne s'applique pas, puisqu'ils ne perçoivent aucune rémunération.) Le salaire minimum est donc plus contraignant pour les jeunes que pour le reste de la population active.

Plusieurs économistes se sont penchés sur l'impact de la loi du salaire minimum sur le marché de l'emploi des jeunes. Ces recherches ont établi un lien entre l'évolution du salaire minimum et celle de l'emploi chez les jeunes. Même si le débat sur l'effet du salaire minimum sur l'emploi se poursuit, les études arrivent toutes plus ou moins au même résultat : une augmentation de 10 % du salaire minimum réduit l'emploi des jeunes de 1 % à 3 %. Il ne faut pas non plus en déduire que la hausse de 10 % du salaire minimum signifie automatiquement une augmentation équivalente du salaire moyen des jeunes. Une telle augmentation ne concerne pas les jeunes qui touchent déjà beaucoup plus que le salaire minimum. De plus, l'application de cette loi est loin d'être parfaite. Par conséquent, la chute de l'emploi des jeunes de 1 % à 3 % est particulièrement significative.

Non seulement le salaire minimum joue-t-il sur la demande de travail, mais il a également un impact sur l'offre. Comme il augmente le salaire horaire qu'un jeune peut espérer gagner, le salaire minimum incite de nombreux jeunes à chercher du travail. Les recherches sur la question ont démontré qu'une augmentation du salaire minimum affecte le comportement des adolescents. Lorsque le salaire minimum augmente, certains jeunes décident d'abandonner l'école pour aller gagner leur vie. Ces nouveaux décrocheurs prennent la place de ceux qui avaient quitté l'école avant eux et qui se retrouvent maintenant au chômage.

Le salaire minimum suscite constamment des polémiques. Les tenants du salaire minimum considèrent qu'une telle politique permet d'augmenter le revenu des travailleurs les plus défavorisés. Ils font valoir, avec raison, que deux adultes travaillant 40 heures par semaine à un salaire horaire de 6 $ ont un revenu annuel de 24 960 $, soit l'équivalent de la moitié du revenu familial moyen au Canada, qui ne leur garantit qu'un niveau de vie précaire. Nombre de ces défenseurs du salaire minimum reconnaissent ses effets pervers, y compris le chômage, mais tout compte fait, ils les considèrent comme marginaux et sont convaincus que la hausse du salaire minimum améliore le sort des plus défavorisés.

Les détracteurs du salaire minimum soutiennent qu'il ne constitue pas la meilleure solution pour lutter contre la pauvreté. Ils insistent sur le fait qu'il crée du chômage, incite les adolescents à abandonner l'école et empêche certains travailleurs non qualifiés d'obtenir la formation sur le terrain dont ils ont besoin. Pour ces raisons, ils estiment que la loi du salaire minimum n'atteint nullement son objectif. Ceux qui travaillent au salaire minimum ne sont pas tous des chefs de famille luttant pour sortir de la pauvreté. De fait, moins d'un tiers des employés payés au salaire minimum sont membres d'une famille qui vit sous le seuil de la pauvreté. La grande majorité de ces salariés se compose d'étudiants appartenant à la classe moyenne et travaillant à temps partiel pour se faire de l'argent de poche.

Il est important de remarquer que le salaire minimum n'est pas une cause majeure du chômage. La majorité des travailleurs ont des salaires très supérieurs au minimum légal. Les lois sur le salaire minimum concernent la plupart du temps les personnes les moins qualifiées et les moins expérimentées de la population active, comme les adolescents. Les lois sur le salaire minimum ne peuvent donc expliquer l'existence du chômage que dans ces catégories de la population.

La figure 9.5 montre les effets de la loi sur le salaire minimum, mais elle illustre également un autre principe général : *si les salaires sont supérieurs au niveau d'équilibre, quelle qu'en soit la raison, cela crée du chômage.* La loi du salaire minimum n'est qu'une des causes possibles de salaires « trop élevés ». Dans les deux dernières parties de ce chapitre, nous verrons que deux autres raisons peuvent aussi être invoquées pour expliquer le maintien des salaires au-dessus de leur niveau d'équilibre : les syndicats et les salaires d'efficience. Dans ces deux cas, les mécanismes de base restent les mêmes que ceux illustrés à la figure 9.5, mais ils touchent cette fois beaucoup plus de travailleurs.

Nous devrions maintenant établir une distinction entre le chômage structurel, qui survient quand les salaires dépassent le niveau d'équilibre, et le chômage frictionnel, qui résulte pour sa part de la recherche d'emploi. La recherche d'emploi ne dépend pas d'un déséquilibre entre l'offre et la demande de travail. Lorsque le chômage est attribuable à la recherche d'emploi, les chômeurs *cherchent* un poste correspondant à leurs compétences et à leurs goûts. En revanche, lorsque le salaire est au-dessus de son niveau d'équilibre, l'offre excède la demande et les chômeurs *attendent* qu'un poste s'ouvre pour eux.

MINITEST : Expliquez en quelques mots pourquoi le salaire minimun crée du chômage.

3. LES SYNDICATS ET LES NÉGOCIATIONS COLLECTIVES

Un **syndicat** est une association de travailleurs chargée de négocier avec l'employeur les salaires et les conditions de travail des employés. Actuellement, environ 30 % des travailleurs canadiens sont syndiqués. Ce niveau de syndicalisation est relativement constant depuis 20 ans. Le taux de couverture syndicale était cependant beaucoup plus faible il y a deux générations : 10 % de la population active en 1941 et 20 % en 1951. La progression du syndicalisme au Canada a coïncidé avec un mouvement inverse aux États-Unis : un tiers de la population active y était syndiquée durant les années 50, alors que le taux d'appartenance à un syndicat ne dépasse pas 16 % aujourd'hui. À l'inverse de

Syndicat
Organisation qui négocie avec l'employeur les salaires et les conditions de travail des employés.

l'Amérique du Nord, le taux d'affiliation syndicale européen reste très élevé. En Suède et au Danemark, il atteint 75 % de l'ensemble des travailleurs.

Au Canada, l'affiliation syndicale varie d'une province à l'autre. Elle atteint un sommet à Terre-Neuve-et-Labrador, où 40 % de la population active est syndiquée, contre 22 % en Alberta. Dans le secteur public – éducation, administration publique et santé –, 70 % des travailleurs appartiennent à un syndicat, tandis que dans le secteur privé, ce chiffre tombe à 19 %.

LE RÔLE ÉCONOMIQUE DES SYNDICATS

Négociation collective
Processus par lequel les syndicats et les employeurs s'entendent sur les salaires et les conditions de travail des employés.

Grève
Arrêt de travail imposé par un syndicat.

Un syndicat est un cartel et, à ce titre, il regroupe des vendeurs agissant de concert pour exercer un certain pouvoir de marché. La plupart des travailleurs de l'économie canadienne négocient individuellement leurs salaires, leurs avantages sociaux et leurs conditions de travail avec leur employeur. Les travailleurs syndiqués négocient en groupe. Le résultat de ce processus de négociation est appelé **négociation collective.**

Lorsqu'un syndicat négocie avec une entreprise, il réclame en général des augmentations de salaire, une amélioration des conditions de travail ou des avantages sociaux, et ce, à un niveau supérieur à ce que la firme proposerait aux employés en l'absence de syndicat. Quand le syndicat et l'entreprise ne parviennent pas à un accord, le syndicat peut organiser un arrêt de travail, c'est-à-dire une **grève.** Étant donné qu'une grève réduit la production, les ventes et les profits, l'employeur aura tendance à accepter de payer des salaires supérieurs à ceux qu'il aurait normalement offerts. Les études économiques sur la syndicalisation ont démontré que les travailleurs syndiqués gagnent un salaire supérieur d'environ 10 à 20 % à celui de travailleurs comparables, mais non syndiqués.

Lorsqu'un syndicat parvient à faire augmenter le salaire au-dessus de son niveau d'équilibre, il fait augmenter la quantité de travail offerte et réduire la quantité de travail demandée, provoquant ainsi du chômage. Ceux qui conservent leur emploi en profitent, mais cela se fait au détriment de ceux qui perdent leur poste en raison de la hausse de salaire. Les syndicats créent souvent des tensions entre les divers groupes de travailleurs, c'est-à-dire entre ceux de l'*intérieur*, qui profitent de salaires syndicaux plus élevés, et ceux qui se retrouvent à l'*extérieur*, ailleurs sur le marché du travail.

Ces travailleurs extérieurs peuvent réagir de deux manières à la hausse des salaires des travailleurs syndiqués : certains restent chômeurs et attendent de trouver un poste syndiqué, tandis que d'autres sont embauchés par des entreprises dans des secteurs non syndiqués. Par conséquent, lorsque les syndicats parviennent à faire augmenter les salaires dans un secteur de l'économie, l'offre de travail augmente dans les autres secteurs. Cette augmentation de l'offre se traduit par une baisse des salaires dans les entreprises non syndiquées. Autrement dit, les avantages d'une négociation collective sont limités aux travailleurs syndiqués, alors que les autres en supportent une partie des coûts.

Le rôle économique des syndicats dépend en partie des lois concernant la syndicalisation et la négociation collective. Les ententes entre les membres d'un cartel sont normalement considérées comme illégales : une entreprise qui vend un produit à un prix supérieur, grâce à une telle entente, tombe sous le coup de la *Loi sur la concurrence*. Le gouvernement peut alors intenter contre ce cartel une poursuite civile et criminelle. Mais les syndicats échappent à cette loi, parce que les dirigeants qui ont rédigé les lois antitrust étaient persuadés que les travailleurs avaient besoin d'une position de force pour négocier avec les employeurs. Certaines lois encouragent donc la formation de syndicats. En particulier, le décret national sur le travail en temps de guerre promulgué en 1944, accordait aux employés du secteur privé le droit de se syndiquer et de participer à une négociation collective. La loi sur les relations de travail dans la fonction publique de 1967 a étendu ces droits aux travailleurs du secteur public fédéral et les lois provinciales ont imité cet exemple. Il n'est donc pas étonnant que 70 % des employés de la fonction publique soient syndiqués. Dans le secteur privé, les syndicats doivent convaincre la majorité des employés d'une entreprise de l'intérêt de se syndiquer. Même si ces tentatives d'adhésion ne réussissent pas toujours, la menace même d'une syndicalisation pousse les entreprises à augmenter les salaires et à améliorer les conditions de travail, pour en réduire l'attrait.

**Lire l'article
page 432**

« Messieurs, nous sommes très proches d'un accord final, à l'exception du fait que la direction veut maximiser les profits et que le syndicat veut plus de fric. »

LES SYNDICATS : UNE BONNE OU UNE MAUVAISE CHOSE POUR L'ÉCONOMIE ?

Voilà une question qui divise les économistes. Examinons les arguments des partisans comme des opposants.

Les opposants à la syndicalisation font valoir que les syndicats agissent comme des cartels : ils obtiennent des salaires dépassant le niveau d'un marché concurrentiel, réduisent la quantité demandée de travail, provoquent le chômage de certains travailleurs et la réduction des salaires dans d'autres secteurs. L'allocation du travail devient à la fois inefficace et inéquitable. Inefficace, parce que les salaires artificiellement gonflés des syndiqués réduisent l'emploi, sous le niveau optimal, et inéquitable, parce que la syndicalisation avantage certains travailleurs au détriment des autres.

Les partisans de la syndicalisation répliquent que les syndicats constituent un antidote nécessaire à l'emprise des compagnies qui embauchent. L'exemple le plus extrême de cet abus de pouvoir est la « ville de compagnie », dans laquelle une seule entreprise emploie presque toute la population locale. Dans une telle ville, les travailleurs qui refusent les salaires et les conditions de travail offerts par la compagnie n'ont d'autre choix que de déménager ou de ne pas travailler. En l'absence de syndicats, cette entreprise a tous les pouvoirs pour baisser les salaires ou pour empirer les conditions de travail, car elle ne fait face à aucune concurrence. Dans ce cas, le syndicat contrebalance le pouvoir de l'entreprise et empêche les travailleurs d'être à la merci des employeurs.

Les défenseurs des syndicats affirment également que la syndicalisation oblige les firmes à répondre efficacement aux préoccupations des travailleurs. Lors de l'embauche d'un employé, ce dernier et l'entreprise doivent se mettre d'accord sur de nombreuses conditions de travail : les horaires, les heures supplémentaires, les vacances, les congés de maladie, l'assurance maladie, les possibilités de promotion, la sécurité au travail, etc. En représentant les employés, les syndicats aident les firmes à mieux comprendre les préférences des travailleurs. Même si les syndicats font passer les salaires au-dessus du niveau d'équilibre et, ce faisant, créent du chômage, ils ont le mérite de contribuer à la satisfaction et à la productivité du personnel.

En fin de compte, les économistes ne s'entendent pas au sujet de l'influence négative ou positive des syndicats sur l'économie. Comme beaucoup d'autres institutions, leur influence est probablement bénéfique dans certaines circonstances et néfaste dans d'autres.

> **MINITEST :** Comment un syndicat dans l'industrie automobile peut-il causer une modification des salaires et de l'emploi chez General Motors et chez Ford ? et dans d'autres secteurs économiques ?

4. LA THÉORIE DES SALAIRES D'EFFICIENCE

Salaires d'efficience
Salaires supérieurs aux salaires d'équilibre, volontairement payés par les entreprises, afin d'améliorer la productivité des travailleurs et de réduire leur roulement.

La théorie des **salaires d'efficience** représente, après la recherche d'emploi, les lois sur le salaire minimum et les syndicats, la quatrième raison qui explique l'existence de chômage chronique dans le système économique. D'après cette théorie, les entreprises fonctionneraient de façon plus efficace lorsque les salaires dépassent leur niveau d'équilibre. Il serait donc rentable de payer des salaires élevés, même en présence d'une offre excédentaire de travail.

Le chômage créé par les salaires d'efficience est de même nature que celui qui résulte des lois sur le salaire minimum et des syndicats, en ce que, dans les trois cas, ce sont les salaires trop élevés qui empêchent l'offre et la demande de s'équilibrer. Cependant, le premier se distingue des deux autres par une différence majeure. Dans le cas du salaire minimum et de la syndicalisation, les entreprises n'ont pas la possibilité de baisser les salaires, même en cas d'offre excédentaire de main-d'œuvre. Or la théorie des salaires d'efficience affirme pour sa part qu'une telle contrainte est inutile, car les entreprises ont tout intérêt à maintenir des salaires plus élevés que les salaires d'équilibre.

Qu'est-ce qui motive une entreprise à verser des salaires supérieurs à ceux du marché ? Cette décision semble à première vue étrange, car les salaires représentent une grande part des coûts de l'entreprise ; pour maximiser ses profits, elle devrait avoir tendance à réduire les coûts autant que possible. La théorie des salaires d'efficience repose sur l'idée fondamentale que les salaires élevés améliorent la productivité des travailleurs.

Il existe plusieurs variantes de cette théorie, chacune apportant une explication différente pour justifier le choix des entreprises de payer des salaires élevés. Nous examinerons quatre de ces explications.

LA SANTÉ DES TRAVAILLEURS

La première et la plus simple de ces théories met l'accent sur le lien entre les salaires et la santé des travailleurs. Des travailleurs bien payés se nourrissent mieux, sont donc en meilleure santé et produisent plus. Une entreprise pourra donc considérer qu'une telle politique salariale s'avère rentable.

Cette théorie ne s'applique pas vraiment dans les pays développés comme le Canada. En effet, les salaires d'équilibre de la plupart des travailleurs sont suffisants pour leur garantir une alimentation équilibrée. Les entreprises canadiennes ne craignent donc pas que le salaire d'équilibre mette en péril la santé de leurs travailleurs.

Par contre, cette théorie s'applique davantage aux entreprises des pays en voie de développement, où la malnutrition constitue un problème courant. En Afrique, par exemple, où le chômage sévit dans les villes, nombre d'entreprises redoutent les conséquences de faibles salaires sur la santé et la productivité de leurs employés. Autrement dit, les préoccupations concernant la nutrition expliquent parfois que les entreprises ne réduisent pas les salaires, en dépit d'un surplus de main-d'œuvre.

LE ROULEMENT DU PERSONNEL

Une seconde théorie des salaires d'efficience insiste sur la relation entre les salaires et le roulement du personnel. Les travailleurs quittent un emploi pour de multiples raisons : emploi dans une autre entreprise, déménagement dans une autre ville, sortie de la population active, etc. La fréquence des départs est inversement reliée aux incitatifs qui motivent les travailleurs à conserver leur emploi. Plus les salaires sont élevés, moins les travailleurs auront tendance à quitter volontairement un emploi. En rétribuant bien son personnel, une entreprise devrait donc le fidéliser.

Quel est l'intérêt pour l'entreprise de réduire le roulement de personnel ? Elle peut ainsi diminuer le coût d'embauche et de formation du nouveau personnel. En effet, même après une période de formation, les nouveaux venus ne sont pas aussi productifs que les travailleurs expérimentés. Un taux de roulement élevé a donc pour conséquence une augmentation des coûts de production. Les compagnies considéreront qu'il est plus profitable de payer des salaires au-dessus du niveau d'équilibre pour réduire le roulement du personnel.

L'EFFORT DES TRAVAILLEURS

Une troisième théorie de la théorie des salaires d'efficience souligne le lien entre les salaires et l'ardeur au travail des employés. Ces derniers ont souvent la liberté de travailler plus ou moins fort. Cependant, les travailleurs qui se montrent paresseux risquent d'être congédiés. Or les mesures de licenciement posent souvent d'autres types de difficultés aux employeurs. En payant de bons salaires, ils incitent leurs travailleurs à fournir davantage d'efforts pour conserver leur emploi.

Cette théorie reprend la vieille idée marxiste de « l'armée de réserve des chômeurs ». Marx pensait que les employeurs avaient tout intérêt à conserver un certain taux de chômage pour assurer la discipline des travailleurs. Le raisonnement ici est le même : si les salaires se trouvaient à leur niveau d'équilibre, les employés auraient moins de raisons de faire des efforts, puisque, en cas de licenciement, ils n'auraient aucun mal à se retrouver du travail à salaire équivalent. En proposant des salaires supérieurs au niveau d'équilibre, les entreprises créent du chômage et incitent également leur personnel à travailler le mieux possible.

LA QUALITÉ DES TRAVAILLEURS

La quatrième et dernière variante de la théorie des salaires d'efficience met en relation directe les salaires et la qualité des travailleurs. Lorsqu'une entreprise embauche de nouvelles recrues, elle n'est pas en mesure d'en juger parfaitement la qualité. En offrant un salaire élevé, elle attire davantage de candidats de valeur.

Prenons un exemple: la compagnie Pontsetchaussées, propriétaire d'un puits, est à la recherche d'un employé pour pomper l'eau. Deux candidats se présentent: Thierry et Paul. Thierry est un employé compétent, prêt à travailler pour 10 $ de l'heure. En dessous de ce tarif, il préfère mettre sur pied sa propre compagnie d'entretien paysager. Paul, travailleur incompétent, est prêt à faire n'importe quel travail si on lui donne 2 $ de l'heure. Autrement, il préfère aller à la plage. Les économistes diront que le **salaire de réserve** de Thierry s'établit à 10 $, alors que celui de Paul se fixe à 2 $.

Salaire de réserve
Le plus bas salaire accepté par un travailleur, pour un emploi donné.

Quelle sera la politique salariale de l'entreprise? Si elle préfère minimiser ses coûts de main-d'œuvre, elle offrira 2 $ de l'heure. À ce tarif, l'offre de travail (un candidat) équivaudra à la demande. Paul sera engagé et Thierry ne posera pas sa candidature. Imaginons maintenant que Pontsetchaussées sait à l'avance qu'un seul des candidats est compétent, sans savoir lequel des deux. Si elle embauche un incapable, il endommagera le puits et coûtera cher à l'entreprise. Plutôt que de proposer le salaire d'équilibre de 2 $ de l'heure et d'embaucher Paul, elle offre 10 $ de l'heure et les deux candidats se présentent. En engageant un des deux, elle a 50 % de chances de tomber sur le bon candidat. En revanche, en offrant un salaire inférieur, elle est certaine de se retrouver avec un incompétent.

Cette histoire illustre un phénomène général. En cas d'offre excédentaire de travail, on pourrait croire qu'il est rentable de diminuer les salaires. Ce faisant, l'entreprise ferait pourtant face à un problème d'antisélection: la qualité générale des candidats diminuera. Dans notre exemple, le salaire de 10 $ permet d'obtenir deux candidatures pour un poste. Mais si Pontsetchaussées diminue le salaire offert, le travailleur le plus compétent, celui qui dispose d'autres possibilités d'emploi, ne se présentera pas. Il est donc plus rentable d'offrir un salaire supérieur à celui du marché.

DILBERT® Scott Adams

ÉTUDE DE CAS   HENRY FORD ET LE GÉNÉREUX
SALAIRE DE 5 $ PAR JOUR

Henry Ford, fondateur de la Ford Motor Company, était un visionnaire. Il inaugura dans son entreprise les techniques modernes de production. Au lieu de faire construire ses automobiles par de petites équipes d'ouvriers qualifiés, il créa la chaîne de montage où des ouvriers sans compétence particulière répétaient inlassablement les mêmes tâches simples à longueur de journée. Le résultat fut le célèbre Modèle T de Ford.

En 1914, Ford bouleversa encore le marché en instaurant la journée de travail à 5 $. À l'époque, cela correspondait à plus du double du salaire habituel, soit un salaire bien supérieur au salaire d'équilibre. L'annonce de ce salaire attira des foules de chercheurs d'emploi devant ses usines. Les candidatures excédaient de beaucoup les besoins en personnel.

La politique salariale de Ford confirme les multiples prédictions de la théorie du salaire d'efficience. Les taux d'absentéisme et de roulement du personnel sont tombés et la productivité a augmenté. La motivation des travailleurs était telle que les coûts de production étaient inférieurs, même avec des salaires aussi élevés, ce qui s'avérait hautement rentable pour l'entreprise. Henry Ford confia par la suite que ce généreux salaire de 5 $ par jour «fut une des meilleures mesures de réduction des coûts jamais prise par la compagnie».

Les comptes rendus historiques de cet épisode confirment également la théorie des salaires d'efficience. Un chroniqueur des débuts de la Ford Motor Company a écrit que «Ford et ses associés ont déclaré à plusieurs reprises que cette hausse salariale fut une excellente affaire pour l'entreprise: elle a permis d'améliorer la discipline des travailleurs, les a rapprochés de l'entreprise et a augmenté leur efficacité».

Pourquoi Henry Ford a-t-il adopté cette stratégie? Et pourquoi les autres entreprises n'ont-elles pas eu cette idée avant lui? Selon certains analystes, la décision de Ford était liée à la chaîne de montage. En effet, les travailleurs d'une même chaîne sont étroitement dépendants les uns des autres. En cas d'absence ou de ralentissement de l'un des employés, les autres ont plus de difficultés à accomplir leur tâche. En accélérant la production, les chaînes de montage accentuent l'importance de l'ardeur au travail, de la qualité des travailleurs et d'un faible roulement du personnel. Par conséquent, payer des salaires d'efficience était, à l'époque, une stratégie plus avantageuse pour la compagnie Ford que pour les autres entreprises.

TRAVAILLEURS SORTANT D'UNE ANCIENNE USINE FORD

MINITEST : Donnez quatre raisons qui pourraient motiver une entreprise à payer des salaires supérieurs au niveau d'équilibre du marché.

BON À SAVOIR

L'information asymétrique et ses conséquences économiques

Dans bien des contextes, l'information est asymétrique: lors d'une transaction, il arrive bien souvent que l'une des parties en sache plus que l'autre. Une telle possibilité soulève plusieurs problèmes économiques intéressants. La théorie des salaires d'efficience en a mis quelques-uns en évidence, mais ce type de question déborde largement le cadre du chômage.

La variante de la théorie du salaire d'efficience qui s'intéresse à la qualité du personnel illustre un principe général appelé *antisélection*. Cette situation se présente lorsque l'une des parties (le vendeur) est mieux informée que l'autre (l'acheteur) sur la qualité de l'objet de la transaction (un bien ou un service); la personne la moins informée risque alors d'acheter un produit de qualité inférieure. Si l'on applique ce principe à la question de la qualité du personnel, on doit bien constater que les employés en savent beaucoup plus sur leurs propres aptitudes que l'entreprise qui les engage. Lorsque les salaires diminuent, la sélection du personnel change en défaveur de la firme: c'est ce que l'on appelle l'antisélection.

L'antisélection se produit en diverses circonstances. En voici deux exemples:

◆ Les vendeurs de véhicules d'occasion connaissent les défauts des voitures qu'ils vendent, alors que les acheteurs, bien souvent, n'en sont pas informés. Comme il est plus courant de se débarrasser d'un véhicule défectueux que d'une excellente voiture, les acheteurs potentiels craignent légitimement d'acheter un «citron». Ils évitent donc souvent d'acheter une voiture d'occasion.

◆ Les gens qui souscrivent une assurance maladie sont mieux renseignés sur leur propre santé que les compagnies d'assurances. Comme les personnes les moins bien portantes sont davantage susceptibles de souscrire un tel type d'assurance, les primes reflètent les coûts de traitement d'une personne plus malade que la moyenne. Les gens qui jouissent d'une bonne santé refusent souvent de payer des primes aussi élevées.

Chacun de ces exemples – véhicules d'occasion ou contrats d'assurance maladie – démontre que le marché, pour ces produits, ne fonctionne pas aussi bien qu'il le devrait, en raison d'un problème d'antisélection.

La variante de la théorie des salaires d'efficience qui s'intéresse à l'effort au travail illustre pour sa part un autre phénomène général: *l'aléa moral*. Ce phénomène apparaît lorsqu'une personne, l'agent, travaille pour le compte d'une autre, le principal. Ce dernier n'est pas en mesure de surveiller en permanence l'agent, qui alors ne déploie pas tous les efforts exigés par le principal. Le terme *aléa moral* désigne tous les risques d'incompétence ou de malhonnêteté de l'agent. Lorsqu'il fait face à une telle situation, le principal essaie d'inciter l'agent à se comporter de manière responsable.

Dans un contrat de travail, l'employeur joue le rôle de principal et le travailleur, celui d'agent. Dans ce cas, l'aléa moral est la tentation du travailleur d'esquiver ses responsabilités. Selon la théorie de l'effort des travailleurs, le principal qui offre un salaire supérieur à la moyenne du marché encourage l'agent à agir de manière responsable, sous peine de perdre son emploi s'il se fait prendre. Un salaire élevé réduit donc l'aléa moral.

Ce risque survient aussi dans d'autres circonstances. En voici quelques exemples:

◆ Le détenteur d'une police d'assurance incendie n'achète pas suffisamment d'extincteurs. La raison en est simple: c'est lui qui les paye, alors que c'est la compagnie d'assurances qui en en retire le plus d'avantages.

◆ Une gardienne laisse les enfants regarder la télévision beaucoup plus longtemps que les parents ne le souhaitent, car les activités éducatives nécessitent plus d'efforts de sa part, même si elles sont préférables pour les enfants.

◆ Une famille demeure au bord d'une rivière malgré tous les risques d'inondations que cela implique. Elle profite de la vue et c'est l'État qui devra assumer une partie des coûts en cas de débordement.

MINITEST: Trouvez, dans chacun des cas énoncés ci-dessus, le principal et l'agent. Considérez-vous que le principal doit chaque fois résoudre le problème d'aléa moral?

ÉTUDE DE CAS   LE CHÔMAGE À LONG TERME AU CANADA
ET AUX ÉTATS-UNIS

En mai 2004, les taux de chômage globaux aux États-Unis et au Canada
étaient respectivement de 5,6 % et 7,2 %. Depuis 20 ans, le taux de chômage
canadien est systématiquement plus élevé que celui des États-Unis, et l'écart
est habituellement d'au moins 2 %. Il est difficile de croire que seuls des facteurs conjoncturels expliquent le maintien d'un tel écart pendant aussi longtemps. (Par exemple, la politique monétaire a certainement un impact sur le
marché de l'emploi, mais à court terme seulement.) Quelle est donc la source
du problème de chômage à long terme?

Commençons par rappeler ce qu'est un chômeur : c'est quelqu'un qui n'a
pas d'emploi et qui en cherche un activement. Il y a à cette définition deux
exceptions : les mises à pied temporaires et les emplois sur le point de débuter.
L'écart Canada/États-Unis pourrait-il être simplement dû à des méthodes de
calcul différentes? Une analyse attentive des enquêtes sur la population
active dans les deux pays révèle qu'un sans-emploi qui ne cherche du travail qu'en épluchant les annonces classées des journaux est considéré comme
inactif aux États-Unis et comme chômeur au Canada. En outre, un chercheur
d'emploi de 15 ans est un chômeur au Canada, mais n'est pas considéré
comme actif aux États-Unis, où l'âge minimum pour faire partie de la population active est de 16 ans (le taux de chômage des jeunes est très élevé).
Finalement, une personne mise à pied temporairement et qui ne cherche pas
activement un emploi est considérée comme chômeuse pendant un maximum de 26 semaines au Canada, mais pendant seulement 30 jours aux États-
Unis. Ces différences ne permettent cependant d'expliquer que le cinquième
de l'écart des deux taux de chômage. Retour à la case départ…

Voyons le problème autrement. Pourquoi y a-t-il toujours des chômeurs?
Des entreprises ferment, d'autres ouvrent, des gens quittent le marché du
travail, d'autres y entrent sans avoir automatiquement un emploi. Peut-être
certains facteurs font-ils que le temps moyen de recherche d'emploi est plus
long au Canada qu'aux États-Unis?

Si le taux de perte d'emploi est le même dans les deux pays, mais que
les Canadiens cherchent plus longtemps un nouveau travail, notre taux de
chômage sera logiquement plus élevé. Or, la durée moyenne du chômage a
augmenté depuis 20 ans au Canada. En fait, Statistique Canada estime qu'en
général, les deux tiers d'une hausse du taux de chômage sont causés par une
durée plus longue de recherche, alors que le tiers seulement provient d'une
augmentation de la fréquence. Parmi les causes possibles de ce phénomène,
plusieurs auteurs ont noté la générosité du programme d'assurance-emploi
canadien. Cependant, le resserrement du programme fédéral n'a eu, semble-t-il,
que peu d'influence sur le taux de chômage naturel. Paradoxe?

D'autres auteurs ont cherché des explications du côté de la rigidité du
marché du travail. Parmi les causes possibles, on retrouve le taux de syndicalisation, les lois sur le salaire minimum, la possibilité que les employeurs
paient des salaires d'efficience ou que la rémunération des travailleurs soit
déterminée selon la théorie des «insiders-outsiders», selon laquelle les travailleurs d'une entreprise, formés à son fonctionnement particulier, ne sont
pas directement remplaçables par des travailleurs extérieurs, en raison des
coûts de recrutement et de formation.

Finalement, le chômage ne touche pas également tous les groupes dans
la population et toutes les régions du pays. Si la composition démographique
est différente au Canada et aux États-Unis, et si certaines régions sont fortement touchées par des *variations sectorielles*, nous tenons peut-être une autre
partie de l'explication.

CONCLUSION

Dans ce chapitre, nous avons étudié les méthodes qui permettent de mesurer le chômage et les raisons pour lesquelles le chômage est toujours présent dans un système économique. Nous avons également vu pourquoi la recherche d'emploi, le salaire minimum, les syndicats et les salaires d'efficience contribuent à long terme au chômage. Laquelle de ces quatre raisons contribue le plus au taux de chômage naturel dans l'économie canadienne et ailleurs? Il est bien difficile de le dire. Les économistes n'arrivent pas à se mettre d'accord sur l'importance relative de chacun de ces quatre facteurs.

Nous pouvons toutefois tirer de notre analyse une importante leçon: même si le chômage sévit dans toutes les économies, son taux naturel n'a rien d'immuable. Certains événements et certaines mesures gouvernementales parviennent à modifier ce taux de chômage. La révolution informatique transforme le processus de recherche d'emploi, les gouvernements ajustent le salaire minimum et modifient les critères d'admissibilité à l'assurance-emploi, le taux de syndicalisation varie, les entreprises utilisent plus ou moins les salaires d'efficience et, par conséquent, le taux de chômage naturel fluctue. Le chômage est un problème complexe pour lequel il n'existe pas de solution simple. Retenons surtout que la manière dont nous organisons notre société influe grandement sur l'ampleur d'un tel phénomène.

Résumé

◆ Le taux de chômage est égal au pourcentage d'individus souhaitant travailler mais qui n'ont pas d'emploi. Statistique Canada fournit mensuellement cette statistique à partir d'une enquête réalisée auprès de milliers de ménages canadiens.

◆ Le taux de chômage est une mesure très imparfaite. Certains individus se déclarent chômeurs mais ne veulent pas réellement travailler, alors que d'autres aimeraient trouver un emploi mais ont quitté la population active par suite de recherches infructueuses.

◆ Dans l'économie canadienne, la plupart des chercheurs d'emploi se trouvent du travail très rapidement. Cependant, l'essentiel du chômage observé est imputable aux chômeurs de longue durée.

◆ Le temps pris par les travailleurs pour trouver un poste convenant à leurs compétences et à leurs intérêts explique en partie le chômage. L'assurance-emploi, programme gouvernemental qui garantit des revenus aux travailleurs, fait aussi augmenter le chômage frictionnel.

◆ La deuxième raison expliquant la permanence du chômage dans notre économie est la loi sur le salaire minimum. En gonflant les salaires des travailleurs non qualifiés et sans expérience pour les maintenir au-dessus du niveau d'équilibre, cette loi augmente la quantité de travail offerte et en réduit la quantité demandée. Elle crée ainsi une offre excédentaire correspondant au chômage.

◆ La troisième cause de chômage tient au pouvoir de marché des syndicats. Lorsque ces derniers poussent les salaires au-dessus du niveau d'équilibre dans les entreprises syndiquées, ils créent une offre excédentaire de travail.

◆ La théorie des salaires d'efficience constitue la quatrième explication du chômage. D'après cette théorie, les compagnies payent à leurs employés un salaire plus élevé que le salaire d'équilibre, parce que cela s'avère rentable. Ces salaires supérieurs améliorent la santé des travailleurs, réduisent le roulement de personnel, encouragent les efforts des employés et augmentent la qualité des travailleurs.

Concepts clés

Assurance-emploi, p. 183
Chômage cyclique
ou conjoncturel, p. 180
Chômage frictionnel, p. 181
Chômage structurel, p. 181
Grève, p. 188

Négociation collective, p. 188
Population active, p. 175
Recherche d'emploi, p. 182
Salaire de réserve, p.192
Salaires d'efficience, p. 190
Syndicat, p. 187

Taux d'activité, p. 175
Taux de chômage naturel, p. 180
Taux de chômage, p. 175
Travailleurs découragés, p. 179

Questions de révision

1. Quelles sont les trois catégories dans lesquelles Statistique Canada classe les personnes âgées de 15 ans et plus ? Comment calcule-t-on la population active, le taux de chômage et le taux d'activité ?

2. Au Canada, le chômage est-il en général de courte ou de longue durée ? Expliquez pourquoi.

3. Le chômage frictionnel est-il inévitable ? Comment le gouvernement peut-il tenter de le réduire ?

4. Les lois sur le salaire minimum fournissent-elles une meilleure explication du chômage structurel chez les adolescents ou chez les diplômés de niveau post-secondaire ? Pour quelles raisons ?

5. Les syndicats ont-ils un effet sur le taux de chômage naturel ?

6. Sur quels arguments s'appuient les défenseurs des syndicats pour justifier leur rôle dans l'économie ?

7. Donnez quatre raisons pour lesquelles une entreprise pourrait améliorer sa rentabilité en augmentant les salaires de ses employés.

Quatrième partie

LA MONNAIE
ET LES PRIX
À LONG TERME

10

LE SYSTÈME MONÉTAIRE

À LA FIN DE CE CHAPITRE, VOUS SEREZ EN MESURE...

de comprendre la nature de la monnaie et ses fonctions dans l'économie

d'expliquer les rôles de la Banque du Canada

d'expliquer comment le système bancaire détermine l'offre de monnaie

de comprendre comment la Banque du Canada influence l'offre de monnaie.

Lorsque vous allez au restaurant, vous obtenez quelque chose qui améliore votre bien-être : un repas. En échange, vous donnez au serveur quelques morceaux de papier, ornés de différents symboles : des oiseaux, des édifices gouvernementaux, le portrait de la reine ou d'un défunt premier ministre. Vous pouvez également lui donner un bout de papier ou de plastique portant le nom d'une banque et votre signature. Quelle que soit la façon de régler l'addition – argent comptant, chèque ou carte de crédit –, le restaurateur s'est efforcé de satisfaire votre appétit, en contrepartie de quelques morceaux de papier qui, en eux-mêmes, ne valent rien.

Pour nous qui vivons dans une économie moderne, cette coutume n'a rien d'étrange. Même si la monnaie est dénuée de valeur intrinsèque, le propriétaire du restaurant est persuadé qu'une autre personne l'acceptera en échange d'un bien ou d'un service auquel lui-même accorde de la valeur. Cette troisième personne ne doutera pas qu'une quatrième accepte aussi cet argent en toute confiance, sachant qu'une cinquième fera de même... et ainsi de suite. Votre chèque ou votre argent comptant représente un droit de recevoir, en échange, des biens et des services.

L'usage social de la monnaie comme moyen d'échange se justifie pleinement, dans une société complexe et diversifiée comme la nôtre. Imaginez un instant qu'aucun moyen de paiement ne soit accepté par tout le monde en échange de biens et de services. On devrait s'en remettre au **troc**, c'est-à-dire à l'échange d'un bien ou d'un service contre un autre. Au restaurant, par exemple, il vous faudrait offrir au propriétaire quelque chose dont il a un besoin immédiat : laver la vaisselle ou sa voiture, ou lui confier la recette secrète de la tourtière de votre grand-mère. Un système économique basé sur le troc ne peut pas faire l'allocation de ses ressources rares de manière efficace. La réalisation d'échanges, dans ce type d'économie, requiert ce qu'on appelle une *double coïncidence de besoins* – un pur hasard faisant que deux personnes désirent ce que l'autre leur propose.

La monnaie simplifie les échanges. Le restaurateur ne se soucie pas que vous lui proposiez ou non un bien ou un service dont il a besoin. Il se montre ravi d'accepter votre monnaie, sachant que d'autres l'accepteront à leur tour. Le propriétaire du restaurant accepte votre carte de crédit pour payer son chef cuisinier, qui s'en sert pour envoyer sa fille à la garderie ; ce paiement permet de rétribuer l'éducatrice, qui vous engage pour tondre le gazon. La circulation de la monnaie dans le système économique facilite la production et l'échange, permettant ainsi à chacun de se spécialiser dans un domaine qui lui convient et d'augmenter le niveau de vie de l'ensemble de la population.

Dans le présent chapitre, nous commencerons par définir le rôle de la monnaie. Nous étudierons également les différentes formes qu'elle peut prendre. Nous nous demanderons ensuite comment elle est créée par le système monétaire et de quelle façon le gouvernement peut en déterminer la quantité en circulation. La monnaie joue un rôle d'une telle importance que nous consacrerons une bonne partie du reste de l'ouvrage à étudier les effets des variations de la masse monétaire sur les différentes variables économiques, notamment l'inflation, les taux d'intérêt, la production et l'emploi. Poursuivant l'analyse à long terme entreprise dans les trois chapitres précédents, nous examinerons, dans le chapitre 11, les effets à long terme des variations de la masse monétaire ; leurs effets à court terme représentent un sujet plus complexe, que nous aborderons plus loin dans cet ouvrage. Le présent chapitre expose les notions de base nécessaires à l'étude de la monnaie.

LA SIGNIFICATION DE LA MONNAIE

Qu'est-ce que la monnaie ? Voilà une bien étrange question. Lorsqu'on dit que le milliardaire Bill Gates est très riche, tout le monde comprend que sa fortune lui permet de s'offrir presque tout ce qu'il désire. Dans ce sens, le terme *monnaie* est synonyme du terme *richesse*.

Pour les économistes, cependant, le mot **monnaie** revêt un sens plus large : il représente l'ensemble des actifs utilisés pour acheter des biens et des services. Les dollars que vous sortez de votre portefeuille pour payer l'addition au restaurant ou pour acheter une chemise dans une boutique en constituent un bon exemple. En revanche, si vous déteniez, comme Bill Gates, une grande partie des actions de Microsoft Corporation, vous seriez riche, mais ce type d'actifs ne serait pas pour autant une forme de monnaie. Pour vous payer un repas ou une chemise, il vous faudrait d'abord vous procurer de la monnaie. Selon la

Troc
L'échange d'un bien ou d'un service contre un autre.

Monnaie
Ensemble des actifs utilisés à des fins de transactions ; ensemble des actifs utilisés couramment comme moyen de paiement.

définition des économistes, la monnaie n'inclut que certains types d'actifs couramment acceptés par les vendeurs en échange de biens ou de services.

LES RÔLES DE LA MONNAIE

Dans notre système économique, la monnaie remplit trois rôles : elle est un *moyen d'échange*, une *unité de compte* et une *réserve de valeur*. Par ces trois rôles, la monnaie se différencie d'autres types d'actifs, comme les actions, les obligations, l'immobilier ou les œuvres d'art. Examinons maintenant ces trois rôles plus en détail :

Un **moyen d'échange** est un intermédiaire donné par les acheteurs et accepté par les vendeurs lors de l'achat d'un bien ou d'un service. En échange d'une chemise, vous donnez de la monnaie au vendeur de la boutique. Vous réalisez ainsi une transaction. En entrant dans le magasin, vous savez qu'en échange de ses articles, le vendeur acceptera votre argent, car c'est l'intermédiaire couramment utilisé.

Une **unité de compte** est l'étalon de mesure de la valeur, utilisée pour exprimer les prix et comptabiliser les dettes. Lorsque vous allez magasiner, vous constatez qu'une chemise vaut 40 $ et qu'un hamburger coûte 4 $. Même s'il est exact de dire que le prix d'une chemise équivaut à celui de dix hamburgers ou qu'un hamburger vaut un dixième de chemise, on ne calcule jamais les prix ainsi. Quand vous contractez un emprunt auprès d'une banque, le montant de vos remboursements est exprimé en dollars, et non en quantité de biens et de services. Pour mesurer ou comptabiliser une valeur économique, on se sert de la monnaie comme unité de compte.

Une **réserve de valeur** représente un moyen de reporter vers le futur le pouvoir d'achat. Quand un vendeur accepte de la monnaie en échange d'un bien ou d'un service, il peut le conserver pendant un certain temps pour le dépenser plus tard. De toute évidence, la monnaie ne représente pas la seule réserve de valeur dans notre économie, car on peut également reporter le pouvoir d'achat en utilisant d'autres types d'actifs. On utilise le terme *richesse* pour désigner l'ensemble des réserves de valeur, que ce soit la monnaie ou les actifs non monétaires.

Les économistes parlent de **liquidité** pour décrire la facilité de conversion d'un actif en moyen d'échange. La monnaie étant le moyen d'échange de notre système économique, elle représente le plus liquide de tous les types d'actifs. La liquidité des autres types d'actifs varie énormément. La plupart des actions et des obligations se vendent rapidement, moyennant un faible coût. En revanche, la vente d'une maison, d'un tableau de Rembrandt ou d'une carte de hockey de Mario Lemieux datant de 1990, requiert plus de temps et d'efforts : ces actifs sont donc moins liquides.

Quand on choisit la forme sous laquelle on désire conserver sa richesse, il faut comparer la liquidité de chaque type d'actif avec sa fiabilité en tant que réserve de valeur. La monnaie constitue le type d'actif le plus liquide, sans toutefois être une excellente réserve de valeur, puisque l'inflation fait perdre à la monnaie sa valeur. Autrement dit, une hausse du prix des biens et des services diminue la valeur de chaque dollar dans votre portefeuille. Il sera essentiel de bien saisir cette relation entre le niveau des prix et la valeur de la monnaie, pour être en mesure de comprendre l'impact de la monnaie sur l'économie.

Moyen d'échange
Intermédiaire donné par les acheteurs et accepté par les vendeurs lors de l'achat d'un bien ou d'un service.

Unité de compte
Étalon de mesure de la valeur.

Réserve de valeur
Actif que l'on peut utiliser pour reporter vers le futur un pouvoir d'achat.

Liquidité
Facilité avec laquelle un actif peut être transformé en moyen d'échange.

« Ça alors ! Ces nouveaux billets de 20 $ ressemblent comme deux gouttes d'eau à de l'argent de Monopoly ! »

LES FORMES DE MONNAIE

Monnaie-marchandise
Monnaie qui prend la forme d'une marchandise et dont la valeur serait la même si elle ne servait pas de monnaie.

Lorsque la monnaie prend la forme d'un bien ayant une valeur intrinsèque, on parle de **monnaie-marchandise.** Le terme *valeur intrinsèque* signifie que, même sans servir de moyen d'échange, ce bien a une valeur en soi. L'or en constitue un excellent exemple : il a une valeur intrinsèque en raison de son emploi industriel et de son usage en joaillerie. De nos jours, l'or a cessé d'être un mode de paiement. Cependant, la relative facilité qu'on avait à le transporter, à le peser et à en mesurer la pureté en ont longtemps fait un moyen de paiement par le passé. Une économie qui utilise l'or comme monnaie (ou du papier-monnaie convertible en or à la demande) est dite en régime d'*étalon-or.*

Les cigarettes constituent un autre exemple de monnaie-marchandise. Durant la Seconde Guerre mondiale, les prisonniers des camps échangeaient des biens et des services en se servant de cigarettes comme unité de compte, moyen d'échange et réserve de valeur. Lors de l'effondrement de l'Union soviétique, à la fin des années 80, les cigarettes ont commencé à remplacer le rouble ; même les non-fumeurs acceptaient des cigarettes comme moyen d'échange, confiants de pouvoir s'en servir eux-mêmes pour acheter d'autres produits.

Monnaie fiduciaire
Monnaie sans valeur intrinsèque, dont le statut est décrété par le gouvernement.

Une monnaie sans valeur intrinsèque est une **monnaie fiduciaire.** Cette monnaie est acceptée comme mode de paiement en raison d'une décision ou d'un décret du gouvernement. Par exemple, comparez les dollars de votre portefeuille (imprimés par la Banque du Canada) avec les dollars de votre jeu de Monopoly (imprimés par la société de jeux Parker Brothers). Vous pourrez payer votre addition au restaurant avec les premiers, mais sûrement pas avec les seconds. Pourquoi ? À cause d'un décret du gouvernement canadien qui fait du dollar la seule monnaie « ayant cours légal » au Canada, ainsi que chaque billet dans votre porte-monnaie vous le rappelle.

Si l'autorité de l'État s'impose pour établir et réglementer une monnaie fiduciaire (en poursuivant les faux-monnayeurs, entre autres), d'autres facteurs sont également essentiels pour assurer le succès d'un tel système. Dans une très large mesure, le fait d'accepter la monnaie fiduciaire relève autant de la confiance en sa valeur et d'une convention sociale que d'une volonté étatique. Durant les années 80, le gouvernement soviétique n'a jamais abandonné le rouble comme monnaie officielle. Cependant, les Moscovites préféraient accepter les cigarettes (ou même les dollars américains) en échange de biens et de services, parce qu'ils faisaient davantage confiance à ce type de monnaie.

Lire l'article page 435

LA MONNAIE DANS L'ÉCONOMIE CANADIENNE

Comme nous le verrons plus loin, la quantité de monnaie en circulation dans un système économique s'appelle *masse monétaire* et exerce une importante influence sur de nombreuses variables économiques. Mais avant d'aborder ce sujet, il faut se poser une question : qu'est-ce que la quantité de monnaie en circulation ? Si vous étiez chargé de mesurer la quantité de monnaie en circulation dans l'économie canadienne, que devriez-vous inclure dans cette mesure ?

Numéraire
Billets de banque et pièces de monnaie entre les mains du public.

Le type d'actif le plus connu qu'il faut comptabiliser dans cette mesure est le **numéraire** – les billets de banque et les pièces de monnaie entre les mains du public. Ces espèces représentent le moyen d'échange le plus reconnu dans notre économie et font sans aucun doute partie de la masse monétaire.

Dépôts à vue
Un compte bancaire qui permet au déposant de retirer des fonds, sur demande, jusqu'à concurrence du montant déposé.

Néanmoins, le numéraire n'est pas le seul type d'actif permettant d'acheter des biens et des services. Les cartes de débit et les chèques personnels sont acceptés à peu près partout. Les sommes dont vous disposez dans votre compte bancaire sont presque aussi pratiques, pour régler vos achats, que la monnaie dans votre portefeuille. La mesure de la quantité de monnaie en circulation devra donc également inclure les **dépôts à vue,** soit les sommes déposées dans des comptes bancaires et utilisables sur demande, c'est-à-dire les sommes sur lesquelles les déposants peuvent tirer des chèques ou utiliser une carte de débit.

Or, à partir du moment où vous considérez comme de la monnaie les sommes déposées dans les comptes-chèques, il vous faut aussi tenir compte des autres types de comptes ouverts dans les banques et les autres institutions financières. Les déposants font souvent des chèques à partir de leurs comptes d'épargne, mais ils peuvent également transférer facilement des fonds de leur compte d'épargne vers leur compte-chèques. En outre, les déposants des fonds communs de placement peuvent parfois émettre des chèques prélevés sur ces dépôts. Tous ces comptes font sans aucun doute partie intégrante de la masse monétaire canadienne.

Il n'est pas aisé, dans une économie complexe comme la nôtre, de discerner, parmi tous les types d'actifs, ce qui est de la « monnaie » de ce qui n'en est pas. Les pièces de monnaie dans votre poche font assurément partie de la masse monétaire, mais le Stade olympique de Montréal certainement pas. Entre ces deux extrêmes se trouve une zone grise. Il existe, par conséquent, plusieurs mesures différentes de la masse monétaire canadienne. Le tableau 10.1 montre les deux plus importantes, soit les agrégats monétaires M1 et M2. Chacun utilise des critères légèrement différents pour distinguer les actifs monétaires des actifs non monétaires.

Pour les fins de cet ouvrage, il n'est pas utile d'insister sur les différences qui distinguent les mesures de la masse monétaire au Canada. L'essentiel est de savoir que cette masse monétaire inclut non seulement le numéraire, mais aussi les dépôts bancaires ou les sommes déposées dans d'autres institutions financières et qui sont facilement accessibles et utilisables pour acquérir des biens et des services.

Lire l'article page 436

Tableau 10.1

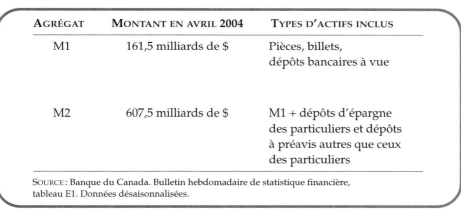

AGRÉGAT	MONTANT EN AVRIL 2004	TYPES D'ACTIFS INCLUS
M1	161,5 milliards de $	Pièces, billets, dépôts bancaires à vue
M2	607,5 milliards de $	M1 + dépôts d'épargne des particuliers et dépôts à préavis autres que ceux des particuliers

SOURCE : Banque du Canada. Bulletin hebdomadaire de statistique financière, tableau E1. Données désaisonnalisées.

DEUX AGRÉGATS MONÉTAIRES DE L'ÉCONOMIE CANADIENNE. Les deux évaluations les plus courantes des avoirs en circulation : M1 et M2.

ÉTUDE DE CAS   OÙ EST PASSÉE TOUTE LA MONNAIE ?

Quand il s'agit de mesurer la masse monétaire du Canada, calculer le numéraire en circulation s'avère être un vrai casse-tête. En 2004, on retrouvait environ 41 milliards de dollars en circulation. Pour donner une idée concrète de cette somme, on peut la diviser par 25 millions de Canadiens adultes (de plus de 15 ans), ce qui donne une moyenne de 1 600 $ par adulte. La plupart des gens sont surpris par un tel chiffre, car l'immense majorité des Canadiens ne se promènent pas avec autant d'argent liquide sur eux.

Où donc se trouve toute cette monnaie ? Personne ne le sait vraiment. Une certaine fraction est déposée dans les banques et les autres institutions, mais il est vraisemblable qu'une bonne part de cette monnaie se trouve à l'étranger, entre les mains de fraudeurs du fisc, de narcotrafiquants et d'autres criminels. La plupart des gens considèrent qu'il est imprudent de conserver de grandes quantités d'espèces, en raison des risques de vol ou de perte.

De plus, l'argent comptant ne rapporte pas d'intérêts, contrairement aux sommes placées à la banque. Les gens ne conservent donc que de faibles sommes en numéraire. En revanche, les criminels ne déposent pas leur argent dans un compte en banque, car l'enregistrement des opérations laisse des traces de leurs activités illégales. Le numéraire constitue peut-être pour eux la meilleure réserve de valeur.

Un calcul similaire pour l'économie américaine aboutit à un montant de 2 500 $ par adulte, une somme encore plus surprenante. Il est certes possible que l'activité criminelle soit plus florissante de l'autre côté de la frontière, mais il est plus probable qu'une grande partie de ces liquidités se trouve à l'extérieur du pays. En effet, dans les pays au système monétaire instable, les gens préfèrent le dollar américain à la devise locale. Il n'est pas rare de voir, partout dans le monde, des dollars américains servant de moyen d'échange, d'unité de compte et de réserve de valeur, alors que le dollar canadien est rarement utilisé hors du Canada.

■ **MINITEST :** Énumérez et expliquez les trois fonctions de la monnaie.

BON À SAVOIR

Cartes de crédit, cartes de débit et monnaie

Il semble logique d'inclure les cartes de crédit dans le calcul de la masse monétaire. Après tout, les gens s'en servent pour de nombreux achats. Ne constituent-elles pas, dès lors, un moyen d'échange ?

Même si, à première vue, un tel argument semble juste, les cartes de crédit sont exclues de toutes les mesures de la masse monétaire, ces cartes n'étant pas vraiment un moyen de paiement, mais plutôt un moyen de *différer* un paiement. Lorsque vous payez votre repas au restaurant avec une carte de crédit, la banque émettrice de la carte paie le restaurateur. Vous devrez par la suite rembourser la banque (peut-être avec des intérêts). Au moment de ce versement, vous ferez peut-être un chèque à partir de votre compte courant, compte dont le solde est déjà pris en compte dans le calcul de la masse monétaire.

Remarquez que les cartes de crédit diffèrent des cartes de débit, qui débitent automatiquement les fonds d'un compte bancaire pour payer les biens achetés, plutôt que de permettre au détenteur de différer le paiement. Une carte de débit donne un accès immédiat au compte du détenteur. Une carte de débit se rapproche donc plus d'un chèque que d'une carte de crédit. Rappelons que les soldes des comptes bancaires, que l'on transfère grâce aux cartes de débit, font partie de la masse monétaire.

Même si les cartes de crédit ne sont pas considérées comme une forme de monnaie, elles n'en jouent pas moins un rôle important dans le système monétaire. Les détenteurs de ces cartes paient la plupart de leurs factures à la fin du mois, plutôt que de manière sporadique, au gré de leurs achats. Ces individus conservent sans doute moins de numéraire sur eux que s'ils n'avaient pas de cartes de crédit. En conséquence, l'utilisation croissante de ces cartes limite la quantité de monnaie liquide conservée par les gens.

EST-CE DE LA MONNAIE ?

LA BANQUE DU CANADA

Lorsqu'une économie repose sur un système de monnaie fiduciaire, comme c'est le cas de l'économie canadienne, une organisation doit se charger de réguler la masse monétaire. C'est la responsabilité de la **Banque du Canada.** Si vous observez un billet de banque, vous remarquez qu'il porte les mots « Banque du

Banque du Canada
La banque centrale du Canada.

Canada » et qu'il est signé par le gouverneur et le premier sous-gouverneur de la Banque. La Banque du Canada est une **banque centrale,** c'est-à-dire une institution chargée d'intervenir pour réguler la quantité de monnaie en circulation. Parmi les principales banques centrales du monde, on peut citer la Banque d'Angleterre, la Banque du Japon, la Banque centrale européenne et la Réserve fédérale des États-Unis.

Banque centrale
Institution responsable de la régulation de la masse monétaire (politique monétaire).

LA LOI DE LA BANQUE DU CANADA

Jusqu'à la crise des années 30, il n'y avait pas de banque centrale au Canada. Les billets étaient émis par le ministère des Finances et par les principales banques à charte, comme la Banque de Montréal, qui étaient conjointement responsables de réguler le système monétaire. Le régime de l'étalon-or, alors en vigueur, garantissait la convertibilité des billets de banque en une certaine quantité d'or. Les problèmes économiques résultant de la Crise et le besoin de limiter la quantité de monnaie fiduciaire, lors de l'abandon de l'étalon-or, ont alors conduit à la formation d'une commission royale pour étudier la question. Cette dernière a recommandé la création d'une banque centrale. En 1934, le Parlement a donc édicté la *Loi sur la Banque du Canada*, établissant les responsabilités de cette institution. Fondée en 1935 et nationalisée en 1938, elle est la propriété du gouvernement canadien.

La Banque du Canada est dirigée par un conseil d'administration formé par le gouverneur, le premier sous-gouverneur et douze administrateurs, dont le sous-ministre des Finances. L'actuel gouverneur de la Banque du Canada, David Dodge, a été nommé en 2001. Le ministre des Finances choisit tous les membres du conseil d'administration, dont le mandat est d'une durée de trois ans, à l'exception du gouverneur et du sous-gouverneur qui sont nommés pour sept ans. Cette structure administrative confère donc théoriquement au gouvernement les pouvoirs ultimes sur la Banque du Canada : en plus de désigner la totalité du conseil d'administration, le gouvernement peut donner des ordres écrits au gouverneur, ordres auxquels ce dernier doit se soumettre.

Dans la réalité cependant, la Banque du Canada jouit d'une grande indépendance face au pouvoir politique. Tout comme les juges de la Cour suprême sont nommés à vie pour garantir leur autonomie, le septennat du gouverneur de la Banque le protège des pressions politiques lorsqu'il formule la politique monétaire. Il est convenu que le gouverneur démissionnerait immédiatement à la réception d'un ordre écrit du ministre des Finances. Les remous qui s'ensuivraient sur les marchés financiers dissuadent généralement le ministre d'adopter une telle mesure et il y recourt rarement, voire jamais.

Les banques à charte comme la Banque de Montréal, la Banque Royale, la Banque Toronto-Dominion, la CIBC, la Banque Scotia et la Banque Nationale appartiennent à leurs actionnaires. Le rôle principal de ces banques est de maximiser leurs profits, au bénéfice des actionnaires. Les banques centrales, comme la Banque du Canada, sont la propriété de l'État et versent leurs profits au gouvernement. Cependant, leur première mission n'est pas de maximiser les profits, mais plutôt de promouvoir l'intérêt général. Le préambule de la *Loi sur la Banque du Canada* se lit comme suit :

> «Considérant qu'il est important d'instituer une banque centrale afin de réglementer le crédit et la monnaie dans l'intérêt de la vie économique de la nation ; de contrôler et protéger la valeur de la monnaie nationale sur les marchés internationaux ; d'atténuer autant que possible par son action les fluctuations du niveau général de la production, du commerce, des prix et de l'emploi ; et de façon générale de favoriser la prospérité économique et financière du Canada… »

La Banque du Canada doit s'acquitter de quatre tâches connexes. La première, figurant dans la *Loi*, lui accorde le droit exclusif d'émettre les billets. Son second rôle consiste à agir comme banque auprès des banques à charte. Tout comme vous possédez un dépôt à vue à la Banque de Montréal – ou dans toute autre grande banque commerciale –, la Banque de Montréal dispose d'un dépôt à vue à la Banque du Canada. Ces dépôts servent à effectuer des paiements d'une banque commerciale à une autre. La Banque du Canada consent des prêts quotidiens aux banques lorsque celles-ci doivent faire des emprunts pour payer d'autres banques. En cas de graves difficultés financières, les banques manquant de liquidités peuvent parfois se voir accorder un prêt de dernier ressort par la Banque du Canada – qui est le prêteur pour les institutions qui ne peuvent emprunter nulle part ailleurs – afin de garantir la stabilité du système bancaire. La troisième mission de la Banque du Canada est d'agir en tant qu'agent financier du gouvernement fédéral. Ce dernier possède un dépôt à vue à la Banque du Canada, de même que dans les grandes banques à charte. La Banque se charge de la gestion des comptes du gouvernement, de sa réserve de devises étrangères et de sa dette.

La quatrième tâche de la Banque du Canada, sans doute la plus importante, consiste à réguler la quantité de monnaie en circulation, soit l'**offre de monnaie.** Les mesures prises par les décideurs concernant cette offre de monnaie constituent la **politique monétaire.**

**Offre de monnaie/
masse monétaire**
Quantité de monnaie disponible dans l'économie.

Politique monétaire
Politique de régulation de la masse monétaire, gérée par la banque centrale.

LA POLITIQUE MONÉTAIRE

La Banque du Canada peut faire augmenter ou diminuer le nombre de dollars en circulation dans notre système économique. On peut se plaire à imaginer la Banque du Canada semant dans tout le pays, du haut d'un hélicoptère, les billets de 20 $ qu'elle imprime, ou encore les aspirant de tous les portefeuilles à l'aide d'un énorme aspirateur. Même si, en pratique, les méthodes de la Banque du Canada s'avèrent plus complexes et plus subtiles, la métaphore de l'hélicoptère-aspirateur représente une bonne première approximation de la politique monétaire. Nous reviendrons plus loin sur les méthodes de régulation de l'offre de monnaie utilisées par la Banque du Canada.

L'importance de cette institution vient du fait que les variations de la masse monétaire influencent profondément l'économie. Deux des *dix principes de l'économie* du chapitre 1 nous rappellent que les prix montent lorsque l'État émet trop de monnaie, et que la société, à court terme, est soumise à un arbitrage entre l'inflation et le chômage. Toute l'importance de la Banque du Canada repose sur ces deux principes. Pour des raisons que nous expliquerons plus loin, les décisions de la Banque du Canada déterminent le taux d'inflation à long terme, ainsi que le taux de chômage et le niveau de production à court terme. Le gouverneur de la Banque du Canada est considéré, à juste titre, comme la deuxième personne la plus puissante du pays sur le plan des politiques économiques. Pour en savoir plus sur le sujet, consultez le site Web : http://www.banqueducanada.ca.

MINITEST : Quelle est la différence entre une banque centrale comme la Banque du Canada et une banque commerciale comme la Banque de Montréal ?

LES BANQUES À CHARTE ET L'OFFRE DE MONNAIE

Jusqu'à maintenant, nous avons défini le concept de «monnaie» de façon générale et nous avons décrit le rôle de la Banque du Canada. Bien que cette dernière soit responsable de la politique monétaire canadienne, elle n'a qu'un pouvoir indirect sur l'offre de monnaie, par l'intermédiaire de son influence sur le système bancaire. Voyons maintenant quel est le rôle des banques à charte (ainsi que des caisses populaires et des sociétés de fiducie) dans le système monétaire.

Souvenez-vous que la monnaie dont vous disposez est la somme de votre numéraire (les billets et pièces dans votre portefeuille) et de vos dépôts à vue (le solde de votre compte-chèques). Puisque les dépôts se trouvent dans les banques, le comportement des déposants peut influencer la quantité de dépôts à vue dans l'économie et, par conséquent, l'offre de monnaie. Nous verrons dans cette partie du chapitre l'influence des banques sur la quantité de monnaie en circulation et comment elles compliquent la tâche de la Banque du Canada.

LE SYSTÈME BANCAIRE À RÉSERVES TOTALES : UN CAS SIMPLE

Pour comprendre l'influence des banques sur l'offre de monnaie, commençons par imaginer un monde sans institutions bancaires. Dans ce monde simplifié, le numéraire constitue la seule forme de monnaie. Supposons que la quantité totale de numéraire en circulation, donc de monnaie, est de 100 $.

Quelqu'un décide alors d'établir une banque, qui est nommée la Première Banque nationale. Cette banque n'est qu'un établissement de dépôts, c'est-à-dire qu'elle accepte uniquement de conserver les espèces, sans consentir de prêts. Sa mission consiste à garantir aux titulaires des comptes un endroit sûr pour conserver leur monnaie, jusqu'à ce qu'ils veuillent la retirer ou émettre des chèques. Ces types de dépôts qui ne sont pas convertis en prêts sont appelés **réserves.** Dans ce monde imaginaire, tous les dépôts constituent des réserves ; ce système est un **système bancaire à réserves totales.**

Réserves
Dépôts que les banques ont conservés sans les transformer en prêts.

Système bancaire à réserves totales
Système dans lequel les banques conservent en réserve 100 % des dépôts.

«J'ai beaucoup entendu parler d'argent, et j'aimerais bien à mon tour en avoir un peu.»

La situation financière de la Première Banque nationale, résumée sous la forme d'un *compte en T*, indique les variations de l'actif et du passif. On trouve ci-dessous le compte en T de la Première Banque nationale, lorsqu'elle détient toute la monnaie en circulation.

PREMIÈRE BANQUE NATIONALE

ACTIF		PASSIF	
Réserves	100 $	Dépôts	100 $

On retrouve un actif de 100 $ à gauche (les réserves dans le coffre), ainsi qu'un passif de 100 $ à droite (le montant dû aux déposants). Remarquez que le passif de la banque est égal à son actif.

Revenons à l'offre de monnaie dans notre économie imaginaire. Avant l'ouverture de la Première Banque nationale, la masse monétaire de 100 $ était uniquement constituée du numéraire détenu par le public. Une fois la banque ouverte, la monnaie devient dépôts à vue : il n'existe plus de numéraire en circulation, la totalité de la monnaie se trouvant dans les coffres de la banque. Chaque dépôt réduit d'un certain montant la quantité de numéraire en circulation et augmente du même montant la somme des dépôts à vue, et ce, sans modifier la masse monétaire. On peut donc conclure que, *si les banques conservent en réserve tous les dépôts, elles n'ont aucune influence sur l'offre de monnaie.*

LA CRÉATION DE MONNAIE DANS UN SYSTÈME À RÉSERVES FRACTIONNAIRES

Les banquiers de la Première Banque nationale finissent, un jour, par reconsidérer leur politique de réserves totales. Ils trouvent improductif le fait de laisser tout cet argent dormir dans les coffres. Pourquoi ne pas faire de prêts ? Les familles qui veulent s'acheter des maisons, les entreprises qui souhaitent construire de nouvelles usines et les étudiants qui doivent financer leurs études, tous seraient bien contents de payer des intérêts pour pouvoir emprunter de l'argent pour un certain temps. Bien entendu, la Première Banque nationale se doit de conserver quelques réserves en cas de retraits de la part des déposants. Mais si les nouveaux dépôts se succèdent au même rythme que les retraits, la Première Banque n'aura besoin de garder qu'une fraction de ses réserves. Elle adopte donc un **système bancaire à réserves fractionnaires.**

Système bancaire à réserves fractionnaires
Système dans lequel les banques ne conservent en réserve qu'une partie des dépôts.

Coefficient de réserve
Fraction des dépôts que les banques conservent comme réserve.

On appelle **coefficient de réserve** la fraction des dépôts totaux qu'une banque conserve à titre de réserve. Ce coefficient dépend à la fois de la réglementation gouvernementale et de la politique de la banque. Les banques centrales de certains pays exigent un montant minimum de réserves appelé *réserves obligatoires*. C'est ce que faisait jusqu'à récemment la Banque du Canada. Toutefois, les banques maintiennent des réserves dépassant ou égalant le minimum légal, afin de s'assurer de ne pas être à court de liquidités. Pour les fins de la démonstration, nous prendrons un coefficient de réserve donné, afin de voir comment l'offre de monnaie évolue en cas de réserves fractionnaires.

Supposons que la Première Banque nationale observe un coefficient de réserve de 10 %, et qu'elle prête le reste des sommes en dépôt. Le compte en T de la banque se présente de la façon suivante :

PREMIÈRE BANQUE NATIONALE

ACTIF		PASSIF	
Réserves	10 $	Dépôts	100 $
Prêts	90 $		

La banque a toujours un passif de 100 $, puisque les prêts qu'elle a consentis ne modifient en rien ses obligations envers ses déposants. Mais la banque a maintenant deux types d'actifs : 10 $ de réserves dans ses coffres et 90 $ de prêts (ces prêts sont des éléments du passif pour les emprunteurs, mais font partie de l'actif pour la banque, à qui ces sommes sont dues). L'actif et le passif sont toujours égaux.

Analysons de nouveau la quantité de monnaie dans l'économie. Avant que la Première Banque ne consente des prêts, l'offre de monnaie s'élevait à 100 $, et elle se présentait seulement sous forme de dépôts à vue. Une fois que la banque a décidé d'effectuer des prêts, l'offre de monnaie augmente. En effet, si les déposants ont toujours 100 $ de dépôts à vue, les emprunteurs disposent maintenant de 90 $ de liquidités. L'offre de monnaie, soit la somme du numéraire et des dépôts à vue, atteint maintenant 190 $. On conclut donc que, *quand les banques ne conservent en réserves qu'une fraction des dépôts, elles créent de la monnaie.*

À première vue, la monnaie créée par les banques à réserves fractionnaires semble tomber du ciel. Elle n'a pourtant rien de miraculeux : remarquez que les prêts de la Première Banque nationale, puisés dans ses réserves, créent de la monnaie, mais pas pour autant de la richesse. Ces prêts fournissent des liquidités aux emprunteurs, ce qui leur donne la possibilité d'acheter des biens et des services. Par contre, les emprunteurs s'endettent sans que leurs emprunts ne les enrichissent. Autrement dit, les banques créent des actifs monétaires qui se transforment en passifs pour les emprunteurs. Au bout du compte, l'économie est plus liquide et ses moyens d'échange se multiplient, sans toutefois que la richesse soit augmentée.

LE MULTIPLICATEUR MONÉTAIRE

La création de monnaie n'est pas réservée à la seule Première Banque nationale. Imaginons qu'un de ses emprunteurs consacre les 90 $ qu'il a empruntés à l'acquisition d'un bien et que le vendeur dépose cette somme à la Deuxième Banque nationale. Le compte en T de cette dernière se présente comme suit :

DEUXIÈME BANQUE NATIONALE

ACTIF		PASSIF	
Réserves	9 $	Dépôts	90 $
Prêts	81 $		

Après ce dépôt, cette banque enregistre un passif de 90 $. Si cette Deuxième Banque nationale observe également un coefficient de réserve de 10 %, elle conserve un actif de 9 $ en réserves et accorde des prêts pour 81 $. Cette banque crée donc 81 $ de monnaie supplémentaire. En admettant que ces 81 $ soient déposés à la Troisième Banque nationale, qui maintient également un coefficient de réserve de 10 %, cette troisième banque se retrouvera avec des réserves de 8,10 $ et des prêts de 72,90 $, comme on peut le voir sur son compte en T :

TROISIÈME BANQUE NATIONALE

ACTIF		PASSIF	
Réserves	8,10 $	Dépôts	81 $
Prêts	72,90 $		

Le processus se poursuit ainsi indéfiniment. Chaque fois que de la monnaie est déposée et qu'un prêt est consenti, de la nouvelle monnaie est créée.

À combien peut-on évaluer la création de monnaie dans cette économie ? Additionnons :

Dépôt initial   = 100,00 $
Prêt de la Première Banque nationale   = 90,00 $ [= 0,9 × 100 $]
Prêt de la Deuxième Banque nationale   = 81,00 $ [= 0,9 × 90 $]
Prêt de la Troisième Banque nationale   = 72,90 $ [= 0,9 × 81 $]

$$\bullet \qquad\qquad\qquad \bullet$$
$$\bullet \qquad\qquad\qquad \bullet$$
$$\bullet \qquad\qquad\qquad \bullet$$

Offre totale de monnaie   = 1 000 $

Même si ce processus de création de monnaie est continu, il n'aboutit pas à une quantité infinie de monnaie. Dans cet exemple, si l'on continue d'additionner laborieusement tous les chiffres, on se rend compte qu'avec les 100 $ initiaux, on ne peut pas obtenir plus de 1 000 $ au total. La quantité de monnaie que le système bancaire parvient à créer s'obtient à partir du **multiplicateur monétaire.** Dans cette économie fictive où, avec 100 $ de réserves, on parvient à générer 1 000 $ de monnaie, le multiplicateur monétaire est égal à 10.

Comment calculer ce multiplicateur monétaire ? Rien de plus simple : *le multiplicateur monétaire est l'inverse du coefficient de réserve.* Si R est le coefficient de réserve de toutes les banques dans une économie donnée, chaque dollar de réserve génère 1/R dollar de monnaie. Dans l'exemple donné ci-dessus, R = *1/10* et le multiplicateur monétaire est donc égal à 10.

Expliquons maintenant pourquoi le multiplicateur monétaire est inversement proportionnel au coefficient de réserve. Si la banque dispose de 1 000 $ en dépôts et que le coefficient de réserve est de 1/10 (10 %), cela signifie que cet établissement doit disposer de 100 $ de réserves. Le multiplicateur monétaire inverse simplement cette proportion : si le système bancaire dispose d'un

Multiplicateur monétaire
Indicateur qui permet de calculer la quantité de monnaie créée par le système bancaire à partir d'un nouveau dollar de dépôt.

BON À SAVOIR

*Absence
de réserves
obligatoires*

Au fil des années, les banques canadiennes ont décidé de conserver des coefficients de réserve de plus en plus bas en proportion des dépôts, essentiellement parce qu'elles ne sont plus tenues par la loi de conserver des réserves et parce qu'elles peuvent emprunter directement du numéraire de la Banque du Canada en cas de besoin. Elles ne gardent donc que les liquidités nécessaires pour assurer les retraits quotidiens de leurs clients. Le coefficient de réserve avoisine actuellement les 2 %, ce qui porte le multiplicateur monétaire à 50 ! Qu'adviendrait-il à l'offre de monnaie si le coefficient de réserve des banques tombait à zéro ?

Dans un tel cas, l'ensemble du numéraire se retrouverait dans les poches du public, plutôt que dans les réserves des banques. Pour un montant donné de liquidités, l'offre de monnaie dépend du *ratio de liquidité*, c'est-à-dire la fraction de la masse monétaire conservée par tout un chacun sous forme de numéraire. Si ce ratio est

de 100 % et que les agents économiques conservent toute leur monnaie sous forme de numéraire, les dépôts à vue disparaissent complètement et l'offre de monnaie est égale à la quantité de monnaie. Si le ratio de liquidité est de 50 %, les gens gardent la moitié de leurs actifs sous forme de numéraire et déposent l'autre moitié dans un compte bancaire. L'offre totale de monnaie au niveau d'équilibre, soit la somme de la monnaie fiduciaire et des dépôts bancaires, équivaut alors à deux fois la quantité de monnaie fiduciaire. Si le ratio de liquidité est égal à 10 %, les gens conservent 1 $ en espèces pour 9 $ dans leur compte bancaire ; l'offre de monnaie totale au niveau d'équilibre équivaudra donc à dix fois la quantité de numéraire.

Dans une économie où les banques ne détiennent aucune réserve pour garantir les dépôts, l'offre de monnaie correspondra à l'inverse du ratio de liquidité multiplié par la quantité de numéraire. Par exemple, si le ratio de liquidité est de 50 % (c'est-à-dire 1/2), l'offre de monnaie équivaudra à deux fois la quantité de numéraire en circulation.

Dans le système monétaire canadien actuel, où le coefficient de réserve des banques est très peu élevé, le coefficient de réserve est moins important que le ratio de liquidité.

total de 100 $ de réserves, il ne peut avoir que 1 000 $ de dépôts. Autrement dit, si R est le coefficient mesurant le rapport des réserves sur les dépôts, le coefficient des dépôts par rapport aux réserves dans le système bancaire — le multiplicateur monétaire — doit être de 1/R.

Cette formule démontre que la quantité de monnaie que les banques peuvent créer dépend du coefficient de réserve. Si ce dernier est égal à 1/20 (5 %), le système bancaire aura 20 fois plus de dépôts que de réserves et le multiplicateur monétaire équivaudra alors à 20. Chaque dollar de réserve générera 20 $ de monnaie. Si le coefficient de réserve passe à 1/5 (20 %), les dépôts seront 5 fois supérieurs aux réserves, le multiplicateur monétaire sera de 5, et chaque dollar de réserve générera 5 $ de monnaie. *On peut donc conclure que plus le coefficient de réserve est élevé, moins les banques seront en mesure de faire des prêts et plus le multiplicateur monétaire sera faible.* Par conséquent, lorsque le coefficient de réserve est égal à 100 %, soit 1, le multiplicateur monétaire est également de 1, les banques ne consentant aucun prêt et ne créant pas de monnaie.

LES INSTRUMENTS DE RÉGULATION MONÉTAIRE DE LA BANQUE DU CANADA

Nous avons déjà mentionné que c'est la Banque du Canada qui a la responsabilité de réguler la quantité de monnaie en circulation dans l'économie canadienne. Maintenant que nous savons ce qu'est un système bancaire à réserves fractionnaires, nous pouvons mieux comprendre comment la banque centrale s'acquitte de cette tâche. Cette régulation ne peut se faire que par des méthodes indirectes, puisque ce sont les banques qui créent de la monnaie. Ainsi, lorsque la Banque du Canada décide de modifier l'offre de monnaie, elle doit envisager les conséquences de ses opérations sur le système bancaire.

Au cours de son histoire, la Banque du Canada a eu recours à différents moyens de régulation monétaire, dont les opérations d'*open-market*, les réserves obligatoires et le taux directeur. La Banque du Canada utilise actuellement comme outil principal le taux directeur.

Les opérations d'*open market*.   Pour augmenter la quantité de monnaie en circulation, les banques centrales peuvent acheter quelque chose, tandis que pour la diminuer, elles vendent quelque chose, peu importe ce qu'elles achètent ou vendent. Par exemple, si la banque achète un nouvel ordinateur pour son équipe de recherche et le paye avec un billet neuf de 1 000 $, la compagnie qui vient de livrer cet ordinateur reçoit 1 000 $ comptant; l'offre de monnaie vient d'augmenter de 1 000 $. Si la banque vend un ordinateur d'occasion pour 200 $, la quantité de monnaie en circulation diminue immédiatement de 200 $.

En fait, la Banque du Canada ne passe pas son temps à vendre ou acheter de grandes quantités d'ordinateurs. Par conséquent, ce genre d'opération n'influe pas substantiellement sur la quantité de monnaie en circulation. Par contre, elle achète et vend un grand volume d'obligations du gouvernement canadien. Lorsqu'elle achète ou vend ces obligations, elle réalise des **opérations d'*open market*.** Pour augmenter l'offre de monnaie, elle achète des obligations fédérales ou des bons du Trésor (les bons du Trésor sont les titres de créance à court terme émis par l'État). Les dollars que la Banque du Canada verse en contrepartie de ses achats augmentent la quantité de monnaie en circulation, dont une partie sera détenue sous forme de numéraire, tandis que le reste sera déposé dans des comptes bancaires. Chaque dollar supplémentaire conservé en liquide augmentera l'offre de monnaie d'exactement un dollar. Par contre, chaque dollar supplémentaire déposé dans un compte en banque accroîtra l'offre de monnaie dans une plus grande proportion, parce qu'il augmente la possibilité de création de monnaie dans un système de réserves fractionnaires.

Opérations d'*open market*
Opérations d'achat ou de vente d'obligations d'État par la banque centrale.

Pour limiter la quantité de monnaie en circulation, la Banque du Canada effectue l'opération inverse: elle vend des obligations d'État au public, qui les achète avec de la monnaie fiduciaire ou avec la monnaie de ses dépôts bancaires, ce qui fait diminuer la quantité de monnaie en circulation. Plus les gens retirent d'argent de leurs dépôts bancaires, plus les réserves des banques diminuent. En réaction, les banques réduisent les montants consacrés aux prêts, et le processus de création monétaire s'inverse.

L'offre de monnaie augmente chaque fois que la Banque du Canada achète quelque chose – qu'il s'agisse d'un ordinateur ou d'une obligation d'État, le principe reste le même. Mais les opérations de la Banque du Canada sur le marché des ordinateurs ont peu d'influence, tandis que ses transactions sur le marché obligataire ont d'importantes retombées. La Banque du Canada intervient également en vendant ou en achetant sur le marché des changes. Cette fois, il ne s'agit plus d'opérations d'*open market*. Ces transactions concernent les devises étrangères et s'appellent **opérations sur le marché des changes.** Si la Banque achète sur ce marché 100 millions de dollars américains au prix de 150 millions de dollars canadiens, l'offre de monnaie augmente immédiatement de 150 millions de dollars. Lorsque la Banque décide de se défaire d'une partie de ses réserves en devises, elle obtient des dollars canadiens en échange. Ces dollars retirés de la circulation réduisent d'autant l'offre de monnaie canadienne.

Il arrive que la Banque du Canada décide de vendre des devises sur le marché des changes pour soutenir le taux de change du dollar canadien, sans vouloir pour autant réduire l'offre de monnaie. Elle utilise alors les dollars canadiens achetés sur les marchés des changes pour acquérir des obligations d'État, remettant ainsi des dollars canadiens en circulation. Ce processus d'annulation d'une opération sur le marché des changes par une opération d'*open market* se nomme **stérilisation.** La Banque du Canada y recourt régulièrement.

Nous avons utilisé plus tôt la métaphore de l'hélicoptère-aspirateur pour illustrer les interventions de la Banque du Canada sur la quantité de monnaie en circulation. Bien entendu, la Banque du Canada ne distribue pas gratuitement de la monnaie fraîchement imprimée, et elle ne vide pas non plus les poches des citoyens. Mais si le gouvernement du Canada emprunte de la monnaie en vendant des obligations d'État pour la redistribuer en paiements de transfert, et si la Banque du Canada achète ces mêmes obligations au cours d'une opération d'*open market* avec des billets émis à cette fin, le résultat net est une augmentation de la quantité de monnaie en circulation, sans modification du montant des obligations détenues par le public. Le résultat aurait été exactement le même si la Banque du Canada avait imprimé de la monnaie pour le prêter au gouvernement, qui l'aurait déversée en hélicoptère. En revanche, si le gouvernement du Canada augmente les impôts pour racheter des obligations d'État et réduire ainsi sa dette, et si la Banque du Canada vend pour la même valeur d'obligations dans une opération de marché ouvert, le résultat est une diminution de la quantité de monnaie pour le public sans modification de la quantité d'obligations d'État en circulation. C'est exactement comme si la Banque du Canada passait nos poches à l'aspirateur. La métaphore de l'hélicoptère-aspirateur n'était donc pas si farfelue!

Les réserves obligatoires.   Certaines banques centrales modifient le montant des **réserves obligatoires** pour faire varier l'offre de monnaie, bien que ce ne soit pas le cas de la Banque du Canada. Les coefficients de réserve obligatoire forcent les banques à maintenir un minimum de réserves en proportion des dépôts. Les réserves obligatoires influent sur la quantité de monnaie que le système bancaire crée pour chaque dollar de réserve. Une hausse du coefficient de réserve obligatoire oblige les banques à conserver des réserves plus importantes et, par conséquent, à réduire la fraction de chaque dollar déposé qui sera consacrée aux prêts; cela se traduit par une réduction du multiplicateur

Opérations sur le marché des changes
Achat ou vente de devises étrangères par la Banque du Canada.

Stérilisation
*Opération d'*open market *qui vise à annuler les effets d'opérations sur le marché des changes, sur la quantité de monnaie en circulation.*

Réserves obligatoires
Contraintes imposées par la banque centrale sur le montant minimal des réserves, exprimé en pourcentage des dépôts du public.

monétaire et donc de l'offre de monnaie. À l'inverse, une diminution du coefficient de réserve obligatoire augmente le multiplicateur monétaire et accroît la masse monétaire.

La Banque du Canada a rarement modifié les coefficients de réserve obligatoire dans le but de modifier la masse monétaire, car de fréquents changements troubleraient les activités bancaires. En fait, depuis 1994, la Banque a éliminé graduellement les réserves obligatoires, pour que les banques soient sur un pied d'égalité avec les autres institutions financières qui ne sont pas soumises à cette obligation. La Banque du Canada se limite maintenant à exiger des banques le paiement d'une pénalité, lorsqu'elles manquent de liquidités en cas de retraits importants et qu'elles sont obligées de lui emprunter des fonds. N'étant pas tenues à des réserves obligatoires, les banques canadiennes ont opté pour un coefficient de réserve particulièrement faible – il tourne actuellement autour de 2 % –, ce qui produit un multiplicateur monétaire très élevé.

Le taux d'escompte et le taux directeur. La Banque du Canada, comme toutes les banques centrales, est la banque des banques à charte. Ces dernières y possèdent un dépôt à vue dans lequel elles peuvent déposer une partie de leurs réserves.

Donnons un exemple : Muriel achète la voiture de Julie et la paye en lui faisant un chèque de 5 000 $ tiré sur son compte à la Banque de Montréal. Julie dépose ce chèque dans son compte à la Banque de Nouvelle-Écosse ; la Banque de Montréal devra alors déduire cette somme du compte de Muriel et la transférer à la Banque de Nouvelle-Écosse. Ce transfert interbancaire sera effectué entre les comptes des deux banques à charte à la Banque du Canada. Ainsi, 5 000 $ seront déduits du dépôt à vue de la Banque de Montréal et seront ajoutés au dépôt à vue de la Banque de Nouvelle-Écosse. Cependant, si la Banque de Montréal ne dispose pas d'un montant de 5 000 $ dans son compte à la Banque du Canada, que se passe-t-il ? Elle doit emprunter cette somme à la Banque du Canada, car elle a un découvert. Le taux d'intérêt exigé par les banques centrales pour ce type de prêts s'appelle **taux d'escompte.**

Depuis 1998, la Banque du Canada offre des facilités de prêts aux banques à charte, au taux d'escompte, et elle leur verse sur les dépôts un taux d'intérêt inférieur de 0,5 % par rapport au taux d'escompte. Ce dernier taux est appelé **taux créditeur.** À titre d'exemple, si le taux d'escompte est de 4 %, la Banque de Montréal doit payer ce taux d'intérêt lorsque la Banque du Canada lui avance des fonds ; par contre, cette dernière ne lui verse que 3,5 % d'intérêts en cas de solde créditeur. La fourchette opérationnelle est donc d'un demi-point de pourcentage (de 3,5 % à 4 %).

Les dépôts des banques à la Banque du Canada sont aussi appelés **encaisses de règlement.** Depuis 1998, la Banque du Canada maintient près de zéro le total des encaisses de règlement de toutes les banques. Pour chaque banque ayant un excédent de réserves, il y en a donc une autre qui est à découvert. La banque centrale a encouragé la formation d'un marché actif dans lequel les banques prêtent, pour 24 heures, leurs encaisses excédentaires aux banques manquant de liquidités. Les transactions se font à un taux situé au milieu de la fourchette (dans notre exemple, ce taux est de 3,75 %). Ce taux, auquel les banques se prêtent entre elles leurs dépôts excédentaires, est appelé **taux directeur.** Il influence l'ensemble des taux de financement à court terme au Canada. Les banques à charte n'ont jamais à payer plus que le taux directeur pour leurs emprunts à court terme, puisqu'elles peuvent toujours choisir d'emprunter auprès de la Banque du Canada, plutôt qu'auprès d'une autre banque à charte. Elles ne prêteront pas non plus à un taux d'intérêt inférieur au taux directeur, car elles peuvent prêter à ce taux à une autre banque.

Une modification du taux directeur fait varier le taux d'escompte et le taux créditeur dans les mêmes proportions, ce qui maintient une fourchette dans

Taux d'escompte
Taux d'intérêt auquel la Banque du Canada prête aux banques.

Taux créditeur
Taux d'intérêt auquel la Banque du Canada rémunère les dépôts des banques à charte.

Encaisses de règlement
Autre nom des dépôts des banques à charte à la Banque du Canada.

Taux directeur
Taux d'intérêt à mi-chemin de la fourchette opérationnelle de la Banque du Canada, entre le taux d'escompte et le taux créditeur, auquel celle-ci désire que les banques se prêtent des fonds pour une durée de un jour.

laquelle le taux d'escompte est toujours supérieur de 0,25 % au taux directeur et de 0,5 % au taux créditeur. La Banque du Canada utilise le taux directeur pour modifier l'offre de monnaie. En effet, la hausse de ce taux décourage les banques d'emprunter auprès de la Banque du Canada, ce qui a pour résultat la réduction des réserves du système bancaire tout en contribuant à diminuer l'offre de monnaie. Une réduction du taux directeur produit l'effet inverse : les banques, incitées à emprunter, augmentent leurs réserves et créent ainsi de la monnaie.

Pour modifier l'offre de monnaie à long terme, la Banque du Canada utilise les opérations d'*open market*, tandis que pour exercer une influence à court terme, elle se sert du taux directeur. Si elle décide d'augmenter la quantité de monnaie en circulation, elle réduit le taux directeur ; à l'inverse, si elle souhaite réduire l'offre de monnaie, elle peut augmenter le taux directeur. Le taux directeur de la Banque du Canada est un indice économique important, d'une part parce qu'il influence l'offre de monnaie, mais également car il a un impact sur tous les taux d'intérêts de court terme. Il reflète l'opinion de la banque centrale sur la politique monétaire optimale à adopter en fonction des circonstances actuelles et de ses prévisions. Depuis novembre 2000, la Banque du Canada a établi un calendrier de publication du taux directeur – huit fois par an, soit environ toutes les six semaines. Elle se réserve aussi le droit de modifier le taux directeur à n'importe quel autre moment, en cas de nécessité.

LES DIFFICULTÉS LIÉES À LA RÉGULATION DE L'OFFRE DE MONNAIE

La Banque du Canada, par l'intermédiaire des opérations d'*open market* et du taux directeur, dispose d'outils puissants pour modifier la quantité de monnaie en circulation. Néanmoins, la banque centrale fait face à deux problèmes reliés au fait que l'offre de monnaie dépend du système de réserves fractionnaires.

Tout d'abord, la Banque du Canada n'a aucune influence sur les montants que les ménages choisissent de détenir sous forme de dépôts bancaires. Plus ces derniers conservent de monnaie à la banque, plus les réserves augmentent, ainsi que la possibilité de prêts. L'inverse est aussi vrai : une réduction des dépôts fait diminuer les réserves bancaires et, par le fait même, la création monétaire. Cela pose un problème. Imaginez qu'un beau jour, les Canadiens perdent confiance dans leur système bancaire et décident de vider leurs comptes pour ne conserver que du numéraire. Dans de telles circonstances, le système bancaire perd ses réserves et ne crée plus de monnaie. La masse monétaire diminue, en dehors de toute intervention de la Banque du Canada.

Le deuxième problème provient du fait que la Banque du Canada n'a aucun pouvoir sur le montant des prêts consentis par les banquiers. On sait que la création de monnaie dépend directement des prêts consentis par les institutions bancaires ; or ces dernières peuvent tout aussi bien décider de conserver davantage de réserves et de restreindre les montants consacrés aux prêts. Depuis 1994, la Banque du Canada a éliminé les réserves obligatoires et les banques disposent de toute la latitude dans ce domaine. De plus, même lorsqu'il y a un coefficient de réserve obligatoire différent de zéro, elles ont la liberté de maintenir des réserves supérieures au minimum requis. Les réserves excédentaires risquent de compliquer la régulation de l'offre de monnaie. Supposons, par exemple, que les banquiers fassent montre de prudence face à une économie incertaine et préfèrent augmenter les réserves en diminuant les prêts. Dès lors, le système bancaire crée moins de monnaie qu'il ne le devrait. En conséquence, l'offre de monnaie diminue sans que la Banque du Canada soit intervenue.

On constate que, dans un système à réserves fractionnaires, la quantité de monnaie en circulation dépend en partie des déposants et des banquiers. La Banque du Canada ne peut ni prédire ni guider le comportement de ces acteurs économiques, et ne peut donc pas maîtriser parfaitement la masse monétaire. Cela n'est pas forcément grave. La banque centrale recueille toutes les semaines des données sur les dépôts, et elle suit attentivement les fluctuations de la masse monétaire, causées par les changements de comportement des déposants ou des banquiers. Si elle croit que l'offre de monnaie augmente trop rapidement, elle hausse le taux directeur pour diminuer la pression. À l'inverse, si elle veut éviter que l'offre de monnaie ne fléchisse trop, elle abaisse le taux directeur. Tout comme un automobiliste se sert de l'accélérateur pour maintenir sa vitesse, elle surveille le compteur et modifie le taux directeur, l'équivalent de la pression du pied sur la pédale de l'accélérateur, pour maintenir sa « vitesse de croisière », c'est-à-dire la quantité idéale de monnaie.

ÉTUDE DE CAS   LES PANIQUES BANCAIRES ET L'OFFRE DE MONNAIE

Vous n'avez probablement jamais été témoin direct de paniques bancaires, mais il se peut que vous en ayez vues dans des films comme *Mary Poppins* ou *It's a Wonderful Life* (*La vie est belle*, de Frank Capra). Lorsque tous les déposants redoutent une faillite bancaire, ils se précipitent pour retirer leurs avoirs des banques, ce qui provoque une panique.

Ce type de panique survient, dans un système bancaire à réserves fractionnaires, lorsque les banques ne sont pas en mesure de faire face à un retrait massif de tous les déposants. Même si la banque est solvable, parce que son actif excède son passif, elle ne dispose pas d'assez de numéraire pour que l'ensemble des déposants puisse récupérer leurs dépôts immédiatement. Dans de telles circonstances, les banques se voient obligées de fermer leurs guichets jusqu'au remboursement des sommes prêtées, ou de s'adresser à un prêteur de dernier ressort (comme la Banque du Canada), pour obtenir les liquidités nécessaires afin de payer tous les déposants.

Les faillites bancaires compliquent grandement la régulation de l'offre de monnaie ; on a pu le constater aux États-Unis pendant la Crise des années 30. Après une vague de paniques bancaires et de fermetures, les ménages et les banquiers se sont montrés plus prudents. Les ménages retiraient leur épargne des banques, préférant conserver leur monnaie sous forme de numéraire. Cette attitude a renversé le processus de création de monnaie, puisque les banquiers ont réagi à la baisse des réserves en réduisant les prêts. Simultanément, ils augmentaient leur coefficient de réserve pour disposer de liquidités suffisantes en cas de retraits massifs des déposants. Une telle politique a fait chuter le multiplicateur monétaire et l'offre de monnaie. De 1929

Des déposants inquiets

à 1933, 28 % de la masse monétaire des États-Unis s'est ainsi évaporée, sans que la Réserve fédérale (la banque centrale américaine) soit intervenue. Bien des économistes attribuent le taux de chômage élevé et la déflation de cette époque à la réduction massive de l'offre de monnaie. Dans les prochains chapitres, nous étudierons les mécanismes par lesquels les fluctuations de la masse monétaire influencent le taux de chômage et les prix.

Dans les années 30, les banques canadiennes étaient plus solides, plus diversifiées et plus sûres que les banques américaines, et c'est la raison pour laquelle le Canada a pu échapper à la vague de faillites qui a balayé les États-Unis. Les coefficients de réserve ont très peu augmenté au Canada, ne provoquant qu'une faible diminution de l'offre de monnaie. Mais la crise a touché le Canada aussi durement que son voisin du Sud, peut-être parce que l'économie canadienne dépendait du commerce international et des exportations de matières premières, dont la valeur s'est effondrée durant la Crise.

De nos jours, les faillites bancaires ne représentent un problème ni pour le système bancaire, ni pour la Banque du Canada. Quelques banques de moindre importance ont fait faillite dans les années 80 sans que l'on assiste à des retraits massifs. Le Bureau du Surintendant des institutions financières surveille les banques de près pour essayer de prévenir ces faillites. De plus, le gouvernement fédéral, par l'intermédiaire de la Société d'assurance dépôts du Canada (SADC), garantit les dépôts dans les banques canadiennes jusqu'à concurrence de 60 000 $ par déposant. Les petits épargnants ne se précipitent pas à leur succursale bancaire pour en retirer leur avoir parce qu'ils savent que, même si leur institution bancaire connaît des difficultés, la SADC honorera leurs dépôts. C'est pour cette raison que la plupart des gens n'ont entendu parler des paniques bancaires que dans les films.

MINITEST : Décrivez le processus par lequel les banques créent de la monnaie. Si la Banque du Canada souhaite réduire la quantité de monnaie en circulation, comment utilisera-t-elle les trois instruments dont elle dispose ?

CONCLUSION

Le système monétaire joue un rôle clé dans notre vie de tous les jours. Chaque fois que nous achetons ou que nous vendons quelque chose, nous nous en remettons à une convention sociale fort utile appelée « monnaie ». Maintenant que vous savez ce qu'est la monnaie et ce qui détermine la masse monétaire, nous pourrons étudier, dans le chapitre suivant, les conséquences des modifications de la masse monétaire sur le système économique.

Résumé

◆ Le mot *monnaie* désigne l'ensemble des actifs que les gens utilisent régulièrement pour acheter des biens et des services.

◆ La monnaie remplit trois fonctions différentes. En tant que moyen d'échange, elle permet d'effectuer les transactions ; comme unité de compte, elle sert à mesurer les prix et les valeurs économiques ; à titre de réserve de valeur, elle constitue une façon de reporter à plus tard un pouvoir d'achat.

◆ La monnaie-marchandise, comme l'or, possède une valeur intrinsèque, c'est-à-dire une valeur propre, même si elle ne sert pas de moyen d'échange.

La monnaie fiduciaire, comme les billets et les pièces, n'a pas de valeur intrinsèque et ne vaut rien si elle ne sert pas de moyen d'échange.

◆ Dans l'économie canadienne, la monnaie prend la forme de monnaie fiduciaire et de dépôts bancaires, dont les comptes-chèques.

◆ En tant que banque centrale, la Banque du Canada a la responsabilité de réguler l'offre de monnaie au pays. Le gouverneur et le premier sous-gouverneur de la Banque du Canada ont un mandat de sept ans, alors que les autres administrateurs sont nommés pour une durée de trois ans. Le gouvernement du Canada, propriétaire de la Banque du Canada, procède à la nomination des membres de ce conseil.

◆ La Banque du Canada modifie principalement l'offre de monnaie grâce au taux directeur. En abaissant ce taux, elle augmente la quantité de monnaie en circulation, alors qu'elle diminue la masse monétaire en augmentant le taux directeur. La Banque du Canada modifie également l'offre de monnaie au moyen d'opérations d'*open market*. L'achat d'obligations d'État par la Banque du Canada augmente l'offre de monnaie, alors que leur vente la réduit.

◆ En prêtant une partie de leurs dépôts, les banques augmentent la quantité de monnaie en circulation. À cause du rôle des banques et de leur influence sur l'offre de monnaie, le pouvoir exercé par la Banque du Canada sur la masse monétaire reste limité.

Concepts clés

Banque centrale, p. 207
Banque du Canada, p. 206
Coefficient de réserve, p. 210
Dépôts à vue, p. 204
Encaisses de règlement, p. 215
Liquidité, p. 203
Monnaie, p. 202
Monnaie fiduciaire, p. 204
Monnaie-marchandise, p. 204
Moyen d'échange, p. 203

Multiplicateur monétaire, p. 212
Numéraire, p. 204
Offre de monnaie, p. 208
Opérations d'*open market*, p. 213
Opérations sur le marché des changes, p. 214
Politique monétaire, p. 208
Réserve de valeur, p. 203
Réserves, p. 209
Réserves obligatoires, p. 214

Stérilisation, p. 214
Système bancaire à réserves fractionnaires, p. 210
Système bancaire à réserves totales, p. 209
Taux créditeur, p. 215
Taux d'escompte, p. 215
Taux directeur, p. 215
Troc, p. 202
Unité de compte, p. 203

Questions de révision

1. Qu'est-ce qui distingue la monnaie des autres types d'actifs?

2. Donnez une définition de la monnaie-marchandise et de la monnaie fiduciaire. Laquelle des deux utilisez-vous?

3. Qu'est-ce qu'un dépôt à vue, et pourquoi les dépôts à vue sont-ils inclus dans le calcul de la masse monétaire?

4. Qui est responsable de la politique monétaire au Canada?

5. Si la Banque du Canada désire augmenter l'offre de monnaie par des opérations d'*open market*, que doit-elle faire?

6. Pourquoi les banques ne conservent-elles pas 100% des dépôts du public sous forme de réserves? Quelle relation existe-t-il entre les réserves détenues par les banques et la création de monnaie par le système bancaire?

7. Qu'est-ce que le taux directeur? Lorsque la Banque du Canada augmente ce taux, quelle est la conséquence sur l'offre de monnaie?

8. Que sont les réserves obligatoires? Qu'advient-il de l'offre de monnaie si la Banque du Canada augmente le coefficient de réserve obligatoire?

9. Pour quelles raisons la Banque du Canada n'est-elle pas en mesure de maîtriser parfaitement l'offre de monnaie?

11

LA CROISSANCE MONÉTAIRE
ET L'INFLATION

À LA FIN
DE CE CHAPITRE,
VOUS SEREZ
EN MESURE...

de comprendre pourquoi l'inflation résulte d'une croissance rapide de la masse monétaire

de comprendre la signification des termes « dichotomie classique » et « neutralité monétaire »

de faire le lien entre l'émission de monnaie et l'hyperinflation

d'expliquer le lien entre le taux d'inflation et le taux d'intérêt nominal

d'identifier les différents coûts sociaux de l'inflation.

De nos jours, un cornet de crème glacée coûte 1 ou 2 $, mais il y a 60 ans, les choses étaient bien différentes: on pouvait s'acheter un petit cornet de crème glacée pour 0,03 $ et un grand pour 0,05 $.

Cette hausse du prix de la crème glacée ne vous surprend probablement pas. Notre économie se caractérise par une augmentation générale des prix qui se nomme *inflation*. Dans cet ouvrage, nous avons déjà vu que les économistes mesuraient le taux d'inflation selon la variation dans le temps, en pourcentage, de l'indice des prix à la consommation, du déflateur du PIB ou de toute autre mesure du niveau général des prix. Les statistiques démontrent que, durant les 60 dernières années, les prix ont progressé en moyenne de 4 % annuellement. Cette augmentation cumulative de 4 % par année a entraîné une multiplication par 10 du niveau des prix (soit $(1,04)^{60}-1$).

Pour tous les Canadiens nés dans la seconde moitié du XXe siècle, l'inflation peut sembler naturelle et inévitable, mais en fait il n'en est rien. Durant de longues périodes, les prix ont même eu tendance à diminuer – un phénomène appelé *déflation*. En 1933, le niveau moyen des prix de l'économie canadienne était inférieur de 37 % à celui de 1920, et une telle déflation posait un problème majeur. Les agriculteurs, lourdement endettés, souffraient de la baisse du prix de vente des récoltes, qui réduisait leur revenu et les empêchait de rembourser leurs dettes. Ils réclamaient une intervention gouvernementale pour lutter contre la déflation.

Bien que l'inflation semble la norme pour la période contemporaine, le taux d'augmentation des prix a beaucoup varié. Durant les années 90, le niveau moyen des prix ne s'est élevé que de 2 % par année. Par contre, durant les années 70, le taux moyen d'inflation était de 7 % par année, ce qui faisait doubler les prix en une décennie. La majorité des consommateurs considèrent ces taux d'inflation élevés comme un problème.

En étudiant les statistiques internationales, on peut observer des taux d'inflation encore plus variables. Après la Première Guerre mondiale, l'Allemagne a connu une inflation spectaculaire. Le prix d'un quotidien est passé de 0,3 mark en janvier 1921 à 70 000 marks un peu moins de deux ans plus tard. Et tous les autres prix ont suivi le même taux d'inflation. Ce type de phénomène se nomme *inflation galopante* ou *hyperinflation*. Dans le cas de l'Allemagne, ses conséquences ont été si désastreuses sur l'économie qu'on l'a considérée comme l'une des raisons de la montée du nazisme et du déclenchement de la Seconde Guerre mondiale. Au cours de la seconde moitié du XXe siècle, les dirigeants allemands, marqués par cet épisode historique, se sont montrés extrêmement prudents devant toute menace inflationniste, garantissant ainsi à l'Allemagne un taux d'inflation bien inférieur à celui du Canada.

Quels facteurs déterminent l'ampleur de l'inflation ? Le présent chapitre répondra à cette question grâce à la *théorie quantitative de la monnaie.* Le chapitre 1 a résumé cette théorie dans l'un des *dix principes d'économie :* les prix montent lorsque l'État émet trop de monnaie. Cette idée n'est pas nouvelle en science économique. En effet, la théorie quantitative de la monnaie a été introduite au XVIIIe siècle par le célèbre philosophe David Hume, et reprise plus récemment par l'économiste Milton Friedman, prix Nobel en 1976. Cette théorie explique à la fois l'inflation modérée, telle que nous la connaissons au Canada, et l'hyperinflation entre les deux guerres mondiales en Allemagne et, plus récemment, en Amérique latine.

Après avoir considéré cette théorie de l'inflation, nous passerons à une question connexe : l'inflation est-elle un problème ? À première vue, la réponse semble évidente : l'inflation est problématique dans la mesure où les gens la haïssent. Dans les années 70, lorsque le Canada connaissait un fort taux d'inflation, les sondages situaient l'inflation en tête de liste des grands problèmes nationaux.

Quels sont donc les coûts exacts de l'inflation pour la société ? La réponse risque de vous surprendre. Contrairement à ce que l'on pense généralement, les coûts de l'inflation ne sont pas si faciles à évaluer. En fait, même si tous les économistes exècrent l'hyperinflation, certains font valoir que les coûts d'une inflation modérée sont moins élevés que ne le pense le public en général.

LA THÉORIE CLASSIQUE DE L'INFLATION

Nous commencerons notre étude de l'inflation par la théorie quantitative de la monnaie. On qualifie fréquemment cette théorie de « classique », car elle fut élaborée par les premiers chercheurs en économie. Aujourd'hui, l'immense majorité des économistes y ont recours pour expliquer la détermination à long terme du niveau des prix et du taux d'inflation.

LE NIVEAU DES PRIX ET LA VALEUR DE LA MONNAIE

Si nous observons que, durant une période donnée, le prix d'un cornet de crème glacée augmente de 0,05 $ à 1,00 $, quelles conclusions pouvons-nous en tirer? Pourquoi les consommateurs acceptent-ils de payer aussi cher pour un cornet? On en déduira peut-être que les gens en sont venus à aimer davantage la crème glacée (peut-être en raison d'un nouveau parfum, inventé par quelque chimiste). Mais cela est peu probable. Il y a bien plus de chance que l'attrait de la crème glacée ait peu changé durant toute cette période et que la valeur de la monnaie ait baissé. La première observation est donc la suivante: l'inflation concerne plus la valeur de la monnaie que la valeur des biens.

«Alors, qu'est-ce que ce sera? Le même prix ou la même taille que l'année dernière?»

Une telle constatation nous rapproche d'une théorie de l'inflation. Lorsque l'indice des prix à la consommation (ou quelque autre indice mesurant le niveau des prix) s'élève, les commentateurs observent souvent chacun des prix individuels composant cet indice et déclarent, par exemple: «L'indice des prix à la consommation a monté de 3 % le mois dernier, poussé par une hausse de 20 % du prix du café et de 30 % du prix du mazout.» Cette approche permet certes de donner plusieurs informations intéressantes, mais elle néglige l'essentiel: l'inflation est un phénomène global, relié d'abord et avant tout à la valeur du moyen d'échange économique qu'est la monnaie.

On peut concevoir le niveau général des prix dans l'économie de deux manières. Jusqu'à présent, nous l'avons simplement considéré comme le reflet des prix d'un panier de biens et de services donnés. Une hausse des prix signifie que les gens doivent payer plus pour acheter les mêmes biens et services. Une seconde façon de voir le niveau des prix est de le percevoir comme une mesure de la valeur de la monnaie. Tout accroissement de ce niveau signifie donc une diminution de la valeur de la monnaie puisque, pour chaque dollar, le consommateur a un pouvoir d'achat inférieur.

Pour éclairer ce concept, voyons son expression mathématique. Soit P, le niveau général des prix tel qu'il est calculé par l'indice des prix à la consommation ou le déflateur du PIB; P correspond donc au nombre de dollars nécessaires pour acheter un panier de biens et de services. Inversons maintenant cette idée : la quantité de biens et de services acquise pour un dollar équivaut à 1/P. Autrement dit, si P correspond au prix des biens mesuré en dollars, 1/P correspond à la valeur de la monnaie, mesurée en quantité de biens et de services. Dès lors, une augmentation générale des prix réduit la valeur de la monnaie.

L'OFFRE DE MONNAIE, LA DEMANDE DE MONNAIE ET L'ÉQUILIBRE MONÉTAIRE

Comme c'est très souvent le cas en économie, c'est l'offre et la demande qui permettent de fixer la valeur de la monnaie. Tout comme l'offre et la demande de bananes déterminent le prix des bananes, l'offre et la demande de monnaie déterminent la valeur de la monnaie. La prochaine étape dans l'élaboration de la théorie quantitative de la monnaie consiste donc à étudier les facteurs déterminants de l'offre et de la demande de monnaie.

Considérons tout d'abord l'offre de monnaie. Dans le chapitre précédent, nous avons observé comment la Banque du Canada, en collaboration avec le système bancaire, détermine l'offre de monnaie. En vendant des obligations par l'intermédiaire d'opérations d'*open market*, elle amasse des dollars et réduit ainsi l'offre de monnaie. Inversement, lorsque la banque centrale achète des obligations, elle augmente la masse monétaire. En outre, dès que ces dollars sont déposés dans des banques et deviennent des réserves, le multiplicateur monétaire renforce encore les retombées de ces opérations d'*open market* sur la masse monétaire. Pour les fins de ce chapitre, nous ignorerons les complexités du système bancaire et supposerons que l'offre de monnaie dépend directement et entièrement de la Banque du Canada.

Passons maintenant à la demande de monnaie. De nombreux facteurs influent sur la quantité de monnaie demandée par le public, tout comme sur la quantité demandée de biens et de services. La quantité de numéraire que les consommateurs décident de conserver, par exemple, dépend de l'utilisation des cartes de crédit et des guichets automatiques. Comme nous le verrons en détail au chapitre 15, la quantité de monnaie demandée varie de façon inversement proportionnelle au taux d'intérêt qu'une personne pourrait obtenir en achetant des obligations plutôt qu'en gardant sa monnaie dans son portefeuille ou dans un compte-chèques générant un intérêt très faible.

Si de nombreuses variables influent sur la demande de monnaie, l'une d'elle est prépondérante : le niveau moyen des prix. Les gens conservent de la monnaie parce qu'il s'agit d'un moyen d'échange pratique. En effet, à la différence des autres actifs, comme les obligations ou les actions, la monnaie permet d'acheter directement des biens et des services. Par conséquent, la quantité de monnaie que les consommateurs décident de garder dépend des prix de ces biens et de ces services. Plus les prix sont élevés, plus une transaction requiert de monnaie et plus les gens en conservent sous forme de numéraire ou dans leurs comptes bancaires. Autrement dit, la quantité de monnaie demandée augmente de façon directement proportionnelle à l'augmentation des prix (ou inversement proportionnelle à la variation de la valeur de la monnaie).

Pourquoi la quantité de monnaie mise en circulation par la Banque du Canada correspond-elle à la quantité de monnaie demandée par les gens ? Tout dépend de l'horizon temporel considéré. Un peu plus loin dans cet ouvrage, nous étudierons le rôle joué par les taux d'intérêt sur l'équilibre à court terme. Dans le cadre du présent chapitre, il faut surtout comprendre que, pour une période plus longue, la réponse à cette question est à la fois différente et plus simple. *À long terme, le niveau général des prix équilibre l'offre et la demande.* Si le niveau des prix dépasse le niveau d'équilibre, le public souhaite détenir plus de monnaie que la Banque du Canada n'en a émis ; le niveau des prix doit alors

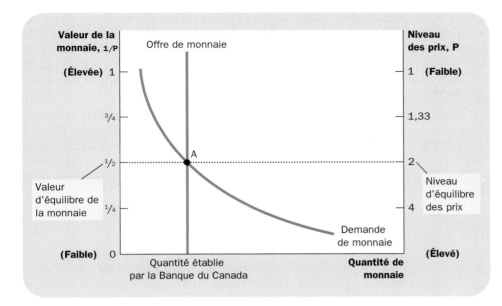

Figure 11.1

L'OFFRE ET LA DEMANDE DE MONNAIE DÉTERMINENT LE NIVEAU D'ÉQUILIBRE DES PRIX. L'axe des abscisses montre la quantité de monnaie. La valeur de la monnaie se retrouve sur l'axe des ordonnées situé à gauche du graphique, tandis que le niveau des prix est représenté par l'axe des ordonnées situé à droite. La courbe d'offre est verticale, puisque la masse monétaire est déterminée par la Banque du Canada. La courbe de demande de monnaie montre une pente négative, car le public désire détenir d'autant plus de monnaie que la valeur d'un dollar est faible. Au point d'équilibre A, la valeur de la monnaie (axe de gauche) et le niveau des prix (axe de droite) s'ajustent pour que les quantités de monnaie offerte et demandée soient en équilibre.

diminuer pour équilibrer l'offre et la demande. À l'inverse, lorsque le niveau des prix se situe sous le niveau d'équilibre, les gens désirent conserver moins de monnaie que la masse monétaire existante; le niveau des prix doit alors augmenter pour équilibrer l'offre et la demande. Au niveau d'équilibre des prix, la quantité de monnaie que le public désire détenir équivaut exactement à la quantité de monnaie mise en circulation par la banque centrale.

La figure 11.1 illustre ces concepts. L'axe des abscisses du graphique représente la quantité de monnaie. L'axe des ordonnées situé à gauche du graphique correspond à la valeur de la monnaie, soit 1/P, tandis que l'axe des ordonnées situé à droite représente le niveau des prix, soit P. Il est à noter que l'échelle du niveau des prix, à droite, est inversée, le prix le plus faible se trouvant au sommet de cet axe et le plus élevé à sa base. Cette inversion montre la relation entre la valeur élevée de la monnaie (au sommet de l'axe de gauche) et le faible niveau des prix (au sommet de l'axe de droite).

Les deux courbes de ce graphique représentent l'offre et la demande de monnaie. La courbe de l'offre est verticale, car la Banque du Canada détermine la quantité de monnaie en circulation. La courbe de demande présente une pente négative, reflétant le fait qu'une faible valeur de la monnaie (et des prix élevés) correspond à une quantité demandée élevée de monnaie, puisque les consommateurs achètent des biens et des services qui coûtent cher. Au niveau d'équilibre, soit au point A sur la figure, la quantité de monnaie demandée est égale à la quantité de monnaie offerte. Cet équilibre entre l'offre et la demande de monnaie établit la valeur de la monnaie et le niveau des prix.

LES CONSÉQUENCES D'UNE INJECTION MONÉTAIRE

Observons maintenant les résultats d'une modification de la politique monétaire. Pour ce faire, nous poserons l'hypothèse que, dans une économie en équilibre, la Banque du Canada décide de doubler brusquement l'offre de monnaie, en imprimant des billets pour les éparpiller en hélicoptère au-dessus du pays ou, d'une manière moins théâtrale et plus réaliste, en achetant des obligations d'État par une opération d'*open market*. Quels changements provoque une telle décision? Comment le nouvel équilibre se compare-t-il à l'ancien?

La figure 11.2 illustre ce qui se produit. L'injection monétaire entraîne un déplacement de la courbe d'offre vers la droite, de OM_1 à OM_2, et l'équilibre passe de A à B. Ainsi, la valeur de la monnaie (sur l'axe de gauche) diminue de $\frac{1}{2}$ à $\frac{1}{4}$, et le niveau d'équilibre des prix (sur l'axe de droite) augmente de 2 à 4. En d'autres termes, une hausse de la masse monétaire provoque une montée des prix, faisant chuter la valeur de chaque dollar.

Cette explication de la détermination du niveau général des prix et de son évolution s'appelle la **théorie quantitative de la monnaie**. D'après cette théorie, la quantité de monnaie en circulation dans l'économie détermine sa valeur, et l'augmentation de la quantité de monnaie est la cause première de l'inflation. Comme l'a remarqué l'économiste Milton Friedman : «L'inflation est toujours et partout un phénomène monétaire.»

Théorie quantitative de la monnaie

Théorie selon laquelle le niveau général des prix est fonction de la quantité de monnaie en circulation ; et selon laquelle le taux de croissance de la masse monétaire détermine le taux d'inflation.

UN EXAMEN RAPIDE DU PROCESSUS D'AJUSTEMENT

Comment l'économie passe-t-elle de l'ancien au nouvel équilibre ? Pour pouvoir répondre de façon précise à cette question, une bonne compréhension des fluctuations économiques à court terme est nécessaire. Nous aborderons ce thème au chapitre 15. Il est néanmoins intéressant d'examiner rapidement l'ajustement qui suit une variation de la masse monétaire.

Une injection monétaire crée immédiatement une offre excédentaire de monnaie. Avant cette opération, l'économie se trouvait en équilibre (point A de la figure 11.2). Au niveau des prix d'origine, le public détenait exactement la quantité voulue de monnaie. Après la distribution de monnaie du haut des hélicoptères, les citoyens, qui se sont empressés de ramasser les billets, détiennent plus de dollars qu'ils n'en veulent. Au niveau actuel des prix, la quantité offerte (OM_2) dépasse la quantité demandée.

Les consommateurs tentent de se débarrasser de cette monnaie excédentaire de plusieurs façons : en achetant des biens et des services, en plaçant leur monnaie dans des obligations ou des comptes d'épargne et en consentant des prêts. Les prêts ainsi consentis permettent à d'autres personnes d'acheter divers produits. Dans tous les cas, cette injection monétaire se traduit par un accroissement de la demande de biens et de services.

Figure 11.2

AUGMENTATION DE L'OFFRE DE MONNAIE. Lorsque la Banque du Canada augmente l'offre de monnaie, la courbe d'offre se déplace de OM_1 à OM_2. La valeur de la monnaie (sur l'axe de gauche) et le niveau des prix (sur l'axe de droite) s'ajustent, afin d'assurer l'équilibre entre l'offre et la demande. L'équilibre passe de A à B. Donc, une augmentation de l'offre de monnaie élève le niveau des prix et la monnaie perd de sa valeur.

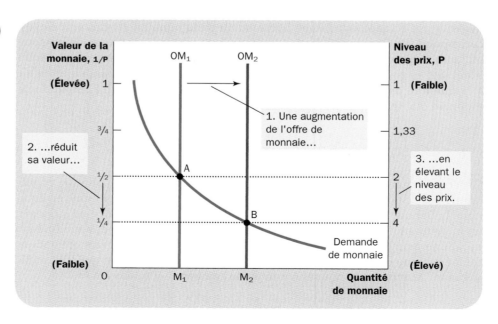

Cependant, les capacités productives de l'économie restent inchangées. Comme nous l'avons vu au chapitre 7, la production dépend du travail, du capital physique et humain ainsi que de la technologie. Or l'augmentation de l'offre de monnaie n'a modifié aucun de ces facteurs.

Par conséquent, l'augmentation de la demande se traduit par une montée des prix. Cette hausse du niveau des prix entraîne à son tour une augmentation de la quantité de monnaie demandée, chaque transaction exigeant davantage de dollars. En fin de compte, l'économie atteint un nouvel équilibre (le point B de la figure 11.2) lorsque la quantité de monnaie demandée et la quantité de monnaie offerte sont égales. De cette manière, le niveau général des prix s'ajuste pour équilibrer l'offre et la demande de monnaie.

LA DICHOTOMIE CLASSIQUE ET LA NEUTRALITÉ MONÉTAIRE

Nous avons observé les conséquences d'une variation de l'offre de monnaie sur le niveau général des prix. Mais qu'en est-il d'autres variables macroéconomiques telles que la production, l'emploi, les salaires réels et les taux d'intérêt réels? Cette question a longtemps intrigué les économistes et en particulier, dès le XVIIIe siècle, le grand philosophe David Hume. La réponse présentée ici doit beaucoup à ses recherches.

Hume et ses contemporains considéraient que toutes les variables économiques se répartissent en deux catégories: les **variables nominales** (mesurées en unités monétaires) et les **variables réelles** (mesurées en unités physiques). Par exemple, le revenu d'un producteur de maïs, qui s'exprime en dollars, constitue une variable nominale, alors que la quantité de maïs produite est une variable réelle, mesurée en tonnes. De la même manière, le PIB nominal est une variable nominale, car il mesure, en dollars, la valeur de la production économique, alors que le PIB réel est une variable réelle, qui indique la quantité totale de biens et de services produits. Cette répartition des variables en deux groupes se nomme aujourd'hui **dichotomie classique** — une *dichotomie* est une division en deux catégories, et l'adjectif *classique* renvoie aux économistes du XVIIIe siècle qui l'ont formulée.

L'application de la dichotomie classique se révèle parfois délicate, en particulier quand il est question des prix. Dans une économie, les prix sont habituellement exprimés en monnaie et constituent donc des variables nominales. Si vous dites que le prix du maïs est de 200 $ la tonne ou que le prix du blé atteint 100 $ la tonne, ces deux prix sont effectivement des variables nominales. Mais qu'en est-il des prix *relatifs* – le prix d'une chose par rapport à une autre? Reprenons le même exemple: vous pouvez dire que le prix d'une tonne de maïs équivaut à celui de deux tonnes de blé. Toutefois, ce prix relatif n'est plus exprimé en unités monétaires; on compare maintenant deux biens sans recourir à la monnaie, mais en faisant appel à des unités physiques. Les prix en dollars sont donc des variables nominales, tandis que les prix relatifs constituent des variables réelles.

Plusieurs applications découlent d'une telle conclusion. Le salaire réel (le salaire en dollars corrigé pour tenir compte de l'inflation) est une variable réelle, parce qu'il mesure le taux auquel sont échangés les biens et les services contre du travail. Le taux d'intérêt réel (le taux d'intérêt nominal corrigé pour tenir compte de l'inflation) est également une variable réelle, car il mesure le taux auquel sont échangés les biens et les services produits aujourd'hui avec ceux qui seront produits à l'avenir.

Pourquoi répartir ainsi les variables en deux groupes? Hume pensait que cette dichotomie était importante pour analyser l'économie, parce que des forces différentes influencent les variables nominales et les variables réelles. Il faisait tout spécialement remarquer que le système monétaire influe grandement sur

Variables nominales
Variables mesurées en unités monétaires.

Variables réelles
Variables mesurées en unités physiques.

Dichotomie classique
Distinction théorique entre les variables réelles et les variables nominales.

les variables nominales, alors qu'il n'a que très peu d'incidence sur les variables réelles.

Notre représentation de l'économie réelle à long terme arrivait déjà implicitement à cette conclusion. Dans les chapitres précédents, nous avons examiné les facteurs déterminant respectivement le PIB réel, l'épargne, l'investissement, le taux d'intérêt réel et le taux de chômage, et ce, sans jamais faire référence à la monnaie. Nous avons vu au cours de cette analyse que la production dépend de la productivité et de la quantité de facteurs de production, que le taux d'intérêt réel s'ajuste en fonction de l'équilibre de l'offre et de la demande de fonds prêtables, que le salaire réel est déterminé par l'offre et la demande de travail et que le chômage survient si le salaire réel dépasse son niveau d'équilibre. Ces conclusions fondamentales n'ont aucun lien avec la masse monétaire.

D'après Hume, la variation de l'offre de monnaie a des conséquences sur les variables nominales sans influer sur les variables réelles. Si une banque centrale double la masse monétaire, par exemple, le niveau des prix double, les salaires doublent et toutes les autres valeurs exprimées en dollars doublent également. Mais les variables réelles comme la production, l'emploi, les salaires réels et le taux d'intérêt réel ne changent pas. L'absence totale d'impact des variations monétaires sur les variables réelles se nomme **neutralité monétaire.**

Neutralité monétaire

Proposition selon laquelle les variations de l'offre de monnaie (de la masse monétaire) n'influent pas sur les variables réelles.

Une analogie permet de mieux comprendre ce que signifie cette neutralité monétaire. Souvenez-vous que la monnaie, en tant qu'unité de compte, sert d'étalon pour mesurer et comptabiliser les valeurs économiques. Si une banque centrale double l'offre de monnaie, tous les prix doublent, et la valeur de l'unité de compte est divisée par deux. Un changement similaire surviendrait si le gouvernement décidait de réduire le mètre étalon en le faisant passer de 100 à 50 centimètres. Selon la nouvelle unité de mesure, toutes les distances *mesurées* (variables nominales) doubleraient, mais les distances *physiques* (variables réelles) resteraient identiques. Le dollar, comme le mètre, sert simplement d'unité de mesure ; une modification de sa valeur n'a aucun effet réel important.

Cette neutralité monétaire convient-elle pour décrire d'une façon réaliste le monde dans lequel nous vivons ? Pas vraiment. Une réduction de moitié de la longueur du mètre étalon n'aurait sans doute aucune conséquence importante à long terme, mais entraînerait à court terme une grande confusion et bien des erreurs. De nombreux économistes s'accordent aujourd'hui pour dire qu'à court terme – soit pour une période d'un an ou deux –, une variation monétaire a des impacts importants sur les variables réelles. Hume lui-même doutait sérieusement que la neutralité monétaire soit applicable à court terme. (Nous reviendrons sur cette non-neutralité à court terme dans les chapitres 14 à 16, ce qui nous permettra de mieux comprendre pourquoi la Banque du Canada fait régulièrement varier l'offre de monnaie.)

La plupart des économistes acceptent aujourd'hui en grande majorité la description de l'économie à long terme de Hume. Sur une dizaine d'années, en effet, les variations monétaires ont d'indéniables retombées sur les variables nominales telles que le niveau des prix, mais peu d'effet sur les variables réelles telles que le PIB réel. La neutralité monétaire s'avère fort utile pour expliquer les changements à long terme de l'économie et offre, de ce point de vue, une bonne description de la réalité.

LA VITESSE DE CIRCULATION DE LA MONNAIE ET L'ÉQUATION QUANTITATIVE

On peut examiner la théorie quantitative de la monnaie sous un angle différent si l'on considère la question suivante : combien de fois par année, en moyenne, une pièce de un dollar sert-elle à acheter des biens ou des services récemment produits ? La variable qui permet de répondre à cette question se nomme

vitesse de circulation de la monnaie. En physique, le terme *vitesse* fait référence à la rapidité de déplacement d'un objet. En économie, la vitesse de circulation de la monnaie représente la rapidité avec laquelle un dollar passe d'un portefeuille à un autre.

Pour mesurer la vitesse de circulation de la monnaie, il suffit de diviser la valeur nominale de la production (PIB nominal) par la quantité de monnaie. Si P correspond au niveau des prix (le déflateur du PIB, en base 1), Y à la production (le PIB réel) et M à la quantité de monnaie, la vitesse de circulation de la monnaie est donc de :

$$V = (P \times Y) / M$$

Pour vérifier cette équation, imaginez une économie qui ne produirait que des pizzas. Supposons que cette économie produise 100 pizzas par année, que chaque pizza se vende 10 $ et que la quantité de monnaie circulant dans l'économie s'élève à 50 $. La vitesse de circulation de la monnaie équivaudrait alors à :

$$V = (10\,\$ \times 100) / 50\,\$ = 20$$

Dans cette économie, les gens dépensent 1 000 $ par année en pizzas (100 pizzas à 10 $ chacune). Pour que cette dépense de 1 000 $ puisse être possible avec seulement 50 $ en circulation dans l'économie, il faut que chaque dollar soit utilisé en moyenne vingt fois par an.

Il est possible de réécrire cette équation sous forme algébrique :

$$M \times V = P \times Y$$

Cette équation indique que la quantité de monnaie (M) multipliée par la vitesse de circulation (V) est égale au niveau des prix (P) multiplié par la production (Y). C'est ce que nous appelons l'**équation quantitative,** car elle établit la relation entre la quantité de monnaie (M) et la valeur nominale de la production (P × Y). Selon cette équation, une augmentation de la quantité de monnaie doit se traduire par l'une des trois variations suivantes : une hausse du niveau des prix, une hausse de la production ou une réduction de la vitesse de circulation de la monnaie.

On peut considérer que la vitesse de circulation de la monnaie est relativement stable. La figure 11.3 montre le PIB nominal, la quantité de monnaie (correspondant à M2) et la vitesse de circulation de la monnaie de l'économie canadienne depuis 1961. Même si la vitesse de circulation de la monnaie n'est pas parfaitement constante, elle ne varie guère. Par contre, l'offre de monnaie et le PIB nominal ont été multipliés par 25 durant cette période. À partir de ces données, il est possible de simplifier et de considérer la vitesse de circulation de la monnaie comme étant constante.

Nous disposons maintenant de tous les éléments nécessaires pour expliquer le niveau d'équilibre des prix et du taux d'inflation :

1. La vitesse de circulation de la monnaie est relativement constante dans le temps.

2. Pour cette raison, lorsque la Banque du Canada fait varier la quantité de monnaie (M), elle provoque une variation proportionnelle de la valeur nominale de la production (P × Y).

3. La production de biens et de services (Y) dépend essentiellement des facteurs de production (main-d'œuvre, capital humain et physique) et de la technologie disponible. En raison de la neutralité monétaire, la monnaie n'influe pas sur la production.

Vitesse de circulation de la monnaie
Nombre moyen de fois qu'est utilisé chaque dollar pour acheter la production.

Équation quantitative
$M \times V = P \times Y$. Cette équation définit la relation entre la masse monétaire, la vitesse de circulation de la monnaie et la valeur nominale de la production de biens et de services.

Figure 11.3

PIB NOMINAL, QUANTITÉ DE MONNAIE ET VITESSE DE CIRCULATION DE LA MONNAIE. Ce graphique illustre d'une part la valeur nominale de la production mesurée par le PIB nominal et, d'autre part, la quantité de monnaie (M2), leur rapport correspondant à la vitesse de circulation de la monnaie. Pour que l'on puisse comparer aisément ces trois séries, celles-ci ont été ramenées à une valeur de 100 en 1961. Remarquez que le PIB nominal et la masse monétaire ont enregistré une augmentation spectaculaire depuis 1961, alors que la vitesse de circulation de la monnaie est restée relativement stable.

SOURCES : Statistique Canada, «Produit intérieur brut, en termes de dépenses», CANSIM, Tableau 38-0017, et «Monnaie hors des banques et dépôts dans les banques à charte», CANSIM, Tableau 176-0020 ; la vitesse de circulation de la monnaie a été calculée par les auteurs en divisant le PIB nominal par la quantité de monnaie.

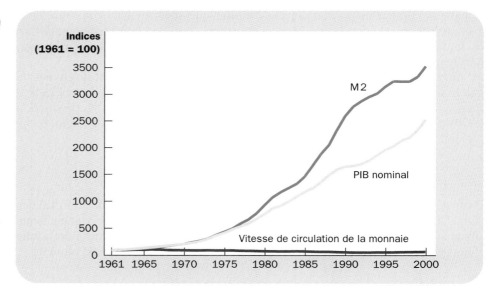

4. Comme la production (Y) dépend uniquement des facteurs de production et de la technologie, lorsque la Banque du Canada fait varier l'offre de monnaie (M) et cause des changements proportionnels au niveau de la valeur nominale de la production (P × Y), ces changements se reflètent seulement dans la variation du niveau général des prix (P).

5. Par conséquent, lorsque la Banque du Canada augmente rapidement l'offre de monnaie, cette hausse se traduit par un taux élevé d'inflation.

Ces cinq étapes résument l'essentiel de la théorie quantitative de la monnaie.

ÉTUDE DE CAS   **LA MONNAIE ET LES PRIX LORS DE QUATRE HYPERINFLATIONS**

Les tremblements de terre sont destructeurs, mais ils présentent néanmoins le mérite de fournir aux sismologues des données précieuses pour vérifier leurs différentes théories, prévoir les futures catastrophes et s'y préparer en conséquence. D'une façon similaire, les périodes d'hyperinflation constituent pour les économistes des expériences naturelles au cours desquelles ils peuvent étudier les conséquences des variations de la masse monétaire sur l'économie.

L'intérêt de ces périodes d'inflation galopante tient aux extrêmes variations de la masse monétaire et du niveau des prix qu'on peut alors observer. Dans les faits, l'hyperinflation se définit généralement par un taux excédant 50 % *par mois*. Un tel taux suppose une multiplication par plus de 100 du niveau général des prix en seulement un an.

Les données concernant ces phénomènes montrent une corrélation très nette entre la quantité de monnaie et le niveau général des prix, comme on le voit sur les graphiques de la figure 11.4. Ces graphiques illustrent quatre cas d'hyperinflation survenus pendant les années 20, en Autriche, en Hongrie, en Allemagne et en Pologne. Chacun de ces graphiques montre la relation entre la quantité de monnaie en circulation dans l'économie et le niveau général des prix. La courbe de la monnaie montre la croissance de la masse monétaire, et la courbe des prix indique la croissance des prix. Plus ces courbes sont accentuées, plus la masse monétaire et le taux d'inflation augmentent rapidement.

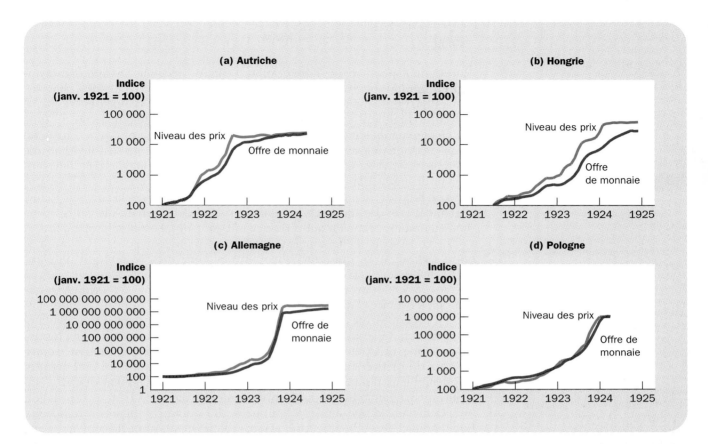

MASSSE MONÉTAIRE ET PRIX LORS DE QUATRE HYPERINFLATIONS. La figure suivante illustre la quantité de monnaie et le niveau des prix lors de quatre périodes d'inflation galopante. (Remarquez que ces variables sont représentées selon une échelle *logarithmique*, ce qui signifie que des intervalles égaux sur l'axe des ordonnées correspondent à des variations égales en *pourcentage*.) Pour chaque exemple, la quantité de monnaie et le niveau des prix progressent proportionnellement. L'association très forte de ces deux variables valide la théorie quantitative de la monnaie, selon laquelle la croissance de l'offre de monnaie constitue la cause principale de l'inflation.

Figure 11.4

SOURCE : Tiré de Thomas J. Sargent, «The End of Four Big Inflations», *Inflation*, Robert Hall éd., (Chicago : University of Chicago Press, 1983), p. 41 à 93.

On remarque pour chaque graphique une évolution parallèle de la quantité de monnaie et du niveau des prix. On peut aussi observer que la croissance de la quantité de monnaie est relativement modérée au début, mais finit par s'emballer, l'inflation suivant un parcours identique. Lorsque la masse monétaire se stabilise enfin, le niveau des prix se stabilise aussi. Ces incidents illustrent bien l'un des *dix principes d'économie* : les prix montent lorsque l'État émet trop de monnaie.

ÉTUDE DE CAS   PEUT-IL Y AVOIR PLUSIEURS TAUX D'INFLATION DANS LA ZONE EURO ?

Traditionnellement pays d'émigration, l'Irlande accueille maintenant beaucoup d'immigrants. Le taux de chômage, qui était de plus de 20 % dans les années 80, est maintenant passé sous les 6 %. Le niveau de vie des Irlandais, encore très faible il y a 10 ans, a maintenant presque rejoint le nôtre. Tous ces changements sont survenus durant les années 90, alors que le reste de l'Europe stagnait littéralement. Comment tout cela a-t-il pu se faire ? Par une politique visant la croissance économique la plus importante possible, qui comprenait des réductions importantes d'impôts, une réorientation des interventions de l'État et une réglementation plus légère du marché du travail. Notons également que des transferts massifs de subsides provenant des autres pays de l'Union européenne n'ont certainement pas nui à l'économie irlandaise.

La croissance phénoménale de l'Irlande (en moyenne de 9,5 % par année entre 1995 et 1998, une multiplication par deux du PIB réel par habitant en 10 ans) semble cependant bien fragile pour certains. L'inflation y dépasse en effet les 5 % et il serait difficile de trouver des solutions pour y remédier, en raison de l'existence d'une monnaie commune (l'euro), et donc de l'impossibilité d'y appliquer une politique monétaire individuelle et adaptée à sa situation.

Tout comme le taux d'inflation tendanciel (sur un horizon de long terme) est le même au Québec et en Ontario, il ne peut y avoir de différence entre les taux d'inflation tendanciels des pays de la zone euro. Pour comprendre ce phénomène, il faut faire la distinction entre un changement de prix relatif et un changement continu du niveau moyen des prix. Le taux d'inflation officiel mesuré d'une année à l'autre résulte d'une combinaison de l'inflation tendancielle et des effets de certains changements apportés une fois pour toutes aux prix relatifs de certains biens ou de certains services. Par exemple, les IPC totaux canadien et américain en mars 2000 ont augmenté respectivement à un taux annuel de 3,7 % et 3,0 %, surtout à cause de la hausse du prix de l'énergie. Pourtant, le taux d'inflation tendancielle n'a atteint que 2,4 % aux États-Unis et 1,5 % au Canada. Il n'y a rien d'alarmant dans ces chiffres lorsqu'on les ramène à leur juste proportion.

Les prix relatifs (le prix des maisons, celui des légumes, les salaires) sont déterminés par l'offre et la demande des divers biens, services et facteurs de production. Il est tout à fait possible que la demande de maisons en Irlande augmente plus rapidement que l'offre; le prix relatif des maisons augmente donc en Irlande, par rapport aux autres pays européens. Cela peut être le cas pour une majorité de biens et de services en Irlande. Et tant mieux pour les Irlandais, puisque c'est tout simplement le résultat d'un pouvoir d'achat qui croît rapidement. Lorsque l'on mesurera l'inflation, la valeur calculée en Irlande sera donc supérieure à celle des autres pays européens. Lorsque, à l'avenir, l'offre et la demande de biens et de services augmenteront à un rythme semblable à celui des autres pays de la zone euro, le taux d'inflation mesuré en Irlande rejoindra celui de l'Europe, laissant cependant aux Irlandais un coût de la vie plus élevé qu'auparavant. À ce moment, l'inflation tendancielle sera la même dans tous les pays de la zone euro.

En économie, l'inflation est définie comme une augmentation *soutenue* du niveau général des prix. Une augmentation, une fois pour toutes, du niveau moyen des prix, n'est pas vraiment de l'inflation. De même, une augmentation subite du prix du pétrole n'est pas de l'inflation. Que l'augmentation récente du prix mondial du pétrole se traduise ou non par de l'inflation soutenue dans un pays quelconque dépend, essentiellement, de sa politique monétaire. Puisque les pays de la zone euro (dont l'Irlande) ont une politique monétaire unique, le taux d'inflation tendanciel est le même pour l'Allemagne et pour l'Irlande. Quand deux pays ont une monnaie commune (ou un taux de change fixe), il ne peut pas en être autrement.

Y a-t-il danger d'une hyperinflation irlandaise? Le risque est inexistant. L'hyperinflation est toujours le résultat d'une croissance monétaire hors de contrôle. Si l'Irlande venait à connaître une inflation galopante, ce serait aussi le cas partout ailleurs en Europe.

LA TAXE D'INFLATION

S'il est si facile d'expliquer l'inflation, pourquoi certaines nations se trouvent-elles aux prises avec l'hyperinflation? Pourquoi les banques centrales décident-elles de créer une telle quantité de monnaie que cette dernière perd sa valeur à toute vitesse?

Tout simplement parce que les gouvernements de ces pays ont recours à la création de monnaie pour financer leurs dépenses. Pour payer les travaux de voirie, les salaires des policiers ou encore les allocations aux personnes âgées ou défavorisées, l'État doit trouver les fonds nécessaires. En temps normal, il lève des impôts sur le revenu ou sur les biens et les services, ou encore il contracte des emprunts par l'émission d'obligations au public. Mais il peut aussi couvrir ses dépenses en créant de la monnaie. Plus concrètement, le gouvernement émet des obligations et les vend à la banque centrale. Celle-ci crédite alors le compte du gouvernement, qui peut dépenser cet argent neuf, ce qui crée une augmentation de la masse monétaire.

Lorsque le gouvernement procède ainsi, on dit qu'il lève une **taxe d'inflation.** Cette taxe d'inflation diffère des autres taxes, dans la mesure où personne ne reçoit un avis d'imposition pour ce nouvel impôt. Selon un processus plus subtil, le gouvernement fait marcher la planche à billets, le niveau des prix grimpe et la valeur de la monnaie diminue. En fait, *la taxe d'inflation frappe toutes les personnes détenant de la monnaie.*

L'ampleur de cette taxe d'inflation varie selon les pays et les époques. Au cours des dernières années au Canada, cette taxe n'a représenté qu'une source négligeable de recettes, comptant pour moins de 3 % des revenus publics. Mais vers 1770, le Congrès des États-Unis avait abondamment recours à la taxe d'inflation pour couvrir ses dépenses militaires. À cette époque, le gouvernement arrivait difficilement à lever des impôts réguliers ou à emprunter, et l'impression de billets constituait le moyen le plus simple pour payer les militaires. Comme la théorie quantitative pouvait le prévoir, une inflation impressionnante en découla : les prix furent multipliés par plus de 100 en quelques années.

Toutes les périodes hyperinflationnistes s'apparentent à celle de la Révolution américaine. L'État, faisant face à des dépenses élevées, des recettes fiscales insuffisantes et une capacité d'emprunter limitée, se résout à créer de la monnaie pour combler son déficit. Une injection massive de monnaie dans l'économie déclenche alors une inflation colossale. Cette hyperinflation dure jusqu'à ce que le gouvernement, par exemple, réduise les dépenses publiques et n'ait plus besoin de cette taxe d'inflation.

Taxe d'inflation
Recette de l'État liée à la création de monnaie.

Lire l'article page 437

L'EFFET FISHER

Selon le principe de la neutralité monétaire, une augmentation du taux de croissance de la masse monétaire fait monter le taux d'inflation, sans avoir de répercussions sur les variables réelles. Ce principe peut également être vérifié à propos des taux d'intérêt. Les taux d'intérêt sont particulièrement importants, car ils relient l'économie présente et l'économie future par l'intermédiaire de leurs impacts sur l'épargne et l'investissement.

Pour bien comprendre la corrélation entre la monnaie, l'inflation et le taux d'intérêt, il faut reprendre la distinction établie au chapitre 6 entre le taux d'intérêt nominal et le taux d'intérêt réel. Le *taux d'intérêt nominal* correspond à celui qui est affiché dans votre succursale bancaire. Il mesure en dollars les intérêts accumulés durant une période donnée. Le *taux d'intérêt réel*, pour sa part, représente l'accroissement du pouvoir d'achat de votre compte en banque. Il équivaut au taux d'intérêt nominal corrigé pour tenir compte de l'inflation. La relation entre les deux peut s'écrire comme suit:

Taux d'intérêt réel = taux d'intérêt nominal − taux d'inflation

Par exemple, si la banque affiche un taux d'intérêt nominal de 7 % par année et que le taux d'inflation est de 3 %, la valeur réelle des dépôts croît à un taux de 4 % par année.

Nous pouvons réécrire l'équation donnée ci-dessus pour montrer que le taux d'intérêt nominal équivaut à la somme du taux d'intérêt réel et du taux d'inflation:

Taux d'intérêt nominal = taux d'intérêt réel + taux d'inflation

En formulant ainsi le taux d'intérêt nominal, il est possible d'observer les différentes forces économiques agissant sur les deux variables du membre droit de l'équation. D'une part, comme nous l'avons vu au chapitre 8, l'offre et la demande de fonds prêtables déterminent le taux d'intérêt réel. D'autre part, d'après la théorie quantitative de la monnaie, la croissance de l'offre de monnaie influe directement sur le taux d'inflation.

Examinons maintenant comment la croissance de la masse monétaire se répercute sur les taux d'intérêt. À long terme, en raison de la neutralité monétaire, une variation de la masse monétaire ne touche nullement le taux d'intérêt réel, car ce dernier fait partie de la catégorie des variables réelles. Or, pour que ce taux d'intérêt réel ne soit pas touché, le taux d'intérêt nominal doit s'ajuster à toutes les variations du taux d'inflation. Par conséquent, *quand la Banque du Canada augmente le taux de croissance de la monnaie, il en résulte à la fois une augmentation du taux d'inflation et une hausse du taux d'intérêt nominal.* Cet ajustement a été baptisé **effet Fisher,** du nom de l'économiste Irving Fisher (1867-1947), qui a été le premier à l'étudier.

L'effet Fisher est crucial pour comprendre les fluctuations du taux d'intérêt nominal. La figure 11.5 illustre le taux d'inflation et le taux d'intérêt nominal de l'économie canadienne depuis 1961, et démontre clairement la corrélation entre ces deux variables. On peut voir en effet que le taux d'intérêt nominal a augmenté du début des années 60 jusqu'aux années 70, l'inflation s'étant également accrue durant cette période, tandis qu'au début des années 80 et tout au long des années 90, on a assisté au phénomène inverse: une baisse du taux d'intérêt nominal due à la maîtrise de l'inflation par la Banque du Canada.

Effet Fisher
Répercussion intégrale du taux d'inflation sur le taux d'intérêt nominal.

> **MINITEST :** Un gouvernement fait passer le taux de croissance annuel de la masse monétaire de 5 % à 50 %. Qu'advient-il de l'inflation ? et des taux d'intérêts nominaux ? Quelles sont les raisons qui peuvent pousser ce gouvernement à adopter une telle mesure ?

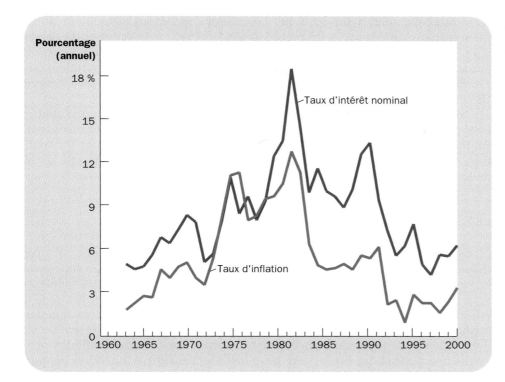

Figure 11.5

Taux d'intérêt nominal et taux d'inflation. Ce graphique présente le taux d'intérêt nominal des bons du Trésor à trois mois et le taux d'inflation, mesuré par l'indice des prix à la consommation, depuis 1961 (données annuelles). La corrélation entre ces deux variables illustre parfaitement l'effet Fisher : lorsque le taux d'inflation grimpe, le taux d'intérêt nominal le suit.

Source : Statistique Canada, « Le Canada en statistiques : Taux de change, taux d'intérêt et masse monétaire et prix des actions », CANSIM, Tableau 176-0043.

LES COÛTS DE L'INFLATION

Au cours des années 70, l'inflation avait atteint 10 % par année au Canada et le taux d'inflation dominait l'ensemble des débats concernant la politique économique. Bien que l'inflation soit restée modérée au cours des années 90, cette variable macroéconomique fait l'objet d'une préoccupation constante. Cette vigilance est de mise dans la mesure où il s'agit d'un problème grave. Mais est-ce bien le cas ? Et si oui, pourquoi ?

LE MYTHE DE LA PERTE DE POUVOIR D'ACHAT

Si vous interrogez les gens autour de vous au sujet des problèmes posés par l'inflation, ils vous répondront que, de toute évidence, l'inflation réduit le pouvoir d'achat lié à leurs revenus. Quand les prix montent, en effet, le même dollar ne permet plus d'acheter autant de biens et de services. Il semble donc que l'inflation réduise directement le niveau de vie.

Mais en y regardant de près, on découvre que cette perception est erronée. Lorsque les prix grimpent, les acheteurs payent plus cher les produits, certes, mais en même temps, les vendeurs de ces produits touchent des salaires supérieurs. Comme la grande majorité des gens gagnent leur vie en vendant leurs services, la hausse des revenus suit la montée des prix. Par conséquent, *l'inflation en elle-même n'entame pas le pouvoir d'achat réel des ménages.*

Pourtant, les gens continuent à propager ce mythe parce qu'ils ignorent le principe de la neutralité monétaire. Les travailleurs gratifiés d'une augmentation de salaire de 10 % par an ont tendance à s'en attribuer totalement le mérite, évoquant leurs efforts et leur talent. Lorsque l'inflation grignote 6 % de cette augmentation pour ne leur en laisser que 4 %, ils se sentent injustement brimés. De fait, comme nous l'avons vu au chapitre 6, les salaires réels dépendent d'une variable réelle, soit la productivité. Les salaires nominaux dépendent de ce même facteur, de même que du niveau général des prix. Si la Banque du Canada était en mesure de réduire le taux d'inflation de 6 % à 0 %, l'augmentation annuelle du salaire des travailleurs tomberait à 4 %. Ces derniers n'auraient pas l'impression que l'inflation les lèse, mais leurs salaires réels ne s'accroîtraient pas plus vite.

Si les revenus nominaux tendent à suivre l'augmentation des prix, pourquoi l'inflation pose-t-elle problème? La réponse à cette question est complexe. En réalité, les économistes ont découvert plusieurs coûts imputables à l'inflation. Chacun de ces coûts montre en fait qu'une croissance persistante de la masse monétaire peut avoir des conséquences sur les variables réelles.

LES COÛTS D'USURE

Nous savons que l'inflation a les mêmes conséquences qu'un impôt pour les détenteurs de monnaie. Cet impôt ne représente pas en lui-même un coût pour la société: il s'agit tout simplement d'un transfert de ressources des ménages vers le gouvernement. Néanmoins, la plupart des impôts incitent les gens à modifier leur comportement dans le but d'éviter de payer, cette distorsion des incitatifs aboutissant à une perte sèche pour la société dans son ensemble. À l'instar de tous les autres impôts (autres que forfaitaires), la taxe d'inflation provoque une perte sèche, car les gens gaspillent des ressources afin d'y échapper.

Comment peut-on éviter de payer la taxe d'inflation? Tout d'abord en conservant moins de monnaie, puisque l'inflation provoque une érosion de la valeur réelle de la monnaie détenue. Pour cela, il suffit d'aller à la banque plus souvent et de retirer 50 $ par semaine au lieu de 200 $ par mois. De cette manière, vous laissez plus de monnaie dans un compte en banque portant intérêt et moins dans votre portefeuille où il perd de la valeur en raison de l'inflation.

Ces coûts de rétention des liquidités s'appellent **coûts d'usure** de l'inflation, par analogie avec l'usure des chaussures consécutive aux nombreux déplacements à la banque. Bien entendu, il ne faut pas prendre ce terme au sens littéral. Le coût réel de la réduction du numéraire ne tient pas à l'usure de la semelle des chaussures, mais plutôt à la perte de temps et aux inconvénients de maintenir des avoirs liquides aussi faibles que possible, en raison de l'inflation.

Ces coûts d'usure paraissent insignifiants et, de fait, ils le sont dans l'économie canadienne, où l'inflation s'est maintenue à un niveau modéré au cours des dernières années. Mais en cas d'hyperinflation, ces coûts peuvent devenir énormes. L'anecdote suivante raconte l'expérience personnelle d'un citoyen bolivien lors d'un épisode d'hyperinflation (article du *Wall Street Journal,* 13 août 1985, p. 1):

> «Lorsque Edgar Miranda touche son salaire mensuel de 25 millions de pesos, il n'a pas une minute à perdre: chaque minute, cette devise perd de sa valeur. Aussi, pendant que sa femme se précipite au marché pour acheter leur provision mensuelle de riz et de pâtes, il court changer le reste de sa paie en dollars sur le marché noir.
>
> M. Miranda met en pratique la première règle de survie dans le pays du monde le plus ravagé par l'inflation. La Bolivie constitue un excellent exemple de la façon dont l'inflation incontrôlée sape les fondements d'une société. Les prix augmentent de façon si alarmante que les chiffres dépassent l'entendement. Au cours des six derniers mois, ils ont augmenté au taux annuel de 38 000 %. Selon les statistiques officielles, cependant, l'inflation de l'année dernière atteignait 2 000 % et devrait passer à 8 000 % cette année – mais d'autres estimations indiquent des chiffres nettement supérieurs. En tout état de cause, le taux d'inflation de la Bolivie dépasse de très loin les 370 % d'Israël et les 1 100 % de l'Argentine – deux autres pays affligés d'une inflation sévère.

Coûts d'usure
Coût de l'inflation, suscité notamment par le coût entraîné par de plus fréquents déplacements à la banque.

Sachant cela, on comprend mieux pourquoi M. Miranda, qui a 38 ans, change immédiatement sa paie en dollars américains : le jour même, un dollar coûte 500 000 pesos et ses 25 millions équivalent à 50 $, alors que deux jours plus tard, le taux de change du dollar atteindra 900 000 pesos et il n'obtiendra que 27 $ pour la même somme. »

Cette histoire démontre que les coûts de l'inflation sont parfois significatifs. Avec un tel taux, M. Miranda ne peut courir le risque de conserver la devise locale comme réserve de valeur. En fait, il lui faut convertir le plus rapidement possible ses pesos en biens de consommation courants ou en dollars américains, qui constituent une réserve de valeur plus stable. Mais le temps et les efforts de M. Miranda pour protéger ses avoirs constituent un gaspillage de ressources. Si les autorités monétaires maintenaient une politique non inflationniste, il serait ravi de conserver la devise bolivienne et de consacrer son temps et ses énergies à des activités plus productives. De fait, peu de temps après la publication de cet article, le taux d'inflation en Bolivie a connu une réduction très importante grâce à une politique monétaire restrictive.

Lire l'article
page 438

LES COÛTS D'AFFICHAGE

La grande majorité des entreprises ne modifient pas les prix de leurs produits tous les jours. Au lieu de cela, elles affichent les mêmes prix durant des semaines ou des mois, voire même des années. Une étude a démontré qu'aux États-Unis, les compagnies ont l'habitude de changer leur prix une fois par année, en moyenne.

Si elles ne les changent pas plus souvent, c'est parce qu'une telle opération est coûteuse : il faut prendre une décision concernant les prix et payer l'impression des catalogues et des listes de prix, les frais d'envoi aux concessionnaires et la publicité ; il faut même considérer le coût des désagréments résultant des démêlés avec des clients mécontents du changement de prix. On parle de **coûts d'affichage** pour décrire ces coûts reliés aux changements de prix.

Une période d'inflation signifie donc une élévation des coûts d'affichage pour les entreprises. Actuellement, le faible taux d'inflation de l'économie canadienne rend nécessaire un changement de prix annuel, et c'est ce rythme qu'adoptent la plupart des entreprises. Cependant, en cas d'inflation élevée, il leur faut ajuster leurs prix beaucoup plus souvent. Lors d'épisodes d'hyperinflation, les sociétés doivent modifier leur affichage quotidiennement et parfois même plus souvent.

Coûts d'affichage
Coûts associés à la modification des prix affichés.

LA VARIABILITÉ DES PRIX RELATIFS ET LA MAUVAISE ALLOCATION DES RESSOURCES

Imaginez que le restaurant Au Plaisir gourmand imprime son nouveau menu au mois de janvier et le conserve jusqu'à l'année suivante. En l'absence d'inflation, les prix relatifs d'Au Plaisir gourmand, c'est-à-dire les prix de ses menus comparés aux autres prix de l'économie, restent identiques pendant douze mois. En revanche, si le taux d'inflation atteint 12 % par année, les prix relatifs d'Au Plaisir gourmand tombent d'environ 1 % par mois. Ces prix (en comparaison des prix des autres restaurants) sont élevés en début d'année, juste après l'impression du nouveau menu, et bas dans les derniers mois. Plus l'inflation s'aggrave, plus cette variabilité automatique s'accentue. Comme les prix affichés ne changent qu'une fois de temps en temps, l'inflation entraîne une variation des prix relatifs supérieure à la normale.

Pourquoi cela nous importe-t-il ? Pour la bonne raison que les économies de marché allouent leurs ressources en fonction des prix relatifs. Les consommateurs prennent la décision d'acheter en comparant les qualités et les prix des divers biens et services offerts. L'ensemble de ces décisions déterminent la répartition des facteurs de production entre les entreprises et les secteurs de l'économie. Une distorsion des prix relatifs, provoquée par l'inflation, modifie les choix des consommateurs et empêche les marchés d'allouer les ressources d'une manière optimale.

LES DISTORSIONS FISCALES

Les impôts créent des incitatifs et entraînent ainsi une modification du comportement des gens, conduisant à une allocation moins efficace des ressources. Ces effets deviennent encore plus problématiques en cas d'inflation, lorsque les législateurs ne tiennent pas compte de ce phénomène lors de l'élaboration du code fiscal. Les économistes, qui connaissent bien les lois de l'impôt, concluent que l'inflation alourdit le fardeau fiscal sur les revenus tirés de l'épargne.

Le traitement des *gains en capital* – profits réalisés lors de la vente d'un actif à un prix supérieur à son coût d'acquisition – constitue un bon exemple de la façon dont l'inflation décourage l'épargne. Imaginons qu'en 1980, vous avez consacré une partie de votre épargne à l'achat d'actions de la Banque Scotia, à 10 $ chacune, et que vous les avez revendues en 2004 pour 50 $ chacune. Selon la législation fiscale, vous avez fait un gain en capital de 40 $, gain que vous devrez mentionner dans votre déclaration de revenus. Mais si le niveau général des prix a doublé de 1980 à 2004, les 10 $ investis en 1980 équivalent à 20 $ en 2004 (si l'on considère le pouvoir d'achat). Lors de la vente de vos actions pour 50 $, votre gain réel (l'augmentation de votre pouvoir d'achat) se chiffre seulement à 30 $. Mais le ministère du Revenu ne tient nullement compte de l'inflation et vous impose sur un gain de 40 $. Par conséquent, l'inflation augmente le gain nominal de capital, haussant du même coup le taux d'imposition sur ce type de revenu.

Le traitement des revenus d'intérêt constitue un autre exemple du fait que l'inflation décourage l'épargne. Le fisc traite l'intérêt *nominal* sur l'épargne comme un revenu, même si une partie de cet intérêt nominal ne fait que compenser la perte de valeur causée par l'inflation. On observe les effets de cette politique dans l'exemple du tableau 11.1. Ce tableau compare deux économies imposant toutes deux les intérêts à 25 %. Dans l'économie 1, l'inflation est nulle et les taux d'intérêt nominal et réel s'établissent à 4 % ; dans ce cas, l'impôt de 25 % sur l'intérêt réduit le taux d'intérêt réel de 4 % à 3 %. Dans l'économie 2, le taux d'intérêt réel est toujours de 4 %, mais le taux d'inflation atteint 8 %. D'après l'effet Fisher, le taux d'intérêt nominal s'établit à 12 %. Comme l'impôt sur le revenu s'applique sur la totalité de ces 12 % d'intérêt, le fisc en prélève 25 %, laissant un taux d'intérêt nominal après impôts de 9 % et un taux d'intérêt réel après impôts de 1 %. Dans ce cas, le prélèvement fiscal de 25 % sur les intérêts fait passer le taux d'intérêt réel de 4 % à 1 %. Parce que le taux d'intérêt réel détermine l'épargne, celle-ci est beaucoup moins attrayante dans une économie souffrant de l'inflation (économie 2) que dans une économie où les prix sont stables (économie 1).

Ces deux exemples du mode d'imposition des gains en capital et des revenus d'intérêt démontrent certaines des interactions qui existent entre la fiscalité et l'inflation, mais il en existe beaucoup d'autres. En raison de l'incidence de l'inflation sur les impôts, une forte inflation aura tendance à décourager l'épargne. Or l'épargne constitue la source de l'investissement, qui est lui-même essentiel pour la croissance économique à long terme. On comprend maintenant pourquoi un alourdissement de la fiscalité imputable à l'inflation réduit la croissance à long terme. Notons néanmoins que les économistes n'arrivent pas à se mettre d'accord sur l'ampleur de ces conséquences.

Outre l'élimination de l'inflation elle-même, une solution consisterait à indexer les impôts afin de tenir compte des effets de l'inflation. En ce qui concerne les gains en capital, par exemple, le code fiscal pourrait permettre d'indexer le prix d'acquisition afin d'évaluer le gain réel à imposer. Quant aux revenus d'intérêt, le gouvernement pourrait se contenter d'imposer le revenu d'intérêt réel, une fois éliminée la portion servant uniquement à compenser l'inflation. Les lois fiscales évoluent, d'une certaine manière, vers une forme d'indexation. Les tranches de revenus sur lesquelles s'appliquent les taux d'imposition sont revues chaque année en fonction de l'évolution de l'indice des prix à la consommation. Mais bien d'autres aspects de la fiscalité – comme le traitement fiscal des gains en capital et du revenu d'intérêt – ne font encore l'objet d'aucune indexation.

Idéalement, la fiscalité devrait tenir compte de l'inflation et de son impact sur les revenus imposables. Cependant, dans le monde réel, les lois fiscales sont loin d'être parfaites. Une meilleure indexation serait probablement souhaitable, mais elle aurait le désavantage de compliquer le code fiscal, dont la complexité rebute déjà bien des gens.

LE DÉSAGRÉMENT ET LA CONFUSION

Que diriez-vous si le mètre, qui est l'unité de mesure de base pour la longueur, raccourcissait de 5 % chaque année ? Notre existence en serait inutilement compliquée. Par exemple, une vitesse maximale de 100 km/h sur l'autoroute représenterait une vitesse réelle différente année après année. Il faudrait alors modifier la vitesse permise, afin de maintenir une vitesse réelle constante.

Qu'est-ce que cela a à voir avec l'inflation ? Rappelons que la monnaie, qui sert d'unité de compte dans l'économie, permet de mesurer les prix et la valeur des actifs et des passifs. Autrement dit, la monnaie sert d'étalon de mesure de la valeur. Le rôle de la Banque du Canada se compare un peu à celui de Mesures Canada (un département d'Industrie Canada), chargé d'assurer la fiabilité des unités de mesures les plus usitées. En augmentant la masse monétaire, la Banque du Canada crée de l'inflation et entraîne une réduction de la valeur de l'unité de compte. Cette réduction de la valeur de la monnaie est tout à fait semblable à ce qui se produirait si le mètre raccourcissait.

Le désagrément et l'incompréhension qu'entraîne l'inflation sont difficiles à évaluer. Nous venons de voir comment, en cas d'inflation, la fiscalité ne tient plus compte des revenus réels. La même chose se produit lorsque les comptables

	ÉCONOMIE 1 (STABILITÉ DES PRIX)	ÉCONOMIE 2 (INFLATION)
Taux d'intérêt réel	4 %	4 %
Taux d'inflation	0 %	8 %
Taux d'intérêt nominal (taux d'intérêt réel + taux d'inflation)	4 %	12 %
Montant des intérêts après la déduction d'un taux d'imposition de 25 % (0,25 × taux d'intérêt nominal)	1 %	3 %
Taux d'intérêt nominal après imposition (0,75 × taux d'intérêt nominal)	3 %	9 %
Taux d'intérêt réel après imposition (taux d'intérêt nominal après imposition – taux d'inflation)	3 %	1 %

Tableau 11.1

ALOURDISSEMENT DE LA FISCALITÉ DÛ À L'INFLATION. En l'absence d'inflation, un taux d'impôt sur les revenus d'intérêt égal à 25 % réduit le taux d'intérêt réel de 4 % à 3 %. En présence d'une inflation de 8 %, ce même taux d'imposition fait passer le taux d'intérêt réel de 4 % à 1 %.

échouent à évaluer correctement les revenus d'une entreprise en raison d'une augmentation des prix. La valeur du dollar varie à cause de l'inflation, compliquant le calcul des bénéfices – la différence entre les revenus et les coûts – dans une économie inflationniste. Par conséquent, les investisseurs ont du mal à distinguer les entreprises bénéficiaires des autres, ce qui empêche dès lors les marchés financiers de jouer leur rôle d'allocation de l'épargne d'une façon optimale.

LE COÛT D'UNE INFLATION NON ANTICIPÉE : LA REDISTRIBUTION ARBITRAIRE DE LA RICHESSE ET DES REVENUS

Jusqu'à présent, nous n'avons abordé que les coûts d'une inflation stable et prévisible. Cependant, l'inflation crée un coût additionnel lorsqu'elle survient inopinément. Une inflation surprise redistribue la richesse et les revenus selon des critères qui n'ont rien à voir avec le mérite ou les besoins. Cette redistribution survient parce que la plupart des prêts sont libellés en montants d'argent – donc en valeur nominale.

Prenons un exemple. Imaginons que Jean Tremblay, étudiant, contracte un emprunt de 20 000 $ à 7 % d'intérêt à la Grande Banque pour payer ses études universitaires, emprunt qu'il devra rembourser dans 10 ans. Or la valeur réelle de cette dette dépend du taux d'inflation au courant de la prochaine décennie. Si on connaît une période d'hyperinflation, les prix et les salaires grimperont tellement que Jean pourra presque rembourser cette somme avec son argent de poche, pour ainsi dire. Par contre, si l'économie traverse une période de déflation, la chute des prix et des salaires alourdira considérablement sa dette.

Cet exemple illustre comment des changements inattendus du niveau des prix redistribuent la richesse entre les débiteurs et les créanciers. Une inflation plus élevée que prévue enrichit l'emprunteur au détriment de la Grande Banque, puisque la valeur réelle de sa dette s'en trouve réduite : Jean la remboursera en dollars ayant une valeur plus faible que prévu. Une déflation, par contre, enrichit la Grande Banque aux dépens de Jean, car elle augmente la valeur réelle de sa dette. Jean doit alors la rembourser avec des dollars d'une valeur supérieure à celle qu'il envisageait. S'il était possible de prévoir l'inflation, Jean et la Grande Banque pourraient alors se mettre d'accord sur un taux d'intérêt nominal (rappelons-nous l'effet Fisher). Mais comme l'inflation est difficilement prévisible, les emprunteurs comme les débiteurs prennent des risques.

Ces coûts de l'inflation doivent également être mis en relation avec un autre facteur : la volatilité. L'inflation est particulièrement volatile et incertaine lorsque son taux est élevé. L'expérience de divers pays en témoigne. Les pays à faible inflation, comme l'Allemagne lors de la seconde moitié du XXe siècle, enregistrent une grande stabilité du taux d'inflation. Les pays connaissant une forte inflation, comme la plupart des pays d'Amérique latine, expérimentent au contraire une grande instabilité de leur taux. Il n'existe aucun exemple de pays connaissant une inflation à la fois forte et peu variable. Cette relation entre l'ampleur et la volatilité de l'inflation induit naturellement un coût supplémentaire. Lorsqu'un pays pratique une politique monétaire inflationniste, il doit non seulement supporter les coûts de cette inflation, mais également pâtir d'une redistribution arbitraire de la richesse, conséquence inévitable de la volatilité et de l'imprévisibilité de l'inflation.

Lire l'article page 439

ÉTUDE DE CAS   LE MAGICIEN D'OZ:
UNE ALLÉGORIE MONÉTAIRE

Vous avez probablement vu le film *Le magicien d'Oz*, tiré d'un conte pour enfants datant de la fin du XIXe siècle. Le livre et le film racontent l'histoire d'une petite fille, Dorothée, perdue dans un étrange pays, loin de chez elle. Ce que vous ignorez probablement, c'est que ce conte est en fait une allégorie de la politique monétaire américaine de cette époque.

De 1880 à 1896, le niveau général des prix de l'économie américaine a chuté de 23 %. Cette baisse inattendue a provoqué une redistribution majeure de la richesse. Nombre de fermiers de l'Ouest du pays avaient contracté des emprunts auprès des banques de l'Est. La chute des prix a fait monter la valeur réelle de ces dettes, enrichissant ainsi les banquiers aux dépens des agriculteurs.

Selon des politiciens populistes de l'époque, la solution au problème des fermiers consistait à frapper une monnaie d'argent. Il faut savoir que, durant cette période, les États-Unis étaient sous le régime de l'étalon-or : la quantité d'or disponible déterminait l'offre de monnaie et, par conséquent, le niveau des prix. Les tenants de la monnaie-argent voulaient que le métal argent, au même titre que l'or, serve de monnaie. Une telle mesure aurait augmenté l'offre de monnaie, fait grimper le niveau des prix et, par conséquent, allégé l'endettement réel des fermiers.

Cette controverse concernant la monnaie était particulièrement animée et monopolisait toutes les discussions politiques des années 1880. L'un des slogans politiques populistes de l'époque annonçait : « Nous avons tout hypothéqué, sauf nos votes. » William Jennings Bryan, l'un des plus farouches tenants du bimétallisme, candidat démocrate à l'élection présidentielle de 1896, prononça lors du congrès du Parti démocrate cette phrase désormais célèbre : « Vous ne couronnerez pas d'épines le front des travailleurs. Vous ne crucifierez pas l'humanité sur une croix d'or. » Rarement un candidat s'est-il exprimé de façon aussi poétique sur la politique monétaire. Néanmoins, Bryan a dû laisser la présidence au républicain William McKinley, et les États-Unis ont conservé l'étalon-or.

L. Frank Baum, l'auteur du *Magicien d'Oz*, était un journaliste du Midwest. Lorsqu'il s'attela à la rédaction de son conte pour enfants, il choisit ses principaux personnages en fonction des protagonistes de son époque. Même si les critiques contemporains ne s'entendent pas sur l'identité réelle de chaque personnage, tout le monde s'accorde à dire que cette histoire met en scène le grand débat politique du temps. Voici l'interprétation de ce conte, d'après Hugh Rockoff, historien économique, dans un article publié en août 1990 dans le *Journal of Political Economy* :

DOROTHÉE :	Les valeurs américaines traditionnelles
TOTO :	Parti prohibitionniste, également surnommé les *Teetotalers*
ÉPOUVANTAIL :	Fermiers
BÛCHERON DE FER-BLANC :	Ouvriers
LION POLTRON :	William Jennings Bryan
GRIGNOTINS :	Les habitants de l'Est
MÉCHANTE SORCIÈRE DE L'EST :	Grover Cleveland
MÉCHANTE SORCIÈRE DE L'OUEST :	William McKinley
LE MAGICIEN :	Marcus Alonzo Hanna, président du Parti républicain
OZ :	Abréviation de l'once d'or
LA ROUTE DE BRIQUE JAUNE :	Étalon-or

L'UN DES PREMIERS
DÉBATS SUR LA POLITIQUE
MONÉTAIRE

À la fin de l'histoire, Dorothée retrouve son chemin, mais pas en suivant la route pavée d'or. Après un long et périlleux voyage, elle apprend que le magicien est incapable de les aider, elle et ses amis, et découvre alors les pouvoirs magiques de ses souliers d'*argent*. (Au moment du tournage du film, les souliers de Dorothée furent changés en pantoufles de rubis. Il semble que les producteurs hollywoodiens n'aient pas compris grand-chose à cette allégorie de la politique monétaire du XIXe siècle!)

Même si les populistes ont perdu le débat sur le bimétallisme, ils ont finalement obtenu l'expansion de la masse monétaire et l'inflation souhaitées. En 1898, des prospecteurs ont découvert de l'or près de la rivière Klondike au Yukon. L'augmentation de l'offre d'or est également venue des mines sud-africaines. La masse monétaire et le niveau des prix ont dès lors recommencé à monter aux États-Unis et dans les autres pays pratiquant le système de l'étalon-or. Quinze ans plus tard, les prix avaient retrouvé leur niveau de 1880 et les fermiers ont alors pu honorer leurs dettes.

■ **MINITEST :** Énoncez et décrivez les six coûts de l'inflation.

CONCLUSION

Dans ce chapitre, nous avons abordé les causes et les coûts de l'inflation. Nous avons vu que la croissance de la masse monétaire constitue la cause première de l'inflation. Lorsqu'une banque centrale crée une grande quantité de monnaie, la valeur de cette dernière tombe rapidement. Pour maintenir la stabilité des prix, la banque centrale doit conserver un contrôle strict sur l'offre de monnaie.

Les coûts entraînés par l'inflation sont subtils. Ils sont au nombre de six : les coûts d'usure, les coûts d'affichage, une mauvaise allocation des ressources causée par l'instabilité accrue des prix relatifs, les distorsions fiscales, le désagrément et la confusion, de même qu'une distribution arbitraire de la richesse et des revenus. Quelle est l'importance de ces coûts ? Tous les économistes s'accordent à dire que ces coûts s'avèrent énormes lors d'une période d'hyperinflation, mais ne s'entendent pas sur leur ampleur en cas d'inflation modérée – c'est-à-dire lorsque les prix montent de moins de 10 % par an.

Bien que nous ayons examiné différents aspects de l'inflation, cette présentation demeure incomplète. Comme nous l'avons vu, lorsque la Banque du Canada réduit le taux de croissance de la monnaie, l'inflation ralentit, comme le prédit la théorie quantitative de la monnaie. Cependant, lorsque l'économie évolue vers un taux d'inflation inférieur, la modification de la politique monétaire a des effets importants sur la production et l'emploi. Cela signifie que, en dépit de la neutralité monétaire à long terme, la politique monétaire a des effets sur les variables réelles à court terme. Nous reviendrons plus loin sur les raisons de cette non-neutralité à court terme, afin d'approfondir notre compréhension des causes et des coûts de l'inflation.

Résumé

◆ Le niveau général des prix dans l'économie assure l'équilibre entre l'offre et la demande de monnaie. Lorsque la banque centrale augmente la masse monétaire, il s'ensuit une augmentation des prix. Une croissance prolongée de la quantité de monnaie offerte entraîne de l'inflation.

◆ D'après le principe de la neutralité monétaire, les modifications de la masse monétaire ont des effets sur les variables nominales, sans avoir d'impact sur les variables réelles. La plupart des économistes sont convaincus que cette neutralité monétaire décrit bien le fonctionnement de l'économie à long terme.

◆ Un gouvernement peut payer certaines de ses dépenses en imprimant de la monnaie. Lorsqu'une nation recourt largement à cette « taxe d'inflation », il en résulte une hyperinflation.

◆ L'effet Fisher représente l'une des applications du principe de neutralité monétaire. Selon l'effet Fisher, une hausse du taux d'inflation fait augmenter le taux d'intérêt nominal, sans modifier le taux d'intérêt réel.

◆ La plupart des gens sont convaincus que l'inflation les appauvrit, parce qu'elle augmente le coût des produits qu'ils achètent. Cette perception est erronée, car l'inflation accroît également les salaires nominaux.

◆ Les économistes ont déterminé qu'il y avait six coûts reliés à l'inflation : les coûts d'usure causés par la réduction des avoirs monétaires, les coûts d'affichage dus à l'ajustement fréquent des prix, la mauvaise allocation des ressources entraînée par la variabilité accrue des prix relatifs, les distorsions fiscales, le désagrément et la confusion provenant d'une modification de la valeur de l'unité de compte, ainsi qu'une redistribution arbitraire de la richesse et des revenus. La plupart de ces coûts s'avèrent importants en cas d'hyperinflation, mais leur ampleur reste indéterminée lors d'une inflation modérée.

Concepts clés

Coûts d'affichage, p. 237
Coûts d'usure, p. 236
Dichotomie classique, p. 227
Effet Fisher, p. 234
Équation quantitative, p. 229

Neutralité monétaire p. 228
Taxe d'inflation, p. 233
Théorie quantitative de la monnaie, p. 226

Variables nominales, p. 227
Variables réelles, p. 227
Vitesse de circulation de la monnaie, p. 229

Questions de révision

1. Expliquez les effets d'une augmentation du niveau des prix sur la valeur réelle de la monnaie.

2. D'après la théorie quantitative de la monnaie, quels seraient les effets d'une augmentation de la masse monétaire ?

3. Établissez la distinction entre les variables nominales et les variables réelles, en donnant deux exemples pour chacune. Selon le principe de la neutralité monétaire, quelles variables subissent les effets d'une variation de la masse monétaire ?

4. Dans quelle mesure l'inflation se compare-t-elle à une taxe ? Une telle comparaison permet-elle d'expliquer l'hyperinflation ?

5. D'après l'effet Fisher, quels sont les effets d'une hausse du taux d'inflation sur le taux d'intérêt réel ? et sur le taux d'intérêt nominal ?

6. Nommez les six coûts de l'inflation. D'après vous, lesquels de ces coûts ont une incidence majeure sur l'économie canadienne ?

7. Si l'inflation s'avère inférieure aux prévisions, qui en profite ? les créanciers ou les débiteurs ? Justifiez votre réponse.

Cinquième partie

LES PRINCIPES
MACROÉCONOMIQUES
DES ÉCONOMIES OUVERTES

12

LES PRINCIPES MACROÉCONOMIQUES DE BASE D'UNE ÉCONOMIE OUVERTE

Au moment d'acheter une voiture, vous comparez les derniers modèles de Ford et de Toyota. Quand vient le temps de planifier vos vacances, vous avez à choisir entre une station de ski au Québec ou une plage cubaine. Lorsque vous économisez en vue de la retraite, vous décidez de placer vos avoirs dans des fonds communs de placement, qui investissent soit dans des compagnies canadiennes, soit dans des compagnies étrangères. Dans toutes ces circonstances, vous ne participez pas seulement au fonctionnement de l'économie canadienne, mais également à celles du monde entier.

L'ouverture d'une économie nationale au commerce international présente des avantages évidents: les échanges permettent à chaque pays de se spécialiser dans ce qu'il fait le mieux et de consommer une grande variété de biens et de services produits dans le monde entier. À n'en pas douter, l'un des *dix principes d'économie* énoncés au chapitre 1 se vérifie: les échanges améliorent le bien-être de tous. Les chapitres 3 et 7 de ce volume et le chapitre 9 du volume de microéconomie ont détaillé les avantages du commerce international. Nous y avons

À LA FIN DE CE CHAPITRE, VOUS SEREZ EN MESURE...

de comprendre comment les exportations nettes mesurent les flux internationaux de biens et de services

de comprendre comment l'investissement net à l'étranger mesure les flux internationaux de capitaux

de saisir pourquoi les exportations nettes sont toujours égales à l'investissement net à l'étranger

d'appréhender la relation existant entre l'épargne, l'investissement et l'investissement net à l'étranger

de définir le taux de change nominal et le taux de change réel

de comprendre la parité des pouvoirs d'achat en tant que théorie des taux de change

de saisir ce qu'implique une mobilité parfaite des capitaux pour une petite économie ouverte comme celle du Canada.

vu qu'il permet d'améliorer le niveau de vie dans tous les pays, alors que chacun se spécialise dans la production des biens et des services pour lesquels il détient un avantage comparatif.

Jusqu'à présent, notre analyse de la macroéconomie a négligé de considérer les interactions entre les diverses économies. En fait, les échanges internationaux n'interviennent que de manière subsidiaire dans la plupart des concepts macroéconomiques. Par exemple, l'analyse du taux naturel de chômage au chapitre 9 et des causes de l'inflation au chapitre 11 n'a fait intervenir aucun aspect international. Dans les faits, pour simplifier l'analyse, les économistes posent souvent l'hypothèse que l'**économie** est **fermée** – c'est-à-dire qu'elle n'entretient aucune relation avec les autres économies.

Néanmoins, certains concepts nouveaux apparaissent dans le contexte d'une **économie ouverte** – c'est-à-dire une économie qui interagit librement avec celle des autres pays. Ce chapitre et le chapitre suivant introduisent la macroéconomie en économie ouverte. Nous commencerons par aborder les variables fondamentales qui influent sur le fonctionnement d'une économie ouverte. La presse écrite ou télévisée mentionne souvent ces variables : exportations, importations, balance commerciale et taux de change. Dans le chapitre 13, nous élaborerons un modèle pour expliquer comment ces variables sont déterminées et comment elles sont affectées par les différentes politiques gouvernementales.

Économie fermée
Économie qui n'entretient aucune relation commerciale ou financière avec le reste du monde.

Économie ouverte
Économie qui entretient des relations avec d'autres pays, autant du point de vue des échanges de biens et de services que du point de vue des échanges d'actifs.

LES FLUX INTERNATIONAUX DE BIENS ET DE CAPITAUX

Une économie ouverte entretient deux sortes de relations avec les autres économies : d'une part, elle échange des biens et des services sur les marchés mondiaux et, d'autre part, elle échange des actifs financiers sur les marchés financiers internationaux. Ces deux types d'activités sont étroitement liés.

LES FLUX DE BIENS ET DE SERVICES : EXPORTATIONS, IMPORTATIONS ET EXPORTATIONS NETTES

Comme nous l'avons déjà vu au chapitre 3, les **exportations** correspondent aux biens et aux services produits sur le marché intérieur et vendus à l'étranger, tandis que les **importations** représentent les biens et les services produits à l'étranger et achetés sur le marché intérieur. Lorsque l'avionneur canadien Bombardier construit un appareil pour le vendre à Air France, cette transaction est une exportation pour le Canada et une importation pour la France. Lorsque le fabricant automobile suédois Volvo produit une voiture et la vend à un résident canadien, il s'agit d'une importation canadienne et d'une exportation suédoise.

On calcule les **exportations nettes** d'un pays en faisant la différence entre la valeur de ses exportations et celle de ses importations. La vente de Bombardier accroît les exportations nettes canadiennes tandis que la vente de Volvo les réduit. Les exportations nettes indiquent si, globalement, le pays est acheteur ou vendeur sur les marchés mondiaux de biens et de services. C'est pourquoi on parle également de **balance commerciale** pour désigner les exportations nettes. Si la balance commerciale est positive, les exportations dépassent les importations, ce qui signifie que le pays vend plus de biens et de services

Exportations
Biens ou services produits à l'intérieur du pays et vendus à l'étranger.

Importations
Ensemble des biens et des services achetés à l'extérieur du pays.

Exportations nettes
Différence entre les achats par les étrangers de biens et de services produits à l'intérieur du pays (exportations) et les achats par les résidents de biens et de services produits à l'étranger (importations).

Balance commerciale
Différence entre les recettes d'exportation et les dépenses d'importation.

« Il ne s'agit pas simplement d'acheter une voiture, mais de lutter contre le déficit commercial de notre pays par rapport au Japon. »

qu'il n'en achète aux autres pays. Il enregistre dans ce cas un **excédent commercial.** Si, par contre, les exportations nettes sont négatives, les exportations sont inférieures aux importations, ce qui signifie que le pays vend moins qu'il n'achète de l'étranger. Il enregistre dans ce cas un **déficit commercial.** Si les exportations nettes sont nulles, le pays présente une **balance commerciale équilibrée.**

Au chapitre suivant, nous élaborerons une théorie de la balance commerciale, mais nous pouvons dès maintenant énumérer les divers facteurs qui influent sur les exportations et les importations. Ces facteurs sont les suivants :

◆   La préférence des consommateurs pour les biens nationaux ou étrangers ;

◆   Les prix des biens à l'intérieur du pays et à l'étranger ;

◆   Les taux de change entre la monnaie nationale et les devises étrangères ;

◆   Les revenus des consommateurs nationaux et étrangers ;

◆   Les coûts de transport des marchandises ;

◆   La politique commerciale du gouvernement.

Le volume des échanges internationaux change au fil du temps pour s'adapter aux modifications de ces variables.

Excédent commercial/ surplus commercial
Situation dans laquelle les exportations sont supérieures aux importations.

Déficit commercial
Situation dans laquelle les importations sont supérieures aux exportations.

Balance commerciale équilibrée/équilibre des échanges
Situation dans laquelle les exportations et les importations sont égales.

ÉTUDE DE CAS   **L'OUVERTURE PROGRESSIVE DE L'ÉCONOMIE CANADIENNE**

L'importance grandissante du commerce international et des échanges financiers constitue probablement le changement le plus important dans l'économie canadienne des quatre dernières décennies. La figure 12.1 illustre cette évolution, en montrant la valeur totale des biens et des services exportés et importés, exprimée en pourcentage du produit intérieur brut. Dans les années 60, les exportations représentaient en moyenne 20 % du PIB. Aujourd'hui, elles ont plus que doublé, par rapport au PIB, et elles ne cessent de progresser. Les importations ont connu une évolution similaire.

La figure 12.1 montre également la valeur des échanges commerciaux du Canada avec les États-Unis — exportations et importations —, exprimée en pourcentage du produit intérieur brut. On remarque que les échanges du

Canada avec son voisin du Sud constituent la plus grande part du commerce extérieur canadien. En outre, les fluctuations des importations et des exportations canadiennes au fil du temps sont essentiellement dues aux variations des échanges commerciaux avec ce partenaire majeur.

La progression du commerce international observée sur la figure 12.1 s'explique en partie par l'amélioration des moyens de transport. Alors qu'en 1960 les navires marchands chargeaient en moyenne 10 000 tonnes de fret, beaucoup de navires en transportent de nos jours jusqu'à 100 000 tonnes. Les avions à réaction long-courriers ont fait leur apparition en 1958 et les gros porteurs en 1967, réduisant de beaucoup le coût du transport aérien. De tels progrès ont permis la distribution des marchandises locales à l'échelle du globe. Les fleurs coupées, par exemple, sont cultivées en Israël et transportées par avion au Canada, pour y être vendues. Les fruits et les légumes, qui ne poussent qu'en été chez nous, se retrouvent en plein hiver sur nos marchés, en provenance de l'hémisphère Sud.

Les progrès dans le domaine des télécommunications ont également favorisé le commerce international, en permettant aux entreprises de rejoindre facilement leur clientèle à l'étranger. En 1956, on posait le premier câble téléphonique transatlantique. En 1966, on ne pouvait tenir que 138 conversations téléphoniques en même temps, entre l'Amérique du Nord et l'Europe. Aujourd'hui, la communication par satellite autorise plus de un million d'appels téléphoniques simultanés.

Le progrès technologique a aussi favorisé les échanges internationaux, en modifiant la nature de la production nationale. À l'époque où les matières premières encombrantes (comme l'acier) ou les denrées périssables (comme les aliments) constituaient l'essentiel de la production mondiale, le transport de ces marchandises était particulièrement coûteux et parfois impossible. En

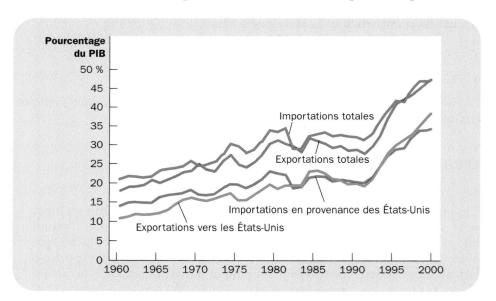

Figure 12.1

PROCESSUS D'INTERNATIONALISATION DE L'ÉCONOMIE CANADIENNE. Cette figure montre la valeur des exportations et des importations canadiennes, exprimée en pourcentage du PIB depuis 1960. On y retrouve à la fois la valeur des exportations et des importations totales et celle des échanges avec les États-Unis. On remarque une augmentation spectaculaire du commerce international, en particulier avec les États-Unis, quelques années après la signature de l'Accord de libre-échange, en 1989.

SOURCE : Statistique Canada, matrices 2360 et 2361. La valeur des exportations et des importations comprend les transferts, les recettes et les paiements des revenus d'investissements.

revanche, les biens produits grâce à la technologie moderne sont souvent légers et faciles à transporter. Par exemple, les appareils électroniques grand public ont un faible poids par rapport à leur valeur, ce qui facilite grandement leur transport et leur vente à l'extérieur de leur pays de production. L'industrie cinématographique constitue un exemple extrême de cet avantage technologique : quand Hollywood produit un film, des copies peuvent être distribuées partout dans le monde à un coût pratiquement nul, faisant des films l'une des exportations majeures des États-Unis.

Les politiques commerciales des gouvernements ont également encouragé les échanges internationaux. Par exemple, l'Accord canado-américain sur les produits de l'industrie automobile, appelé Pacte de l'automobile et signé en 1966, a permis aux constructeurs automobiles d'échanger des pièces et des véhicules de part et d'autre de la frontière, sans payer de droits de douane à l'importation. Le développement de l'industrie automobile canadienne est dû en grande partie à cet accord. En 1989, le Canada a signé l'Accord de libre-échange (ALE) avec les États-Unis, pour éliminer progressivement les tarifs douaniers à grande échelle. Cette entente a été suivie par la signature, en 1993, de l'Accord de libre-échange nord-américain (ALENA) entre le Canada, les États-Unis et le Mexique. Les conséquences de ces ententes sur les exportations et les importations canadiennes se voient clairement à la figure 12.1 : dans la foulée de l'Accord de 1989, les exportations et les importations ont augmenté d'une façon spectaculaire, essentiellement en raison de l'augmentation des échanges avec les États-Unis. Comme nous l'avons vu au chapitre 3, les économistes sont convaincus depuis longtemps des avantages des échanges internationaux. Avec le temps, les décideurs se sont ralliés à cette opinion. Les ententes et les organisations internationales comme l'ALENA et l'Organisation mondiale du commerce (OMC) visent la réduction progressive des barrières commerciales, tels les tarifs douaniers et les quotas d'importation. La tendance à l'augmentation des échanges internationaux illustrée à la figure 12.1 est un phénomène que la plupart des économistes et des politiciens approuvent et encouragent.

LE COMMERCE INTERNATIONAL PREND DE PLUS EN PLUS D'AMPLEUR AU SEIN DE L'ÉCONOMIE CANADIENNE.

LES FLUX DE CAPITAUX : L'INVESTISSEMENT NET À L'ÉTRANGER

Jusqu'à présent, nous avons vu comment les résidents des pays à économie ouverte participent au marché mondial des biens et des services ; il faut savoir qu'ils participent également aux marchés financiers mondiaux. Un Canadien qui dispose de 20 000 $ peut certes acheter une voiture de Toyota, mais il pourra tout aussi bien acheter des actions de cette même compagnie. La première de ces transactions représente un flux de biens et la seconde, un flux de capitaux.

L'expression **investissement net à l'étranger** désigne la différence entre l'achat d'actifs étrangers par les résidents nationaux et les achats d'actifs nationaux par les étrangers. Lorsqu'un résident canadien achète des titres de Telmex, la compagnie de téléphone mexicaine, cet achat augmente l'investissement net canadien à l'étranger ; inversement, lorsqu'un résident japonais achète des obligations émises par le gouvernement canadien, une telle transaction réduit les investissements nets canadiens à l'étranger.

L'investissement étranger peut prendre deux formes. Si Cora Déjeuners ouvre un établissement de restauration en Russie, il s'agit d'un *investissement direct à l'étranger.* En revanche, quand un Canadien achète des actions d'une entreprise russe, il s'agit d'un *investissement de portefeuille.* Dans le premier cas, le propriétaire canadien gère activement son investissement, tandis que dans le second, il joue un rôle beaucoup plus passif. Dans les deux cas, puisque les résidents canadiens achètent des actifs étrangers, ils font augmenter l'investissement net canadien à l'étranger.

Nous élaborerons, au chapitre 13, une théorie expliquant l'investissement net à l'étranger. Pour l'instant, examinons simplement les principales variables qui déterminent l'investissement net à l'étranger :

- Les taux d'intérêt réels sur les actifs étrangers ;
- Les taux d'intérêt réels sur les actifs nationaux ;
- La perception des risques économiques et politiques de la détention d'actifs étrangers ;
- Les politiques gouvernementales régissant la détention d'actifs étrangers.

Considérons le choix qui s'offre à des investisseurs canadiens qui peuvent acheter soit des obligations du gouvernement mexicain, soit des obligations du gouvernement canadien. (Souvenons-nous qu'une obligation est une reconnaissance de dette de la part de l'émetteur.) Afin de prendre une telle décision, les investisseurs canadiens comparent les taux d'intérêt réels de ces deux types d'obligations. Plus ce taux est élevé, plus le titre financier est rentable. Au moment de faire cette comparaison, les investisseurs doivent cependant tenir compte des éventuelles contraintes que le gouvernement mexicain pourrait imposer aux investisseurs étrangers et également du fait que l'un ou l'autre des émetteurs pourrait *manquer à ses engagements* (c'est-à-dire ne pas payer les intérêts, ni rembourser le principal au moment de l'échéance).

L'ÉGALITÉ DES EXPORTATIONS NETTES ET DE L'INVESTISSEMENT NET À L'ÉTRANGER

Une économie ouverte est en relation avec le reste du monde sur deux marchés : celui des biens et des services et celui des produits financiers. Les exportations nettes et l'investissement net à l'étranger mesurent chacun un certain type de déséquilibre sur les marchés. D'une part, les exportations nettes fournissent des données sur le déséquilibre entre les exportations et les importations d'un pays et, d'autre part, l'investissement net à l'étranger montre le déséquilibre entre le

Investissement net à l'étranger

Différence entre les achats d'actifs étrangers par des résidents locaux et les achats d'actifs locaux par les étrangers.

Lire l'article page 440

montant des actifs étrangers achetés par les résidents et celui des actifs nationaux achetés par les étrangers.

Un principe comptable important veut que, pour l'ensemble de l'économie, ces deux déséquilibres doivent se compenser mutuellement. Autrement dit, l'investissement net à l'étranger (INE) doit égaler les exportations nettes (XN) :

$$INE = XN$$

Cette équation se vérifie, car toute transaction modifiant l'un de ses membres se répercute de l'autre côté en entraînant une modification de même valeur. Il s'agit donc d'une *identité* – une équation qui se vérifie de par la nature et le calcul des variables qui la composent.

**Lire l'article
page 441**

Pour vérifier l'exactitude de l'identité ci-dessus, prenons un exemple. Imaginons que l'avionneur canadien Bombardier vende des appareils à une compagnie aérienne japonaise. Dans cette transaction, une compagnie canadienne livre des avions à une compagnie japonaise et cette dernière la paye en yens. Remarquez que ces deux opérations se produisent simultanément. Le Canada livre une partie de sa production (des avions) à un pays étranger, et cette vente accroît les exportations nettes canadiennes. En retour, le Canada reçoit en paiement des actifs étrangers (les yens), ce qui fait augmenter l'investissement net canadien à l'étranger.

Même s'il est fort probable que Bombardier ne conservera pas les yens reçus de la compagnie japonaise, toute transaction subséquente maintiendra l'égalité entre les exportations nettes et l'investissement net à l'étranger. Bombardier échangera éventuellement ses yens contre des dollars avec un fonds commun de placement désireux d'acheter des titres de Sony, le fabricant japonais d'électronique grand public. Dans un tel cas, les exportations nettes des avions de Bombardier sont égales à l'investissement net fait par le fonds à l'étranger dans les actifs de Sony. Par conséquent, XN et INE augmentent d'un même montant.

Bombardier pourrait tout aussi bien échanger ses yens contre des dollars avec une autre compagnie canadienne, qui pour sa part voudrait acheter des ordinateurs de Toshiba, le fabricant japonais. Dans ce cas, les importations canadiennes (d'ordinateurs) compenseraient exactement les exportations canadiennes (d'avions). Les ventes de Bombardier et de Toshiba prises ensemble n'auraient aucune incidence sur les exportations nettes canadiennes, ni sur l'investissement net canadien à l'étranger. De fait, les valeurs de INE et XN demeureraient identiques à ce qu'elles étaient avant cette transaction.

L'égalité entre les exportations nettes et l'investissement net à l'étranger tient au fait que toute transaction internationale est un échange. Quand un pays vend un bien ou un service à un autre pays qui l'achète, ce dernier lui transfère en échange certains de ses actifs, en guise de paiement. La valeur de ces actifs est égale à la valeur du bien ou du service vendu. Une fois le tout additionné, la valeur nette des biens et des services vendus par un pays (XN) doit équivaloir à la valeur nette des actifs acquis (INE). Le flux international des biens et des services et le flux international des capitaux constituent les deux côtés d'une même médaille.

L'ÉPARGNE, L'INVESTISSEMENT ET LEUR RELATION AVEC LES FLUX INTERNATIONAUX

L'épargne et l'investissement d'un pays sont, comme nous l'avons vu aux chapitres 7 et 8, des facteurs cruciaux déterminant sa croissance économique à long terme. Examinons maintenant la relation que ces deux variables entretiennent avec les flux internationaux de marchandises et de capitaux, mesurés par les exportations nettes et l'investissement net à l'étranger. Il suffit d'un peu d'arithmétique élémentaire.

L'expression *exportations nettes* a déjà été introduite au chapitre 5, lorsque nous avons abordé le produit intérieur brut. On peut mesurer le PIB (désigné par la variable Y) en faisant le total des dépenses effectuées pour acheter des biens et des services :

$$Y = C + I + G + XN$$

Le total des dépenses équivaut à la somme des dépenses de consommation (C), des investissements (I), des dépenses publiques courantes (G) et des exportations nettes (XN). Chaque dollar dépensé se classe obligatoirement dans l'une de ces quatre catégories. Cette équation est donc une identité : elle se vérifie à cause de la nature et des méthodes de mesure des variables qui la composent.

Rappelez-vous que l'épargne correspond à la différence entre le revenu d'un pays et les dépenses courantes, qui sont les dépenses de consommation (C) et les dépenses publiques (G). L'épargne (S) est donc égale à Y − C − G. Si nous reprenons l'équation précédente (celle du PIB, soit Y = C + I + G + XN) et soustrayons C et G des deux côtés, nous obtenons :

$$Y - C - G = I + XN$$

$$S = I + XN$$

Comme les exportations nettes (XN) sont égales à l'investissement net à l'étranger (INE), nous pouvons alors écrire :

$$S = I + INE$$

$$\text{Épargne} = \text{investissement} + \text{investissement net à l'étranger}$$

L'épargne d'un pays est donc égale à la somme de l'investissement et de l'investissement net à l'étranger. Autrement dit, lorsqu'un Canadien épargne un dollar de son revenu, ce dollar finance l'accumulation de capital national ou l'achat de capital étranger.

Une telle équation vous rappelle sans doute quelque chose. Nous avons déjà abordé cette identité lors de l'analyse du système financier, dans le cas particulier d'une économie fermée. Dans une telle économie, l'investissement net à l'étranger est nul (INE = 0) ; par conséquent, l'épargne est égale à l'investissement (S = I). En revanche, une économie ouverte offre davantage de débouchés à l'épargne nationale : l'investissement intérieur et l'investissement à l'étranger.

Nous avons déjà vu que le système financier se retrouve dans les deux membres de cette identité. Par exemple, imaginons que la famille Cho décide d'économiser pour la retraite ; une telle décision contribue à l'épargne nationale, soit le côté gauche de notre équation. Si les Cho déposent leurs épargnes dans un fonds commun de placement, ce dernier achètera peut-être des actions émises par Bombardier, qui utilisera le produit de cette vente pour construire une usine au Québec. En outre, le même fonds mutuel peut également utiliser une partie de l'argent déposé par les Cho pour acheter des actions de Toyota, qui s'en servira pour construire une usine à Osaka. Ces transactions se répercuteront sur le côté droit de l'équation. Du point de vue de la comptabilité canadienne, la dépense de Bombardier pour la construction de sa nouvelle usine constitue un investissement intérieur, tandis que l'achat des titres de Toyota par un résident canadien représente un investissement net à l'étranger. Toute l'épargne canadienne devient donc un investissement dans l'économie canadienne ou un investissement net canadien à l'étranger.

ÉTUDE DE CAS   **L'ÉPARGNE, L'INVESTISSEMENT ET L'INVESTISSEMENT NET CANADIEN À L'ÉTRANGER**

Le Canada est un débiteur net sur les marchés financiers mondiaux. Cela signifie que les étrangers détiennent plus d'actifs canadiens que les Canadiens ne détiennent d'actifs étrangers. Dans les années 60 et 70, il y avait certaines inquiétudes quant à l'ampleur des investissements étrangers au pays. À cette époque, certains allaient même jusqu'à demander de limiter les intérêts étrangers au Canada. Était-il souhaitable d'accéder à cette demande? Autrement dit, le fait que le Canada soit un débiteur net est-il inquiétant?

Pour répondre à ces questions, il suffit de comprendre ce que les identités comptables macroéconomiques révèlent de l'économie canadienne. Le graphique (a) de la figure 12.2 présente l'épargne et l'investissement, en pourcentage du produit intérieur brut canadien, depuis 1961. Le graphique (b) montre l'investissement net à l'étranger, en pourcentage du PIB. Remarquez que, selon les identités comptables, l'investissement net à l'étranger doit toujours être égal à la différence entre l'épargne et l'investissement.

L'investissement net à l'étranger (INE), illustré par le graphique (b), est normalement négatif au Canada. En général, les étrangers achètent chaque année plus d'actifs canadiens que les Canadiens n'achètent d'actifs étrangers. Ces achats nets d'actifs canadiens de la part des étrangers ont permis à l'investissement au Canada de dépasser l'épargne de 2,3 % du PIB par année, en moyenne, entre 1961 et 1999. Parce qu'elles doivent égaler l'investissement net à l'étranger, les exportations nettes ont généralement été négatives durant cette période, comme on le voit à la figure 12.1.

En 1999, les exportations nettes et l'investissement net à l'étranger ne constituaient qu'une faible part du PIB. Pour cette raison, l'épargne nationale et l'investissement intérieur étaient presque égaux cette année-là. On peut constater à la figure 12.2 que cette situation constitue un changement radical par rapport à la période allant de 1982 à 1993, pendant laquelle l'épargne nationale a chuté, essentiellement en raison des graves déficits budgétaires des gouvernements provinciaux et fédéral. Pendant ces années, l'investissement a diminué, mais l'épargne nationale a diminué davantage. L'écart creusé entre l'épargne et l'investissement a été comblé par l'augmentation rapide des achats d'actifs canadiens par les étrangers. Ainsi, la chute de l'investissement net à l'étranger a permis de maintenir l'investissement à un niveau assez élevé, si l'on considère la diminution de l'épargne nationale. Depuis 1993, l'épargne nationale augmente, principalement en raison des efforts des divers niveaux de gouvernement pour maîtriser le déficit et afficher des excédents budgétaires.

Les déficits commerciaux et leur contrepartie, l'investissement net à l'étranger négatif, sont-ils problématiques pour l'économie canadienne? La majorité des économistes font valoir qu'il ne s'agit pas d'un problème en soi, mais qu'on peut y voir le symptôme d'un problème éventuel, c'est-à-dire une épargne nationale faible. En effet, un faible taux d'épargne peut finir par représenter un problème, car dans une telle situation, le pays économise moins pour assurer son avenir. Cependant, il n'y a aucune raison de s'inquiéter du déficit commercial qui résulte de cette épargne faible. Comme l'indiquent les identités fondamentales, une baisse de l'épargne nationale a pour conséquence soit l'augmentation du déficit commercial, soit la chute de

Lire l'article
page 442

l'investissement. Si la réduction de l'épargne nationale ne provoque pas de déficit commercial, l'investissement au Canada diminuera forcément. Cette réduction de l'investissement provoquera à son tour une diminution de la croissance du stock de capital, de la productivité et des salaires réels. En cas de réduction de l'épargne et de déficit commercial, l'épargne des étrangers servira donc à financer l'investissement canadien. Cela revient à dire que, si les Canadiens n'économisent pas beaucoup, il faut voir comme un élément positif le fait que les étrangers investissent leur argent dans l'économie canadienne. Sans cette volonté des étrangers de placer leurs économies au Canada, la chute de l'épargne nationale provoquée par les imposants déficits publics des années 80 aurait fait fondre encore davantage l'investissement.

MINITEST : Définissez les *exportations nettes* et l'*investissement net* à l'étranger. Expliquez comment ils sont reliés.

Figure 12.2

ÉPARGNE, INVESTISSEMENT ET INVESTISSEMENT NET À L'ÉTRANGER. Le graphique (a) montre l'épargne et l'investissement en pourcentage du PIB canadien. Le graphique (b) illustre l'investissement net à l'étranger en pourcentage du PIB. Entre 1961 et 1999, à l'exception de trois années, l'investissement net à l'étranger a toujours été négatif. Cela veut dire que les étrangers achètent habituellement plus d'actifs canadiens que les Canadiens n'achètent d'actifs étrangers. Un tel déséquilibre explique pourquoi l'investissement dépasse l'épargne nationale, comme on le voit sur le graphique (a).

SOURCE : Statistique Canada, matrices 0743 et 6521 et calculs des auteurs.

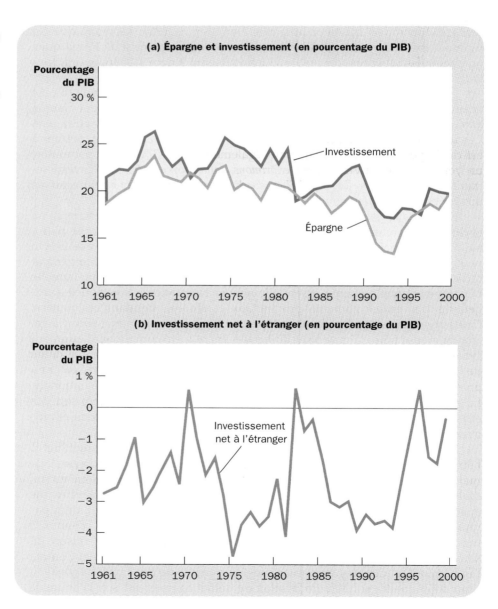

LES PRIX DES TRANSACTIONS INTERNATIONALES : LES TAUX DE CHANGE NOMINAL ET RÉEL

Jusqu'à maintenant, nous nous sommes limités à mesurer les flux internationaux de biens, de services et de capitaux. En plus de ces variables, les spécialistes en macroéconomie étudient également le prix de ces transactions internationales. Tout comme le prix joue un rôle crucial dans la relation entre les vendeurs et les acheteurs dans un marché local ou national, les prix internationaux permettent de coordonner les décisions des vendeurs et des acheteurs sur les marchés mondiaux. Nous aborderons ici les deux prix internationaux les plus importants : le taux de change nominal et le taux de change réel.

LE TAUX DE CHANGE NOMINAL

Le **taux de change nominal** est le taux auquel on échange la monnaie d'un pays contre celle d'un autre. Si vous allez à la banque, vous pourrez voir, par exemple, que le taux de change d'un dollar est de 80 yens. Cela signifie que, contre un dollar canadien, la banque vous donnera 80 yens japonais, et inversement. (En réalité, la banque affiche des taux légèrement différents pour l'achat et la vente des devises. Cette différence correspond au profit de l'institution financière, pour la production de ce service. Pour les fins de notre exemple, nous ne tiendrons pas compte de cette différence.)

Il existe donc deux façons d'exprimer le taux de change. Si le taux de change est de 80 yens au dollar, il équivaut également à 1/80 (0,0125) de dollar pour un yen. Dans cet ouvrage, *nous exprimons toujours le taux de change nominal en unités de devises étrangères par dollar canadien*, soit 80 yens par dollar dans notre exemple.

Si le taux de change varie de telle sorte qu'un dollar achète une plus grande quantité de devises étrangères, on parle alors d'une **appréciation** du dollar. Si, au contraire, le dollar achète moins de devises, on parle de **dépréciation** du dollar. Quand le taux de change augmente de 80 à 90 yens par dollar, on dit que le dollar s'apprécie. Au même moment, puisque le yen japonais n'achète plus autant de dollars canadiens, on dit qu'il se déprécie. Lorsque le taux de change passe de 80 à 70 yens par dollar, on dira en revanche que le dollar se déprécie et que le yen s'apprécie.

On peut mesurer plusieurs taux de change nominaux pour chaque monnaie. En effet, avec des dollars canadiens, il est possible d'acheter des yens japonais, des livres anglaises, des euros, des dollars américains, des pesos mexicains, etc. Lorsque les économistes étudient les taux de change, ils utilisent souvent un indice de taux de change correspondant à la moyenne pondérée de plusieurs taux. Tout comme l'indice des prix à la consommation mesure les prix moyens ayant cours dans l'économie, l'indice des taux de change mesure la valeur moyenne d'une devise. Par conséquent, lorsque les économistes parlent de l'appréciation du dollar ou de sa dépréciation, ils font souvent référence à cet indice des taux de change, qui tient compte de la moyenne de l'ensemble des taux de change individuels.

Taux de change nominal
Taux auquel on échange la monnaie d'un pays contre une ou d'autres devises.

Appréciation
Hausse de la valeur d'une monnaie par rapport à celle d'une ou de plusieurs des autres devises sur le marché des changes.

Dépréciation
Baisse de la valeur d'une monnaie par rapport à celle d'une ou de plusieurs des autres devises sur le marché des changes.

LE TAUX DE CHANGE RÉEL

Taux de change réel
Taux auquel on échange les biens et les services d'un pays contre les biens et les services d'un ou d'autres pays.

Le **taux de change réel** est le taux auquel on peut échanger les biens et les services d'un pays contre les biens et les services d'un autre pays. Imaginons que vous alliez magasiner et constatiez qu'une caisse de bière coûte en Allemagne le double d'une caisse de bière au Canada. Nous dirons alors que le taux de change réel équivaut à la moitié d'une caisse de bière allemande pour chaque caisse de bière canadienne. Comme pour le taux de change nominal, nous allons exprimer le taux de change réel du point de vue canadien, c'est-à-dire en unités de biens étrangers par unité de biens nationaux. Mais dans ce cas, le taux de change est exprimé en marchandises plutôt qu'en monnaie.

Les taux de change réel et nominal sont intimement liés. Il suffit d'un exemple pour le constater : imaginez qu'un Big Mac canadien se vende 2,50 $ CA alors qu'un Big Mac américain coûte 2,00 $ US. Quel est le taux de change réel entre le Big Mac canadien et le Big Mac américain ? Pour répondre à cette question, nous devons avoir recours au taux de change nominal pour convertir les prix en une devise commune. Si le taux de change nominal est de 0,75 $ US par dollar canadien, le prix d'un Big Mac canadien est alors de 1,875 $ US. Le Big Mac canadien coûte donc 93,75 % du prix du Big Mac américain. Le taux de change réel est donc 0,9375 Big Mac américain pour un Big Mac canadien.

On peut résumer ce calcul du taux de change réel de la manière suivante :

$$\text{Taux de change réel} = \frac{\text{taux de change nominal} \times \text{prix canadien}}{\text{prix étranger}}$$

Dans notre exemple, il faut donc faire le calcul suivant :

$$\text{Taux de change réel} = \frac{(0,75\ \$\ \text{US par}\ \$\ \text{CA}) \times (2,50\ \$\ \text{par Big Mac canadien})}{2,00\ \$\ \text{US par Big Mac américain}}$$

$$= \frac{1,875\ \$\ \text{US par Big Mac canadien}}{2,00\ \$\ \text{US par Big Mac américain}}$$

$$= 0,9375\ \text{Big Mac américain par Big Mac canadien}$$

Que signifie exactement ce résultat ? Avec 2,50 $ CA, on pourrait acheter un Big Mac au Canada. Avec ce même 2,50 $ CA, on pourrait obtenir 1,875 $ US, au taux de change de 0,75 $ US par dollar canadien. Ce 1,875 $ US ne nous permettrait d'acheter qu'une fraction (0,9375) d'un Big Mac aux États-Unis. On pourrait dire aussi qu'un Américain pourrait échanger 0,9375 Big Mac de chez lui contre un Big Mac complet au Canada.

Le taux de change réel dépend donc du taux de change nominal et des prix des biens dans les deux pays concernés, calculés en monnaie nationale.

Quelle est l'importance de ce taux de change réel ? Comme vous l'avez sans doute deviné, le taux de change réel détermine le volume des exportations et des importations. Quand la compagnie Five Roses Inc. choisit d'importer du blé pour produire de la farine, elle cherche à savoir lequel du blé canadien ou du blé français est le moins cher. C'est le taux de change réel qui peut la renseigner à ce sujet. Examinons un autre exemple de l'utilisation que l'on peut faire du taux de change réel : imaginez que vous hésitiez entre un séjour à Mont-Tremblant, au Québec, ou à Cancún, au Mexique. Vous avez demandé à votre agent de voyage le prix d'une chambre à Mont-Tremblant (en dollars) et celui d'une chambre à Cancún (en pesos), ainsi que le taux de change entre le dollar et le peso mexicain. Si vous choisissez votre destination en comparant les prix, votre décision se fonde sur le taux de change réel.

Lorsqu'ils étudient l'économie globale, les spécialistes de la macroéconomie s'intéressent au niveau général des prix plutôt qu'à certains prix particuliers (comme le prix du Big Mac). Pour calculer le taux de change réel, ils se servent d'indices, comme l'indice des prix à la consommation, qui mesurent le prix d'un panier de biens et de services. En considérant l'indice des prix pour un panier de biens canadiens (P), l'indice des prix pour un panier de biens étrangers (P*) et le taux de change nominal entre le dollar canadien et la devise étrangère concernée (e), on peut calculer le taux de change réel (E) entre le dollar canadien et cette devise étrangère:

$$E = (e \times P)/P*$$

Ce taux de change mesure le prix d'un panier de biens et de services sur le marché national par rapport au même panier à l'étranger.

Nous verrons plus précisément dans le prochain chapitre que le taux de change réel d'un pays est un facteur déterminant de ses exportations nettes de biens et de services. Une dépréciation réelle (baisse du taux de change réel canadien) signifie une baisse du prix des biens canadiens par rapport à celui des biens étrangers. Un tel changement incite les consommateurs canadiens et étrangers à acheter plus de biens et de services au Canada, aux dépens des autres pays. Les exportations canadiennes augmentent donc tandis que les importations diminuent: on enregistre alors une augmentation des exportations nettes. À l'inverse, une appréciation réelle (augmentation du taux de change réel canadien) signifie un renchérissement des marchandises canadiennes par rapport aux produits étrangers et, par conséquent, une baisse des exportations canadiennes.

> **MINITEST:** Définissez le *taux de change nominal* et le *taux de change réel*, en expliquant les relations entre ces deux variables. Si le taux de change nominal passe de 100 à 120 yens par dollar, le dollar s'est-il apprécié ou déprécié?

UNE PREMIÈRE THÉORIE DES TAUX DE CHANGE: LA PARITÉ DES POUVOIRS D'ACHAT

Les taux de change varient considérablement dans le temps. En 1970, un dollar canadien s'échangeait contre 3,49 marks allemands ou 600 lires italiennes. En 2000, le même dollar canadien valait 1,43 mark et 1 413 lires. Autrement dit, entre 1970 et 2000, le dollar s'est déprécié par rapport au mark et s'est apprécié par rapport à la lire.

Comment expliquer ces variations importantes et opposées? Les économistes ont mis au point différents modèles pour expliquer la détermination des taux de change, chacun d'eux mettant l'accent sur certaines des forces en jeu. Nous présentons ici la théorie la plus simple, celle de la **parité des pouvoirs d'achat.** Selon cette théorie, une unité d'une devise donnée devrait avoir le même pouvoir d'achat dans tous les pays. La plupart des économistes pensent que la parité des pouvoirs d'achat explique correctement les fluctuations des taux de change à long terme. Pour mieux comprendre cette théorie, nous étudierons le raisonnement sur lequel elle s'appuie, de même que ses implications et ses limites.

Parité des pouvoirs d'achat
Théorie selon laquelle une unité de monnaie d'un pays donné devrait pouvoir acheter la même quantité de biens dans tous les pays.

LES FONDEMENTS DE LA THÉORIE DE LA PARITÉ DES POUVOIRS D'ACHAT

Cette théorie repose sur la loi du *prix unique,* selon laquelle une marchandise doit se vendre le même prix en tout lieu. Supposons que le café se vende moins cher à Vancouver qu'à Halifax. Quelqu'un pourrait acheter du café à Vancouver à 4 $ la livre et le revendre à Halifax 5 $ la livre, réalisant un profit de 1 $ grâce à cette différence de prix. Ce processus, qui consiste à tirer avantage des différences de prix entre les marchés, s'appelle *arbitrage.* Dans notre exemple, en mettant à profit cette possibilité d'arbitrage, on augmente la demande de café à Vancouver et on augmente l'offre à Halifax. Le prix du café monte donc à Vancouver (en raison de la plus forte demande) et tombe à Halifax (en raison de l'augmentation de l'offre). Cette modification des prix se poursuivra jusqu'à ce que les prix finissent par s'égaliser sur les deux marchés.

BON À SAVOIR

La valeur du dollar canadien

Quand ils pensent à la valeur de leur dollar, les Canadiens le comparent généralement au dollar américain. Cela n'a rien d'étonnant puisque, lorsqu'ils sortent du pays durant les vacances ou pour affaires, la majorité des Canadiens se rendent aux États-Unis. C'est pour cette raison que la valeur de leur monnaie par rapport à celle de la devise américaine les préoccupe.

Il importe de rappeler, néanmoins, que le taux de change nominal du dollar canadien se calcule également par rapport à toutes les autres devises étrangères. En outre, le Canada commerce avec bien d'autres pays que son voisin du Sud. Il existe donc de nombreuses définitions de la valeur du dollar canadien : on peut le comparer avec le dollar américain ou la livre britannique, mais aussi avec toutes les autres monnaies de la planète.

Les quatre graphiques de la figure 12.3 montrent l'évolution récente du taux de change (de janvier 1996 à janvier 2001) entre le dollar canadien et quatre autres devises étrangères : le dollar américain, la livre britannique, le yen japonais et le dollar australien. Ce type d'information est utile aux Canadiens qui planifient leurs prochaines vacances. Ces graphiques indiquent qu'un séjour en Floride coûte plus cher depuis 1996, et qu'un voyage en Australie sera bien meilleur marché maintenant qu'au milieu des années 90.

Figure 12.3

VALEUR DU DOLLAR CANADIEN. Les graphiques montrent que la valeur du dollar canadien a varié *relativement* à la valeur des autres devises, de janvier 1996 à janvier 2001.

SOURCE : *Revue de la Banque du Canada,* Tableau I1.

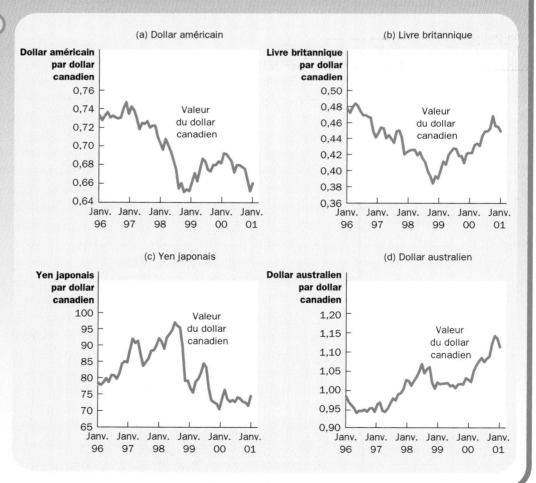

Voyons maintenant comment cette loi du prix unique s'applique au contexte international. Si un dollar (ou toute autre monnaie) permet d'acheter plus de café au Canada qu'au Japon, les négociants internationaux en profiteront pour acheter du café au Canada et le revendre au Japon. Cette exportation fera monter le prix du café au Canada et baisser le prix de ce produit au Japon. Si au contraire un dollar permet d'acheter plus de café au Japon qu'au Canada, les négociants achèteront le café au Japon pour le revendre au Canada. Cette importation réduira le prix du café au Canada en l'augmentant au Japon. En fin de compte, la loi du prix unique stipule qu'un dollar doit acheter la même quantité de café dans tous les pays.

C'est cette logique qui soutient la théorie de la parité des pouvoirs d'achat. D'après cette théorie, une devise doit avoir le même pouvoir d'achat dans tous les pays. Un dollar doit pouvoir acheter la même quantité de marchandises au Canada qu'au Japon, et inversement. Cette théorie porte bien son nom : *parité* signifie égalité, et *pouvoir d'achat* fait référence à la valeur de la monnaie. La *parité des pouvoirs d'achat* affirme qu'une unité monétaire doit avoir la même valeur réelle dans tous les pays.

LES IMPLICATIONS DE LA PARITÉ DES POUVOIRS D'ACHAT

Que pouvons-nous apprendre, au sujet du taux de change, de cette théorie de la parité des pouvoirs d'achat? Que le taux de change nominal entre les monnaies de deux pays dépend du niveau des prix dans ces deux pays. Or si un dollar achète la même quantité de biens et de services au Canada (où les prix s'expriment en dollars) et au Japon (où les prix sont en yens), le nombre de yens par dollar doit refléter les prix des biens au Canada comme au Japon. Si la livre de café coûte 500 ¥ au Japon, par exemple, et 5 $ au Canada, le taux de change nominal sera alors de 100 yens par dollar (500 ¥/5 $). Si ce n'était pas le cas, le pouvoir d'achat du dollar ne serait pas le même dans les deux pays.

Pour mieux comprendre cette théorie, il faut recourir à sa formulation mathématique. Supposons que P représente le prix d'un panier de biens au Canada (exprimé en dollars), et P* le prix d'un panier de biens au Japon (en yens), tandis que e correspond au taux de change nominal (le nombre de yens par dollar). Prenons maintenant la quantité de biens achetés pour un dollar au Canada et à l'étranger. Au Canada, le niveau des prix est égal à P : le pouvoir d'achat de un dollar sur le marché intérieur est donc égal à 1/P. À l'étranger, on peut échanger un dollar pour e unités de devises étrangères, lesquelles ont un pouvoir d'achat de e/P*. Pour que le pouvoir d'achat d'un dollar soit le même dans les deux pays, il faut poser l'égalité suivante :

$$1/P = e/P*$$

Si l'on multiplie les deux membres de cette égalité par P, on obtient une seconde égalité :

$$1 = eP/P*$$

Remarquez que le membre de gauche de l'équation est une constante et que le membre de droite correspond au taux de change réel. Par conséquent, *si le pouvoir d'achat du dollar est exactement le même à l'intérieur du pays et à l'étranger, le taux de change réel – le prix relatif des marchandises étrangères – doit être constant et égal à 1.*

Il vous est sûrement arrivé d'entendre dans les médias que le dollar est «fort» ou «faible». Une telle affirmation se réfère habituellement au taux de change réel. Lorsque le taux de change réel est supérieur à 1, on dit que la monnaie est *forte*, car elle achète plus de biens à l'étranger que sur le territoire national. À l'inverse, lorsque la monnaie achète plus de biens et de services sur le marché domestique qu'à l'étranger (et que le taux de change réel est inférieur à 1), on dit qu'elle est *faible*.

Afin de voir l'implication de cette analyse pour le taux de change nominal, nous pouvons réécrire la dernière équation de la manière suivante :

$$e = P^*/P$$

Le taux de change nominal est donc égal au rapport entre le niveau des prix étrangers (en devises étrangères) et le niveau des prix nationaux (en monnaie nationale). *Selon la théorie de la parité des pouvoirs d'achat, le taux de change nominal entre les monnaies de deux pays doit refléter les différences de niveau de prix entre ces deux pays.*

D'après cette théorie, les taux de change nominaux varient lorsque les niveaux de prix varient. Comme nous l'avons déjà vu dans le précédent chapitre, le niveau des prix d'un pays s'établit de telle sorte que l'offre et la demande de monnaie s'équilibrent. Si le taux de change nominal dépend du niveau des prix, il dépend donc de l'offre et de la demande de monnaie. Quand la banque centrale d'un pays augmente l'offre de monnaie, elle déclenche une montée des prix et provoque une dépréciation de la devise nationale par rapport aux autres monnaies. Donc, *lorsque la banque centrale émet une grande quantité de monnaie, cette monnaie perd de sa valeur à la fois en regard des biens et des services, mais aussi en regard des devises étrangères.*

Nous sommes maintenant en mesure de répondre à la question qui nous occupe : pourquoi, depuis 1970, le dollar canadien s'est-il déprécié par rapport au mark allemand et apprécié par rapport à la lire italienne ? Parce que l'Allemagne a maintenu une politique monétaire moins inflationniste que le Canada, alors que l'Italie n'a pas su juguler l'inflation. Au Canada, de 1970 à 1998, le taux d'inflation annuel était de 5,4 %. Pendant la même période, l'inflation en Allemagne s'élevait à 3,5 % tandis que celle de l'Italie atteignait 9,6 %. Puisqu'il y a eu une augmentation des prix canadiens par rapport aux prix allemands, le dollar se dépréciait par rapport au mark. À l'inverse, puisque les prix canadiens ont moins augmenté par rapport aux prix italiens, le dollar s'est appréciée par rapport à la lire italienne.

ÉTUDE DE CAS   LE TAUX DE CHANGE NOMINAL DURANT UNE PÉRIODE D'HYPERINFLATION

Les spécialistes de la macroéconomie ont rarement l'occasion de faire des expériences. Ils doivent la plupart du temps glaner leurs données dans les statistiques au sujet d'événements qui ont marqué l'histoire. L'hyperinflation – qui survient lorsque le gouvernement utilise la presse à billets pour couvrir les dépenses publiques – constitue l'une de ces expériences naturelles qu'offre l'histoire. L'hyperinflation est un phénomène si extrême qu'elle permet d'illustrer clairement certains principes économiques fondamentaux.

Prenons pour exemple l'hyperinflation en Allemagne, au début des années 20. La figure 12.4 montre l'offre de monnaie, le niveau des prix et le taux de change nominal en Allemagne durant cette période (en cents américains par mark allemand). Remarquez l'évolution parallèle de cette série de données. Lorsque l'offre de monnaie commence à s'emballer, le niveau des prix s'envole également et la monnaie se déprécie. Lorsque l'offre de monnaie se stabilise, le niveau des prix et le taux de change font de même.

La tendance illustrée sur ce graphique se répète lors de chaque inflation incontrôlée. Il n'y a aucun doute à avoir quant au lien fondamental existant entre la monnaie, les prix et les taux de change nominaux. La théorie quantitative de la monnaie, abordée au chapitre précédent, explique l'influence de l'offre de monnaie sur le niveau des prix. La théorie de la parité des pouvoirs d'achat, abordée dans le présent chapitre, montre à son tour comment le niveau des prix se répercute sur le taux de change nominal.

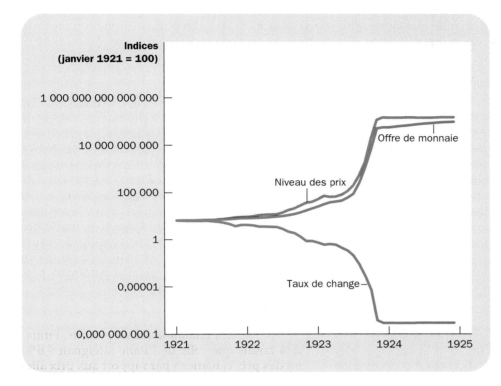

SOURCE : Tiré de Thomas J. Sargent, « The End of Four Big Inflations » Robert Hall, éditeur, *Inflation* (Chicago : University of Chicago Press, 1983), p. 41 à 93.

Figure 12.4

MONNAIE, PRIX ET TAUX DE CHANGE NOMINAL DURANT L'HYPERINFLATION EN ALLEMAGNE. Ce graphique illustre l'offre de monnaie, le niveau des prix et le taux de change (en cents américains par mark) durant l'hyperinflation en Allemagne, de janvier 1921 à décembre 1924. Remarquez le parallélisme de l'évolution de ces trois variables. Lorsque la quantité de monnaie commence à croître rapidement, le niveau des prix augmente au même rythme et le mark se déprécie par rapport au dollar. Au moment où la banque centrale allemande stabilise l'offre de monnaie, le niveau des prix et le taux de change se stabilisent aussi.

LES LIMITES DE LA THÉORIE DE LA PARITÉ DES POUVOIRS D'ACHAT

La parité des pouvoirs d'achat est un modèle simple de la détermination des taux de change. Elle permet d'expliquer de manière satisfaisante plusieurs phénomènes économiques, en particulier les tendances à long terme telles que la dépréciation du dollar canadien par rapport au mark allemand et son appréciation par rapport à la lire italienne. Cette théorie démontre également pourquoi les taux de change connaissent des variations majeures en cas d'hyperinflation.

Cependant, la parité des pouvoirs d'achat ne reflète qu'une partie de la réalité. Dans les faits, les taux de change n'évoluent pas systématiquement, pour maintenir inchangée la valeur réelle d'une monnaie dans tous les pays du monde. Cette théorie ne se vérifie donc pas toujours, et ce, pour deux raisons.

La première est que nombre de produits ne sont pas facilement échangeables. Imaginez que les coupes de cheveux soient plus chères à Paris qu'à Montréal. Les voyageurs internationaux éviteront sans doute de se faire couper les cheveux à Paris et certains coiffeurs montréalais choisiront peut-être de s'installer dans la capitale française. Cependant, ce type d'arbitrage restera probablement trop limité pour éliminer les différences de prix. Par conséquent, l'écart entre les pouvoirs d'achat risque de perdurer, et un dollar (ou un euro) continuera d'avoir moins de valeur chez les coiffeurs parisiens que chez les coiffeurs montréalais.

La seconde raison expliquant l'échec de la théorie de la parité des pouvoirs d'achat tient au fait que même les biens échangeables ne sont pas toujours des substituts parfaits les uns des autres, lorsqu'ils sont produits dans différents pays. Certains consommateurs préfèrent la bière allemande et d'autres, la bière canadienne. De plus, les goûts pour la bière évoluent dans le temps. Si la bière allemande suscite soudainement un grand engouement, l'augmentation de la demande fera augmenter le prix de la bière allemande, et un dollar (ou un euro) risque fort d'acheter plus de bière au Canada qu'en Allemagne. Mais en dépit de ces différences de prix sur les deux marchés, il se pourrait bien qu'il n'existe aucune possibilité d'arbitrage, les consommateurs ne considérant pas les deux bières comme équivalentes.

Ainsi, puisque certains biens ne sont pas échangeables et que certains biens échangeables ne sont pas des substituts parfaits pour les produits étrangers, la parité des pouvoirs d'achat ne constitue pas une théorie parfaite pour la détermination des taux de change. C'est pour ces deux raisons que les taux de change réels fluctuent au fil du temps. La théorie de la parité des pouvoirs d'achat constitue néanmoins un bon point de départ pour comprendre les taux de change. L'argumentation est convaincante : lorsque le taux de change réel diverge du niveau prévu par la parité des pouvoirs d'achat, cela incite les gens à vendre et à acheter des biens au-delà des frontières. Même si la parité des pouvoirs d'achat n'explique pas complètement le taux de change réel, elle assure que les variations du taux de change réel seront temporaires ou de faible ampleur. Les importantes et persistantes fluctuations des taux de change nominaux proviennent donc de l'évolution des prix à l'intérieur d'un pays et à l'étranger.

AU JAPON, LE PRIX D'UN BIG MAC EST DE 262 ¥ ; AUX ÉTATS-UNIS, LE MÊME BIG MAC COÛTE 2,90 $.

ÉTUDE DE CAS   L'INDICE BIG MAC

Lorsque les économistes se servent de la théorie de la parité des pouvoirs d'achat pour expliquer les variations des taux de change, ils utilisent le prix d'un même panier de biens dans différents pays. Le magazine international *The Economist* réalise une telle étude en recueillant de temps en temps les prix d'un panier de biens contenant « deux boulettes de steak haché, une sauce spéciale, de la laitue, du fromage, des cornichons, des oignons et un pain aux graines de sésame », le tout vendu par McDonald's dans le monde entier sous le nom de Big Mac.

Si l'on connaît les prix des Big Mac dans deux pays en devises locales, il est possible de calculer le taux de change selon la théorie de la parité des pouvoirs d'achat. Le taux de change prédit par cette théorie égalise le coût des Big Mac pour les deux pays. Si le prix d'un Big Mac est de 2 $ aux États-Unis et de 200 ¥ au Japon, la théorie de la parité des pouvoirs d'achat indique que le taux de change devrait être de 100 yens au dollar.

Les prix des Big Mac permettent-ils de vérifier la théorie de la parité des pouvoirs d'achat ? Les exemples suivants sont tirés d'un article du magazine *The Economist* publié le 27 mai 2004, alors que le prix d'un Big Mac était de 2,90 $ US aux États-Unis :

PAYS	PRIX D'UN BIG MAC	TAUX DE CHANGE PRÉDIT PAR LA THÉORIE	TAUX DE CHANGE OBSERVÉ
Canada	3, 19 $C	1,10 $C / $ US	1,38 $C / $ US
Zone euro	2, 70 €	0,93 € / $ US	0,82 € / $ US
Grande-Bretagne	1,89 £	0,65 £ / $ US	0,55 £ / $ US
Japon	262 ¥	90 ¥ / $ US	113 ¥ / $ US
Russie	42 Roubles	14,5 R / $ US	29 R / $ US
Suisse	6,29 FrS	2,17 FrS / $ US	1,27 FrS / $ US

On constate que les taux de change prédits par la théorie et les taux de change observés ne correspondent pas exactement. Cela s'explique par le fait que l'arbitrage international des Big Mac n'a rien d'aisé. Néanmoins, les deux taux de change sont habituellement assez proches. La parité des pouvoirs d'achat n'est donc pas une théorie précise pour le calcul des taux de change, mais elle constitue néanmoins une première approximation valable.

MINITEST : Durant les 20 dernières années, l'Espagne a connu une forte inflation, alors qu'elle restait faible au Japon. Que pourriez-vous dire du nombre de pesetas nécessaires pour acheter un yen japonais, il y a 20 ans et aujourd'hui ?

LA DÉTERMINATION DU TAUX D'INTÉRÊT DANS UNE PETITE ÉCONOMIE OUVERTE AVEC MOBILITÉ PARFAITE DES CAPITAUX

Pour prédire si les taux d'intérêt canadiens vont monter ou descendre, les économistes examinent attentivement les changements attendus des taux d'intérêt américains, puisque les taux d'intérêt canadiens tendent à suivre les mouvements de leurs pendants américains.

Pourquoi les taux d'intérêt canadiens et américains évoluent-ils souvent de façon parallèle ? Au chapitre 8, nous avons étudié le marché des fonds prêtables, pour comprendre la détermination du taux d'intérêt réel dans une économie fermée – c'est-à-dire une économie qui n'échangeait ni biens, ni services avec les autres économies. Naturellement, une telle hypothèse ne s'applique pas à l'économie canadienne. Comme nous venons de le voir, le Canada est une économie ouverte, où les échanges avec divers pays représentent une portion importante du PIB. Pour cette raison, les économistes préfèrent se servir d'un modèle de l'économie canadienne prenant en compte ces flux commerciaux. Le modèle préféré des économistes pour le Canada est celui d'une *petite économie ouverte avec mobilité parfaite des capitaux.*

Dans cette section-ci du chapitre, nous commencerons par modifier la description du marché des fonds prêtables, donnée au chapitre 8, pour tenir compte cette fois de l'hypothèse de petite économie ouverte avec mobilité parfaite des capitaux. Nous verrons qu'il est facile de calculer le taux d'intérêt réel dans une telle économie. Au prochain chapitre, nous modifierons notre analyse du marché des fonds prêtables, afin de l'adapter à une petite économie ouverte.

UNE PETITE ÉCONOMIE OUVERTE

Petite économie ouverte
Économie ouverte qui, en raison de sa taille, n'a qu'un impact négligeable sur les prix internationaux, et en particulier sur le taux d'intérêt mondial.

Que voulons-nous dire lorsque nous qualifions le Canada de **petite économie ouverte** avec mobilité parfaite des capitaux?

Le qualificatif «petit» fait référence à la faible taille d'une économie par rapport au reste de l'économie mondiale. Dans ce contexte, l'économie examinée n'aura qu'un effet négligeable sur les prix des biens et des services et sur les taux d'intérêt mondiaux. Une augmentation de la demande de puces d'ordinateur de la part des Canadiens n'aura probablement que peu d'effet sur le prix mondial de cet article, puisque la demande canadienne est trop faible par rapport à la demande mondiale pour avoir un quelconque effet à l'échelle internationale. Les marchés financiers canadiens sont également «petits», car une augmentation de l'offre d'obligations canadiennes aura des conséquences négligeables sur l'offre obligataire mondiale. Les fluctuations des marchés financiers canadiens ne se font donc que peu sentir sur les taux d'intérêts mondiaux.

LA MOBILITÉ PARFAITE DES CAPITAUX

Mobilité parfaite des capitaux
Accès sans restriction aux marchés financiers internationaux.

Par **mobilité parfaite des capitaux,** on entend que les Canadiens ont accès sans restriction aux marchés financiers internationaux, et que les étrangers ont accès sans restriction au marché financier canadien.

Une telle mobilité des capitaux implique, pour une petite économie comme celle du Canada, que le taux d'intérêt réel national soit égal au taux d'intérêt ayant cours sur les marchés financiers internationaux. Une équation élémentaire résume cette réalité. Si r représente le taux d'intérêt réel canadien et r^m le taux d'intérêt réel mondial, alors on peut écrire l'équation suivante:

$$r = r^m$$

Pourquoi ces deux taux d'intérêt réel sont-ils égaux? Quelques exemples suffisent à le comprendre. Si r^m est égal à 8% et r à 5%, cette situation ne peut durer, pour la simple raison que les Canadiens, qui ont accès aux marchés financiers mondiaux, préféreront acheter des actifs étrangers donnant un taux d'intérêt de 8%, plutôt que des actifs canadiens ne rapportant que 5%. Il est donc à prévoir que les épargnants canadiens se délesteront de leurs actifs nationaux au profit d'actifs étrangers. La vente d'actifs canadiens forcera les emprunteurs canadiens à offrir un taux d'intérêt plus alléchant. On peut en effet s'attendre à ce que ce taux grimpe jusqu'à atteindre 8%, afin d'égaler le taux d'intérêt mondial. De façon similaire, si r^m est égal à 5% et r à 8%, un tel déséquilibre ne pourra pas durer non plus. Les emprunteurs canadiens, qui ont accès aux marchés internationaux, préféreront emprunter sur les marchés extérieurs à 5% d'intérêt, plutôt que sur le marché national à 8%. Afin de trouver des emprunteurs, les épargnants canadiens n'auront d'autre choix que de leur offrir 5%, soit le taux d'intérêt mondial. Tant et aussi longtemps que les actifs canadiens et étrangers représenteront les uns pour les autres des substituts, la différence de taux d'intérêt donnera lieu à un arbitrage, à la fois de la part des emprunteurs et des épargnants.

La logique de l'ajustement des taux d'intérêt réels au Canada, par rapport au taux d'intérêt dans le reste du monde, vous rappelle sans doute notre analyse de la loi du prix unique et la parité des pouvoirs d'achat. Effectivement, ces concepts sont étroitement liés: les gens tirent parti des possibilités d'arbitrage, garantissant ainsi la disparition des écarts de prix. La seule différence ici est qu'il s'agit non pas du prix des biens, mais du coût de l'emprunt, c'est-à-dire du taux d'intérêt réel. La théorie selon laquelle le taux d'intérêt réel canadien doit être égal à celui du reste du monde est connue sous le terme de **parité des taux d'intérêt.**

Parité des taux d'intérêt
Théorie selon laquelle les taux d'intérêt réels de différents pays, sur des actifs financiers comparables, devraient être les mêmes partout.

LES LIMITES DE LA PARITÉ DES TAUX D'INTÉRÊT

Tout comme la parité des pouvoirs d'achat ne peut pas expliquer parfaitement la valeur des taux de change, la parité des taux d'intérêt a également des limites et échoue parfois à expliquer la détermination des taux d'intérêt réels. Le taux d'intérêt réel au Canada n'est pas toujours égal au taux d'intérêt réel dans le reste du monde, et cela, pour deux raisons essentielles.

La première, c'est que les actifs financiers présentent un *risque de non-paiement,* ce qui signifie que, même si le vendeur d'un actif financier promet de rembourser l'acheteur à une échéance fixe, il existe toujours la possibilité qu'il ne respecte pas ses engagements. Dans ce cas, on dit que le vendeur est « en défaut ». Les acheteurs tentent de jauger le niveau de risque, afin de mieux évaluer les divers actifs financiers. Plus le risque de non-paiement est important, plus les acheteurs (les épargnants) exigeront des vendeurs (les emprunteurs) un taux d'intérêt élevé. Dans la mesure où le vendeur d'un actif financier présente un risque de non-paiement supérieur à celui d'un autre, la différence des taux d'intérêt sur ces actifs ne représente pas forcément une possibilité d'arbitrage. C'est pour cette raison que certaines différences de taux d'intérêt peuvent perdurer.

La deuxième raison pour laquelle la parité des taux d'intérêt ne s'applique pas toujours tient au fait que les actifs financiers offerts dans les différents pays ne sont pas forcément des substituts parfaits. Il suffit pour s'en convaincre de considérer les taux d'imposition des divers gouvernements sur les intérêts, gains de capital et dividendes : des actifs de même nature dans deux pays pourront présenter le même taux de rendement avant impôts, mais des régimes fiscaux différents risquent de créer un écart entre leurs rendements respectifs après impôts. Or ceux qui recherchent des possibilités d'arbitrage s'intéressent uniquement aux rendements nets (après impôts). Par conséquent, les rendements après impôts sont nivelés internationalement par l'arbitrage, mais les différences dans les taux d'intérêt avant impôts demeurent.

En raison de ces différences dues au risque de non-paiement et aux régimes fiscaux, la parité des taux d'intérêt ne constitue pas une théorie parfaite pour expliquer la détermination du taux d'intérêt dans une petite économie ouverte. C'est la raison pour laquelle nous ne nous attendons pas à ce que les taux d'intérêt réels au Canada soient identiques à ceux du reste du monde. Néanmoins, la parité des taux d'intérêt reste un argument convaincant en faveur du maintien d'une différence relativement faible des taux d'intérêt réels canadiens et internationaux et d'une fluctuation simultanée des taux d'intérêt nationaux et de ceux du reste du monde.

Les données confirment la validité de cet argument. Au cours des 15 années comprises entre 1986 et 2000, les taux d'intérêt réels de la dette publique à long terme au Canada et aux États-Unis ont évolué en parallèle. Le taux d'intérêt réel moyen était de 4,7 % au Canada et de 4,2 % aux États-Unis. Cette différence d'un demi-point de pourcentage s'explique par la compensation que les prêteurs canadiens doivent offrir en raison d'un risque supérieur de non-paiement et des taux d'imposition canadiens plus élevés. Cette différence s'est accentuée au fil du temps, à mesure que les taux d'imposition canadiens ont augmenté par rapport aux taux américains, et en raison des crises constitutionnelles fréquentes qui inquiétaient les prêteurs, augmentant à leurs yeux les risques de non-paiement. Si l'on prend le taux d'intérêt américain comme équivalant au taux « mondial », r^m, ces données justifient la condition de parité des taux d'intérêt dans notre modèle. Nous reprendrons cette hypothèse dans l'élaboration de la théorie macroéconomique de l'économie ouverte.

CONCLUSION

Ce chapitre avait pour objectif de présenter quelques concepts fondamentaux pour comprendre les économies ouvertes. Nous savons maintenant pourquoi les exportations nettes d'un pays doivent être égales à l'investissement net à l'étranger, et pourquoi l'épargne doit être égale à la somme de l'investissement et de l'investissement net à l'étranger. Nous avons également vu la signification des taux de change nominal et réel, de même que les implications et les limites de la théorie de la parité des pouvoirs d'achat pour la détermination des taux de change. Pour finir, nous avons expliqué pourquoi les taux d'intérêt réels au Canada tendent à fluctuer avec les taux mondiaux.

Les variables macroéconomiques présentées ici constituent un point de départ pour l'analyse des interactions d'une économie ouverte avec les autres pays. Dans le prochain chapitre, nous élaborerons un modèle explicatif des déterminants de ces variables. Nous pourrons alors aborder les conséquences de certains événements ou de certaines politiques économiques sur la balance commerciale et sur les taux de change.

Résumé

◆ Les exportations nettes représentent la différence entre la valeur des biens et des services exportés et la valeur des biens et des services importés. L'investissement net à l'étranger représente la différence entre la valeur des actifs étrangers acquis par les résidents nationaux et celle des actifs nationaux achetés par les étrangers. Toute transaction internationale implique l'échange d'un bien ou d'un service contre des actifs et, dès lors, l'investissement net à l'étranger d'une économie est toujours égal à ses exportations nettes.

◆ L'épargne nationale peut servir à financer l'investissement du pays ou à acheter des actifs étrangers. L'épargne nationale est donc toujours égale à la somme de l'investissement et de l'investissement net à l'étranger.

◆ Le taux de change nominal mesure le prix relatif des monnaies de deux pays, tandis que le taux de change réel compare le prix relatif des biens et des services de deux pays. Quand le taux de change nominal varie de façon à augmenter le pouvoir d'achat d'une monnaie, on parle alors d'*appréciation* de cette monnaie. En revanche, si la variation du taux de change nominal correspond à une réduction du pouvoir d'achat d'une monnaie, on parle alors de *dépréciation* de cette monnaie.

◆ Selon la théorie de la parité des pouvoirs d'achat, un dollar (ou toute autre unité d'une devise) doit acheter la même quantité de marchandises dans tous les pays. Cette théorie implique que les variations du taux de change nominal entre deux devises reflètent les variations du niveau des prix dans ces deux pays. En conséquence, les monnaies des pays qui connaissent une inflation relativement forte se déprécient. À l'inverse, les pays qui conservent une inflation relativement faible voient leur monnaie s'apprécier.

◆ La plupart des économistes préfèrent se servir d'un modèle considérant le Canada comme une petite économie ouverte avec mobilité parfaite des capitaux. Dans cette situation, on suppose qu'il y a parité des taux d'intérêt, théorie selon laquelle les taux d'intérêt canadiens sont égaux aux taux mondiaux. En raison des différences de taux d'imposition et des inquiétudes concernant les risques de non-paiement, on ne s'attend pas à ce que les taux d'intérêt au Canada équivalent exactement aux taux d'intérêt mondiaux. Cependant, on prévoit que les taux d'intérêt canadiens fluctueront comme les taux mondiaux.

Concepts clés

Appréciation, p. 257
Balance commerciale p. 248
Balance commerciale équilibrée/
    équilibre des échanges, p. 249
Déficit commercial, p. 249
Dépréciation, p. 257
Économie fermée, p. 248

Économie ouverte, p. 248
Excédent commercial/surplus
    commercial, p. 249
Exportations, p. 248
Exportations nettes, p. 248
Importations, p. 248
Investissement net à l'étranger, p. 252

Mobilité parfaite des capitaux, p. 266
Parité des pouvoirs d'achat, p. 259
Parité des taux d'intérêt, p. 266
Petite économie ouverte, p. 266
Taux de change nominal, p. 257
Taux de change réel, p. 258

Questions de révision

1. Définissez les exportations nettes et l'investissement net à l'étranger. Expliquez pourquoi et comment ils sont liés.

2. Décrivez la relation entre l'épargne, l'investissement et l'investissement net à l'étranger.

3. Si une voiture japonaise coûte 500 000 ¥, qu'une voiture canadienne comparable coûte 10 000 $ et qu'un dollar vaut 100 yens, quels sont les taux de change nominal et réel ?

4. Décrivez la logique économique qui sous-tend la théorie de la parité des pouvoirs d'achat.

5. Décrivez la logique économique qui sous-tend la théorie de la parité des taux d'intérêt.

6. Si la Banque du Canada se mettait à imprimer beaucoup de dollars canadiens, comment évoluerait le taux de change du dollar par rapport au yen japonais ?

UNE THÉORIE MACROÉCONOMIQUE
DE L'ÉCONOMIE OUVERTE

Les questions relevant du commerce international préoccupent constamment les Canadiens, d'abord parce qu'une proportion importante de la population travaille dans des secteurs qui dépendent du commerce international, et ensuite parce que des millions de consommateurs achètent des biens et des services provenant de l'étranger. Les sempiternels conflits avec nos partenaires commerciaux expliquent aussi cette inquiétude des Canadiens pour les échanges internationaux. Le cas du bois d'œuvre en est une bonne illustration. Les producteurs américains se plaignent que les Canadiens leur font une concurrence déloyale, causée par certains aspects de la politique gouvernementale. Les frictions engendrées par ces revendications ont rendu nécessaires de longues négociations en vue d'arriver à une entente.

Les Canadiens ont également déjà exprimé leur inquiétude par rapport aux achats massifs d'actifs canadiens par les étrangers. Comme nous l'avons déjà vu, les investissements nets à l'étranger sont souvent négatifs au Canada, ce qui veut dire que les étrangers achètent davantage d'actifs canadiens que les

À LA FIN
DE CE CHAPITRE,
VOUS SEREZ
EN MESURE...

*d'utiliser un modèle
de la balance commerciale
et du taux de change dans
une économie ouverte*

*de recourir à ce modèle
pour analyser
les conséquences
des déficits
budgétaires*

*d'utiliser ce modèle
pour analyser
les conséquences
macroéconomiques
des politiques
commerciales*

*d'analyser, grâce
à ce modèle,
l'instabilité politique
et la fuite
des capitaux.*

Canadiens n'achètent d'actifs étrangers. De nombreuses compagnies situées au Canada appartiennent donc en fait à des intérêts étrangers. Devant une telle situation, le gouvernement a mis en place, dans les années 70, une législation limitant la participation étrangère dans les compagnies canadiennes.

Si vous étiez premier ministre et que vos concitoyens vous demandaient d'agir à propos des exportations nettes et de l'investissement net à l'étranger, qui sont négatifs au Canada, que feriez-vous ? Imposeriez-vous des limites à l'importation des voitures japonaises ? Empêcheriez-vous les Américains d'acquérir les compagnies de gaz et de pétrole au Canada ? Essayeriez-vous d'influencer par d'autres moyens les exportations nettes et les investissements nets à l'étranger ?

Pour analyser la balance commerciale d'un pays et comprendre les conséquences des interventions gouvernementales, nous devons nous appuyer sur une théorie macroéconomique de l'économie ouverte. Le chapitre précédent a présenté les variables macroéconomiques essentielles des relations entre économies, dont les exportations nettes, les investissements nets à l'étranger et les taux de change réel et nominal. Dans le présent chapitre, nous élaborerons un modèle intégrant ces variables et expliquant comment elles sont interreliées.

Ce modèle macroéconomique se base sur trois conclusions provenant des chapitres précédents. Tout d'abord, nous ferons l'hypothèse que le PIB réel est fixe et qu'il dépend à la fois de la quantité de travailleurs et de la productivité. Ensuite, partant de l'hypothèse que les prix assurent l'équilibre entre l'offre et la demande de monnaie, nous considérerons que le niveau des prix est fixe. Enfin, en supposant qu'il y a parfaite mobilité des capitaux et absence de prime de risque, nous poserons l'hypothèse d'un taux d'intérêt réel égal au taux d'intérêt mondial. Ce chapitre intègre donc concrètement les leçons des chapitres précédents au sujet de la production, du taux d'intérêt et du niveau des prix à long terme.

Ce modèle permettra d'expliquer la détermination de la balance commerciale et du taux de change. À première vue, il s'agit d'un modèle simple qui reproduit le jeu de l'offre et de la demande dans une économie ouverte. Il est pourtant plus complexe que les modèles précédents, car il explique la détermination *simultanée* de l'équilibre dans deux marchés parallèles : le marché des fonds prêtables et celui des changes. Grâce à ce nouveau modèle, nous pourrons analyser les conséquences d'événements et de politiques gouvernementales sur la balance commerciale et le taux de change.

L'OFFRE ET LA DEMANDE DE FONDS PRÊTABLES ET DE DEVISES ÉTRANGÈRES

Pour comprendre les forces en présence dans une économie ouverte, nous devons nous intéresser à l'offre et à la demande dans deux marchés : celui des fonds prêtables, qui coordonne l'épargne et l'investissement (y compris l'investissement net à l'étranger) et celui des devises étrangères, qui coordonne l'échange de monnaie nationale contre les devises étrangères. Nous analyserons d'abord l'offre et la demande sur chacun de ces marchés, pour combiner ensuite nos observations et expliquer l'équilibre global en économie ouverte.

LE MARCHÉ DES FONDS PRÊTABLES

En abordant pour la première fois le système financier au chapitre 8, nous sommes partis de l'hypothèse simple que ce système se composait d'un marché

unique, celui des *fonds prêtables* : tous les épargnants y déposent leurs économies et tous les emprunteurs y obtiennent des prêts. Il n'existe qu'un seul taux
d'intérêt sur ce marché, représentant à la fois le rendement sur l'épargne et le
coût de l'emprunt.

Pour bien comprendre le fonctionnement du marché des fonds prêtables
dans une économie ouverte, commençons par reprendre l'identité présentée au
chapitre précédent :

$$S \quad = \quad I \quad + \quad INE$$

Épargne   =   investissement national   +   investissement net à l'étranger

Le montant de l'épargne n'est pas nécessairement égal au montant consacré à
l'achat de biens de capital : si l'épargne dépasse l'investissement, l'excédent sert
à l'acquisition nette d'actifs à l'étranger. Dans un tel cas, l'investissement net à
l'étranger (INE) est positif. À l'inverse, si l'épargne ne permet pas de financer
totalement l'acquisition intérieure de biens de capital, l'épargne étrangère vient
combler la différence. Dans ce dernier cas, l'investissement net à l'étranger
est négatif.

Cette équation rassemble les trois composantes du marché des fonds prêtables, dans une économie ouverte. Comme nous l'avons vu, le solde de l'investissement net à l'étranger du Canada était négatif jusqu'à récemment ; les
étrangers participaient donc à notre offre de fonds prêtables. Dans ce contexte
économique, l'offre de fonds prêtables provenait de l'épargne (S) et de l'investissement net à l'étranger (INE), et la demande de fonds prêtables était issue
de l'investissement national (I). Depuis le début du nouveau millénaire, l'épargne
dépasse l'investissement. Par conséquent, l'offre de fonds prêtables au Canada
provient actuellement de l'épargne, alors que la demande de fonds prêtables
vient de l'investissement national et de l'investissement net à l'étranger.

Lors de notre analyse du marché des fonds prêtables, nous avons vu que
la quantité offerte et la quantité demandée de fonds prêtables varient avec le
taux d'intérêt réel. Une hausse de ce taux encourage l'épargne, faisant ainsi
augmenter la quantité de fonds prêtables offerte, mais elle renchérit les
emprunts qui servent à financer les projets d'investissement, faisant ainsi diminuer la quantité demandée de fonds prêtables.

Pour bien comprendre le marché des fonds prêtables dans une petite économie ouverte, il faut revenir sur l'analyse du chapitre précédent concernant
les taux d'intérêt : dans une économie avec mobilité parfaite des capitaux,
comme celle du Canada, si l'on ignore les disparités de traitement fiscal et les
risques de non-paiement, le taux d'intérêt national est égal au taux d'intérêt
mondial. La raison en est simple. Imaginons que le taux d'intérêt canadien soit
de 5 % et le taux d'intérêt mondial de 8 %. Un tel déséquilibre ne peut pas durer,
car les épargnants canadiens, qui ont librement accès aux marchés financiers
mondiaux, auraient alors la possibilité d'opter pour des actifs mieux rémunérés :
ils vendraient leurs actifs nationaux au profit d'actifs étrangers plus profitables.
Pour mettre fin à cette liquidation d'actifs, les emprunteurs canadiens devraient
offrir un taux d'intérêt plus alléchant, qui devrait atteindre 8 %. À l'inverse, si
le taux d'intérêt mondial s'établissait à 5 % tandis que le taux d'intérêt canadien était de 8 %, ce sont les emprunteurs canadiens qui se tourneraient vers
les marchés étrangers. Pour trouver preneur, les épargnants canadiens devraient
donc consentir des prêts à un taux d'intérêt inférieur, soit 5 %.

Le marché des fonds prêtables est illustré à la figure 13.1, par le diagramme
classique d'offre et de demande. Notre précédente analyse du système financier
a révélé une courbe de demande à pente négative, puisque l'augmentation du
taux d'intérêt réduit la quantité de fonds demandée, de même qu'une courbe
d'offre à pente positive, puisque l'augmentation du taux d'intérêt accroît la
quantité de fonds offerte. Toutefois, à la différence de l'exemple du chapitre

précédent, la courbe d'offre d'une petite économie ouverte avec mobilité parfaite des capitaux ne représente qu'une partie des fonds prêtables disponibles. En effet, cette courbe d'offre ne tient compte que de l'épargne *nationale* disponible pour chaque niveau possible du taux d'intérêt réel. Une hausse du taux d'intérêt se traduit par une hausse de la quantité de fonds à prêter. Dans une économie fermée, il faut se préoccuper uniquement d'offre de fonds prêtables découlant de l'épargne des Canadiens. Dans ce cas, le taux d'intérêt réel se situerait à l'intersection des courbes d'offre et de demande de fonds prêtables. Cependant, dans une petite économie ouverte avec mobilité parfaite des capitaux, le taux d'intérêt est égal au taux d'intérêt mondial : il faut alors prendre en considération l'épargne des étrangers.

Si le graphique (a) de la figure 13.1 représentait une économie fermée, le taux d'intérêt mondial dépasserait le taux d'intérêt canadien. En raison de la mobilité des capitaux, le taux canadien est égal au taux mondial. À ce taux, la quantité demandée de fonds prêtables au Canada (I) s'élève à 100 milliards de dollars, et la quantité offerte (S), qui s'élève à 150 milliards de dollars, suffit amplement à la combler. L'offre excédentaire de fonds prêtables, soit 50 milliards de dollars, devient l'investissement net à l'étranger (INE). L'identité fondamentale S = I + INE s'applique donc.

Si le graphique (b) de la figure 13.1 représentait une économie fermée, le taux d'intérêt mondial serait cette fois inférieur au taux d'intérêt canadien. Au taux mondial, la quantité demandée de fonds prêtables (I) au Canada est alors de 130 milliards de dollars, et la quantité offerte par les épargnants canadiens (S), qui se limite à 90 milliards de dollars, est insuffisante. Les capitaux étrangers devront donc combler la demande excédentaire de 40 milliards de dollars. Dans une telle situation, l'investissement net à l'étranger (INE) est négatif : il est de − 40 milliards de dollars. (Ce chiffre négatif représente simplement la différence entre les actifs étrangers acquis par les Canadiens et l'investissement étranger au Canada. Une valeur négative indique une acquisition nette d'actifs nationaux par les étrangers.) Remarquez que l'on retrouve à nouveau l'identité fondamentale S = I + INE.

Ces deux graphiques démontrent que le marché des fonds prêtables ne s'équilibre pas de la même façon selon qu'il s'agit d'une économie fermée ou d'une petite économie ouverte avec mobilité parfaite de capitaux. Dans une petite économie ouverte, l'offre et la demande de fonds prêtables ne déterminent plus le taux d'intérêt, qui est alors égal au taux d'intérêt mondial. La quantité de fonds prêtables offerte par les épargnants canadiens ne doit pas forcément s'ajuster à la quantité de fonds prêtables demandée pour l'investissement. La différence entre ces deux quantités correspond à l'investissement net à l'étranger. Dans notre équation, l'investissement net à l'étranger est égal à la différence entre l'offre de fonds prêtables provenant de l'épargne (S) et la demande pour ces mêmes fonds (I), au taux d'intérêt mondial. Nous pouvons donc poser une autre identité utilisée au chapitre précédent, soit :

INE	=	XN
investissement net à l'étranger	=	exportations nettes

On peut aussi formuler autrement cette équation : les exportations nettes sont égales à la différence entre l'offre de fonds prêtables provenant de l'épargne (S) et la demande de fonds prêtables (I), au taux d'intérêt mondial. Ces deux équations sont équivalentes, puisque les exportations nettes doivent être égales à l'investissement net à l'étranger.

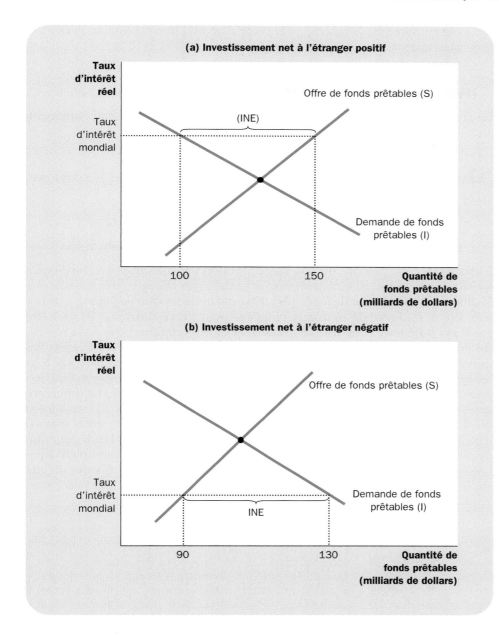

(a) Investissement net à l'étranger positif

Taux d'intérêt réel

Offre de fonds prêtables (S)

(INE)

Taux d'intérêt mondial

Demande de fonds prêtables (I)

100   150   Quantité de fonds prêtables (milliards de dollars)

(b) Investissement net à l'étranger négatif

Taux d'intérêt réel

Offre de fonds prêtables (S)

Taux d'intérêt mondial

INE

Demande de fonds prêtables (I)

90   130   Quantité de fonds prêtables (milliards de dollars)

Figure 13.1

MARCHÉ DES FONDS PRÊTABLES. Dans une petite économie ouverte avec mobilité parfaite des capitaux, comme celle du Canada, le taux d'intérêt est égal au taux d'intérêt mondial. L'investissement détermine la demande de fonds prêtables et l'épargne en détermine l'offre. Sur le graphique (a), au taux d'intérêt mondial, l'investissement est de 100 milliards de dollars, et les Canadiens épargnent 150 milliards de dollars. L'investissement net à l'étranger, soit la différence entre l'investissement et l'épargne, est donc égal à 50 milliards de dollars : il correspond aux actifs étrangers acquis par les Canadiens. Sur le graphique (b), au taux d'intérêt mondial, l'investissement est de 130 milliards de dollars, alors que l'épargne des Canadiens ne dépasse pas 90 milliards de dollars. Le déficit de l'épargne, soit 40 milliards de dollars, est comblé par l'apport étranger. Dans ce cas, l'investissement net à l'étranger est négatif, ce qui signifie que les étrangers achètent plus d'actifs canadiens que les Canadiens n'achètent d'actifs étrangers.

LE MARCHÉ DES CHANGES

Le marché des changes constitue le second marché de notre modèle d'économie ouverte. L'existence de ce marché répond au besoin des gens d'échanger des biens, des services ou des actifs financiers avec d'autres pays, tout en étant payés dans leur propre devise nationale. En d'autres mots, un Canadien qui se procure un bien, un service ou des actifs financiers d'un autre pays doit également acheter la devise de ce pays. La même chose vaut pour un étranger achetant un bien, un service ou des actifs canadiens : il doit acheter des dollars canadiens. Or pour échanger ces devises, il faut un marché, soit le marché des changes. Nous décrirons dans cette section le marché sur lequel les dollars canadiens s'échangent contre des devises étrangères.

Pour comprendre ce marché, reprenons d'abord l'identité fondamentale utilisée plus haut :

$$INE = XN$$

investissement net à l'étranger = exportations nettes

En combinant cette équation avec celle que nous avons posée antérieurement, soit :

$$S = I + INE$$

Épargne = investissement national + investissement net à l'étranger

Nous pouvons écrire cette nouvelle équation :

$$S - I = XN$$

Épargne − investissement = exportations nettes

Chacune de ces équations est une identité et doit par conséquent se vérifier. La troisième nous sera utile pour décrire le marché des changes ; elle montre que la différence entre l'offre de fonds prêtables, qui est le produit de l'épargne nationale (S), et la demande de fonds prêtables pour l'investissement (I) doit être égale à la différence entre les exportations et les importations (XN). Cela se vérifie effectivement, car la différence entre l'offre et la demande de fonds prêtables doit être égale à l'investissement net à l'étranger (INE), lequel égale à son tour les exportations nettes. Les deux membres de cette identité correspondent aux deux versants du marché des changes, soit l'offre et la demande. La différence entre l'épargne et l'investissement dans un pays correspond à l'investissement net à l'étranger. Cette différence représente l'*offre nette* de dollars sur le marché des changes, destinée à l'achat net d'actifs étrangers. Lorsqu'un fonds commun de placement canadien se porte acquéreur d'obligations du gouvernement japonais, il doit échanger des dollars contre des yens ; ce faisant, il offre des dollars sur le marché des changes. Les exportations nettes représentent la *demande nette*

BON À SAVOIR

Demandeurs et offreurs de dollars canadiens

Dans les faits, deux groupes distincts font des transactions sur le marché des changes. Un premier groupe offre des dollars canadiens et demande, en échange, des devises étrangères. Deux raisons peuvent expliquer ce besoin d'autres devises : le désir d'acheter des biens et des services étrangers (donc d'importer) ou celui d'acheter des actifs étrangers. Le second groupe réunit les offreurs de devises étrangères, qui demandent en échange des dollars canadiens. Ces vendeurs de devises étrangères souhaitent ou bien importer des biens et des services canadiens (c'est-à-dire nos exportations), ou bien acheter des actifs canadiens ; c'est pour l'une ou l'autre de ces raisons qu'ils ont besoin d'obtenir des dollars canadiens.

Afin de rendre notre modèle d'équilibre général plus facile à utiliser, nous avons regroupé les offreurs et les demandeurs de dollars canadiens pour fins de placements (achat d'actifs). Les offreurs vendent des dollars canadiens pour acheter des actifs étrangers, alors que les demandeurs achètent des dollars canadiens afin d'acheter des actifs canadiens. La différence entre cette offre et cette demande de dollars canadiens, qui correspond à *l'offre nette* de dollars canadiens, est donc égale à l'investissement net à l'étranger (INE).

De la même façon, nous avons regroupé les demandeurs et les offreurs de dollars pour fins de commerce international. Les demandeurs achètent des dollars afin de se procurer des biens et des services au Canada. Cette demande provient donc des exportations canadiennes. Quant aux Canadiens qui veulent importer des produits étrangers, ils offrent des dollars sur le marché des changes. La différence entre la demande et l'offre de dollars pour fins de commerce international, qui correspond à la demande nette de dollars canadiens, est alors égale à la valeur des exportations nettes (XN) du Canada.

Notons que, tout comme l'investissement net à l'étranger (INE) et les exportations nettes (XN), l'offre nette et la demande nette de dollars canadiens peuvent être positives ou négatives.

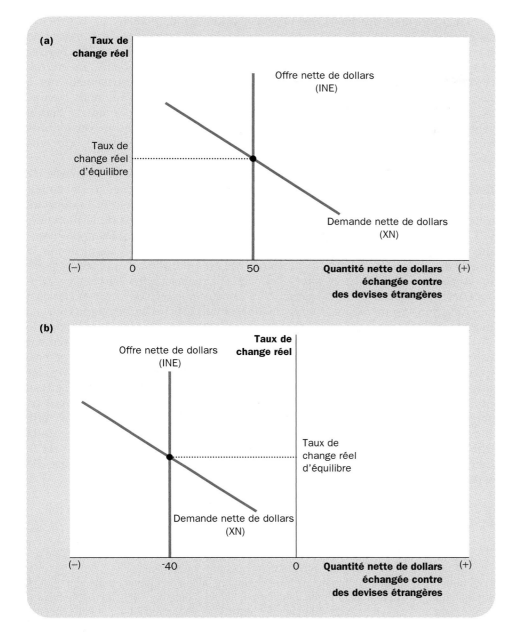

Figure 13.2

MARCHÉ DES CHANGES. Le taux de change réel dépend de l'offre et de la demande de dollars. L'offre nette de dollars est issue de l'investissement net à l'étranger. Ce dernier est égal à la différence entre l'offre et la demande de fonds prêtables. Comme cette épargne et cet investissement ne dépendent pas du taux de change réel, la courbe d'offre est verticale. Sur le graphique (a), l'investissement net à l'étranger est positif et égal à 50 milliards de dollars. Sur le graphique (b), l'investissement net à l'étranger est négatif et égal à −40 milliards de dollars. La demande nette de dollars provient des exportations nettes. Puisqu'un taux de change réel faible stimule les exportations nettes (en augmentant la quantité demandée nette de dollars pour payer ces biens et ces services canadiens exportés), la courbe de demande a une pente négative. Au taux de change d'équilibre, l'offre nette de dollars pour acheter des actifs étrangers est égale à la demande nette de dollars pour payer les exportations nettes canadiennes.

de dollars canadiens sur ce marché, dans le but d'acheter des biens et des services canadiens. Par exemple, si une compagnie japonaise décide d'acheter un avion fabriqué par Bombardier, elle doit changer ses yens en dollars : elle demande alors des dollars sur le marché des devises.

Quel est le prix qui assure l'équilibre de l'offre et de la demande sur ce marché des changes ? C'est le taux de change réel qui joue ce rôle. Comme nous l'avons déjà vu dans le chapitre précédent, le taux de change réel mesure le prix relatif des produits nationaux et étrangers et il est, par conséquent, le facteur déterminant des exportations nettes. Lorsque le taux de change réel du dollar augmente, les biens canadiens se renchérissent par rapport aux biens étrangers, diminuant ainsi leur attrait auprès des consommateurs canadiens et étrangers. Les exportations diminuent alors, tandis que les importations augmentent. Pour cette raison, les exportations nettes chutent. L'augmentation du taux de change réel réduit donc la quantité demandée nette de dollars sur le marché des changes.

La figure 13.2 illustre l'offre et la demande sur ce marché. La courbe de demande a une pente négative, pour la raison que nous venons de donner : une hausse du taux de change réel renchérit les biens canadiens et fait baisser la quantité nette de dollars demandée pour l'achat de ces biens. La courbe d'offre est verticale, car l'offre nette de dollars pour l'investissement net à l'étranger ne dépend nullement du taux de change réel. (Comme nous l'avons vu précédemment, l'investissement net à l'étranger varie avec le taux d'intérêt réel mondial. Lorsque nous parlons du marché des devises, nous considérons que le taux d'intérêt mondial et l'investissement net à l'étranger sont des variables déjà connues.)

Le taux de change réel assure l'équilibre entre l'offre et la demande de dollars, comme le prix de n'importe quel bien. Si le taux de change réel se situait en dessous du niveau d'équilibre, la quantité de dollars offerte serait inférieure à la quantité demandée. Cette pénurie ferait grimper la valeur de la monnaie. À l'inverse, si le taux de change réel dépassait le niveau d'équilibre, la quantité offerte surpasserait la quantité demandée et un tel surplus ferait fléchir la valeur du dollar. *Lorsque le taux de change réel est à son point d'équilibre, la quantité demandée nette de dollars pour acheter les exportations nettes canadiennes équivaut exactement à la quantité offerte nette de dollars pour acheter des actifs à l'étranger.*

Revenons à nouveau sur la distinction entre l'offre et la demande dans ce modèle. Nous savons que les exportations nettes sont à l'origine de la demande nette de dollars, tandis que l'offre nette de dollars est issue de l'investissement net à l'étranger. Par conséquent, lorsqu'un résident canadien importe une voiture japonaise, il réalise une transaction qui, selon notre modèle, réduit la quantité nette de dollars demandée (en raison de la baisse des exportations nettes), plutôt que d'augmenter l'offre de dollars. De même, lorsqu'un citoyen japonais achète une obligation du gouvernement canadien, notre modèle considère cette transaction comme une diminution de l'offre nette de dollars (en raison de la diminution des investissements nets extérieurs), au lieu d'une hausse de la demande de dollars. Cette formulation peut paraître étrange *a priori*, mais elle sera utile dans l'analyse des diverses politiques économiques.

MINITEST : Expliquez d'où viennent l'offre et la demande sur le marché des fonds prêtables et le marché des changes.

BON À SAVOIR

Valeurs négatives pour l'investissement net à l'étranger

Dans cette section, le modèle d'économie ouverte sert à analyser les impacts des politiques gouvernementales et des événements susceptibles de rompre l'équilibre économique. Dans le cas de l'économie ouverte illustrée à la figure 13.3, l'investissement net à l'étranger présente une valeur positive. Cependant, nous avons déjà constaté que l'INE du Canada a souvent été négatif dans le passé. Cela aurait-il des conséquences sur notre analyse ?

Les conséquences d'un INE négatif sur notre modèle sont en fait minimes. Lorsque cela se produit, c'est que l'épargne *n'est pas* suffisante pour couvrir l'investissement et que le pays a recours à l'épargne étrangère pour combler la différence. La valeur de l'INE représente donc toujours l'investissement net à l'étranger, mais elle est affectée d'un signe négatif. Comme l'INE doit être égal aux exportations nettes (XN), cela implique que les exportations nettes sont également négatives. Les étrangers achètent de façon nette des actifs canadiens et, par conséquent, des dollars canadiens sur le marché des changes. Au bout du compte, les Canadiens importent plus de biens qu'ils n'en exportent et, pour cette raison, ils doivent échanger leurs dollars contre des devises étrangères.

Fort heureusement, il importe peu que les valeurs de l'investissement net à l'étranger et des exportations nettes soient positives ou négatives ; seul compte le *sens du changement* de ces valeurs. C'est pourquoi, dans le but de simplifier l'analyse, nous nous référons à des exemples montrant une valeur positive pour l'investissement net à l'étranger et les exportations nettes. Néanmoins, l'analyse serait similaire si l'investissement net à l'étranger et les exportations nettes étaient négatifs.

BON À SAVOIR

La parité des pouvoirs d'achat, un cas particulier

Un lecteur astucieux se demandera pourquoi nous élaborons une théorie des taux de change dans ce chapitre : ne l'avons-nous pas déjà fait au chapitre précédent ?

La théorie du taux de change du chapitre 12 s'appelait *parité des pouvoirs d'achat*. Elle énonçait qu'un dollar (ou toute autre unité d'une monnaie donnée) devait permettre l'achat de la même quantité de biens et de services dans tous les pays. Le taux de change réel étant alors égal à 1, toute variation du taux de change nominal entre deux devises reflétait les modifications de l'écart entre le niveau des prix de ces pays.

Le modèle que nous venons d'élaborer dans le présent chapitre se fonde lui aussi sur la théorie de la parité des pouvoirs d'achat. Toujours selon cette théorie, le commerce international réagit rapidement aux changements de prix à l'échelle internationale. Si les prix des biens dans un pays diminuent par rapport à ceux d'un autre, le premier exportera vers le second jusqu'à ce que cette différence se résorbe. Autrement dit, la théorie de la parité des pouvoirs d'achat considère que les exportations nettes réagissent fortement à de faibles variations du taux de change réel. Or, si les exportations nettes étaient aussi sensibles, la courbe de demande de la figure 13.2 serait *horizontale*.

La théorie de la parité des pouvoirs d'achat constitue donc un cas particulier de notre modèle. Au niveau où le taux de change réel permet la parité des pouvoirs d'achat au Canada et à l'étranger, la courbe de demande de dollars est horizontale plutôt que de présenter une pente négative. Cette particularité constitue un excellent point de départ pour l'étude des taux de change, sans pourtant tout expliquer.

Ce chapitre examine des exemples plus réalistes, pour lesquels la courbe de demande de dollars présente une pente négative. Le taux de change réel dans notre modèle peut donc varier, comme c'est le cas dans la réalité.

L'ÉQUILIBRE DE L'ÉCONOMIE OUVERTE

Jusqu'à maintenant, nous avons observé séparément deux marchés : celui des fonds prêtables et celui des changes. Voyons maintenant comment ils interagissent.

L'INVESTISSEMENT NET À L'ÉTRANGER : LE LIEN ENTRE LES DEUX MARCHÉS

Récapitulons d'abord ce que nous avons vu jusqu'à présent dans ce chapitre. Nous savons maintenant que quatre variables macroéconomiques majeures sont coordonnées dans une économie ouverte : l'épargne (S), l'investissement national (I), l'investissement net à l'étranger (INE), et les exportations nettes (XN). Gardons à l'esprit les identités suivantes :

$$S = I + INE$$

et

$$INE = XN$$

Sur le marché des fonds prêtables, l'offre provient de l'épargne et la demande provient de l'investissement. L'investissement net à l'étranger représente la différence entre ces deux composantes, au taux d'intérêt mondial. Sur le marché des changes, l'offre nette résulte de l'investissement net à l'étranger et la demande nette résulte des exportations nettes, le taux de change réel assurant l'équilibre entre l'offre et la demande.

L'investissement net à l'étranger est donc la variable qui relie le marché des fonds prêtables et le marché des changes. Sur le marché des fonds prêtables, cet investissement net à l'étranger représente la différence entre l'épargne et l'investissement national, au taux d'intérêt mondial. Toute variation de l'investissement national, de l'épargne ou du taux d'intérêt mondial modifie automatiquement l'investissement net à l'étranger. Cette variation signifie que les Canadiens achètent ou vendent des actifs étrangers. Or nous savons que, afin d'acheter des actifs d'un autre pays, il faut offrir des dollars en échange de devises étrangères : tout changement de l'investissement net à l'étranger se répercute donc sur le marché des changes.

Nous avons déjà mis en lumière l'importance fondamentale du taux d'intérêt mondial pour comprendre l'investissement net à l'étranger. Lorsque le taux d'intérêt mondial excède le taux d'intérêt équilibrant la demande et l'offre de fonds prêtables au Canada — situation illustrée à la figure 13.1 (a) —, l'investissement net à l'étranger est positif et égal à la différence entre l'épargne nationale et la demande de fonds prêtables — voir la figure 13.2 (a). Lorsque le taux d'intérêt mondial est inférieur au taux d'intérêt équilibrant la demande et l'offre de fonds prêtables au Canada — comme sur la figure 13.1 (b) —, l'investissement net à l'étranger devient négatif et correspond encore une fois à la différence entre l'épargne et la demande de fonds prêtables — voir la figure 13.2 (b).

L'ÉQUILIBRE SIMULTANÉ SUR LES DEUX MARCHÉS

Regroupons toutes les composantes de ce modèle à la figure 13.3, pour voir comment les deux marchés déterminent simultanément les variables macroéconomiques d'une économie ouverte.

Le graphique (a) de la figure 13.3 représente le marché des fonds prêtables (tiré de la figure 13.1 (a)). Si l'épargne est égale à l'offre de fonds prêtables, l'investissement correspond quant à lui à la demande. Le taux d'intérêt mondial détermine la quantité de fonds prêtables demandée (100 milliards de dollars) et la quantité offerte par l'épargne (150 milliards de dollars). La différence de 50 milliards entre ces deux montants correspond à l'épargne prête à être investie en actifs étrangers. Dans ce cas, l'offre de fonds prêtables est excédentaire, le surplus sert à acheter des actifs étrangers et l'INE est positif.

Le graphique (b) de la figure 13.3 illustre le marché des changes (repris de la figure 13.2 (a)). L'épargne dépassant les besoins d'investissement, les Canadiens achètent des actifs étrangers. Ils doivent alors acquérir des devises étrangères en vendant des dollars canadiens sur le marché des changes. Pour cette raison, l'investissement net à l'étranger provenant du graphique 13.3 (a) correspond à l'offre nette de dollars prêts à être échangés contre des devises étrangères. Le taux de change réel n'influe pas sur l'investissement net à l'étranger : la courbe d'offre nette est donc verticale. La demande nette de dollars provient des exportations nettes. Toute diminution du taux de change réel fait augmenter les exportations nettes : la courbe de demande du marché des changes a donc une pente négative. Le taux de change réel (E_1) garantit l'équilibre de l'offre et de la demande nettes de dollars sur ce marché.

Les deux marchés de la figure 13.3 permettent de déterminer simultanément le taux de change réel, l'épargne, l'investissement et l'investissement net à l'étranger. Les trois dernières variables se retrouvent dans le graphique (a). L'épargne et l'investissement dépendent directement du taux d'intérêt mondial, et l'investissement net à l'étranger représente la différence entre les deux. Le taux de change réel se retrouve dans le graphique (b) et correspond au prix des biens et des services canadiens par rapport à celui des biens et des services produits à l'étranger. Nous reviendrons plus loin sur ce modèle, pour analyser comment ces variables sont modifiées lorsqu'un événement ou une décision politique fait bouger l'une des courbes.

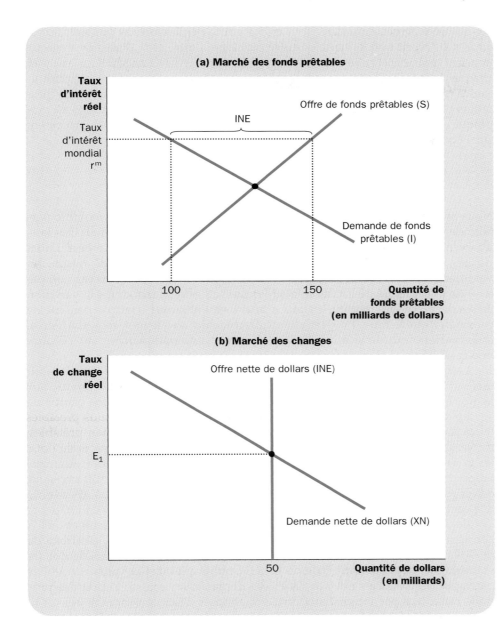

Figure 13.3

ÉQUILIBRE RÉEL DANS UNE PETITE ÉCONOMIE OUVERTE. Sur le graphique (a), le taux d'intérêt réel est égal au taux d'intérêt mondial. À ce taux, l'épargne (S) excède la demande de fonds prêtables (I). La différence (S – I) correspond à l'investissement net à l'étranger (INE). Sur le graphique (b), l'investissement net à l'étranger représente l'offre nette de dollars canadiens sur le marché des changes. La demande nette de dollars canadiens est égale aux exportations nettes du Canada. Le taux de change réel (E_1) équilibre l'offre et la demande de dollars sur le marché des changes.

MINITEST : Dans le modèle d'économie ouverte que nous venons d'élaborer, deux marchés sont responsables de la détermination d'un prix et de la valeur de quatre variables. De quels marchés s'agit-il ? Quelles sont les quatre variables en question et comment sont-elles déterminées par ces deux marchés ? Quel prix est ainsi fixé ?

LES CONSÉQUENCES DE CERTAINS ÉVÉNEMENTS ET DE CERTAINES POLITIQUES ÉCONOMIQUES EN ÉCONOMIE OUVERTE

Maintenant que nous avons élaboré un modèle macroéconomique pour une économie ouverte, nous sommes en mesure d'analyser les impacts de certains changements de politiques ou de certains événements qui peuvent modifier l'équilibre macroéconomique. Tout en faisant la démonstration qui suit, il faut garder à l'esprit que le modèle utilisé considère l'offre et la demande de deux marchés seulement : celui des fonds prêtables et celui des changes. Pour analyser chaque événement, nous reprenons les trois étapes proposées au chapitre 4 : tout d'abord, nous déterminons quelle courbe se déplace ; ensuite, nous indiquons dans quel sens s'effectue ce déplacement ; enfin, nous recourons au graphique d'offre et de demande pour étudier les conséquences de ce déplacement sur l'équilibre économique.

UNE AUGMENTATION DU TAUX D'INTÉRÊT MONDIAL

Nous avons déjà vu que, dans une petite économie ouverte avec mobilité parfaite de capitaux, le taux d'intérêt est égal au taux d'intérêt mondial. Dès lors, un événement extérieur ayant une répercussion sur le taux d'intérêt mondial risque d'avoir une incidence sur l'économie nationale. Pour cette raison, les variations des taux américains font la Une des quotidiens canadiens car, compte tenu de la primauté de l'économie américaine à l'échelle mondiale, la variation de ses taux d'intérêt modifie les taux d'intérêts mondiaux. En fait, on peut même considérer que le taux d'intérêt américain coïncide avec le taux mondial. Ainsi, toute variation du taux américain se répercute automatiquement sur l'économie canadienne.

La figure 13.4 illustre les conséquences d'une hausse du taux d'intérêt mondial sur une petite économie ouverte avec mobilité parfaite des capitaux. Sur le graphique (a), représentant le marché des fonds prêtables, aucune courbe ne se déplace. En fait, la hausse du taux d'intérêt mondial provoque un déplacement vers le haut le long des courbes d'offre et de demande. La quantité offerte de fonds prêtables augmente et la quantité de fonds prêtables demandée pour les investissements décroît. Ces deux variations se traduisent par une augmentation de l'excédent de l'épargne sur l'investissement au Canada. Cet excédent correspond à l'investissement net à l'étranger, et mesure la quantité d'épargne disponible pour l'achat net d'actifs à l'étranger.

Le graphique (b) montre que l'accroissement de l'investissement net à l'étranger se traduit par un déplacement vers la droite de la courbe d'offre nette de dollars sur le marché des changes, soit de INE_1 à INE_2. Cet afflux de dollars entraîne une dépréciation réelle de E_1 à E_2, réduisant ainsi la valeur du dollar par rapport aux autres devises. Une telle dépréciation abaisse le prix des produits canadiens par rapport aux produits étrangers. Les consommateurs sur le marché national et international se tournent alors vers les produits fabriqués au Canada, relançant les exportations et réduisant les importations. Cela accroît les exportations nettes. Par conséquent, *dans une petite économie ouverte avec mobilité parfaite des capitaux, une augmentation du taux d'intérêt mondial augmente l'épargne, réduit l'investissement, déprécie le dollar et augmente les exportations nettes.*

Notre analyse justifie l'attention que les Canadiens portent à l'évolution des taux d'intérêt mondiaux et le fait que leurs variations préoccupent les exportateurs, les importateurs, les consommateurs et les entreprises. Une augmentation des taux d'intérêt mondiaux cause une dépréciation réelle du dollar et avantage les exportateurs, car le prix des marchandises canadiennes est plus faible sur les marchés extérieurs. Par contre, la dépréciation de la monnaie ne fait guère l'affaire des importateurs, puisque cela renchérit le prix des marchandises provenant de l'étranger. Les consommateurs canadiens, touchés par la hausse des prix des biens importés, sont également défavorisés. Enfin, les compagnies doivent payer des taux d'intérêt plus élevés sur les emprunts destinés au financement de leurs projets.

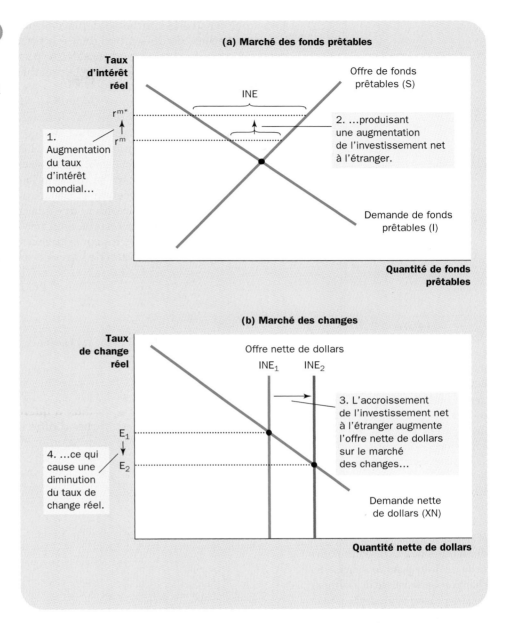

Figure 13.4

CONSÉQUENCES D'UNE HAUSSE DU TAUX D'INTÉRÊT MONDIAL. Lorsque le taux d'intérêt mondial augmente, il accroît la quantité offerte de fonds prêtables provenant de l'épargne des Canadiens, tout en réduisant la quantité de fonds prêtables demandée pour l'investissement. Ces deux effets font augmenter l'investissement net à l'étranger. Il s'ensuit une augmentation de l'offre nette de dollars sur le marché des changes qui déprécie la devise canadienne, ce qui fait augmenter les exportations.

LES DÉFICITS ET LES EXCÉDENTS BUDGÉTAIRES

Nous avons déjà examiné, au chapitre 8, les retombées d'un déficit budgétaire sur l'offre et la demande de fonds prêtables dans une économie fermée. Un déficit budgétaire équivaut à une épargne publique *négative* et réduit l'épargne (S), qui est la somme de l'épargne publique (S_G) et de l'épargne privée (S_P). Par conséquent, l'offre de fonds prêtables diminue, ce qui fait augmenter le taux d'intérêt et diminuer l'investissement.

Examinons maintenant les conséquences d'un déficit budgétaire dans une économie ouverte. Tout d'abord, quelle courbe se déplace dans notre modèle ? Tout comme dans une économie fermée, la conséquence immédiate se fait sentir sur l'épargne nationale et donc sur la courbe d'offre de fonds prêtables. Ensuite, dans quel sens cette courbe se déplace-t-elle? Comme c'était le cas dans une économie fermée, le déficit budgétaire représente une épargne publique *négative*, qui réduit l'épargne nationale et provoque un déplacement vers la gauche de la courbe d'offre de fonds prêtables. On voit ce déplacement sur le graphique (a) de la figure 13.5.

La dernière étape de notre analyse est la comparaison entre l'ancien et le nouvel équilibre, sur le graphique (a) de la figure 13.5. Celui-ci montre la conséquence de l'augmentation du déficit budgétaire sur le marché canadien des fonds prêtables. Au taux d'intérêt mondial, l'épargne nationale est moins élevée qu'elle ne l'était auparavant. Ainsi, on passe de A à B, et l'excédent de l'épargne par rapport à l'investissement se réduit à la distance entre B et C, quand elle était initialement représentée par la distance entre A et C. L'augmentation du déficit public réduit donc l'excédent de l'épargne par rapport à l'investissement, provoquant la baisse de l'investissement net à l'étranger.

Le graphique (b) illustre les conséquences du déficit budgétaire sur le marché des changes. La diminution de l'investissement net à l'étranger réduit l'offre

---

Figure 13.5

CONSÉQUENCES D'UNE AUGMENTATION DU DÉFICIT BUDGÉTAIRE. L'accroissement du déficit budgétaire réduit l'offre de fonds prêtables provenant de l'épargne nationale. En conséquence, la courbe d'offre se déplace vers la gauche, comme le montre le graphique (a). L'investissement net à l'étranger baisse, passant de la distance entre A et C à la distance entre B et C. Sur le graphique (b), la diminution de l'INE réduit l'offre nette de dollars sur le marché des changes. Cette baisse de l'offre de dollars provoque un déplacement vers la gauche de la courbe d'offre, de INE$_1$ à INE$_2$, de même qu'une augmentation du taux de change de E$_1$ à E$_2$. Cette appréciation provoque une diminution des exportations nettes.

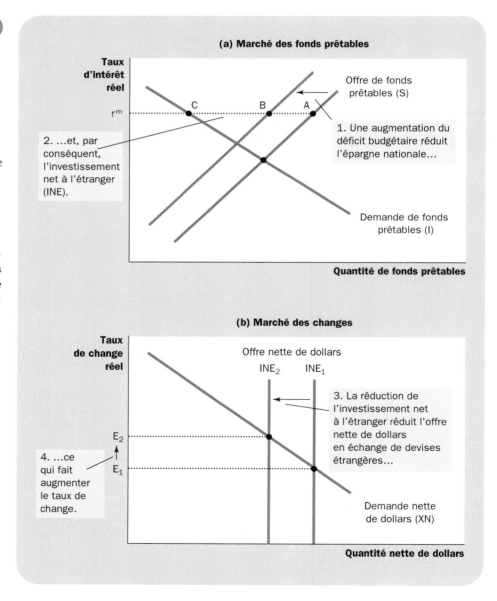

nette de dollars sur le marché des changes. Cette réduction se traduit par un déplacement de la courbe d'offre de $(S - I)_1$ à $(S - I)_2$. Une telle diminution cause une appréciation de la monnaie canadienne, qui passe de E_1 à E_2. La valeur relative du dollar canadien augmente donc par rapport aux autres devises. Cela renchérit le prix des produits canadiens par rapport à celui des produits étrangers. Les consommateurs du marché canadien et international se détournent alors des produits canadiens, réduisant ainsi les exportations et augmentant les importations. Pour ces raisons, *dans une petite économie ouverte avec mobilité parfaite des capitaux, une augmentation du déficit budgétaire se solde par une appréciation du dollar et une chute des exportations nettes.*

Cette analyse démontre que les décisions passées des gouvernements, qui ont laissé les déficits budgétaires s'aggraver, ont provoqué une augmentation du taux de change réel et une baisse des exportations nettes. Depuis la fin des années 90, plusieurs gouvernements provinciaux au Canada s'efforcent d'éliminer les déficits et même de réaliser des excédents budgétaires. On peut comprendre les implications de telles politiques simplement en inversant les tendances illustrées à la figure 13.5. Une réduction des déficits budgétaires augmente l'épargne. Au taux d'intérêt mondial, une augmentation de l'excédent de l'épargne par rapport à l'investissement cause une augmentation de l'investissement net à l'étranger. Cela accroît l'offre nette de dollars sur le marché des changes, provoquant une baisse du taux de change réel. Une telle dépréciation du dollar réduit le prix relatif des produits canadiens, attirant ainsi les consommateurs canadiens et étrangers, stimulant les exportations et réduisant les importations. Pour ces raisons, *dans une petite économie ouverte avec mobilité parfaite des capitaux, une élimination des déficits budgétaires produit une dépréciation du dollar et augmente les exportations nettes.*

Compte tenu d'une telle dynamique, l'intérêt marqué des Canadiens pour un équilibre budgétaire ne surprend guère. La modification des politiques gouvernementales entre 1975 et 1997, passant d'une série de déficits record à des surplus considérables, a fait diminuer fortement la valeur du dollar canadien. De telles décisions ont profité aux exportateurs, tout en touchant durement les importateurs et les consommateurs de produits étrangers.

LA POLITIQUE COMMERCIALE

À l'aide de sa **politique commerciale**, le gouvernement tente d'influer directement sur les importations et les exportations de biens et de services. Il existe plusieurs types de mesures commerciales. L'une des plus courantes consiste à imposer des **tarifs douaniers**, c'est-à-dire une taxe sur les biens importés. Une autre consiste à adopter des quotas d'importation, pour limiter l'entrée des produits étrangers. Beaucoup de pays adoptent de telles mesures commerciales, bien souvent sans leur donner ce nom. Par exemple, les gouvernements canadien et américain ont déjà exercé des pressions sur les constructeurs d'automobiles japonais, pour qu'ils vendent moins de leurs véhicules en Amérique du Nord. Ces restrictions «volontaires» des exportations — qui ne sont pas vraiment volontaires — constituent en réalité des quotas d'importation.

Revenons maintenant sur les conséquences macroéconomiques de la politique commerciale. Imaginez que l'industrie automobile nord-américaine, vivement préoccupée par la concurrence japonaise, arrive à convaincre le gouvernement canadien d'imposer des quotas d'importation sur les véhicules en provenance du Japon. Pour faire valoir son point de vue, le lobby automobile justifie une telle mesure restrictive par la réduction d'un déficit commercial. Cette justification est-elle valable? La réponse, à partir de notre modèle, se trouve à la figure 13.6.

Politique commerciale/ politique de commerce extérieur
Ensemble des mesures gouvernementales influençant directement la quantité de biens et de services importés ou exportés par un pays.

Tarif douanier
Taxe qu'un gouvernement impose sur les biens importés, c'est-à-dire sur les produits fabriqués à l'étranger et vendus dans le pays.

Figure 13.6

CONSÉQUENCES D'UN QUOTA D'IMPORTATION. Lorsque le gouvernement canadien impose un quota sur les importations d'automobiles japonaises, cela n'entraîne aucune conséquence sur le marché des fonds prêtables du graphique (a), ni sur l'offre nette de dollars du marché des changes du graphique (b). L'unique incidence est l'augmentation des exportations nettes (la différence entre les exportations et les importations), pour tout niveau du taux de change. Cela provoque une hausse de la demande nette de dollars sur le marché des changes, comme le montre le déplacement de la courbe de demande au graphique (b). Cette augmentation provoque une appréciation du dollar, qui passe de E_1 à E_2. Une telle appréciation réduit les exportations nettes, ce qui neutralise complètement l'effet initial du quota d'importation sur la balance commerciale.

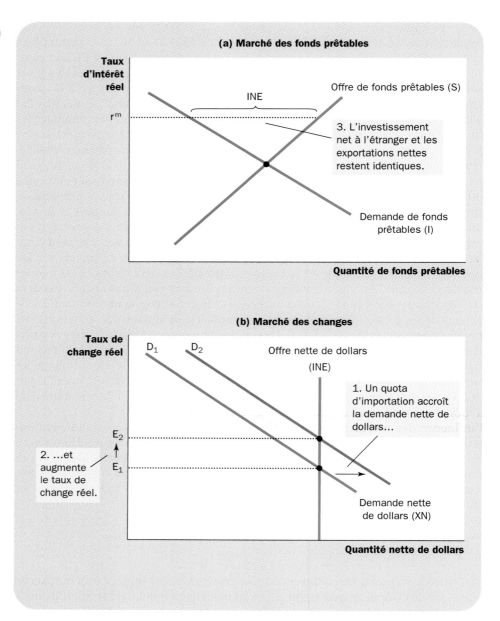

Afin d'analyser cette politique commerciale, il faut d'abord établir quelle courbe se déplacera. Le premier impact d'une telle mesure se fait évidemment sentir sur les importations. Les exportations nettes, c'est-à-dire la différence entre les exportations et les importations, sont donc également touchées. Et comme les exportations nettes déterminent la demande nette de dollars sur le marché des changes, l'imposition des quotas d'importation influe également sur la courbe de demande de ce marché.

La seconde étape de l'analyse consiste à voir dans quel sens la courbe de demande se déplace à la suite de l'adoption de cette mesure commerciale. Naturellement, les importations de véhicules japonais vendus au Canada connaissent une baisse, et ce, pour tout niveau du taux de change réel. Les exportations nettes, soit la différence entre les exportations et les importations, sont poussées à la hausse. Cette augmentation se traduit par une hausse de la demande nette de dollars sur le marché des changes. Un tel mouvement est illustré sur le graphique (b) de la figure 13.6 : la courbe de demande se déplace vers la droite.

La troisième et dernière étape de l'analyse consiste à comparer le nouvel équilibre avec l'ancien. Le graphique (b) montre que l'augmentation de la demande nette de dollars provoque une appréciation de la devise canadienne, de E_1 à E_2. En l'absence de variations sur le marché des fonds prêtables du graphique (a), on n'enregistre aucun changement en ce qui concerne l'investissement net à l'étranger. Comme ce dernier demeure constant, les exportations nettes ne peuvent pas changer, même si le quota fait en sorte de réduire les importations.

Cette stabilité des exportations nettes en présence d'une baisse initiale des importations s'explique par la hausse du taux de change réel. L'appréciation du dollar sur le marché des changes renchérit les produits canadiens par rapport aux produits étrangers, déprimant ainsi les exportations. Au bout du compte, un quota réduit à la fois les importations (effet initial) et les exportations (effet lié à l'appréciation du dollar), mais les exportations nettes restent identiques.

Nous devons tirer de cette analyse une conclusion surprenante : *les politiques commerciales sont sans effet sur la balance commerciale.* Autrement dit, une intervention qui joue directement sur les exportations ou sur les importations ne modifie en rien les exportations nettes. Une telle constatation s'explique en faisant de nouveau appel à l'identité fondamentale :

$$XN = INE = S - I$$

Les exportations nettes (XN) sont égales à l'investissement net à l'étranger (INE), et donc à la différence entre l'épargne et l'investissement (S-I). L'absence d'influence des mesures commerciales sur la balance commerciale est due au fait que de telles interventions ne modifient ni l'épargne (S), ni l'investissement (I). En fonction d'un niveau donné d'épargne et d'investissement, le taux de change réel varie pour maintenir la valeur de la balance commerciale, sans que la politique commerciale ait un quelconque effet.

Même si ces mesures n'ont aucune incidence sur la balance commerciale nationale, elles ont un impact réel sur certains secteurs industriels ou certaines entreprises. L'imposition d'un quota d'importation sur les véhicules de fabrication japonaise limite la concurrence pour General Motors, qui vend alors ses voitures plus facilement. De même, la montée du dollar complique la tâche pour Bombardier, le constructeur aéronautique canadien, par rapport à son compétiteur brésilien Embraer. Les exportations d'aéronefs chutent, alors que leurs importations augmentent. Dans ce cas précis, le quota imposé aux constructeurs japonais d'automobiles aboutit à une baisse des exportations nettes d'avions par le Canada. Cependant, même si les exportations nettes du Canada avec le Japon augmentent et que les exportations nettes du Canada avec le Brésil diminuent, la balance commerciale canadienne ne change pas.

Les conséquences des mesures commerciales se font donc sentir à l'échelle microéconomique plutôt qu'à l'échelle macroéconomique. Bien que les partisans de ce type d'interventions affirment parfois (à tort) que ces mesures ont une influence sur la balance commerciale, leurs motivations reposent sans doute davantage sur leur favoritisme pour une industrie ou un secteur particuliers. On ne se surprendra pas d'entendre un directeur de General Motors faire l'apologie des quotas d'importation sur les véhicules japonais. En revanche, les économistes sont pratiquement toujours opposés à ce type de mesures. Les restrictions commerciales, limitant les bénéfices tirés du commerce international, réduisent du même coup le bien-être économique du pays.

Lire l'article
page 445

L'INSTABILITÉ POLITIQUE ET LA FUITE DE CAPITAUX

Fuite de capitaux
Réduction soudaine et importante de la demande d'actifs dans un pays donné.

Le climat d'instabilité politique qui régnait au Mexique en 1994, conséquence de l'assassinat d'un dirigeant politique connu, provoqua la nervosité des marchés financiers. Les investisseurs s'alarmèrent devant le contexte politique mexicain et décidèrent de retirer leurs capitaux du pays pour les investir aux États-Unis et dans d'autres «lieux sûrs». Ce mouvement de retrait soudain et massif de fonds s'appelle **fuite de capitaux.** Pour en étudier les conséquences sur l'économie mexicaine, nous reprendrons notre analyse en trois étapes, en appliquant notre modèle d'économie ouverte du point de vue du Mexique plutôt que de celui du Canada.

Le graphique (a) de la figure 13.7 illustre le marché mexicain des fonds prêtables avant la fuite des capitaux. Au taux d'intérêt mondial, r^m, l'offre de fonds prêtables provenant de l'épargne mexicaine excède la demande de fonds prêtables. Cette épargne excédentaire est investie dans l'achat d'actifs étrangers –

Figure 13.7

CONSÉQUENCES D'UNE FUITE DES CAPITAUX. Considérant le Mexique comme un pays peu sûr pour l'investissement, les épargnants mexicains et internationaux exigent une prime de risque pour continuer à y placer des fonds. Leur réaction s'observe sur le graphique (a) par un déplacement vers le haut de la courbe d'offre de fonds prêtables. Les emprunteurs doivent désormais verser un taux d'intérêt de $r^m + \theta$, qui est supérieur à celui d'avant la crise, et la quantité demandée de fonds prêtables pour l'investissement diminue. La hausse du taux d'intérêt mexicain et le déplacement de la courbe d'offre créent une augmentation de l'investissement net à l'étranger. Le montant de cette augmentation passe de la distance entre A et B à la distance entre X et Y. Cela signifie une augmentation de l'offre nette de pesos mexicains sur le marché des changes. Ce phénomène, illustré sur le graphique (b) par le déplacement de la courbe de l'offre de INE_1 à INE_2, cause une baisse de la valeur du peso, dont la valeur passe de E_1 à E_2, soit une dépréciation par rapport aux autres devises.

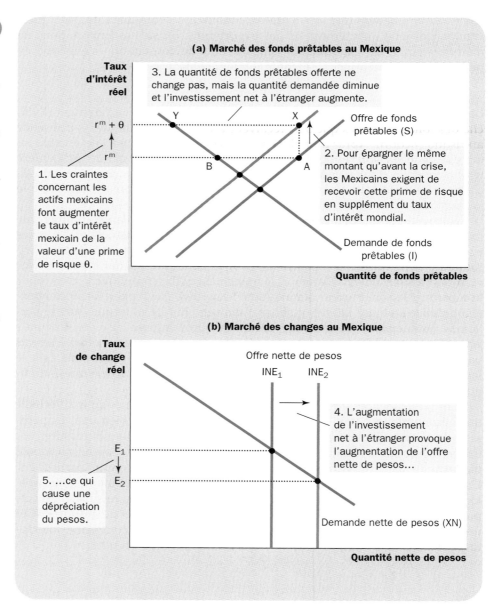

en d'autres termes, l'investissement mexicain net à l'étranger est positif. On le voit sur le graphique (a), où l'INE correspond à la distance entre A et B. Ce niveau d'investissement net à l'étranger détermine l'offre nette de pesos mexicains sur le marché des changes, représentée sur le graphique (b) par la courbe INE_1. Le point d'équilibre entre l'offre et la demande nettes de pesos correspond au taux de change réel, E_1.

Déterminons maintenant quelle courbe se déplace, – celle d'offre ou celle de demande –, et dans quel sens se fait le déplacement, lorsque les marchés financiers mondiaux perdent soudainement confiance dans l'économie mexicaine. Comme nous l'avons déjà vu, si les prêteurs mettent en doute la capacité de remboursement des emprunteurs, ils exigent alors un taux d'intérêt supérieur, pour compenser le risque plus important. Si les marchés financiers s'interrogent sur la solvabilité du Mexique, les prêteurs exigeront un taux d'intérêt supérieur à celui qu'ils demandent aux autres pays. Dans une petite économie ouverte comme celle du Mexique, cela implique un taux d'intérêt supérieur au taux mondial.

Soit θ, le montant supplémentaire demandé aux emprunteurs mexicains par les prêteurs, autrement dit la *prime de risque* que les emprunteurs doivent accepter de payer. Les emprunteurs doivent maintenant payer le taux d'intérêt mondial, r^m, plus la prime de risque θ. Pour épargner le même montant de fonds prêtables qu'avant cette crise de confiance, les épargnants mexicains exigent aussi un taux d'intérêt égal à $r^m + θ$). On peut voir sur le graphique (a) le déplacement vers le haut de la courbe d'offre de fonds prêtables provenant de l'épargne mexicaine. Ce déplacement est égal au montant de la prime de risque, ce qui indique que les Mexicains ne maintiendront la quantité offerte sur le marché des fonds prêtables que s'ils reçoivent une compensation proportionnelle au risque encouru. Après tout, ils sont libres de placer leur épargne au Canada ou au Japon ou sur tout autre marché des fonds prêtables. En payant cette prime de risque, les emprunteurs mexicains freinent la vente des actifs mexicains et, en percevant cette prime, les épargnants mexicains épargnent autant qu'avant la fuite des capitaux, ce qui permet dès lors d'endiguer ce mouvement.

Cependant, comme nous le constatons sur le graphique (a), l'ajout d'une prime de risque décourage l'investissement national et augmente l'investissement net à l'étranger, à mesure que la fuite des capitaux s'enraye. Sur le graphique (a), l'INE mexicain correspond à la distance entre X et Y. Sur le graphique (b), cette augmentation provoque une hausse de l'offre nette de pesos sur le marché des changes, puisqu'elle passe de INE_1 à INE_2. La vente accélérée des actifs mexicains provoque un échange massif de pesos contre des devises étrangères. Une telle augmentation de l'offre nette de pesos se traduit par une dépréciation de cette monnaie, dont la valeur passe de E_1 à E_2. Nous pouvons donc tirer la conclusion suivante : *la fuite des capitaux aboutit à une hausse des taux d'intérêt mexicains et à une dépréciation du peso sur le marché des changes.* De novembre 1994 à mars 1995, le taux d'intérêt sur les obligations à court terme de l'État mexicain a bondi de 14 % à 70 %, et la valeur du peso par rapport au dollar canadien est tombée de 40 à 21 cents.

Aucun pays n'est à l'abri d'un tel phénomène, qui survient de temps à autre. En 1997, les investisseurs internationaux se sont rendu compte que le système bancaire de plusieurs pays asiatiques, dont la Thaïlande, la Corée du Sud et l'Indonésie, frôlait la banqueroute. Cette nouvelle a déclenché une fuite de capitaux en règle. En 1998, le gouvernement russe était en situation de défaut de paiement sur ses dettes, incitant ainsi les investisseurs internationaux à récupérer ce qu'ils pouvaient de leurs capitaux avant de fuir et de les placer ailleurs. Dans chacun de ces cas, la suite des événements correspond aux prédictions de notre modèle : hausse des taux d'intérêt et dépréciation de la monnaie.

Les événements survenus au Mexique, en Asie du Sud-Est ou en Russie pourraient-ils se produire au Canada ? Considéré traditionnellement comme un pays sûr pour les placements, le Canada a néanmoins déjà connu certaines fuites limitées de capitaux. Les référendums politiques passés et éventuels concernant une séparation du Québec d'avec le reste du Canada contribuent sans doute à maintenir le taux d'intérêt à un niveau supérieur à celui qu'on observerait autrement. Cette question inquiète les investisseurs internationaux, qui se demandent si l'existence du Canada en tant que pays est susceptible d'être remise en question. Cela oblige les emprunteurs canadiens à payer une prime de risque aux prêteurs. Outre cette majoration des taux d'intérêt, l'incertitude concernant l'avenir politique du pays réduit l'investissement et la valeur du dollar, comme le prédit notre modèle.

L'économie des États-Unis, malgré sa prééminence mondiale, n'est pas non plus à l'abri d'une fuite de capitaux. Le 22 septembre 1995, le *New York Times* rapportait la menace de Newt Gingrich, membre influent du Congrès, de mettre le gouvernement en faillite pour la première fois de son histoire si l'administration Clinton refusait le budget proposé par les Républicains. Le peu de crédibilité de cette menace n'a cependant pas empêché, toutes proportions gardées, une réaction comparable à celle survenue au Mexique en 1994. En une seule journée, le taux d'intérêt des obligations d'État à 30 ans a grimpé de 6,46 % à 6,55 %, et le taux de change est passé de 102,7 à 99 yens par dollar. Une fuite des capitaux peut donc survenir même dans une économie stable comme celle des États-Unis.

MINITEST : Imaginez que les Canadiens décident d'économiser une plus grande partie de leurs revenus. Quelles seraient les conséquences de cette décision sur l'épargne, l'investissement, l'investissement net à l'étranger, le taux de change réel et la balance commerciale ?

CONCLUSION

L'importance de l'économie internationale pour l'économie nationale est croissante. Les Canadiens consomment de plus en plus de biens et de services étrangers et produisent de plus en plus pour l'exportation. Les fonds communs de placement et les institutions financières leur permettent d'emprunter ou de prêter sur les marchés financiers internationaux. Une analyse approfondie de l'économie canadienne exige donc une compréhension des échanges internationaux. Le modèle présenté dans ce chapitre nous permet de comprendre le fonctionnement d'une petite économie ouverte avec mobilité parfaite des capitaux.

Il convient de remarquer que ce modèle reste une construction théorique. Il repose sur un certain nombre d'hypothèses et de simplifications, et les résultats obtenus doivent être modifiés lorsque ces hypothèses et ces simplifications ne sont pas valables. Cela n'a rien d'étonnant en soi (souvenez-vous de la méthode scientifique et du rôle des modèles présentés au chapitre 2). En outre, notre modèle n'inclut pas certaines variables qui peuvent par ailleurs s'avérer importantes. Dans cette optique, les modèles plus complexes que vous étudierez plus tard en macroéconomie intégreront, par exemple, les attentes des gens face à l'avenir et les effets à long terme des flux de capitaux. Des modèles plus complexes permettent aussi de laisser tomber l'hypothèse de la mobilité parfaite des capitaux. Cela étant dit, il n'en reste pas moins que le modèle de base présenté ici constitue une représentation utile d'une petite économie ouverte.

Sans mettre en doute l'utilité d'étudier l'économie internationale, il ne faut pas non plus en exagérer l'importance. Les décideurs et les commentateurs ont la manie de blâmer les étrangers pour tous les maux de l'économie canadienne. Pour leur part, les économistes ont plutôt tendance à penser que la majorité des problèmes sont d'origine interne. Ainsi, les politiciens considèrent souvent la concurrence internationale comme une menace pour le niveau de vie de leurs concitoyens. Les économistes déplorent plutôt la faiblesse de l'épargne, qui réduit l'accumulation du capital, la croissance de la productivité et celle du niveau de vie, et ce, que l'économie soit ouverte ou fermée. Cible facile pour les politiciens, les étrangers ont le mérite de leur éviter de prendre leurs responsabilités sans choquer leurs électeurs. Dans tout débat public sur le commerce et les marchés financiers internationaux, il faut bien distinguer le mythe de la réalité. Les outils mis à votre disposition dans ces deux derniers chapitres vous y aideront.

Résumé

◆ La majorité des économistes préfèrent considérer le Canada comme une petite économie ouverte avec mobilité parfaite des capitaux, ce qui veut dire que les emprunteurs paient et que les prêteurs reçoivent le taux d'intérêt mondial. Deux marchés se retrouvent au centre de l'analyse macroéconomique d'une économie ouverte : celui des fonds prêtables et celui des changes. Sur le premier, le taux d'intérêt mondial détermine la quantité offerte de fonds prêtables (issue de l'épargne) et la quantité demandée de fonds prêtables (destinée à l'investissement). La différence entre la quantité offerte et la quantité demandée de fonds prêtables au taux d'intérêt mondial correspond à l'investissement net à l'étranger. Sur le marché des changes, le taux de change réel assure l'équilibre entre l'offre nette de dollars (issue de l'investissement net à l'étranger) et la demande nette de dollars (correspondant aux exportations nettes). La coordination entre ces deux marchés s'effectue par l'intermédiaire d'une variable commune, soit l'investissement net à l'étranger, déterminée dans le marché des fonds prêtables, mais également source de l'offre nette de dollars sur le marché des changes.

◆ Un accroissement du déficit budgétaire réduit l'offre de fonds prêtables provenant de l'épargne. Cela réduit l'investissement net à l'étranger et l'offre nette de dollars sur le marché des changes. Cette baisse de l'offre de

dollars provoque une augmentation du taux de change réel, faisant chuter les exportations nettes. Une réduction du déficit budgétaire ou un excédent budgétaire augmentent l'offre de fonds prêtables et l'investissement net à l'étranger. Cela provoque une hausse de l'offre nette de dollars sur le marché des changes, une dépréciation du dollar et une relance des exportations.

◆ L'adoption de mesures commerciales protectionnistes, comme les tarifs douaniers ou les quotas d'importation, est parfois justifiée par l'amélioration potentielle de la balance commerciale, mais ces mesures atteignent rarement leur objectif. Les restrictions aux importations accroissent les exportations nettes pour tout niveau du taux de change et, par conséquent, accroissent également la demande nette de dollars sur le marché des changes. Il en résulte une appréciation de la monnaie, qui renchérit les produits nationaux par rapport aux marchandises importées. Cette remontée du dollar annule entièrement l'impact initial de la politique commerciale sur les exportations nettes.

◆ Un changement d'attitude des investisseurs relativement à leur détention d'actifs d'un pays donné risque de bouleverser l'économie de ce pays. L'instabilité politique tend à provoquer une fuite de capitaux, faisant grimper le taux d'intérêt et dépréciant la devise locale.

Concepts clés

Fuite de capitaux, p. 288

Politique commerciale/politique de commerce extérieur, p. 285, 287

Tarif douanier, p. 285

Questions de révision

1. Qu'est-ce que l'offre et la demande sur le marché des fonds prêtables et sur le marché des changes ? Quel lien existe-t-il entre ces deux marchés ?

2. Quelles seraient les conséquences d'une baisse du taux d'intérêt américain sur l'investissement, l'épargne, l'investissement net à l'étranger et le taux de change réel au Canada ?

3. Imaginons qu'un syndicat des travailleurs du textile convainque les consommateurs de n'acheter que des vêtements fabriqués au Canada. Quel serait l'impact du comportement des consommateurs sur la balance commerciale et le taux de change réel ? Sur l'industrie textile ? Sur l'industrie automobile ?

4. Qu'est-ce que la fuite des capitaux ? Quels sont ses impacts sur le taux d'intérêt et sur le taux de change ?

Sixième partie

EN
FAILLITE

LES FLUCTUATIONS
ÉCONOMIQUES
DE COURT TERME

14

À LA FIN
DE CE CHAPITRE,
VOUS SEREZ
EN MESURE...

de décrire trois
des principales
caractéristiques des
fluctuations économiques
de court terme

d'expliquer la différence
entre l'économie à court
terme et l'économie
à long terme

d'utiliser le modèle
d'offre et de demande
agrégées pour expliquer
les fluctuations
économiques

d'établir la relation
entre les phases
d'expansion et
de récession,
d'une part, et
les variations
de l'offre et de la
demande agrégées,
d'autre part.

L'OFFRE ET LA DEMANDE AGRÉGÉES

L'activité économique fluctue d'une année à l'autre. La plupart du temps, la production de biens et de services augmente, stimulée à la fois par un accroissement de la population active, du stock de capital et du capital humain et par le progrès technologique. Cette croissance économique améliore le niveau de vie. Au cours du dernier siècle, la production canadienne, mesurée selon le PIB, a progressé en moyenne de 4 % par année.

Cependant, cette croissance connaît parfois quelques ratés. Lorsque cela se produit, les entreprises se trouvent incapables d'écouler leurs biens et leurs services ; elles réduisent alors la production et mettent à pied une partie de leur personnel. Le taux de chômage augmente et les usines tournent au ralenti. Ce phénomène fait chuter la croissance du PIB et les autres variables qui servent de mesures du revenu. Une telle baisse des revenus, associée à une montée du chômage, est appelée **récession** si elle est relativement modérée, ou **dépression** si elle est grave.

Récession
Période pendant laquelle le PIB réel décline et le taux de chômage augmente.

Dépression
Récession particulièrement grave.

Comment peut-on expliquer ces fluctuations à court terme de la production ? Certaines politiques macroéconomiques permettent-elles de prévenir la chute des revenus et l'augmentation du chômage ? En cas de **récession** ou de **dépression,** les dirigeants peuvent-ils en réduire la durée et la gravité ? De quelle manière ? Telles sont les questions abordées dans le présent chapitre et les deux suivants.

Pour y répondre, nous étudierons dans ce chapitre des variables déjà connues : le PIB, les taux de chômage, d'intérêt et de change, ainsi que le niveau des prix. Nous reviendrons également sur les outils économiques du gouvernement : dépenses publiques, impôts et offre de monnaie. Notre analyse changera cependant d'horizon temporel. Dans les sept chapitres précédents, nous avons mis l'accent sur le comportement de l'économie à long terme ; nous étudierons maintenant les fluctuations à court terme autour de la tendance à long terme de l'économie.

Bien que l'analyse de ces fluctuations ne fasse pas consensus, la plupart des économistes se rallient à un modèle d'*offre* et de *demande agrégées.* Nous apprendrons donc d'abord à utiliser ce modèle pour analyser les effets à court terme de chocs ou de politiques macroéconomiques. Le présent chapitre introduit les deux composantes principales de ce modèle : la demande agrégée et l'offre agrégée. Après avoir étudié la structure globale du modèle, nous en ferons un examen plus détaillé dans les deux prochains chapitres.

TROIS DES PRINCIPALES CARACTÉRISTIQUES DES FLUCTUATIONS MACROÉCONOMIQUES

Les fluctuations économiques à court terme surviennent dans tous les pays et à toutes les époques. En guise d'introduction, nous examinerons certaines de leurs propriétés fondamentales.

CARACTÉRISTIQUE N° 1 : LES FLUCTUATIONS SONT IRRÉGULIÈRES ET IMPRÉVISIBLES

On qualifie fréquemment les fluctuations macroéconomiques de *cycle économique,* parce qu'elles correspondent à des variations conjoncturelles de l'activité économique. Une croissance rapide du PIB caractérise une période d'activité intense, durant laquelle les entreprises ne manquent pas de clients et les bénéfices sont croissants. À l'inverse, un recul du PIB correspond à une période difficile pour les entreprises : lors de ces récessions, la majorité d'entre elles enregistrent un déclin des ventes et des bénéfices.

Le terme *cycle économique* porte néanmoins à confusion, car il laisse entendre que les fluctuations ont un rythme régulier et prévisible. Or, il n'en est rien. En fait, l'irrégularité des fluctuations économiques rend difficile les prévisions macroéconomiques, comme on le constate sur le graphique (a) de la figure 14.1, qui illustre l'évolution du PIB réel au Canada depuis 1966. Les zones ombrées correspondent aux périodes de récession qui surviennent à intervalles irréguliers. Il leur arrive ainsi de se suivre de près, comme dans le cas des récessions de 1980 et 1982, mais on retrouve aussi de longues périodes sans récession.

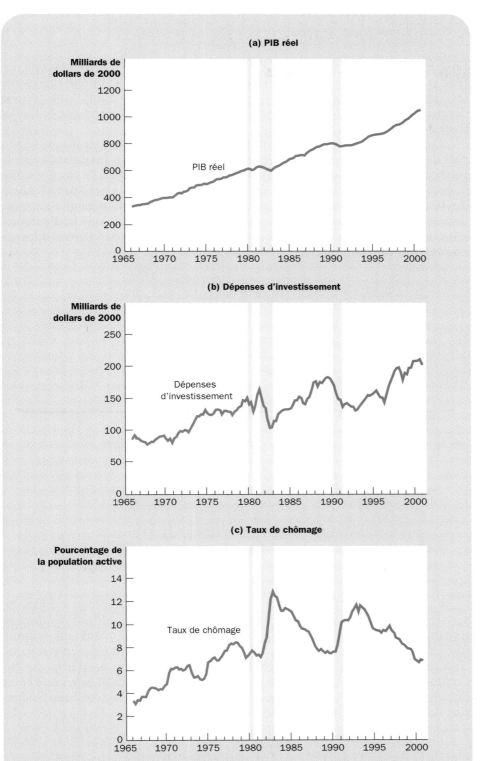

(a) PIB réel

Milliards de dollars de 2000

PIB réel

(b) Dépenses d'investissement

Milliards de dollars de 2000

Dépenses d'investissement

(c) Taux de chômage

Pourcentage de la population active

Taux de chômage

Figure 14.1

LES FLUCTUATIONS ÉCONOMIQUES DE COURT TERME. Ces trois graphiques montrent des données trimestrielles au Canada depuis 1966 : en (a), le PIB réel, en (b), les dépenses d'investissement et en (c), le taux de chômage de l'économie canadienne. Selon la définition souvent retenue, une récession survient lorsqu'on observe au moins deux trimestres successifs de contraction du PIB réel ; une récession est indiquée par les zones ombrées. On remarquera qu'au cours de ces récessions, le PIB réel et les dépenses d'investissement diminuent, tandis que le taux de chômage augmente.

SOURCE : Statistique Canada, banque de données CANSIM, séries D16339, D15612, D15247 et D980745.

CARACTÉRISTIQUE Nº 2: LA PLUPART DES VARIABLES MACROÉCONOMIQUES FLUCTUENT EN PARALLÈLE

Mesure globale de l'activité économique, le PIB réel est la variable la plus utilisée pour suivre les fluctuations économiques à court terme. Le PIB représente la valeur de tous les biens et de tous les services produits durant une période donnée. Il mesure également le revenu total (ajusté pour tenir compte de l'inflation) de la population.

Cependant, le choix de l'indicateur économique importe peu puisque la plupart des variables macroéconomiques mesurant les revenus, les dépenses ou la production évoluent de façon parallèle. Lors d'une récession, la chute du PIB s'accompagne généralement d'une baisse des revenus personnels, des bénéfices des entreprises, des dépenses de consommation et d'investissement, de la production industrielle, des ventes au détail, des ventes de maisons et d'automobiles, etc. En somme, les conséquences des récessions sont visibles dans de nombreuses données macroéconomiques.

«Je vous mets à la porte. Faites passer le message.»

La fluctuation parallèle des principales variables macroéconomiques ne signifie toutefois pas que leurs variations sont de même amplitude. Comme le montre le graphique (b) de la figure 14.1, les dépenses d'investissement fluctuent durant le cycle économique. Bien que l'investissement ne représente que 20 % du PIB, sa diminution a compté pour au moins 80 % du déclin du PIB durant les deux dernières récessions au Canada. Autrement dit, la récession est due en grande partie à la réduction des dépenses d'investissement dans l'industrie, dans la construction résidentielle ou dans les stocks.

CARACTÉRISTIQUE Nº 3: LORSQUE LA PRODUCTION DIMINUE, LE CHÔMAGE AUGMENTE

Une forte corrélation existe entre les fluctuations de la main-d'œuvre et celles de la production: quand le PIB réel diminue, le taux de chômage augmente. Cela n'a rien de très surprenant, puisque les entreprises, produisant moins, licencient du personnel et contribuent ainsi à faire gonfler le taux de chômage.

Le graphique (c) de la figure 14.1 montre le taux de chômage de l'économie canadienne depuis 1966. Les récessions, représentées par les zones ombrées, influent notablement sur ce taux. À la fin d'une récession, le PIB réel recommence à croître. Pour sa part, le taux de chômage décline graduellement, sans pourtant jamais retomber à zéro: il fluctue plutôt autour de son taux naturel. Comme nous l'avons vu au chapitre 9, ce taux naturel ne constitue qu'une estimation, et il n'y a pas de consensus quant à son niveau. La plupart des économistes s'entendent toutefois pour dire que le taux naturel de chômage au Canada s'est élevé au cours des années 70, a atteint un sommet d'environ 8 % durant les années 80, pour redescendre graduellement depuis la fin des années 90; sa valeur serait maintenant d'environ 7 %.

MINITEST : Énumérez et décrivez les trois principales caractéristiques des fluctuations économiques.

UNE EXPLICATION DES FLUCTUATIONS ÉCONOMIQUES À COURT TERME

Si on peut facilement décrire les fluctuations économiques, il est beaucoup plus laborieux de leur attribuer une cause. D'ailleurs, contrairement aux thèmes abordés dans les précédents chapitres, la théorie concernant les fluctuations économiques demeure un constant sujet de controverse en sciences économiques. Dans ce chapitre et les deux suivants, nous bâtirons un modèle reconnu par la plupart des économistes afin d'expliquer ces fluctuations à court terme.

LA DIFFÉRENCE ENTRE LE COURT ET LE LONG TERME

Dans les chapitres précédents, nous avons étudié les facteurs déterminant les principales variables macroéconomiques à long terme. Le chapitre 7 a abordé la croissance de la productivité et du PIB réel; le chapitre 8 a montré comment le taux d'intérêt réel assure l'équilibre entre l'épargne et l'investissement dans une économie fermée; le chapitre 9 a expliqué l'existence du chômage dans l'économie; les chapitres 10 et 11 ont présenté le système monétaire et les conséquences des fluctuations de l'offre de monnaie sur le niveau des prix, sur le taux d'inflation et sur le taux d'intérêt nominal; enfin, les chapitres 12 et 13 ont repris cette analyse pour l'appliquer à une économie ouverte, expliquant la balance commerciale et le taux de change. Dans ces derniers chapitres, nous avons vu que, dans un contexte de mobilité parfaite des capitaux, le taux d'intérêt réel au Canada augmente ou diminue avec le taux d'intérêt réel mondial.

L'ensemble de cette analyse menée jusqu'à présent repose sur deux idées connexes: la dichotomie classique et la neutralité monétaire. Rappelez-vous que la dichotomie classique répartit les variables en deux catégories, soit les variables réelles (mesurées en quantités ou en prix relatifs) et les variables nominales (mesurées en unités monétaires). D'après la théorie macroéconomique classique, un changement dans l'offre de monnaie a un effet sur les variables nominales, sans toucher les variables réelles. En raison de cette neutralité monétaire, nous avons pu examiner, aux chapitres 7, 8 et 9, les facteurs déterminant les variables réelles (PIB réel, taux d'intérêt réel et taux de chômage) sans avoir à aborder les variables nominales (l'offre de monnaie et le niveau général des prix).

Les hypothèses de la théorie macroéconomique classique se vérifient-elles dans la réalité? Il est essentiel de répondre à cette question pour comprendre le fonctionnement de l'économie. La réponse est la suivante: *la plupart des économistes pensent que la théorie classique fournit une description correcte de l'économie à long terme, mais pas de l'économie à court terme.* Pour une période couvrant plusieurs années, les variations de l'offre de monnaie se répercutent sur les prix et sur les autres variables nominales, sans avoir de conséquence sur le PIB réel, ni sur le chômage ou les autres variables réelles. Cependant, l'hypothèse de la neutralité monétaire ne convient plus lorsqu'il s'agit d'examiner les fluctuations économiques d'une année à l'autre. La majorité des économistes reconnaissent que les variables nominales et réelles sont à court terme indissolublement liées, et particulièrement qu'une variation de l'offre de monnaie peut momentanément écarter la production de sa tendance à plus long terme.

Si nous voulons comprendre l'économie à court terme, il nous faut donc un autre modèle. Pour le construire, nous nous servirons des concepts déjà abordés dans cet ouvrage, mais nous abandonnerons la dichotomie classique et la neutralité monétaire.

UN MODÈLE DE BASE DES FLUCTUATIONS ÉCONOMIQUES

Ce modèle permet d'expliquer le comportement de deux variables: la production des biens et des services, mesurée par le PIB réel, et le niveau général des prix, selon le déflateur du PIB. Remarquez que la production est une variable réelle, alors que le niveau des prix est une variable nominale. En examinant la relation entre ces deux variables, nous mettons l'accent sur la rupture de ce modèle avec la dichotomie classique.

Nous analysons ici les fluctuations de l'économie globale grâce au **modèle d'offre et de demande agrégées** illustré à la figure 14.2. Le niveau général des prix figure sur l'axe des ordonnées, tandis que l'axe des abscisses montre la quantité globale de biens et de services. La **courbe de demande agrégée** correspond à la quantité de biens et de services que les ménages, les entreprises, le gouvernement et les non-résidents désirent acheter, pour chaque niveau des prix. La **courbe d'offre agrégée** montre la quantité de biens et de services

Modèle d'offre et de demande agrégées
Modèle utilisé par la plupart des économistes pour expliquer les fluctuations à court terme de l'économie.

Courbe de demande agrégée
Courbe indiquant la quantité de biens et de services que les ménages, les entreprises, le gouvernement et les non-résidents souhaitent acquérir pour chaque niveau des prix.

Courbe d'offre agrégée
Courbe indiquant la quantité de biens et de services que les entreprises choisissent de produire et de vendre pour chaque niveau des prix.

Figure 14.2

DEMANDE AGRÉGÉE ET OFFRE AGRÉGÉE. Les économistes se servent du modèle d'offre et de demande agrégées dans le but d'analyser les fluctuations économiques à court terme. L'axe des ordonnées représente le niveau des prix et l'axe des abscisses, le PIB réel. La production et les prix sont au point d'équilibre, à l'intersection des deux courbes.

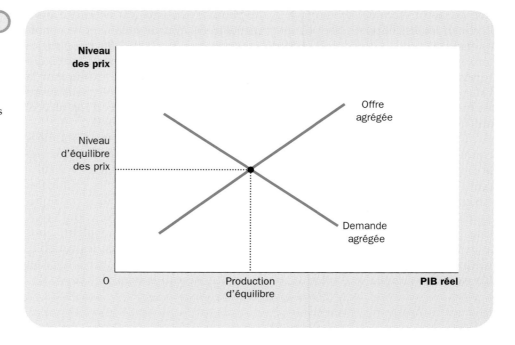

que les entreprises produisent et vendent, pour chaque niveau des prix. D'après ce modèle, les prix et la production s'ajustent afin d'équilibrer l'offre et la demande agrégées.

Il est tentant de penser que ce modèle ne constitue qu'une version sophistiquée du modèle d'offre et de demande d'un marché, étudié au chapitre 4, mais il s'agit en réalité d'un modèle très différent. Lorsque nous examinions la demande et l'offre sur un marché particulier – celui de la crème glacée, par exemple –, le comportement des acheteurs et des vendeurs dépendait de la possibilité de transférer des ressources d'un marché à l'autre. Une hausse du prix de la crème glacée se traduisait par une baisse de la quantité demandée, les consommateurs préférant utiliser leur revenu pour acheter d'autres produits. En même temps, cette hausse du prix de la crème glacée incitait les firmes à augmenter leur production et à engager du personnel en provenance d'autres secteurs économiques. Or, cette substitution *microéconomique* d'un marché à un autre est impossible dès lors que l'on considère l'économie dans son ensemble. En effet, notre modèle tente d'expliquer le PIB réel, c'est-à-dire la production *totale* de l'ensemble des marchés de l'économie. Pour comprendre la pente négative de la courbe de demande agrégée et celle, positive, de la courbe d'offre, il faut donc recourir à une théorie macroéconomique. Nous allons maintenant élaborer cette théorie.

MINITEST : En quoi le comportement à court terme de l'économie diffère-t-il de son comportement à long terme ? Tracez un graphique d'offre et de demande agrégées. Quelle variable placez-vous sur chacun des deux axes ?

LA COURBE DE DEMANDE AGRÉGÉE

La demande agrégée nous indique la quantité de biens et de services demandée dans une économie, pour chaque niveau des prix. Comme le montre la figure 14.3,

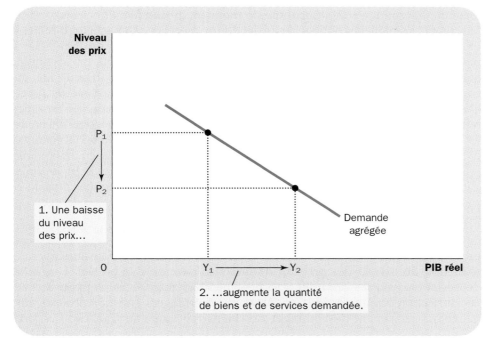

2. ...augmente la quantité de biens et de services demandée.

Figure 14.3

COURBE DE DEMANDE AGRÉGÉE. Une baisse des prix de P_1 à P_2 se traduit par une augmentation de la quantité de biens et de services demandée, qui passe de Y_1 à Y_2. Trois raisons expliquent cette relation négative : la baisse des prix augmente la richesse, diminue les taux d'intérêt et le taux de change. Ces variations font augmenter la consommation, les investissements et les exportations nettes, ce qui fait également augmenter la quantité demandée de biens et de services.

cette courbe présente une pente négative. Toutes les autres variables étant égales par ailleurs, cela signifie qu'une diminution du niveau général des prix (passant par exemple de P_1 à P_2) se traduit par une augmentation de la quantité des biens et des services demandée (de Y_1 à Y_2).

POURQUOI LA COURBE DE DEMANDE AGRÉGÉE EST-ELLE À PENTE NÉGATIVE?

Pourquoi une baisse du niveau général des prix augmente-t-elle la quantité demandée de biens et de services? Pour le savoir, il importe de se rappeler que le PIB (Y) est égal à la somme de la consommation (C), de l'investissement (I), des dépenses publiques (G) et des exportations nettes (XN); on peut écrire cette équation de la façon suivante:

$$Y = C + I + G + XN$$

Chacune de ces composantes du PIB contribue à la demande agrégée de biens et de services. Pour le moment, nous supposerons que les dépenses publiques sont constantes et déterminées par la politique budgétaire du gouvernement. Les trois autres composantes, soit la consommation, l'investissement et les exportations nettes, varient selon les conditions économiques et, en particulier, selon le niveau des prix. Pour comprendre la pente négative de la courbe de demande agrégée, nous devons donc étudier la relation entre le niveau des prix, d'une part, et la consommation, l'investissement et les exportations nettes, d'autre part.

Le niveau des prix et la consommation: l'effet de richesse. Pensez à l'argent qui se trouve dans votre portefeuille et dans votre compte bancaire. Sa valeur nominale reste fixe, mais pas sa valeur réelle. En cas de baisse des prix, ces dollars ont une valeur supérieure, puisqu'ils vous permettent de consommer davantage. Par conséquent, *une baisse du niveau des prix augmente la richesse des ménages, ce qui les incite à dépenser davantage. Cette augmentation de la consommation se solde par une plus forte quantité demandée de biens et de services.*

Le niveau des prix et l'investissement: l'effet du taux d'intérêt. Comme nous l'avons vu au chapitre 11, le niveau des prix constitue l'un des facteurs déterminants de la quantité de monnaie demandée. Plus les prix sont bas, moins les ménages ont besoin de détenir de monnaie pour acheter des biens et des services. Lorsque les prix baissent, les consommateurs ont tendance à réduire leurs liquidités et à en épargner une partie. Ils peuvent, par exemple, acheter des obligations portant intérêts ou encore déposer leur argent dans un compte d'épargne, ce qui permet aux banques d'octroyer davantage de prêts. Quoi qu'il en soit, plus les ménages cherchent à convertir leur monnaie en actifs rapportant un rendement, plus le taux d'intérêt baisse. Une telle réduction incite les entreprises à investir dans de nouvelles usines et de nouveaux équipements et les ménages à investir en construction résidentielle. On constate alors qu'*une baisse du niveau général des prix réduit les taux d'intérêt et augmente les dépenses d'investissement, ce qui fait augmenter la quantité de biens et de services demandée.*

Le niveau des prix et les exportations nettes: l'effet du taux de change réel. Le taux de change réel est le taux auquel on peut échanger des biens et des services produits au Canada contre des biens et des services produits à l'étranger. Toutes les autres variables étant égales par ailleurs, une réduction du niveau des prix fait diminuer le taux de change réel. Une telle dépréciation rend les produits canadiens meilleur marché par rapport à ceux de fabrication étrangère: les Canadiens et les étrangers substituent alors aux marchandises venant de l'étranger des biens fabriqués au Canada. *Dès lors,* *une baisse du niveau général des prix au Canada se traduit par une baisse du taux de change réel, ce qui stimule les exportations nettes canadiennes et fait augmenter la quantité de biens et de services demandée.*

Résumé.   Il existe donc trois raisons différentes, mais connexes, pour lesquelles une baisse du niveau général des prix se solde par une augmentation de la quantité demandée de biens et de services : tout d'abord, les ménages se sentent plus riches et augmentent leurs dépenses de consommation ; ensuite, les taux d'intérêt baissent, stimulant la demande pour les biens d'investissement ; enfin, la baisse du taux de change réel stimule les exportations nettes. Ces trois raisons permettent d'expliquer la pente négative de la courbe de demande agrégée. Il ne faut pas perdre de vue que cette courbe (comme toutes les courbes de demande) est tracée en considérant que toutes les autres variables sont égales par ailleurs. Entre autres, la pente négative de cette courbe repose sur l'hypothèse d'une offre de monnaie fixe. Nous venons donc d'étudier l'influence du niveau des prix sur la demande lorsque l'offre de monnaie est constante. Comme nous le verrons, une modification de la masse monétaire cause un déplacement de la courbe de demande agrégée. Pour le moment, il suffit de se rappeler que la courbe de demande agrégée est tracée en maintenant l'offre de monnaie constante.

LES FACTEURS RESPONSABLES D'UN DÉPLACEMENT DE LA COURBE DE DEMANDE AGRÉGÉE

La pente négative de la courbe de demande agrégée montre qu'une baisse du niveau général des prix cause une augmentation de la quantité de biens et de services demandée. Bien d'autres facteurs, cependant, influent sur la quantité demandée *pour un prix donné*. Toute variation de l'un de ces autres facteurs provoque un *déplacement de la courbe* de demande agrégée.

Examinons quelques exemples de ces chocs pouvant modifier la position de la courbe, en les classant selon la dépense directement concernée.

Les déplacements dus à la consommation.   Imaginons que les Canadiens, soucieux de leur retraite, se mettent à épargner davantage en réduisant leur consommation actuelle. Un tel comportement pourrait être causé par une chute des prix des actions, qui aurait réduit la richesse des ménages. La réduction de la quantité de biens et de services demandée, pour chaque niveau des prix, provoque un déplacement vers la gauche de la courbe de demande agrégée. Imaginons en revanche qu'une flambée boursière augmente la richesse des consommateurs, qui seraient alors moins incités à épargner. L'accroissement des dépenses de consommation se solde alors par une quantité demandée plus forte de biens et de services, et ce, pour tout niveau des prix, et la courbe de demande agrégée se déplace vers la droite.

On en conclut que tout événement (ou choc) modifiant la consommation, pour un niveau des prix donné, provoque un déplacement de la courbe de demande agrégée. La politique fiscale peut aussi avoir le même effet. Lorsque le gouvernement diminue les impôts, par exemple, il augmente le revenu disponible des ménages. Ceci les encourage à consommer davantage et la courbe de demande agrégée se déplace vers la droite. Si, au contraire, le gouvernement augmente les impôts, les consommateurs réduisent leurs dépenses et la courbe de demande agrégée se déplace vers la gauche.

Les déplacements dus à l'investissement.   Tout choc ayant une influence sur les investissements que les entreprises veulent entreprendre, pour tout niveau des prix, fait également déplacer la courbe de demande agrégée. Imaginons que l'industrie informatique lance sur le marché des ordinateurs plus performants, incitant les entreprises à s'équiper de nouveaux systèmes informatiques. Cette augmentation du volume de biens et de services demandés, pour tout niveau des prix, fait déplacer la courbe de demande agrégée vers la droite. À l'inverse, un pessimisme croissant des compagnies à propos du contexte économique futur les incite à restreindre leurs dépenses d'investissement et cela produit un déplacement de la courbe vers la gauche.

La politique fiscale influence également la demande agrégée par l'intermédiaire des investissements. Nous avons déjà observé, au chapitre 8, qu'un crédit d'impôt à l'investissement (une réduction d'impôt liée directement aux dépenses d'investissement de l'entreprise) avait une incidence positive sur l'investissement, et ce, pour tout niveau du taux d'intérêt. Cela provoque un déplacement de la courbe de demande agrégée vers la droite. L'abrogation d'une telle mesure fiscale a naturellement l'effet inverse, et la courbe se déplace alors vers la gauche.

L'offre de monnaie est une autre variable économique susceptible d'influer sur les investissements et, indirectement, sur la demande agrégée. Nous reviendrons plus en détail, dans le prochain chapitre, sur l'effet de la croissance de la masse monétaire sur la réduction du taux d'intérêt à court terme. Pour l'instant, il suffit de comprendre que, en diminuant le coût des emprunts, on stimule les dépenses d'investissement et on provoque un déplacement vers la droite de la courbe de demande agrégée. À l'inverse, puisqu'une réduction de la masse monétaire fait grimper le taux d'intérêt, les dépenses d'investissement diminuent et la courbe se déplace alors vers la gauche. Beaucoup d'économistes attribuent à la politique monétaire canadienne plusieurs des déplacements importants de la courbe de demande agrégée au cours de l'histoire.

Les déplacements dus aux dépenses publiques.   Les dépenses publiques représentent la façon la plus directe pour les décideurs d'agir sur la courbe de demande agrégée. Supposons par exemple que le Parlement décide de réduire les achats de nouveaux avions pour les forces armées. Cette baisse de la quantité de biens et de services demandée, pour tout niveau des prix, provoque un déplacement vers la gauche de la courbe de demande agrégée. À l'inverse, si les gouvernements provinciaux s'engagent dans des travaux d'infrastructures routières, la quantité de biens et de services demandée s'accroît pour tout niveau des prix, et la courbe de demande agrégée se déplace vers la droite.

Les déplacements dus aux exportations nettes.   Une fluctuation des exportations nettes, pour tout niveau des prix, a des conséquences sur la courbe de demande agrégée. Si les États-Unis entrent en récession, par exemple, ils réduisent leurs achats de biens canadiens, faisant ainsi diminuer les exportations nettes canadiennes et déplacer vers la gauche la courbe de demande agrégée de l'économie canadienne. Au sortir de cette récession, les États-Unis augmentent leurs importations de biens canadiens et la courbe de demande agrégée canadienne se déplace vers la droite.

Les variations du taux de change influent aussi sur les exportations nettes. Si les spéculateurs internationaux font monter la valeur du dollar canadien sur le marché des changes, cette appréciation de la monnaie renchérit les biens fabriqués au Canada par rapport aux biens étrangers. Les exportations nettes canadiennes diminuent et la courbe de demande agrégée se déplace vers la gauche.

Une dépréciation du dollar stimule au contraire les exportations nettes, déplaçant ainsi vers la droite la courbe de demande agrégée.

Résumé.   Nous reviendrons plus en détail sur la courbe de demande agrégée dans les prochains chapitres. Nous examinerons alors les effets des politiques fiscales et monétaires sur cette courbe, de même que la pertinence des interventions gouvernementales. Pour l'instant, vous devriez déjà comprendre pourquoi cette courbe présente une pente négative et quels chocs auront pour effet de la déplacer. Le tableau 14.1 résume ce que nous venons de voir.

Tableau 14.1

COURBE DE DEMANDE AGRÉGÉE : RÉSUMÉ

QUELLES RAISONS EXPLIQUENT LA PENTE NÉGATIVE DE LA COURBE DE DEMANDE AGRÉGÉE ?

1. *L'effet de richesse :* une réduction du niveau des prix augmente la richesse réelle et, par conséquent, relance les dépenses de consommation.
2. *L'effet du taux d'intérêt :* une diminution du niveau des prix réduit le taux d'intérêt et encourage les dépenses d'investissement.
3. *L'effet du taux de change :* une baisse du niveau des prix provoque une réduction du taux de change réel, encourageant ainsi les exportations nettes.

POURQUOI LA COURBE DE DEMANDE AGRÉGÉE SE DÉPLACE-T-ELLE ?

1. *Déplacements dus à la consommation :* des chocs telles une réduction d'impôts ou une euphorie boursière, qui augmentent la consommation pour tout niveau des prix, font déplacer vers la droite la courbe de demande agrégée. En revanche, une augmentation des impôts ou une chute des prix des actions provoquent un déplacement de la courbe de demande agrégée vers la gauche.
2. *Déplacements dus à l'investissement :* un choc, telle une prévision de bénéfices futurs plus élevés, ou une baisse des taux d'intérêt due à l'augmentation de la masse monétaire, provoque un déplacement vers la droite de la courbe de demande agrégée. En revanche, une prévision de bénéfices futurs plus faibles ou une hausse des taux d'intérêt (en raison de la réduction de l'offre de monnaie) incitent les compagnies à restreindre leurs investissements, pour tout niveau des prix, et cela provoque un déplacement vers la gauche de la courbe de demande agrégée.
3. *Déplacements dus aux dépenses publiques :* si le gouvernement décide d'accroître ses achats de biens et de services pour l'acquisition de matériel militaire ou pour la construction d'infrastructures routières, par exemple, la courbe de demande agrégée se déplace vers la droite. À l'inverse, si le gouvernement resserre les cordons de la bourse en coupant dans les dépenses militaires ou dans les dépenses d'infrastructures, la courbe de demande agrégée se déplace vers la gauche.
4. *Déplacements dus aux exportations nettes :* une augmentation des exportations nettes, qu'elle soit attribuable à la croissance économique d'un partenaire commercial majeur ou encore à un taux de change plus faible, fait déplacer vers la droite la courbe de demande agrégée. Par contre, une réduction des exportations nettes, causée soit par une récession chez un partenaire commercial important, soit par une augmentation du taux de change, provoque un déplacement vers la gauche de la courbe de demande agrégée.

MINITEST : Donnez les trois raisons qui expliquent que la courbe de demande agrégée présente une pente négative. Citez un événement susceptible de provoquer un déplacement de la courbe de demande agrégée. Dans quel sens ce choc fait-il se déplacer la courbe ?

LA COURBE D'OFFRE AGRÉGÉE

L'offre agrégée montre la quantité totale de biens et de services que les entreprises produisent et vendent, pour chaque niveau des prix. À l'inverse de la courbe de demande agrégée, qui a toujours une pente négative, la pente de la courbe d'offre agrégée varie selon l'horizon temporel. *À long terme, la courbe d'offre agrégée est verticale, tandis qu'à court terme, elle est à pente positive.* Pour comprendre les fluctuations économiques à court terme et pourquoi l'économie dévie à court terme par rapport à son comportement à long terme, il faudra examiner séparément la courbe d'offre agrégée à long terme et sa courbe à court terme.

POURQUOI LA COURBE D'OFFRE AGRÉGÉE EST-ELLE VERTICALE À LONG TERME ?

Quels facteurs déterminent la quantité de biens et de services offerte à long terme ? Nous avons déjà répondu de manière implicite à cette question, lorsque nous avons analysé la croissance économique à long terme au chapitre 7. *À long terme, la production de biens et de services d'une économie (soit le PIB réel) dépend de la main-d'œuvre et de la productivité.* Le niveau des prix n'ayant aucune influence sur ces facteurs déterminant le PIB réel à long terme, la courbe d'offre agrégée à long terme est donc verticale, comme on le voit sur la figure 14.4. Autrement dit, à long terme, ce sont le travail, le capital, le capital humain et la technologie qui déterminent la quantité totale de biens et de services offerte, et cette quantité reste la même quel que soit le niveau des prix.

Figure 14.4

Courbe d'offre agrégée à long terme. À long terme, la quantité offerte dépend de la capacité de production, qui elle-même dépend de la main-d'œuvre disponible et de la productivité. Elle ne dépend toutefois pas du niveau des prix. Par conséquent, la courbe d'offre agrégée à long terme est verticale au niveau naturel de production.

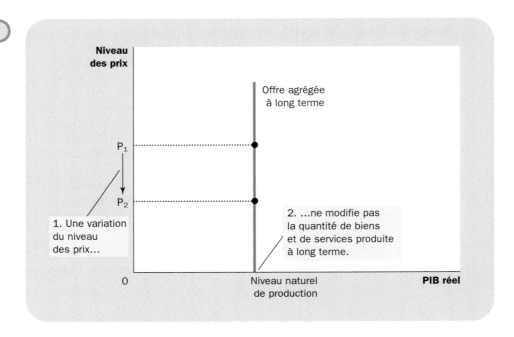

Le fait que la courbe d'offre agrégée soit verticale à long terme représente donc une application de la dichotomie classique et de la neutralité monétaire. Comme nous l'avons déjà vu, la théorie macroéconomique classique se fonde sur l'hypothèse que les variables réelles ne dépendent pas des variables nominales. Par conséquent, le volume de la production (une variable réelle) ne dépend pas du niveau des prix (une variable nominale). Nous savons que la majorité des économistes sont convaincus que ce principe se vérifie lors d'une analyse sur plusieurs années, mais qu'ils ne le considèrent pas valable pour des périodes plus courtes. La courbe d'offre agrégée n'est donc verticale qu'à long terme.

On peut alors se demander pourquoi la courbe d'offre de biens et de services individuels peut tout de même présenter une pente positive, si la courbe d'offre agrégée à long terme est verticale. La raison de cela est simple : l'offre d'un bien en particulier dépend de *prix relatifs,* c'est-à-dire des prix de ce bien par rapport aux autres prix de l'économie. Par exemple, lorsque le prix de la crème glacée augmente, les fournisseurs en augmentent la production ; pour ce faire, ils doivent mobiliser le personnel, le lait ou d'autres ingrédients qui étaient jusque-là employés pour la fabrication d'autres produits, comme le yogourt glacé. En revanche, la production globale de biens et de services de l'économie est limitée par la main-d'œuvre disponible et la productivité. Quand tous les prix de l'économie augmentent en même temps, on n'enregistre pas de modification de la quantité totale de biens et de services offerte.

POURQUOI LA COURBE D'OFFRE AGRÉGÉE À LONG TERME SE DÉPLACE-T-ELLE ?

La courbe d'offre agrégée à long terme montre la quantité produite de biens et de services prévue par la théorie macroéconomique classique. Ce niveau de production est parfois appelé *production potentielle* ou *production de plein emploi.* Pour être plus exact, nous l'appelons *niveau naturel de production,* parce qu'il correspond à la production de l'économie au taux de chômage naturel ou normal. Ce niveau naturel représente le niveau de production vers lequel l'économie tend à long terme.

Tout événement modifiant ce niveau naturel de production provoque un déplacement de la courbe d'offre agrégée. Comme la production repose, selon le modèle classique, sur la quantité de travail et sur la productivité, nous pouvons nous servir de ces deux facteurs pour classer les différents déplacements de la courbe d'offre agrégée.

Les déplacements dus à la main-d'œuvre. Supposons qu'arrive un nombre important d'immigrants dans l'économie. En raison de l'augmentation du nombre de travailleurs, la quantité de biens et de services produite s'accroît ; cela se traduit par un déplacement vers la droite de la courbe d'offre agrégée. À l'inverse, dans le cas d'émigration massive, la courbe se déplace vers la gauche.

La position de la courbe d'offre agrégée à long terme dépend également du taux de chômage naturel. Par exemple, si les gouvernements provinciaux décident d'augmenter substantiellement le salaire minimum, le taux de chômage naturel grimpera. Au taux naturel, il y aura donc moins de travailleurs employés et la production s'en trouvera réduite. Dès lors, la courbe d'offre agrégée se déplacera vers la gauche. En revanche, une réforme du système d'assurance-emploi qui inciterait les chômeurs à chercher du travail de manière plus intensive ferait baisser le taux de chômage naturel ; en conséquence, la courbe d'offre agrégée se déplacerait vers la droite.

Les déplacements dus à la productivité. Un accroissement du stock de capital augmente la productivité et, du même coup, la production. En conséquence, la courbe d'offre agrégée se déplace vers la droite. En revanche, une réduction du stock de capital fait diminuer la productivité et la production de biens et de services, entraînant un déplacement vers la gauche de la courbe d'offre agrégée.

Que l'on parle de capital physique ou de capital humain, le raisonnement est identique : une augmentation du nombre de machines, ou du nombre de diplômés universitaires, provoque une augmentation de la productivité et donc un déplacement vers la droite de la courbe d'offre agrégée à long terme.

L'augmentation de la production, d'une génération à l'autre, s'explique en grande partie par le progrès technologique. Par exemple, l'ordinateur permet de produire davantage de biens et services qu'avant son invention, toutes choses étant égales par ailleurs. Par conséquent, l'utilisation de l'ordinateur fait déplacer vers la droite la courbe d'offre agrégée.

D'autres événements ont des conséquences semblables. L'ouverture au commerce international produit des effets similaires à l'introduction de nouveaux procédés de production, provoquant un déplacement vers la droite de la courbe d'offre agrégée. Par contre, l'adoption par le gouvernement de nouvelles réglementations interdisant aux entreprises certains procédés de production — notamment en raison de leurs effets polluants — se solde par un déplacement vers la gauche de la courbe d'offre agrégée à long terme. Ajoutons finalement que des modifications climatiques peuvent augmenter ou réduire le PIB potentiel, selon qu'elles favorisent ou non la production agricole.

Résumé. La courbe d'offre agrégée à long terme reflète le modèle classique de l'économie élaboré plus tôt dans cet ouvrage. Dans ce modèle, toute politique et tout événement qui entraîne une augmentation du PIB réel se traduit par un déplacement vers la droite de la courbe d'offre agrégée à long terme. Au contraire, comme nous l'avons vu dans les chapitres précédents, tout événement ou toute politique qui exerce un effet négatif sur le PIB réel se traduit par une diminution de l'offre de biens et de services et, dès lors, par un déplacement vers la gauche de la courbe d'offre agrégée à long terme.

UNE NOUVELLE FAÇON D'EXPLIQUER LA CROISSANCE ET L'INFLATION À LONG TERME

Maintenant que nous avons vu les facteurs qui influent sur les courbes de demande agrégée et d'offre agrégée à long terme, il nous est possible de décrire d'une nouvelle façon les tendances économiques à long terme. La figure 14.5 illustre l'évolution de l'économie sur trois décennies. Remarquez les déplacements effectués par les deux courbes. Bien que diverses forces expliquent ces déplacements, la technologie et la politique monétaire en sont les facteurs prédominants. En effet, le progrès technologique augmente la productivité et déplace continuellement vers la droite la courbe d'offre agrégée à long terme ; en même temps, l'accroissement de l'offre de monnaie, décidé par la Banque du Canada, entraîne pour sa part la courbe de demande agrégée vers la droite. On observe ici qu'à long terme, la courbe de demande agrégée se déplace plus rapidement que la courbe d'offre agrégée. Le résultat de cela est une croissance tendancielle de la production (correspondant à l'augmentation de Y) ainsi que de l'inflation (comme le montre l'accroissement de P). Si la Banque du Canada décidait de limiter l'accroissement de la masse monétaire, l'ampleur des déplacements de la courbe de demande agrégée serait plus faible. Cela aurait pour conséquence une inflation plus faible (les augmentations de P s'amenuisant),

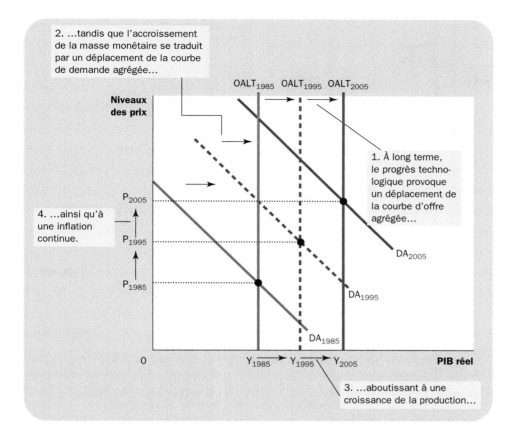

Figure 14.5

CROISSANCE ET INFLATION À LONG TERME SELON LE MODÈLE D'OFFRE ET DE DEMANDE AGRÉGÉES. L'augmentation de la production de biens et de services, due essentiellement au progrès technologique, se traduit par un déplacement vers la droite de la courbe d'offre agrégée à long terme. En même temps, l'accroissement de l'offre de monnaie, décidé par la Banque du Canada, provoque un déplacement vers la droite de la courbe de demande agrégée. Sur la figure, la production augmente de Y_{1985} à Y_{1995}, puis à Y_{2005}, et le niveau des prix passe de P_{1985} à P_{1995}, pour se fixer ensuite à P_{2005}. Le modèle d'offre et de demande agrégées nous offre donc une nouvelle façon de décrire l'analyse classique de la croissance et de l'inflation.

sans qu'on enregistre de variations dans la croissance de la production. En fait, il s'agit simplement d'une autre façon de présenter l'analyse classique de la croissance et de l'inflation, déjà abordée dans les chapitres 12 et 16.

En proposant un modèle d'offre et de demande agrégées, notre intention n'est pas de fournir un nouvel enrobage à nos conclusions portant sur l'évolution économique à long terme, mais de proposer un cadre d'analyse à court terme, comme nous allons le voir sous peu. Nous simplifierons notre analyse, en évitant de considérer la croissance et l'inflation continues illustrées à la figure 14.5. Il ne faut cependant pas oublier que les fluctuations à court terme s'inscrivent au sein de tendances à long terme. *Les fluctuations à court terme de la production et du niveau des prix doivent s'interpréter comme des déviations par rapport à une tendance à long terme.*

POURQUOI LA COURBE D'OFFRE AGRÉGÉE À COURT TERME A-T-ELLE UNE PENTE POSITIVE ?

Nous devons maintenant considérer la différence essentielle entre l'économie à court terme et l'économie à long terme, qui réside dans le comportement de l'offre agrégée. Nous savons déjà que la courbe d'offre agrégée à long terme est verticale. Pourtant, la courbe d'offre agrégée à court terme présente une pente positive, comme on le voit sur la figure 14.6. Sur une période d'un an ou deux, une augmentation du niveau général des prix a tendance à faire augmenter la quantité de biens et de services offerte, alors qu'une réduction des prix provoque l'effet inverse.

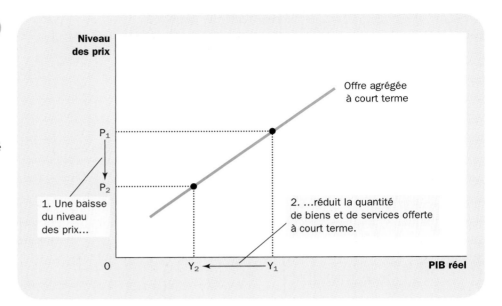

Figure 14.6

COURBE D'OFFRE AGRÉGÉE
À COURT TERME. À court terme,
une baisse du niveau des prix
de P₁ à P₂ cause une réduction
de Y₁ à Y₂ de la quantité offerte
de biens et de services. Cette
relation directe est due à la rigidité
des salaires. Avec le temps,
les salaires s'ajustent, et l'effet
de la baisse des prix finit par
s'atténuer.

Comment expliquer cette relation directe entre le niveau des prix et la production? Les spécialistes en macroéconomie ont proposé plusieurs théories pour expliquer la pente positive à court terme de la courbe d'offre agrégée. Selon toutes ces théories, une imperfection particulière du marché entraîne un comportement de l'offre différent à court terme par rapport au long terme. Malgré leurs divergences, ces théories présentent un point commun: elles indiquent toutes que, à court terme, la production dévie de son niveau «naturel» de long terme lorsque le niveau des prix diffère du niveau prévu. Plus précisément, selon toutes les théories avancées, la production dépasse son niveau naturel si le niveau des prix est supérieur au niveau prévu, tandis que si le niveau des prix est inférieur au niveau prévu, la production tombe sous son niveau naturel.

La théorie des salaires rigides.   La théorie que nous retiendrons pour expliquer la pente positive de la courbe d'offre agrégée à court terme est la théorie des salaires rigides. Selon cette théorie, la courbe d'offre agrégée est à pente positive à court terme, en raison du lent ajustement, ou de la «rigidité», des salaires nominaux. Dans une certaine mesure, cette rigidité est attribuable aux contrats à long terme qui lient les travailleurs et les entreprises, et qui fixent les salaires, dans certains cas, pour plusieurs années. Ce lent ajustement serait aussi imputable aux normes sociales et à la notion d'équité, qui influent sur les salaires mais n'évoluent que lentement.

Afin de comprendre les conséquences de la rigidité salariale sur l'offre agrégée, imaginez qu'une entreprise accepte à l'avance de payer un certain salaire nominal (Sal) à ses employés, en fonction du niveau des prix (P) qu'elle prévoit. Si le niveau effectif des prix P est inférieur à celui auquel on s'attendait, les salaires restent tout de même fixés au niveau Sal tandis que le salaire réel Sal/P est supérieur au niveau prévu par l'entreprise. Puisque les salaires représentent une partie importante des coûts de production, une augmentation du salaire réel cause une hausse des coûts de production réels. L'entreprise réagit en réduisant le nombre de ses employés et sa production. En d'autres mots, *parce que les salaires nominaux ne s'ajustent pas immédiatement au changement des prix, une baisse des prix réduit la profitabilité de la production. Les firmes réduisent alors l'emploi et limitent la quantité offerte de biens et de services.*

Résumé.   Plusieurs théories permettent d'expliquer la pente positive de la courbe d'offre agrégée à court terme. Nous avons choisi, dans cet ouvrage, la théorie des salaires rigides. Selon cette théorie, la production dévie de son niveau naturel quand le niveau général des prix s'écarte du niveau anticipé, selon la formule mathématique suivante :

$$\begin{array}{c} \text{Production} \\ \text{offerte} \end{array} = \begin{array}{c} \text{niveau naturel} \\ \text{de la production} \end{array} + a \left(\begin{array}{c} \text{niveau des} \\ \text{prix observé} \end{array} - \begin{array}{c} \text{niveau des} \\ \text{prix anticipé} \end{array} \right)$$

La variable a correspond à la capacité d'adaptation de la production aux changements imprévus du niveau des prix.

Cette théorie met l'accent sur un problème qui, de toute évidence, est temporaire. La pente positive de la courbe d'offre agrégée à court terme étant due à la rigidité des salaires, une telle situation ne durera pas. À mesure que les agents économiques rectifient leurs anticipations, les salaires nominaux s'ajustent. En fin de compte, le niveau des prix observé et le niveau des prix anticipé s'égalisent à long terme. Par conséquent, la situation à long terme est décrite par l'équation suivante :

$$\text{Production offerte} = \text{niveau naturel de la production}$$

Cette dernière formule se traduit par une courbe d'offre agrégée à long terme verticale plutôt qu'à pente positive, comme celle qui est illustrée à la figure 14.4.

POURQUOI LA COURBE D'OFFRE AGRÉGÉE À COURT TERME SE DÉPLACE-T-ELLE ?

La courbe d'offre agrégée à court terme montre la quantité de biens et de services offerte à court terme, pour chaque niveau des prix. Nous pouvons considérer que cette courbe est similaire à la courbe d'offre agrégée à long terme, à la différence qu'elle présente une pente positive due à une rigidité à court terme des salaires. Par conséquent, lorsque nous abordons les déplacements de cette courbe, nous devons prendre en compte toutes les variables intervenant dans les déplacements de la courbe à long terme, et y ajouter une nouvelle variable, soit le niveau des salaires.

Les déplacements dus à la main-d'œuvre et à la productivité. Prenons comme point de départ ce que nous savons déjà de la courbe d'offre agrégée à long terme. Nous avons vu que ses déplacements sont causés par des changements apportés à la main-d'œuvre et à la productivité. Ces mêmes variables influent donc également sur la courbe d'offre agrégée à court terme. Ainsi, lorsque le stock de capital augmente, améliorant la productivité, les deux courbes d'offre agrégée, soit la courbe à long terme et la courbe à court terme, se déplacent vers la droite. De façon similaire, lorsqu'une augmentation du salaire minimum accroît le taux de chômage naturel, les courbes d'offre agrégée à court et à long termes se déplacent toutes les deux vers la gauche.

Les déplacements dus au niveau des prix anticipés.   Une nouvelle variable importante s'ajoute maintenant, qui détermine la position de la courbe d'offre agrégée à court terme seulement : les anticipations de prix. Nous venons de voir que la quantité de biens et de services offerte dépend, à court terme, des salaires. Or ceux-ci sont déterminés en fonction des anticipations sur les prix que font les agents économiques ; toute variation de ces anticipations se traduit par un déplacement de la courbe d'offre agrégée à court terme.

D'après la théorie des salaires rigides, si le niveau des prix est élevé, les entreprises, comme les employés, ont tendance à s'entendre sur des salaires élevés. Ces salaires se répercutent sur les coûts de production, faisant ainsi diminuer, pour chaque niveau des prix, la quantité de biens et de services offerte. Par conséquent, lorsque le niveau des prix anticipé augmente, les salaires montent, les coûts de production grimpent, les entreprises décident de réduire leur production pour chaque niveau des prix et la courbe d'offre agrégée à court terme se déplace vers la gauche. Lorsque, au contraire, le niveau des prix anticipé diminue, les salaires et les coûts de production diminuent, les entreprises augmentent leur production pour chaque niveau des prix et la courbe d'offre agrégée à court terme se déplace vers la droite.

Dans la prochaine section, nous verrons que cette influence des anticipations des agents économiques sur la position de la courbe d'offre agrégée à court terme permet de réconcilier le comportement de l'économie à court terme et à long terme. À court terme, ces prévisions sont fixes, l'équilibre économique se trouvant à l'intersection de la courbe de demande agrégée et de la courbe d'offre agrégée à court terme. À long terme cependant, les anticipations s'ajustent et provoquent un déplacement de la courbe d'offre agrégée à court terme, garantissant ainsi l'équilibre de l'économie à l'intersection de la courbe de demande agrégée et de la courbe d'offre agrégée à long terme.

Les déplacements dus au niveau des prix des facteurs de production.   Finalement, une dernière variable peut faire déplacer la courbe d'offre agrégée à court terme, sans influencer la courbe d'offre agrégée à long terme : il s'agit des changements dans les prix des autres facteurs de production. Par exemple, une augmentation du prix du pétrole, un intrant utilisé par la grande majorité des entreprises, accroît les coûts unitaires de production. Les firmes réagissent en diminuant, pour chaque niveau des prix, la quantité de biens et de services offerte. Par conséquent, lorsque le prix des facteurs de production augmente, les coûts grimpent, les entreprises décident de réduire leur production pour chaque niveau des prix et la courbe d'offre agrégée à court terme se déplace vers la gauche. Lorsque le prix des facteurs de production diminue,

---

Tableau 14.2

COURBE D'OFFRE AGRÉGÉE
À COURT TERME : RÉSUMÉ

POURQUOI LA COURBE D'OFFRE AGRÉGÉE À COURT TERME A-T-ELLE UNE PENTE POSITIVE ?

Théorie des salaires rigides : une baisse non anticipée du niveau des prix augmente le salaire réel, ce qui conduit les entreprises à mettre des employés à pied et à réduire la production de biens et de services.

POURQUOI LA COURBE D'OFFRE AGRÉGÉE À COURT TERME SE DÉPLACE-T-ELLE ?

1. *Déplacements dus à la main-d'œuvre :* une hausse du personnel disponible (attribuable à une baisse du taux de chômage naturel, par exemple) cause un déplacement vers la droite des courbes OACT et OALT. Une réduction de la main-d'œuvre disponible fait se déplacer cette même courbe vers la gauche.

2. *Déplacements dus à la productivité :* une augmentation du capital physique ou humain fait déplacer les courbes OACT et OALT vers la droite ; à l'inverse, une réduction du capital physique ou humain provoque un déplacement des courbes vers la gauche. Tout progrès technologique se traduit par un déplacement vers la droite les courbes OACT et OALT. Toute entrave à l'utilisation de la technologie (issue de la réglementation gouvernementale, par exemple) fait déplacer vers la gauche les courbes OACT et OALT.

3. *Déplacements dus au niveau des prix anticipés :* une réduction du niveau des prix anticipés fait déplacer vers la droite la courbe OACT alors que son augmentation la fait déplacer vers la gauche.

4. *Déplacements dus au niveau des prix des facteurs de production :* une réduction du prix des facteurs de production cause un déplacement vers la droite de la courbe OACT, alors que l'augmentation de leur prix la fait déplacer vers la gauche.

les coûts diminuent, les entreprises augmentent leur production pour chaque niveau des prix et la courbe d'offre agrégée à court terme se déplace vers la droite.

Vous devriez maintenant comprendre pourquoi la courbe d'offre agrégée à court terme présente une pente positive et être à même de déterminer quels événements et quelles mesures la font se déplacer. Le tableau 14.2 résume cette analyse.

MINITEST : Expliquez pourquoi la courbe d'offre agrégée à long terme est verticale. Expliquez la pente positive de la courbe d'offre agrégée à court terme.

LES DEUX CAUSES DES FLUCTUATIONS ÉCONOMIQUES

Le modèle d'offre et de demande agrégées nous donne les outils de base pour analyser les fluctuations économiques. Nous peaufinerons ces concepts dans les deux prochains chapitres. Cependant, nous sommes dès maintenant en mesure,

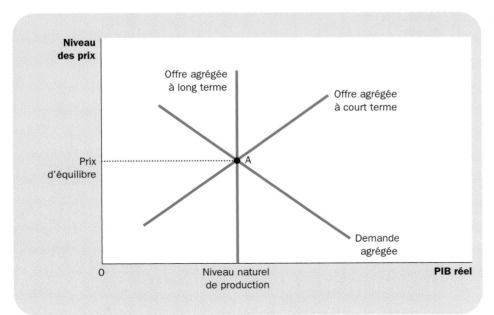

Figure 14.7

ÉQUILIBRE DE LONG TERME. Cet équilibre correspond à l'intersection de la courbe de demande agrégée et de la courbe d'offre agrégée à long terme (en A). Quand l'économie atteint son équilibre à long terme, les salaires se sont ajustés afin que la courbe d'offre agrégée à court terme passe également par ce point.

avec ce que nous savons de l'offre et de la demande agrégées, d'étudier les deux causes fondamentales des fluctuations macroéconomiques à court terme.

La figure 14.7 illustre une économie en équilibre de long terme. La production et le niveau des prix d'équilibre se retrouvent à l'intersection de la courbe de demande agrégée et de la courbe d'offre agrégée à long terme. Au point A, la production se trouve à son niveau naturel. La courbe d'offre agrégée à court terme passe également par ce point, ce qui indique que les anticipations des agents économiques et les salaires se sont parfaitement ajustés. Donc, si une économie atteint son équilibre de long terme, les anticipations des agents économiques et les salaires s'ajustent de façon à ce que l'intersection de demande agrégée et d'offre agrégée à court terme corresponde à l'intersection de demande agrégée et d'offre agrégée à long terme.

LES CONSÉQUENCES D'UN DÉPLACEMENT DE LA COURBE DE DEMANDE AGRÉGÉE

Supposons qu'un événement quelconque – un krach boursier ou une guerre, par exemple – sape la confiance de la population dans l'économie et l'amène pour une large part à modifier ses plans. Les ménages serrent les cordons de la bourse et remettent à plus tard les achats majeurs et les entreprises retardent l'acquisition de nouveaux équipements. Les gens peuvent aussi vendre leurs actions pour conserver l'essentiel de leurs avoirs sous forme de monnaie.

Le premier impact d'une telle vague de pessimisme est une réduction de la demande agrégée de biens et de services. Les ménages et les entreprises limitent leurs dépenses et, comme le démontre la figure 14.8, la courbe de demande agrégée se déplace vers la gauche, de DA_1 à DA_2.

Ce graphique nous permet d'observer les effets de la baisse de la demande agrégée. À court terme, l'économie se déplace le long de la courbe d'offre agrégée à court terme $OACT_1$, en passant de A à B. Lors de ce déplacement, la production diminue de Y_1 à Y_2, suivie par le niveau des prix, qui passe pour

---

Figure 14.8

CONTRACTION DE LA DEMANDE AGRÉGÉE. Une baisse de la demande agrégée due, par exemple, à une vague de pessimisme, se traduit par un déplacement vers la gauche de la courbe de demande agrégée, soit de DA_1 à DA_2. L'équilibre passe de A à B, la production chute de Y_1 à Y_2 et le niveau des prix, de P_1 à P_2. Avec le temps, les salaires s'ajustent, la courbe d'offre agrégée à court terme se déplace vers la droite, de $OACT_1$ à $OACT_2$, et l'équilibre se retrouve au point C, à l'intersection de la nouvelle courbe de demande agrégée et de la courbe d'offre agrégée à long terme. Le niveau des prix retombe à P_3 et la production revient à son niveau naturel, Y_1.

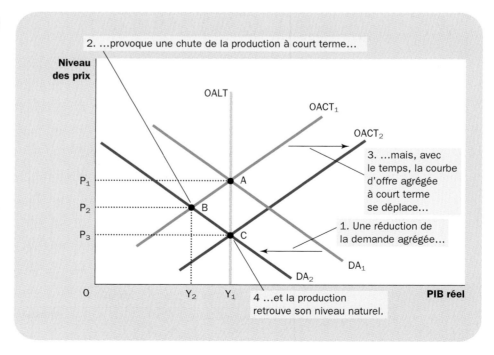

sa part de P_1 à P_2. Cette baisse de la production est, en fait, une récession. Même si cela n'est pas observable sur le graphique, nous savons que les entreprises réagissent au déclin des ventes et de la production en licenciant du personnel. Ainsi, le pessimisme ayant provoqué le déplacement de la courbe de demande agrégée, les anticipations finissent par se réaliser : les revenus diminuent et le chômage augmente.

Devant une telle récession, que peuvent faire les dirigeants politiques ? Une solution consiste à faire augmenter la demande agrégée. Comme nous l'avons déjà vu, une augmentation des dépenses publiques ou de la masse monétaire stimule la demande de biens et de services pour tout niveau des prix et, par conséquent, provoque un déplacement vers la droite de la courbe de demande agrégée. Si les décideurs interviennent rapidement et avec assez de précision, ils seront en mesure de contrebalancer le déplacement de la courbe de demande agrégée en la faisant revenir en DA_1, ramenant du même coup l'économie en A. Dans le prochain chapitre, nous examinerons en détail l'influence des politiques budgétaire et monétaire sur la demande agrégée, de même que les difficultés dans la mise en pratique de ce type d'intervention.

Même sans intervention du gouvernement, la récession finit, avec le temps, par se régler d'elle-même. La réduction de la demande agrégée fait diminuer le niveau des prix. Les attentes des agents économiques concernant le niveau des prix prévu se modifient à la baisse. En conséquence, les salaires diminuent alors et la courbe d'offre agrégée à court terme se déplace vers la droite, de $OACT_1$ à $OACT_2$, comme le montre la figure 14.8. Cet ajustement des anticipations et des salaires permet à l'économie de se rapprocher graduellement du point C, où la nouvelle courbe de demande agrégée (DA_2) rencontre la courbe d'offre agrégée à long terme.

À ce nouvel équilibre à long terme, en C, la production retrouve son niveau naturel. Même si la vague de pessimisme a réduit la demande agrégée, le niveau des prix a diminué suffisamment (jusqu'en P_3) pour compenser le déplacement de la courbe de demande agrégée. Par conséquent, à long terme, la modification de demande agrégée se reflète exclusivement dans le niveau des prix, mais pas dans la production. Autrement dit, l'effet à long terme du déplacement de la courbe de demande agrégée est une variation nominale (le niveau des prix diminue) mais non une variation réelle (la production reste la même).

En bref, une analyse des déplacements de la demande agrégée nous amène à tirer deux leçons fondamentales :

◆ À court terme, les déplacements de la courbe de demande agrégée provoquent des fluctuations de la production des biens et des services.

◆ À long terme, les déplacements de la courbe de demande agrégée ont des effets sur le niveau des prix, mais non sur la production.

ÉTUDE DE CAS   **D'IMPORTANTS CHOCS SUR LA DEMANDE AGRÉGÉE : DEUX DÉPRESSIONS ET LA SECONDE GUERRE MONDIALE**

Lorsque nous avons abordé, au début de ce chapitre, les trois principales caractéristiques des fluctuations économiques, nous n'avons observé les données qu'à partir de 1966. Revenons maintenant plus loin en arrière dans l'histoire économique du Canada. La figure 14.9 présente les données du PIB réel par habitant à partir de 1870. On voit difficilement les fluctuations économiques à court terme sur ce graphique, car elles semblent très faibles par rapport à l'augmentation de 1 400 % du PIB par habitant durant les 130 dernières années. Cette figure illustre également la tendance du PIB par habitant qui a augmenté à un taux annuel moyen de 2,1 % depuis 1870. Or, de toute évidence, le taux de croissance du PIB par habitant effectivement observé a varié grandement par rapport à cette moyenne. Trois périodes ressortent particulièrement : la dégringolade du PIB après la Première Guerre mondiale, suivie par un autre plongeon au début des années 30 et par une rapide augmentation dans les années 40. Ces phénomènes dépendent tous trois des déplacements de la courbe de demande agrégée.

Entre 1917 et 1921, lors de la plus terrible récession de l'histoire canadienne jamais connue jusque-là, le PIB réel par habitant a chuté de 27 %. D'après les historiens de l'économie, deux événements majeurs expliquent cette dépression. Le premier est la fin de l'essor extraordinaire des investissements et des exportations qui avait précédé cette période. De 1900 à 1914, en effet, le développement des provinces de l'Ouest, particulièrement en ce qui concerne les infrastructures ferroviaires, avait nécessité d'énormes

---

Figure 14.9

PIB RÉEL PAR HABITANT AU CANADA DEPUIS 1870. Au cours de l'histoire économique canadienne, trois périodes se démarquent en raison de l'importance des variations observées. L'économie a traversé deux des pires dépressions de l'histoire entre la Première et la Seconde Guerre mondiale, et une période de croissance sans précédent a marqué la Seconde Guerre mondiale. Ces trois événements importants furent marqués par des fluctuations majeures de la courbe de demande agrégée.

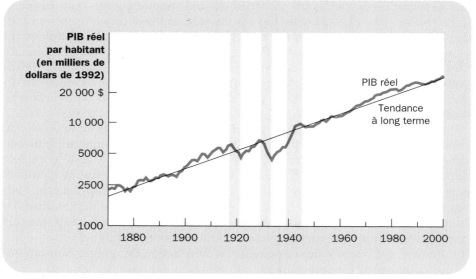

REMARQUE : Le PIB réel est illustré selon une *échelle proportionnelle*, ce qui signifie qu'à chaque intervalle sur l'échelle des ordonnées correspond une même variation en *pourcentage*. Par exemple, l'intervalle entre 5 000 et 10 000 (correspondant à une augmentation de 100 %) est de la même amplitude que celui entre 10 000 et 20 000 (correspondant également à une augmentation de 100 %). Selon cette échelle, une croissance constante se représente par une droite à pente positive. La ligne de tendance montre le taux de croissance annuel moyen du PIB réel par personne depuis 1870, soit 2,1 %.

SOURCES : Données de 1870 à 1925 : M.C. Urquhart, *New Estimates of Gross National Product, Canada, 1870-1926 : Some Implications for Canadian Development*, S. Engerman et R. Gallman, *Long-Term Factors in American Economic Growth* (University of Chicago Press, 1986) ; données de 1926 à 1960 : F.H. Leacy édition, *Statistiques historiques du Canada*, 2e éd. (Statistique Canada, 1983) ; données de 1961-2000 de Statistique Canada, base de données de CANSIM, séries D1, D23203 et D16439.

LA GUERRE : UNE « BONNE » FAÇON DE STIMULER LA DEMANDE AGRÉGÉE ?

investissements. Ces investissements, stimulés par une importante hausse des prix du blé et accompagnés d'une rapide augmentation de la population, avaient mené à une croissance remarquable des exportations canadiennes. En 1914, ce boom exceptionnel tirait à sa fin, mais un second phénomène a pris le relais : la Première Guerre mondiale. La Grande Guerre a donné lieu à un essor industriel spectaculaire et a permis de maintenir la croissance du PIB. Cependant, la fin des hostilités a mis un terme à la production de guerre et a coïncidé avec la fin du boom des investissements et des exportations. Une contraction spectaculaire de la demande agrégée en a résulté, ainsi qu'une importante chute du PIB réel.

Comme on peut le voir sur la figure 14.9, la calamité économique connue sous le nom de Crise des années 30, constitue le pire repli économique qu'ait connu le Canada. Entre 1929 et 1933, le PIB réel par habitant a chuté de 30 % et le chômage est passé de 4 % à 25 %. Durant la même période, le niveau des prix a plongé de 19 %. Bien des pays ont connu un déclin semblable de la production et des prix durant ces années.

Les historiens de l'économie n'arrivent pas à se mettre d'accord sur les causes de cette Crise, mais la plupart des explications proposent qu'un énorme choc sur la demande agrégée a pu être à l'origine du problème.

De nombreux économistes montrent du doigt la réduction de l'offre de monnaie, qui a diminué de 16 % entre 1929 et 1933. À mesure que l'épargne des ménages diminuait, les banquiers, faisant montre de prudence, se sont mis à conserver des réserves plus importantes, inversant ainsi la création de monnaie, selon le système bancaire à réserves fractionnaires. Nombre d'économistes considèrent que l'absence d'une banque centrale au Canada a aggravé la crise et que la Banque du Canada (dont la création remonte à 1935) aurait été en mesure de contrer cette baisse de l'offre de monnaie grâce à des opérations d'*open market*. En fait, ce sont les problèmes économiques enregistrés durant la Crise qui ont incité le gouvernement à créer la Banque du Canada.

D'autres économistes accusent la dépendance de l'économie canadienne par rapport à l'économie américaine, en raison de l'importance des échanges commerciaux entre les deux pays. La réduction de la demande agrégée aurait donc été causée par une diminution des exportations nettes.

Enfin, d'autres analystes économiques considèrent que la débâcle boursière de 1929 explique à elle seule la Crise. Les prix des actions se sont effondrés de 90 % durant cette période, réduisant la richesse des ménages et, par conséquent, les dépenses de consommation. Cette dégringolade des valeurs boursières a également nui au financement de nouveaux projets, ce qui a mené à la réduction des dépenses d'investissement. C'est probablement la conjonction de tous ces événements qui a entraîné une contraction de la demande agrégée durant la Crise.

La figure 14.9 met en évidence un autre épisode marquant, soit l'essor économique des années 40, qui s'avère plus facile à expliquer. La Seconde Guerre mondiale paraît la cause évidente de cette expansion. En 1939, l'entrée en guerre du Canada a obligé le gouvernement fédéral à augmenter fortement les dépenses militaires. L'expansion spectaculaire des dépenses publiques, de 1939 à 1944, a relancé la demande agrégée, accroissant le PIB par habitant de 60 % durant cette période, et faisant reculer le taux de chômage de 15 % à moins de 2 %, son niveau le plus bas de toute l'histoire canadienne.

BON À SAVOIR

Frédéric Bastiat et le mythe de la guerre

Frédéric Bastiat naquit à Bayonne, en France, en 1801. Sa courte carrière d'économiste ne commença qu'en 1844 et se termina lorsqu'il mourut de la tuberculose en 1850. Économiste, pamphlétaire, philosophe, humaniste et homme politique, il fut l'apôtre de la liberté et de la responsabilité individuelles. Écrivain d'une grande clarté et d'un humour décapant, il plaida pour la liberté des échanges et des choix économiques. Il lutta contre les contraintes, les subventions, les dépenses publiques satisfaisant des intérêts particuliers et l'intervention de l'État dans des domaines où il n'est pas efficace. Ses prévisions sur l'évolution de la société occidentale se révélèrent extraordinairement justes. Économiste presque oublié dans les pays francophones, il jouit aujourd'hui d'une grande réputation dans les pays anglophones. Ses œuvres les plus célèbres sont *La Loi, L'État, Sophismes économiques, Ce qu'on voit et ce qu'on ne voit pas* et *Harmonies économiques*.

Un des mythes les plus enracinés concerne le bienfait économique des guerres. Après tout, le plein-emploi du milieu des années 40 a suivi la Grande Dépression des années 30. Frédéric Bastiat renverse ce mythe.

« Dans la sphère économique, un acte, une habitude, une institution, une loi n'engendrent pas seulement un effet, mais une série d'effets. De ces effets, le premier seul est immédiat ; il se manifeste simultanément avec sa cause, *on le voit.* Les autres ne se déroulent que successivement, *on ne les voit pas* ; heureux si on les *prévoit.*

Entre un mauvais et un bon économiste, voici toute la différence : l'un s'en tient à l'effet *visible* ; l'autre tient compte et de l'effet qu'on voit et de ceux qu'il faut prévoir (…)

C'est pourquoi je rechercherai les conséquences de quelques phénomènes économiques, opposant à celles qu'*on voit* celles qu'*on ne voit pas.*

- FRÉDÉRIC BASTIAT -

La vitre cassée

Avez-vous jamais été témoin de la fureur du bon bourgeois Jacques Bonhomme, quand son fils terrible est parvenu à casser un carreau de vitre ? Si vous avez assisté à ce spectacle, à coup sûr vous aurez aussi constaté que tous les témoins, fussent-ils trente, semblaient s'être donné le mot pour offrir au propriétaire infortuné cette consolation uniforme : « À quelque chose malheur est bon. De tels accidents font aller l'industrie. Il faut que tout le monde vive. Que deviendraient les vitriers, si l'on ne cassait jamais de vitres ? »

Or, il y a dans cette formule de condoléances toute une théorie, qu'il est bon de surprendre *flagrante delicto*, dans ce cas très simple, attendu que c'est exactement la même que celle qui, par malheur, régit la plupart de nos institutions économiques.

À supposer qu'il faille dépenser six francs pour réparer le dommage, si l'on veut dire que l'accident fait arriver six francs à l'industrie vitrière, qu'il encourage dans la mesure de six francs la susdite industrie, je l'accorde, je ne conteste en aucune façon, on raisonne juste. Le vitrier va venir, il fera besogne, touchera six francs, se frottera les mains et bénira de son cœur l'enfant terrible. *C'est ce qu'on voit.*

Mais si, par voie de déduction, on arrive à conclure, comme on le fait trop souvent, qu'il est bon qu'on casse les vitres, que cela fait circuler l'argent, qu'il en résulte un encouragement pour l'industrie en général, je suis obligé de m'écrier: halte-là! Votre théorie s'arrête à *ce qu'on voit*, ne tient pas compte de *ce qu'on ne voit pas.*

On ne voit pas que, puisque notre bourgeois a dépensé six francs à une chose, il ne pourra plus les dépenser à une autre. *On ne voit pas* que s'il n'eût pas eu de vitre à remplacer, il eût remplacé, par exemple, ses souliers éculés ou mis un livre de plus dans sa bibliothèque. Bref, il aurait fait de ces six francs un emploi quelconque qu'il ne fera pas.

Faisons donc le compte de l'industrie en général.

La vitre étant cassée, l'industrie vitrière est encouragée dans la mesure de six francs; *c'est ce qu'on voit.* Si la vitre n'eût pas été cassée, l'industrie cordonnière (ou toute autre) eût été encouragée dans la mesure de six francs; *c'est ce qu'on ne voit pas.*

Et si l'on prenait en considération *ce qu'on ne voit pas* parce que c'est un fait négatif, aussi bien que *ce que l'on voit*, parce que c'est un fait positif, on comprendrait qu'il n'y a aucun intérêt pour l'industrie *en général*, ou pour l'ensemble du *travail national*, à ce que des vitres se cassent ou ne se cassent pas.

Faisons maintenant le compte de Jacques Bonhomme.

Dans la première hypothèse, celle de la vitre cassée, il dépense six francs, et a, ni plus ni moins que devant, la jouissance d'une vitre. Dans la seconde, celle où l'accident ne fût pas arrivé, il aurait dépensé six francs en chaussure et aurait eu tout à la fois la jouissance d'une paire de souliers et celle d'une vitre.

Or, comme Jacques Bonhomme fait partie de la société, il faut conclure de là que, considérée dans son ensemble, et toute balance faite de ses travaux et de ses jouissances, elle a perdu la valeur de la vitre cassée.

Par où, en généralisant, nous arrivons à cette conclusion inattendue: «La société perd la valeur des objets inutilement détruits» —, et à cet aphorisme qui fera dresser les cheveux sur la tête des protectionnistes: «Casser, briser, dissiper, ce n'est pas encourager le travail national», ou plus brièvement: «Destruction n'est pas profit».

Que direz-vous, *Moniteur industriel*, que direz-vous, adeptes de ce bon Monsieur de Saint-Chamans, qui a

calculé avec tant de précision ce que l'industrie gagnerait à l'incendie de Paris, à raison des maisons qu'il faudrait reconstruire?

Je suis fâché de déranger ses ingénieux calculs, d'autant qu'il en a fait passer l'esprit dans notre législation. Mais je le prie de les recommencer, en faisant entrer en ligne de compte *ce qu'on ne voit pas* à côté de ce qu'*on voit.*

Il faut que le lecteur s'attache à bien constater qu'il n'y a pas seulement deux personnages, mais trois dans le petit drame que j'ai soumis à son attention. L'un, Jacques Bonhomme, représente le Consommateur, réduit par la destruction à une jouissance au lieu de deux. L'autre, sous la figure du Vitrier, nous montre le Producteur dont l'accident encourage l'industrie. Le troisième est le Cordonnier (ou tout autre industriel) dont le travail est découragé d'autant par la même cause. C'est ce troisième personnage qu'on tient toujours dans l'ombre et qui, personnifiant ce qu'on ne voit pas, est un élément nécessaire du problème. C'est lui qui bientôt nous enseignera qu'il n'est pas moins absurde de voir un profit dans une restriction, laquelle n'est après tout qu'une destruction partielle. — Aussi, allez au fond de tous les arguments qu'on fait valoir en sa faveur, vous n'y trouverez que la paraphrase de ce dicton vulgaire: «*Que deviendraient les vitriers, si l'on ne cassait jamais de vitres?*»

Tiré de *Ce que l'on voit et ce que l'on ne voit pas*, publié en 1850.

Bastiat fait remarquer qu'augmenter les dépenses dans un domaine (celui des vitres) cause une baisse des dépenses ailleurs. L'effet net sur l'activité économique est donc nul. Qu'en est-il de la guerre? Appliquons le raisonnement de Bastiat. Si le gouvernement dépense plus pour acheter de l'équipement, des bombes, des avions, etc., les dépenses publiques augmentent, la demande agrégée suit et la production est stimulée. Résultat, ce qu'on voit, comme dirait Bastiat: moins de chômage.

Toutefois, le gouvernement a augmenté ses dépenses sans les réduire dans un autre domaine et *sans augmenter* les taxes. Il a donc diminué son épargne (T − G) et son solde budgétaire. Cela équivaut, dans l'exemple de Bastiat, à acheter une nouvelle vitre *et* de nouveaux souliers, en empruntant. Ce qu'on ne voit pas, pour reprendre l'expression de Bastiat, c'est que les impôts devront éventuellement augmenter, à cause de la dette plus importante. Par exemple, le ratio (dette fédérale / PIB) était d'environ 125 % au Canada en 1946, au sortir de la Seconde Guerre mondiale. Des dépenses publiques en infrastructures, en éducation, en recherche et développement auraient le même impact sur le PIB à court terme, tout en augmentant aussi la productivité et le niveau de vie à long terme. Et ces derniers choix augmentent le bien-être, ce qui n'est pas le cas de la guerre.

LES CONSÉQUENCES D'UN DÉPLACEMENT DE LA COURBE D'OFFRE AGRÉGÉE À COURT TERME

Considérons de nouveau une économie en équilibre de long terme et imaginons maintenant que certaines entreprises voient croître de façon imprévue leurs coûts de production. Cette augmentation peut résulter d'une catastrophe climatique ayant détruit une partie des récoltes, ce qui augmente les coûts de production alimentaire, ou d'un conflit au Moyen-Orient interrompant l'approvisionnement de pétrole brut, faisant ainsi flamber le prix des produits pétroliers.

Quelles sont les conséquences macroéconomiques d'un tel choc sur les coûts de production? Les firmes décident de réduire la quantité produite de biens et de services, pour tout niveau des prix. Par conséquent, comme l'illustre la figure 14.10, la courbe d'offre agrégée à court terme se déplace vers la gauche, de OACT₁ à OACT₂. (En fonction du choc, la courbe d'offre agrégée à long terme pourrait également se déplacer. Toutefois, pour simplifier, nous supposerons qu'elle reste fixe.)

Le graphique nous permet de comprendre les effets d'un déplacement vers la gauche de la courbe d'offre agrégée. À court terme, l'équilibre se déplace le long de la courbe de demande agrégée, de A à B. La production diminue de Y₁ à Y₂, et le niveau des prix passe de P₁ à P₂. L'économie enregistre à la fois une *stagnation économique* (chute de la production) et une *inflation* (augmentation des prix), phénomène parfois appelé **stagflation**.

Devant une période de stagflation, que devraient faire les décideurs? Comme nous le verrons plus loin dans cet ouvrage, il n'y a pas de solution simple. L'une des options consiste à ne pas intervenir. Dans ce cas, la production restera à son faible niveau Y₂ durant un certain temps, puis la récession finira par s'estomper d'elle-même, à mesure que les prévisions des agents économiques et les salaires s'ajusteront. Une période de faible production et de chômage élevé fait diminuer les salaires. Cette réduction des salaires réduit les coûts de production. Avec le temps, la courbe d'offre agrégée à court terme se déplace donc pour revenir vers OACT₁, le niveau des prix tombe et la production retrouve son niveau naturel. À long terme, l'économie revient au point A, c'est-à-dire à l'intersection de la courbe de demande agrégée et de la courbe

Stagflation
Période durant laquelle la production diminue et les prix montent.

Figure 14.10

Diminution de l'offre agrégée à court terme. En cas d'événement causant une augmentation des coûts unitaires de production, la courbe d'offre agrégée à court terme se déplace vers la gauche de OACT₁ à OACT₂. L'équilibre passe de A à B et il en résulte une stagflation, soit une chute de la production de Y₁ à Y₂ et une augmentation des prix de P₁ à P₂.

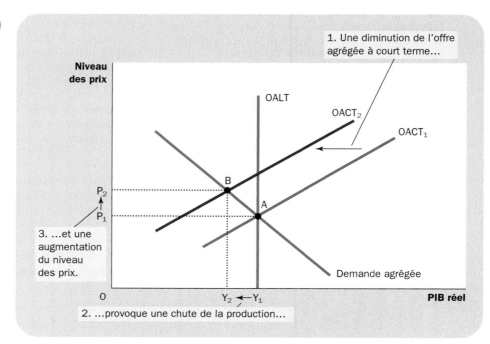

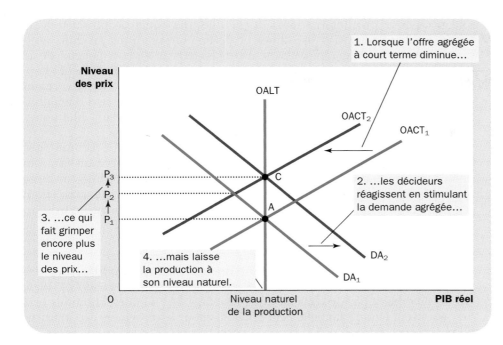

Figure 14.11

AMOINDRISSEMENT D'UN CHOC NÉGATIF SUR LA COURBE D'OFFRE AGRÉGÉE. Si la courbe d'offre agrégée subit un choc négatif et se déplace de OACT$_1$ à OACT$_2$, les dirigeants ont la possibilité, par l'intermédiaire des politiques monétaire et budgétaire, de faire déplacer vers la droite la courbe de demande agrégée, de DA$_1$ à DA$_2$. L'équilibre passera alors de A à C. Cette intervention éliminera les effets négatifs du déplacement de l'offre sur la production, mais le niveau des prix montera, de façon permanente, de P$_1$ à P$_3$.

d'offre agrégée à long terme. Dans ce cas, les décideurs choisissent de maintenir un niveau des prix réduit, en acceptant que la production et l'emploi aient diminué temporairement.

Les dirigeants peuvent également intervenir à l'aide de mesures monétaires et budgétaires, pour compenser certains effets du déplacement de la courbe d'offre agrégée à court terme, en faisant déplacer la demande agrégée. La figure 14.11 illustre cette possibilité. Dans ce cas, une politique monétaire ou budgétaire pousse la courbe de demande agrégée vers la droite de DA$_1$ à DA$_2$, juste assez pour annuler les effets du déplacement de l'offre agrégée à court terme sur la production. L'équilibre se déplace donc directement de A à C. La production demeure à son niveau naturel et le niveau des prix augmente de P$_1$ à P$_3$. On dira alors que les décideurs compensent le déplacement de l'offre agrégée à court terme en laissant la hausse des coûts se répercuter de façon permanente sur le niveau des prix. Dans ce cas, ils ont choisi de privilégier la production et l'emploi aux dépens de l'inflation.

En bref, il est possible de tirer deux conclusions de l'observation des déplacements de la courbe d'offre agrégée :

◆ Les déplacements de l'offre agrégée peuvent causer une stagflation, c'est-à-dire une récession (stagnation de la production) combinée à une inflation (augmentation des prix).

◆ Les interventions du gouvernement sur la demande agrégée ne peuvent contrebalancer ces deux effets néfastes simultanément.

ÉTUDE DE CAS   LE PÉTROLE ET L'ÉCONOMIE

Au Canada, depuis 1970, quelques-unes des fluctuations économiques les plus importantes trouvent leur origine dans les champs pétrolifères du Moyen-Orient. Le pétrole est un intrant essentiel dans la production de nombreux biens et services. Or, une partie considérable de la production pétrolière mondiale se concentre en Arabie Saoudite, au Koweït et dans d'autres États du golfe Persique. Toute réduction de l'approvisionnement pétrolier en provenance de cette région (souvent pour des raisons politiques)

Lire l'article
page 446

fait grimper le prix international du pétrole. Les coûts de production de l'essence, des pneus, des plastiques et de nombreux autres produits augmentent alors au Canada, causant un déplacement vers la gauche de la courbe d'offre agrégée à court terme et entraînant une stagflation. Les provinces productrices de pétrole, comme l'Alberta ou la Saskatchewan, voient alors leur demande agrégée augmenter, en raison d'une hausse des exportations nettes et des revenus provinciaux. Mais, dans l'ensemble, l'effet dominant pour le Canada se produit sur l'offre agrégée.

Ce phénomène s'est produit une première fois dans le courant des années 70. Les principaux producteurs de pétrole se sont rassemblés au sein de l'Organisation des pays exportateurs de pétrole (OPEP). L'OPEP constitue un *cartel* – un groupe de vendeurs qui tente d'éliminer la concurrence et qui réduit la production pour faire monter les prix. Naturellement, le prix du pétrole a alors connu une augmentation sans précédent. De 1973 à 1975, le prix du brut a pratiquement triplé. Cette hausse de prix a entraîné une récession, conjuguée à une inflation, dans tous les pays importateurs de pétrole. Au Canada, le taux d'inflation, mesuré d'après le déflateur du PIB, a dépassé 14 % en 1974. Le taux de chômage est passé de 5,5 % à 7 % de 1973 à 1975. On ne s'étonnera pas de constater que les effets de l'augmentation des prix du pétrole ont été substantiellement différents pour les provinces exportatrices de pétrole par rapport aux provinces importatrices. Par exemple, de 1973 à 1975, le taux de chômage de l'Alberta a reculé de 5,3 % à 4,1 %, alors que celui de l'Ontario est passé de 4,3 % à 6,3 %.

Le même scénario s'est répété quelques années plus tard. À la fin des années 70, les membres de l'OPEP ont réduit de nouveau la production pour faire monter les prix. De 1978 à 1981, le prix du pétrole brut a plus que doublé. Une fois encore, les coûts de production des entreprises utilisatrices de pétrole se sont accrus. Ce second choc pétrolier a conduit le gouvernement fédéral à lancer, en 1980, le Programme énergétique national (PEN). Le PEN devait réduire le taux de croissance des prix du pétrole au Canada pour qu'il soit inférieur à celui des cours mondiaux, et ce, afin de minimiser les effets « stagflationnistes » de l'escalade des prix pétroliers. Ce programme a contribué à soutenir les entreprises consommatrices de pétrole aux dépens des producteurs de pétrole. Pour conclure, même si cette politique de lutte contre les chocs pétroliers a réduit la stagflation au Canada, elle a favorisé certaines entreprises au détriment d'autres, et les provinces productrices de pétrole en ont tenu rancune au gouvernement fédéral.

Cependant, le marché pétrolier ne provoque pas que des mauvaises surprises pour les utilisateurs de ce produit. En 1986, une querelle entre les membres de l'OPEP s'est soldée par une augmentation de l'offre agrégée à court terme. Certains membres du cartel ont décidé de ne pas respecter leur quota de production et le prix du pétrole brut a diminué de moitié sur le marché mondial. Une telle chute a fortement réduit les coûts de production des entreprises consommatrices de pétrole, et la courbe d'offre agrégée à court terme s'est déplacée vers la droite. L'économie canadienne a alors connu l'inverse d'une stagflation : une croissance rapide accompagnée d'une chute du chômage, qui est passé de 10,5 % en 1985 à 7,5 % en 1989. Une fois encore, les retombées de cette chute du prix du pétrole ont différé grandement selon les provinces. De 1985 à 1987, le taux de chômage de l'Alberta stagnait autour des 10 %, alors que celui de l'Ontario diminuait de 8 % à 6,1 %.

On voit bien que le marché du pétrole est volatile. Cette volatilité reflète en partie l'instabilité inhérente aux cartels. Les membres des cartels ont certes tout intérêt à vendre en deçà du prix convenu pour augmenter leur part de marché et leurs bénéfices. Or, comme tous les membres font face aux mêmes incitations, il arrive en effet que le cartel – et le prix convenu – s'effondre. L'instabilité du prix du pétrole est également reliée aux turbulences politiques

LES VARIATIONS DE LA PRODUCTION PÉTROLIÈRE AU MOYEN-ORIENT EXPLIQUENT EN PARTIE LES FLUCTUATIONS ÉCONOMIQUES AU CANADA.

des dernières années au Moyen-Orient. Ces deux facteurs expliquent l'effondrement du prix du pétrole au début de 1998. Entre octobre 1997 et décembre 1998, le prix du baril a chuté de 41 %. Après cette forte baisse, les membres de l'OPEP se sont réunis et ont décidé de réduire leur production : de décembre 1998 à novembre 2004, le prix du brut a ainsi doublé. Le même phénomène s'est reproduit par la suite, avec une baisse du prix en 2001, et une hausse en 2003-2004.

Fort heureusement, l'économie canadienne est beaucoup moins dépendante du pétrole qu'auparavant. Pour chaque dollar de PIB réel, le Canada n'utilise plus maintenant que la moitié du pétrole dont il avait besoin lors du premier choc pétrolier en 1973. Les chocs pétroliers ont donc un plus faible impact sur la courbe canadienne d'offre agrégée à court terme, et une augmentation importante des prix du pétrole risque moins de mener à une stagflation que dans les années 70.

MINITEST : Supposez que l'élection d'un premier ministre particulièrement populaire augmente la confiance en l'avenir de la population canadienne. À l'aide du modèle d'offre et de demande agrégées, analysez les conséquences de cet événement sur l'économie.

CONCLUSION

Ce chapitre avait deux objectifs : d'abord, présenter quelques données essentielles sur les fluctuations à court terme de l'économie ; ensuite, proposer un modèle de base pour expliquer ces fluctuations, soit le modèle d'offre et de demande agrégées. Dans les deux prochains chapitres, nous reviendrons en détail sur chacun des éléments de ce modèle, afin de mieux comprendre, d'une part, les raisons des fluctuations économiques et, d'autre part, les interventions possibles des gouvernements.

Maintenant que nous avons une connaissance générale de ce modèle, il est intéressant de prendre un certain recul et de s'intéresser à son histoire. Comment un tel modèle de fluctuations économiques à court terme s'est-il développé ? En fait, ses origines remontent à la Crise des années 30, lorsque les économistes et les gouvernements de l'époque, déconcertés par l'ampleur du phénomène, ne savaient pas très bien comment réagir.

En 1936, l'économiste John Maynard Keynes publia un ouvrage intitulé *Théorie générale de l'emploi, de l'intérêt et de la monnaie*, qui proposait une explication des fluctuations économiques à court terme, et en particulier de la Crise. Keynes pensait qu'une demande agrégée trop faible pouvait expliquer les récessions et les dépressions. Connu pour ses critiques de l'économie classique – étudiée du chapitre 7 au chapitre 13 du présent ouvrage –, Keynes soulignait son échec à expliquer les effets à court terme des politiques. Quelques années avant de publier la *Théorie générale*, Keynes écrivit ceci sur l'économie classique : « Le long terme est un mauvais guide pour le court terme. À long terme, nous sommes tous morts. La tâche des économistes se révèle réductrice ou inutile si elle consiste uniquement à proférer, lors des tempêtes, qu'une fois l'orage passé, l'océan redeviendra calme. » (traduction libre)

Le message de Keynes s'adressait tout autant aux gouvernants qu'aux économistes. À une époque où un chômage massif affligeait l'économie mondiale, Keynes prônait une stimulation de la demande agrégée, entre autres par des dépenses publiques en infrastructures. Dans le prochain chapitre, nous verrons comment les gouvernements peuvent tenter d'utiliser les politiques monétaire et budgétaire pour influencer la demande agrégée. Notre analyse, autant dans le chapitre 14 que dans les suivants, s'inspire grandement de la contribution de John Maynard Keynes.

Résumé

◆ Tous les pays connaissent des fluctuations économiques à court terme autour de tendances à long terme. Ces fluctuations sont à la fois irrégulières et imprévisibles. En cas de récession, le PIB réel et les autres indicateurs du revenu, des dépenses et de la production diminuent, tandis que le chômage augmente.

◆ Les économistes analysent les fluctuations à court terme grâce au modèle d'offre et de demande agrégées. D'après ce modèle, la production de biens et de services et le niveau général des prix s'ajustent de manière à équilibrer l'offre et la demande agrégées.

◆ Trois raisons expliquent la pente négative de la courbe de demande agrégée. Premièrement, un niveau des prix plus bas fait augmenter la valeur réelle de la monnaie détenue par les ménages, stimulant ainsi la consommation. Deuxièmement, un niveau des prix inférieur réduit la demande de monnaie des ménages; à mesure que ceux-ci tentent d'échanger une partie de leur monnaie contre des actifs portant intérêt, les taux d'intérêt baissent, stimulant ainsi les dépenses d'investissement. Finalement, un niveau des prix inférieur fait diminuer le taux de change réel. Cette dépréciation fait baisser le prix des marchandises canadiennes par rapport aux produits importés, augmentant ainsi les exportations nettes.

◆ Tout choc ou mesure gouvernementale qui stimule la consommation, l'investissement, les dépenses publiques ou les exportations nettes, et ce, pour tout niveau des prix, fait augmenter la demande agrégée. Tout choc ou mesure qui réduit pour tout niveau des prix la consommation, l'investissement, les dépenses publiques ou les exportations nettes fait diminuer la demande agrégée.

◆ La courbe d'offre agrégée à long terme est verticale. À long terme, la quantité de biens et de services offerte dépend du travail et de la productivité, mais non du niveau des prix.

◆ Plusieurs théories expliquent la pente positive de la courbe d'offre agrégée à court terme. Selon la théorie des salaires rigides, une baisse inattendue du niveau des prix fait temporairement augmenter les salaires réels, ce qui incite les entreprises à licencier du personnel et à réduire la production. La production s'écarte donc de son niveau naturel lorsque le niveau des prix ne correspond pas au niveau des prix anticipé.

◆ Les événements qui modifient la capacité de production de l'économie, tels que des variations de la main-d'œuvre et de la productivité, causent un déplacement de la courbe d'offre agrégée à court terme et de la courbe d'offre agrégée à long terme. En outre, la position de la courbe à court terme dépend du niveau des prix anticipé et des prix des facteurs de production.

◆ Un déplacement de la demande agrégée représente l'une des causes des fluctuations économiques. Lorsque cette courbe se déplace vers la gauche, la production et les prix diminuent à court terme. Au fil du temps, les attentes des agents économiques se modifient et finissent par provoquer un ajustement des salaires et, par conséquent, un déplacement vers la droite de la courbe d'offre agrégée. La production retrouve son niveau naturel, à un niveau des prix inférieur.

◆ Un déplacement de la courbe d'offre agrégée à court terme cause également des fluctuations économiques. Lorsque cette courbe se déplace vers la gauche, la production diminue et les prix augmentent – une combinaison appelée *stagflation*. Un ajustement des attentes des agents économiques et des salaires finit par ramener les prix et la production à leur niveau d'origine.

Concepts clés

Questions de révision

1. Nommez deux variables macroéconomiques qui chutent en cas de récession. Nommez une variable macroéconomique qui augmente lors d'une récession.

2. Tracez un graphique illustrant la demande agrégée, l'offre agrégée à court terme ainsi que l'offre agrégée à long terme, en identifiant correctement les axes.

3. Énumérez et expliquez les trois raisons qui expliquent que la courbe de demande agrégée présente une pente négative.

4. Expliquez pourquoi la courbe d'offre agrégée à long terme est verticale.

5. Expliquez pourquoi la courbe d'offre agrégée à court terme présente une pente positive.

6. Pour quelles raisons la courbe de demande agrégée pourrait-elle se déplacer vers la gauche ? Grâce au modèle d'offre et de demande agrégées, montrez les effets d'un tel déplacement.

15

LES IMPACTS DES POLITIQUES MONÉTAIRE ET BUDGÉTAIRE SUR LA DEMANDE AGRÉGÉE

Mettez-vous à la place du gouverneur de la Banque du Canada et imaginez que vous êtes responsable de la politique monétaire. Vous savez que le gouvernement fédéral a commencé à réduire les dépenses publiques afin d'éliminer le déficit budgétaire. Comment devez-vous réagir? En augmentant l'offre de monnaie? En la réduisant? En la maintenant telle quelle?

Pour répondre à cette question, vous devez évaluer les retombées des politiques monétaire et budgétaire sur l'économie. Dans le chapitre précédent, nous avons expliqué les fluctuations économiques à court terme grâce à un modèle d'offre et de demande agrégées. Nous avons vu que le déplacement de la courbe d'offre ou de demande agrégées causait une fluctuation de la production et du niveau général des prix. Nous avons également constaté que les politiques fiscale et monétaire influaient sur la demande agrégée, et que toute modification de ces politiques exerçait un effet à court terme sur la production et sur les prix. Les décideurs doivent donc anticiper ces retombées et, éventuellement, ajuster leurs politiques en conséquence.

À LA FIN DE CE CHAPITRE, VOUS SEREZ EN MESURE...

de montrer comment la théorie de la préférence pour la liquidité peut expliquer les variations à court terme du taux d'intérêt

d'analyser les retombées de la politique monétaire sur les taux d'intérêt et la demande agrégée, et ce, dans une économie ouverte ou fermée

d'analyser les retombées de la politique budgétaire sur les taux d'intérêt et la demande agrégée, et ce, dans une économie ouverte ou fermée

de comprendre le débat sur l'à-propos de l'intervention de l'État pour stabiliser l'économie.

Dans le présent chapitre, nous examinerons de plus près les effets des politiques monétaire et budgétaire sur la demande agrégée. Nous avons déjà eu l'occasion d'aborder les effets à long terme de ces politiques. Aux chapitres 7 et 8, nous avons pu constater l'influence de la politique budgétaire sur l'épargne, l'investissement et la croissance économique à long terme. Dans les chapitres 10 et 11, nous avons vu comment la Banque du Canada peut modifier l'offre de monnaie, et nous avons étudié les effets des variations de la masse monétaire sur le niveau de prix à long terme. Aux chapitres 12 et 13, nous avons analysé les relations entre les différentes variables macroéconomiques en économie ouverte, et nous avons vu quels facteurs déterminent le taux de change réel, les exportations nettes et l'investissement net à l'étranger.

Dans le présent chapitre, nous nous intéresserons aux conséquences des politiques monétaire et budgétaire sur la courbe de demande agrégée et, par le fait même, sur les fluctuations économiques à court terme. Nous constaterons que la position de la courbe de demande agrégée dépend de ces politiques, mais aussi du degré d'ouverture de l'économie par rapport au commerce des biens et des services et aux mouvements de capital financier. Pour simplifier l'analyse, nous commencerons par étudier les effets des politiques monétaire et budgétaire en économie fermée. Nous examinerons par la suite les retombées des politiques monétaire et budgétaire sur une petite économie ouverte telle que le Canada.

Outre les mesures fiscales et monétaires, de multiples facteurs influencent la demande agrégée. Ainsi, les dépenses planifiées par les ménages et par les entreprises déterminent la valeur de la demande agrégée de biens et de services. Toute modification des dépenses planifiées cause un déplacement de la courbe de demande agrégée. Si les gouvernants ne réagissent pas, ce déplacement de la demande agrégée provoque une fluctuation à court terme de la production et de l'emploi. Pour cette raison, les décideurs prennent souvent des mesures pour contrer les déplacements de la demande agrégée et, par conséquent, stabiliser l'économie. Nous analyserons la théorie soutenant ces interventions publiques et les difficultés de sa mise en pratique.

LA POLITIQUE MONÉTAIRE ET LA DEMANDE AGRÉGÉE

La courbe de demande agrégée correspond à la quantité totale de biens et de services demandée dans l'économie, pour tout niveau des prix. Dans le précédent chapitre, nous avons donné les trois raisons qui expliquent la pente négative de cette courbe:

◆ *L'effet de richesse:* une réduction du niveau des prix augmente la valeur réelle des actifs monétaires des ménages et, par conséquent, stimule la consommation.

◆ *L'effet du taux d'intérêt:* une diminution du niveau des prix fait baisser le taux d'intérêt, car les ménages cherchent à convertir leur monnaie en actifs rapportant un rendement; cela encourage les investissements.

◆ *L'effet du taux de change réel:* une baisse du niveau des prix provoque une réduction du taux de change réel. Une telle dépréciation de la monnaie réduit le prix des marchandises canadiennes par rapport aux produits étrangers, stimulant ainsi les exportations nettes canadiennes.

Ces trois raisons expliquant la pente négative de la courbe de demande agrégée ne s'excluent pas l'une l'autre. Au contraire, ces effets se conjuguent pour accroître la quantité de biens et de services demandée en cas de baisse des prix et, à l'inverse, à la diminuer en cas de hausse des prix.

Or, même si ces trois effets expliquent conjointement la pente négative de la courbe de demande agrégée, ils n'ont pas tous la même importance. La quantité de numéraire que conservent les ménages ne représentant qu'une faible part de leurs actifs, l'effet de richesse est le moins important des trois facteurs. En économie fermée, l'effet du taux de change n'existe pas. Si la courbe de demande agrégée a une pente négative, en économie fermée, la cause en est donc principalement l'influence du taux d'intérêt. Nous avons décidé de commencer notre analyse par l'examen des effets des politiques monétaire et fiscale sur la courbe de demande agrégée en économie fermée. Nous examinerons donc d'abord l'effet du taux d'intérêt. Cependant, nous devons nous rappeler que les exportations et les importations représentent une grande partie de l'activité économique canadienne et que, dans la dernière décennie, leur importance n'a fait qu'augmenter. Cela nous amènera un peu plus loin à considérer l'influence du taux de change réel comme l'un des facteurs essentiels expliquant la pente négative de la courbe de demande agrégée au Canada.

Afin de comprendre l'influence des politiques économiques sur la demande agrégée, nous examinerons donc plus en détail l'influence du taux d'intérêt. En premier lieu, nous devons aborder la **théorie de la préférence pour la liquidité**. Celle-ci nous permettra de mieux comprendre la pente négative de la demande agrégée, de même que les effets de la politique monétaire sur la position de cette courbe en économie fermée. Nous examinerons ensuite les effets de la politique monétaire dans une petite économie ouverte.

LA THÉORIE DE LA PRÉFÉRENCE POUR LA LIQUIDITÉ

Dans son célèbre ouvrage, *Théorie générale de l'emploi, de l'intérêt et de la monnaie*, John Maynard Keynes a eu recours à la théorie de la préférence pour la liquidité pour expliquer la détermination du taux d'intérêt. Fondamentalement, cette théorie n'est qu'une application de la loi de l'offre et de la demande. D'après Keynes, le taux d'intérêt s'ajuste pour permettre l'équilibre entre l'offre et la demande de monnaie.

Au chapitre 11, nous avons vu que les économistes établissent une distinction entre deux taux d'intérêt : le *taux d'intérêt nominal*, correspondant au taux d'intérêt affiché, et le *taux d'intérêt réel*, corrigé pour tenir compte de l'inflation. Duquel des deux tentons-nous d'expliquer l'influence ? Des deux, en fait. Au cours de la présentation, nous considérerons le taux d'inflation anticipé comme étant constant. Il s'agit d'une hypothèse raisonnable pour l'étude de l'économie à court terme. Dès lors, si le taux d'intérêt nominal augmente ou diminue, le taux d'intérêt réel anticipé augmente ou diminue de manière identique. Dans la suite de ce chapitre, chaque fois que nous nous référerons au taux d'intérêt, souvenez-vous que les taux d'intérêt nominal et réel bougent dans le même sens.

Abordons maintenant la théorie de la préférence pour la liquidité en examinant l'offre et la demande de monnaie ainsi que leur relation avec le taux d'intérêt.

L'offre de monnaie.   Il s'agit de la première partie de la théorie de la préférence pour la liquidité. Comme nous l'avons vu au chapitre 10, l'offre de monnaie désigne le « stock » de monnaie ou la quantité de monnaie en circulation dans l'économie. Elle dépend de la Banque du Canada, qui peut modifier la masse monétaire de deux façons différentes. Tout d'abord, la banque centrale peut faire varier les réserves du système bancaire par des opérations d'*open market*, c'est-à-dire en achetant ou en vendant des obligations d'État sur le marché

Théorie de la préférence pour la liquidité
Théorie développée par John Maynard Keynes, selon laquelle le taux d'intérêt assure l'équilibre entre l'offre et la demande de monnaie.

obligataire. Lorsque la Banque du Canada vend des obligations fédérales, les dollars reçus en échange sont retirés de la circulation et les réserves bancaires s'en trouvent diminuées. Une telle réduction des réserves diminue la capacité de prêt et de création de monnaie des institutions financières. Une autre forme d'opération d'*open market* consiste pour la Banque du Canada à acheter et à vendre des devises étrangères sur le marché des changes. Comme nous l'avons vu au chapitre 10, si la Banque du Canada achète sur ce marché 100 millions de dollars américains en échange de 150 millions de dollars canadiens, la masse monétaire canadienne augmente instantanément de 150 millions de dollars. Si la banque centrale vend des devises étrangères et achète des dollars canadiens, la diminution de la quantité de dollars en circulation réduit l'offre de monnaie.

La seconde méthode utilisée par la banque centrale pour modifier l'offre de monnaie consiste à modifier son taux d'escompte et son taux directeur. Le taux d'escompte correspond au taux d'intérêt sur les prêts consentis par la banque centrale aux banques commerciales. Depuis la fin des années 90, la Banque du Canada prête rarement aux banques à charte, car elle a encouragé la formation d'un marché actif, où les banques se prêtent, pour 24 heures, leurs réserves excédentaires. Le taux auquel les banques se prêtent des fonds entre elles est appelé taux directeur. Les banques à charte n'ont jamais à payer plus que le taux directeur pour leurs emprunts à court terme, puisqu'elles peuvent toujours choisir d'emprunter à ce taux auprès d'une autre banque. Une modification du taux directeur fait varier le taux d'escompte dans la même proportion (le taux d'escompte est plus élevé de 0,25 % que le taux directeur). La Banque du Canada utilise le taux directeur pour modifier l'offre de monnaie. Les banques à charte procèdent à des emprunts lorsqu'elles constatent que leurs réserves sont insuffisantes. En augmentant le taux directeur, la Banque du Canada augmente le coût à payer par les banques à charte pour se procurer des réserves, dissuadant ainsi les banques d'emprunter, ce qui cause une réduction de l'offre de monnaie. À l'inverse, une réduction du taux directeur allège le coût des emprunts, de même qu'elle accroît les réserves bancaires et l'offre monétaire.

Les opérations d'*open market* et les variations du taux directeur constituent les deux méthodes utilisées par la Banque du Canada pour modifier l'offre de monnaie. De plus, comme nous le verrons plus loin, la décision de la banque centrale de vendre ou d'acheter des dollars sur le marché des changes influence les effets des politiques monétaire et budgétaire sur la demande agrégée.

La figure 15.1 illustre l'offre de monnaie. La quantité de monnaie se trouve en abscisse et le taux d'intérêt en ordonnée. *Nous ferons l'hypothèse, à partir de maintenant, que la Banque du Canada contrôle directement l'offre de monnaie, au moyen d'opérations d'*open market*, et que les variations du taux d'intérêt n'influencent nullement la quantité de monnaie offerte. Pour cette raison, la courbe d'offre de monnaie est verticale et correspond au stock de monnaie présent dans l'économie.*

La demande de monnaie. Il s'agit de la seconde partie de la théorie de la préférence pour la liquidité. Avant toute chose, il importe de se rappeler que la *liquidité* d'un actif signifie la facilité avec laquelle on peut le convertir en moyen d'échange. Or la monnaie *est* le moyen d'échange de l'économie. Elle est donc, par définition, le plus liquide des actifs. C'est pour cette raison que les agents économiques désirent en détenir : contrairement à d'autres actifs, ils peuvent se servir de la monnaie pour acheter des biens et des services.

Selon la théorie de la préférence pour la liquidité, le taux d'intérêt est un facteur important, parmi d'autres, de la quantité de monnaie demandée. En effet, le taux d'intérêt correspond au coût de renonciation de la monnaie. Si, par exemple, vous décidez de conserver tout votre avoir en billets de banque plutôt que sous forme d'obligations portant intérêt, vous renoncez du même

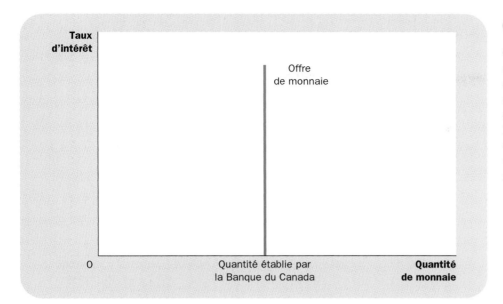

Figure 15.1

OFFRE DE MONNAIE. La banque centrale fixe l'offre de monnaie dans l'économie. Au Canada, cette tâche incombe à la Banque du Canada. Sur ce graphique, la courbe d'offre de monnaie est verticale, puisque la quantité de monnaie dans l'économie est indépendante des taux d'intérêt.

coup à percevoir cet intérêt. Plus le taux d'intérêt est élevé, plus le coût de renonciation de la détention de monnaie est important et plus la quantité demandée de monnaie est faible. Ainsi, comme on le voit sur la figure 15.2, la pente de la courbe de demande de monnaie est négative.

La quantité de monnaie demandée dépend également d'un autre facteur clé : les achats de biens et de services. Si la quantité ou le prix de ces biens et de ces services augmente, les agents économiques doivent se munir de davantage de monnaie pour compléter leurs transactions. La quantité de biens et de services achetés correspond tout simplement au PIB réel. Les prix des biens et des services d'une économie se mesurent par l'indice des prix à la consommation ou par le déflateur du PIB. Le produit du PIB réel et du niveau des prix mesure la valeur, en dollars, de toutes les transactions. La figure 15.3 illustre l'effet sur la demande de monnaie d'une augmentation du niveau des prix ou

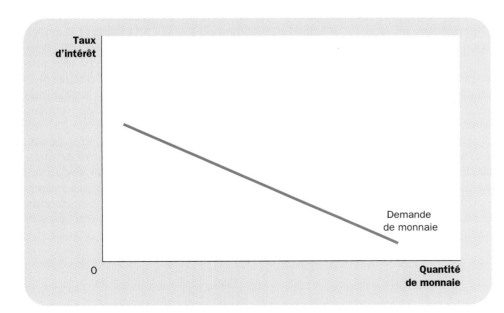

Figure 15.2

DEMANDE DE MONNAIE. Puisque le taux d'intérêt représente le coût de renonciation de la détention de monnaie (qui est un actif ne portant pas intérêt), toute augmentation de ce taux réduit la quantité de monnaie demandée. Une telle relation peut être illustrée par la pente négative de la courbe de demande de monnaie.

Figure 15.3

DÉPLACEMENTS DE LA DEMANDE DE MONNAIE. Les gens conservent de la monnaie pour acheter des biens et des services. Si la valeur des transactions en dollars augmente, en raison d'une hausse du niveau des prix ou du PIB, les gens souhaitent détenir davantage d'actifs sous forme de monnaie. La demande de monnaie augmente, et ce, pour tout niveau du taux d'intérêt r_1, passant alors de DM_1 à DM_3 : la courbe de demande de monnaie se déplace alors vers la droite. Si la valeur des transactions en dollars diminue, en raison d'une baisse des prix ou du PIB, les gens veulent détenir moins d'actifs monétaires, pour tout niveau du taux d'intérêt r_1. La demande de monnaie diminue, passant de DM_1 à DM_2, et se déplace vers la gauche.

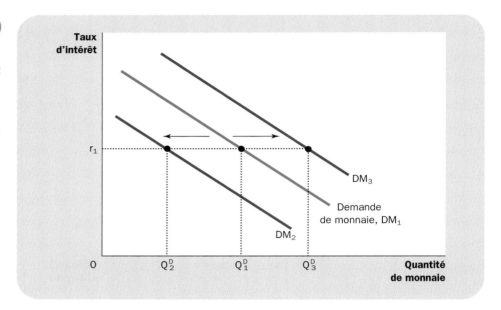

du PIB. Pour un taux d'intérêt donné, l'accroissement de la valeur en dollars des transactions provoque une hausse de la quantité demandée de monnaie ; pour tous les taux d'intérêt, la courbe de demande se déplace donc vers la droite. Pour un taux d'intérêt donné, une diminution de la valeur en dollars des transactions se traduit par une baisse de la quantité demandée de monnaie et, par conséquent, pour tous les taux d'intérêt par un déplacement vers la gauche de la courbe de demande.

L'équilibre sur le marché monétaire. D'après la théorie de la préférence pour la liquidité, le taux d'intérêt s'ajuste pour équilibrer l'offre et la demande de monnaie. Ce qu'on appelle le *taux d'intérêt d'équilibre* correspond au point où la demande et l'offre de monnaie se croisent. Si le taux d'intérêt est différent de ce niveau, les gens modifieront la quantité des divers actifs qu'ils détiennent pour le ramener graduellement à son point d'équilibre.

Imaginons, comme le montre la figure 15.4, que le taux d'intérêt dépasse le niveau d'équilibre, pour atteindre r_1. Dans un tel cas, la quantité de monnaie que le public souhaite détenir, Q_1^D, est inférieure à la quantité offerte par la Banque du Canada. Les détenteurs de cette monnaie excédentaire tenteront de s'en débarrasser, soit en achetant des obligations, soit en la plaçant dans un compte d'épargne. Or les émetteurs d'obligations et les banques préfèrent payer des taux d'intérêt plus faibles : le surplus de monnaie dans le marché leur permettra justement d'offrir des taux d'intérêt moins élevés. À mesure que les taux chutent, les gens seront incités à détenir plus de numéraire. Lorsque le taux d'intérêt a atteint son niveau d'équilibre, le public détient alors le stock de monnaie exact offert par la Banque du Canada.

À l'inverse, un taux d'intérêt inférieur au niveau d'équilibre, comme en r_2, incite les gens à détenir une quantité de monnaie Q_2^D excédant l'offre de monnaie de la Banque du Canada. Le public tentera alors d'accroître ses avoirs monétaires en vendant ses obligations ou toute autre forme de placements portant intérêt. Cette situation amène les émetteurs d'obligations à augmenter le taux d'intérêt pour attirer des acheteurs. Le taux d'intérêt augmente alors et se rapproche de son niveau d'équilibre.

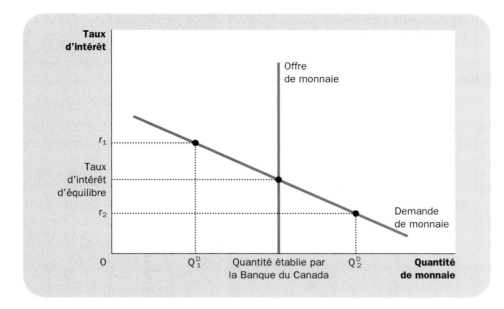

Figure 15.4

ÉQUILIBRE DU MARCHÉ MONÉTAIRE. Selon la théorie de la préférence pour la liquidité, le taux d'intérêt assure l'équilibre entre l'offre et la demande de monnaie. Si le taux d'intérêt dépasse le niveau d'équilibre (comme en r_1), le public voudra détenir une quantité de monnaie Q_1^D moindre que celle déterminée par la Banque du Canada. Cet excédent de monnaie exercera une pression à la baisse sur le taux d'intérêt. L'ajustement inverse s'effectue lorsque le taux d'intérêt se situe en dessous de l'équilibre (comme en r_2). La quantité de monnaie demandée (Q_2^D) dépasse la quantité créée par la Banque du Canada. Une telle pénurie exerce une pression à la hausse sur le taux d'intérêt. Le jeu de l'offre et de la demande sur le marché monétaire ajuste le taux d'intérêt pour faire en sorte que le public soit satisfait de détenir la quantité exacte de monnaie créée par la banque centrale.

LA PENTE NÉGATIVE DE LA COURBE DE DEMANDE AGRÉGÉE

Après avoir vu comment la théorie de la préférence pour la liquidité explique le taux d'intérêt d'équilibre, nous allons maintenant examiner ce qu'elle implique pour la demande agrégée. Commençons par réexaminer, à la lumière de cette théorie, un sujet qui nous est maintenant familier : l'effet du taux d'intérêt sur la courbe de demande agrégée. Supposons que le niveau des prix augmente. Qu'arrive-t-il au taux d'intérêt, qui assure l'équilibre entre l'offre et la demande de monnaie, et comment la quantité de biens et de services demandée est-elle modifiée ?

Le niveau des prix, comme nous venons de le voir, influe directement sur la quantité de monnaie demandée. Si les prix augmentent, davantage de monnaie est nécessaire pour chaque transaction d'achat ou de vente d'un bien ou d'un service. En conséquence, les gens choisiront de détenir davantage de monnaie. Autrement dit, un niveau des prix plus élevé augmente la quantité de monnaie demandée, et ce, pour tout niveau du taux d'intérêt. Sur le graphique (a) de la figure 15.5, lorsque le niveau des prix augmente de P_1 à P_2, on observe un déplacement de la courbe de demande de monnaie vers la droite, soit de DM_1 à DM_2.

Observons les conséquences de ce déplacement sur l'équilibre du marché monétaire. Pour une offre de monnaie donnée, le taux d'intérêt doit augmenter, afin de maintenir l'équilibre entre l'offre et la demande. Un niveau des prix élevé incite donc le public à conserver davantage de monnaie, faisant se déplacer vers la droite la courbe de demande. Cependant, puisque la quantité de monnaie offerte reste fixe, le taux d'intérêt doit donc augmenter de r_1 à r_2 afin de maintenir l'égalité entre l'offre et la demande de monnaie.

La hausse des taux d'intérêt provoque des retombées à la fois sur le marché monétaire et sur le marché des biens et des services, comme nous le constatons sur le graphique (b). Pour un taux d'intérêt supérieur, le coût des emprunts et le rendement de l'épargne s'accroissent. Par conséquent, moins de ménages choisissent d'emprunter pour acheter une maison, et ceux qui empruntent optent pour des maisons plus modestes. Le taux d'intérêt plus élevé provoque donc une baisse de la demande d'investissements résidentiels. Il décourage également l'investissement des entreprises dans de nouveaux bâtiments et équipements. Nous pouvons donc conclure que, lorsque le niveau des prix augmente de P_1

à P$_2$, la demande de monnaie s'accroît de DM$_1$ à DM$_2$, le taux d'intérêt s'élève de r$_1$ à r$_2$ et la quantité de biens et de services demandée décroît de Y$_1$ à Y$_2$.

L'effet du taux d'intérêt peut donc se résumer en trois étapes : 1) une augmentation du niveau des prix accroît la demande de monnaie, 2) cette augmentation de la demande de monnaie provoque une hausse du taux d'intérêt et 3), cette hausse réduit la quantité de biens et de services demandée.

Évidemment, la même logique s'applique en sens inverse : une baisse du niveau des prix réduit la demande de monnaie, faisant tomber le taux d'intérêt et débouchant sur une hausse de la quantité de biens et de services demandée. Cette analyse révèle une relation négative entre le niveau des prix et la quantité de biens et de services demandée, relation illustrée par la pente négative de la courbe de demande agrégée.

En économie ouverte, l'influence du taux de change réel constitue un autre facteur déterminant. Une hausse du niveau des prix fait augmenter le taux de change réel. Cette hausse rend les produits canadiens plus chers par rapport

Figure 15.5

MARCHÉ MONÉTAIRE ET PENTE DE LA COURBE DE DEMANDE AGRÉGÉE. Une hausse du niveau des prix de P$_1$ à P$_2$ déplace la courbe de demande de monnaie vers la droite, sur le graphique (a). Cet accroissement de la demande de monnaie fait augmenter le taux d'intérêt, qui passe de r$_1$ à r$_2$. Cette hausse augmente le coût des emprunts, ce qui réduit la quantité demandée de biens et de services, laquelle passe de Y$_1$ à Y$_2$. Cette relation négative entre le niveau des prix et la quantité demandée de biens et de services correspond à la pente négative de la courbe de demande agrégée, illustrée au graphique (b).

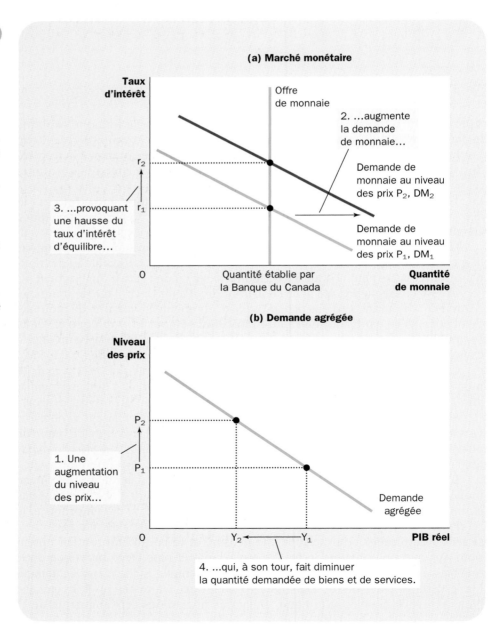

aux produits étrangers. Les consommateurs canadiens et étrangers ont alors tendance à se détourner des produits fabriqués au Canada : les exportations nettes chutent donc. Pour cette raison, l'augmentation des prix provoque une réduction supplémentaire de la quantité demandée de biens et de services dans une petite économie ouverte. Peu importe que l'effet le plus fort provienne du taux d'intérêt ou du taux de change, le résultat est le même : une relation négative entre le niveau des prix et la quantité demandée de biens et de services – illustrée par la pente négative de la courbe de demande agrégée.

LES VARIATIONS DE L'OFFRE DE MONNAIE

La théorie de la préférence pour la liquidité nous a permis de mieux expliquer la relation entre la quantité demandée de biens et de services et le niveau des prix, c'est-à-dire de comprendre les déplacements s'effectuant le long de la courbe de demande agrégée. Cette théorie nous aide également à comprendre les effets de certains autres événements sur la quantité de biens et de services demandée. Lorsque cette quantité varie *pour un niveau des prix donné,* la courbe de demande se déplace. Comme nous le verrons, la réaction de l'économie à une variation de la quantité demandée de biens et de services est différente selon qu'il s'agit d'une économie fermée ou d'une économie ouverte. Nous allons d'abord examiner ce qui se passe en économie fermée, puis nous recommencerons ensuite l'analyse pour le cas d'une économie ouverte. Cette façon de procéder se justifie du fait qu'une économie ouverte se comporte comme une économie fermée, plus quelques effets supplémentaires. Une observation du fonctionnement d'une économie fermée est donc une bonne entrée en matière pour l'étude d'une économie ouverte comme celle du Canada.

La politique monétaire est une variable qui peut faire déplacer la courbe de demande agrégée. Pour comprendre comment cette variable influe sur l'économie à court terme, supposons que la Banque du Canada augmente l'offre de monnaie en achetant des obligations par des opérations d'*open market.* (La raison de cette intervention deviendra plus évidente à mesure que nous en comprendrons les effets.) Voyons comment cette injection monétaire se répercute sur le taux d'intérêt d'équilibre, pour un niveau des prix donné. Cela nous permettra de comprendre comment cette injection monétaire influe sur la position de la courbe de demande agrégée.

Comme on le voit sur le graphique (a) de la figure 15.6, une augmentation de l'offre de monnaie déplace la courbe d'offre de monnaie vers la droite, la faisant passer de OM_1 à OM_2. Comme la courbe de demande de monnaie n'a pas bougé, le taux intérêt diminue de r_1 à r_2, pour maintenir l'équilibre entre l'offre et la demande de monnaie. En somme, le taux d'intérêt doit baisser pour inciter les gens à détenir la masse monétaire supplémentaire injectée par la Banque du Canada.

Encore une fois, le taux d'intérêt influe sur la quantité de biens et de services demandée, comme on le constate sur le graphique (b). La baisse des taux d'intérêt réduit à la fois le coût des emprunts et le rendement de l'épargne. Les ménages réagissent en achetant des maisons, stimulant ainsi la construction résidentielle, et les sociétés augmentent leurs dépenses en équipements et en infrastructures ; toutes ces nouvelles dépenses sont des dépenses d'investissement. La quantité des biens et de services demandée augmente donc, pour un niveau des prix donné, P. Cette augmentation de la demande de biens et de services fait à son tour augmenter la demande de monnaie. Celle-ci passe de DM_1 à DM_2, entraînant alors une légère hausse du taux d'intérêt, soit de r_2 à r_3. Ce renversement partiel de la chute du taux d'intérêt limite alors la croissance des investissements résidentiels et industriels : la courbe de demande agrégée se déplace donc un peu moins vers la droite. Le résultat net est une hausse de la

Figure 15.6

INJECTION MONÉTAIRE DANS UNE ÉCONOMIE FERMÉE. Sur le graphique (a), un accroissement de l'offre de monnaie de OM_1 à OM_2 fait baisser le taux d'intérêt d'équilibre de r_1 à r_2. Puisque le taux d'intérêt représente le coût des emprunts, sa baisse stimule la demande de biens et de services. Simultanément, cette augmentation de la production fait augmenter la demande de monnaie par le public. La demande de monnaie passe donc de DM_1 à DM_2, ce qui pousse le taux d'intérêt à la hausse, de r_2 à r_3. L'augmentation de la quantité demandée de biens et de services est donc amoindrie. Au bout du compte, la courbe de demande agrégée se déplace de DA_1 à DA_2 et l'économie passe de A à B sur les graphiques (a) et (b).

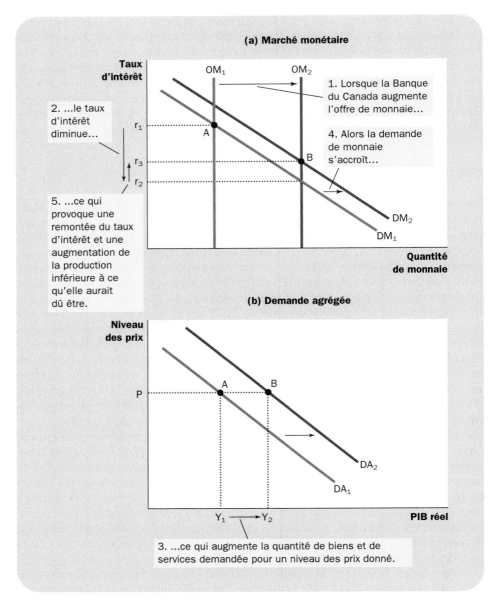

quantité de biens et de services demandée de Y_1 à Y_2 pour un niveau des prix P et, par conséquent, un déplacement de la courbe de demande de DA_1 à DA_2. Bien sûr, le niveau des prix P n'a rien de spécial : l'injection monétaire augmente la quantité de biens et de services demandée pour tous les niveaux des prix. L'ensemble de la courbe de demande agrégée se déplace donc vers la droite.

En résumé, *lorsque la Banque du Canada augmente la masse monétaire, le taux d'intérêt diminue, ce qui stimule la demande de biens et de services pour chaque niveau des prix, déplaçant ainsi vers la droite la courbe de demande agrégée. À l'inverse, une contraction monétaire augmente le taux d'intérêt, ce qui diminue la quantité de biens et de services demandée, pour tout niveau des prix, provoquant un déplacement vers la gauche de la courbe de demande agrégée.*

RÉFLEXIONS SUR L'ÉCONOMIE OUVERTE

Jusqu'à présent, notre analyse des effets de la politique monétaire sur la demande agrégée n'a pas tenu compte des caractéristiques propres à une économie ouverte. Nous avons déjà noté que le Canada est une petite économie

ouverte avec mobilité parfaite des capitaux. Rappelons-nous qu'une des conséquences de cela est que les variations du taux d'intérêt canadien doivent suivre
celles du taux d'intérêt mondial. Le taux d'intérêt canadien peut toutefois différer du taux d'intérêt mondial, d'une valeur correspondant aux différences dans
le traitement fiscal du capital financier et aux risques de non-remboursement.
Pour simplifier notre analyse, nous négligerons ces différences, et nous supposerons que le taux d'intérêt canadien s'ajuste pour demeurer constamment égal
au taux d'intérêt mondial. Nous allons maintenant nous intéresser à une injection monétaire dans une petite économie ouverte et aux effets qu'elle entraîne
sur la courbe de demande agrégée. Nous constaterons que les observations faites
jusqu'ici continuent de s'appliquer, mais qu'elles sont incomplètes dans le cas
d'une petite économie ouverte comme celle du Canada.

Le graphique (a) de la figure 15.7 présente les courbes d'offre et de demande
de monnaie et leur intersection au taux d'intérêt mondial, r^m. Nous commencerons notre analyse en partant de cette position d'équilibre de long terme, car
le taux d'intérêt finit par s'ajuster au taux d'intérêt mondial. Pour bien comprendre l'impact de la politique monétaire sur la demande agrégée, nous
devrons tenir compte de tous les facteurs qui contribuent à l'ajustement du taux
d'intérêt canadien par rapport au taux d'intérêt mondial.

Un accroissement de l'offre de monnaie déplace la courbe d'offre de monnaie vers la droite, de OM_1 à OM_2. La courbe de demande restant pour sa part
immobile, le taux d'intérêt chute à r_2, soit sous le taux d'intérêt mondial, afin
d'assurer l'équilibre entre l'offre et la demande de monnaie. Autrement dit, le
taux d'intérêt canadien doit diminuer, afin d'inciter le public à détenir la masse
monétaire supplémentaire créée par la Banque du Canada.

Encore une fois, le taux d'intérêt influence la quantité de biens et de services
demandée, comme le montre le graphique (b) de la figure 15.7. En diminuant le
coût des emprunts et le rendement de l'épargne, la baisse du taux d'intérêt
stimule l'investissement des ménages et des entreprises; par conséquent, les
ménages épargnent moins et consomment davantage. Pour toutes ces raisons,
la quantité de biens et de services demandée pour un niveau des prix P s'accroît.
L'augmentation de la production stimule la demande de monnaie, qui passe de
DM_1 à DM_2, et fait remonter légèrement le taux d'intérêt de r_2 à r_3. Ce renversement partiel de la baisse du taux d'intérêt limite ainsi l'augmentation des investissements. L'augmentation de la demande agrégée n'a donc pas toute l'ampleur
qu'elle pourrait avoir. Le résultat est un déplacement de la courbe de demande
agrégée de DA_1 à DA_2 et une augmentation de la quantité de biens et de services demandée de Y_1 à Y_2.

Jusqu'à maintenant, il n'y a pas de différence entre l'économie fermée et
l'économie ouverte: une injection monétaire produit dans les deux cas un
mouvement de A vers B sur les graphiques (a) et (b) de la figure 15.7. Mais dans
une petite économie ouverte comme celle du Canada, notre explication ne peut
pas s'arrêter là. Le taux d'intérêt canadien est en effet en dessous du taux
mondial. Or, en raison de la parfaite mobilité des capitaux, le taux d'intérêt
canadien doit finir par s'ajuster au taux mondial. Il manque donc quelque chose
à notre explication.

Quand le taux d'intérêt canadien diminue sous le taux d'intérêt mondial,
les épargnants canadiens et étrangers se détournent des actifs canadiens offrant
un taux d'intérêt r_3, au profit des actifs étrangers et de leur taux d'intérêt plus
élevé. Les Canadiens et les étrangers vendent donc leurs actifs canadiens et
achètent des actifs étrangers. Au chapitre 13, nous avons vu que lorsque les
Canadiens échangent des biens, des services et des actifs financiers avec
l'étranger, ils veulent être payés dans leur propre monnaie. La vente d'actifs
canadiens et l'achat d'actifs étrangers nécessitent donc une vente de dollars
canadiens et un achat équivalent de devises étrangères. L'offre de dollars canadiens augmente alors sur le marché des changes, provoquant une diminution

Figure 15.7

INJECTION MONÉTAIRE DANS UNE ÉCONOMIE OUVERTE. Dans une économie fermée, toute injection monétaire fait baisser le taux d'intérêt et stimule la production, comme on le voit dans le mouvement du point A au point B sur les graphiques (a) et (b). Dans une petite économie ouverte, un taux d'intérêt intérieur r_3, inférieur au taux mondial r^m, est une situation qui ne peut pas durer. Les épargnants canadiens et étrangers, découragés par la faiblesse du taux d'intérêt canadien, vendent leurs actifs canadiens et achètent des actifs étrangers. Cela augmente l'offre de dollars sur le marché des changes et fait baisser le taux de change. La dépréciation du dollar stimule à son tour les exportations nettes : la demande de biens et de services canadiens augmente, passant de DA_2 à DA_3 sur le graphique (b). La production augmentant alors de Y_2 à Y_3, la demande de monnaie augmente aussi. La courbe de demande de monnaie se déplace donc de DM_2 à DM_3, tandis que le taux d'intérêt canadien passe de r_3 à r^m sur le graphique (a). L'économie finit par se retrouver en C sur les deux graphiques. Le taux d'intérêt retrouve donc le niveau mondial, tandis que la production croît davantage que dans une économie fermée.

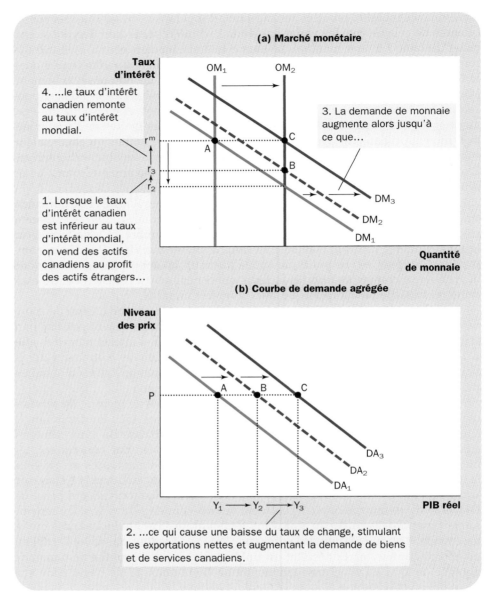

(a) Marché monétaire

4. ...le taux d'intérêt canadien remonte au taux d'intérêt mondial.

3. La demande de monnaie augmente alors jusqu'à ce que...

1. Lorsque le taux d'intérêt canadien est inférieur au taux d'intérêt mondial, on vend des actifs canadiens au profit des actifs étrangers...

(b) Courbe de demande agrégée

2. ...ce qui cause une baisse du taux de change, stimulant les exportations nettes et augmentant la demande de biens et de services canadiens.

de sa valeur et une baisse du taux de change réel. Cette dépréciation de la monnaie canadienne rend les biens et les services étrangers relativement plus chers par rapport aux biens et aux services canadiens. Les exportations nettes canadiennes s'accroissent alors, augmentant encore davantage la quantité canadienne de biens et de services demandée, pour un niveau de prix P. On peut observer cet effet sur le graphique (b) de la figure 15.7, par le déplacement de la courbe de demande agrégée de DA_2 à DA_3. Cet accroissement supplémentaire de la production entraîne une augmentation de la demande de monnaie, laquelle fait augmenter d'autant le taux d'intérêt. Le déplacement de la courbe de demande de monnaie de DM_2 à DM_3, sur le graphique (a) de la figure 15.7, est tel que le taux d'intérêt canadien rejoint de nouveau le taux d'intérêt mondial. Tous ces ajustements se soldent par une augmentation de demande de monnaie en DM_3, un retour du taux d'intérêt canadien au taux mondial, un déplacement de la courbe de demande agrégée en DA_3 et une augmentation de la quantité demandée agrégée en Y_3.

En résumé, *dans une petite économie ouverte, une injection monétaire par la Banque du Canada provoque une dépréciation du dollar. Cette dépréciation stimule les exportations nettes et entraîne une augmentation de la demande de biens et de services canadiens d'une plus grande ampleur que celle qui aurait eu lieu en économie fermée. Au bout du compte, l'injection monétaire en économie ouverte se solde par un déplacement vers la droite de la courbe de demande agrégée plus accentué que dans une économie fermée.*

Cette explication des conséquences de l'injection monétaire sur la demande agrégée repose en grande partie sur une hypothèse : la Banque du Canada laisse flotter le taux de change. Comme nous l'avons vu au chapitre 10, la Banque du Canada, si elle le souhaite, a la possibilité d'effectuer des opérations de vente et d'achat de devises sur le marché des changes. Ces transactions sur le marché des changes sont très semblables aux opérations d'*open market,* puisqu'elles impliquent également des achats et des ventes d'actifs par la banque centrale. En achetant des obligations d'État ou des devises étrangères, la banque centrale augmente l'offre de monnaie ; en revanche, en vendant ces mêmes obligations ou des devises étrangères, elle la réduit. Voyons maintenant ce qui se passerait si la Banque du Canada désirait augmenter l'offre de monnaie tout en maintenant la valeur du dollar canadien.

En réduisant le taux d'intérêt, une injection monétaire incite les Canadiens et les étrangers à vendre les actifs canadiens au profit d'actifs étrangers. Ce mouvement des actifs canadiens vers les actifs étrangers augmente l'offre de dollars canadiens sur le marché des changes, faisant baisser le taux de change.

Tableau 15.1

RÉSUMÉ : CONSÉQUENCES D'UNE INJECTION MONÉTAIRE

COMMENT SE DÉPLACE LA COURBE DE DEMANDE AGRÉGÉE, DANS UNE ÉCONOMIE FERMÉE, À LA SUITE D'UNE INJECTION MONÉTAIRE ?

1. L'augmentation de la masse monétaire fait chuter le taux d'intérêt.
2. Cette chute stimule l'investissement et la consommation de biens durables. L'augmentation des dépenses fait croître la demande de monnaie et remonter partiellement le taux d'intérêt.
3. L'augmentation des dépenses déplace la courbe de demande agrégée vers la droite.

COMMENT SE DÉPLACE LA COURBE DE DEMANDE AGRÉGÉE, DANS UNE ÉCONOMIE OUVERTE, À LA SUITE D'UNE INJECTION MONÉTAIRE ?

1. En raison de la mobilité parfaite des capitaux et en faisant abstraction de la fiscalité et des risques de non-paiement, le taux d'intérêt canadien doit être égal au taux d'intérêt mondial. Nous partons donc de $r = r^m$, où r représente le taux d'intérêt canadien.
2. Une augmentation de la masse monétaire fait diminuer le taux d'intérêt, qui passe en dessous de r^m.
3. Cette réduction du taux d'intérêt stimule l'investissement et la consommation de biens durables. Cet accroissement des dépenses fait augmenter la demande de monnaie et remonter partiellement le taux d'intérêt. Le taux d'intérêt canadien continue cependant à être inférieur à r^m.
4. Puisque $r < r^m$, les agents économiques vendent des actifs canadiens et achètent des actifs étrangers. Il y a donc vente de dollars canadiens sur le marché des changes. Le taux de change réel diminue.
5. Cette baisse du dollar canadien stimule les exportations nettes et pousse encore plus la courbe de demande agrégée vers la droite.
6. Cette augmentation supplémentaire des dépenses augmente la demande de monnaie, jusqu'à ce que $r = r^m$.
7. L'injection monétaire n'a donc de sens que si la Banque du Canada permet au taux de change de fluctuer.

Si la banque centrale décidait d'empêcher cette dépréciation du dollar canadien sur le marché des changes, elle devrait vendre des devises étrangères et acheter des dollars. En effet, un achat de dollars augmente la demande de dollars et compense l'augmentation de l'offre de dollars provoquée par la vente des actifs canadiens par les Canadiens et les étrangers. L'action de la banque centrale permettrait donc de maintenir inchangée la valeur de la monnaie canadienne. Mais en achetant des dollars, la Banque du Canada réduit l'offre de monnaie. Pour éviter une chute de la valeur du dollar, la banque centrale se voit donc contrainte de créer une contraction monétaire. Or, rappelons-nous que toutes ces opérations ont été causées, au départ, par une injection monétaire. En réduisant l'offre de monnaie, la Banque centrale irait donc à l'encontre de l'injection monétaire, qui avait justement pour but d'augmenter l'offre de monnaie...

Voilà pourquoi la Banque du Canada laisse le dollar flotter librement lorsqu'elle veut modifier la masse monétaire. Il s'agit là d'une notion essentielle : *la Banque du Canada ne peut pas choisir simultanément le niveau de l'offre de monnaie et la valeur du dollar.* En choisissant de faire varier la masse monétaire, elle doit accepter que le taux de change fluctue.

MINITEST : Expliquez les conséquences d'une réduction de l'offre de monnaie sur la courbe de demande agrégée et sur le marché monétaire. Quels sont ses effets dans une économie fermée et dans une petite économie ouverte ?

ÉTUDE DE CAS **LES BANQUES CENTRALES SURVEILLENT LA BOURSE (ET VICE VERSA)**

« Exubérance irrationnelle », telle fut l'expression utilisée par le président de la Réserve fédérale (la banque centrale américaine), Alan Greenspan, pour décrire l'essor sans précédent du marché boursier à la fin des années 90. Le mot « exubérance » convenait d'ailleurs tout à fait, si l'on considère que le prix moyen des actions aux États-Unis avait augmenté de 400 % durant les années 90. L'augmentation du prix des actions au Canada s'est révélée un peu plus modeste, les valeurs n'ayant grimpé que de 250 % durant la même période. Par ailleurs, la chute spectaculaire des valeurs boursières au début de 2001 semble justifier le qualificatif « irrationnelle » employé par M. Greenspan.

Mais quelle que soit la manière dont elles perçoivent les booms (et les krachs) boursiers, comment les banques centrales devraient-elles réagir aux fluctuations du marché des changes ? Le prix des actions en lui-même importe peu aux banques centrales ; toutefois, elles ont la responsabilité de suivre l'évolution de l'économie et d'y réagir, et le marché boursier constitue l'une des pièces du casse-tête. Lors de fortes hausses boursières, la richesse des ménages s'accroît et ces derniers augmentent leurs dépenses de consommation. Une hausse du prix des actions incite aussi les sociétés à émettre de nouvelles actions, ce qui leur permet d'augmenter leurs dépenses d'investissement. Pour ces raisons, un marché boursier en plein essor stimule la demande agrégée de biens et de services.

L'un des objectifs importants d'une banque centrale consiste à stabiliser la demande agrégée, ce qui permet de stabiliser la production et le niveau des prix. Nous reviendrons sur ce point plus loin dans le chapitre. Afin de stabiliser la demande agrégée lors d'un boom boursier, la banque centrale doit réduire l'offre de monnaie et maintenir les taux d'intérêt à un niveau supérieur à la normale. L'effet de cette mesure de contraction monétaire permet de contrer l'effet expansionniste d'un marché boursier en forte progression.

Notre analyse correspond exactement au comportement de la Réserve fédérale : durant cette période « irrationnellement exubérante » des années 90, les taux d'intérêt américains ont en effet été maintenus à des niveaux supérieurs à leurs niveaux historiques.

En cas de chute du marché boursier, l'intervention s'inverse. Les dépenses de consommation et d'investissement diminuent, ce qui déprime la demande agrégée, entraînant une récession. Pour stabiliser la demande agrégée, une banque centrale aura tendance, dans ces circonstances, à augmenter la masse monétaire et à diminuer les taux d'intérêt. C'est exactement ce que la Réserve fédérale a fait le 19 octobre 1987, lorsque les cours boursiers américains se sont effondrées de 22,6 % – un record, pour une seule journée. Devant ce krach, la Réserve fédérale a augmenté l'offre de monnaie et réduit les taux d'intérêt. Cette action rapide a permis d'éviter une récession.

Les banques centrales surveillent les marchés boursiers, mais la Bourse ne manque pas non plus d'observer les banques centrales en retour. En effet, en modifiant les taux intérêt et le niveau de l'activité économique, les banques centrales peuvent influencer la valeur des actions. Par exemple, si une banque centrale augmente les taux d'intérêt en réduisant l'offre de monnaie, elle réduit l'attrait des actions pour deux raisons. Premièrement, la hausse des intérêts rend les obligations plus intéressantes par rapport aux actions ; deuxièmement, une contraction de la masse monétaire risque de créer une récession, ce qui réduirait les bénéfices des sociétés. Pour ces raisons, une hausse du taux d'intérêt se traduit souvent par une chute du prix des actions.

Lire l'article page 447

LES EFFETS DE LA POLITIQUE BUDGÉTAIRE SUR LA DEMANDE AGRÉGÉE

L'État peut influencer l'économie non seulement par sa politique monétaire, mais également au moyen de sa politique budgétaire – c'est-à-dire grâce à ses décisions concernant le niveau des dépenses publiques ou des impôts. Dans cet ouvrage, nous avons déjà étudié l'influence de la politique budgétaire sur l'épargne, sur l'investissement et sur la croissance à long terme. À court terme, cependant, les effets de la politique budgétaire se font avant tout sentir sur la demande agrégée de biens et de services.

LES VARIATIONS DES DÉPENSES PUBLIQUES

Quand les décideurs modifient l'offre de monnaie ou le taux d'imposition, ils déplacent la demande agrégée en influant sur les décisions des ménages et des entreprises quant à leurs dépenses. En revanche, lorsque l'État modifie ses propres achats de biens et de services, il déplace directement la courbe de demande agrégée.

Supposons que le gouvernement fédéral décide de lancer un programme de création d'emplois de 5 milliards de dollars. Ce programme permettra de financer de nouvelles dépenses d'infrastructure : routes, égouts et ponts. Les travaux de construction stimulent l'embauche dans le secteur de la construction. La hausse de la demande pour la construction se reflète sur la demande agrégée de biens et de services : la courbe de demande agrégée se déplace donc vers la droite.

Quel est l'effet exact de cette dépense publique de 5 milliards de dollars sur la courbe de demande agrégée? On aurait tendance à croire que cette courbe se déplace vers la droite d'une valeur exacte de 5 milliards, mais ce n'est pas tout à fait juste. Deux effets macroéconomiques causent une variation de la demande agrégée différente de la variation des dépenses publiques. Le premier – appelé effet multiplicateur – fait déplacer la demande agrégée de *plus de* 5 milliards de dollars, tandis que le deuxième – appelé effet d'éviction – fait en sorte que la demande agrégée se déplace *de moins que* 5 milliards. Ces deux effets sont présentés ci-dessous.

L'EFFET MULTIPLICATEUR

Effet multiplicateur
Augmentation supplémentaire de la demande agrégée qui se produit lorsqu'une politique budgétaire expansionniste provoque une hausse des revenus et stimule la consommation.

Une injection de fonds publics de 5 milliards de dollars dans la construction a forcément des répercussions. Le premier impact de la croissance des dépenses publiques est d'augmenter l'emploi et les bénéfices des entreprises dans le domaine de la construction. Le revenu des salariés et des propriétaires de ces entreprises augmente, ce qui stimule la consommation. Par conséquent, la dépense gouvernementale de 5 milliards de dollars crée également une augmentation de la demande dans de nombreux autres domaines de l'économie. Comme chaque dollar dépensé par le gouvernement contribue à accroître la demande agrégée de plus de un dollar, ces dépenses exercent donc un **effet multiplicateur** sur la demande.

Cette dynamique ne s'arrête d'ailleurs pas là. L'augmentation des dépenses de consommation accroît l'emploi et les profits des entreprises. Les salaires augmentent donc de nouveau, ce qui stimule encore plus la consommation. Il existe par conséquent une rétroaction positive entre l'augmentation de la demande agrégée et la hausse du revenu. Une fois tous ces effets pris en compte, on aboutit à une augmentation de la production bien supérieure à la dépense publique initiale.

La figure 15.8 illustre cet effet multiplicateur. L'injection de 5 milliards de dollars fait d'abord se déplacer vers la droite la courbe de demande agrégée,

---

Figure 15.8

EFFET MULTIPLICATEUR. Une augmentation des dépenses publiques de 5 milliards de dollars déplace vers la droite la courbe de demande agrégée d'un montant supérieur à 5 milliards de dollars. Cet effet multiplicateur est le résultat d'une hausse du revenu agrégé, qui stimule à son tour des dépenses additionnelles de la part des consommateurs.

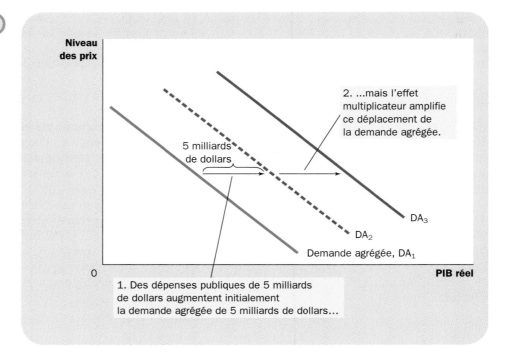

de DA_1 à DA_2, soit d'une valeur exacte de 5 milliards. Puis, à mesure que les ménages réagissent en accroissant leur consommation, la courbe de demande agrégée se déplace encore davantage vers la droite, en DA_3.

Cet effet multiplicateur lié à la consommation se trouve même renforcé par un accroissement des investissements. Par exemple, les entreprises de construction peuvent décider d'acheter davantage de matériel d'asphaltage ou encore de construire une autre cimenterie. Dans un tel cas, l'augmentation de la demande publique entraîne une augmentation de la demande de biens d'investissement. Cette rétroaction positive de la demande sur l'investissement est parfois appelée *accélérateur de l'investissement*.

LA FORMULE DU MULTIPLICATEUR DES DÉPENSES PUBLIQUES

Un peu d'algèbre élémentaire nous permet de calculer l'effet multiplicateur de l'augmentation des dépenses de consommation. Le paramètre essentiel de cette formule est la *propension marginale à consommer (PmC)* – c'est-à-dire la fraction du revenu des ménages consacrée à la consommation plutôt qu'à l'épargne. Supposons que cette propension marginale soit égale à 0,75; cela signifie que pour chaque dollar additionnel de revenu, 75 cents sont dépensés et 25 cents sont épargnés. Dans ce cas, les travailleurs et les entrepreneurs de la construction, lorsqu'ils reçoivent 5 milliards de dollars de contrats gouvernementaux, augmentent leur consommation de 0,75 $\times$ 5 milliards, soit 3,75 milliards de dollars.

Pour évaluer les effets des dépenses publiques sur la demande agrégée, nous procéderons par étapes. Tout d'abord, la dépense de 5 milliards correspond à une augmentation du revenu national (revenus et bénéfices) égale à ce montant. L'augmentation du revenu national cause une hausse de la consommation de 5 milliards $\times$ PmC, induisant à son tour une hausse du revenu des travailleurs et des entrepreneurs qui produisent les biens et les services de consommation. Cette deuxième augmentation du revenu augmente une nouvelle fois les dépenses de consommation, cette fois-ci de (PmC) $\times$ (PmC $\times$ 5 milliards). Et la dynamique se poursuit…

Pour calculer les retombées totales sur la demande, il suffit d'additionner tous les effets:

Variations des dépenses publiques	=	5 milliards de dollars
Première augmentation de la consommation	=	PmC $\times$ 5 milliards de dollars
Deuxième augmentation de la consommation	=	$PmC^2 \times$ 5 milliards de dollars
Troisième augmentation de la consommation	=	$PmC^3 \times$ 5 milliards de dollars

$$\text{Effet total sur la demande} = (1 + PmC + PmC^2 + PmC^3 + ...) \times 5 \text{ milliards de dollars}$$

L'expression à l'intérieur de la parenthèse représente une suite infinie. Il est donc possible de poser:

$$\text{Multiplicateur} = 1 + PmC + PmC^2 + PmC^3 + ...$$

Pour simplifier cette équation, on peut utiliser le principe de base des suites géométriques infinies. Si x se situe entre -1 et $+1$, alors nous pouvons résoudre ainsi:

$$1 + x + x^2 + x^3 + ... = 1/(1 - x).$$

Dans le cas qui nous intéresse, x = PmC. Donc:

$$\text{Multiplicateur} = 1/(1 - PmC).$$

Si la PmC est égale à 0,75, le multiplicateur sera égal à $1/(1 - 0,75)$, soit 4. Dans cet exemple précis, les dépenses publiques de 5 milliards de dollars génèrent donc un total de 20 milliards de demande de biens et de services.

Dans une économie ouverte, la formule du multiplicateur est légèrement différente. En effet, une bonne partie des biens et des services consommés vient de l'importation. Il est important d'en tenir compte en définissant le multiplicateur. En effet, le multiplicateur de dépenses publiques mesure la demande de biens *fabriqués au Canada* générée par chaque dollar supplémentaire de dépenses publiques. Supposons que les ménages dépensent environ un quart de leurs revenus pour des biens d'importation – ce que nous appellerons la *propension marginale à importer* (PmIM). Dans ce cas, chaque dollar supplémentaire reçu par un ménage se répartit ainsi: 25 cents d'épargne et 75 cents de dépenses, dont 50 cents pour les biens fabriqués au Canada et 25 cents pour les marchandises importées. Lorsque les travailleurs et les entreprises de la construction reçoivent 5 milliards de dollars de contrats gouvernementaux, ils augmentent leur consommation de $0,75 \times 5$ milliards de dollars, soit 3,75 milliards de dollars, mais leurs dépenses en produits canadiens se limitent à $0,5 \times 5$ milliards de dollars, soit 2,5 milliards. C'est ce deuxième montant, inférieur au premier, qui s'ajoute au revenu de leurs concitoyens. Les dépenses en biens d'importation réduisent donc les retombées des dépenses publiques dans une économie ouverte.

Dans une telle économie, la formule du multiplicateur des dépenses est la suivante:

$$\text{Multiplicateur} = 1 / (1 - \text{PmC} + \text{PmIM})$$

Étant donné que la PmC = 0,75 et que la PmIM = 0,25, le multiplicateur est égal à $1/(1 - 0,75 + 0,25)$, soit 2. Dans ce cas, les 5 milliards de dollars de dépenses publiques génèrent 10 milliards de demande de biens et de services canadiens, au lieu des 20 milliards dans une économie fermée. Le multiplicateur de dépenses publiques est donc nettement inférieur dans une économie ouverte par rapport à une économie fermée.

Ces deux formules pour calculer le multiplicateur démontrent un fait important: la taille du multiplicateur dépend de la proportion marginale à consommer et, dans une économie ouverte, de la propension marginale à importer. Le multiplicateur est directement proportionnel à la PmC. Pour vérifier cette affirmation, il suffit de se rappeler que le multiplicateur existe parce qu'un accroissement du revenu stimule la consommation. Plus la PmC est élevée, plus ses retombées se feront sentir sur la consommation, haussant d'autant le multiplicateur. Dans une économie ouverte, il faut aussi considérer la propension marginale à importer: plus la PmIM est élevée, *plus petit* sera le multiplicateur. C'est logique, puisque la PmIM représente la part des revenus supplémentaires consacrée aux importations: plus elle est élevée, moins les dépenses consacrées aux biens et aux services de *fabrication canadienne* augmenteront, pour chaque dollar de revenu supplémentaire. Une augmentation de la PmIM signifie donc que chaque hausse de revenu génère une augmentation moindre des dépenses pour des produits canadiens.

Il est d'autant plus intéressant de souligner cette relation entre la propension marginale à importer et l'effet multiplicateur que, selon toute vraisemblance, la PmIM a augmenté depuis quelque temps au Canada. Nous avons déjà observé dans cet ouvrage que la signature des accords de libre-échange en 1989 et 1993 a débouché sur une augmentation impressionnante des échanges commerciaux canadiens, en particulier avec les États-Unis. Cette progression laisse croire que toute augmentation du revenu influe maintenant davantage sur la consommation de biens importés qu'il y a une décennie. La PmIM aurait donc tendance à augmenter, ce qui aurait réduit la valeur du multiplicateur canadien au cours des dix dernières années.

LES AUTRES APPLICATIONS DE L'EFFET MULTIPLICATEUR

En raison de l'effet multiplicateur, un dollar de dépenses publiques génère plus de un dollar de demande agrégée. Cependant, cet effet ne se limite pas aux dépenses gouvernementales, mais s'applique à tout événement modifiant chacune des composantes du PIB: consommation, investissements, dépenses publiques ou exportations nettes.

Supposons qu'en cas de récession, les États-Unis réduisent leur demande d'exportations nettes canadiennes de 10 milliards de dollars. Une telle réduction des dépenses pour les biens et les services produits au Canada diminue le revenu national et les dépenses des consommateurs canadiens. Si la propension marginale à consommer est égale à 0,75, que la propension marginale à importer est égale à 0,25 et que le multiplicateur est égal à 2, cette chute de 10 milliards des exportations nettes se soldera par une contraction de la demande agrégée de 20 milliards.

Imaginons maintenant qu'un boom dans le marché boursier augmente la richesse des ménages et les incite à augmenter leur consommation de 20 milliards. Ces dépenses additionnelles s'ajouteront au revenu national et entraîneront à leur tour d'autres augmentations de la consommation. Si la propension marginale à consommer est de 0,75, la propension marginale à importer de 0,25 et le multiplicateur de 2, cette augmentation initiale de 20 milliards en dépenses de consommation aboutira à un accroissement de la demande agrégée de 40 milliards.

Le multiplicateur est un concept important en macroéconomie, car il montre comment l'économie peut amplifier l'effet d'une variation des dépenses. Un léger accroissement de la consommation, des investissements, des dépenses publiques ou des exportations nettes peut ainsi avoir des conséquences importantes sur la demande agrégée et la production. En raison de l'ampleur de ces retombées, les décideurs doivent porter une attention particulière à des événements tels le risque de récession d'un de leurs partenaires commerciaux ou la possibilité d'un krach ou d'un boom dans le marché boursier.

L'EFFET D'ÉVICTION

L'effet multiplicateur semble indiquer qu'une dépense publique de 5 milliards de dollars provoque nécessairement une expansion de la demande agrégée supérieure à cette somme. Cependant, un autre effet joue en sens contraire. Si la hausse des investissements publics stimule la demande agrégée, elle augmente également les taux d'intérêt, réduisant ainsi les dépenses d'investissement et la demande agrégée. Le recul de la demande agrégée qui suit la remontée des taux d'intérêt résultant d'une politique budgétaire expansionniste, est ce qu'on appelle l'**effet d'éviction sur les investissements.**

Reprenons notre exemple d'investissement public de 5 milliards de dollars, et voyons ce qui se produit sur le marché monétaire. Nous connaissons les retombées de cet investissement: une augmentation à la fois de la demande et des revenus des travailleurs et des entreprises de la construction (et, en raison de l'effet multiplicateur, une augmentation supplémentaire de revenus ailleurs dans l'économie). Ces revenus supérieurs incitent les ménages à consommer davantage et, pour ce faire, à conserver plus de monnaie. En conséquence, la politique budgétaire provoque un accroissement de la demande de monnaie.

L'effet de cet accroissement est illustré sur le graphique (a) de la figure 15.9. La Banque du Canada n'ayant pas modifié l'offre de monnaie, la courbe verticale d'offre ne bouge pas. Lorsque l'augmentation des revenus déplace la courbe de demande de monnaie vers la droite, de DM_1 à DM_2, le taux d'intérêt doit monter de r_1 à r_2 pour maintenir l'équilibre de l'offre et de la demande.

Effet d'éviction
sur les investissements
Réduction de la demande agrégée consécutive à une politique budgétaire expansionniste; la hausse des dépenses publiques fait augmenter la demande de monnaie, ce qui pousse les taux d'intérêt à la hausse et les dépenses d'investissement à la baisse.

Figure 15.9

EFFET D'ÉVICTION SUR L'INVESTISSEMENT. Le graphique (a) illustre le marché monétaire. Lorsque le gouvernement accroît ses dépenses en biens et en services, la hausse du revenu qui en découle se répercute sur la demande de monnaie, qui augmente de DM_1 à DM_2, faisant également monter le taux d'intérêt de r_1 à r_2. Le graphique (b) décrit les conséquences de cette augmentation sur la demande agrégée. Au total, l'effet multiplicateur des dépenses gouvernementales déplace la courbe de demande agrégée de DA_1 à DA_2. Néanmoins, la hausse du taux d'intérêt réduit la quantité de biens et de services demandée, et tout particulièrement la demande des biens d'investissement; cet effet d'éviction neutralise partiellement l'impact de l'expansion budgétaire sur la demande agrégée, ramenant la courbe de demande agrégée en DA_3.

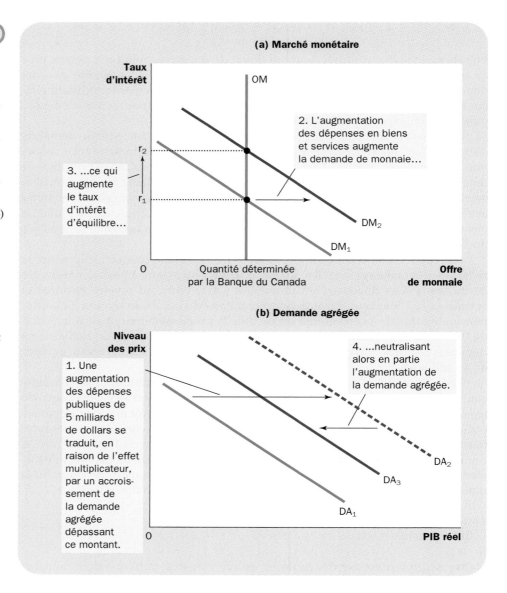

Cette montée du taux d'intérêt réduit la quantité de biens et de services demandée. L'augmentation du coût des emprunts diminue les investissements des entreprises et la construction résidentielle. En conséquence, les dépenses publiques augmentent la demande agrégée, mais ils peuvent aussi avoir un impact négatif sur l'investissement. Cet effet d'éviction neutralise partiellement l'augmentation de la demande agrégée, comme le montre le graphique (b). L'augmentation des dépenses publiques déplace tout d'abord la courbe de demande agrégée de DA_1 à DA_2, mais l'effet d'éviction fait revenir cette courbe en DA_3.

En résumé, *un accroissement des dépenses publiques de 5 milliards de dollars aura un effet sur la demande agrégée supérieur ou inférieur à 5 milliards de dollars, selon l'importance relative de l'effet multiplicateur et de l'effet d'éviction.*

L'ÉCONOMIE OUVERTE

Notre analyse des retombées de la politique budgétaire sur la demande agrégée n'a pas tenu compte, jusqu'à présent, de l'ouverture de l'économie. Tout comme les effets finaux de la politique monétaire différaient selon que l'économie était ouverte ou fermée, nous allons maintenant constater que notre analyse jusqu'à présent de la politique budgétaire est incomplète si l'économie est ouverte comme celle du Canada.

Le graphique (a) de la figure 15.10 nous montre l'intersection des courbes de demande et d'offre de monnaie, au taux d'intérêt mondial r^m. Reprenons à partir de ce point notre analyse des effets de la politique budgétaire sur la demande agrégée. Nous savons que le taux d'intérêt canadien doit finir par rejoindre le taux mondial; pour bien comprendre l'impact de la politique budgétaire, il faut observer tous les ajustements économiques qui ramènent le taux d'intérêt à ce taux mondial.

Le programme de création d'emplois de 5 milliards de dollars augmente le revenu des firmes et des employés directement touchés par ce programme, ainsi que celui des employés et propriétaires d'autres entreprises. Cet effet multiplicateur cause un déplacement de la courbe de demande agrégée vers la droite, de DA_1 à DA_2, comme on le voit sur le graphique (b) de la figure 15.10. Cette augmentation de la demande de biens et de services augmente également la demande de monnaie, comme le montre le graphique (a), par le déplacement de la courbe de demande de monnaie de DM_1 à DM_2. La Banque du Canada n'ayant pas modifié la courbe d'offre de monnaie, celle-ci ne bouge pas. Le taux d'intérêt monte au-dessus du taux mondial, en r_2, pour assurer l'équilibre de l'offre et de la demande de monnaie.

Cette fois encore, le taux d'intérêt influe sur la quantité de biens et de services demandée du graphique (b). En augmentant le coût des emprunts, un taux d'intérêt élevé réduit les investissements des entreprises et la construction résidentielle. La quantité de biens et de services demandée diminue, pour un niveau de prix P donné, en raison de l'effet d'éviction sur l'investissement. Cette diminution est illustrée sur le graphique (b) par le déplacement de la courbe de demande agrégée de DA_2 à DA_3.

Jusqu'à présent, notre analyse ne diffère en rien de l'analyse précédente. Dans une économie fermée, les conséquences de la politique budgétaire se limitent au mouvement de l'économie de A à B sur les graphiques (a) et (b) de la figure 15.10. Toutefois, dans une petite économie ouverte comme celle du Canada, l'analyse ne s'arrête pas là. En effet, le taux d'intérêt canadien se situe maintenant au-dessus du taux d'intérêt mondial. Or, en raison de la mobilité parfaite des capitaux, il doit redescendre pour être égal au taux d'intérêt mondial. Notre analyse est donc incomplète pour l'instant.

Le régime de change flottant ou flexible.

Partons de l'hypothèse que la Banque du Canada décide de laisser fluctuer le taux de change. Ici aussi, l'hypothèse du taux de change flottant ou du taux de change fixe est importante, comme dans l'analyse des effets de l'injection monétaire.

Lorsque le taux d'intérêt canadien dépasse le taux d'intérêt mondial, les épargnants canadiens et étrangers vendent leurs actifs étrangers au profit des actifs canadiens parce que le taux d'intérêt r_2 est supérieur au taux d'intérêt mondial r^m. Nous avons vu au chapitre 13 que les gens qui échangent des biens, des services et des actifs financiers avec l'étranger désirent être payés dans leur propre devise. Ainsi, un achat d'actifs canadiens implique l'achat de dollars canadiens et la vente de devises étrangères. La demande de dollars canadiens augmente donc et le dollar s'apprécie. Cette augmentation du taux de change réel augmente le prix des biens et des services canadiens par rapport à ceux de l'étranger. En conséquence, les exportations nettes baissent. Cette chute des exportations nettes, résultat d'une politique budgétaire expansionniste qui augmente le taux de change réel dans une petite économie ouverte en régime de change flottant, est appelée **effet d'éviction sur les exportations nettes**. La diminution des exportations nettes provoque une réduction de la demande de biens et de services produits au Canada pour un niveau de prix P. Cela s'illustre sur

Effet d'éviction sur les exportations nettes
Réduction de la demande agrégée causée par une politique budgétaire expansionniste dans une petite économie ouverte en régime de change flexible; la hausse des taux d'intérêt augmente le taux de change réel et réduit les exportations nettes.

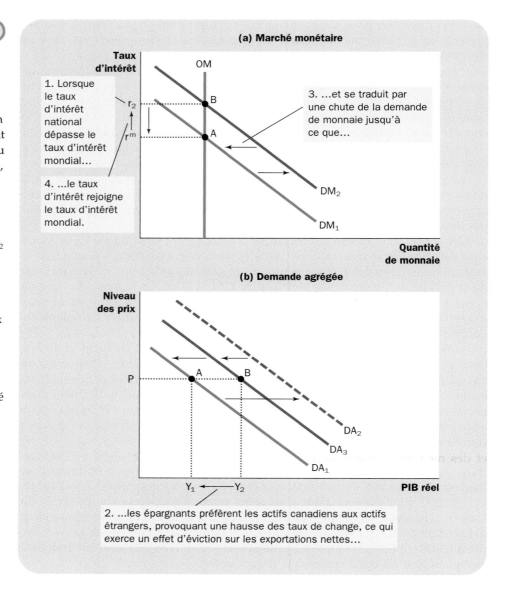

Figure 15.10

POLITIQUE BUDGÉTAIRE EXPANSIONNISTE EN ÉCONOMIE OUVERTE ET EN RÉGIME DE CHANGE FLOTTANT. Dans une économie fermée, l'augmentation des dépenses publiques se traduit par une augmentation à la fois du taux d'intérêt et de la production, augmentation représentée par le mouvement de A à B sur les graphiques (a) et (b). Dans une petite économie ouverte, le fait que le taux d'intérêt national r_2 dépasse le taux mondial r^m implique des ajustements supplémentaires. Les épargnants canadiens et étrangers préfèrent le taux d'intérêt canadien au taux d'intérêt mondial; ils achètent donc des actifs canadiens et se débarrassent de leurs actifs étrangers. Cela diminue l'offre de dollars canadiens sur le marché des changes, provoquant ainsi une augmentation du taux de change. Cette appréciation du dollar réduit les exportations nettes et la demande agrégée canadienne diminue de DA_2 à DA_1, comme le montre le graphique (b). La réduction de la production de Y_2 à Y_1 incite les gens à détenir moins de monnaie pour opérer leurs transactions. La demande de monnaie baisse alors de DM_2 à DM_1 et le taux d'intérêt canadien diminue de r_2 à r^m sur le graphique (a). Au bout du compte, l'économie se retrouve au point A sur les deux graphiques : le taux d'intérêt canadien a rejoint le taux d'intérêt mondial et il n'y a aucun effet à long terme sur la demande agrégée.

le graphique (b) par le déplacement de la courbe de demande agrégée, de DA_3 à DA_1. Cette diminution de la demande de biens et de services canadiens cause une réduction de la demande de monnaie, comme on le constate sur le graphique (a) par le déplacement de la courbe de demande de monnaie, de DM_2 à DM_1. Ce déplacement est suffisamment important pour causer une baisse du taux d'intérêt canadien, qui revient alors au taux d'intérêt mondial. L'effet net de ces ajustements est une réduction de la demande de monnaie en DM_1, le retour du taux d'intérêt canadien au taux mondial et la baisse de la quantité demandée de biens et de services canadiens, illustrée par le mouvement de la courbe de demande agrégée en DA_1.

En résumé, *dans une petite économie ouverte, une politique budgétaire expansionniste cause une appréciation du dollar. Parce que l'augmentation du taux de change cause une baisse des exportations nettes, cet effet d'éviction sur les exportations nettes réduit la demande de biens et de services canadiens. En conclusion, une augmentation des dépenses publiques n'exerce aucun effet à long terme sur la demande agrégée.*

Le régime de change fixe. Examinons maintenant les effets d'une politique budgétaire expansionniste sur la demande agrégée d'une économie ouverte, lorsque la Banque du Canada décide de ne pas laisser le taux de change fluctuer. Nous savons que la banque centrale peut influer sur la valeur du dollar en achetant ou en vendant des devises étrangères sur le marché des changes. Lorsque les entreprises et les ménages se débarrassent de leurs dollars (augmentant ainsi l'offre de dollars sur le marché des changes), la Banque du Canada peut soutenir la valeur du dollar canadien en augmentant la demande de dollars sur ce marché. Pour ce faire, elle vend des devises étrangères et achète des dollars canadiens. Inversement, si les entreprises et les ménages achètent des dollars canadiens sur le marché des changes (augmentant ainsi la demande de dollars sur ce marché), la Banque du Canada peut annuler l'appréciation de la monnaie en vendant des dollars sur ce marché; cette fois, elle achète des devises étrangères et vend des dollars canadiens.

La figure 15.11 illustre les effets de la politique budgétaire expansionniste sur la demande agrégée. Comme toujours, nous partons d'un taux d'intérêt canadien égal au taux d'intérêt mondial r^m. Sur le graphique (a), au taux d'intérêt r^m, la demande de monnaie DM_1 est égale à l'offre de monnaie OM_1. Une augmentation des dépenses publiques accroît la quantité de biens et de services demandée, pour un niveau de prix P. En raison de l'effet multiplicateur, la demande agrégée augmente d'une valeur supérieure au montant des dépenses publiques. Cette augmentation de la DA est illustré sur le graphique (b) par le déplacement de la courbe de demande agrégée de DA_1 à DA_2. Évidemment, on constate que l'augmentation de demande de biens et de services incite le public à conserver davantage de monnaie. Cela s'illustre dans le graphique (a) par le déplacement de la courbe de demande de monnaie de DM_1 à DM_2. Cette augmentation de la demande de monnaie fait passer le taux d'intérêt à r_2. De nouveau, la hausse des taux d'intérêt réduit l'investissement des entreprises et des ménages, faisant diminuer demande de biens et de services. Cet effet d'éviction sur les investissements se traduit par le déplacement de la courbe de demande agrégée de DA_2 à DA_3 sur le graphique (b).

Jusqu'à maintenant, nous nous sommes limités à décrire l'ajustement de l'économie du point A au point B sur les graphiques (a) et (b), ce qui correspond à l'ajustement d'une économie fermée à la suite d'une augmentation des dépenses publiques. Dans une économie ouverte comme celle du Canada, lorsque le taux d'intérêt dépasse le taux mondial, le taux de change a tendance à augmenter. En effet, en raison d'un taux d'intérêt supérieur, les actifs canadiens sont particulièrement intéressants. La vente des actifs étrangers au profit des actifs canadiens entraîne un achat correspondant de dollars sur le marché des changes, ce qui cause une appréciation du dollar. Nous savons que si la Banque du Canada laisse le taux de change augmenter, les exportations nettes seront réduites et l'économie reviendra au point A sur les graphiques (a) et (b), neutralisant du même coup les effets des dépenses publiques sur la demande agrégée. Si la banque centrale décide de maintenir fixe le taux de change, il lui faut augmenter l'offre de dollars sur le marché des changes. Pour ce faire, elle achète des devises étrangères et vend des dollars.

Cette intervention de la Banque du Canada aura également un effet sur l'offre de monnaie. Nous avons vu au chapitre 10 et plus tôt dans le présent chapitre que, lorsque la Banque du Canada achète un actif financier (autre que des dollars), elle augmente l'offre de monnaie, tandis que lorsqu'elle vend un actif financier, elle la réduit. Par conséquent, lorsque la Banque du Canada soutient la valeur du dollar par l'achat de devises étrangères, elle accroît l'offre de monnaie. Ce phénomène est illustré par le déplacement de la courbe d'offre de

Figure 15.11

POLITIQUE BUDGÉTAIRE EXPANSIONNISTE EN ÉCONOMIE OUVERTE ET EN RÉGIME DE CHANGE FIXE. Dans une économie fermée, l'accroissement des dépenses publiques se traduit par une augmentation à la fois du taux d'intérêt et de la production, augmentation représentée par le mouvement de A à B sur les graphiques (a) et (b). Dans une économie ouverte, le fait que le taux d'intérêt se situe au-dessus du taux d'intérêt mondial devrait normalement provoquer une appréciation du dollar, exerçant un effet d'éviction sur les exportations nettes. Pour éviter cette appréciation du dollar, la Banque du Canada augmente l'offre de monnaie en vendant des dollars sur le marché des changes. Cette augmentation de la masse monétaire, illustrée par un déplacement de la courbe de l'offre de monnaie de OM$_1$ à OM$_2$ sur le graphique (a), empêche également le taux d'intérêt d'augmenter. Les deux effets d'éviction sont ainsi annulés et l'expansion budgétaire modifie de façon importante et durable la demande agrégée, comme l'illustrent le déplacement de la courbe de demande agrégée de DA$_1$ à DA$_2$ sur le graphique (b) et le mouvement de l'économie de A à C sur les deux graphiques.

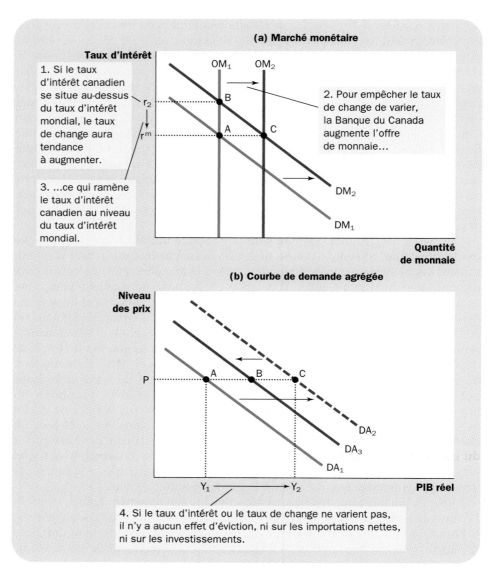

(a) Marché monétaire

Taux d'intérêt

1. Si le taux d'intérêt canadien se situe au-dessus du taux d'intérêt mondial, le taux de change aura tendance à augmenter.

2. Pour empêcher le taux de change de varier, la Banque du Canada augmente l'offre de monnaie...

3. ...ce qui ramène le taux d'intérêt canadien au niveau du taux d'intérêt mondial.

Quantité de monnaie

(b) Courbe de demande agrégée

Niveau des prix

4. Si le taux d'intérêt ou le taux de change ne varient pas, il n'y a aucun effet d'éviction, ni sur les importations nettes, ni sur les investissements.

PIB réel

Lire l'article
page 448

monnaie de OM$_1$ à OM$_2$ sur le graphique (a). Cette action de la banque centrale ne cesse que lorsque le taux d'intérêt canadien est revenu au niveau du taux d'intérêt mondial et qu'il n'y a plus de pression à la hausse sur le taux de change.

L'accroissement de la masse monétaire produit deux effets. Premièrement, elle réduit le taux d'intérêt canadien au niveau mondial, éliminant l'effet d'éviction des dépenses publiques sur l'investissement des entreprises et des ménages. Cet effet d'éviction était responsable du déplacement vers la gauche de la courbe de demande agrégée de DA$_2$ à DA$_3$. Deuxièmement, l'expansion monétaire, en ramenant le taux d'intérêt canadien au niveau mondial, élimine l'appréciation du dollar ainsi que l'effet d'éviction des dépenses publiques sur les exportations nettes. Cet effet était responsable du déplacement de la demande agrégée de DA$_3$ à DA$_1$. En empêchant le taux de change de varier, la Banque du Canada élimine les deux effets d'éviction. Au bout du compte, la courbe de demande agrégée passe de DA$_1$ à DA$_2$ et la quantité de biens et de services produite au Canada augmente de Y$_1$ à Y$_2$.

En résumé, *si la Banque du Canada choisit d'empêcher toute variation du taux de change et entreprend une politique budgétaire expansionniste, aucun effet d'éviction ne s'exerce. Par conséquent, cette politique budgétaire provoquera une forte hausse de la demande de biens et de services.*

LA COORDINATION DES POLITIQUES BUDGÉTAIRE ET MONÉTAIRE

Le fait que les conséquences d'une expansion budgétaire sur la demande agrégée soient radicalement différentes selon qu'elle se fasse en régime de change fixe ou en régime de change flexible (ou flottant) nous amène à tirer une conclusion fondamentale : *pour que la politique budgétaire ait des effets à long terme sur la position de la courbe de demande agrégée, la Banque du Canada doit choisir le régime de change approprié.* Il importe de se rappeler que la politique budgétaire est réservée au Parlement et aux gouvernements provinciaux, alors que la politique monétaire est du ressort de la Banque du Canada. En somme, pour que la politique budgétaire ait des effets durables sur la demande agrégée, les élus des deux organes législatifs d'un côté, et la Banque du Canada de l'autre, doivent coordonner leurs actions.

Une telle coordination n'est pas toujours observée, et l'affaire Coyne de 1961 en constitue une bonne preuve. Afin de relancer l'économie lors d'un ralentissement, le gouvernement fédéral de l'époque avait réduit les impôts et augmenté les dépenses publiques, dans le but de déplacer vers la droite la courbe de demande agrégée. Malheureusement, le gouverneur de la Banque du Canada, James Coyne, était bien résolu à maintenir la flexibilité des changes. Le résultat – parfaitement prévisible selon notre analyse – fut un conflit sérieux entre le gouvernement fédéral et la banque centrale. En maintenant un régime de change flottant, Coyne faisait en sorte que la politique budgétaire expansionniste du gouvernement fédéral n'avait pas d'effet durable sur la demande agrégée. Coyne fut finalement obligé de démissionner et la Banque du Canada adopta un régime de change fixe, afin que la politique budgétaire expansionniste puisse déplacer la courbe de demande agrégée. En 1961, le ministre des Finances fédéral, Donald Fleming, avait conclu cette affaire en disant : «Ce budget et M. Coyne sont tout simplement incompatibles.»

Depuis plusieurs années, la banque centrale laisse fluctuer le dollar canadien. Bien entendu, la valeur du dollar canadien par rapport au dollar américain est un sujet d'intérêt, et les fluctuations du taux de change font souvent les manchettes. Il arrive, cependant, que la Banque du Canada intervienne dans le marché des changes en achetant ou en vendant des dollars. Ce faisant, elle tente de ralentir la vitesse à laquelle le taux de change varie, pour éviter les changements trop brusques. Lorsqu'il s'agit d'anticiper les effets de la politique budgétaire du gouvernement canadien, il faut donc prévoir les décisions de la Banque du Canada en ce qui concerne le taux de change. Si la banque centrale décide de laisser flotter librement le dollar, toute modification de la politique budgétaire n'aura aucun effet à long terme sur la position de la courbe de demande agrégée. Par contre, si la Banque du Canada tente de minimiser les fluctuations du dollar, la politique budgétaire pourra avoir des effets à long terme sur la position de la courbe de demande.

MINITEST : Dites comment une diminution des dépenses publiques se répercute sur le marché monétaire et sur la demande agrégée. Quelles en sont les retombées dans une économie fermée ? et dans une économie ouverte, si la Banque du Canada laisse flotter le dollar ? et dans une économie ouverte, si la Banque du Canada décide de maintenir le taux de change fixe ?

Tableau 15.2

RÉSUMÉ : EFFETS DE LA POLITIQUE BUDGÉTAIRE

QUEL EST L'EFFET DE LA POLITIQUE BUDGÉTAIRE SUR LA DEMANDE AGRÉGÉE EN ÉCONOMIE FERMÉE ?

1. Une augmentation des dépenses publiques déplace la courbe de demande agrégée vers la droite.
2. L'augmentation des dépenses stimule la demande de monnaie, ce qui fait augmenter le taux d'intérêt.
3. La hausse du taux d'intérêt crée un effet d'éviction sur l'investissement, réduisant l'ampleur du déplacement de la courbe de demande agrégée.

QUEL EST L'EFFET DE LA POLITIQUE BUDGÉTAIRE SUR LA DEMANDE AGRÉGÉE EN ÉCONOMIE OUVERTE ET EN RÉGIME DE CHANGE FLOTTANT ?

1. En raison de la mobilité parfaite des capitaux et en faisant abstraction de la fiscalité et du risque de non-paiement, le taux d'intérêt canadien doit être égal au taux d'intérêt mondial. Nous partons donc de $r = r^m$.
2. Un accroissement des dépenses publiques fait déplacer vers la droite la courbe de demande agrégée.
3. Cet accroissement de la demande agrégée augmente la demande de monnaie et, par conséquent, le taux d'intérêt.
4. La hausse du taux d'intérêt exerce un effet d'éviction sur l'investissement et renverse partiellement le déplacement de la courbe de demande agrégée.
5. Les actifs canadiens offrent un taux d'intérêt supérieur à celui des actifs étrangers. L'attraction exercée par les actifs canadiens accroît la demande de dollars sur le marché des changes et provoque une appréciation de cette devise.
6. L'appréciation du dollar réduit les exportations nettes.
7. La baisse des exportations nettes se traduit par une chute des dépenses et par une réduction de la demande de monnaie et du taux d'intérêt, jusqu'à ce que $r = r^m$.
8. À long terme, la politique budgétaire expansionniste du gouvernement n'a donc aucune influence sur la position de la courbe de demande agrégée.

QUEL EST L'EFFET DE LA POLITIQUE BUDGÉTAIRE SUR LA DEMANDE AGRÉGÉE EN ÉCONOMIE OUVERTE ET EN RÉGIME DE CHANGE FIXE ?

1. En raison de la mobilité parfaite des capitaux et en faisant abstraction de la fiscalité et du risque de non-paiement, le taux d'intérêt canadien doit être égal au taux d'intérêt mondial. Nous partons donc de $r = r^m$.
2. Un accroissement des dépenses publiques fait déplacer vers la droite la courbe de demande agrégée.
3. Cet accroissement de la demande agrégée augmente la demande de monnaie et, par conséquent, le taux d'intérêt.
4. La hausse du taux d'intérêt exerce un effet d'éviction sur l'investissement et renverse partiellement le déplacement de la courbe de demande agrégée.
5. Les actifs canadiens offrent un taux d'intérêt supérieur à celui des actifs étrangers. L'attraction exercée par les actifs canadiens accroît la demande de dollars sur le marché des changes. Pour maintenir le taux de change fixe, la Banque du Canada augmente l'offre de dollars sur ce marché, en achetant des devises étrangères.
6. Cet achat de devises étrangères par la banque centrale augmente l'offre de monnaie, faisant baisser le taux d'intérêt jusqu'à ce que $r = r^m$.
7. L'augmentation de l'offre de monnaie déplace encore plus la courbe de demande agrégée vers la droite.

LA RÉDUCTION DU DÉFICIT

Durant les années 1994 à 2002, les gouvernements fédéral et provinciaux ont réduit ou éliminé leurs déficits budgétaires. Certains ont surtout diminué leurs dépenses, d'autres ont surtout augmenté leurs recettes fiscales, tandis que d'autres ont combiné les deux approches. Certains analystes se sont élevés contre cette volonté de réduire les déficits budgétaires, faisant valoir que l'économie canadienne risquait d'en souffrir, puisque la demande agrégée allait alors diminuer. Notre analyse des conséquences des politiques de dépenses publiques et de taxation, en régime de change fixe ou de change flexible, permet d'éclairer ce débat. Aussi longtemps que la banque centrale laisse flotter le dollar, il n'existe aucune raison de croire que la réduction du déficit aura une influence à long terme sur la demande agrégée. Encore une fois, nous voyons l'importance d'un effort coordonné du gouvernement canadien et de la Banque du Canada. Si cette dernière adopte la politique adéquate en matière de régime de change, toute tentative de réduction des déficits n'aura qu'un impact fort limité sur la demande agrégée.

LES MODIFICATIONS DES TAXES ET DES IMPÔTS

Le niveau des taxes et des impôts constitue une autre mesure budgétaire venant s'additionner aux dépenses publiques. En effet, une réduction des impôts est une autre façon d'augmenter le revenu disponible des ménages. Ce revenu supplémentaire sera consacré en partie à l'épargne, mais aussi à la consommation. Par conséquent, toute réduction de l'impôt, en stimulant la consommation, déplace la courbe de demande agrégée vers la droite; en revanche, une augmentation des impôts fait diminuer la consommation et déplace cette même courbe vers la gauche.

L'ampleur du déplacement résultant de la modification des impôts dépend également de l'effet multiplicateur et de l'effet d'éviction. En réduisant les impôts, le gouvernement augmente les revenus et les bénéfices, ce qui stimule la consommation, ce qui augmente à nouveau les revenus et les profits: c'est l'effet multiplicateur. Simultanément, la hausse des revenus augmente la demande de monnaie, ce qui fait monter les taux d'intérêt. Cette hausse des taux d'intérêt augmente le coût des emprunts et réduit les investissements: c'est l'effet d'éviction sur l'investissement. Selon la valeur du multiplicateur et des effets d'éviction, le déplacement de la courbe de demande agrégée sera plus ou moins important que la variation des impôts à son origine.

Dans une petite économie ouverte comme celle du Canada, les effets à long terme d'une variation des impôts sur la courbe de demande agrégée dépendent de la décision de la banque centrale de laisser fluctuer ou non le taux de change. Si la Banque du Canada opte pour un régime de change flottant, une variation des impôts n'aura aucun effet à long terme sur la position de la courbe de demande agrégée. Ainsi, une réduction d'impôt fera passer le taux d'intérêt au-dessus du taux d'intérêt mondial, appréciant le dollar. Cette réduction causera un effet d'éviction sur les exportations nettes identique à celui résultant de l'augmentation des dépenses publiques. Par contre, si la Banque du Canada choisit un régime de change fixe, un allègement des impôts aura un effet à long terme sur la courbe de demande agrégée. Dans ce cas, la banque centrale vendra des devises étrangères sur le marché des changes pour maintenir le taux de change fixe; elle accroîtra ainsi l'offre de monnaie. Une telle augmentation annule les effets d'éviction sur l'investissement et sur les exportations nettes, qui auraient empêché la politique budgétaire d'avoir un effet à long terme sur la demande agrégée.

BON À SAVOIR

Effets de la politique budgétaire sur l'offre agrégée

Jusqu'à présent, nous avons examiné, en analysant la politique budgétaire, les effets de modifications des dépenses publiques et des taxes sur la quantité demandée de biens et de services. La plupart des économistes conviennent que les effets macroéconomiques à court terme de la politique budgétaire se font surtout sentir sur la demande agrégée. Néanmoins, la politique budgétaire peut également modifier la quantité de biens et de services offerte.

Examinons par exemple les effets d'une variation des impôts sur l'offre agrégée. Selon l'un des *dix principes d'économie* énoncés au chapitre 1, les gens réagissent aux incitatifs. Lors d'un allégement fiscal, les travailleurs conservent une proportion plus grande de leur revenu ; ils ont donc tout intérêt à travailler plus et à produire davantage. S'ils réagissent à cet incitatif, l'offre de biens et de services s'accroîtra pour tout niveau des prix et la courbe d'offre agrégée à long terme se déplacera vers la droite. Plusieurs économistes, tenants de la théorie de l'offre, pensent que l'effet des réductions d'impôts sur l'offre agrégée est très important. Certains de ces économistes prétendent même qu'une réduction des taux d'imposition pourrait aboutir à une augmentation des recettes publiques, en raison de l'effort accru des travailleurs.

Néanmoins, la plupart des économistes doutent que les retombées soient si considérables.

Le fait que les baisses d'impôts déplacent la courbe d'offre agrégée de long terme vers la droite est important, car cela laisse croire que ces mesures fiscales ont un effet permanent sur la production. Comme nous l'avons constaté au chapitre 14, tout déplacement de la courbe de demande agrégée ne produit que des effets temporaires sur la production. Au fil du temps, les anticipations, les salaires et les prix s'ajustent, et la courbe d'offre agrégée à court terme finit par rejoindre le point d'intersection des courbes de demande et d'offre agrégées à long terme. À moins que la courbe d'offre à long terme ne varie, un déplacement de la courbe de demande ne peut avoir qu'un effet limité sur la production. Si une réduction d'impôts provoque un déplacement vers la droite de la courbe d'offre à long terme, alors le niveau naturel de la production augmente de façon permanente.

Bien que cette prescription politique semble attrayante – continuer de réduire les impôts progressivement, ce qui augmentera la production de façon permanente –, nous devons cependant rappeler que les impôts financent des programmes publics fort utiles. Il faudrait alors renoncer à la défense, aux soins de santé universels ou aux programmes sociaux. Une politique plus raisonnable, mais certes moins enthousiasmante, consisterait à maintenir les taux d'imposition au niveau le plus bas possible, mais tout de même suffisant pour maintenir les programmes publics souhaitables.

LES POLITIQUES DE STABILISATION

Après avoir considéré les conséquences des politiques monétaire et budgétaire sur la demande agrégée des biens et des services, nous pouvons maintenant aborder une question importante : les décideurs politiques devraient-ils avoir recours à ces instruments afin de stabiliser l'économie ? Dans l'affirmative, à quel moment ? Si non, pourquoi ?

LES ARGUMENTS EN FAVEUR DES POLITIQUES DE STABILISATION

L'économie canadienne est souvent frappée par des chocs imprévus. Les conflits au Moyen-Orient, les variations du prix du pétrole, les fluctuations du taux de change, les flambées ou les chutes de la Bourse peuvent tous avoir de sérieuses conséquences sur l'activité économique et ont déjà, dans le passé, causé de fortes variations de la production, de l'emploi et des revenus. Nous venons d'examiner les effets des politiques monétaire et budgétaire sur la position de la courbe de demande agrégée et, donc, sur la production, l'emploi et les revenus. On peut en déduire facilement que ces instruments peuvent être utilisés pour annuler les conséquences négatives de chocs imprévus. En fait, les expansions et les contractions économiques inattendues s'avèrent coûteuses, à la fois pour les consommateurs et les entreprises, en matière de chômage, d'inflation et d'incertitude. S'il est possible de stabiliser l'économie grâce aux politiques budgétaire et monétaire, il serait judicieux d'y avoir recours. Voilà, en quelques phrases, les arguments qui peuvent être invoqués en faveur de l'interventionnisme macroéconomique.

Comme nous l'avons vu au chapitre précédent, la *Théorie générale de l'emploi, de l'intérêt et de la monnaie* de John Maynard Keynes est un des livres les plus influents jamais écrits en économie. Dans ce livre, Keynes, met l'accent sur le rôle clé de la demande agrégée pour expliquer les fluctuations économiques à court terme. D'après lui, le gouvernement devrait stimuler la demande agrégée lorsqu'elle est insuffisante pour maintenir la production à son niveau de plein emploi. Au moment où il a rédigé son ouvrage, l'ensemble des économies mondiales traversaient la Crise des années 30. Il n'est guère surprenant que l'idée d'une intervention politique pour réduire la gravité de la Crise ait connu un franc succès. Keynes, comme nombre de ses adeptes, était un grand défenseur de l'interventionnisme pour stabiliser l'économie.

LES ARGUMENTS CONTRE LES POLITIQUES DE STABILISATION

Certains économistes s'élèvent au contraire contre les politiques monétaire et budgétaire destinées à stabiliser l'économie. Ils font valoir que ces politiques devraient être utilisées pour atteindre des objectifs de long terme tels qu'une solide croissance économique et la maîtrise de l'inflation, alors qu'on devrait laisser les fluctuations économiques à court terme se résorber d'elles-mêmes. Même s'ils reconnaissent que les instruments budgétaire et monétaire parviennent, en théorie, à stabiliser l'économie, ils doutent de leur efficacité dans la pratique.

L'argument fondamental contre la stabilisation active est fondé sur le décalage entre sa mise en œuvre et ses effets. La politique monétaire influence les dépenses d'investissement par l'intermédiaire du taux d'intérêt. Cependant, la plupart des entreprises établissent leur plan d'investissement longtemps à l'avance ; pour cette raison, la majorité des économistes considèrent que la politique monétaire prend au moins six mois avant de faire sentir ses effets sur la production et l'emploi. En outre, les effets ont tendance à durer plusieurs années. Les opposants aux politiques de stabilisation croient que ces effets retardés devraient dissuader la Banque du Canada de tenter de stabiliser l'économie. Ils prétendent que la banque centrale réagit souvent trop tard aux chocs macroéconomiques et qu'elle contribue plutôt, par ses interventions intempestives, à empirer les fluctuations. Ces critiques prônent une politique monétaire passive, consistant à augmenter la masse monétaire régulièrement et lentement.

La politique budgétaire a aussi des effets à retardement, en raison même de son processus. Au niveau fédéral canadien, la majorité des modifications apportées aux dépenses publiques et aux impôts doivent recevoir l'approbation des commissions parlementaires et être adoptées par la Chambre des communes et le Sénat. Un tel processus retarde de plusieurs mois, voire même de plusieurs années, l'adoption et la mise en application des mesures budgétaires ; entre-temps, les conditions économiques peuvent avoir évolué.

Ce délai dans les effets des politiques budgétaire et monétaire, combiné à l'imprécision des prévisions économiques, rend la stabilisation macroéconomique problématique. Si les prévisionnistes pouvaient parfaitement prévoir l'évolution de l'économie un an à l'avance, les dirigeants pourraient prendre des décisions éclairées et stabiliser l'économie en dépit de la lenteur de leurs interventions. Malheureusement, dans la pratique, les récessions et les dépressions majeures se produisent de façon soudaine et inattendue ; on en est donc réduit à réagir avec peu de préavis.

LES STABILISATEURS AUTOMATIQUES

Tous les économistes, qu'ils soient partisans ou détracteurs des politiques de stabilisation, reconnaissent cependant que les délais de mise en œuvre nuisent à l'efficacité à court terme de ces outils. L'économie serait donc plus stable si de tels retards étaient évitables. Les **stabilisateurs automatiques** sont des ajustements budgétaires qui stimulent la demande agrégée en cas de récession, et ce, sans qu'aucune intervention délibérée soit nécessaire.

Stabilisateurs automatiques

Modifications automatiques de la politique budgétaire qui stimulent la demande agrégée lorsque l'économie est en récession, sans qu'aucune intervention délibérée soit nécessaire.

Le stabilisateur automatique le plus important est le système fiscal. Lorsque l'économie entre en récession, les recettes publiques diminuent automatiquement, puisque les impôts dépendent de l'activité économique. L'impôt sur le revenu personnel se calcule à partir du revenu des ménages, les charges sociales dépendent des salaires des travailleurs et l'impôt des sociétés repose sur les bénéfices. Durant une récession, les revenus, les salaires et les bénéfices baissent simultanément, entraînant dans le même mouvement les recettes fiscales du gouvernement. Une telle réduction stimule la demande agrégée et limite donc l'ampleur des fluctuations économiques.

Les dépenses publiques contribuent elles aussi à stabiliser automatiquement l'économie. Lorsque l'économie entre en récession, les entreprises licencient des travailleurs. On voit alors augmenter le nombre de bénéficiaires de l'assurance-emploi, des prestations d'aide sociale ou d'autres types de soutien du revenu. Cet accroissement automatique des dépenses gouvernementales stimule la demande agrégée, au moment même où celle-ci ne suffit pas à assurer le plein emploi. À vrai dire, en 1940, lors de l'instauration de l'assurance-chômage, ses défenseurs mettaient de l'avant son effet de stabilisateur automatique.

Les stabilisateurs automatiques de l'économie canadienne ne suffisent certes pas à enrayer complètement les récessions. Néanmoins, en leur absence, la production et l'emploi seraient probablement plus volatiles. Pour cette raison, de nombreux économistes s'opposent à une législation obligeant le gouvernement fédéral à adopter un budget équilibré chaque année, comme l'ont proposé certains politiciens. En cas de récession, la réduction automatique des recettes fiscales et la hausse automatique des dépenses publiques détériorent le solde budgétaire. L'obligation de maintenir un budget équilibré mènerait le gouvernement à augmenter les impôts ou à réduire les dépenses publiques, ce qui empirerait la récession. Autrement dit, une telle contrainte éliminerait l'effet de stabilisateur automatique de notre système fiscal et budgétaire.

LE TAUX DE CHANGE FLEXIBLE EN TANT QUE STABILISATEUR ÉCONOMIQUE

Dans une économie ouverte, les dirigeants disposent d'une autre option pour stabiliser l'économie : le taux de change flexible (ou flottant). Imaginons que les États-Unis, premier partenaire commercial du Canada, entrent en récession. À mesure que les revenus des ménages et les bénéfices des entreprises de ce pays diminuent, les dépenses des consommateurs américains sont poussées à la baisse. Cela se traduit par une diminution des exportations, de la demande agrégée et de la production au Canada. Si la Banque du Canada a choisi un régime de change flexible pour le dollar canadien, on s'attendrait à la suite d'événements suivants : la chute des exportations nettes entraîne celle des revenus des Canadiens et réduit la demande de monnaie. Le taux d'intérêt au Canada passerait alors sous le taux d'intérêt mondial. Il s'ensuivrait une vente d'actifs canadiens par les Canadiens et les étrangers ainsi qu'un achat d'actifs étrangers offrant un meilleur taux d'intérêt, ce qui provoquerait un délestage de dollars

sur le marché des changes. Cette offre de dollars déprécierait le dollar canadien, relançant ainsi les exportations. La courbe de demande agrégée revien-
drait ainsi vers la droite, faisant remonter les revenus des Canadiens et la
demande de monnaie, et ce, jusqu'à ce que le taux d'intérêt canadien rejoigne
le taux d'intérêt mondial. En conséquence, la récession aux États-Unis n'aurait
pas d'effet notable sur la courbe de demande agrégée au Canada.

Nous venons de voir que, grâce à un taux de change flottant, il est possible
d'isoler en partie l'économie canadienne des effets d'une récession à l'étranger.
En raison de la dépendance du Canada vis-à-vis du commerce extérieur et à
cause de sa vulnérabilité aux récessions étrangères qui en découle, ce choix de
régime de change semble idéal. Effectivement, la plupart des économistes sont
partisans d'un régime de change flottant pour le Canada. Hélas, comme aiment
à le rappeler ces mêmes économistes, rien n'est gratuit : les avantages d'un taux
de change flexible entraînent des coûts. D'abord et avant tout, un taux de change
flexible augmente l'incertitude des prix des entreprises exportatrices et importatrices. Une variation imprévue du cours du dollar signifie une modification
non anticipée du prix en dollars des marchandises importées et exportées. Une
firme canadienne désirant produire des biens destinés à l'exportation hésitera
peut-être, si elle ne peut pas s'assurer du prix en dollars canadiens de ses marchandises vendues à l'étranger. Ce type de coûts a incité les économistes Richard
Harris et Thomas Courchene à proposer une union monétaire du Canada et des
États-Unis. Ils recommandent l'adoption de la devise américaine par le Canada,
afin d'éviter les incertitudes concernant à la fois les prix que les importateurs
devront payer pour les produits fabriqués aux États-Unis et le montant perçu
par les exportateurs canadiens lors de leurs ventes au sud de la frontière. L'éli-
nation de cette incertitude, qui représente l'un des inconvénients majeurs du
commerce international, maximiserait les avantages du libre-échange.
Actuellement, une majorité d'économistes considèrent que les avantages d'un
taux de change flexible, en tant que stabilisateur économique, excèdent le coût
de l'incertitude provoquée par la variation du taux de change. Le débat se poursuit néanmoins.

UNE BRÈVE RÉCAPITULATION

Ce chapitre est particulièrement dense. D'abord, nous avons vu comment les
politiques monétaire et budgétaire influencent la position de la courbe de
demande agrégée dans une économie fermée, puis dans une petite économie
ouverte, en régime de change fixe ou flottant. Tout au long de ce chapitre, nous
avons fait l'hypothèse que le niveau des prix ne réagissait pas aux conditions
économiques. Pour mettre l'accent sur cette rigidité, nous avons fait l'hypothèse
que les prix sont fixes à court terme. La figure 15.12 synthétise ce que nous
venons d'apprendre sur l'utilisation des politiques monétaire et budgétaire
pour déplacer la courbe de demande agrégée à court terme.

Le graphique (a) de cette figure illustre les déplacements de la courbe de
demande agrégée découlant de politiques monétaire et budgétaire expansionnistes dans une économie fermée. Nous partons d'une économie située au
point A sur la courbe de demande agrégée DA_1. Le niveau des prix est fixé à P.
Une politique budgétaire expansionniste (dépenses publiques plus élevées
ou réduction des impôts) et une politique monétaire expansionniste (une augmentation de la masse monétaire) provoquent un déplacement de la courbe de
demande agrégée vers la droite, en DA_2. En économie fermée, les politiques

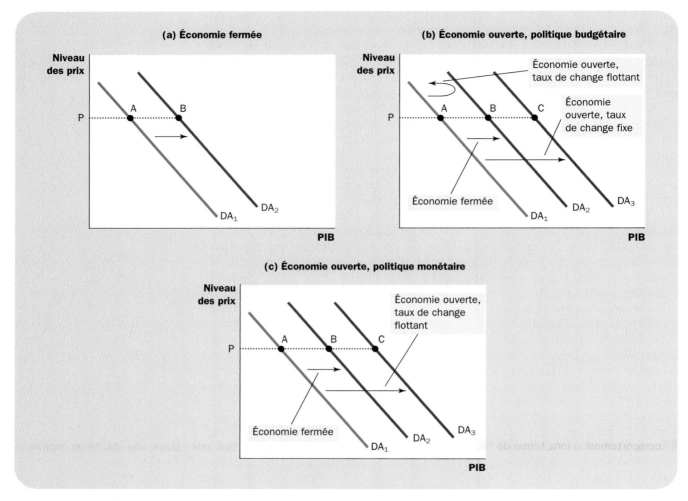

Figure 15.12   EFFETS DES POLITIQUES MONÉTAIRE ET BUDGÉTAIRE EXPANSIONNISTES SUR LA COURBE DE DEMANDE AGRÉGÉE. Ces effets varient selon que l'économie est ouverte ou fermée. Dans une économie ouverte, les effets de ces politiques dépendent de la décision de la Banque du Canada de maintenir un régime de change fixe ou flottant.

monétaire et budgétaire modifient donc de la même manière la position de la courbe de demande. Leurs effets diffèrent, comme nous l'avons vu au long de ce chapitre, quant à leurs effets sur le taux d'intérêt. Une politique budgétaire expansionniste provoque une hausse de ce taux, parce qu'elle accroît la demande de monnaie, tandis qu'une politique monétaire expansionniste réduit le taux d'intérêt, car elle augmente l'offre de monnaie.

Le graphique (b) de la figure 15.12 illustre les déplacements de la courbe de demande agrégée découlant d'une politique budgétaire expansionniste dans une petite économie ouverte. Une fois encore, nous partons d'une économie située au point A sur la courbe de demande agrégée DA_1, le niveau des prix étant fixé à P. Dans une économie fermée, une politique budgétaire expansionniste provoquerait un déplacement de la demande agrégée en DA_2 et l'économie passerait de A à B, pour un niveau des prix P. Dans une économie ouverte, les effets de cette politique dépendent du régime de change. En change fixe, la même politique budgétaire expansionniste, qui faisait augmenter la demande agrégée de DA_1 à DA_2, la fait maintenant déplacer de DA_1 à DA_3, l'économie passant de A à C. L'augmentation du taux d'intérêt canadien au-dessus du taux d'intérêt mondial, à cause de la politique budgétaire, crée une demande de dollars sur le marché des changes. Pour maintenir le taux de change fixe, la Banque du Canada doit alors vendre des dollars et acheter des devises étrangères. Ce faisant, elle accroît l'offre de monnaie, provoquant un second déplacement de la courbe de demande agrégée. En régime de change flottant, la même politique budgétaire expansionniste, responsable du déplacement de DA_1 à DA_2 en économie fermée, n'aura aucun impact durable sur la position de la courbe de demande agrégée. Celle-ci finira par revenir en DA_1, l'économie se retrouvant en A à son niveau initial. Cet effet différent en change flexible s'explique par la pression à la hausse sur le taux d'intérêt canadien exercée par

BON À SAVOIR

Les taux d'intérêt à court et à long termes

Arrêtons-nous brièvement sur un problème qui se pose: il semble que nous ayons plusieurs façons d'expliquer la détermination du taux d'intérêt. Cela tient à notre volonté de comprendre les taux d'intérêt dans plusieurs contextes différents: à court et à long termes, dans une économie fermée ou dans une petite économie ouverte. Chacune de ces explications est correcte et utile, mais il serait bon, maintenant, de les relier entre elles.

Commençons par rappeler les différences entre le comportement à long terme de l'économie et son comportement à court terme. Trois variables macroéconomiques sont importantes: la production de biens et de services, le taux d'intérêt et le niveau des prix. D'après la théorie macroéconomique classique présentée aux chapitres 7, 8 et 11, ces variables sont déterminées comme suit:

1. Le *niveau de production* dépend de la quantité de main-d'œuvre et de capital ainsi que de la technologie et du capital humain qui permettent de transformer ces facteurs de production en biens et en services. (Ce que nous appelons le niveau naturel de production.) Toute modification du niveau des prix n'a aucune influence sur la production.

2. Dans une économie fermée, à un niveau de production donné, le taux d'intérêt garantit l'égalité entre l'offre et la demande de fonds prêtables. Dans une petite économie ouverte, le taux d'intérêt national est égal au taux d'intérêt mondial. L'investissement net à l'étranger (INE) assure l'équilibre de l'offre et de la demande de fonds prêtables.

3. Le *niveau des prix* équilibre l'offre et la demande de monnaie. Une variation de l'offre de monnaie se répercute proportionnellement sur le niveau des prix.

Telles sont les trois propositions fondamentales de la théorie économique classique. Elles font consensus parmi les économistes, qui croient qu'elles décrivent bien le fonctionnement de l'économie *à long terme.*

Cependant, ces propositions ne sont pas vérifiées à court terme. Comme nous l'avons vu au chapitre 14, les prix s'ajustent lentement aux variations de l'offre de monnaie, et cela produit une courbe d'offre agrégée à court terme à pente positive plutôt que verticale. À court terme, il est préférable de concevoir l'économie comme suit:

1. Le *niveau des prix* est fixe à un certain niveau (qui dépend des anticipations formées dans le passé) et, à court terme, il ne réagit pas aux changements des conditions économiques.

2. Dans une économie fermée, pour un niveau des prix donné, le *taux d'intérêt* assure l'équilibre entre l'offre et la demande de monnaie. Le niveau des prix ne peut pas s'ajuster comme il le fait à long terme, en raison de la rigidité des prix. Dans une petite économie ouverte, le taux d'intérêt doit être égal au taux d'intérêt mondial. Cet ajustement peut se produire grâce à la flexibilité du taux de change. En modifiant les exportations nettes, les variations du taux de change ont un effet sur la production et, par conséquent, sur la demande de monnaie. Dans ces circonstances, la demande de monnaie s'ajuste pour assurer l'équilibre entre l'offre et la demande de monnaie, au taux d'intérêt mondial. Lorsque le taux de change est fixe, il incombe à la banque centrale d'acheter et de vendre des devises étrangères, ce qui modifie l'offre de monnaie et maintient le taux d'intérêt égal au taux mondial.

3. Le niveau de la *production* est déterminé par les variations nettes de la demande agrégée de biens et de services, elles-mêmes en partie déterminées par l'effet d'éviction du taux d'intérêt et du taux de change.

Chaque théorie de la détermination du taux d'intérêt est utile dans une circonstance différente. Lorsqu'on s'intéresse aux facteurs déterminant à long terme les taux d'intérêt, il convient d'utiliser la théorie des fonds prêtables. Par contre, pour comprendre la détermination à court terme de ces mêmes taux d'intérêt, il est préférable de se tourner vers la théorie de la préférence pour la liquidité. En outre, dans le cas d'une petite économie ouverte comme celle du Canada, il faut savoir que le taux d'intérêt doit être égal au taux d'intérêt mondial.

la politique budgétaire expansionniste. Le taux d'intérêt canadien dépasse le taux mondial, provoquant alors une augmentation de la demande de dollars sur le marché des changes, et ce, sans que la Banque du Canada intervienne. Le taux de change augmente alors, provoquant une chute des exportations nettes. Une telle réduction vient annuler les effets de la politique budgétaire, ramenant à long terme la courbe de demande agrégée à son point de départ.

Le graphique (c) de la figure 15.12 illustre les déplacements de la courbe de demande agrégée découlant d'une politique monétaire expansionniste dans une petite économie ouverte. Nous partons une nouvelle fois du point A, sur la courbe de demande agrégée DA_1, le niveau des prix restant fixé en P. S'il s'agissait d'une économie fermée, une politique monétaire expansionniste déplacerait la courbe de demande agrégée en DA_2 et l'économie passerait du point A au point B pour un niveau des prix P. Dans une économie ouverte, la politique monétaire ne sera utile que si la Banque du Canada laisse flotter le dollar. La même politique monétaire, responsable en économie fermée du déplacement de DA_1 à DA_2, déplacerait la courbe de demande agrégée de DA_1 à DA_3 en régime de change flottant, et l'économie passerait de A à C. Cela s'explique par le fait que la politique monétaire expansionniste pousse le taux d'intérêt canadien sous le taux d'intérêt mondial, augmentant ainsi l'offre de dollars sur le marché des changes. En causant une dépréciation du dollar, l'expansion monétaire stimule les exportations nettes, provoquant ainsi un déplacement supplémentaire de la courbe de demande agrégée.

Il importe toutefois de répéter ce que nous avons déjà souligné : les résultats de l'analyse dans cette courte section reposent sur un modèle économique caractérisé par certaines simplifications et hypothèses. Au cours de vos études en macroéconomie, vous serez amenés à relâcher certaines de ces hypothèses et simplifications. Pour cette raison, certaines de ces conclusions devront être modifiées. Au chapitre 2, nous avons vu que, lors de la construction de modèles, une des premières étapes est d'émettre des hypothèses simplificatrices. La méthode scientifique nous amène à faire des prédictions, à partir des modèles, et à examiner comment les prédictions varient avec des changements dans les hypothèses. Cela étant dit, il n'en demeure pas moins que les modèles de base étudiés dans ce chapitre sont utiles pour comprendre les effets des politiques monétaire et budgétaire dans des économies fermées et ouvertes.

CONCLUSION

Avant de modifier leurs politiques, les dirigeants doivent évaluer les conséquences de leurs décisions. Plus tôt dans ce manuel, nous avons étudié le modèle classique de l'économie, décrivant les effets à long terme des politiques monétaire et budgétaire. Plus précisément, nous avons vu, d'une part, comment la politique budgétaire se répercute à la fois sur l'épargne, sur l'investissement, sur la balance commerciale et sur la croissance à long terme et, d'autre part, comment la politique monétaire influe sur le taux d'inflation et sur le niveau des prix.

Dans le présent chapitre, nous avons observé les effets à court terme de ces mêmes politiques. Nous avons constaté leurs retombées sur la demande agrégée de biens et de services et, par voie de conséquence, sur la production et sur l'emploi à court terme. Si le gouvernement restreint les dépenses publiques pour équilibrer le budget, il lui faut considérer à la fois les effets à long terme sur l'épargne et la croissance et les conséquences à court terme sur la demande agrégée et l'emploi. Lorsque la Banque du Canada limite le taux de croissance de l'offre de monnaie, il lui faut tenir compte des effets à long terme sur l'inflation, ainsi que des conséquences à court terme sur la production. Dans le prochain chapitre, nous reviendrons sur la transition entre le court terme et le long terme, pour essayer de comprendre les arbitrages auxquels doivent faire face les dirigeants, entre leurs objectifs de court et de long termes.

Lire l'article page 449

Résumé

◆ En créant sa théorie des fluctuations économiques à court terme, Keynes a élaboré une théorie de la préférence pour la liquidité, afin d'expliquer la détermination du taux d'intérêt. Selon cette théorie, le taux d'intérêt s'ajuste pour assurer l'équilibre entre l'offre et la demande de monnaie.

◆ Une augmentation du niveau des prix fait monter la demande de monnaie et augmente le taux d'intérêt qui équilibre le marché monétaire. Comme le taux d'intérêt représente le coût des emprunts, une hausse de ce taux fait diminuer l'investissement et, du même coup, la quantité de biens et de services demandée. Dans une petite économie ouverte, une augmentation du niveau des prix accroît aussi le taux de change réel. Cette augmentation rend les produits fabriqués au Canada plus coûteux par rapport aux produits étrangers. Il en résulte une baisse des exportations nettes et de la quantité de biens et de services demandée. Cette relation inverse entre le niveau des prix et la quantité demandée de biens et de services se reflète dans la pente négative de la courbe de demande agrégée.

◆ Les dirigeants ont la possibilité d'agir sur la demande agrégée au moyen de la politique monétaire. Une augmentation de la masse monétaire réduit le taux d'intérêt d'équilibre, et ce, pour tout niveau des prix. Cette réduction stimule les investissements, ce qui déplace vers la droite la courbe de demande agrégée. De plus, dans une petite économie ouverte, le taux d'intérêt plus faible conduit à une baisse du taux de change. Celle-ci stimule la demande des biens et de services produits au Canada et, par conséquent, déplace vers la droite la courbe de demande agrégée. Ainsi, l'effet d'une injection monétaire est supérieur en économie ouverte à celui qui aurait eu lieu dans une économie fermée. De la même façon, une réduction de l'offre de monnaie augmente le taux d'intérêt d'équilibre, pour tout niveau des prix. Cette augmentation réduit les investissements, ce qui déplace la courbe de demande agrégée vers la gauche. De plus, dans une petite économie ouverte, le taux d'intérêt plus élevé conduit à une hausse du taux de change. Celle-ci réduit la demande des biens et des services produits au Canada et, par conséquent, déplace vers la gauche la courbe de demande agrégée.

Ainsi, l'effet d'une contraction monétaire est supérieur en économie ouverte à celui qui aurait eu lieu dans une économie fermée.

◆ Les responsables politiques peuvent également se servir de la politique budgétaire pour modifier la demande agrégée. Une augmentation des dépenses publiques ou une réduction des impôts se traduit par un déplacement vers la droite de la courbe de demande agrégée. Inversement, une réduction des dépenses publiques ou une augmentation des impôts déplace cette courbe vers la gauche.

◆ Dans une petite économie ouverte avec mobilité parfaite des capitaux, la politique budgétaire peut avoir ou non des effets durables sur la courbe de demande agrégée, selon le choix du régime de change qui est fait par la banque centrale. Si elle laisse le taux de change flotter librement, une politique budgétaire n'aura aucun effet à long terme sur la position de la courbe de demande agrégée. En effet, le taux de change exerce sur les exportations nettes un effet contraire à celui de la politique budgétaire sur la demande agrégée. Si la Banque du Canada décide de fixer le taux de change, cet effet des exportations nettes ne s'exerce plus. De fait, en maintenant fixe le taux de change, la banque centrale fait déplacer la courbe de demande agrégée davantage qu'elle ne le ferait dans une économie fermée. La politique budgétaire a donc, dans ce cas, un effet à long terme durable sur la position de la courbe de demande agrégée.

◆ Lorsque le gouvernement modifie les dépenses publiques ou les impôts, l'effet sur la demande agrégée peut être inférieur ou supérieur à cette modification. L'effet multiplicateur a tendance à amplifier les retombées de la politique budgétaire sur la demande, tandis que l'effet d'éviction sur l'investissement a, au contraire, tendance à réduire les conséquences de cette politique. L'effet multiplicateur est sensiblement plus petit dans une économie ouverte que dans une économie fermée.

◆ Les politiques monétaire et budgétaire ont toutes deux une influence sur la demande agrégée et le gouvernement y a parfois recours pour stabiliser l'économie. Les économistes divergent d'opinion sur l'interventionnisme macroéconomique. Les partisans des politiques de stabilisation considèrent que la demande agrégée dépend de chocs imprévisibles, au Canada et ailleurs dans le monde : si le gouvernement n'y réagit pas, on assiste à des fluctuations indésirables et inutiles de la production et de l'emploi. Les opposants aux politiques de stabilisation font plutôt valoir que, en raison des délais de mise en application des politiques budgétaire et monétaire, un gouvernement qui tente de stabiliser l'économie finit parfois par provoquer l'effet contraire et par la déstabiliser.

Concepts clés

Effet d'éviction sur les exportations nettes, p. 348
Effet d'éviction sur les investissements, p. 346

Effet multiplicateur, p. 342
Stabilisateurs automatiques, p. 356

Théorie de la préférence pour la liquidité, p. 329

Questions de révision

1. Qu'est-ce que la théorie de la préférence pour la liquidité ? Comment explique-t-elle la pente négative de la courbe de demande agrégée ?

2. À l'aide de la théorie de la préférence pour la liquidité, expliquez les répercussions d'une contraction de la masse monétaire sur la courbe de demande agrégée. Expliquez ces effets dans une économie fermée et dans une petite économie ouverte.

3. Supposons que le gouvernement dépense 3 milliards de dollars pour l'achat de voitures de police. Dites pourquoi l'augmentation de la demande agrégée pourrait excéder ce montant. Dites pourquoi l'augmentation de la demande agrégée pourrait être inférieure à ce montant. À quelles conditions l'augmentation de la demande agrégée serait-elle égale à 3 milliards ?

4. Imaginez qu'un sondage sur la confiance des consommateurs laisse présager une vague de pessimisme dans tout le pays. Si les dirigeants ne font rien, qu'adviendra-t-il de la demande agrégée ? Comment la Banque du Canada devrait-elle intervenir, en supposant qu'elle souhaite stabiliser la demande agrégée ? Si elle n'intervient pas, que pourrait faire le gouvernement pour stabiliser la demande agrégée ?

5. Donnez un exemple de politique jouant le rôle de stabilisateur automatique. Expliquez les raisons de cet effet stabilisateur.

16

À LA FIN
DE CE CHAPITRE,
VOUS SEREZ
EN MESURE...

**de comprendre pourquoi
les décideurs doivent
à court terme
choisir entre l'inflation
et le chômage**

**d'expliquer pourquoi
ce dilemme entre inflation
et chômage disparaît
à long terme**

**de voir comment
les chocs d'offre
peuvent modifier
cet arbitrage**

**d'évaluer le coût
de la réduction
du taux d'inflation
à court terme**

**de comprendre
les effets de
la crédibilité des
dirigeants sur le coût
de réduction
de l'inflation.**

L'ARBITRAGE À COURT TERME ENTRE L'INFLATION ET LE CHÔMAGE

L'inflation et le chômage sont deux indicateurs économiques étroitement surveillés par les responsables politiques, qui attendent avec impatience la publication des données recueillies chaque mois par Statistique Canada. Certains commentateurs combinent le taux d'inflation et le taux de chômage pour calculer un *ratio de souffrance*, qui sert de baromètre de la santé économique du pays.

Quelle relation existe-t-il entre les deux indicateurs de performance économique que sont l'inflation et le chômage? Dans le présent ouvrage, nous avons déjà analysé les facteurs qui déterminent le chômage et l'inflation à long terme. Nous savons que le taux de chômage naturel dépend des diverses caractéristiques du marché du travail, telles que les lois sur le salaire minimum et la générosité de l'assurance-emploi. Pour sa part, le taux d'inflation est essentiellement le résultat de l'accroissement de l'offre de monnaie, elle-même régulée par la banque centrale d'un pays. À long terme, l'inflation et le taux de chômage sont donc deux phénomènes passablement indépendants l'un de l'autre.

Cependant, ce n'est pas le cas à court terme. Selon l'un des *dix principes d'économie* abordés au chapitre 1, la société est soumise à un arbitrage à court terme entre l'inflation et le chômage. Si les responsables de la politique monétaire et fiscale stimulent la demande agrégée en faisant déplacer l'économie vers le haut le long de la courbe d'offre agrégée à court terme, ils parviendront peut-être à réduire le chômage pendant un certain temps, mais seulement au prix d'une hausse de l'inflation. Inversement, si les dirigeants interviennent pour réduire la demande agrégée en faisant se déplacer l'économie vers le bas le long de la courbe d'offre agrégée, ils juguleront alors l'inflation, mais ce sera au détriment du chômage, qui connaîtra une hausse temporaire.

Dans ce chapitre, nous reviendrons plus en détail sur cet arbitrage. Quelques-uns des plus célèbres économistes du dernier demi-siècle se sont penchés sur cette question. La meilleure façon d'aborder cette relation inverse entre chômage et inflation consiste à étudier l'évolution de la pensée économique à ce sujet. Comme nous le constaterons, l'histoire de cette pensée, depuis les années 50, est indissociable de l'évolution économique nord-américaine et européenne. Notre analyse montrera pourquoi cet arbitrage entre inflation et chômage est inévitable à court terme, mais pas à long terme, tout en éclairant les enjeux qui doivent être considérés par les décideurs.

LA COURBE DE PHILLIPS

La relation entre l'inflation et le chômage se représente le plus souvent sous la forme d'une courbe appelée *courbe de Phillips.* Nous commencerons donc cette rétrospective de la pensée économique en expliquant les origines de cette courbe.

LES ORIGINES DE LA COURBE DE PHILLIPS

La courbe de Phillips est le résultat de recherches menées dans un contexte international. En 1958, l'économiste néo-zélandais A.W. Phillips publiait, dans le journal britannique *Economica,* un article qui allait le rendre célèbre. Cet article, intitulé « La relation entre le chômage et la croissance des salaires au Royaume-Uni entre 1861 et 1957 », établissait une relation inverse entre le chômage et l'inflation. Phillips démontrait ainsi qu'un taux de chômage faible allait de pair avec une forte inflation, tandis qu'un taux de chômage élevé correspondait à une faible inflation. (Phillips avait fondé son observation sur les salaires nominaux plutôt que sur les prix, mais cette distinction importe peu pour les fins de la démonstration. Ces deux indicateurs de l'inflation varient généralement ensemble.) Phillips en a donc conclu à l'existence d'une relation entre ces deux variables économiques essentielles – l'inflation et le chômage –, relation que les économistes n'avaient jamais envisagée auparavant. Deux ans plus tard, un économiste canadien, Richard Lipsey, confirmait les observations de Phillips en mesurant de façon plus précise la relation entre les variations des taux d'inflation et celles des taux de chômage. Ce faisant, il inaugurait une méthode reprise ensuite par de nombreux économistes.

Bien que les travaux de Phillips et de Lipsey aient été fondés sur des données qui concernaient le Royaume-Uni, les chercheurs d'autres pays arrivèrent rapidement aux mêmes conclusions. L'année de la parution de l'article de Lipsey, deux économistes américains, Paul Samuelson et Robert Solow, décidèrent également de vérifier l'hypothèse de Phillips-Lipsey à partir des statistiques américaines. Samuelson et Solow démontrèrent que la corrélation inverse entre l'inflation et le chômage, qui se vérifiait aux États-Unis et dans d'autres pays, pouvait s'expliquer par la forte demande agrégée qui accompagnait la baisse du chômage, cette demande accrue exerçant une pression à la hausse sur l'ensemble des prix et des salaires. Samuelson et Solow baptisèrent cette relation inverse du nom de **courbe de Phillips**. On retrouve à la figure 16.1 un exemple de cette courbe reflétant l'hypothèse émise par ces deux chercheurs.

Samuelson et Solow s'intéressaient à la courbe de Phillips parce qu'ils pensaient pouvoir en tirer des enseignements qui seraient importants pour les dirigeants. Ils étaient d'avis qu'elle fournissait un éventail de politiques économiques potentielles. En modifiant la demande agrégée par une série de mesures fiscales et monétaires, les dirigeants pourraient ainsi choisir un point précis le long de cette courbe, le point A correspondant à un chômage élevé et à une faible inflation et le point B se situant à l'autre extrême. De toute évidence, les décideurs souhaitent à la fois une inflation et un chômage faibles, mais les données historiques résumées par la courbe de Phillips montrent clairement l'impossibilité d'une telle combinaison. Dès lors, dans les années suivant la découverte de Phillips, on comprit le choix difficile qui devait être fait, entre la réduction de l'inflation ou celle du chômage.

LA DEMANDE AGRÉGÉE, L'OFFRE AGRÉGÉE ET LA COURBE DE PHILLIPS

Le modèle d'offre et de demande agrégées offre une explication simple des variations décrites par la courbe de Phillips. *La courbe de Phillips représente simplement les combinaisons possibles des taux d'inflation et de chômage à court terme, lorsque la courbe de demande agrégée se déplace le long de la courbe d'offre agrégée de court terme.* Comme nous l'avons démontré au chapitre 14, une hausse de demande agrégée pour les biens et les services conduit, à court terme, à une augmentation de la production et à une hausse du niveau des prix. Cette augmentation de la production stimule l'emploi et réduit le chômage. En outre, et indépendamment du niveau des prix de l'année antérieure, plus le niveau des prix de l'année en cours est élevé, plus l'inflation est forte. Par conséquent, à court terme, une variation de demande agrégée fait évoluer l'inflation et le chômage dans des directions opposées – c'est la relation que démontre la courbe de Phillips.

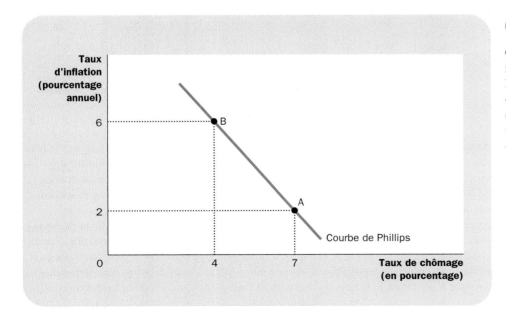

Figure 16.1

COURBE DE PHILLIPS. Cette courbe illustre la relation inverse entre le taux d'inflation et le taux de chômage. Au point A, l'inflation est faible et le chômage élevé, tandis qu'au point B, la situation est inverse.

Pour mieux comprendre ce mécanisme, prenons un exemple simple. Imaginons que le niveau des prix (mesuré, par exemple, par l'indice des prix à la consommation) soit de 100 en 2004. La figure 16.2 illustre les possibilités pour l'année 2005. Le graphique (a) affiche les deux résultats possibles au moyen du modèle d'offre et de demande agrégées; le graphique (b) reprend ces deux résultats à partir de la courbe de Phillips.

Nous pouvons constater au graphique (a) les implications d'un déplacement de la demande agrégée sur la production et le niveau des prix pour l'année 2005. Si la demande agrégée de biens et de services croît faiblement, l'économie se situe au point A, où la production est égale à 7 500 et le niveau des prix à 102. Par contre, si la demande agrégée croît fortement, l'économie se retrouve en B, la production passe à 8 000 et le niveau des prix à 106. Par conséquent, on conclut qu'un accroissement de la demande agrégée modifie l'équilibre macroéconomique et provoque une hausse de la production et des prix.

Sur le graphique (b), on peut voir les implications de ces deux résultats sur la courbe de Phillips. Étant donné que, pour produire plus de biens, les entreprises ont besoin de plus d'employés, le chômage est plus faible au point B qu'au point A. Dans cet exemple, lorsque la production passe de 7 500 à 8 000, le chômage tombe de 7 % à 4 %. En outre, le niveau des prix est plus élevé en B qu'en A et, par conséquent, le taux d'inflation (le pourcentage de variation du niveau des prix par rapport à l'année précédente) augmente. Dans ce cas particulier, le niveau des prix se situant à 100 en l'an 2004, l'inflation est de 2 % en A et de 6 % en B. Nous sommes donc en mesure de comparer ces deux

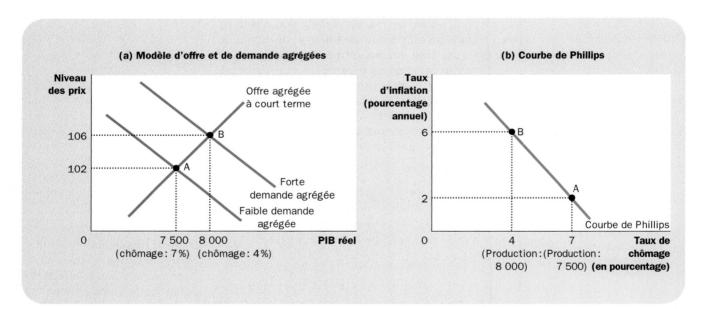

Figure 16.2

RELATION ENTRE LA COURBE DE PHILLIPS ET LE MODÈLE D'OFFRE ET DE DEMANDE AGRÉGÉES. On part d'un niveau des prix fixé à 100 en 2004 pour voir les résultats économiques envisageables en 2005. Le graphique (a) correspond au modèle d'offre et de demande agrégées. Si la demande croît faiblement, l'économie se situe au point A : la production est faible (7 500), de même que le niveau des prix (102). Si la demande agrégée croît fortement, l'économie s'élève au point B : la production est élevée (8 000), de même que le niveau des prix (106). Le graphique (b) montre les implications de ces résultats sur la courbe de Phillips. Le point A, reflétant une demande agrégée faible, se caractérise par un taux de chômage élevé (7 %), mais une faible inflation (2 %). Lorsque la demande agrégée s'accroît en B, le taux de chômage est faible (2 %), mais l'inflation est forte (6 %).

résultats sous l'angle de la production et des prix (grâce au modèle d'offre et de demande agrégées), mais aussi du point de vue du chômage et de l'inflation (au moyen de la courbe de Phillips).

Dans le chapitre précédent, nous avons vu que les politiques monétaire et budgétaire peuvent déplacer la courbe de demande agrégée ; ces politiques sont donc en mesure de faire évoluer l'économie le long de la courbe de Phillips. Un accroissement de la masse monétaire, une augmentation du niveau des dépenses publiques ou des réductions de taxes stimulent la demande agrégée et amènent l'économie en un point de la courbe correspondant à un taux de chômage plus faible et à une inflation plus forte. À l'inverse, une contraction monétaire, des réductions dans les dépenses publiques ou une hausse des impôts font baisser la demande agrégée, et l'économie se situe alors en un point correspondant à un taux de chômage élevé et à une faible inflation. D'une certaine manière, la courbe de Phillips fournit aux décideurs une série de combinaisons d'inflation et de chômage qu'ils peuvent atteindre.

MINITEST : Tracez une courbe de Phillips. En vous servant du modèle d'offre et de demande agrégées, montrez comment l'économie se déplace le long de cette courbe en passant d'une inflation forte à une inflation faible.

LES DÉPLACEMENTS DE LA COURBE DE PHILLIPS : LE RÔLE DES ANTICIPATIONS

La courbe de Phillips semble poser un dilemme aux dirigeants : l'inflation ou le chômage. Mais est-ce bien le cas à long terme ? Les décideurs peuvent-ils faire confiance à la relation établie par la courbe de Phillips ? C'est justement la question que se sont posée les économistes à la fin des années 60.

LA COURBE DE PHILLIPS À LONG TERME

En 1968, l'économiste Milton Friedman publiait un article dans l'*American Economic Review*, tiré du discours qu'il venait de prononcer en tant que président de l'American Economic Association. Cet article, intitulé « Le rôle de la politique monétaire », concernait à la fois « ce que peut faire la politique monétaire » et « ce que ne peut pas faire la politique monétaire ». Friedman faisait remarquer que la politique monétaire n'est pas en mesure, sauf à court terme, de choisir une combinaison donnée entre l'inflation et le chômage, le long de la courbe de Phillips. À peu près en même temps, un autre économiste, Edmund Phelps, publiait un article niant l'existence à long terme d'un arbitrage entre le chômage et l'inflation.

Friedman et Phelps arrivaient à cette conclusion en partant des principes macroéconomiques classiques, abordés dans les chapitres 7 à 13 du présent ouvrage. Souvenons-nous que, selon la théorie classique, l'augmentation de la masse monétaire est la cause principale de l'inflation. Mais cette analyse classique suggère également que la croissance de la masse monétaire n'a pas d'effets réels – elle se limite à modifier proportionnellement les prix et les revenus nominaux. Plus particulièrement, elle n'exerce aucune influence sur les déterminants du chômage, tels que le taux de syndicalisation, les salaires d'efficience ou le processus de recherche d'emploi. Friedman et Phelps concluaient donc qu'il n'y avait aucune raison de penser que le taux d'inflation était, *à long terme*, lié au taux de chômage.

Voici, selon les termes employés par Friedman, l'objectif que les banques centrales devraient viser à long terme :

> « L'autorité monétaire surveille les quantités nominales – directement, la quantité de son propre passif [masse monétaire et réserves des banques]. Et elle est censée utiliser ce contrôle pour cibler une quantité nominale – un taux de change, le niveau des prix, le niveau du revenu nominal national, la quantité de monnaie sous une forme ou une autre – ou pour fixer une variation nominale – le taux d'inflation ou de déflation, le taux de croissance ou de décroissance du revenu national, le taux de croissance de la masse monétaire. Elle ne peut pas s'en servir pour déterminer une quantité réelle – le taux d'intérêt réel, le taux de chômage, la masse monétaire réelle, le taux de croissance du revenu national réel, ou le taux de croissance de la masse monétaire réelle. »

Figure 16.3

COURBE DE PHILLIPS À LONG TERME. D'après Friedman et Phelps, il n'existe aucun arbitrage à long terme entre inflation et chômage. Certes, la croissance de la masse monétaire a un impact sur le taux d'inflation, mais cela n'a aucune influence sur le taux de chômage, qui tend à graviter autour de son taux naturel. La courbe de Phillips est donc verticale.

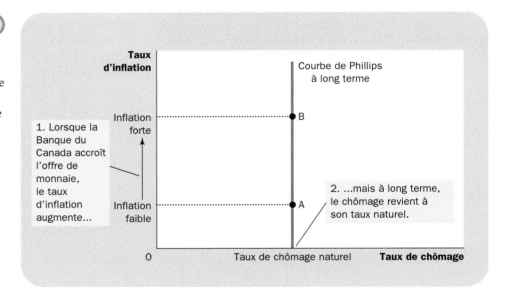

Une telle vision comporte des implications pour la courbe de Phillips. Cela signifie, en particulier, que les dirigeants se trouvent face à une courbe de Phillips verticale à long terme, comme on le voit à la figure 16.3. Si la Banque du Canada augmente l'offre de monnaie graduellement, le taux d'inflation restera faible et l'économie se situera au point A. Si, par contre, elle augmente le stock de monnaie rapidement, le taux d'inflation sera élevé et l'économie se situera au point B. Dans les deux cas, le taux de chômage se retrouvera à son niveau normal, baptisé *taux de chômage naturel*. Le fait que la courbe de Phillips devienne verticale à long terme confirme l'hypothèse selon laquelle, à long terme, le chômage ne dépend ni de la croissance monétaire ni de l'inflation.

Cette courbe de Phillips à long terme correspond à l'idée classique de la neutralité monétaire. Nous avons déjà abordé ce concept lors de l'étude de la courbe d'offre agrégée au chapitre 14. Comme on le constate à la figure 16.4, la courbe de Phillips et la courbe d'offre agrégée, toutes deux verticales à long terme, sont les deux faces de la même médaille. Le graphique (a) démontre qu'une augmentation de l'offre de monnaie déplace la courbe de demande agrégée vers la droite, de DA_1 à DA_2, ce qui fait passer l'équilibre à long terme du point A au point B. Le niveau des prix augmente de P_1 à P_2, mais la production reste inchangée, puisque la courbe d'offre agrégée est verticale. Le graphique (b) démontre qu'une croissance plus rapide de la masse monétaire fait augmenter le taux d'inflation, en faisant passer l'économie de A à B. Cependant, le taux de chômage reste identique en ces deux points, car la courbe de Phillips est verticale. On voit donc que la courbe d'offre agrégée à long terme et la courbe de Phillips à long terme sont verticales, ce qui revient à dire que la politique monétaire influence les variables nominales (niveau de prix et taux d'inflation), mais pas les variables réelles (production et chômage). Quelle que soit la politique monétaire de la Banque du Canada, à long terme, la production et le chômage retrouvent leur taux naturel.

Or, qu'y a-t-il de si «naturel» à propos de ce taux de chômage naturel? Friedman et Phelps se sont servis de ce qualificatif pour décrire le taux de chômage vers lequel l'économie tend à long terme. Néanmoins, ce taux de chômage naturel n'est pas forcément un taux socialement idéal. Il n'est pas non plus constant. Imaginons, par exemple, qu'un nouveau syndicat se serve de son pouvoir pour faire augmenter les salaires des travailleurs au-dessus du niveau d'équilibre. Il en résultera un surplus de main-d'œuvre sur le marché et, par conséquent, une augmentation du taux de chômage. Ce taux est «naturel» non pas parce qu'il est souhaitable, mais parce qu'il est complètement indépendant de toute mesure monétaire. Une augmentation rapide de la masse monétaire ne réduirait en rien le pouvoir du syndicat ou le taux de chômage; elle ne ferait qu'aggraver l'inflation.

Bien que la politique monétaire n'ait aucune influence sur le taux de chômage naturel, celui-ci peut être influencé par d'autres types de mesures. Pour réduire ce taux, les décideurs doivent opter pour des interventions visant à améliorer le fonctionnement du marché du travail. Nous avons déjà abordé les divers types de mesures influant sur le taux de chômage naturel. Parmi elles, citons entre autres les lois sur le salaire minimum, les lois sur les relations de travail, l'assurance-emploi et les programmes de formation professionnelle. Toute intervention ayant pour but de réduire le taux de chômage naturel

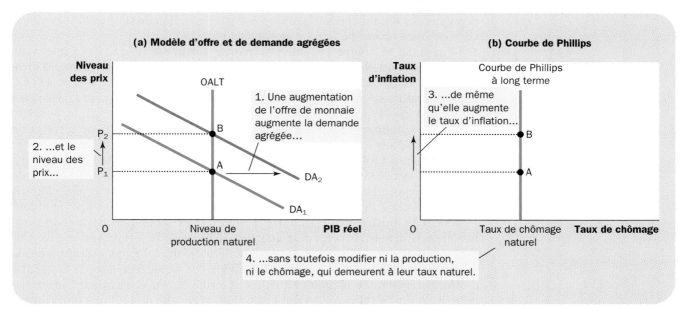

RELATION ENTRE LA COURBE DE PHILLIPS À LONG TERME ET LE MODÈLE D'OFFRE ET DE DEMANDE AGRÉGÉES. Le graphique (a) représente le modèle d'offre et de demande agrégées, avec une courbe d'offre agrégée verticale. Si une politique monétaire expansionniste déplace vers la droite la courbe de demande agrégée, soit de DA_1 à DA_2, l'équilibre passe de A à B, le niveau des prix augmente de P_1 à P_2, alors que la production demeure identique. Le graphique (b) montre une courbe de Phillips à long terme, verticale au taux de chômage naturel. Une expansion monétaire fait passer l'économie d'une inflation faible (point A) à une inflation forte (point B), sans toutefois modifier le taux de chômage.

Figure 16.4

déplacera la courbe de Phillips à long terme vers la gauche. Qui plus est, la baisse du chômage se traduisant par une augmentation du nombre de travailleurs, l'offre de biens et de services sera en hausse pour tous les niveaux des prix et la courbe d'offre agrégée à long terme se déplacera vers la droite. Le taux de chômage sera plus faible et la production plus élevée, et ce, quels que soient l'offre de monnaie et le taux d'inflation.

LA COURBE DE PHILLIPS À LONG TERME ET LES ANTICIPATIONS

À première vue, la démonstration de Friedman et Phelps concernant l'absence d'arbitrage à long terme entre l'inflation et le chômage n'a rien de très convaincant. En fait, ils fondent toute leur argumentation sur une *théorie*. Au contraire, la relation inverse entre ces deux variables, découverte par Phillips et Lipsey à partir des données du Royaume-Uni, et confirmée par les données d'autres pays, reposait quant à elle sur l'*observation* et n'avait donc rien de théorique. Comment croire que les dirigeants se trouvent face à une courbe de Phillips verticale, lorsque l'ensemble des données internationales semble indiquer qu'il s'agit d'une courbe à pente négative ? Toutes ces observations ne devraient-elles pas nous inciter à rejeter la conclusion de la théorie classique sur la neutralité monétaire ?

Friedman et Phelps étaient bien conscients de ce problème et ont proposé une solution pour concilier la théorie macroéconomique classique avec la réalité des données anglaises, américaines et internationales. Ils ont fait valoir que la relation inverse entre l'inflation et le chômage ne se vérifiait qu'à court terme et qu'elle ne devrait pas être utilisée pour établir une politique à long terme. Autrement dit, même si les dirigeants choisissent pendant un certain temps d'augmenter la masse monétaire pour réduire le chômage, ce dernier finira tout de même par tendre vers son taux naturel et le maintien de cette politique monétaire expansionniste ne fera qu'aggraver l'inflation.

Friedman et Phelps ont suivi le même raisonnement que celui que nous avons adopté au chapitre 14, à propos de la différence entre la courbe d'offre agrégée à court terme et la courbe à long terme. (En réalité, l'exposé de ce chapitre s'inspire en grande partie des recherches de Friedman et Phelps.) Rappelons que la courbe d'offre agrégée à court terme est à pente positive, puisqu'une augmentation du niveau des prix accroît la quantité de biens et de services mise sur le marché par les entreprises. En revanche, la courbe d'offre agrégée à long terme est verticale, ce qui implique que le niveau des prix n'a aucune influence sur l'offre à long terme. Au chapitre 14, nous avons présenté une théorie pour expliquer la pente positive de la courbe d'offre agrégée à court terme : la théorie des salaires rigides. Parce que les salaires et les prix prennent du temps à s'ajuster en fonction des fluctuations économiques, la relation positive entre le niveau des prix et la quantité de biens et de services offerte se vérifie à court terme, mais pas à long terme. Friedman et Phelps ont appliqué le même raisonnement à la courbe de Phillips. La pente positive de la courbe d'offre agrégée ne se maintient qu'à court terme et, par conséquent, l'arbitrage entre inflation et chômage ne dure pas. Bref, la courbe de Phillips, tout comme la courbe d'offre agrégée, revient à la verticale à long terme.

Afin d'expliquer la relation entre l'inflation et le chômage à court et à long termes, Friedman et Phelps ont introduit une nouvelle variable dans leur analyse : il s'agit de l'*inflation anticipée,* qui mesure les attentes des gens concernant l'évolution future des prix. Comme nous l'avons vu au chapitre 14, le niveau des prix anticipé modifie la perception des agents économiques concernant les prix relatifs et, par conséquent, la détermination des prix et des salaires. En fait, l'inflation anticipée est un des facteurs qui détermine la position de la courbe d'offre agrégée à court terme. À court terme, en effet, la Banque du Canada peut envisager l'inflation anticipée (et par conséquent la courbe d'offre agrégée à court terme) comme étant fixe. Lorsque l'offre de monnaie varie, la courbe de demande agrégée se déplace et l'économie progresse le long de la courbe d'offre agrégée à court terme. Toute variation de la masse monétaire causera donc à court terme des fluctuations non-anticipées de la production, des prix, du chômage et de l'inflation. C'est ainsi que Friedman et Phelps ont expliqué la pente négative de la courbe de Phillips, corroborée par les données d'une multitude de pays.

L'intervention de la Banque du Canada pour provoquer une inflation inattendue, par l'intermédiaire d'une augmentation de la masse monétaire, se limite au court terme. À long terme, en effet, les agents arrivent à prévoir le taux d'inflation visé par la Banque. C'est pourquoi les salaires et les prix s'ajustent finalement au taux d'inflation et la courbe d'offre agrégée à long terme redevient verticale. Dans ce cas, toute variation de demande agrégée due à une variation de la masse monétaire n'a aucun effet sur la production des biens et des services. Dès lors, Friedman et Phelps constatent un retour, à long terme, au taux de chômage naturel.

L'équation suivante résume cette analyse (il s'agit essentiellement d'une autre expression de l'équation d'offre agrégée que nous avons étudiée au chapitre 14):

$$\begin{array}{c}\text{Taux de}\\\text{chômage}\end{array} = \begin{array}{c}\text{taux de}\\\text{chômage naturel}\end{array} - a\left(\begin{array}{c}\text{inflation}\\\text{réalisée}\end{array} - \begin{array}{c}\text{inflation}\\\text{anticipée}\end{array}\right)$$

Cette équation établit la relation entre le taux de chômage, le taux de chômage naturel, l'inflation réalisée et l'inflation anticipée. À court terme, l'inflation anticipée est connue. Par conséquent, une inflation réalisée supérieure signifie un taux de chômage inférieur. (La sensibilité du chômage à l'inflation non anticipée est fonction de a, une variable qui dépend de la pente de la courbe d'offre agrégée à court terme.) À long terme cependant, les agents parviennent à anticiper le taux d'inflation établi par la Banque du Canada. L'inflation réalisée finit donc par être égale à l'inflation anticipée, et le chômage retrouve son taux naturel.

Cette équation démontre l'instabilité de la courbe de Phillips à court terme. Chaque courbe de Phillips correspond à un certain taux d'inflation anticipé. (Si l'on trace la courbe de Phillips à court terme, à partir de cette équation, on s'aperçoit que la courbe à court terme croise la courbe de Phillips à long terme au taux d'inflation anticipé.) Lorsque l'inflation anticipée varie, la courbe de Phillips à court terme se déplace.

Lire l'article
page 450

D'après Friedman et Phelps, il est risqué de considérer la courbe de Phillips comme un ensemble de combinaisons atteignables par les décideurs. Afin de comprendre pourquoi, imaginons une situation où le chômage est à son taux naturel et où l'inflation réalisée et l'inflation anticipée sont toutes deux faibles, comme on le voit au point A de la figure 16.5. Dans ce contexte, les décideurs, désireux de tirer parti de l'arbitrage entre inflation et chômage, décident d'adopter des mesures budgétaires ou monétaires pour stimuler la demande agrégée. À court terme, l'inflation anticipée étant donnée, l'économie passe de A à B, le chômage se retrouve en dessous de son taux naturel et l'inflation réalisée dépasse l'inflation anticipée. Au fil du temps, les agents s'habituent à ce taux élevé d'inflation et révisent leurs anticipations à la hausse. Les travailleurs et les entreprises tiennent compte de ces nouvelles anticipations au moment d'établir les prix et de négocier les salaires. La courbe de Phillips à court terme se déplace alors vers la droite, comme on le constate sur la figure 16.5. L'économie finit par se retrouver en C, avec un taux de chômage égal à celui du point A, mais une inflation plus élevée.

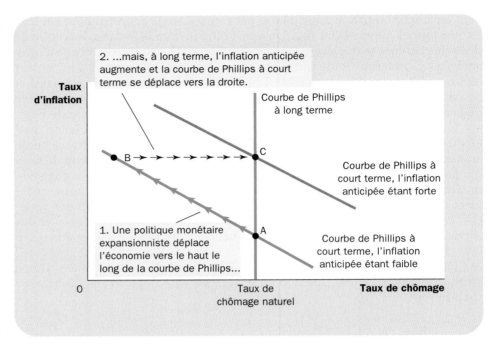

Figure 16.5

INFLATION ANTICIPÉE ET DÉPLACEMENTS DE LA COURBE DE PHILLIPS À COURT TERME. Plus l'inflation anticipée est élevée, plus l'arbitrage à court terme entre l'inflation et le chômage est élevé. Au point A, l'inflation anticipée et l'inflation réalisée sont toutes deux faibles et le chômage se situe à son taux naturel. Si la Banque du Canada adopte une politique monétaire expansionniste, l'économie passera à court terme de A à B. En B, l'inflation anticipée reste faible, mais l'inflation réalisée est forte. Le chômage se situe donc en dessous de son taux naturel. À long terme, l'inflation anticipée augmente et l'économie se retrouve en C. À ce point, l'inflation anticipée et l'inflation réalisée sont toutes deux élevées, et le chômage retrouve son taux naturel.

Hypothèse du taux naturel
Hypothèse selon laquelle le taux de chômage finit par revenir à son taux normal ou naturel, et ce, quel que soit le taux d'inflation.

Friedman et Phelps concluent donc que les décideurs se trouvent effectivement face à un arbitrage entre inflation et chômage. Cependant, cet arbitrage n'est que temporaire et disparaît si les responsables politiques tentent de l'utiliser.

UNE EXPÉRIENCE RÉELLE DU TAUX NATUREL

En 1968, Friedman et Phelps formulèrent une prédiction audacieuse : d'après eux, si les dirigeants essaient de tirer parti de la courbe de Phillips en choisissant une forte inflation, afin de réduire le taux de chômage, ils ne parviendront à réduire ce dernier que temporairement. Leur prédiction – à savoir que le chômage finira par retourner à son taux naturel, et ce, quel que soit le taux d'inflation – est connue sous le nom d'**hypothèse du taux naturel.** Quelques années après la formulation de cette hypothèse, les décideurs américains et canadiens se sont livrés, bien malgré eux, à une expérience à ce sujet, leurs économies respectives servant de laboratoire aux économistes.

Avant de prendre connaissance des résultats de cette expérience, observons d'abord de quelles données disposaient Friedman et Phelps, en 1968, pour formuler leur prévision. On retrouve à la figure 16.6 les taux de chômage et d'inflation de la période allant de 1956 à 1968, taux qu'il est possible de présenter sous la forme d'une courbe de Phillips. Durant ces 13 années, une inflation plus élevée a été accompagnée d'un chômage plus faible. Les données économiques semblaient donc confirmer l'arbitrage entre inflation et chômage.

La confirmation apparente de la courbe de Phillips, à partir des données des années 50 et 60, rendait les prédictions de Friedman et Phelps (en 1968) d'autant plus étonnantes. Lorsque Phillips suggéra, en 1958, une relation inverse entre inflation et chômage, les données de la décennie suivante, tant au Canada et aux États-Unis que dans les autres pays, semblèrent confirmer cette corrélation. Il semblait alors totalement ridicule à bien des économistes de l'époque d'affirmer, comme Friedman et Phelps le faisaient, que la courbe de Phillips ne résisterait pas à son utilisation par les autorités politiques.

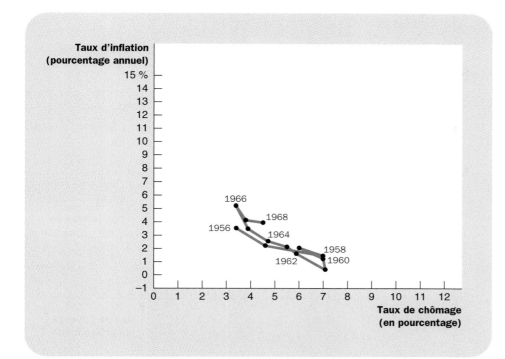

Figure 16.6

COURBE DE PHILLIPS DANS LES ANNÉES 50 ET 60. Afin d'illustrer la relation inverse entre inflation et chômage, on présente dans ce graphique les taux de chômage et d'inflation (mesuré selon le déflateur du PIB) de 1956 à 1968.

SOURCES : Les données concernant le taux de chômage pour la période allant de 1966 à 1968 proviennent de Statistique Canada, *Statistiques historiques sur la population active*, Catalogue N° 71-201 ; les données de 1956 à 1965 sont tirées de F. H. Leacy, *Statistiques historiques du Canada*, deuxième édition (Ottawa : Statistique Canada, 1983), séries D233 ; les données concernant le déflateur du PIB proviennent de statistique Canada, *Comptes nationaux des revenus et des dépen*ses, Catalogue N° 13-001, et de CANSIM.

C'est pourtant ce qui s'est passé. Vers la fin des années 60, on adopta des mesures destinées à stimuler la demande agrégée des biens et des services. Ces mesures provenaient d'une part de la politique budgétaire – les dépenses des gouvernements fédéral et provinciaux augmentaient beaucoup plus rapidement que le PIB – et, d'autre part, de la politique monétaire – la Banque du Canada tentait de maintenir de bas taux d'intérêt, malgré la politique budgétaire expansionniste. De 1969 à 1973, la masse monétaire (mesurée par M_1) s'est accrue deux fois plus vite que dans la période précédente, soit de 1956 à 1968. L'inflation est donc restée très forte (avoisinant les 5,4 % par an de 1969 à 1973, au lieu des 2,6 % de 1956 à 1968). Mais, comme Friedman et Phelps l'avaient annoncé, le chômage n'est pas demeuré faible.

L'évolution qu'ont connue l'inflation et le chômage entre 1956 à 1973 est illustrée à la figure 16.7. On constate que la relation négative entre ces deux variables commence à disparaître aux alentours de 1970. En réponse à l'inflation élevée du début des années 70, les anticipations inflationnistes des agents économiques ont augmenté, alors que le chômage retrouvait son taux du début des années 60, soit 5 % à 6 %. On remarque également que cette évolution, illustrée à la figure 16.7, confirme la théorie du déplacement de la courbe de Phillips à court terme de la figure 16.5. En 1973, les responsables politiques savaient que Friedman et Phelps avaient raison : il n'existe à long terme aucun arbitrage entre l'inflation et le chômage.

MINITEST : Tracez une courbe de Phillips à court terme et une courbe de Phillips à long terme et expliquez en quoi elles diffèrent.

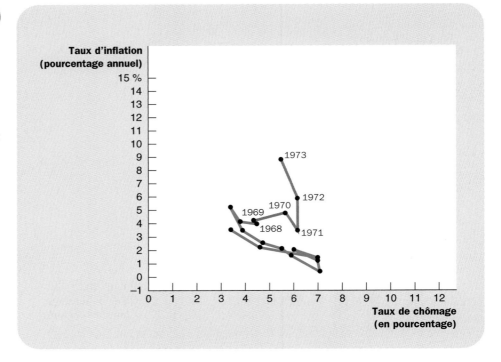

Figure 16.7

REMISE EN QUESTION DE LA COURBE DE PHILLIPS. Cette figure présente les taux de chômage et d'inflation annuels (mesuré selon le déflateur du PIB) de 1956 à 1973. On constate que la courbe de Phillips des années 60 disparaît au début des années 70.

Sources : Voir figure 16.6.

LES DÉPLACEMENTS DE LA COURBE DE PHILLIPS : LE RÔLE DES CHOCS D'OFFRE

L'expérience du début des années 70 avait prouvé la justesse de l'hypothèse de Friedman et Phelps, émise en 1968, concernant les effets de l'inflation anticipée sur la courbe de Phillips à court terme. Les économistes s'intéressèrent au cours des années suivantes à une autre cause des déplacements de cette courbe : les chocs d'offre agrégée.

Cette fois, le changement d'intérêt des économistes découlait d'événements au Moyen-Orient. En effet, l'Organisation des pays exportateurs de pétrole (OPEP), fondée dans les années 60, n'était jamais parvenue, avant le début des années 70, à exercer un véritable contrôle sur les prix du pétrole. À la suite d'un coup d'État militaire en Libye, en 1969, et prenant exemple sur le succès du pays pour imposer de nouvelles conditions aux compagnies pétrolières, les membres de l'OPEP décidèrent de s'entendre pour faire monter le prix du pétrole. Ils connurent tout d'abord un succès mitigé mais, en 1973, alors que la guerre du Yom Kippour avait fait augmenter le prix du pétrole, les membres de l'OPEP réussirent enfin à agir de concert. L'Arabie Saoudite, le Koweït et l'Irak réduisirent leur production et leurs ventes sur les marchés mondiaux et, rapidement, le prix de l'or noir quadrupla.

Choc d'offre
Événement qui modifie directement les coûts des entreprises et les prix de leurs produits, déplaçant ainsi la courbe d'offre agrégée et, par conséquent, la courbe de Phillips.

Une telle augmentation constitue un exemple de choc d'offre. Un **choc d'offre** exerce un effet direct sur les coûts de production des entreprises et, dès lors, sur leurs prix de vente ; il déplace la courbe d'offre agrégée et, donc, la courbe de Phillips. Par exemple, l'augmentation du prix du pétrole fait monter le prix de l'essence, du mazout, des pneus et de nombreux autres produits, ce qui réduit la quantité de biens et de services offerts pour un niveau des prix donné. Comme on le voit sur le graphique (a) de la figure 16.8, cette réduction de l'offre se traduit par un déplacement vers la gauche de la courbe d'offre agrégée, qui

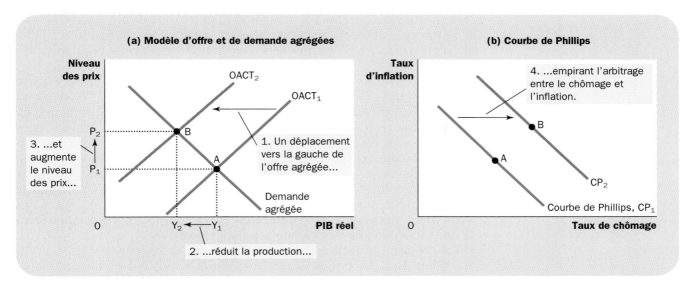

(a) Modèle d'offre et de demande agrégées

(b) Courbe de Phillips

CHOC D'OFFRE AGRÉGÉE NÉGATIF. Le graphique (a) présente le modèle d'offre et de demande agrégées. Lorsque la courbe d'offre se déplace vers la gauche de OA_1 à OA_2, l'équilibre passe du point A au point B. On enregistre une baisse de la production de Y_1 à Y_2 et une hausse des prix de P_1 à P_2. Le graphique (b) représente l'arbitrage à court terme entre l'inflation et le chômage. Le déplacement vers la gauche de la courbe d'offre agrégée fait passer l'économie du point A (chômage et inflation faibles) au point B (chômage et inflation élevés). La courbe de Phillips à court terme se déplace vers la droite, de CP_1 à CP_2. Les décideurs sont maintenant devant un arbitrage beaucoup moins intéressant entre inflation et chômage.

Figure 16.8

passe de $OACT_1$ à $OACT_2$. Le niveau des prix augmente de P_1 à P_2 et la production diminue de Y_1 à Y_2. Cette combinaison d'une hausse des prix et d'une baisse de la production est nommée *stagflation*, comme nous l'avons déjà vu au chapitre 14.

Le déplacement de l'offre agrégée s'accompagne d'un déplacement similaire de la courbe de Phillips à court terme, comme le montre le graphique (b). Les entreprises qui réduisent leur production licencient du personnel et font ainsi monter le taux de chômage. En raison de la hausse des prix, le taux d'inflation – c'est-à-dire le pourcentage de variation du niveau des prix par rapport à celui de l'année précédente – augmente également. Dès lors, le déplacement de l'offre agrégée conduit à une augmentation du taux de chômage et de l'inflation. L'arbitrage à court terme entre l'inflation et le chômage est poussé vers la droite et passe de CP_1 à CP_2.

Face à ce déplacement négatif de l'offre agrégée, les décideurs doivent faire un choix difficile : lutter contre l'inflation ou le chômage. Toute réduction de la demande agrégée afin de lutter contre l'inflation aboutira à une augmentation du chômage, déjà élevé. Mais en tentant de stimuler la demande agrégée pour enrayer le chômage, on aggravera l'inflation. Autrement dit, un dilemme, beaucoup plus délicat qu'avant le déplacement de la courbe d'offre agrégée, se pose maintenant aux dirigeants : il leur faut accepter une inflation supérieure pour un taux de chômage donné, ou un taux de chômage supérieur pour un taux d'inflation donné, ou la combinaison d'un taux de chômage et d'inflation plus élevés.

La question est de savoir si ce déplacement de la courbe de Phillips est temporaire ou permanent. La réponse dépend de l'évolution des anticipations. Si les agents économiques considèrent la hausse de l'inflation, due au choc d'offre, comme une simple aberration temporaire, la courbe de Phillips reprendra rapidement sa position initiale. Par contre, si le public est convaincu qu'un tel choc annonce le début d'une période de forte inflation, les anticipations d'inflation augmenteront et la courbe de Phillips restera dans cette position moins avantageuse.

La figure 16.9 présente l'inflation et le chômage de l'économie canadienne durant les années 70. On note une augmentation marquée de l'inflation au milieu de cette décennie, au moment du choc pétrolier. Cette augmentation du prix du pétrole risquait de provoquer une hausse exorbitante des prix des biens et des services de certaines entreprises canadiennes. En l'absence de toute intervention publique, on aurait abouti à une augmentation simultanée de l'inflation et du chômage. Bref, on risquait une stagflation. Devant cette menace, les dirigeants politiques canadiens devaient faire un choix difficile : réduire la demande agrégée pour lutter contre l'inflation tout en augmentant le chômage, ou stimuler la demande pour réduire le chômage, tout en provoquant une flambée de l'inflation et des anticipations inflationnistes.

Les dirigeants canadiens ont décidé d'attaquer la menace de stagflation sur deux fronts. Tout d'abord, la Banque du Canada a adopté une politique monétaire restrictive. De 1974 à 1978, l'offre de monnaie a augmenté de moins de 1 % par année. Durant cette période, la Banque du Canada a donc comprimé la demande agrégée, limitant ainsi la hausse des prix, mais réduisant du même coup la production. Les décideurs ont de plus choisi de lutter contre l'inflation au moyen d'un contrôle des salaires et des prix. Entre 1976 et 1978, le gouvernement fédéral a adopté des lois limitant les augmentations de salaires et de prix, afin de réduire directement l'inflation et les anticipations inflationnistes. Le gouvernement espérait ainsi faire comprendre aux travailleurs et aux entreprises que, s'ils modéraient tous ensemble leurs demandes en matière de salaires et de prix, aucun travailleur ni aucune entreprise ne perdrait du terrain par rapport aux autres. Cette double intervention a mené à une réduction impressionnante du taux d'inflation, mais également à une montée du chômage. De 1974 à 1978, l'économie canadienne a glissé vers le bas de la courbe de Phillips à court terme. Malheureusement, le choc pétrolier a annulé les effets de cette

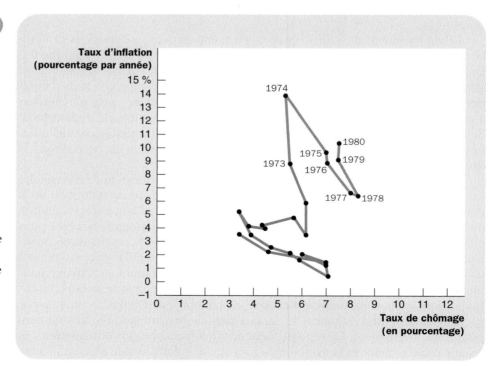

Figure 16.9

Chocs d'offre dans les années 70. On retrouve sur cette figure les taux de chômage et d'inflation (mesuré selon le déflateur du PIB), en données annuelles, de 1973 à 1980. La flambée du prix du pétrole, au début des années 70 et en 1979, se voit clairement dans les importants déplacements vers la droite de la courbe de Phillips à court terme. Entre ces deux chocs pétroliers, une politique monétaire serrée et un contrôle des salaires et des prix ont permis à l'économie canadienne de glisser temporairement vers le bas le long de la courbe à court terme.

Sources : Voir figure 16.6.

«Souvenez-vous du bon vieux temps, lorsque l'économie ne nécessitait que de légers ajustements!»

politique, en déplaçant la courbe vers la droite. Par conséquent, lorsque le taux d'inflation a retrouvé son niveau de 1972, le chômage avait encore augmenté de 2%. Qui plus est, alors que l'inflation diminuait et que le gouvernement levait le contrôle des prix, l'OPEP a une fois encore provoqué un choc pétrolier et a fait doubler le prix du pétrole en 1979.

À la suite de ce second choc, l'économie canadienne enregistrait un taux d'inflation très élevé et l'on craignait que les anticipations inflationnistes restent très fortes. En 1980, après les deux chocs pétroliers, l'inflation avait fini par dépasser les 10% et le chômage atteignait 7,5%. Cette combinaison était bien loin de correspondre à l'arbitrage de la courbe de Phillips des années 60. (Durant cette période, la courbe de Phillips indiquait qu'un taux de chômage de 7,5% correspondait à un taux d'inflation ne dépassant pas 1%. Une inflation de 10% était impensable si l'on se fiait à cette courbe.) En 1980, le ratio de souffrance atteignait un record historique et la population se plaignait amèrement de la conjoncture macroéconomique. Il fallait faire quelque chose, et le plus rapidement possible.

MINITEST: Donnez un exemple de choc d'offre favorable. À l'aide du modèle d'offre et de demande agrégées, expliquez les effets de ce choc. Comment se répercute-t-il sur la courbe de Phillips?

LE COÛT DE LA LUTTE CONTRE L'INFLATION

En octobre 1979, alors que l'économie mondiale encaissait pour la deuxième fois de la décennie un choc d'offre négatif imputable à l'OPEP, la Banque du Canada décidait de prendre le taureau par les cornes. En tant que garante du système monétaire, la Banque se devait d'adopter une politique de *désinflation* – soit une réduction du taux d'inflation. Si la possibilité d'y parvenir ne faisait aucun doute, étant donné le contrôle que la Banque exerce sur la masse monétaire, on pouvait toutefois se demander quel en serait le coût à court terme.

LE RATIO DE SACRIFICE

Pour lutter contre l'inflation, la Banque du Canada devait adopter des mesures de contraction monétaire. La figure 16.10 illustre les effets de telles mesures. En ralentissant la croissance de la masse monétaire, la Banque réduit la demande agrégée, ce qui diminue la production et aggrave le chômage. L'économie passe de A à B, le long de la courbe de Phillips à court terme, ce second niveau étant caractérisé par une inflation inférieure, mais un chômage supérieur. Au fil du temps, les agents économiques finissent par se rendre compte du ralentissement de la croissance des prix et réduisent leurs anticipations d'inflation. La courbe de Phillips se déplace alors vers la gauche. L'économie passe de B à C. L'inflation est plus faible et le chômage revient à son taux naturel.

Pour réduire l'inflation, il faut donc passer par une période de chômage élevé et de baisse de la production. La figure 16.10 illustre le sacrifice à consentir, lorsque l'économie passe de A à C, en faisant un détour par B. L'ampleur du sacrifice est fonction de la pente de la courbe de Phillips et de la rapidité d'ajustement des anticipations inflationnistes, après l'adoption de la nouvelle politique monétaire.

L'évaluation de ce coût de réduction de l'inflation a fait l'objet de nombreuses études, dont les conclusions sont résumées sous la forme d'une statistique appelée **ratio de sacrifice.** Ce ratio correspond au nombre de points de pourcentage de croissance annuelle perdus pour faire baisser l'inflation de 1 %. Même s'il est difficile de l'établir de façon précise, les évaluations pour le Canada varient généralement de 2 à 5. Autrement dit, pour faire baisser l'inflation de 1 %, il

Ratio de sacrifice

La réduction du PIB annuel nécessaire, en points de pourcentage, pour réduire l'inflation de 1 %.

Figure 16.10

<small>POLITIQUE MONÉTAIRE DÉSINFLATIONNISTE À COURT TERME ET À LONG TERME.</small> Lorsque la Banque du Canada adopte une politique monétaire restrictive, afin de lutter contre l'inflation, l'économie se déplace de A à B le long de la courbe de Phillips de court terme. Avec le temps, l'inflation anticipée diminue et la courbe de Phillips se déplace vers la gauche. Lorsque l'économie se retrouve en C, le chômage est revenu à son niveau naturel.

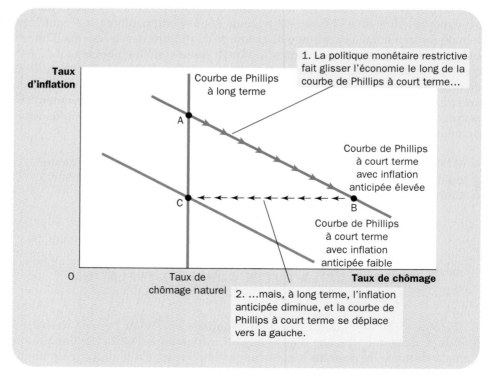

faut sacrifier de 2 % à 5 % de la production annuelle. On peut également exprimer ce ratio en termes de chômage. Pour ce faire, on doit pouvoir estimer la hausse du chômage engendrée par une réduction de 1 % de la production. La **loi d'Okun** fournit cette estimation, puisqu'elle prédit qu'un changement de 1 % du PIB se traduit par une variation du taux de chômage de 0,5 %. Le ratio de sacrifice semble donc indiquer que le prix à payer pour réduire l'inflation de 1 % varie entre 1 % et 2,5 % de chômage supplémentaire.

De tels chiffres n'ont sûrement pas rassuré la Banque du Canada lorsqu'elle a décidé de réduire l'inflation, qui atteignait 10 % en 1979, alors que le chômage atteignait 7,5 %. Pour revenir à une inflation modérée, soit environ 4 % en taux annuel, il fallait faire baisser le taux d'inflation de 6 %. En prenant les valeurs les moins optimistes du ratio de sacrifice, chaque baisse de 1 % de l'inflation risquait de causer une chute de la production annuelle de 5 %. Pour atteindre la baisse souhaitée de 6 % du taux d'inflation, il fallait donc sacrifier 30 % de la production annuelle et accepter une hausse de 15 % du taux de chômage.

En se référant à la courbe de Phillips et au coût de la désinflation, on comprend qu'un tel sacrifice pouvait s'obtenir de plusieurs façons. Pour atteindre la cible d'inflation en une seule année, il aurait fallu accepter une chute de la production de 30 % et une montée du chômage de 15 %. Un tel remède de cheval étant beaucoup trop difficile à accepter, il valait mieux étaler la lutte contre l'inflation sur plusieurs années. En choisissant une durée de cinq ans, on pouvait limiter la réduction de la production, sous le niveau potentiel, à 6 % par année et l'augmentation du chômage à seulement 3 %. Le taux de chômage devait donc augmenter à 10,5 % et s'y maintenir durant cette période de cinq ans. La même politique étalée sur une décennie aurait présenté l'avantage de ne réduire la production que de 3 % par année. Peu importe la solution adoptée, le prix à payer était fort lourd.

LES ANTICIPATIONS RATIONNELLES ET LA POSSIBILITÉ D'UNE DÉSINFLATION SANS COÛT

Au moment même où les dirigeants hésitaient quant aux mesures à prendre pour juguler l'inflation, un groupe de professeurs d'économie provoquait une véritable révolution, en remettant en cause ce que l'on croyait savoir du ratio de sacrifice. Ce groupe, composé d'économistes éminents, tels que Robert E. Lucas, Thomas Sargent et Robert Barro, fondait sa nouvelle approche sur le concept d'**anticipations rationnelles**. Selon la théorie des anticipations rationnelles, le public utilise l'ensemble des informations disponibles, y compris celles concernant les politiques économiques, pour anticiper l'avenir.

Une telle approche a eu un impact majeur sur la macroéconomie en général, et plus particulièrement sur l'idée d'arbitrage entre inflation et chômage. Comme Friedman et Phelps l'avaient déjà fait remarquer, l'inflation anticipée est une variable essentielle pour comprendre l'existence à court terme d'un arbitrage entre inflation et chômage, et la disparition de cet arbitrage à long terme. La rapidité avec laquelle l'arbitrage disparaît dépend de la vitesse d'ajustement des anticipations inflationnistes. Partant de l'analyse Friedman-Phelps, les tenants du concept d'anticipations rationnelles affirment que tout changement de politique économique incite automatiquement le public à modifier ses attentes inflationnistes. En essayant d'évaluer le ratio de sacrifice, les études sur l'inflation et le chômage n'ont jamais tenu compte de l'effet direct de ces politiques sur les anticipations du public. Par conséquent, selon les tenants de cette nouvelle théorie, les estimations du ratio de sacrifice n'étaient pas assez fiables pour guider les décideurs.

Loi d'Okun
Mesure de l'impact d'une baisse du PIB de 1 % sur l'augmentation du taux de chômage.

Anticipations rationnelles
Théorie selon laquelle le public utilise l'ensemble des informations disponibles, y compris celles concernant les politiques gouvernementales, pour anticiper l'avenir.

En 1981, dans un article intitulé «La fin de quatre grandes inflations», Thomas Sargent résumait ainsi la nouvelle approche:

> «Une approche alternative "d'anticipations rationnelles" s'oppose à l'idée d'une inertie propre au processus inflationniste actuel. Elle considère que les entreprises et les travailleurs, prévoyant une hausse de l'inflation à venir, tenteront de négocier à la hausse en raison même de ces anticipations. Néanmoins, si le public est convaincu que l'inflation sera élevée, c'est parce que les politiques monétaires et budgétaires actuelles et futures tendent à confirmer de telles attentes… Selon cette approche, il sera beaucoup plus facile de juguler l'inflation que ne le pensent les partisans de l'inertie. Leurs évaluations du temps qu'il faudra et de la perte de production sont donc totalement erronées… Cela ne veut pas dire pour autant qu'il serait facile d'éliminer l'inflation. Bien au contraire, au lieu d'adopter quelques politiques budgétaires et monétaires temporaires, il faut changer radicalement le régime de la politique économique… Le coût d'une telle opération en perte de production et le temps nécessaire pour que l'ajustement se fasse dépend largement du degré d'engagement des décideurs.»

En somme, d'après Sargent, le ratio de sacrifice pourrait bien être nettement inférieur aux estimations et, dans le cas le plus extrême, il serait même nul. Si les décideurs s'engageaient sérieusement dans une politique de lutte contre l'inflation, les agents économiques seraient suffisamment rationnels pour réduire immédiatement leurs anticipations inflationnistes. La courbe de Phillips à court terme se déplacerait dès lors vers la gauche, et ainsi on réduirait rapidement le taux d'inflation, sans pour autant augmenter le chômage, ni réduire la production.

LA DÉSINFLATION DANS LES ANNÉES 80

Lorsque la Banque du Canada, au début des années 80, se préparait à lutter contre l'inflation – qui atteignait alors 11 % –, les prévisions des économistes étaient donc radicalement contradictoires. Certains évaluaient le ratio de sacrifice en annonçant que, pour réduire l'inflation, il faudrait perdre beaucoup d'emplois et réduire la croissance. D'autres, se reposant sur la nouvelle théorie des anticipations rationnelles, prédisaient que cette lutte serait beaucoup moins dure que prévue, et pourrait même ne rien coûter du tout. Qui avait raison?

La figure 16.11 présente l'inflation et le chômage de 1980 à 1988. Comme on peut le constater, la Banque du Canada a parfaitement réussi à juguler l'inflation, qui est passée de 11 % en 1980 et 1981 à 2,5 % en 1985 et 1986. Cette réduction de l'inflation est due à la politique monétaire, car la politique budgétaire de l'époque allait en sens inverse: le gouvernement fédéral et les gouvernements provinciaux ne cessaient de creuser leur déficit budgétaire, ce qui stimulait la demande agrégée et aggravait l'inflation. De 1979 à 1982, la Banque du Canada a réussi à contrecarrer cette tendance en réduisant la masse monétaire, mesurée par l'agrégat M1, de 6 % en moyenne par année. Les économistes David Laidler et William Robson ont fait remarquer que la politique monétaire de cette époque était «atrocement» restrictive. Leur description semble assez juste.

La figure 16.11 montre que la désinflation a coûté fort cher sur le plan de l'emploi. En 1982, 1983 et 1984, le taux de chômage dépassait 11 %. Durant la même période, la production, mesurée par le PIB réel, était bien en dessous de son niveau normal. (Voir la figure 14.1 du chapitre 14.) La désinflation du début des années 80 a provoqué la pire récession que le Canada ait connue depuis la Crise de 1930.

Doit-on en conclure que les théoriciens des anticipations rationnelles avaient tort? Pour certains économistes, cela ne fait aucun doute. En effet, la désinflation que l'on observe à la figure 16.11 est tout à fait semblable aux prédictions de la figure 16.10. Pour passer d'une inflation forte (point A sur les deux graphiques)

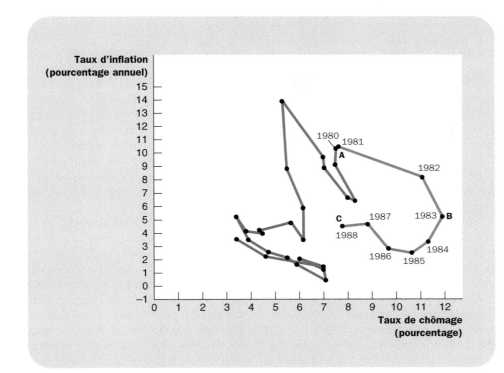

Figure 16.11

DÉSINFLATION AU COURS DES ANNÉES 80. Cette figure montre les taux de chômage et d'inflation (mesuré selon le déflateur du PIB) entre 1980 et 1988. La lutte contre l'inflation s'est faite au prix de durs sacrifices sur le plan de l'emploi de 1982 à 1985. On remarquera que les points A, B et C de cette figure correspondent à peu de chose près à ceux de la figure 16.10.

Sources : Voir la figure 16.6.

à une inflation faible (point C), l'économie a dû traverser une très dure période de chômage (point B). Au début de cette période de transition (point A), le taux de chômage était de 7,5 %, soit à peu près son taux naturel. En 1988, à la fin de la période (point C), le chômage était revenu à ce taux initial. (Comme nous l'avons déjà vu à la figure 9.4 du chapitre 9, il semble que le taux de chômage naturel ait augmenté durant les années 80; en 1988, il tournait autour de 8 %. Les calculs subséquents se basent sur le taux de chômage naturel tiré de la figure 9.4.) Si nous additionnons le nombre de points de pourcentage du taux de chômage au-dessus du taux naturel pour cette période et que nous le divisons par la réduction de l'inflation en points de pourcentage durant cette même période, nous obtenons un ratio de sacrifice de 2,3, en termes d'emploi. Autrement dit, de 1981 à 1988, toute réduction de 1 % de l'inflation signifiait une augmentation du taux de chômage de 2,3 %. Ceci confirmait les craintes des économistes partisans de l'idée selon laquelle la lutte contre l'inflation requiert de grands sacrifices en matière d'emploi et de croissance. Ces économistes mettaient en doute les assertions des tenants des anticipations rationnelles, selon lesquelles le coût de la désinflation ne serait pas aussi lourd que prévu.

Malgré les preuves confirmant le coût élevé de la lutte à l'inflation, nombre d'économistes se sont gardés de rejeter l'idée selon laquelle l'inflation *pouvait* être combattue à faible coût. Cet optimisme se justifiait par le fait que le public en général n'avait pas pris au sérieux l'annonce de la politique de rigueur monétaire de la Banque du Canada.

En effet, si très peu d'agents économiques avaient cru que la Banque du Canada réduirait l'inflation aussi rapidement, l'inflation anticipée n'a pas chuté et la courbe de Phillips à court terme ne s'est pas déplacée vers le bas aussi rapidement qu'elle aurait dû. Certains conjoncturistes privés viennent corroborer cette hypothèse : leurs prévisions pour les années 80 annonçaient une chute de l'inflation beaucoup moins rapide qu'elle ne l'a été en réalité. Par conséquent, la désinflation de cette période ne réfute pas nécessairement la théorie des anticipations rationnelles, mais elle démontre que les dirigeants ne peuvent pas compter sur le fait que les agents économiques réagiront immédiatement lors de l'annonce d'une politique désinflationniste.

UNE POLITIQUE D'INFLATION NULLE

La fin des années 80 fut caractérisée par une croissance économique soutenue. En 1988, le taux de chômage avait diminué de 4 % par rapport au sommet atteint en 1983. Vers la fin de la décennie, la solide croissance économique causa cependant une augmentation de l'inflation. Le gouverneur de la Banque du Canada de l'époque, John Crow, dans un discours connu sous le nom de conférence Hanson, formula clairement l'orientation future de la politique monétaire du pays. Il affirma que le but ultime de la banque centrale était désormais d'atteindre et de maintenir la stabilité des prix et une inflation nulle (pour des raisons techniques liées au calcul de l'inflation, une inflation de 1 % est généralement considérée comme nulle – voir les Problèmes liés au calcul du coût de la vie, au chapitre 6).

Le but de la conférence Hanson était d'établir clairement les objectifs de la politique monétaire et de les faire connaître. Bien des macroéconomistes ont cru que l'annonce d'une cible aussi claire, par un farouche partisan de la désinflation comme John Crow, allait convaincre le public et l'inciter à réduire ses anticipations inflationnistes. Cela aurait permis d'atteindre une inflation plus faible sans devoir assumer un coût élevé en matière d'emploi et de production perdus. La Banque a entamé le processus de contraction de la masse monétaire en 1989 et l'a poursuivie en 1990 et 1991. On constate à la figure 16.12 que le taux de chômage atteignait 7,5 % en 1989 et 11,4 % en 1993, alors que le taux d'inflation passait de 4,5 % à 1,5 % durant la même période. On a donc atteint très rapidement les objectifs fixés par la Banque du Canada (sa cible d'inflation était calculée à partir de l'IPC « de référence », donnant des résultats légèrement inférieurs à ceux calculés à l'aide du déflateur du PIB). De 1993 à 1999, le taux d'inflation annuel moyen était d'environ 1 %, attestant ainsi du succès de la politique menée par la Banque. À la fin de cette décennie, le taux de chômage avait retrouvé son niveau de 1989, soit 7,5 %, généralement considéré comme son taux naturel.

Tout comme lors des politiques désinflationnistes de la Banque du Canada du début des années 80, l'économie s'est adaptée, de 1989 à 1999, et d'une manière globalement similaire à celle de la figure 16.10, à une baisse de l'inflation. Si nous situons l'année 1989 en A, l'année 1992 en B et l'année 1999 en C, les données de la figure 16.12 semblent démontrer que les anticipations inflationnistes ne se sont pas dégonflées aussi rapidement que prévu. Par conséquent, l'économie semble avoir suivi tout d'abord la courbe de Phillips à court terme (de A à B), avant que les anticipations inflationnistes ne retombent, faisant se déplacer la courbe vers la gauche jusqu'au point C. En additionnant le nombre de points de pourcentage du taux de chômage dépassant le taux de chômage naturel durant la période 1989-1999, et en le divisant par le nombre de points de pourcentage de réduction de l'inflation pour la même période, on obtient un ratio de sacrifice égal à 5, soit le double de notre évaluation pour la période 1981-1988. Ces données concernant la plus récente offensive contre l'inflation confirment l'opinion des économistes selon laquelle les politiques anti-inflationnistes coûtent cher. Bien que la Banque du Canada ait clairement annoncé son intention de réduire l'offre de monnaie, afin d'éliminer l'inflation, cette opération s'est avérée encore plus douloureuse que la précédente.

Malgré une telle expérience, nombre d'économistes se refusent encore à rejeter l'idée que l'annonce crédible de mesures désinflationnistes par la banque centrale réduirait leur coût. Ils justifient leur optimisme par un certain nombre de facteurs qui auraient empêché les anticipations inflationnistes de tomber aussi rapidement qu'elles auraient dû. Parmi ceux-ci, citons entre autres les déficits des gouvernements provinciaux et fédéral, qui sont demeurés très élevés tout au long de cette période de transition.

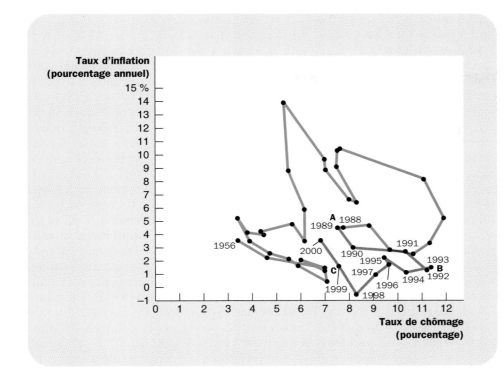

Figure 16.12

POLITIQUE D'INFLATION NULLE. On retrouve sur ce graphique les données sur les taux de chômage et d'inflation (selon le déflateur du PIB) pour les années 1988 à 2000. En 1988, la Banque du Canada annonçait sa politique d'inflation nulle et amorçait en 1989 la contraction monétaire. Le but fixé par la Banque fut atteint en 1992, année où le chômage dépassait 11 %. On remarquera que les points A, B et C de cette figure correspondent plus ou moins à ceux de la figure 16.10.

SOURCES: Voir figure 16.6.

L'inquiétude concernant ces déficits a atteint son sommet en 1995, lorsque les agences d'évaluation du crédit ont révisé à la baisse la cote de crédit du gouvernement fédéral. Les déficits astronomiques, mis en lumière par le déclassement de cette cote, ont pu ébranler la confiance du public par rapport à la cible d'inflation de la Banque du Canada, empêchant ainsi les anticipations inflationnistes de chuter. Selon certains critiques, la Banque aurait dû prévoir un tel problème, les déficits budgétaires découlant en partie de sa politique monétaire très stricte. Ces critiques ont fait remarquer que la décision de la Banque du Canada de lancer sa politique, avant que les gouvernements aient réduit leurs déficits, sapait sa crédibilité. Une autre raison de la baisse relativement modérée des anticipations inflationnistes réside dans la contradiction entre son objectif d'inflation nulle et le budget du gouvernement fédéral, prévoyant 3 % d'inflation. Une telle contradiction semblait indiquer que le gouvernement fédéral doutait que l'on puisse parvenir à l'objectif fixé par la Banque. Une fois encore, le manque de coordination entre la banque centrale et le gouvernement fédéral a conduit les agents économiques à ne pas revoir à la baisse leurs anticipations inflationnistes aussi rapidement qu'ils l'auraient dû. Sans doute conscient de ce problème, le gouvernement fédéral a émis, lors de la publication de son budget de 1998, un communiqué de presse qui réaffirmait son soutien à la politique d'inflation nulle de la Banque du Canada.

Une autre explication possible du lourd coût à payer pour obtenir une inflation nulle réside peut-être dans le fait que le ratio de sacrifice s'élève à mesure que l'inflation diminue. Les défenseurs de cette idée font remarquer que ce phénomène dépend moins de l'ajustement des anticipations inflationnistes que de l'aplatissement de la courbe de Phillips, à des taux d'inflation faibles. Par conséquent, il serait beaucoup plus difficile de faire passer l'inflation de 3 % à 1 %, que de 5 % à 3 %. Notre évaluation du ratio de sacrifice pour réduire l'inflation de 10,5 % en 1980 à 4,5 % en 1988 (ratio de sacrifice de 2,3), par rapport au ratio de sacrifice nécessaire pour faire passer l'inflation de 4,5 % en 1989 à 1,5 % en 1999 (ratio de sacrifice de 5), semble corroborer une telle opinion. Ces spécialistes s'appuient également sur l'expérience récente des États-Unis pour confirmer leurs propos. De 1984 à 1997, le taux d'inflation aux États-Unis oscillait entre 3 % et 5 %, sans que le taux de chômage ait beaucoup fluctué. Pendant ce temps, au Canada, le passage de l'inflation sous les 3 % semble avoir été plus coûteux en matière d'emploi. Le succès relatif de la politique monétaire américaine des années 90 pourrait bien être dû aux exigences moins strictes de la Réserve fédérale, en ce qui concerne l'inflation, par rapport à celles de la Banque du Canada.

Que nous réserve l'avenir ? Les spécialistes de la macroéconomie ont largement démontré leur incapacité à faire des prévisions, mais les enseignements du passé semblent éloquents. Premièrement, un examen des taux de chômage et d'inflation depuis 1956 tend à confirmer l'existence d'un arbitrage à court terme entre ces deux variables. Même si les dirigeants peuvent influencer la croissance et l'emploi, l'existence de cet arbitrage ne peut être que temporaire. Deuxièmement, ceux qui proclament que l'inflation peut être jugulée sans augmenter le chômage ont bien du mal à faire valoir leur point de vue, étant donné l'évidence empirique récente. Troisièmement, il existe toujours la possibilité que l'économie subisse un choc d'offre défavorable, comme dans les années 70. Dans un tel contexte, les décideurs se trouvent placés devant un arbitrage encore moins intéressant entre le chômage et l'inflation. Fort heureusement, alors que le prix du pétrole a augmenté fortement en 2003, pour demeurer élevé en 2004, la dépendance du Canada vis-à-vis cette matière première est bien moindre que dans les années 70. Ceci a sans doute limité la détérioration de l'arbitrage inflation-chômage par rapport au passé. Quatrièmement, tant que la Banque du Canada exerce un contrôle strict sur l'offre de monnaie et, par la même occasion, sur la demande agrégée, il n'y a aucune raison d'envisager une inflation excessive. Cinquièmement, de nombreux spécialistes de la macroéconomie restent convaincus que les coûts de la désinflation pourraient être réduits au minimum si la Banque du Canada annonçait clairement ses intentions, et ce, afin que les agents économiques puissent ajuster leurs anticipations inflationnistes avant toute contraction monétaire. La Banque est convaincue de cette dernière affirmation, et c'est la raison pour laquelle elle annonce toujours clairement ses intentions. Une question demeure cependant en suspens : les coûts de la désinflation augmentent-ils lorsque le taux d'inflation est plus faible ?

ÉTUDE DE CAS   LA COURBE DE PHILLIPS SE DÉPLACE-T-ELLE VERS LA GAUCHE ?

La figure 16.12 montre que, depuis 1956, au Canada, la courbe de Phillips à court terme s'est déplacée vers la droite. Nous avons insisté dans ce chapitre sur le rôle des deux chocs pétroliers dans ce déplacement. Au début des années 70 et vers la fin de la même décennie, la flambée du prix du pétrole a provoqué un déplacement de la courbe de Phillips vers la droite, détériorant ainsi l'arbitrage à court terme entre inflation et chômage. Nous avons qualifié ces deux chocs pétroliers de chocs d'offre. (Souvenez-vous qu'un choc d'offre est un événement qui modifie les coûts de production et les prix des produits des entreprises. Un choc d'offre négatif déplace la courbe d'offre agrégée à court terme vers la gauche, réduisant ainsi la production tout en augmentant les prix. Il aggrave ainsi l'inflation et le chômage, poussant la courbe de Phillips vers la droite.) Bien des économistes croient que le déplacement de la courbe de Phillips canadienne vers la droite s'explique aussi par des chocs d'offre négatifs dus à l'accroissement des impôts et de la dette publique. L'alourdissement du fardeau fiscal augmente les coûts des entreprises à la fois directement, par l'intermédiaire des impôts des sociétés, et indirectement, par les impôts plus élevés sur le revenu des particuliers, qui réduisent les salaires ; il faut alors augmenter ces derniers pour attirer les travailleurs. Dans la mesure où l'accroissement de la dette publique exerce une pression à la hausse sur les taux d'intérêt, les entreprises doivent aussi composer avec des coûts supérieurs pour le financement de leurs investissements. Ces deux phénomènes – le fardeau fiscal plus important et l'augmentation de la dette publique – ont contribué au déplacement de la courbe de Phillips vers la droite au cours des années 80.

Même s'il est trop tôt pour en être certain, les dernières observations de la figure 16.12 semblent indiquer que la courbe de Phillips serait maintenant en train de se déplacer vers la gauche. Plusieurs économistes expliquent cette tendance par un certain nombre de chocs d'offre *favorables*. De tels chocs, en réduisant les coûts de production et les prix des entreprises, déplacent vers la droite la courbe d'offre agrégée, faisant augmenter la production et diminuer les prix. Ces chocs réduisent le chômage et l'inflation et se traduisent par un déplacement vers la gauche de la courbe de Phillips à court terme. Ces économistes pensent que les chocs d'offre favorables sont attribuables aux faits suivants :

◆ *Réduction de la dette :* depuis le milieu des années 90, le gouvernement fédéral et les gouvernements provinciaux ont fait des efforts notables pour éliminer leur déficit. Certains d'entre eux parviennent même aujourd'hui à obtenir des surplus budgétaires. La réduction du niveau de la dette publique a permis de faire baisser les taux d'intérêt, ce qui a allégé les coûts d'emprunt des entreprises qui augmentent leur capacité de production. Il s'agit là d'un choc d'offre favorable.

◆ *Réductions d'impôts :* en 2000, le gouvernement fédéral a annoncé une réduction majeure des impôts. La plupart des gouvernements provinciaux s'efforcent eux aussi d'alléger le fardeau fiscal, tout particulièrement en ce qui concerne les impôts des sociétés. Tout allégement fiscal réduit les coûts de production et constitue un choc d'offre favorable pour l'économie.

Lire l'article
page 451

◆ *Progrès technologique :* certains économistes considèrent que l'économie canadienne est entrée dans une période de progrès technologique rapide. Certaines innovations dans le domaine des communications, comme Internet, ont profondément modifié des secteurs entiers de l'activité économique. De tels changements technologiques augmentent la productivité et causent un choc d'offre favorable.

◆ *Libre-échange :* en exposant les entreprises canadiennes à une plus forte concurrence étrangère, on les incite à réduire leurs coûts et à adopter des technologies de pointe. Pour ces deux raisons, nombre d'économistes considèrent les ententes de libre-échange comme un choc d'offre favorable.

Les économistes continuent à débattre du possible déplacement vers la gauche de la courbe de Phillips à court terme, ainsi que des mérites des différentes explications énumérées. Il est fort possible que chacune d'elles intervienne d'une manière ou d'une autre.

On remarquera qu'aucune de ces hypothèses n'infirme la leçon fondamentale de la courbe de Phillips : les décideurs, qui contrôlent la demande agrégée, doivent toujours composer avec un arbitrage à court terme entre inflation et chômage. L'expérience canadienne dans ce domaine démontre cependant qu'avec le temps, un tel arbitrage peut s'aggraver ou s'améliorer.

> **MINITEST :** Qu'est-ce que le ratio de sacrifice ? Quelles conséquences la crédibilité de l'engagement de la Banque du Canada à réduire l'inflation peut-elle avoir sur ce ratio ?

CONCLUSION

Dans ce chapitre, nous avons abordé l'évolution récente de la pensée économique sur l'inflation et le chômage. Nous avons présenté les idées de certains des économistes les plus réputés du XXe siècle : de la courbe de Phillips à Lipsey, en passant par Samuelson et Solow ; l'hypothèse du taux naturel de Friedman et Phelps ; la théorie des anticipations rationnelles de Lucas, Sargent et Barro. Quatre de ces économistes ont déjà reçu le prix Nobel d'économie, et il est probable que certains autres le recevront dans les années qui viennent.

Même si l'arbitrage entre inflation et chômage a suscité plusieurs controverses durant les 40 dernières années, certains principes font maintenant consensus. Il suffit de se reporter aux propos de Milton Friedman sur le sujet, en 1968 :

> « Il existe toujours un arbitrage temporaire entre l'inflation et le chômage, mais celui-ci n'est pas permanent. Cet arbitrage provisoire ne résulte pas de l'inflation en soi, mais d'une inflation non anticipée, laquelle signifie généralement une hausse du taux d'inflation. Cette idée fort généralisée d'un arbitrage permanent n'est qu'une version sophistiquée de la confusion entre « élevé » et « croissant », que nous reconnaissons tous lorsqu'elle se présente sous des formes plus simples. Une inflation croissante réduira peut-être le chômage, mais pas une inflation élevée. »

Résumé

◆ La courbe de Phillips décrit une relation inverse entre l'inflation et le chômage. En stimulant la demande agrégée, les décideurs optent pour un point de cette courbe caractérisé par une inflation supérieure et un chômage plus faible. En contractant la demande agrégée, ils optent pour un point de cette courbe plutôt caractérisé par une inflation inférieure, mais un chômage plus élevé.

◆ L'arbitrage entre inflation et chômage, décrit par la courbe de Phillips, n'existe qu'à court terme. À long terme, l'inflation anticipée s'ajuste aux changements de l'inflation réalisée, et la courbe de Phillips à court terme se déplace. En conséquence, la courbe de Phillips à long terme est verticale, au taux de chômage naturel.

◆ La courbe de Phillips à court terme se déplace également en cas de chocs d'offre agrégée. Un choc négatif, comme les chocs pétroliers des années 70, place les décideurs face à un arbitrage beaucoup plus difficile entre inflation et chômage. Dans un tel cas, il leur faut accepter une augmentation de l'inflation pour des taux de chômage donnés, ou une augmentation du chômage pour des taux d'inflation donnés.

◆ Lorsque la Banque du Canada ralentit la croissance de la masse monétaire, afin de réduire l'inflation, l'économie se déplace le long de la courbe de Phillips à court terme, ce qui se traduit par un taux de chômage temporairement élevé. Le coût de cette désinflation dépend de la rapidité d'ajustement des anticipations inflationnistes. Certains économistes font valoir qu'un engagement crédible à juguler l'inflation pourrait réduire le coût de cette désinflation, grâce à un ajustement plus rapide des anticipations rationnelles.

Concepts clés

Anticipations rationnelles, p. 379
Choc d'offre, p. 374

Courbe de Phillips, p. 365
Hypothèse du taux naturel, p. 372

Loi d'Okun, p. 379
Ratio de sacrifice, p. 378

Questions de révision

1. Tracez la courbe représentant l'arbitrage à court terme entre inflation et chômage. Comment la Banque du Canada peut-elle déplacer l'économie d'un point à un autre sur cette courbe?

2. Tracez la courbe représentant l'arbitrage à long terme entre inflation et chômage. Expliquez comment les arbitrages à court terme et à long terme sont reliés.

3. Qu'y a-t-il de si naturel dans le taux de chômage naturel? Pourquoi ce taux varie-t-il selon les pays?

4. Faisons l'hypothèse qu'une sécheresse détruise une partie des récoltes et fasse flamber les prix de la nourriture. Quelles seraient les conséquences de cette situation sur l'arbitrage à court terme entre inflation et chômage?

5. La Banque du Canada a décidé de s'attaquer à l'inflation. À l'aide de la courbe de Phillips, démontrez les conséquences, à court terme et à long terme, de cette politique. Comment peut-on limiter son coût à court terme?

Septième partie

EN DERNIÈRE ANALYSE

17

CINQ CONTROVERSES SUR LA POLITIQUE MACROÉCONOMIQUE

On ne peut pas ouvrir un journal sans tomber sur l'opinion d'un homme politique ou d'une éditorialiste réclamant un changement d'orientation de la politique économique. Le gouvernement fédéral devrait-il consacrer ses surplus budgétaires à la réduction de la dette publique ou, au contraire, à l'augmentation des dépenses publiques ? La Banque du Canada devrait-elle baisser les taux d'intérêt pour stimuler une économie anémique ou refuser d'intervenir pour ne pas risquer de relancer l'inflation ? Dans sa réforme de la fiscalité, le Parlement devrait-il chercher à relancer la croissance économique ou à promouvoir une meilleure distribution de la richesse ? Le débat politique se centre essentiellement, au Canada comme partout ailleurs, sur des problèmes d'ordre économique.

Les douze derniers chapitres ont été consacrés à l'élaboration d'outils permettant d'analyser le comportement de l'économie dans son ensemble et les conséquences des interventions publiques. Ce dernier chapitre abordera cinq controverses majeures concernant la politique macroéconomique, et tentera pour chacune de présenter les différents points de vue des économistes.

Les autorités monétaires et budgétaires doivent-elles stabiliser l'économie ?

Les banques centrales devraient-elles être indépendantes ?

La banque centrale doit-elle viser une inflation nulle ?

Le gouvernement doit-il rembourser la dette publique ?

Doit-on modifier la fiscalité pour encourager l'épargne ?

Les connaissances que vous avez accumulées au fil du présent ouvrage vous permettent même de participer à ces débats qui portent sur des questions importantes et toujours en suspens. Vous pourrez choisir votre camp ou, du moins, comprendre pourquoi il est difficile de prendre position.

LES AUTORITÉS MONÉTAIRES ET BUDGÉTAIRES DOIVENT-ELLES TENTER DE STABILISER L'ÉCONOMIE?

Nous avons vu, aux chapitres 14, 15 et 16, que les variations de l'offre et de la demande agrégées provoquaient des fluctuations à court terme de la production et de l'emploi. Nous avons également constaté que les politiques monétaire et budgétaire *peuvent* influer sur ces fluctuations à court terme. Cela veut-il dire pour autant que les décideurs *devraient* intervenir? Devraient-ils utiliser les moyens à leur disposition pour tenter de réduire les fluctuations du cycle économique? Cette question délicate fait l'objet de notre première controverse.

LES PARTISANS DE L'INTERVENTION

Laissées à elles-mêmes, les économies ont naturellement tendance à fluctuer. Lorsque les entreprises et les ménages deviennent plus pessimistes, ils réduisent leurs dépenses et, conséquemment, la demande agrégée de biens et de services. Cette baisse de la demande entraîne une diminution de la production, des mises à pied et une aggravation du chômage. Le PIB réel et les autres indices mesurant le revenu chutent. L'augmentation du chômage et la baisse des revenus viennent alors confirmer le pessimisme initial à l'origine de cette récession.

La société ne retire aucun avantage d'une telle récession, qui entraîne un énorme gaspillage de ressources. Les employés mis à pied en raison de la contraction de la demande agrégée préféreraient certainement travailler; les propriétaires des entreprises qui tournent au ralenti aimeraient bien mieux produire des biens et des services et les vendre à profit.

Rien ne justifie que la société ait à subir les variations cycliques de l'économie. La théorie macroéconomique nous montre que les décideurs ont la possibilité de limiter l'intensité de ces fluctuations. En s'opposant aux variations économiques, les responsables des politiques monétaire et budgétaire sont en mesure de stabiliser la demande agrégée et, par conséquent, la production et l'emploi. Lorsque la demande agrégée est insuffisante pour permettre le plein-emploi, les autorités peuvent augmenter les dépenses publiques, réduire les impôts ou augmenter la masse monétaire. À l'inverse, si cette demande augmente de manière excessive, risquant de pousser l'inflation à la hausse, les responsables peuvent réduire les dépenses publiques, augmenter le fardeau fiscal et réduire la masse monétaire. De telles mesures, suggérées par la théorie macroéconomique, contribuent à la stabilisation de l'économie, ce qui est bénéfique pour tous.

LES OPPOSANTS À L'INTERVENTION

Même si, théoriquement, les mesures monétaires et budgétaires peuvent permettre une stabilisation économique, en pratique, de telles interventions sont problématiques.

Toute politique budgétaire ou monétaire ne produit ses effets qu'après un certain temps. En jouant sur les taux d'intérêt, la politique monétaire tente de modifier la consommation et les dépenses d'investissement, afin de faire déplacer la demande agrégée. Mais comme les ménages et les entreprises planifient souvent leurs dépenses à l'avance, les variations du taux d'intérêt se répercutent très lentement sur la demande agrégée. Nombre d'études indiquent que des changements dans la politique monétaire n'ont qu'un impact minime sur la demande dans les six premiers mois qui suivent leur mise en application.

La politique budgétaire agit également avec un retard en raison de la lenteur du processus politique de modification des dépenses publiques et de la fiscalité. Tout changement dans le régime fiscal requiert l'approbation d'un projet de loi par les comités du Cabinet et les comités parlementaires, avant d'être adopté par la Chambre des communes et le Sénat.

Ayant à composer avec de tels délais, les dirigeants qui prétendent stabiliser l'économie doivent prévoir la situation économique qui aura cours au moment où leur mesure entrera en vigueur. Malheureusement, la prévision économique ne s'avère guère précise, d'une part parce que la macroéconomie est encore une science toute récente et, d'autre part, parce que les chocs déclenchant les fluctuations économiques demeurent fondamentalement imprévisibles. Par conséquent, lorsque les décideurs choisissent d'adopter une politique budgétaire ou monétaire quelconque, ils n'ont d'autre choix que de se livrer à des conjectures sur la situation économique future.

Dans leurs tentatives pour stabiliser l'économie, les autorités obtiennent souvent le résultat contraire. La situation économique risque en effet d'avoir complètement changé au moment où leurs décisions commenceront à avoir des effets. Voilà pourquoi les décideurs aggravent parfois, sans le vouloir, la situation économique qu'ils prétendaient améliorer. Certains économistes ont fait remarquer que plusieurs des grandes fluctuations économiques de l'histoire, y compris la Crise des années 30, avaient été causées ou empirées par des politiques déstabilisantes.

L'une des premières règles enseignées aux médecins se résume ainsi : « Ne pas nuire. » Le corps humain dispose de ses ressources propres pour guérir et, face à un diagnostic incertain, il est parfois préférable de ne pas intervenir et de laisser le malade récupérer de lui-même. En fait, une intervention réalisée en l'absence d'informations fiables risque même d'aggraver l'état du patient.

Cet exemple peut facilement se transposer à l'économie. S'il était réaliste de penser pouvoir éliminer toutes les fluctuations économiques, il serait tentant d'intervenir. Mais ce n'est pas le cas, compte tenu des limites des connaissances macroéconomiques et de l'imprévisibilité des événements mondiaux. Les dirigeants devraient donc éviter d'intervenir trop souvent en matière budgétaire et monétaire et s'estimer heureux de ne pas nuire.

MINITEST : Expliquez pourquoi les politiques monétaire et budgétaire agissent avec un certain retard. Pourquoi ces délais importent-ils dans le choix d'une politique active ou passive ?

LES BANQUES CENTRALES DEVRAIENT-ELLES ÊTRE INDÉPENDANTES ?

Comme nous l'avons démontré au chapitre 15, la Banque du Canada détermine le taux de croissance de la masse monétaire canadienne. En fonction de la situation économique existante et des prévisions, la Banque du Canada peut décider d'augmenter, de réduire ou de maintenir l'offre de monnaie. La banque centrale utilise cet outil afin d'atteindre l'objectif de sa politique monétaire. Depuis 1988, la Banque vise la stabilité des prix et une inflation nulle. En 1991, elle a précisé cet objectif, en annonçant son intention de maintenir l'inflation entre 1 % et 3 %, et ce, pour les années à venir. Le gouvernement fédéral et la Banque décideront alors de maintenir le cap ou de modifier leurs objectifs.

Au fil du temps, la relation entre le gouvernement fédéral et la Banque du Canada a évolué, de sorte que la Banque dispose maintenant d'une autonomie presque entière en matière de politique monétaire. Si l'on s'en tient aux textes de loi relatifs à sa création, son mandat reste vague et rien n'y est précisé concernant les moyens qu'elle peut mettre en œuvre ni la façon dont elle peut établir des priorités. C'est au gouverneur de la Banque que revient cette responsabilité. Cette indépendance a permis à la Banque du Canada de se donner une règle de politique monétaire, soit de limiter la croissance monétaire afin de maintenir une inflation se situant entre 1 % et 3 % par année. Cet objectif a été atteint en 1992, après deux années de contraction monétaire qui ont coûté fort cher en matière de chômage.

Certains économistes critiquent cette indépendance de la banque centrale. La seconde controverse concernant la politique économique porte donc sur l'indépendance de cette institution par rapport aux citoyens et aux élus. La question est simple : qui devrait être responsable de la politique monétaire, les élus ou les technocrates ?

LES PARTISANS DE L'INDÉPENDANCE DE LA BANQUE CENTRALE

Le fait de laisser la conduite de la politique monétaire à des élus pose deux problèmes. Tout d'abord, en possession d'un tel pouvoir, les gouvernants seront sans doute tentés de s'en servir à des fins électorales. Imaginez que la prochaine élection se joue sur la situation économique actuelle. Si les politiciens peuvent influencer la politique monétaire, il sera intéressant pour eux d'adopter des mesures expansionnistes, afin de relancer la production et l'emploi, sachant que les conséquences inflationnistes de cette action ne se feront sentir qu'après l'élection. Dans une petite économie ouverte en régime de taux de change flexible, comme celle du Canada, la politique monétaire a des effets importants sur la demande agrégée, ce qui ne fait qu'augmenter la tentation de recourir à de telles mesures à des fins politiques. Dans la mesure où les gouvernements peuvent influencer la politique monétaire, les fluctuations finiront par refléter le calendrier électoral. C'est ce que les économistes appellent le *cycle politique*.

Ensuite, et de manière plus subtile, en laissant la conduite de la politique monétaire aux élus, ces derniers risquent de laisser l'inflation augmenter au-delà du niveau souhaitable. Imaginez que les décideurs, sachant qu'il n'existe pas d'arbitrage à long terme entre l'inflation et le chômage, annoncent un objectif d'inflation nulle. Les économistes considèrent que l'atteinte d'un tel objectif sera plus facile si la banque centrale est indépendante. Pourquoi? À leur avis, une fois que le public a formé ses anticipations inflationnistes, les dirigeants se retrouvent devant la nécessité d'un arbitrage à court terme entre l'inflation et le chômage. Ils sont alors tentés de renoncer à leur engagement concernant la stabilité des prix, afin de réduire le chômage. La différence entre les intentions des politiciens (ce qu'ils disent qu'ils vont faire) et leurs actions (ce qu'ils font réellement) se nomme *incohérence intertemporelle des politiques*. Cette incohérence laisse le public incertain, car il s'attend toujours à une inflation supérieure aux déclarations officielles. L'augmentation des anticipations inflationnistes fait alors déplacer vers le haut la courbe de Phillips. Non seulement le taux d'inflation réel à long terme est-il supérieur à ce qu'il devrait être, mais l'arbitrage à court terme entre l'inflation et le chômage est moins favorable. Dans la mesure où les élus ont toujours intérêt à exploiter l'arbitrage à court terme à des fins électorales, le taux d'inflation à long terme et le ratio de sacrifice, mesurant les coûts à court terme de la désinflation, seront toujours supérieurs à ce qu'ils seraient si une banque centrale indépendante décidait de la politique monétaire.

Une façon de résoudre ces difficultés consiste à mener une politique monétaire indépendante du pouvoir politique. Le gouverneur de la Banque du Canada n'étant pas élu, il n'a aucun intérêt à exploiter l'arbitrage à court terme entre l'inflation et le chômage à des fins partisanes. Sachant cela, le public sera davantage poussé à le croire lorsqu'il annoncera un objectif d'inflation faible ou nulle. À long terme, le taux d'inflation sera donc plus faible. Des preuves empiriques internationales semblent corroborer cette hypothèse : les pays dont les banques centrales sont les plus indépendantes enregistrent généralement les taux d'inflation les plus faibles.

LES OPPOSANTS À L'INDÉPENDANCE DE LA BANQUE CENTRALE

Malgré certains écueils, il existe un avantage incontestable à confier la politique monétaire aux élus : ils ont des comptes à rendre. Le pouvoir discrétionnaire des banques centrales n'élimine nullement les abus, ni l'incompétence. Lorsque le gouvernement envoie la police sur le terrain pour faire régner l'ordre, il lui donne des règles de conduite strictes sur les méthodes à utiliser. En raison du grand pouvoir dont dispose la police, certains dérapages risqueraient en effet de se produire si elle disposait d'une liberté totale d'action. Or en confiant à la banque centrale le maintien de l'ordre économique, on ne lui donne aucune directive précise. Bien au contraire, on lui octroie un pouvoir discrétionnaire sans la rendre responsable de ses actes. Dans une petite économie en régime de change flexible, la politique monétaire a des effets durables et importants sur la demande agrégée. Toute modification de la demande agrégée ayant des conséquences sur l'emploi et le revenu national, il est donc important que les responsables de la politique monétaire aient à rendre des comptes.

Par ailleurs, l'importance réelle de l'incohérence intertemporelle liée aux actions de la banque centrale est loin d'être prouvée. Ainsi, on n'a jamais pu démontrer que l'amélioration de la crédibilité de la Banque du Canada ait permis d'atténuer le coût de ses politiques à court terme. Les annonces répétées concernant l'objectif d'inflation nulle n'ont pas réduit le ratio de sacrifice de la politique de désinflation du début des années 90. Au contraire, il semble même que ce ratio ait été *supérieur* à celui observé pendant les autres périodes de désinflation. L'hypothétique crédibilité supplémentaire des déclarations du gouverneur de la banque centrale a, pour le moment, porté peu de fruits.

Pour finir, l'hypothèse selon laquelle les gouvernements manipuleraient la politique monétaire pour créer des cycles politiques contredit la notion d'anticipations rationnelles du public. Dès lors que les gens se rendent compte que la baisse préélectorale du chômage n'est que temporaire et que ce dernier augmentera de nouveau après le scrutin, il semble difficile de voir comment les élus pourraient profiter d'une manipulation de la politique monétaire. En outre, ce type de politique agit sur l'inflation et les taux d'intérêt nominaux. Il est difficile de favoriser une majorité d'agents économiques en cherchant à modifier ces variables qui touchent une très grande portion de la population. Par exemple, une inflation plus forte que prévue avantagera les emprunteurs au détriment des prêteurs : ce n'est pas alors un moyen très efficace pour gagner des votes puisque certains électeurs (les emprunteurs) y gagnent alors que d'autres seraient mécontents (les prêteurs). La politique budgétaire est plus apte à servir une politique électoraliste. En effet, les modifications apportées aux dépenses publiques et à la fiscalité permettent de cibler facilement les groupes d'intérêt que les politiciens se proposent de courtiser. Néanmoins, le fait que ces décisions soient prises par des élus n'a jamais constitué un problème sérieux. Au contraire, le fait d'avoir à rendre compte de ces mesures devant l'électorat («pas de taxation sans représentation») est l'une des pierres angulaires de la démocratie. Pourquoi n'en irait-il pas de même pour la politique monétaire? Les économistes Lars Osberg et Pierre Fortin, qui ont dirigé le récent ouvrage *Hard Money, Hard Times,* sont convaincus que :

Lire l'article
page 452

«[…] il n'est pas souhaitable que les décisions économiques majeures, touchant de nombreux aspects de la vie des Canadiens, soient prises en dehors de tout processus démocratique. Comme le mentionne le mandat de la Banque du Canada, une économie de marché complexe nécessite une véritable stabilité macroéconomique. La tâche de la Banque du Canada consiste à "atténuer autant que possible, par l'action monétaire, les fluctuations du niveau général de la production, du commerce, des prix, de l'emploi et, de façon générale, à favoriser la prospérité économique et financière du Canada." Les citoyens d'une démocratie sont en droit de s'attendre à ce que l'on tienne compte de leur opinion sur les principaux problèmes politiques, tels que l'équilibre à trouver entre ces objectifs.»

MINITEST : Le gouverneur de la Banque du Canada devrait-il être élu? Justifiez votre réponse.

LA BANQUE CENTRALE DOIT-ELLE VISER L'INFLATION NULLE?

Selon l'un des *dix principes d'économie* énoncés au chapitre 1, repris de manière plus détaillée au chapitre 11, les prix augmentent lorsque l'État émet trop de monnaie. Un autre de ces principes, repris celui-là au chapitre 16, est que la société fait face à un arbitrage à court terme entre l'inflation et le chômage. Pris ensemble, ces deux principes posent un problème aux décideurs: quel taux d'inflation la banque centrale devrait-elle viser? Notre troisième controverse concerne l'objectif d'inflation nulle que la banque centrale canadienne s'est donné.

LES PARTISANS DE L'OBJECTIF D'INFLATION NULLE DE LA BANQUE CENTRALE

L'inflation ne présente aucun intérêt pour la société et impose en revanche des coûts très réels. Comme nous l'avons vu au chapitre 11, les économistes reconnaissent six coûts à l'inflation:

- Les coûts d'usure;
- Les coûts d'affichage;
- La variabilité des prix relatifs;
- Les distorsions fiscales;
- Le désagrément et la confusion;
- La redistribution arbitraire de la richesse et des revenus.

Certains font valoir que ces coûts demeurent faibles, du moins tant que l'inflation demeure modérée, comme cela a été le cas au Canada dans les dix dernières années, avec un taux oscillant autour de 1,5 %. D'autres assurent pourtant que ces coûts sont importants, même pour un faible taux d'inflation. D'ailleurs, il ne fait aucun doute que le public déteste l'inflation, car dès que cette dernière augmente, elle figure immédiatement parmi les problèmes perçus comme les plus graves dans les sondages d'opinion.

Bien entendu, il faut évaluer les avantages d'une inflation nulle par rapport aux sacrifices consentis pour y parvenir, qui eux se payent en matière de chômage et de baisse de la production, comme on l'a démontré à l'aide de la courbe de Phillips à court terme. Mais une récession désinflationniste n'est jamais que temporaire. Une fois que les agents économiques ont compris que les autorités monétaires visent une inflation nulle, leurs anticipations inflationnistes diminuent et l'arbitrage à court terme entre l'inflation et le chômage s'améliore. Ces ajustements expliquent pourquoi il n'existe pas d'arbitrage à long terme entre inflation et chômage.

Certes, la lutte contre l'inflation impose des coûts temporaires à court terme, mais elle rapporte des bénéfices permanents à long terme. Une fois que le processus désinflationniste s'achève, les avantages d'une inflation nulle persistent. Les gouvernants dotés d'une certaine vision devraient accepter les inconvénients provisoires pour obtenir des avantages durables. C'est précisément ce que fit la Banque du Canada au début des années 80 et au cours de la décennie suivante, lorsqu'elle adopta un programme de contraction monétaire pour réduire l'inflation.

En outre, les coûts de la désinflation ne sont pas nécessairement aussi élevés que certains économistes le prétendent. Si la Banque du Canada annonce clairement son intention de ramener l'inflation à zéro, elle dégonflera les anticipations inflationnistes, ce qui améliorera l'arbitrage entre l'inflation et le chômage à court terme et allégera d'autant le coût de la lutte contre l'inflation. Une telle stratégie repose sur la crédibilité: le public doit être convaincu que la Banque du Canada mettra à exécution le programme qu'elle a annoncé. Le Parlement pourrait lui donner un bon coup de main en adoptant une loi qui fait de la stabilité des prix la priorité de la Banque. Une telle loi réduirait les coûts entraînés par la poursuite de l'objectif d'inflation nulle, sans pour autant en limiter les avantages.

L'inflation nulle a le mérite de la simplicité: on retient avec facilité le chiffre zéro. Imaginons un instant que la Banque du Canada annonce son intention de maintenir l'inflation à 1,5 % — de fait, il s'agit du taux réel observé au cours de la dernière décennie. Va-t-elle vraiment s'y tenir? En supposant que des événements fassent remonter l'inflation jusqu'à 4 % ou même 5 %, pourquoi ne réviserait-elle pas à la hausse son objectif ? Ce 1,5 % initial n'a rien de bien particulier. En revanche, zéro est le seul chiffre synonyme de stabilité des prix et d'élimination complète des coûts de l'inflation.

LES OPPOSANTS À L'OBJECTIF D'INFLATION NULLE DE LA BANQUE CENTRALE

Même si la stabilité des prix semble désirable, une inflation nulle n'est guère plus avantageuse qu'une inflation modérée. Par contre, les coûts entraînés pour y parvenir sont beaucoup plus lourds. Selon les évaluations, les ratios de sacrifice pour réduire l'inflation de 1 % représentent une baisse de la production annuelle de 2 % à 5 %. En choisissant un chiffre à mi-chemin entre ces estimations, on s'aperçoit que pour réduire l'inflation de 4 % à 0 %, il faut sacrifier 14 % de la production d'une année. Sur un PIB d'environ 1 300 milliards de dollars en 2004, cela signifie une perte de production de 180 milliards, soit 6 000 $ de revenu par habitant. Même si les gens n'aiment guère l'inflation, il est loin d'être certain qu'ils soient prêts à payer un tel prix pour s'en débarrasser.

Le coût social de la désinflation est même supérieur à ces 6 000 $ de perte de revenu par personne, car il ne se répartit pas également entre tous les citoyens. La récession ne touche pas tout le monde de la même manière. En fait, la perte de revenu agrégé est concentrée sur les travailleurs qui perdent leur emploi. Les travailleurs les plus vulnérables sont souvent les moins qualifiés ou ceux qui ont peu d'expérience. Par conséquent, ce sont ceux qui peuvent le moins se le permettre qui assument pourtant l'essentiel du coût de la désinflation.

Les économistes s'entendent pour énumérer de nombreux coûts engendrés par l'inflation, mais pas pour évaluer leur ampleur. Les coûts d'usure, d'affichage ou autres, reconnus par tous les économistes, ne semblent pas à première vue particulièrement lourds, du moins pour des taux d'inflation modérés. Certes, le public n'aime pas l'inflation, mais c'est peut-être parce qu'il croit, à tort, que l'inflation érode son niveau de vie. Les économistes savent que le niveau de vie dépend de la productivité et non pas de la politique monétaire. En effet, puisque l'inflation des revenus nominaux va de pair avec la hausse des prix, la réduction de l'inflation ne fera pas augmenter les salaires réels plus rapidement.

Les dirigeants canadiens ont récemment adopté un certain nombre de mesures pour réduire les coûts de l'inflation. À l'automne 2000, le gouvernement fédéral a indexé les fourchettes d'imposition pour empêcher l'inflation de pousser les contribuables vers des taux d'imposition supérieurs. Les gouvernements peuvent également réduire la redistribution arbitraire de la richesse entre débiteurs et créditeurs en cas d'inflation inattendue, par l'émission d'obligations d'État indexées. C'est ce que la Banque du Canada a fait en 1991, afin de protéger contre l'inflation les détenteurs de ces obligations. En donnant l'exemple, elle encourage les emprunteurs privés et les prêteurs à conclure des emprunts à taux indexés.

La lutte contre l'inflation serait souhaitable si elle ne coûtait rien, et certains économistes prétendent que c'est le cas. Ils ont toutefois beaucoup de difficulté à prouver par des faits cette affirmation. Lorsque les pays réduisent leur inflation, la croissance diminue et le chômage augmente. Parier sur la crédibilité d'une banque centrale pour parvenir à juguler l'inflation rapidement et sans douleur est un choix risqué.

En fait, il semble plutôt qu'une récession désinflationniste laisse des séquelles économiques durables. Lors d'une récession, la baisse des dépenses en équipements et en infrastructures des entreprises de tous les secteurs industriels fait de l'investissement la composante la plus volatile du PIB. Une fois la récession passée, la réduction du stock de capital abaisse la productivité, les revenus et le niveau de vie à des niveaux inférieurs à ce qu'ils auraient dû être. De plus, en perdant leur emploi, les travailleurs perdent également une partie de leur capital humain. Même après la reprise économique, leur valeur en tant que travailleurs reste plus faible. Certains économistes ont fait valoir que la lente descente du taux de chômage à la suite des récessions est causée par cette perte de qualification des chômeurs et par la difficulté qu'ils éprouvent à se retrouver un emploi.

Pourquoi alors imposer une récession désinflationniste si coûteuse pour ramener l'inflation à zéro, compte tenu des faibles avantages obtenus? L'économiste Alan Blinder, ancien vice-président de la Réserve fédérale américaine, a plaidé avec beaucoup de conviction dans son ouvrage *Hard Heads, Soft Hearts* afin que les politiciens canadiens ou américains – qui ne connaissent que des taux d'inflation modérés – renoncent complètement à ce type de politique:

> «Les coûts entraînés par une inflation faible ou modérée telle qu'on la connaît aux États-Unis et dans les autres pays industrialisés semblent tout à fait modestes – et pourraient se comparer davantage à un mauvais rhume qu'à un cancer… En tant qu'individus rationnels, nous ne sommes pas partisans d'une chimiothérapie pour traiter un rhume de cerveau. Néanmoins, en tant que collectivité, nous prescrivons régulièrement l'équivalent de la chimiothérapie (un fort chômage) comme remède contre le rhume de l'inflation.»

Blinder conclut que mieux vaut apprendre à vivre avec une inflation modérée que de causer un mal pire que celui que l'on tente de combattre.

MINITEST: Expliquez les avantages et les inconvénients d'une politique visant à ramener l'inflation à zéro. Parmi ceux-ci, lesquels sont temporaires et lesquels sont permanents?

LE GOUVERNEMENT DOIT-IL REMBOURSER LA DETTE PUBLIQUE?

« MA PORTION DE LA DETTE GOUVERNEMENTALE S'ÉLÈVE À 25 000 $. »

La politique budgétaire a sans doute fait l'objet des plus âpres débats économiques des dernières années. Au cours des trois dernières décennies, le gouvernement fédéral et les gouvernements provinciaux ont dépensé beaucoup plus que leurs recettes fiscales et ont financé ces déficits budgétaires par des emprunts. Comme nous l'avons vu au chapitre 8, il résulte de cette situation une dette publique très élevée. Dans ce chapitre, nous avons vu les conséquences des déficits sur l'épargne, l'investissement et les taux d'intérêt. Durant les dernières années, la plupart des gouvernements au Canada ont pris des mesures pour réduire et même éliminer leurs déficits. En février 1998, le gouvernement fédéral a annoncé pour la première fois depuis 1970 un budget équilibré. En octobre 2000, il a prédit une série de surplus budgétaires importants – c'est-à-dire un dépassement des recettes par rapport aux dépenses publiques – pour les années à venir. À cette occasion, le gouvernement fédéral a annoncé qu'il entendait utiliser ses surplus budgétaires pour alléger les impôts, augmenter ses dépenses et rembourser une partie de sa dette. La plupart des provinces lui ont emboîté le pas en accumulant des surplus budgétaires et en annonçant comment elles prévoyaient les utiliser: réduction d'impôts, financement de programmes publics et remboursement de la dette. Notre quatrième controverse concerne l'utilisation de ces surplus budgétaires: devrait-on les consacrer au remboursement de la dette accumulée durant le dernier quart de siècle, ou devrait-on plutôt éliminer les surplus budgétaires en réduisant le fardeau fiscal ou en finançant d'autres programmes publics ?

LES PARTISANS DU REMBOURSEMENT DE LA DETTE PUBLIQUE

À partir du milieu des années 70 et jusqu'au milieu des années 90, les dépenses publiques canadiennes ont grandement dépassé les recettes fiscales. À l'échelon fédéral, on a vu la dette publique passer de 24 milliards de dollars en 1975 à un record de 583 milliards en 1998. Même si une partie de cette dette a été remboursée depuis 1998, elle s'élève toujours à 510 milliards en 2004. En divisant ce montant par la population totale du Canada, cela donne un endettement de presque 16 000 $ par habitant. Si on ajoute à cela les dettes des gouvernements provinciaux et territoriaux, la dette publique s'élève à 810 milliards en 2004, soit à 25 000 $ par personne.

Un tel endettement public fait peser un fardeau financier sur les générations futures. Quand viendra le temps de rembourser le capital et les intérêts accumulés, les contribuables devront faire des choix difficiles. Ils devront payer plus d'impôts ou renoncer à certains services gouvernementaux, voire même consentir à l'un et l'autre sacrifice, afin de disposer des ressources suffisantes pour rembourser le principal et les intérêts de l'emprunt contracté par leurs prédécesseurs. Ils auront également l'option de repousser l'échéance en s'endettant davantage. Fondamentalement, lorsque le gouvernement accumule les déficits budgétaires, il ne fait que transférer aux contribuables futurs la facture des dépenses publiques des contribuables actuels. Un tel endettement ne peut que réduire le niveau de vie des générations à venir.

Outre cet effet direct, les déficits budgétaires entraînent d'autres conséquences macroéconomiques. Étant donné qu'un déficit représente une épargne gouvernementale *négative*, l'épargne nationale (la somme de l'épargne privée et de l'épargne publique) est réduite, ce qui contribue à faire augmenter le taux de change réel et à diminuer les exportations nettes. Une succession de déficits gouvernementaux importants, associée à une forte augmentation de la dette publique, augmente également le risque de non-paiement couru par les prêteurs qui envisagent d'acheter des obligations canadiennes. Le taux d'intérêt réel au Canada reste alors supérieur au taux d'intérêt réel ailleurs dans le monde. Ce taux décourage les investissements et réduit l'accumulation du capital au fil du temps. La productivité, les salaires réels et la production de biens et de services sont alors réduits. Par conséquent, lorsque le gouvernement s'endette, les générations futures viennent au monde dans une économie où les taxes sont élevées et les revenus sont faibles.

Néanmoins, certaines situations justifient un déficit budgétaire. Au cours de l'histoire, la guerre a généralement constitué une raison majeure d'endettement public. Un conflit armé fait temporairement monter les dépenses gouvernementales et, dans ce cas, il est légitime d'emprunter pour financer les dépenses. Sinon, les impôts devraient augmenter fortement en période de guerre. Un tel alourdissement du fardeau fiscal modifierait grandement le comportement des contribuables, et provoquerait d'immenses pertes sèches. En outre, une telle hausse de la fiscalité serait injuste pour la population qui doit, en plus, se sacrifier en temps de guerre.

De la même manière, l'augmentation de la dette publique est acceptable durant une récession. Lors d'un ralentissement économique, les recettes fiscales diminuent automatiquement, puisqu'elles dépendent directement du revenu agrégé. En période de récession, si le gouvernement essaie de présenter un budget équilibré, il lui faudra augmenter les impôts ou réduire ses dépenses, au moment où le taux de chômage est élevé. Une telle politique aura pour effet de réduire la demande agrégée alors qu'il faudrait au contraire la stimuler, ce qui aggravera d'autant la récession.

Les déficits budgétaires des gouvernements provinciaux et fédéral depuis les années 70 sont beaucoup plus difficiles à justifier. La responsabilité en incombe aux gouvernants qui n'ont pas su profiter des périodes de forte croissance économique pour rembourser la dette contractée durant les récessions. Considérons, par exemple, la récession de 1980-1981, qui s'est soldée par un alourdissement considérable de la dette fédérale. Il s'agissait de la pire récession qu'ait connue le Canada depuis la Crise des années 30, et elle fut marquée par d'importantes pertes en recettes fiscales et par une augmentation considérable des dépenses d'assurance-emploi. Il n'est donc pas surprenant que le déficit du gouvernement fédéral ait augmenté et que la dette publique se soit alourdie au cours de cette période. Cependant, de 1983 à 1988, le PIB réel a crû en moyenne de 4,5 % par année. Durant cette période, la croissance des revenus garantissait de solides recettes fiscales et permettait la réduction du coût de programmes comme celui de l'assurance-emploi. C'était l'occasion idéale pour le gouvernement fédéral de réaliser des surplus budgétaires et de rembourser la dette contractée durant la récession. Mais il a continué à accumuler de lourds déficits budgétaires et la dette nationale a encore augmenté. En 1985, alors que la croissance économique annuelle atteignait 5,3 %, le gouvernement fédéral annonçait un déficit dépassant 31 milliards de dollars (soit l'équivalent de 52 milliards de dollars de 2004). Il est bien difficile de trouver les raisons logiques d'une telle politique. Même si les gouvernements ne sont pas absolument tenus d'équilibrer leur budget, ils devraient viser cet équilibre budgétaire au cours du cycle économique. Il faudrait pour cela accumuler des surplus budgétaires en période de vaches grasses pour compenser les déficits en période de vaches maigres. Si le gouvernement fédéral avait suivi cette règle fort simple à partir de 1975, les diplômés arriveraient aujourd'hui dans une économie beaucoup plus prospère.

Il est grand temps de corriger cette erreur politique. Une plus grande discipline fiscale et une bonne dose de chance ont permis au gouvernement fédéral et à la plupart des provinces de réaliser des surplus et d'en prévoir d'autres dans un avenir proche. Ces surplus devraient servir à rembourser la dette accumulée. Au lieu d'alléger les impôts, en remboursant cette dette on stimulera l'épargne, l'investissement et la croissance économique.

LES OPPOSANTS AU REMBOURSEMENT DE LA DETTE PUBLIQUE

On exagère beaucoup le problème de la dette publique. Bien que cette dette représente un fardeau pour les jeunes générations actuelles, elle n'est pas énorme si on la compare aux revenus gagnés par une personne pendant sa vie active. La dette combinée des gouvernements provinciaux et fédéral représente environ 25 000 $ par personne. Une personne qui travaille pendant 40 ans en gagnant 25 000 $ par année gagne un million de dollars au cours de sa vie active. La part de la dette nationale qui lui est attribuée représente donc moins de 3 % de ses ressources à vie.

En se concentrant uniquement sur la dette publique, on finit par perdre de vue qu'il ne s'agit que d'un aspect des choix de dépenses et de prélèvements fiscaux des gouvernements. Les conséquences des décisions gouvernementales touchent les contribuables de diverses façons. Les déficits ou les surplus budgétaires doivent donc être analysés dans le contexte plus large de la politique budgétaire.

Imaginons, par exemple, que les gouvernements se servent de leurs surplus budgétaires pour rembourser la dette, au lieu de dépenser plus dans le domaine de l'éducation. En quoi cela favorisera-t-il les jeunes générations? Certes, une dette publique moins importante allégera leurs impôts lorsqu'ils entreront sur le marché du travail. Mais s'ils sont moins instruits, leur productivité et leurs revenus seront plus faibles. Bien des analyses confirment qu'un nombre d'années de scolarité plus élevé augmente substantiellement les revenus d'un travailleur. Rembourser la dette publique plutôt que financer l'éducation n'est probablement pas la meilleure des décisions, tout bien considéré.

En faisant de la dette publique une obsession permanente, on risque aussi d'oublier que d'autres mesures ont aussi un impact sur la distribution des revenus entre les générations. Le gouvernement fédéral a récemment augmenté les cotisations sur la masse salariale pour financer le Régime de pensions du Canada (RPC), destiné aux retraités. Il s'agit là d'une mesure de redistribution des revenus des jeunes générations (qui assument le coût des charges sociales) aux personnes âgées (qui perçoivent les versements du RPC), même si cela n'affecte pas la dette fédérale. On voit donc que la dette publique n'est qu'un élément parmi tant d'autres des effets de la politique gouvernementale sur le bien-être des différentes générations.

Dans une certaine mesure, les effets négatifs de la dette publique peuvent être atténués par des parents prévoyants. Si ces derniers profitent des avantages d'une faible imposition et de généreuses prestations sociales, mais s'inquiètent des effets de l'endettement qui en résulte sur leurs enfants, ils peuvent économiser pour leur laisser un héritage plus confortable, qui leur permettra de faire face au fardeau fiscal qui les attend. Certains économistes affirment que les gens se comportent en effet de la sorte. Or, si c'était effectivement le cas, l'épargne privée plus élevée viendrait compenser la désépargne causée par les déficits budgétaires et annuler ses effets sur l'économie. La plupart des économistes doutent toutefois que les parents aient une telle vision à long terme, même si quelques exceptions confirment sans doute la règle. Les déficits budgétaires permettent ainsi aux parents actuels de consommer aux dépens de leurs enfants, sans pourtant les y obliger. Si le problème de la dette publique était aussi important qu'on le dit pour les générations futures, certains parents n'hésiteraient pas à apporter leur contribution en épargnant davantage.

Les opposants au déficit budgétaire font parfois remarquer que la dette publique ne peut augmenter constamment, alors qu'en réalité elle le peut. Tout comme un employé de banque évalue une demande de prêt en fonction des revenus du client, nous devrions juger le fardeau de la dette en fonction du revenu national. La croissance démographique et le progrès technologique font augmenter le revenu total de l'économie canadienne, de même que sa capacité à payer des intérêts. Tant et aussi longtemps que la dette publique croît moins rapidement que le revenu national, rien ne l'empêche de progresser indéfiniment.

Quelques données mettent cette question en perspective. Le PIB réel du Canada augmente en moyenne de 3 % par année. Si le taux d'inflation tourne autour de 2 %, le revenu nominal augmente donc de 5 % annuellement. La dette publique peut donc croître de 5 % par année sans pour autant augmenter le ratio d'endettement. En 2004, la dette fédérale atteignait 510 milliards de dollars; 5 % de cette somme équivalait donc à 25 milliards de dollars. Tant que le déficit fédéral ne dépasse pas ce dernier montant, un excédent des dépenses sur les revenus du gouvernement reste soutenable à long terme. On ne verra jamais le moment où l'on devra cesser d'avoir des déficits budgétaires, pas plus qu'on ne risque de voir l'économie s'effondrer.

Si un déficit budgétaire modéré est viable, le gouvernement a peu de raisons de faire des surplus. Il aura davantage intérêt à dépenser les revenus supplémentaires pour financer des programmes utiles, comme l'éducation. Il peut aussi réduire la ponction fiscale. À la fin des années 90, les impôts avaient atteint un maximum historique par rapport au PIB. Il y avait donc toutes les raisons de croire que les pertes sèches avaient elles aussi atteint un maximum. S'il n'a pas besoin de ces sommes actuellement, le gouvernement devrait rendre cet argent à ceux qui l'ont gagné.

> **MINITEST :** Dites en quoi la réduction du déficit public favorise les générations futures. Comment la politique budgétaire peut-elle améliorer le quotidien des générations futures autrement que par la réduction de la dette publique ?

DOIT-ON MODIFIER LA FISCALITÉ POUR ENCOURAGER L'ÉPARGNE ?

Le niveau de vie d'un pays dépend de sa capacité à produire des biens et des services, selon l'un des *dix principes d'économie* énoncés au chapitre 1. Or, comme nous l'avons vu au chapitre 7, la capacité de production d'un pays repose en grande partie sur son taux d'épargne et d'investissement. Notre cinquième controverse porte donc sur les incitatifs fiscaux visant à encourager l'épargne et l'investissement.

LES PARTISANS DE LA MODIFICATION DE LA FISCALITÉ POUR ENCOURAGER L'ÉPARGNE

Le taux d'épargne national est un facteur clé de la prospérité à long terme. Une épargne élevée fournit les ressources nécessaires pour investir dans les infrastructures et les équipements. De solides infrastructures de production garantissent une meilleure productivité, ainsi que des salaires et des revenus plus élevés. Il n'est donc pas surprenant de constater une corrélation entre le taux d'épargne nationale et les indices de prospérité économique.

Un autre des *dix principes d'économie* présentés au premier chapitre concerne les réactions des citoyens aux incitatifs. Ce principe s'applique également aux décisions relatives à l'épargne : si la législation encourage l'épargne, les gens auront tendance à épargner une fraction élevée de leurs revenus, et cette épargne élevée mènera à un avenir plus confortable.

Malheureusement, la fiscalité canadienne décourage l'épargne, en taxant fortement les revenus. Par exemple, prenons une jeune travailleuse de 25 ans qui économise 1 000 $, pour s'assurer une retraite confortable à 70 ans. Si elle achète des obligations qui rapportent un taux d'intérêt de 10 %, elle aura accumulé, en 45 ans, 72 900 $ avant impôts. Dans l'hypothèse où son taux marginal d'imposition sur ces intérêts est de 40 %, ce qui correspond en gros à la somme des impôts provincial et fédéral pour un revenu moyen, le taux d'intérêt après impôt ne dépassera pas 6 % et les 1 000 $ ne rapporteront que 13 800 $ sur la période de 45 ans. Cela signifie que, durant toute cette période, les impôts auront grignoté 80 % des revenus d'épargne de cette travailleuse – la différence entre 72 900 $ et 13 800 $.

En outre, certains revenus sur le capital sont imposés doublement en vertu du régime fiscal. Prenons l'exemple d'une personne qui place son épargne dans des actions d'une grande société canadienne. Lorsque cette société fait des profits sur ses investissements, elle commence par payer l'impôt des sociétés. Si elle redistribue ce qui reste des profits à ses actionnaires sous forme de dividendes, ces derniers devront cette fois payer de l'impôt sur le revenu des particuliers. Cette double imposition réduit sérieusement le rendement des actions et, par la même occasion, l'incitation à épargner.

Outre les lois fiscales, bien d'autres mesures et institutions de notre société découragent l'épargne. Certains transferts du gouvernement, comme la pension de Sécurité de la vieillesse, sont basés sur des critères de revenus; dès lors, ceux qui ont eu la prudence d'épargner pour leurs vieux jours voient leurs prestations amputées. De la même façon, les universités accordent une aide financière en fonction de la richesse des étudiants et de leurs parents: il s'agit en fait d'une forme d'impôt sur la richesse, qui décourage l'épargne des étudiants et de leurs parents.

Il existe cependant différentes façons d'inciter les gens à épargner ou, du moins, à ne pas les en décourager comme c'est actuellement le cas. Les lois sur l'impôt accordent un traitement fiscal préférentiel à certaines formes d'épargne en vue de la retraite. Lorsqu'un contribuable place une partie de son revenu dans un régime enregistré d'épargne-retraite (REER), le capital et les intérêts qu'il rapporte sont à l'abri de l'impôt jusqu'à ce qu'il les retire. Néanmoins, les montants pouvant être placés dans un REER sont plafonnés annuellement. Cette limite sera de 18 000 $ en 2005, jusqu'à concurrence de 18 % du revenu du contribuable. Un relèvement de ce plafond constituerait un encouragement à l'épargne des ménages.

Le gouvernement fédéral a institué, en 1991, une autre forme d'incitation à l'épargne, soit la taxe sur les produits et services (TPS). L'essentiel des recettes fiscales du gouvernement fédéral provient de l'impôt sur le revenu des particuliers. Dans un tel régime, un dollar gagné est automatiquement imposé, qu'il soit économisé ou dépensé. La TPS, une taxe à la consommation, n'est imposée que dans la mesure où les consommateurs dépensent. Le revenu épargné n'est donc pas imposé tant qu'il n'est pas dépensé. C'est la raison pour laquelle une taxe à la consommation constitue une incitation à l'épargne. Et c'est pourquoi les économistes plaident généralement pour une augmentation des taxes à la consommation, à la faveur d'une réduction de l'imposition directe sur le revenu.

LES OPPOSANTS À LA MODIFICATION DE LA FISCALITÉ POUR ENCOURAGER L'ÉPARGNE

Encourager l'épargne se justifie pleinement, mais ne devrait pas être l'unique objectif d'une politique budgétaire. Les décideurs devraient également s'assurer de la répartition équitable du fardeau fiscal. Les propositions visant à encourager l'épargne finissent par pénaliser ceux qui sont les plus démunis.

Les ménages à revenus élevés ont un taux d'épargne supérieur aux ménages à faibles revenus. Par conséquent, toute modification du régime fiscal qui favorise les épargnants améliore directement la situation des classes les plus favorisées. Les mesures fiscales du type REER sont attirantes, mais accentuent les inégalités. En allégeant le fardeau fiscal des plus riches, qui ont les moyens de profiter de ce genre de mesures, on augmente d'autant celui des plus pauvres.

Par ailleurs, les politiques fiscales – autre que les REER – destinées à encourager l'épargne ne parviennent pas toujours au but fixé. De nombreuses études montrent que l'épargne est relativement inélastique; autrement dit, elle est peu sensible au taux de rendement. Si c'est le cas, les mesures adoptées pour améliorer le rendement de l'épargne auront pour seul effet d'enrichir les plus fortunés, sans les inciter à épargner davantage.

La théorie économique ne fournit pas d'indication claire sur l'effet d'un rendement supérieur sur l'épargne. Le résultat dépend de l'ampleur relative de deux effets opposés : l'*effet de substitution* et l'*effet de revenu*. D'une part, un rendement plus élevé accroît les bénéfices de l'épargne et chaque dollar économisé aujourd'hui permet de consommer plus demain ; cet effet de substitution tend à encourager l'épargne. D'autre part, un rendement supérieur réduit le besoin d'épargner, puisqu'un ménage peut épargner moins et atteindre tout de même dans l'avenir un niveau de consommation donné ; cet effet de revenu tend à réduire l'épargne. Si l'effet de substitution et l'effet de revenu sont de taille plus ou moins égale, comme les études le laissent entendre, l'épargne ne changera à peu près pas lorsqu'un allégement de la fiscalité améliorera le taux de rendement de l'épargne.

Mis à part les avantages fiscaux pour les riches, il existe d'autres moyens d'encourager l'épargne nationale. Rappelons en effet que l'épargne nationale est la somme de l'épargne privée et de l'épargne publique. Au lieu de modifier la fiscalité pour stimuler l'épargne privée, les dirigeants pourraient accroître l'épargne publique en réalisant des surplus budgétaires. Cela pourrait se faire grâce à une augmentation des impôts des classes favorisées, par exemple, ou en limitant les dépenses publiques. Voilà un moyen direct d'augmenter l'épargne et d'assurer la prospérité des générations futures.

Lorsque l'on tient compte de l'épargne publique, on se rend compte que les réformes fiscales visant à encourager l'épargne privée risquent de poser problème. En effet, elles mènent à une réduction des recettes fiscales provenant des revenus de placement, ce qui conduit à un budget déficitaire. Pour encourager l'épargne nationale, il faut donc que les réformes fassent augmenter l'épargne privée plus qu'elles ne réduisent l'épargne publique. Sinon, ces mesures pourraient aggraver la situation.

MINITEST : Démontrez par trois exemples comment notre société décourage l'épargne. Quels seraient les inconvénients d'éliminer ces mesures qui découragent l'épargne ?

CONCLUSION

Dans ce chapitre, nous avons présenté cinq controverses portant sur la politique macroéconomique, en fournissant chaque fois les arguments des deux parties. Vous avez du mal à choisir votre camp ? Rassurez-vous, vous n'êtes pas seul dans ce cas. La connaissance de l'économie ne simplifie pas pour autant les choix politiques. En clarifiant les arbitrages inévitables auxquels doivent faire face les dirigeants, elle risque même de compliquer leurs dilemmes.

Les choix difficiles ne sont jamais résolus par des solutions simples. Lorsque vous entendez des politiciens ou des commentateurs faire des propositions trop belles pour être vraies, c'est probablement le cas. Il n'y a pas de miracles en économie et tout doit se payer. Vérifiez donc la facture de ce genre de propositions... Bien peu de mesures économiques ne présentent que des avantages. L'étude de l'économie vous permettra au moins de voir clair dans la rhétorique brumeuse des politiciens, et fera de vous un citoyen plus apte à participer aux débats nationaux.

Résumé

◆ Les partisans de l'interventionnisme macroéconomique croient en l'instabilité intrinsèque de l'économie. Ils proposent d'utiliser les politiques monétaire et budgétaire pour stabiliser la demande agrégée. Les opposants à cet activisme monétaire et fiscal mettent l'accent sur les délais inhérents à ce type de mesures et sur le caractère incertain des prévisions macroéconomiques. Les tentatives de stabilisation de l'économie seraient plutôt, selon eux, déstabilisatrices.

◆ Les partisans de l'indépendance des banques centrales considèrent qu'elle les protégerait contre tout recours malhonnête à la politique monétaire par des gouvernants désireux d'influencer les électeurs. Ils font également remarquer que cette indépendance permet de maintenir une faible inflation et, par conséquent, un arbitrage plus avantageux à court terme entre l'inflation et le chômage. Les critiques de cette indépendance des banques centrales croient pourtant que, étant donné les effets importants et durables de la politique monétaire sur la demande agrégée et, dès lors, sur la production et l'emploi, les citoyens devraient avoir leur mot à dire sur la conduite de la politique monétaire, tout comme ils le font dans le cas de la politique budgétaire.

◆ Les partisans de l'objectif d'inflation nulle insistent sur les coûts multiples et l'absence d'avantages de l'inflation. En outre, le coût de la désinflation, en matière de production et de chômage, est temporaire. Ce coût peut d'ailleurs être réduit par l'annonce d'un plan crédible de lutte contre l'inflation, ce qui a pour résultat de dégonfler les anticipations inflationnistes. Les opposants à l'objectif d'inflation nulle croient plutôt qu'une inflation modérée n'impose à la société que de faibles coûts, par rapport aux sacrifices énormes à consentir pour atteindre une inflation nulle.

◆ Les partisans de la réduction de la dette publique considèrent que la dette est un fardeau transmis aux générations futures, qui devront, pour la rembourser, payer davantage d'impôts et donc disposer de revenus plus faibles. Les opposants à ce type d'intervention déclarent qu'il ne s'agit là que d'un fragment de la politique budgétaire et qu'en lui accordant trop d'intérêt, on finit par oublier les conséquences des autres facettes de la politique budgétaire.

◆ Les partisans des incitatifs fiscaux visant à favoriser l'épargne démontrent que notre société décourage cette dernière de bien des manières, entre autres en imposant les revenus de l'épargne et en réduisant les avantages de ceux qui ont accumulé de la richesse. Ils approuvent les réformes fiscales qui visent à encourager l'épargne, que ce soit au moyen d'une taxe à la consommation ou par l'augmentation de la contribution permise à un REER. Les opposants à ces incitatifs fiscaux font valoir qu'ils avantagent uniquement les plus riches, qui n'ont pas besoin de ce type d'allégement fiscal. Ils pensent également que de telles modifications ont un effet très limité sur l'épargne privée et que l'augmentation de l'épargne publique, par l'intermédiaire des surplus budgétaires, serait un moyen plus direct et plus équitable d'accroître l'épargne nationale.

Questions de révision

1. Expliquez pourquoi les politiques monétaire et budgétaire agissent avec un certain retard. Pourquoi ces délais importent-ils dans le choix d'une politique active ou passive ?

2. Pourquoi la banque centrale serait-elle tentée de créer un cycle politique ? En supposant qu'un tel cycle existe, comment modifie-t-il le débat sur l'indépendance de la banque centrale dans la conduite de la politique monétaire ?

3. Pourquoi la crédibilité de la banque centrale est-elle importante dans la réduction du coût de la lutte contre l'inflation ?

4. Pourquoi certains économistes s'opposent-ils à l'objectif de l'inflation nulle ?

5. Citez deux raisons pour lesquelles le déficit budgétaire gouvernemental a un effet négatif sur les travailleurs futurs.

6. Quelles sont les deux situations qui justifient, selon la plupart des économistes, un déficit budgétaire ?

7. Donnez un exemple d'une mesure gouvernementale visant à réduire la dette nationale et qui risque de pénaliser les générations futures.

8. Certains économistes n'hésitent pas à affirmer que le gouvernement peut se permettre d'accumuler des déficits. Expliquez comment ils justifient cette affirmation.

9. Certains revenus de placement sont imposés doublement. Dites pourquoi.

10. Outre la politique fiscale, d'autres mesures et institutions découragent l'épargne dans notre société. Donnez-en un exemple.

11. Quels effets négatifs les incitations fiscales favorisant l'épargne peuvent-elles avoir ?

CRÉDITS PHOTOS ET ILLUSTRATIONS

BIBLIOGRAPHIE

Chap. 5, p. 96
ÉTUDE DE CAS UNE MAUVAISE MESURE DE LA PRODUCTION NATIONALE ?

SOURCES: *L'Observateur économique canadien*, mai 1994; FORTIN, B. ET AL. *L'économie souterraine au Québec: mythes et réalités*, Presses de l'Université Laval, 1996; *The Economist*, 18 avril 1998; REPETTO ET AL., *Wasting Assets: Natural Resources Institute in the National Income Accounts*, World Resource Institute, 1989.

Chap. 7, p. 140
ÉTUDE DE CAS LE LIBRE-ÉCHANGE ENTRAÎNE LA CROISSANCE

SOURCE: Le libre-échange entraîne la croissance, JOHAN NORBERG, *Plaidoyer pour la mondialisation capitaliste*, Institut économique de Montréal, 2001, p. 85-91. La permission de reproduire ce texte a été accordée par l'Institut économique de Montréal.

Chap. 7, p. 146
SOURCE: Johan Norberg, «Le libre-échange entraîne la croissance», *Plaidoyer pour la mondialisation capitaliste*, Institut économique de Montréal, 2001, p. 85-91. La permission de reproduire ce texte a été accordée par l'Institut économique de Montréal.

CHAPITRE 1

QUE FERA LE GOUVERNEMENT QUÉBÉCOIS DANS LE DOSSIER DES UNIVERSITÉS? ACCROÎTRA-T-IL LE FINANCEMENT? AUGMENTERA-T-IL LES FRAIS DE SCOLARITÉ? CET ARTICLE MONTRE QUE LES GOUVERNEMENTS, COMME LES INDIVIDUS, SONT SOUMIS À DES ARBITRAGES.

Michèle Ouimet

UN CHOIX DE SOCIÉTÉ

D'ABORD LA TOILE DE FOND. Les universités manquent d'argent. Le refrain est archi-connu et il a été répété sur tous les tons pendant l'interminable commission parlementaire sur le financement des universités qui a eu lieu au printemps.

Selon les recteurs, le manque à gagner s'établit à 375 millions par année. Une petite fortune. Si les universités obtenaient une telle somme, elles pourraient équiper leurs laboratoires, garnir leurs bibliothèques, diminuer le nombre d'élèves par classe, investir davantage dans la recherche, etc. La liste est longue, beaucoup plus longue que la capacité de payer du gouvernement. Problème.

Cet état chronique de pauvreté a été exacerbé par les compressions imposées à la fin des années 1990, douloureuse époque où les budgets des universités ont été passés à la tronçonneuse. Les subventions de l'État ont diminué de 25%. Cinq ans plus tard, les dégâts se font encore sentir.

La commission parlementaire a soulevé des espoirs. Les universités se sont imaginé que le ministre de l'Éducation, Pierre Reid, allait faire pleuvoir les millions. Après tout, se sont-elles dit, Reid est un ancien recteur qui a passé une partie de sa carrière à se plaindre des compressions. S'il y en a un qui doit comprendre les universités, c'est bien lui.

Erreur. Il n'y avait rien, ou presque, dans le budget Séguin, à peine de quoi couvrir les coûts de système et la hausse de la clientèle. Pour la manne, faudra repasser.

Question: où les universités vont-elles dégoter l'argent si le gouvernement leur fait faux bond?

Réponse: dans la poche des étudiants.

C'est la conclusion tirée par la plupart des pays. Même constat dans les provinces canadiennes, où les droits de scolarité ont explosé au cours des années 1990.

Dans les pays qui n'imposent pas de frais à leurs étudiants, les universités sont à bout de souffle. Les salles de cours sont bondées, les locaux vétustes, les bibliothèques dégarnies, les étudiants souvent médiocres. Le problème, c'est que l'État n'investit pas assez.

Plusieurs pays européens remettent en question le principe de la gratuité. L'Angleterre est allée de l'avant en janvier avec un projet de loi controversé. Le premier ministre Tony Blair a décidé de suivre le modèle australien: étudiez maintenant, payez plus tard.

Les universités britanniques ont désormais le droit d'imposer des droits de scolarité, avec un plafond fixé à 7 200 $ par année. Par contre, les étudiants pourront payer plus tard, c'est-à-dire lorsqu'ils empocheront un revenu annuel d'au moins 36 000 $.

Solution séduisante que le ministre Pierre Reid a décidé d'adopter. L'étudiant paiera ses dettes uniquement lorsqu'il aura un boulot, et les modalités de remboursement seront fixées en fonction de ses revenus.

L'idée est intéressante, mais elle ne doit pas servir de prétexte à une hausse sauvage des droits de scolarité. Le gouvernement doit se montrer prudent. Très prudent. Pour différentes raisons.

Premièrement, il doit respecter la tradition du Québec qui a toujours maintenu des droits de scolarité bas. C'est vrai qu'un étudiant canadien paie en moyenne 4 025 $ par année, alors qu'ici, la facture est de 1 668 $. Mais le Québec avait un énorme retard à rattraper. En 1951, à peine 2 % de la population détenait un diplôme universitaire. Aujourd'hui, ce chiffre atteint 20 %.

Deuxièmement, si les droits de scolarité augmentent brutalement, l'endettement va grimper en flèche. Selon Statistique Canada, près de 60 % des étudiants gagnent moins de 10 000 $ par année. Qui osera se farcir des dettes de 25 000 $ pour décrocher un doctorat en philosophie?

Selon le Conseil supérieur de l'éducation, «les problèmes financiers expliquent 24,3 % des abandons, ce qui en fait la raison la plus fréquemment observée dans l'ensemble des motifs évoqués».

Même si aucune étude ne prouve noir sur blanc qu'une hausse des droits de scolarité décourage les plus démunis, la crainte d'être écrasé par les dettes risque de faire des dégâts.

Troisièmement, les régions, déjà fragilisées par une baisse démographique importante, risquent d'être pénalisées par une augmentation des droits de scolarité. D'ailleurs, la Conférence des recteurs et principaux des universités est profondément divisée.

Les universités fortes, comme l'Université de Montréal et McGill, militent pour une hausse des frais. McGill a même demandé au gouvernement de laisser le champ libre aux universités, qui pourraient alors fixer les droits de scolarité comme bon leur semble, comme c'est le cas en Colombie-Britannique, où la facture des étudiants a flambé. Une solution inacceptable.

Les universités plus jeunes, comme l'UQAM et Concordia, ou celles situées en région, s'y opposent farouchement et réclament le maintien du gel. Près de 40 % des étudiants du réseau de l'Université du Québec (UQ) proviennent de milieux à faibles revenus. Or, précise l'UQ, «cette catégorie d'étudiants se rend plus difficilement au baccalauréat».

Une hausse importante des frais les frapperait de plein fouet.

Le maintien du gel des droits de scolarité n'est pas une hérésie. La preuve: plusieurs recteurs le réclament. Mais ce n'est pas réaliste. Les besoins des universités sont énormes alors que la capacité de payer de l'État est minime. Les libéraux ont promis de maintenir le gel jusqu'à la fin de leur mandat. Ils doivent respecter leur promesse. Décence démocratique oblige.

Mais dès 2008, le gouvernement doit agir s'il ne veut pas que les universités s'étiolent. Plusieurs pistes peuvent être explorées. D'abord, les droits doivent être indexés. Le Québec ne peut pas se payer un psychodrame et une commission parlementaire diluvienne chaque fois que l'idée d'un dégel flotte dans l'air.

Le gouvernement pourrait aussi imposer des frais variables. Former un vétérinaire coûte 24 000 $, un littéraire, 3 120 $. Pourquoi les étudiants en médecine vétérinaire et en littérature paieraient-ils le même prix? Mais cette solution, simple en apparence, a des effets pervers. Les facultés les plus chères risquent de devenir la chasse gardée des riches. À manipuler avec des gants blancs.

Québec devrait aussi faire le ménage dans les frais afférents qui se sont développés de façon anarchique au cours des années. Ce sont des droits de scolarité déguisés.

Le gouvernement doit aussi assumer sa part. Les universités sont publiques et elles enrichissent la société. Depuis 1987, 80 % des revenus des universités provenaient de l'État. En 2001, ce chiffre avait chuté à 66 %. C'est un minimum.

Québec a le temps d'explorer différentes pistes et de préparer la population à une hausse raisonnable des droits. Mais l'idée ne doit pas sombrer dans l'oubli pendant les élections. Le gouvernement doit donc prendre les grands moyens et adopter un projet de loi qui entrerait en vigueur en 2008. Les universités peuvent attendre encore deux ou trois ans. Pas plus.

SOURCE: *La Presse*, 18 avril 2004, p. A10.

LE GOUVERNEMENT CHAREST A DÉCIDÉ DE CORRIGER LE TIR EN MATIÈRE DE RÉINSERTION DES ASSISTÉS SOCIAUX SUR LE MARCHÉ DU TRAVAIL. LES PÉNALITÉS SERONT REMPLACÉES PAR UNE PRIME À LA PARTICIPATION. COMME LE RÉVÈLE L'ARTICLE SUIVANT, LE GOUVERNEMENT SEMBLE AVOIR COMPRIS QUE LES GENS RÉAGISSENT AUX INCITATIFS.

Tommy Chouinard

QUÉBEC ABOLIT LES SANCTIONS

Québec opère un virage à 180 degrés dans sa philosophie de lutte contre la pauvreté. Le gouvernement Charest privilégie désormais la carotte plutôt que le bâton afin d'inciter les assistés sociaux à réintégrer le marché du travail.

À compter de 2005, Québec abolira les sanctions financières imposées aux assistés sociaux aptes au travail qui refusent de participer à des mesures d'Emploi-Québec. Le gouvernement Charest trace une croix définitive sur une politique — inefficace —

de tolérance zéro. Des mesures incitatives dites positives, comme des primes au travail et à la participation, seront maintenant la norme. Du coup, le Québec se trouve à contre-courant et se distingue clairement du *workfare* adopté ailleurs en Occident, notamment dans les autres provinces canadiennes.

«Au lieu de punir les gens, on y va par l'incitation. Un des axes majeurs et prioritaires de ce plan, c'est la valorisation du travail, de l'effort et de la participation», a affirmé hier le ministre de l'Emploi, de la Solidarité sociale et de la Famille, Claude Béchard, lors d'une conférence au cours de laquelle il a dévoilé le très attendu plan d'action gouvernemental 2004-09 en matière de lutte contre la pauvreté et l'exclusion sociale.

Or, après avoir attendu le dépôt du plan d'action pendant un an, les personnes pauvres devront prendre leur mal en patience une année de plus puisque les mesures seront mises en vigueur en janvier 2005 au plus tôt. Et l'impact du plan d'action est fort inégal. Le revenu disponible des ménages à faible revenu, selon leur situation familiale, augmentera d'aussi peu que 0,5 % mais pourra aller jusqu'à 23 % grâce à ce plan gouvernemental, qui dispose d'une enveloppe budgétaire de 2,5 milliards sur cinq ans.

Conformément à son engagement électoral, le gouvernement Charest établira, à compter du 1er avril 2005 seulement, un barème plancher à l'aide sociale qui protège à 100 % (sauf en cas de fraude ou de remboursement de dette) la prestation de base que reçoit un assisté social apte au travail (533 $ par mois). Un prestataire ne pourra plus voir son chèque mensuel être amputé de 75 à 300 $ parce qu'il refuse de suivre une formation ou d'occuper un emploi qui lui est offert. Environ 15 682 réductions d'aide pour refus d'emploi et de démarches sans motif sérieux ont été imposées en 2003, comparativement à 15 592 en 2002. Au total, l'ensemble des prestataires a été privé d'une dizaine de millions chaque année. Cette somme sera dorénavant retranchée du budget du ministère.

En juillet dernier, le programme «Place à l'emploi» prévoyait le recours systématique aux pénalités (des sanctions prévues à la loi depuis 1999) avec des résultats fort décevants. Claude Béchard corrige le tir. «On a décidé de faire confiance aux gens, de donner toutes les chances possibles pour que les gens se prennent en main», a-t-il expliqué.

Les mesures incitatives sont améliorées. Dès janvier 2005, l'allocation d'aide à l'emploi — dorénavant appelée «prime à la participation» — passera de 130 à 150 $ par mois. Cette prime est versée aux prestataires qui prennent part aux mesures actives d'Emploi-Québec, par exemple une formation ou un stage. Elle vise à soutenir les efforts de réinsertion en emploi des assistés sociaux puisqu'elle permet de couvrir certains frais liés à la participation, comme le transport, les vêtements additionnels ou les repas pris à l'extérieur. Il s'agit d'un investissement de 129 millions de dollars en cinq ans mais de seulement deux millions au cours de la présente année financière. Québec entend porter de 17 000 à 25 000 le nombre de personnes qui profitent d'une telle prime.

Le gouvernement Charest souhaite ainsi démontrer qu'il est plus profitable d'intégrer le marché de l'emploi. «Peut-être des gens vont-ils dire qu'on n'augmente pas la prestation de base d'aide sociale. Mais à chaque fois qu'une personne va faire un pas, l'aide financière va augmenter. C'est l'approche qu'on a choisie», a dit le ministre. [...]

Si les mesures entrent en vigueur seulement à partir de 2005, c'est que le gouvernement doit apporter des amendements législatifs à la Loi sur la sécurité du revenu. Des consultations auront lieu en août et en septembre. L'adoption des amendements sera faite à la fin de l'année.

SOURCE: *Le Devoir*, 3 avril 2004, p. A1.

CHAPITRE 3

CES DEUX ARTICLES MONTRENT QUE LES AVANTAGES COMPARATIFS NE SONT PAS IMMUABLES. LE PREMIER ARTICLE RÉVÈLE QUE, MALGRÉ LA CONCURRENCE QUE LUI LIVRE L'ASIE, L'INDUSTRIE QUÉBÉCOISE DU VÊTEMENT PEUT TOUJOURS TIRER SON ÉPINGLE DU JEU. LE SECOND ARTICLE SUGGÈRE QUE L'AVENIR DE L'INDUSTRIE CANADIENNE DU TEXTILE PASSE PEUT-ÊTRE PAR LES TEXTILES TECHNIQUES.

Marie Tison

L'INDUSTRIE DU VÊTEMENT ET DU TEXILE AU QUÉBEC
DES STRATÉGIES POUR SURVIVRE

Récemment, Claudel Lingerie a célébré le départ à la retraite d'une styliste chevronnée. Pour l'occasion, celle-ci a dressé la liste des entreprises où elle avait déposé des demandes d'emploi au début de sa carrière. Une seule de ces entreprises existe encore : Claudel.

«Notre succès a été dans notre flexibilité, notre capacité d'adaptation, déclare le président de Claudel, Michel Lapierre. Nous sommes comme de la plasticine, nous avons toujours su nous adapter.»

Face aux importations étrangères, l'industrie québécoise du vêtement a dû adopter une variété de stratégies pour survivre. Elles diffèrent selon les entreprises, mais elles ont en commun la créativité et la rapidité de réaction.

«Il faut être vite sur nos patins», lance Ève Grenier, vice-présidente à la direction de C.J. Grenier, un manufacturier de sous-vêtements et de maillots de bain pour dames qui emploie 200 personnes à Montréal et à Saint-Jean-sur-Richelieu.

Comme l'industrie québécoise ne peut concurrencer les importations au chapitre des prix, elle doit faire valoir ses avantages, à commencer par sa proximité du marché américain, qui accueille en moyenne 40 % de sa production. Qui dit proximité, dit rapidité de réaction.

« Nous pouvons concevoir un nouveau modèle et le livrer en trois ou quatre mois, indique Mme Grenier. L'Asie ne peut pas faire ça. Les engagements s'y prennent 12 mois d'avance.»

Elle note cependant que, pour arriver à respecter ce délai, il faut «une discipline et des acrobaties internes assez incroyables».

L'industrie québécoise peut également se faire valoir en visant des créneaux particuliers et en offrant des petits volumes qu'il ne serait pas vraiment rentable de faire fabriquer à l'étranger. C'est une stratégie qui a toutefois ses limites.

«Lorsqu'on parle de créneaux, de produits à prix élevés, on parle de pointes de tarte plus étroites», fait remarquer Elliot Lifson, président de la Fédération canadienne du vêtement et vice-président du conseil d'administration de Peerless, un manufacturier de vêtements pour hommes.

Claudel a pris le taureau par les cornes en créant de toutes pièces un programme de partenariat avec les détaillants de vêtements. En vertu de ce programme, les détaillants n'ont pas besoin de payer le manufacturier tant que les vêtements de Claudel ne sont pas vendus aux clientes. En outre, si les produits se vendent difficilement, Claudel participe au processus de soldes en assumant une partie de la réduction des prix. Les risques sont donc partagés.

«C'est devenu un véhicule attrayant, même pour les détaillants qui font leur propres marques, affirme M. Lapierre. Ce programme a été la clé de notre survie dans ce marché où les marques privées sont de plus en plus présentes.»

Le programme offre à Claudel un autre avantage : celui d'avoir des données semaine après semaine sur l'état des ventes chez les détaillants, depuis la boutique indépendante jusqu'au grand magasin. Cela complète les informations fournies par la chaîne de 30 boutiques Liliane qui appartiennent directement à Claudel. L'entreprise emploie 300 personnes dans ces boutiques et 125 personnes dans son usine de fabrication.

«Alors que, dans l'industrie, on obtient généralement des informations sur les préférences des acheteuses des détaillants, j'ai des informations sur les préférences des consommatrices elles-mêmes», note M. Lapierre.

Comme dernière stratégie, il reste à faire effectuer une partie de la production à l'étranger, ce qui permet de réduire les coûts. Aux dépens, évidemment, de l'emploi au Québec.

SOURCE : *La Presse*, 10 avril 2004, cahier Affaires, p. 4.

L'AVENIR APPARTIENT AUX TEXTILES TECHNIQUES

Marie Tison

Les textiles techniques ont le vent dans les voiles. C'est le secteur le plus dynamique de l'industrie du textile, celui qui est le plus porteur de croissance.

Selon la firme anglaise David Rigby Associates, le marché mondial des textiles techniques devrait augmenter de 4 % par année d'ici 2010.

Le Québec pourrait cependant manquer le bateau. Dans le passé, l'industrie québécoise du textile a plutôt eu tendance à se concentrer sur un secteur à maturité, celui des tissus. La fabrication de tissus, par tissage ou tricotage, représente environ 70 % de la production de l'industrie québécoise.

Or, ce secteur fait face à des défis importants. Le 1er janvier prochain, les derniers quotas sur l'importation de textiles et de vêtements disparaîtront (pour laisser cependant un certain nombre de tarifs). On peut s'attendre à ce que l'Asie, en particulier la Chine, s'empare d'une portion de plus en plus importante du marché des textiles vestimentaires.

C'est peu à peu que le Québec se tourne du côté des textiles techniques, des textiles non tissés qui sont utilisés dans diverses industries pour la filtration, l'absorption de bruits ou de fluides, l'isolation, le drainage, etc. Ainsi, sur les 17 500 employés de l'industrie québécoise du textile, environ 3 000 œuvrent à la fabrication de textiles techniques.

L'entreprise beauceronne ADS fait partie de ceux qui misent sur ces textiles. Environ la moitié de son chiffre d'affaires de 100 millions de dollars provient de ce secteur, l'autre provenant de la production de matériaux composites.

«Dans le textile, il faut avoir une valeur ajoutée, un contenu technique, des applications spécifiques, des caractéristiques autres qu'une couleur et une texture, affirme le président et chef de la direction d'ADS, Guy Drouin. C'est ce qui définit les textiles techniques.»

Le marché des textiles techniques est si prometteur qu'ADS entend se retirer des matériaux composites, qui ont aussi un très bel avenir, pour se concentrer sur eux.

«Ce n'est pas encore un secteur très développé au Canada, indique M. Drouin. Il s'agit d'une technologie coûteuse en fait d'équipement qui n'est pas nécessairement facile à maîtriser.»

L'Asie est également présente dans ce secteur, surtout lorsqu'on parle de produits pour le marché de masse, comme les tampons à démaquiller.

«Il faudra aller plus loin dans le développement de produits et faire de la transformation, déclare le

président d'ADS. Il ne faut pas se limiter à faire des produits de base.»

SOURCE: *La Presse*, 10 avril 2004, cahier Affaires, p. 4.

CHAPITRE 4

LES DEUX ARTICLES SUIVANTS EXPLIQUENT COMMENT LES MARCHÉS ÉVOLUENT AU FIL DU TEMPS. LE PREMIER ARTICLE REND COMPTE DES TRANSFORMATIONS DANS LE MARCHÉ DE LA MUSIQUE. LE SECOND ARTICLE MONTRE LES EFFETS DES NOUVELLES TECHNOLOGIES SUR LE MARCHÉ DU DISQUE COMPACT.

Jacques Benoit

LA MUSIQUE EN MUTATION... L'INDUSTRIE DU DISQUE AUSSI

MALGRÉ LA BAISSE CONTINUE DES VENTES, LA MUSIQUE SE PORTE BIEN. L'industrie de la musique enregistrée est entrée dans une nouvelle phase de mutation, comme ce fut déjà le cas lors de la transition du disque noir, en vinyle, au disque compact (CD).

Telle est du moins l'opinion – éclairée – de la présidente-directrice générale du Groupe Archambault, Nathalie Larivière.

«Moi, je crois que la Musique avec un grand M va mieux que jamais, explique-t-elle. Il y a plus d'élèves inscrits aux écoles de musique que jamais, on en consomme plus que jamais. C'est le CD qui a décliné depuis trois ans. La tendance s'en va vers un modèle numérique.»

Autrement dit, alors que les grands groupes tels que EMI, Universal Music et Sony sont aux abois à cause du recul marqué de leurs ventes à l'échelle mondiale (– 20 % depuis 2000), le marché a déjà commencé à s'ajuster.

Lancées pour de bon par iTunes, filiale d'Apple, il y a un an, les ventes en ligne de chansons, mais aussi de morceaux de musique classique, de jazz, etc., restent toutefois encore bien minces par rapport aux ventes globales de CD dans le monde (qui sont de 32 milliards US, selon la International Federation of the Phonographic Industry, ou IFPI, de Londres).

Tarif standard

iTunes, dont les ventes atteignent aujourd'hui 2,5 millions d'unités par semaine, a imposé un tarif standard, soit 99 cents US par pièce.

«Avant iTunes, on s'abonnait à un site et on avait droit à une partie du catalogue. Ce sont les majors qui

ont lancé ces sites, sans beaucoup de succès. Là, c'est à la pièce. L'abonnement était peut-être vu comme quelque chose de trop compliqué.»

«Mais c'est marginal comparativement aux ventes totales», note l'économiste et analyste Annie Provencher, de l'Adisq (Association du disque et de l'industrie du spectacle du Québec), organisme dont sont membres tous les joueurs québécois de l'industrie du disque – sauf les grands groupes – dont les maisons de disques, les distributeurs, les disquaires, etc.

N'empêche, le créneau est de plus en plus encombré. «Il y a Napster qui est revenu (réseau d'échange de fichiers), souligne l'économiste. iTunes, Musicmatch, même Wal Mart propose un service semblable.»

Il y aussi la maison de disques EMI, qui commercialise par Internet 175 000 morceaux.

Deux joueurs

Au Canada, deux joueurs, déjà, se disputent la clientèle. À savoir Puretracks, de Toronto, et... www.archambaultzik.com, qu'exploite Archambault (filiale de Quebecor Media) depuis la mi-janvier.

«C'était important pour nous d'occuper la place avant que Apple ouvre son site ici, indique Nathalie Larivière. Ils veulent être en France avant la fin de l'année.»

Archambaultzik.com dispose d'un catalogue de 180 000 titres, précise-t-elle, et a pour objectif d'avoir porté ce nombre à 300 000 au mois de mai. «Vous entrez dans un site sécurisé, vous avez un immense juke-box devant vous, vous sélectionnez le genre de musique que vous voulez, vous choisissez votre pièce, et vous la transférez sur votre outil: soit un CD vierge, soit que vous la laissez sur votre disque dur, soit que vous la transférez sur un baladeur numérique», explique-t-elle.

Le tout au même prix, mais en monnaie canadienne, que iTunes, soit 99 cents par pièce, plus les taxes habituelles (TPS et TVQ).

Ainsi, dit-elle, tous les intéressés (maisons de disques, artistes, etc.) touchent leur dû, alors que le téléchargement illégal a «un effet destructeur».

«Il nous reste à trouver une stratégie commerciale pour attirer des clients», ajoute-t-elle.

Impossible de lui faire dire, toutefois, comment vont les ventes. À cause, bien sûr, du concurrent torontois. «Les débuts en janvier ont été timides. Puis, en février, on a fait quatre fois plus de transactions», se contente-t-elle de noter.

Selon elle, la transition vers le numérique se fera sur une période de 10 ans, comme cela se produisit lors du passage du disque noir au CD. «On tient encore du vinyle, qu'on vend à des DJ, et on va tenir encore du CD», dit-elle.

Les données sur les habitudes de consommation des jeunes de 12 à 17 ans donnent à croire que ce saut vers le numérique est chose tout à fait possible.

Selon en effet un sondage Ipso Reid, 45 % des jeunes de ce groupe d'âge ont téléchargé des pièces musicales en 2002. Puis, l'an passé au Québec, cette proportion a grimpé à 70 %, selon le sondage NETados 2003, de Léger Marketing.

Bref, le bassin de clients potentiels grossit.

Pendant ce temps, le CD est durement malmené, quoiqu'il bénéficie en ce moment d'une embellie.

Source: *La Presse*, 17 avril 2004, cahier Affaires, p. 5.

LA DESCENTE AUX ENFERS DU DISQUE COMPACT

Jacques Benoit

En baisse de 20 % depuis l'an 2000 à l'échelle mondiale, les ventes de disques compacts ont glissé encore davantage au Canada et aux États-Unis, soit de 28 % au cours des trois dernières années.

Chose assez curieuse, toutefois, c'est seulement depuis 2002 qu'elles diminuent au Québec, alors que le recul est en marche dans l'ensemble du Canada depuis 1999.

Pourquoi? «Si l'on présume que le téléchargement est le principal responsable de la baisse, on peut penser que c'est à cause de la pénétration d'Internet qui a été plus lente au Québec que partout au Canada», fait remarquer l'économiste Annie Provencher, de l'Adisq.

Disquaire depuis 30 ans, Bertrand Ferland, de Bertrand Musique, rue Ontario Est à Montréal, évalue ainsi à 20 % la diminution de ses ventes par rapport à ce qu'elles étaient à leur sommet.

«Tout le monde copie! lance-t-il. Les gens te le disent en pleine face. Tout le monde a un ordinateur chez eux.»

Les choses ne sont pas si simples, aux yeux d'Annie Provencher. «Personne ne s'avance à départager les causes exactement, dit-elle. Il y a la compétition des DVD, qui est un nouveau support. Il y a le téléchargement. Aussi la situation économique. Aux États-Unis, il y a une reprise des ventes de CD que là-bas on attribue aux poursuites contre les gens qui téléchargent illégalement.»

Même chose au Québec et dans l'ensemble du Canada où les ventes, en nombre de disques vendus, ont progressé respectivement de 4 % et de 3,7 % du 1er janvier au 11 avril, selon les données (très fiables) de la société américaine Soundscan. (Laquelle compile ses données grâce à la captation des ventes réelles par le moyen de dispositifs intégrés aux caisses enregistreuses.)

Comment expliquer ce rebond, alors que les ventes avaient partout fléchi en 2003?

Pour ce qui est du Québec, explique la PDG du Groupe Archambault, Nathalie Larivière, «c'est parce qu'il y a plus de nouveautés, et plus de nouveautés performantes. Et la part de la musique francophone est légèrement en hausse».

Ainsi, l'album de Marie-Élaine Thibert, découverte par l'émission Star Académie, a enregistré le score de 158 000 disques vendus au cours des deux dernières semaines, ce qui en a fait pour cette période le succès numéro un au Canada...

«On consomme plus de musique en français depuis Star Académie, dit Nathalie Larivière. L'émission fait la promotion des artistes francophones.»

Le marché canadien du disque compact s'établit aujourd'hui, aux prix de détail, à un peu moins de un milliard de dollars, dont environ 270 millions au Québec.

Mais le CD tendant à toujours reculer, les disquaires se diversifient et beaucoup vendent désormais également des DVD, quand ce n'est pas des livres, ou encore – comme Archambaultzik.com – de la musique en ligne.

«J'achète à peu près 25 exemplaires d'un même titre en DVD, et je les vends tous, dit à ce sujet Bertrand Ferland. Mais pour un nouveau CD d'une chanteuse, je vais en acheter deux ou trois, et je vais répéter. Marie-Élaine, ça a été une exception, j'achète à coups de 50 exemplaires.»

À quoi aboutira finalement le marché? «Ultimement, à une dématérialisation complète de tous les formats, incluant la vidéo, répond à cela le grand patron de la société de distribution Select, du Groupe Archambault, Pierre Rodrigue.

La seule raison pour laquelle la vidéo résiste, c'est qu'elle est trop lourde. Télécharger une chanson prend quelques secondes, un album, quelques minutes, un film, quelques heures.

Le jour où un film va se télécharger à la même vitesse qu'un album, il va lui arriver la même chose qu'au CD. »

Source: *La Presse*, 17 avril 2004, cahier Affaires, p. 5.

CHAPITRE 5

Même si le PIB et le bien-être économique sont des concepts différents, cet ouvrage considère qu'ils sont étroitement liés dans la pratique. L'article suivant défend l'opinion contraire. Un groupe de réflexion demande aux Canadiens ce qu'ils pensent de la « qualité de vie ».

Kathryn May

LE PIB ET LE BIEN-ÊTRE ÉCONOMIQUE

Une étude réalisée par les Réseaux canadiens de recherche en politiques publiques (RCRPP) donne à penser que la prospérité et la croissance économique ne comptent pas aux yeux des Canadiens pour évaluer leur qualité de vie.

Ils considèrent plutôt qu'une économie prospère représente le moyen de parvenir à cette qualité de vie. Pour évaluer la qualité de vie, les personnes interrogées énumèrent, par ordre de priorité, les quatre éléments suivants : les soins de santé, l'éducation, l'environnement et les programmes sociaux, suivis par des valeurs plus générales comme l'implication sociale, les droits de la personne, la démocratie et la liberté.

« Les Canadiens n'accordent pas de valeur en soi à une économie performante », déclare Karen Jackson du RCRPP. « On ne valorise l'économie que par ses résultats, tel un salaire suffisant. Les gens veulent disposer d'un revenu pour régler leurs factures et faire vivre leur famille. »

Cette étude, financée par les gouvernements fédéral et provinciaux, représente la première étape d'une mise en commun des indicateurs de la qualité de vie, qui permettraient de mesurer ce qui importe aux Canadiens.

Les hommes politiques de tous les paliers de gouvernement nous abreuvent de discours sur la qualité de vie, mais il n'existe aucune façon de l'évaluer.

Jusqu'à présent, la qualité de vie se mesurait grâce à des indicateurs économiques, soit l'augmentation du PIB, l'indice des prix à la consommation, le taux de chômage ou la productivité. Karen Jackson considère que ces indicateurs sont adéquats pour faire état de l'activité économique, mais qu'ils n'indiquent nullement la distribution des richesses, ni qui en bénéficie.

Autrement dit, ces indicateurs économiques traditionnels ne nous renseignent pas sur la qualité de l'air, sur la santé, sur la disponibilité de logements à prix abordable, sur la sécurité dans les rues et les quartiers, ni sur la qualité de l'éducation.

Le premier ministre Jean Chrétien se réfère souvent à l'indice de développement humain des Nations Unies, qui indique que le Canada se place dans les premiers rangs des pays où il fait bon vivre. Cet indice, qui compare la qualité de vie globale de 174 nations, se limite à recenser l'espérance de vie, le niveau d'éducation, et le PIB par habitant.

L'étude du RCRPP, fondée sur 350 entrevues avec des Canadiens, constitue une première étape cruciale dans l'établissement des critères que les Canadiens considèrent comme essentiels à une bonne qualité de vie. À l'étape suivante, cet institut à but non lucratif collaborera avec Statistique Canada afin de mettre au point une série d'indicateurs expérimentaux.

Cette recherche a été réalisée en octobre lors de séances de trois heures avec des Canadiens sélectionnés au hasard dans cinq groupes clés : les jeunes, les ruraux, les urbains, les « influenceurs » (incluant les décideurs dans le domaine politique et économique) et les personnes « difficiles à rejoindre » (incluant les personnes à faible revenu, les sans-abri et les handicapés).

Les réponses de tous les groupes, quels que soient leur revenu ou leur provenance géographique, se ressemblent de façon frappante. Tous ont mentionné au rang de priorités l'éducation primaire et secondaire, l'accessibilité aux soins de santé, la sécurité publique, la qualité de l'air et de l'eau, la sécurité d'emploi, un salaire suffisant, des programmes sociaux, un meilleur équilibre entre le travail et la famille, une participation communautaire et des programmes pour les enfants.

Les ruraux, les influenceurs et les personnes difficiles à rejoindre ont sélectionné la croissance économique comme étant prioritaire. Tous les groupes ont mentionné qu'un « salaire suffisant » était également essentiel pour leur permettre de couvrir leurs dépenses et de faire vivre leur famille.

La qualité de vie n'a cependant pas forcément préséance sur les facteurs économiques. De nombreuses personnes ont mentionné «l'exode des cerveaux» provoqué par la grande disparité de revenu entre le Canada et les États-Unis pour un même emploi, en faisant remarquer que certains Canadiens avaient sacrifié leur qualité de vie et s'étaient expatriés pour des raisons économiques.

SOURCE: *The Edmonton Journal*, 28 décembre 2000, p. A3.

DANS CET ARTICLE, LES ÉDITEURS DE LA REVUE *THE ECONOMIST* ÉVOQUENT LA POSSIBILITÉ QUE L'ÉCONOMIE INFORMELLE SOIT BEAUCOUP PLUS IMPORTANTE QU'ON NE LE CROIT GÉNÉRALEMENT.

L'ÉCONOMIE INFORMELLE

DANS L'OMBRE: L'ÉCONOMIE INFORMELLE N'EST NI PETITE NI PEU IMPORTANTE

Avez-vous déjà payé comptant un entrepreneur qui faisait des travaux sur votre maison? Ou embauché une gardienne, sans déclarer cette transaction au fisc?

Si c'est le cas, vous avez peut-être participé à ce que les économistes appellent l'économie «souterraine» ou «informelle». Cette économie comprend les activités légales, mais non déclarées au fisc, ou pour lesquelles les participants ne se conforment pas à la réglementation. L'économie souterraine est quelquefois définie d'une manière plus large, lorsqu'on y inclut les activités illégales telles la prostitution et la vente de drogues.

Lorsque l'on parle d'économie informelle, on imagine souvent qu'elle est surtout limitée à des activités dans des pays peu développés, comme des étals de bord de route au Ghana ou en Thaïlande. Rien n'est plus faux. Même si l'économie souterraine représente une plus grande part de la production des pays pauvres, elle existe aussi dans les pays riches. Des recherches récentes tendent à démontrer que cette économie «grise» est en croissance et qu'elle est peut-être en train de ralentir la croissance économique des pays en développement.

Mesurer l'invisible

En raison de sa nature même, l'économie informelle est difficile à observer. Dans un article paru il y a deux ans, Friedrich Schneider, de l'Université Johannes de Linz, s'est intéressé aux méthodes permettant de la mesurer. Il y a deux approches distinctes. La première est directe: on peut demander aux contribuables s'ils négligent de payer leurs taxes, ou examiner les résultats des vérifications effectuées par le ministère du Revenu. Cependant, les gens sont peu portés à confesser leurs fraudes fiscales et les inspecteurs du fisc ne contrôlent pas les déclarations de revenus de façon aléatoire. La seconde méthode, indirecte, est donc meilleure. Par exemple, on pourrait comparer les données sur les transactions en argent comptant ou la consommation d'électricité avec la valeur du PIB officiel. Si l'utilisation du numéraire ou de l'électricité augmente beaucoup plus rapidement que l'économie visible, la part de l'économie informelle est probablement en train d'augmenter.

En utilisant de telles techniques, M. Schneider a estimé que l'économie informelle dans les pays en développement équivalait en 2000 à 41 % de leur PIB officiel. Au Zimbabwe, il s'agissait de 60 %. Au Brésil et en Turquie, environ la moitié des travailleurs non agricoles sont actifs dans le secteur informel. Dans les pays de l'Organisation de coopération et de développement économiques (OCDÉ), la part de l'économie informelle était inférieure, mais quand même importante, soit 18 % du PIB.

On sait pourquoi l'économie informelle existe: il existe de nombreux avantages à opérer dans l'ombre. Premièrement, on ne paie pas d'impôts sur le revenu. De plus, en évitant de payer les taxes sur la masse salariale, qui créent un fossé entre le revenu effectif des travailleurs et les coûts salariaux des employeurs, on peut à la fois augmenter le salaire et réduire les coûts des employeurs. Finalement, on peut économiser beaucoup d'argent en ignorant la réglementation sur la sécurité, l'environnement et la santé ou les droits de propriété.

En effet, dans des études comparatives internationales, on découvre que plus les taxes et les réglementations sont coûteuses et compliquées, plus le secteur informel est important par rapport au PIB. Cela explique pourquoi, parmi les pays développés, l'Espagne, la Grèce, l'Italie et la Belgique ont certaines des économies informelles les plus importantes, alors que le Canada, les États-Unis et la Suisse en ont de beaucoup plus petites. Récemment, la croissance de l'économie souterraine dans plusieurs pays pauvres a peut-être été encouragée par les programmes d'austérité du Fonds monétaire international (FMI), qui amènent les gouvernements à augmenter les taxes et les entrepreneurs à sortir de l'économie officielle.

Une économie souterraine en plein essor semble donc être une bonne nouvelle, ne serait-ce que parce que les chômeurs officiels y gagnent des revenus. Si les pauvres y gagnent, qui perd?

En fait, l'économie entière y perd, selon une nouvelle étude de Diana Farrell, du McKinsey Global Institute, le groupe de recherche de la firme de consultation du même nom. Le prix à payer pour une économie souterraine importante est peut-être une réduction de la productivité globale de l'économie. Les firmes de ce secteur sont en général petites et ne veulent pas grandir, pour ne pas attirer l'attention des autorités. Leur petite taille limite leur accès aux nouvelles technologies et aux nouvelles pratiques de gestion.

En Russie, par exemple, les grands supermarchés ont un avantage de coût de 5 % sur les petits commerces, en raison des économies d'échelle. Mais les commerces informels économisent 13 % en restant dans l'ombre. Autrement dit, les avantages d'une échelle de production plus importante, sur le plan de la productivité, sont plus que compensés par des taux de taxation plus élevés. Pour cette raison, certaines industries, surtout celles qui sont intensives en main-d'œuvre, demeurent fragmentées et inefficientes.

Mme Farrel estime qu'intégrer le secteur informel dans l'économie officielle permettrait d'augmenter le taux de croissance de la productivité de 0,8 % au Portugal et de 1,5 % en Turquie et au Brésil. Le secteur brésilien de la construction y gagnerait, par exemple, car les entrepreneurs n'auraient plus besoin d'embaucher de vigiles pour avertir les travailleurs illégaux de disparaître lorsque des inspecteurs du gouvernement approchent des chantiers.

Élargir la base fiscale, couper les taux et s'assurer que tous paient leurs taxes et leurs impôts serait un bon début. Mme Farrell fait remarquer que, si le gouvernement turc parvenait à collecter 90 % des revenus de la taxe à la valeur ajoutée (TVA), plutôt que les 64 % actuels, il pourrait réduire le taux de 18 % à 13 %, et ce, sans sacrifier de revenus fiscaux. Elle note aussi que le gouvernement du Brésil dépense 30 % de son PIB (officiel), soit un peu plus qu'aux États-Unis actuellement, et immensément plus que le 7 % que les Américains dépensaient en 1913, alors que leur PIB réel par habitant était à peu près le même que celui du Brésil aujourd'hui. Malgré cela, il n'y a que quatre inspecteurs du fisc pour un million d'habitants au Brésil. Si les taux de taxation demeurent élevés et la probabilité de détection reste faible, les activités souterraines continueront à être populaires.

SOURCE: *The Economist*, 17 juin 2004.

CHAPITRE 6

> BIEN DES GENS EN SONT CONVAINCUS, MAIS PAS CE JOURNALISTE: SOYEZ ATTENTIFS AUX ÉLÉMENTS SUR LEQUELS IL BASE SON ARGUMENTATION.

Bruce Little

LE PRIX DU PÉTROLE EST-IL VRAIMENT ÉLEVÉ?

LE BRUT À 41 $: LOIN D'ÊTRE CHER

Le pétrole flirte avec un prix de 41 $US le baril, mais la hausse récente est loin de se comparer avec les grands chocs des trente dernières années, selon les économistes. Et cela signifie que le dommage causé à l'économie sera sans doute faible.

«Nous sommes très loin de la zone de choc pétrolier», selon Earl Sweet, économiste en chef adjoint à la Banque de Montréal. «Le prix réel du pétrole est insignifiant lorsqu'on le compare à celui de la fin des années 70 et du début des années 80.»

Lors du dernier grand choc pétrolier, en 1979-80, le prix du brut (en dollars de 2004) était le double du prix actuel (soit environ 80 $ le baril). Pire, il avait plus que doublé par rapport au prix moyen des cinq années précédentes. Les économies avaient donc dû s'ajuster à toute vapeur à cet énorme changement de prix. En 1973, le prix du pétrole avait quadruplé en seulement quelques mois.

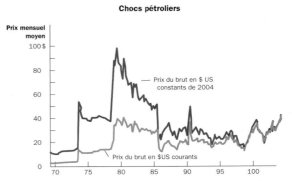

Chocs pétroliers

SOURCES: Thomson Data Stream; Prix spot moyen du FMI jusqu'en février 1982; Prix du West Texas Intermediate à partir de mars 1982.

Durant les dernières semaines, le prix moyen du baril oscillait à environ un tiers de plus que le prix d'il y a un an. Un calcul simple montre que le prix du brut devrait quadrupler, à partir de son niveau actuel, pour reproduire l'effet récessionniste du choc pétrolier d'il y a 25 ans: le prix devrait doubler pour tout simplement revenir à son niveau réel de 1979, puis doubler à nouveau pour reproduire la même hausse réelle qu'à cette époque. Ce saut nous amènerait à un prix d'environ 160 $ le baril.

SOURCE : *The Globe and Mail*, 15 mai 2004, p. B5.

SENSIBLE AUX CRITIQUES DE PLUSIEURS ÉCONOMISTES QUI CROIENT QUE L'IPC SURESTIME LE COÛT DE LA VIE, LE DÉPARTEMENT AMÉRICAIN DU TRAVAIL INTRODUIT UN NOUVEL INDICE DES PRIX À LA CONSOMMATION.

Greg Ip

UN NOUVEL IPC AUX ÉTATS-UNIS

WASHINGTON – Le département du travail publiera, dès cet été, un nouvel indice des prix à la consommation en réponse aux critiques qui considèrent que l'IPC actuel surestime l'inflation.

La nouvelle statistique, appelée « indice des prix à la consommation "en chaîne" », permettra de mieux mesurer les substitutions que font les consommateurs lorsque les prix relatifs des biens fluctuent. Ce nouvel indice, qui ne remplacera pas l'IPC actuel, sera une addition aux différentes mesures du coût de la vie. Des recherches entreprises au Bureau of Labor Statistics (BLS) suggèrent que le taux d'inflation annuel serait de 0,1 % à 0,2 % plus faible s'il était mesuré à l'aide du nouvel indice.

Plusieurs chercheurs académiques et décideurs, tel que le Président de la Fed, M. Alan Greenspan, croient que l'IPC surestime le changement dans le coût de la vie, et ce, pour plusieurs raisons. Ces raisons incluent un ajustement insuffisant pour tenir compte de l'amélioration de la qualité des produits, l'introduction de nouveaux produits, ainsi que la tendance à acheter dans des magasins à prix coupés et à se tourner vers des biens et services relativement moins chers.

Le nouvel IPC en chaîne, que le BLS commencera à publier en août, à l'aide de données de juillet, tentera de régler ce dernier problème, appelé « biais de substitution ».

Par exemple, si le prix des cigarettes augmentait fortement entre 1998 et 2002, alors que le prix des téléphones cellulaires diminuait, les gens auraient sans doute tendance à moins fumer en 2002 et à parler plus sur leurs cellulaires. Utiliser un panier de biens de 1998 (une estimation des dépenses de consommation du ménage moyen) nous ferait surestimer l'impact de la hausse du prix des cigarettes et sous-estimer l'effet de la baisse du prix des cellulaires : l'inflation serait donc surestimée. Le nouvel indice utilise une formule qui permet d'ajuster la pondération des différents biens et services.

L'IPC est une mesure controversée, car il est utilisé par le gouvernement pour indexer les paiements de la Sécurité sociale et les tables d'impôts. Il est aussi mis à profit dans les ententes contractuelles privées, entre autres dans les clauses de vie chère. En 1996, une commission d'enquête présidée par Michael Boskin, président du Council of Economic Advisers sous le premier président Bush, concluait que l'IPC surestimait l'inflation d'environ 1,1 % par année. Parmi ses recommandations, la commission suggérait que l'IPC soit modifié pour tenir compte du biais de substitution.

SOURCE : *The Wall Street Journal*, 21 février 2001.

CHAPITRE 7

DÉMOCRATIE ET CROISSANCE ÉCONOMIQUE

Quelle est l'importance de la démocratie pour la croissance économique ? Par l'entremise de plusieurs travaux bien connus, l'économiste Mancur Olson a démontré l'importance de la nature du pouvoir politique et son influence sur le comportement économique pour expliquer les disparités économiques entre les pays. Selon lui, la démocratie constitue un élément clé pour assurer une croissance économique soutenue.

Loin de l'anarchie

En 1998, juste avant sa mort, Mancur Olson a publié un nouvel ouvrage, *Power and Prosperity: Outgrowing Communist and Capitalist Dictatorships*.

Dans ce livre, de même que dans ses autres travaux forts connus – *The Logic of Collective Action* et *The Rise and Decline of Nations* –, Olson affronte un problème de taille qui rebute bien des économistes : comment expliquer que certains pays prospèrent tandis que d'autres stagnent ? Ce livre débute par la métaphore mémorable d'Olson sur les dirigeants et les voleurs.

Tout au long de l'histoire mondiale, Olson fait remarquer qu'il valait mieux vivre sous un régime tyrannique que d'être à la merci de guerriers-voleurs. De fait, la soumission à un gouvernement autocratique a marqué la première étape des peuples sur le chemin de la civilisation.

Mais cela pose problème. En tenant pour acquis que le tyran et le voleur appartiennent à la même espèce, puisqu'ils s'emploient tous deux à exploiter au maximum les autres, pourquoi l'une de ces deux exploitations serait-elle préférable ? Selon Olson, un tyran possède un intérêt « intrinsèque » direct à voir prospérer ceux qu'il exploite, puisqu'il en soutire des impôts et des redevances de toute nature. Ainsi, une fripouille au pouvoir lève des impôts peu élevés à court terme pour stimuler la croissance et augmenter ses revenus à long terme, alors qu'un bandit de grand chemin se limite à piller et à prendre le large. En poussant le raisonnement un peu plus loin, le tyran ira même jusqu'à produire des biens collectifs afin de stimuler encore plus la croissance et de s'enrichir davantage.

En conséquence, pour les victimes, un autocrate est préférable à l'anarchie. Qu'en est-il de la démocratie ? Imaginons, pour les besoins de la démonstration, qu'un gouvernement se limite à prendre des décisions dans l'intérêt de la majorité qui l'a mis au pouvoir et que, en même temps, il exploite sans aucun scrupule les minorités. Ce type de démocratie serait malgré tout préférable à une tyrannie du point de vue économique. En effet, un tel type de démocratie sauvage aurait un intérêt intrinsèque dans la société plus important qu'une simple tyrannie.

Pourquoi ? Parce que le gouvernement qui agit en faveur de la majorité devrait assurer la redistribution des revenus de taxation, cette majorité bénéficiant donc d'une augmentation des revenus, non seulement indirectement, grâce à la redistribution des richesses, mais aussi en raison des bénéfices directs provenant des biens publics.

Les incitatifs qui conduisent un tyran à limiter ses exactions ont des effets encore beaucoup plus marqués dans le cadre d'une démocratie. Plus la majorité dont le gouvernement doit tenir compte est importante, plus les intérêts communs se multiplient. Les constitutions qui obligent à la formation de super-majorités en viennent à créer ce qu'Olson nomme des intérêts « superintrinsèques », qui réduisent au minimum les obstacles à la croissance économique de la minorité, tout en garantissant la production de biens publics favorisant la croissance globale. On gardera à l'esprit que ces résultats positifs se fondent sur l'hypothèse que les électeurs n'agissent pas pour le bénéfice de la majorité, mais dans leur seul intérêt.

De tels arguments réfutent la croyance selon laquelle la démocratie est un luxe que seuls les pays riches peuvent se payer. Olson fait valoir qu'au cours de l'histoire, le morcellement du pouvoir politique et l'apparition des gouvernements représentatifs se sont souvent accompagnés d'une accélération de la croissance économique. S'il est vrai que la prospérité conduit à la démocratie, l'inverse, quoiqu'on en dise, est également vrai. L'ouvrage d'Olson examine plus en profondeur les implications de cette hypothèse sur les pays d'Europe de l'Est en transition économique et, plus particulièrement, sur l'ex-Union soviétique.

Dans *Power and Prosperity*, Olson aborde également la question des marchés – et ce qu'il en dit a de quoi laisser perplexe au premier abord. Il fait remarquer que les marchés sont omniprésents, même dans les pays les plus pauvres. Une intervention publique malavisée dans un marché d'un pays pauvre a de mauvaises conséquences. Dans les pays développés également, les gouvernements interviennent souvent d'une manière fort maladroite. Cependant, de mauvaises interventions de l'État ne peuvent expliquer l'abîme économique qui sépare le Mozambique de la Suède.

La différence cruciale réside dans le fait que l'on compare un marché à un autre qui n'existe pas. Dans les pays en voie de développement, les transactions dans les marchés sont automatiquement mises en application, les marchandises s'échangeant sur-le-champ contre de l'argent ou d'autres biens. Par contre, les transactions à distance ou effectuées dans le temps ne sont pas mises en application automatiquement : un contrat impliquant un paiement une semaine plus tard constitue donc un risque pour le vendeur. Si celui-ci ne se fie pas à l'acheteur, rien ne peut garantir leur échange et le marché cesse d'exister. Il s'agit là d'une caractéristique des pays les plus pauvres, soit une absence de définition et un manque de mise en application des droits de propriété ou des contrats. Ces droits, qui permettent l'existence de marchés dans les pays développés, ont favorisé une croissance rapide et constituent, d'une certaine façon, un bien public. Olson attribue de nouveau cette absence de garantie des droits au manque d'intérêt intrinsèque qu'en retirent les gouvernants. Là encore, l'absence de démocratie limitant l'intérêt des gouvernants est à la source des échecs économiques du pays.

Source : *The Economist*, 19 février 2000, p. 74.

L'ÉCONOMISTE JEFFREY SACHS EST UN CONSEILLER AUPRÈS DES GOUVERNEMENTS CHERCHANT À RESTRUCTURER LEUR ÉCONOMIE ET À STIMULER LA CROISSANCE. IL S'EST MONTRÉ FORT CRITIQUE À L'ÉGARD DE LA BANQUE MONDIALE ET DU FONDS MONÉTAIRE INTERNATIONAL (FMI), DEUX ORGANISATIONS CHARGÉES DE CONSEILLER ET D'AIDER FINANCIÈREMENT LES ÉCONOMIES EN ÉMERGENCE. DANS CET ARTICLE, SACHS PROPOSE DES SOLUTIONS POUR PERMETTRE À L'AFRIQUE D'ÉCHAPPER À SA PAUVRETÉ ENDÉMIQUE.

Jeffrey Sachs

UNE SOLUTION POUR L'AFRIQUE

LA CROISSANCE AFRICAINE :
LES SOLUTIONS POSSIBLES

Commençons par la vieille histoire du paysan qui demanda conseil au chaman parce que ses poulets mouraient les uns après les autres. Le prêtre en question lui recommanda de prier, mais les poulets mouraient toujours. Il lui conseilla ensuite de mettre de la musique dans le poulailler, mais cela n'arrêta nullement l'hécatombe. Après mûre réflexion, le prêtre lui proposa de repeindre le poulailler avec des couleurs vives. Cela n'empêcha malheureusement pas les derniers poulets de disparaître. «Quel dommage», fit remarquer le prêtre au paysan, «j'avais encore tellement d'autres bonnes idées».

Depuis leur indépendance, les pays d'Afrique ont souvent demandé conseil, pour améliorer leur croissance économique, aux pays qui les financent – les anciens gouvernants coloniaux et les institutions financières internationales. De fait, depuis la crise de l'endettement des années 80, ce genre de conseil a pris la forme d'une tutelle, et les politiques de nombreux pays africains sont établies au cours des rencontres du Fonds monétaire international, de la Banque mondiale, des donateurs et des créditeurs.

Quel dommage! De si bonnes idées et si peu de résultats. La production par habitant a reculé de 0,7 % par année entre 1970 et 1987, et de 0,6 % entre 1987 et 1994. On estime qu'en 1995, la croissance a finalement atteint 0,6 % – un chiffre très inférieur à celui de beaucoup d'autres pays en voie de développement…

Le FMI et la Banque mondiale seraient certainement exonérés de toute responsabilité pour ces résultats si l'Afrique était structurellement incapable d'atteindre le taux de croissance des autres pays, ou si un immense mystère l'empêchait d'obtenir un taux de croissance normal. Mais la mauvaise performance économique de ce continent n'a rien de bien mystérieux. Elle s'explique par les variables économiques habituelles et les effets de mesures précises et éventuellement modifiables.

Les travaux sur la croissance économique ont démontré que le PIB par habitant dépend des facteurs suivants :
- le niveau de revenu initial du pays, les pays les plus pauvres ayant tendance à croître plus rapidement que les pays riches ;
- l'ouverture face au marché, y compris l'ouverture au libre-échange, la libéralisation du marché intérieur, la propriété privée plutôt que publique, le respect du droit de propriété et de faibles taux d'imposition ;
- le taux d'épargne nationale, lui-même tributaire du taux d'épargne du gouvernement ;
- la géographie du pays et ses ressources naturelles.

Le drame de la croissance à long terme de l'économie africaine se retrouve dans ces quatre facteurs. En raison du faible revenu par habitant, ce continent aurait dû connaître une croissance supérieure à celle des autres pays en voie de développement, grâce à l'effet de rattrapage. Mais il n'en est rien, et l'Afrique vit une stagnation économique explicable en grande partie par des barrières commerciales très importantes, des taux d'imposition élevés, des taux d'épargne faibles et des conditions structurelles difficiles – entre autres, un non-accès direct à la mer (15 des 53 pays africains sont enclavés dans le continent).

Si des mesures gouvernementales sont largement responsables d'une telle situation, pourquoi les a-t-on adoptées? Les origines historiques de la méfiance de l'Afrique par rapport au marché sont faciles à cerner. Après un siècle de pillage colonial, la méfiance des pays africains en regard du marché et des investissements étrangers se comprend fort bien, même si elle est illégitime. Toute intervention étrangère est ressentie comme une menace pour la souveraineté nationale. Le même phénomène s'est produit dans l'Indonésie de Sukarno, l'Inde de Nehru et l'Argentine de Perón, alors que l'autosuffisance, le dirigisme étatique et la nationalisation d'une grande partie de l'industrie constituaient les assises de la philosophie économique, avec pour résultat un isolement causé en grande partie par la volonté des dirigeants…

En 1755, Adam Smith, dans une remarque désormais célèbre, déclarait qu'«il en faut bien peu pour atteindre la plus grande opulence en partant de l'extrême barbarie : il suffit d'avoir la paix, de faibles impôts et une administration raisonnable de la justice». Les conditions de la croissance sont simples et peu nombreuses. Il suffit de s'en souvenir.

Garantir la paix ne semble guère facile, mais les conditions dans l'ensemble du continent sont plus favorables que les gros titres tapageurs des journaux ne le laissent entendre. La plupart des conflits à grande échelle qui ont ravagé le continent sont en voie de se régler… Et les désastres qui perdurent au Liberia, au Rwanda et en Somalie trouveraient plus rapidement des solutions si l'Occident soutenait financièrement les efforts de paix locaux.

Les «faibles impôts» seraient facilement à la portée du FMI et de la Banque mondiale. Mais dans ce domaine, le FMI se montre coupable de légèreté, pour ne pas dire de négligence criminelle. Les pays africains ont besoin d'un régime de taxation simple, avec des objectifs de revenus modestes en pourcentage du PIB. Puisque la croissance dépend avant tout de l'intégration économique au reste du monde, une faible taxation est essentielle. L'isolement économique de l'Afrique sur les marchés internationaux peut cesser rapidement, en abaissant les tarifs douaniers et les taxes d'exportation sur les produits agricoles. De 40 % et plus, taux ayant cours aujourd'hui en Afrique, on devrait faire passer l'impôt sur les sociétés à 30 ou 20 %, comme dans les économies du Sud-Est asiatique, ouvertes sur le monde extérieur.

Adam Smith parlait d'une administration de la justice «raisonnable», mais non parfaite. La libéralisation des marchés constitue la première intervention pour mettre en place un régime de droit. Le libre-échange, la convertibilité de la monnaie et l'incorporation automatique des sociétés permettraient de réduire substantiellement la corruption dans la fonction publique et de laisser le gouvernement se concentrer sur les vrais biens publics: l'ordre public, le système judiciaire, la santé, l'éducation et la stabilité monétaire.

Tout cela serait possible si les gouvernements comprimaient au maximum leurs dépenses. Les économies asiatiques ont montré qu'il est possible de limiter les dépenses de l'État à moins de 20 % du produit intérieur brut (la Chine se débrouille même avec 13 %). On devrait consacrer utilement 5 % du PIB à l'éducation; la santé devrait en absorber un autre 3 %, l'administration publique, 2 % et la police, 3 %. L'investissement public devrait être maintenu à 5 % du PIB, à la condition que le secteur privé prenne en charge les infrastructures de télécommunications, les installations portuaires et l'énergie.

Ce programme exclut bien des domaines d'intervention publique. Il y a peu de place pour les transferts ou les dépenses sociales, hormis l'éducation et la santé. (Néanmoins, selon ma proposition, ces domaines recevraient une bonne part du gâteau, soit 8 % du PIB.) L'aide financière aux sociétés publiques ou aux régies de mise en marché devrait tout simplement disparaître. On ne peut même pas subventionner le logement et l'aide alimentaire des travailleurs urbains. Qui plus est, on ne peut plus assumer les intérêts sur la dette. Les pays africains en faillite doivent repartir sur des bases saines, réduire leur endettement et entreprendre des réformes internes importantes.

SOURCE: *The Economist,* 29 juin 1996, p. 19-21.

JUSTE AVANT DE PRENDRE SA RETRAITE COMME PREMIER MINISTRE DU CANADA, M. JEAN CHRÉTIEN S'EST DÉPLACÉ EN AFRIQUE POUR ASSISTER À UNE RENCONTRE DES CHEFS D'ÉTAT DU COMMONWEALTH. DANS UN DISCOURS, IL A DÉLAISSÉ TOUTE RÉSERVE POUR PARLER DE CE QUE LES DIRIGEANTS DES PAYS PAUVRES PEUVENT FAIRE POUR FAVORISER LE DÉVELOPPEMENT.

« AIDEZ-VOUS VOUS-MÊMES SI VOUS VOULEZ RÉUSSIR! »

ABUJA, NIGERIA – Dans un style frondeur, le premier ministre Jean Chrétien a livré hier un message cinglant devant un important parterre de gens d'affaires, dans la capitale du Nigeria, en fustigeant les régimes corrompus et les multiples conflits qui ne font rien pour créer le climat de confiance nécessaire à l'amélioration de la vie de 800 millions d'Africains.

Prenant la parole devant le Forum des affaires du Commonwealth, qui réunit des chefs de gouvernement et des gens d'affaires, M. Chrétien a tenu à livrer, quelques jours avant son départ à la retraite et à la veille du début de la réunion des chefs de gouvernement du Commonwealth, le fond de sa pensée dans l'un des derniers discours internationaux de sa carrière de premier ministre.

«Dans le cas du Nigeria, en raison des ressources importantes que vous avez, a-t-il lancé, c'est la façon de gouverner qui est très souvent la source des problèmes.» M. Chrétien répondait à un représentant africain, qui lui demandait si le Canada ne devrait pas effacer toutes les dettes des pays pauvres, en particulier celle du Nigeria.

Le premier ministre, dont les propos ont été accueillis par un tonnerre d'applaudissements, a exhorté les dirigeants africains à créer eux-mêmes le climat propre à favoriser les investissements et la richesse.

« L'Afrique est très riche, a-t-il dit. Je n'ai aucun doute dans mon esprit là-dessus. Vous devez avoir accès aux marchés pour vendre vos produits, mais il vous faut de bonnes administrations pour que les gens puissent développer des affaires. Il vous faut de la stabilité politique. Arrêtez ces sacrés conflits que vous avez trop souvent dans certaines parties de l'Afrique ! Il vous faut un système qui remédie à cela. C'est la réalité ! Et le capital viendra, j'en suis sûr. Mais aidez-vous vous-mêmes si vous voulez réussir ! »

C'est alors que le premier ministre a ajouté, déclenchant les rires de l'assistance : « Je sais que je suis rude, mais je n'ai pas à me faire élire ici. »

Plus tard, en conférence de presse, M. Chrétien n'a pas nié qu'il avait lancé une flèche au président du Nigeria, Olusegun Obasanjo, tout en ajoutant que ce dernier ne s'en formaliserait pas. « Il reconnaîtra probablement lui-même qu'il a des problèmes, a-t-il dit, parce qu'il travaille là-dessus. S'il n'y avait pas de problèmes, il ne travaillerait pas là-dessus. »

M. Chrétien, qui a été à l'avant-garde des chefs de gouvernements occidentaux qui ont appuyé la Nouvelle Initiative pour le développement de l'Afrique (NEPAD), a déclaré aux journalistes qu'il n'avait pas voulu démontrer une quelconque impatience face à la lenteur des progrès sociaux et économiques en Afrique.

« Ce n'est pas une forme d'impatience, a-t-il affirmé, c'est de dire l'évidence. Si on veut que le NEPAD fonctionne, il faut que ces choses arrivent. Or, j'ai expliqué ce qu'était le NEPAD et qu'il fallait se conformer aux objectifs du NEPAD. Et qu'est-ce que ça veut dire ? Ça veut dire la démocratie, ça veut dire la fin des combats, un système de justice adéquat, la stabilité pour les investissements et l'élimination de la corruption. Je leur ai dit : ce n'est pas pour nous autres, c'est pour vous autres. Ça ne nous donne rien, sauf que ça nous permet d'investir et d'aider à la croissance de ces pays. »

Le premier ministre, qui a donné à son auditoire l'exemple de sa lutte pour éliminer le déficit, a répété aux Africains que la vertu payait et que même les simples citoyens du continent se devaient d'appuyer leurs dirigeants dans leurs réformes.

« Ils doivent s'éveiller à la réalité, a-t-il insisté. S'ils veulent une meilleure vie, ils doivent avoir un meilleur gouvernement. Ils ont besoin d'un meilleur système judiciaire. Ils ont besoin de la règle du droit. Ils ont besoin de stabilité, pas de conflits. Et l'argent va venir. »

M. Chrétien a aussi répété hier qu'il n'y avait rien de plus nerveux qu'un million de dollars. « Ça ne parle pas français, ça ne parle pas anglais, ça ne parle pas allemand et ça se déplace très vite, a-t-il dit. Alors, vous devez créer un climat qui est bon pour les investissements. Au Canada, nous n'avons plus de problèmes avec les investissements parce que la confiance règne. Ce ne sont pas les gouvernements qui créent l'économie. L'économie est créée par les millions de décisions faites tous les jours par les citoyens d'un pays. Mais si les investisseurs sentent qu'il y a un climat honnête, un système de justice honnête, que les décisions des cours de justice vont être respectées, que les droits de l'homme vont être protégés, que les élections vont être justes, la nervosité va disparaître. »

M. Chrétien a donné une dernière leçon à ses hôtes hier en dénonçant le peu de mesures prises par les pays africains pour mettre un terme à la corruption gouvernementale. « Il faut être deux pour danser le tango », a-t-il dit, rappelant que les lois canadiennes interdisent à tout entrepreneur canadien de verser des pots-de-vin pour obtenir des contrats internationaux. « Il faut que vous ayez des lois semblables ici lorsqu'une transaction se fait grâce à la corruption », a exhorté le premier ministre.

Son discours a été très bien accueilli par les gens d'affaires, aussi bien africains qu'occidentaux, présents au discours.

SOURCE : *La Presse*, 5 décembre 2003, p. A1

Mme Madeleine Drohan s'intéresse dans cet article à un rapport de la Commission du secteur privé et du développement des Nations Unies, paru le 1er mai 2004. Ce rapport, co-présidé par le premier ministre canadien Paul Martin et l'ancien président mexicain Ernesto Zedillo, fait des suggestions concrètes pour aider les pays pauvres à sortir du sous-développement. Mme Drohan remarque que le Canada, prompt à conseiller les autres, est lui-même un mauvais élève lorsqu'on examine de près sa performance.

Madeleine Drohan

LES CONSEILS DES PAYS RICHES AUX PAYS PAUVRES

CE QUI EST BON POUR L'UN EST AUSSI BON POUR L'AUTRE

Le premier ministre Paul Martin pensait-il au Canada la semaine dernière, aux Nations Unies, lorsqu'il a lancé son cri du cœur pour éliminer la pauvreté dans le monde? Pensait-il au Canada comme exemple de bonnes pratiques à donner aux pays en développement?

La conclusion du rapport, intitulé *Libérer l'entrepreneuriat : mettre le monde des affaires au service des pauvres*, est qu'un pays doit créer un environnement qui encourage les entrepreneurs, ces derniers étant définis largement comme allant de la femme qui tient un étal en plein air, à la compagnie transnationale. Plus il y a d'entrepreneuriat, meilleure sera la situation des citoyens du pays.

En gardant à l'esprit que *ce qui est bon pour l'un est aussi bon pour l'autre*, jetons un coup d'œil à certaines recommandations du rapport, afin de voir comment le Canada se comporte.

Au début, à la page 2, le rapport suggère aux pays en développement de «formaliser» leur économie, c'est-à-dire de développer des réglementations qui décourageront les travailleurs de demeurer hors de l'économie officielle (et soumise à des taxes). Le Canada fait le contraire depuis plusieurs années. Selon une estimation, l'économie informelle canadienne croît de 1 % par année depuis l'introduction de la TPS en 1991. La raison? La TPS est perçue comme complexe et injuste.

À la page 14, dans une section analysant les grandes compagnies, le rapport avertit les pays pauvres de ne pas protéger les entreprises financières, car celles qui croissent à l'abri finissent par nuire aux pauvres par des prix élevés et des services de faible qualité. Pendant ce temps, les banques et les sociétés de fiducie et d'assurance canadiennes se cachent derrière un mur de restrictions à l'activité des firmes étrangères. Les entreprises de télécommunication et de transport sont aussi protégées de la même manière.

À la page suivante, un énoncé vante les bénéfices du libre-échange et montre comment il aide les pays à diriger leurs ressources vers les domaines dans lesquels ils ont un avantage comparatif. Cet argument n'est pas très populaire chez les producteurs laitiers du Québec et de l'Ontario, qui continuent à être protégés, par des barrières commerciales, contre des importations à prix plus faibles. Même constatation chez les travailleurs et les entrepreneurs du secteur textile.

À la page 23, le rapport note les avantages de faire produire les infrastructures essentielles, telles que l'électricité, l'eau, les communications et le transport, par le secteur privé ou à l'aide de partenariats entre le secteur privé et le secteur public. Cette solution n'a pas tout à fait été un grand succès en Ontario, où les consommateurs vont payer encore longtemps les pots cassés lors de l'expérience ratée de privatisation d'Hydro Ontario.

À la page 24 du rapport, on recommande aux gouvernements d'être transparents dans la divulgation des dépenses publiques et d'adopter des procédures de vérification comptables appropriées dans le secteur public. Mais n'est-ce pas M. Martin lui-même qui s'est attiré les foudres de la vérificatrice générale, lorsqu'il a créé des fondations (et leur a donné des milliards en fonds publics) ne rendant aucun compte au Parlement?

Mais ma section favorite, étant donné le scandale des commandites à Ottawa, est celle qui discute de la «nécessité impérative» d'avoir de l'intégrité dans le secteur public. M. Martin et son co-président, l'ancien président du Mexique, M. Ernesto Zedillo, pensaient-ils à la situation dans leur *propre* pays lorsqu'ils ont écrit cette partie du rapport?

Nul besoin de discuter plus longuement du scandale canadien. Au Mexique, pendant ce temps, des politiciens ont été pris la main dans le sac dans trois affaires distinctes. Ils ont été filmés en pleine activité frauduleuse et les cassettes ont fait la une des journaux télévisés nationaux.

Toujours selon le rapport, les gouvernements doivent éviter le patronage, le népotisme, le favoritisme et, bien sûr, la corruption. Ils doivent établir un système qui permet d'éviter les conflits d'intérêt et les influences indues. Tous ces conseils sont très bons : la corruption peut réduire la croissance économique d'un pays de 0,5 à 1 % par année. Les pays pauvres semblent particulièrement atteints. Mais ici, reconnaissant peut-être les scandales dans leurs propres pays, les auteurs ajoutent que « la corruption n'est pas limitée aux pays à faibles revenus ».

On ne rend pas justice au rapport en ne mettant l'accent que sur les recommandations pour lesquelles le Canada ou le Mexique ont eux-mêmes des manques flagrants. Ce rapport est, en fait, un outil très utile pour comprendre comment un pays peut se sortir du marasme et commencer à fonctionner correc-tement. M. Martin a promis que ses recommandations seraient intégrées dans la politique extérieure cana-dienne. Excellente nouvelle ! Maintenant, s'il pouvait aussi promettre de suivre ses propres avis lorsque viendra le temps d'élaborer les politiques intérieures...

SOURCE: *The Globe and Mail*, 8 mars 2004, p. A13.

LE « MIRACLE CELTE »

Fred MacMahon

Depuis 1987, l'Irlande est devenue incontestablement la *star* du monde économique international. Ce fut en effet l'année de l'arrivée au pouvoir d'une adminis-tration vouée à l'allégement fiscal et à la gestion res-ponsable des finances publiques ; c'est aussi cette année-là qu'est intervenu une sorte de consensus social en faveur de la modération en matière de coût du travail. L'invité de l'IEDM, John Bruton, chef de l'opposition à Dublin, a joué un rôle de premier plan dans ce retournement épique. En fait, l'Irlande est vraisemblablement l'étoile la plus brillante du firma-ment économique à l'heure actuelle. Jusqu'à tout récemment, on pouvait correctement supposer que les « Tigres d'Asie » jouissaient de cet honneur au même titre. Mais l'Irlande a évité la crise qui a affligé l'Asie. La croissance économique s'est en fait accélérée à une époque où de nombreuses parties du monde étaient aux prises avec des chambardements troublants et où les partenaires européens de l'Irlande languissaient dans la récession ou la croissance anémique.

Aux yeux des artisans irlandais de la politique de croissance, l'allégement fiscal et la modération des hausses salariales constituent la pierre d'assise du récent succès irlandais. Le fait est que l'Irlande des années 80 et 90 a su saisir sa chance, tandis qu'aupa-ravant elle l'avait ratée, pour ne pas dire repoussée. On se souviendra que, avant les années 80, la ques-tion que les observateurs se posaient à propos de l'Irlande n'était pas, comme aujourd'hui : « Comment reproduire le succès irlandais ? », mais plutôt : « Comment se fait-il que l'Irlande soit condamnée à rester à jamais le parent pauvre de l'Europe, le voisin retardataire ? ».

La prise de conscience lucide du caractère désas-treux des politiques en cours en Irlande pendant les années 70 et 80 a suscité la volonté politique d'adop-ter les réformes fondamentales qui s'imposaient. Or ces réformes ont entraîné la compression des coûts dans l'économie irlandaise et ont transformé cette dernière en une économie attirante pour les entreprises et les investisseurs. L'aboutissement en a été une créa-tion de richesse sans précédent et une multiplication d'emplois inégalée dans les annales modernes.

Depuis des générations, l'Irlande jouissait du titre peu enviable d'économie la plus arriérée de l'Europe du Nord. Ce que l'Irlande exportait, vu son impuis-sance à créer la prospérité et des emplois, c'étaient ses gens plutôt que ses biens et ses services. D'ailleurs, l'indépendance ne changea rien à ce cycle désastreux : le pays restait retardataire et le nombre de réfugiés économiques continuait de grossir. L'expérience ten-tée par l'Irlande de fermer son économie et de créer de l'emploi en renonçant aux importations s'est avé-rée un échec total. Elle n'a fait qu'isoler l'Irlande de la vague de prospérité et de croissance qui a déferlé sur l'Europe de l'Ouest après la Seconde Guerre mondiale. Le résultat s'est révélé si désastreux que les artisans de la politique d'économie fermée ont eux-mêmes renversé la vapeur à la fin des années 50 pour ouvrir l'économie irlandaise à la concurrence mondiale.

L'état de l'économie irlandaise, jusqu'en 1987, était tout simplement lamentable. En un sens, ces conditions n'étaient que les séquelles de l'histoire des années 70. Les gouvernements successifs de cette époque s'étaient employés sans répit à gonfler la dette publique, si bien que les choses ne cessaient de se détériorer. Encore en 1977, l'Irlande élisait un gouver-nement qui prétendait pouvoir s'extraire de la stagna-tion par la dépense. Entre 1974 et 1986, à l'exception de deux années, le déficit dépassait 10 % du PIB. Et pourtant, malgré ce débordement de dépenses, la croissance de l'emploi fut minable, quand elle n'était pas franchement négative. En dépit d'un fort taux de natalité, il appert que le nombre total d'emplois dans l'économie irlandaise en 1986 était essentiellement le même qu'en 1971. Dans le cas particulier du secteur industriel, le nombre total d'emplois avait même diminué. En termes réels, l'économie irlandaise a connu un taux de croissance de moins de 1,5 % de 1980 à 1986, inférieur des deux tiers aux taux des années antérieures et des trois quarts aux taux qu'elle allait connaître par la suite. On ne s'étonnera guère que les jeunes Irlandais aient quitté leur patrie par milliers.

On ne dira jamais assez l'ampleur du renversement qui succéda à cette sombre époque. Avant 1986, l'Irlande avait connu des années d'augmentation nulle de l'emploi et même de déclin de l'emploi dans le secteur industriel. Et pourtant, dès 1996, l'emploi total l'emportait de 20 % sur le chiffre de 1986. Plus remarquable encore, l'emploi industriel avait gagné 33 %. Au total, et selon un rapport de l'Organisation de coopération et de développement économiques (OCDÉ), il s'est créé plus d'emplois en trois ans – soit une hausse de 12 % de 1993 à 1996 – qu'au cours des 30 années précédentes.

Et pourtant, la création d'emplois représentait le côté faible du tournant récemment entrepris par l'économie irlandaise. Les choses ont bien changé depuis, puisque la croissance de l'emploi l'emporte sur celle de tous les pays de l'OCDÉ et sur la moyenne américaine depuis le milieu des années 90. Si incroyable que la chose puisse sembler, la croissance récente de l'emploi en Irlande l'emporte même sur la poussée phénoménale de l'emploi réalisée aux États-Unis. Le taux d'emploi, soit le ratio entre l'emploi et la main-d'œuvre, gagnait 2,2 points entre 1991 et 1996, pendant qu'il déclinait de 0,7 point dans le reste des quinze pays de l'Union européenne. Au total, ce n'est pas moins de 50 000 emplois qui se sont ajoutés de 1995 à 1997, et 100 000 de plus dans la seule année 1998. De 17 % qu'il était en 1987, le taux de chômage est tombé à moins de 6 % en 1999. Alors que le chômage irlandais atteignait les 20 % jusqu'au milieu des années 80, aujourd'hui l'Irlande souffre d'une pénurie de travailleurs.

On constate même que la croissance économique générale en Irlande s'est avérée plus spectaculaire que la création d'emplois, elle-même phénoménale. La croissance du PIB réel a atteint le taux moyen de 6 % depuis 1986, et de plus de 7 % depuis 1994. Elle a presque touché les 11 % en 1997 et les 9 % en 1998. L'Irlande détient aujourd'hui le record de croissance du PIB du monde industrialisé.

Contrairement aux postulats keynésiens discrédités, tout cela est survenu en une période où se produisait un véritable rétrécissement de l'État. La part des dépenses du gouvernement dans le PIB a chuté précipitamment vers le milieu des années 80 de près de 19 % à moins de 16 %. Le phénomène a été particulièrement remarquable au début de la période, au cours de laquelle les restrictions de dépenses s'accompagnaient invariablement de regains de croissance. En

même temps que l'allégement fiscal se produisait, le déficit se résorbait. Le ratio de la dette par rapport au PIB déclinait à mesure que la croissance du PIB réagissait à l'impact bienfaisant de l'allégement fiscal et de la modération des salaires. Des milliers d'expatriés revenaient au bercail, à telle enseigne que pour la première fois dans l'histoire moderne, l'Irlande connaissait un phénomène d'immigration nette. En fait, l'Irlande est passée du statut de population la plus mal payée du monde développé au statut de population la mieux rémunérée. Là où les pessimistes parlaient de concurrence par le bas, c'est plutôt l'ascension vers les sommets économiques qui s'est réalisée. L'évolution a été remarquable. Comme le rappelait un observateur : « Encore en 1961, l'Irlande constituait une région retardataire, pauvre et agricole du Royaume-Uni. Aujourd'hui, elle est devenue une région industrielle et développée de l'économie européenne. »

Que s'est-il passé ? Tout simplement, les Irlandais en sont venus à prendre conscience de l'importance des coûts dans l'économie. L'administration faisait sa part en allégeant le fardeau fiscal et en atténuant l'incertitude associée aux énormes déficits. Loin de comprimer les rentrées fiscales et de réduire les salaires, l'allégement fiscal et la modération des salaires se sont accrus. Suivant l'enseignement de l'économie, l'allégement fiscal incitait à travailler, à investir et à innover. L'aboutissement en a été une forte poussée de croissance économique. Les revenus de l'État sont aujourd'hui supérieurs à ce qu'ils étaient lorsque les taux de taxation étaient à leur apogée. À eux seuls, ces facteurs se sont avérés déterminants dans l'avènement d'une Irlande plus accueillante aux investissements, aussi bien étrangers que nationaux. Il faut dire que les mauvais souvenirs des années sombres de l'époque antérieure à 1987 avaient suscité la formation d'un consensus, à travers toutes les couches de la société, en faveur d'une économie plus concurrentielle et d'un régime d'entreprises plus rentable.

Notons le contraste qui distingue l'expérience irlandaise de celle du Canada. Ce n'est pas manquer de fidélité à l'histoire récente que de souligner l'option des gouvernements canadiens de compter surtout sur l'alourdissement fiscal et la dépréciation du dollar canadien pour tenter de redresser les finances publiques et la piètre performance de l'économie. Combinées au resserrement continu des réglementations, surtout du marché du travail, ces mesures expliquent le contraste qu'on observe entre le taux de croissance des deux économies depuis une quinzaine d'années. En résumé, tandis que le PIB réel gagnait 20 % au Canada entre 1990 et 1998, c'est de plus de 70 % qu'il progressait en Irlande.

Ce point de vue était partagé aussi par le leadership syndical irlandais. Dès 1987, le premier de nombreux accords à venir était conclu entre les syndicats, les entreprises et le gouvernement, en faveur de hausses modérées des salaires. L'Irlande se trouve ainsi au troisième rang, après la Suisse et le Royaume-Uni, des pays dont le marché du travail est le moins réglementé. Une deuxième composante de la structure des coûts, le coût du travail, s'alignait sur l'objectif de croissance. Ce que les syndicats exigeaient en retour s'avéra un stimulant supplémentaire pour la croissance de l'emploi et de l'économie. Ils réclamèrent en fait un allégement supplémentaire du fardeau fiscal, qui ferait qu'en dépit de la modération consentie en matière de salaire, leurs membres toucheraient plus et le gouvernement, moins. Et effectivement, malgré la modération des salaires, le revenu après taxes n'a cessé d'augmenter depuis, et fortement. Le paradoxe est que le nombre de conflits syndicaux, qui atteignait un sommet de 250 par année en 1974 et de 200 en 1984, était tombé à moins de 50 par année en 1989. Autre conséquence heureuse de cette combinaison gagnante de fiscalité mesurée et de modération des salaires : l'inflation s'est résorbée.

En somme, l'histoire du «miracle celte» illustre une fois de plus les conclusions d'une étude récente publiée par l'Institut économique de Montréal et intitulée *Taille de l'État et richesse des nations*, par James Gwartney, Randall Holcombe et Robert Lawson (février 2000). Cette étude démontrait l'existence d'une forte et persistante corrélation négative entre les dépenses gouvernementales et la croissance du PIB, aussi bien pour les économies développées de l'OCDÉ que pour un plus vaste échantillon de près de 60 pays partout dans le monde. Dans les quelques rares pays, dont l'Irlande, qui aient comprimé leurs dépenses de façon appréciable, cette diminution de la taille de l'État a donné lieu à une augmentation du taux de croissance du PIB réel.

On lit aussi dans cette étude de l'Institut qu'en 1960, les dépenses de l'État pour l'ensemble des pays de l'OCDÉ représentaient en moyenne 27 % du PIB. En 1996, elles atteignaient les 48 % du PIB. Cette poussée des dépenses a donné lieu à un élargissement appréciable du rôle et de la taille des gouvernements, au-delà donc des fonctions traditionnelles de l'État. Or les constatations faites dans l'analyse révèlent qu'une augmentation de 10 % de la part des dépenses du gouvernement dans le PIB provoque une baisse d'environ 1 % de la croissance annuelle du PIB. Lorsque les dépenses du gouvernement correspondent à 20 % du PIB, la moyenne annuelle du taux de croissance économique s'établit à environ 5 % ; lorsque les dépenses sont de l'ordre de 45 %, elles sont associées à une croissance deux fois moindre.

L'histoire économique de l'Irlande moderne nous en fait saisir l'explication. Plus les taxes et les emprunts requis pour financer les dépenses de l'État s'élèvent, plus le fardeau de ces prélèvements s'appesantit. L'incitation à travailler, à investir et à innover en souffre. Au Québec, une autre étude, menée par l'Institut économique de Montréal (*Fiscalité des Québécois et croissance*, par Jean-Luc Migué et Michel Boucher, octobre 1999), rappelait qu'une hausse du fardeau fiscal de 1 $ s'accompagne d'une baisse de 99 ¢ de la production privée et donc du revenu.

De plus, à mesure que l'État prend de l'expansion, le redistributionnisme et l'activisme réglementaire prennent invariablement le dessus sur ses autres activités. À son tour, ce processus amène les individus à se tourner vers les faveurs de l'État pour améliorer leur sort, plutôt qu'à consacrer leurs efforts à la production de richesses par l'échange libre. En fin de compte, c'est la croissance économique qui s'en trouve ralentie, et l'économie stagne à un niveau de revenu loin en dessous de son potentiel.

L'Irlande confirme donc la règle générale. Ce pays a vu sa part des dépenses publiques dans le PIB passer de 28 % en 1960 à 52,3 % en 1986. Mais voilà que la situation s'est renversée au cours de la période 1987-96, alors que les dépenses ont chuté de 52,3 % en 1986 à 37,7 % en 1996, soit une baisse de 14,6 points. Or, entre 1960 et 1977, période où les dépenses de l'État montaient de 28 % à 43,7 % du PIB, la croissance réelle du PIB de l'Irlande était de 4,3 %. Ce taux baissait à 3,4 % au cours de la période 1977-86, pendant laquelle la part du gouvernement grimpait à 52,3 % du PIB. Au cours de la récente décennie d'amaigrissement de l'État, le taux de croissance annuelle du PIB réel de l'Irlande passait à 5,4 %. La croissance économique augmentait donc en Irlande à mesure que ses dépenses publiques diminuaient.

On ne saurait pour autant fermer les yeux sur les menaces qui montent à l'horizon. Avec la prospérité, le consensus n'est pas à l'abri d'un retour en arrière. C'est dans l'adversité que se forgent les choix difficiles. On ne peut exclure que les différents groupes d'acteurs économiques se disent insatisfaits de leur part du gâteau, fût-il plus gros. Ce serait un malheur pour l'Irlande.

SOURCE: Adaptation française par Marcel Masse (Institut Économique de Montréal) d'un chapitre de *Road to Growth: How Lagging Economies Become Prosperous* de Fred MacMahon (Halifax, Atlantic Institute for Market Studies, 2000). Nous remercions très sincèrement l'AIMS de nous avoir autorisés à publier cette adaptation.

CHAPITRE 8

DURANT CETTE DÉCENNIE, LES BOURSES NORD-AMÉRICAINES ONT ENREGISTRÉ UNE AUGMENTATION SANS PRÉCÉDENT DE LA VALEUR DES ACTIONS. DANS CET ARTICLE, ON TENTE D'EXPLIQUER LES RAISONS DE CE PHÉNOMÈNE REMARQUABLE. LES AUTEURS AVANCENT L'HYPOTHÈSE SELON LAQUELLE DE NOMBREUX INDIVIDUS SE SERAIENT LANCÉS DANS L'ACHAT D'ACTIONS EN CONSIDÉRANT QU'ELLES NE CONSTITUAIENT PAS UN INVESTISSEMENT AUSSI RISQUÉ QU'ILS L'AVAIENT IMAGINÉ. L'AUGMENTATION DES VALEURS BOURSIÈRES A CONNU UN SOMMET À L'AUTOMNE 2000, PUIS ELLE A ÉTÉ SUIVIE PAR UNE BAISSE DU PRIX DES ACTIONS SE PROLONGEANT JUSQU'AU MOMENT DE LA PARUTION DU PRÉSENT ARTICLE (ÉTÉ 2001). LA LECTURE DE CET ARTICLE EST PARTICULIÈREMENT INSTRUCTIVE À LA LUMIÈRE DES ÉVÉNEMENTS SURVENUS DEPUIS LORS.

James K. Glassman et *Kevin A. Hassett*

L'ENVOL DES INDICES BOURSIERS DES ANNÉES 90

LES ACTIONS SONT-ELLES SURÉVALUÉES ? JAMAIS DE LA VIE !

Le Dow Jones a connu une augmentation de 200 % au cours des cinq dernières années, et les trois dernières années ont battu des records. Il n'est donc guère surprenant que de nombreux observateurs s'inquiètent de la surévaluation des valeurs boursières. L'un des critères d'évaluation les plus usités, le ratio cours-bénéfice par action, a atteint un sommet historique. Actuellement, le ratio cours-bénéfice du Dow Jones est de 22,5, ce qui signifie qu'il faut investir 22,50 $ pour obtenir un dollar de profit – ou, inversement, que le rendement pour un investisseur (les bénéfices divisés par le prix) n'équivaut qu'à 4,4 %, alors que le rendement des obligations du Trésor à long terme atteint 5,9 %.

Néanmoins, Warren Buffett, le président de Berkshire Hathaway Corp., considéré comme l'un des plus grands investisseurs de notre époque, assure aux actionnaires dans une lettre datée du 14 mars qu'il n'y a «aucune raison de penser que les actions sont surévaluées», aussi longtemps que les taux d'intérêt restent faibles et que les entreprises continuent de faire des bénéfices comme elles en ont fait dans les dernières années. Cette déclaration a rassuré les investisseurs, bien que M. Buffett n'ait en rien étayé son assertion.

M. Buffet a raison – et nous disposons des données et des bases théoriques pour le prouver. La crainte d'une surévaluation se fonde, d'après nous, sur une mauvaise perception, fort répandue, des bénéfices et des risques associés aux actions. Nous ne nous lancerons pas à l'aveuglette dans une prédiction à court terme de l'évolution du marché, mais nous n'hésitons pas à déclarer, compte tenu de nos hypothèses sur les taux d'intérêt et le niveau des bénéfices, que les ratios cours-bénéfice n'ont rien d'alarmant, et qu'ils pourraient même doubler sans que l'on s'inquiète davantage.

De fait, si vous possédez des actions, le profit que vous pourrez en tirer équivaudra, avec le temps, au double de celui que vous obtiendriez avec des obligations. Pourquoi ? Les actions et les obligations rapportent des revenus à leurs détenteurs. Dans le cas des obligations, le calcul est simple : si vous achetez 1 000 $ d'obligations rapportant un taux d'intérêt de 6 % aujourd'hui, vous recevrez 60 $ par année. Le calcul se complexifie en ce qui concerne les actions : en supposant que le taux d'intérêt soit de 2 %, soit 2 $ pour chaque action payée 100 $, on en conclut qu'un paquet de 100 actions vous rapportera un bénéfice de 20 $ pour un investissement de 1 000 $, ce qui est bien inférieur à celui des obligations.

Mais il y a une astuce ! Les bénéfices réalisés par les compagnies augmentent avec le temps. Or les dividendes suivent la hausse des bénéfices. Par exemple, pour une hausse de 5 % par année, ces dividendes vous rapporteront au bout de 30 ans plus de 80 $ annuellement, soit un tiers de plus que les obligations, le prix de l'action ayant lui aussi probablement augmenté.

Ce calcul rapide vous démontre que les titres – même lorsque leurs bénéfices n'augmentent que de 5 % – rapportent bien plus à long terme que les obligations. Selon un cabinet de Chicago spécialisé en recherche, Ibbotson Associates Inc., au cours des 70 dernières années, les actions ont rapporté annuellement 4,8 % de plus que les obligations américaines à long terme du Trésor et 6,8 % de plus que les bons du Trésor américains.

Mais puisque le rendement des actions s'avère bien plus incertain que celui des obligations, ces revenus supplémentaires, que les économistes appellent «prime sur les capitaux propres», ne correspondent-ils pas à l'indemnité offerte par le marché aux investisseurs qui acceptent un risque supérieur ? À cette question, nous répondons par une autre question : quel risque supérieur ?

Dans son ouvrage *Stocks for the Long Run*, Jeremy J. Siegel, de l'Université de Pennsylvanie, en arrive à cette conclusion : « Il est bien connu que les bénéfices des actions dépassent à long terme ceux des obligations. Mais on ignore souvent qu'avec les années, les risques sur le marché boursier sont inférieurs à ceux des obligations et même à ceux des bons du Trésor ! » M. Siegel, qui a analysé des périodes de détention de 20 ans entre 1802 et 1992, a calculé que la pire moyenne de rendement annuel des actions était de 1,2 %, alors que la plus avantageuse se situait à 12,6 %. En ce qui concerne les obligations à long terme, cette moyenne allait de *moins* 3,1 % à plus 8,8 % ; pour les bons du Trésor, elle oscillait entre moins 3 % et plus 8,3 %.

À partir de ces données, il semble qu'aucune prime de risque ne caractérise les actions et qu'une évaluation correcte des investissements boursiers consiste à égaliser la valeur présente des revenus provenant des actions et des obligations à long terme. Au regard de ces observations, on peut considérer que le marché offre deux types d'actifs : un premier qui rapportera 1 000 $ au cours des 30 prochaines années selon un flux régulier, et un autre, tout aussi sûr, qui offrira un rendement de 1 000 $ pour la même période, mais dont les rentrées varieront d'une année à l'autre. Pour un investissement à long terme, les deux s'équivalent…

Permettez-nous de formuler une hypothèse sur les rendements spectaculaires du marché boursier des dernières années : à la suite de l'annonce par les fonds communs de placement d'une réduction des risques avec l'adoption d'une stratégie d'investissement à long terme, la prime de risque des détenteurs a graduellement diminué. D'après les données de Siegel, cette prime équivaudrait à zéro et cette réduction – ainsi que la tendance à la hausse du prix des actions – pourrait bien se poursuivre… Dans le contexte actuel, nous n'hésitons pas, d'une part, à recommander de conserver les actions et, d'autre part, à affirmer que les experts qui redoutent une surévaluation du marché se trompent.

SOURCE : *The Wall Street Journal*, 30 mars 1998, p. A18.

DANS CET ARTICLE, ON DÉFEND LA POSITION CONTRAIRE DE L'ARTICLE QUI PRÉCÈDE. SELON ROBERT SHILLER, DES BULLES SPÉCULATIVES PROVOQUENT RÉGULIÈREMENT UNE SURÉVALUATION DES PRIX DES TITRES FINANCIERS.

LA BULLE ÉCLATE

Wall Street est si euphorique qu'il faut faire preuve d'un grand courage pour affirmer que la Bourse américaine est plus que mûre pour une chute. Il en a toujours été ainsi dans la longue tradition des bulles spéculatives.

Selon des méthodes d'analyse bien établies, il est clair qu'à aucune autre époque au cours des 150 dernières années, la Bourse n'a fait l'objet d'une telle surévaluation. En septembre 1929, soit immédiatement avant le krach, le ratio cours-bénéfice de l'indice composé de Standard & Poor s'élevait à 33, d'après le calcul de la moyenne mobile des bénéfices des 10 années précédentes. Il était supérieur aux sommets enregistrés en 1901 et en 1966. Jusqu'aux années 90, ces dates représentaient les trois aberrations lointaines et révolues de cet important ratio. Dans chaque cas, les marchés se sont enlisés dans un long marasme économique, particulièrement catastrophique en 1929. En s'appuyant sur des calculs de même nature, on avance que le ratio cours-bénéfice a atteint 44 en janvier de cette année. Après trois mois très agités, il atteignait de nouveau ce pic cette semaine.

Ces données suffisent à convaincre Robert Shiller que le rendement des actions au cours des 10 prochaines années sera substantiellement inférieur au rendement affiché pendant les 10 dernières années. Dans son nouveau livre (*Irrational Exuberance*, Princeton University Press) paru le mois dernier, ce professeur d'économie de l'Université Yale, une sommité en matière d'économie des marchés financiers, ne cherche pas à confirmer la surévaluation des marchés financiers, car les données lui semblent déjà fort explicites, mais plutôt à en expliquer le comment et le pourquoi. M. Shiller examine les facteurs structurels, médiatiques et psychologiques qui ont récemment propulsé les marchés financiers. Le premier volet englobe des « accélérateurs » tels que l'avènement d'Internet, les changements démographiques modifiant la tendance des dépenses et de l'épargne, la popularité des baisses d'impôt dans la classe politique, les transformations liées à la gestion des caisses de retraite, les conseils de plus en plus optimistes en matière de placements, et ainsi de suite. Le deuxième volet, soit le facteur médiatique, ne fait qu'amplifier tous ces accélérateurs.

M. Shiller critique durement les médias d'information en se basant sur des arguments convaincants. Il souligne que les bulles spéculatives sont apparues à peu près en même temps que la presse. Il décrit la manière dont les médias sont séduits par la spirale croissante de la bulle spéculative, et ce, en raison de leur obsession pour les faux exploits du marché, leur impitoyable vision à court terme (les commentaires des experts financiers diffusés à la télévision américaine se comparent à du boursicotage), leur penchant à suivre le mouvement et leur goût prononcé pour les anecdotes à propos de « l'ère nouvelle ».

M. Shiller fait de nombreux parallèles entre notre époque et les décennies 1920 et 1960. Il semble que chaque bulle spéculative représente une ère nouvelle qui amène évidemment une amélioration radicale des méthodes de gestion. De nos jours, Internet constitue le bouleversement qui explique tous les autres changements. De la même façon, les inventions ont accéléré le rythme de croissance de l'économie dans les années 20, de concert avec la généralisation de nouveaux procédés de production de masse, la multiplication du parc automobile, la croissance du réseau autoroutier et l'utilisation de nouvelles méthodes scientifiques de gestion. Pendant les années 50, la paix mondiale (tout de même), la naissance de la télévision, les fulgurants progrès scientifiques, un faible taux d'inflation que l'on croyait à l'époque permanent et, bien sûr, de nouvelles méthodes scientifiques de gestion ont joué le même rôle.

L'argumentation de M. Shiller est très solide : les marchés financiers peuvent dérailler et de semblables facteurs sont toujours à l'œuvre. Il est cependant dommage qu'il n'ait pas vraiment prêté attention aux observateurs soutenant que l'évaluation des marchés financiers est malgré tout correcte. Ainsi, il fait peu de cas de la théorie voulant que le cours des actions amorce un tournant décisif parce que les investisseurs comprennent maintenant que, considérées comme un investissement à long terme, les actions ne comportent pas davantage de risques que les obligations. Il mentionne simplement que les actions sont, dans leur essence même, plus risquées que les obligations, et que la notion d'élimination de la prime de risque sur le rendement est donc sans fondement.

M. Shiller fait également peu de cas de l'opinion soutenant que l'amélioration de la productivité a entraîné une hausse permanente du taux de croissance des États-Unis, ce qui aurait modifié les attentes en matière de gains des sociétés américaines. Ces affirmations ne sont pas nouvelles. Toutefois, ne serait-il pas possible qu'elles se vérifient maintenant ? S'il avait examiné les données, M. Shiller aurait pu déterminer avec exactitude l'ampleur de la croissance économique susceptible de justifier l'évaluation actuelle des marchés, en se fondant sur les valeurs habituelles.

Il se contente de signaler de nouveau que les investisseurs croient presque toujours en l'avènement d'une nouvelle économie dans les années précédant l'éclatement d'une bulle spéculative. Selon lui, cette conviction qui s'exprime ces temps-ci renforce plutôt son point de vue. Elle n'est pas susceptible d'ébranler son opinion et ne mérite pas d'être prise au sérieux.

SOURCE : *The Economist*, 23 mars 2000.

CHAPITRE 9

UNE CHUTE DU TAUX DE CHÔMAGE EST EN PRINCIPE UNE BONNE NOUVELLE, NON ? TOUT DÉPEND SI CETTE BAISSE EST ATTRIBUABLE À UNE AUGMENTATION DE L'EMPLOI OU AU DÉCOURAGEMENT DES CHERCHEURS D'EMPLOI. L'ARTICLE SUIVANT EXAMINE LES VARIATIONS DU TAUX D'ACTIVITÉ AU COURS DU CYCLE ÉCONOMIQUE ET ANALYSE LEUR IMPACT SUR LE TAUX DE CHÔMAGE.

Mark MacKinnon

CHÔMAGE ET TAUX D'ACTIVITÉ
LES RAISONS CACHÉES
D'UN FAIBLE TAUX DE CHÔMAGE

Les hommes politiques citent souvent la baisse du taux de chômage comme preuve de l'efficacité de leurs interventions. À première vue, il y a effectivement de quoi se vanter.

Le taux de chômage global – qui correspond au pourcentage de la population active en recherche de travail– est passé en six ans de 11,9 %, au creux de la récession, à 8,1 % le mois dernier, son plus bas niveau depuis 1990. Mais il y a un hic : la population active, exprimée en pourcentage de la population totale en âge de travailler, a également diminué. Cela signifie que, si le taux de chômage baisse, c'est non seulement grâce à la création d'emplois, mais aussi en raison du nombre croissant de personnes qui quittent la population active.

« Le taux de chômage est parfois trompeur », déclare Benjamin Tal, un économiste de la CIBC. « Si le taux d'activité s'était maintenu à son niveau de 1989, le taux de chômage aurait été supérieur de 3 % durant les dernières années. » En janvier 1990, seulement

68 % des Canadiens âgés de 15 ans et plus étaient occupés ou cherchaient du travail. Au milieu de la récession de 1992-1993, ce chiffre – qui correspond à ce que les économistes appellent le taux d'activité – était tombé sous les 66 %.

Pourtant, malgré le redressement de l'économie et la création d'un million d'emplois durant les cinq dernières années, la proportion de personnes cherchant un emploi n'a pas rebondi. Fin octobre, un peu moins de 65 % de la population adulte travaillait ou cherchait un emploi. Nombre d'économistes considèrent que des centaines de milliers de Canadiens ont, pour diverses raisons, renoncé à trouver du travail. Ils insistent sur le fait que plusieurs de ces personnes travailleraient si elles le pouvaient, mais que la récession les a maintenues à l'écart et qu'elles ne sont pas retournées dans la population active.

Si 67,9 % des Canadiens de 15 ans et plus (le taux d'activité de janvier 1990) faisaient partie de la population active, 656 000 personnes de plus seraient en chômage et le taux de chercheurs d'emplois d'octobre dernier augmenterait à 11, 7 %.

Ce sont les deux provinces les plus peuplées, soit l'Ontario et le Québec, qui ont enregistré les plus fortes baisses du taux d'activité. Or un ajustement au taux d'activité de 1990 ferait passer leur taux de chômage respectif – actuellement de 7 % et de 10,3 % – à 12,3 % et 14,2 %. Dans les autres provinces, ce déclin du taux de participation est moins accentué. Sur le plan canadien, durant les années 70 et 80, les femmes sont entrées sur le marché du travail et ont grossi les rangs des personnes cherchant un emploi. Cependant, 90 % de la baisse récente est due aux personnes de moins de 25 ans et de plus de 55 ans qui quittent la population active.

Des facteurs structurels expliquent ce phénomène : les étudiants restent plus longtemps à l'école et les travailleurs prennent leur retraite plus tôt.

En soi, cela ne constitue pas forcément un mauvais signe pour l'économie. Cela devient inquiétant, par contre, si les étudiants restent aux études parce qu'ils ne pensent pas trouver de travail et si les travailleurs plus âgés sont mis à la porte pour des raisons de restructuration des entreprises qui les employaient. Dans ce cas, ces étudiants et ces travailleurs près de la retraite font partie des «travailleurs découragés» qui ont renoncé à chercher un emploi, persuadés qu'ils n'en trouveront pas.

Pierre Fortin, professeur en économie à l'Université du Québec à Montréal affirme que même en tenant compte des facteurs structurels, la baisse du taux d'activité prouve que le pays ne s'est pas encore remis de la dernière récession.

«En réalité, le taux d'activité suit le cycle économique – une réduction des emplois disponibles se traduit par une baisse du taux d'activité.»

SOURCE : *The Globe and Mail*, 16 novembre 1998, p. B1.

PLUSIEURS FACTEURS INFLUANT SUR LE CHÔMAGE NATUREL VARIENT D'UNE RÉGION À L'AUTRE ; LES ÉCARTS DE CE TAUX DE CHÔMAGE NATUREL D'UNE PROVINCE À L'AUTRE N'ONT DONC RIEN D'ÉTONNANT. L'ARTICLE CI-DESSOUS PRÉSENTE UNE ESTIMATION DES DIVERS TAUX DE CHÔMAGE NATUREL DANS LES DIFFÉRENTES PROVINCES CANADIENNES ET ÉTABLIT UN LIEN ENTRE CES ÉCARTS ET LE SALAIRE MINIMUM, LE TAUX DE SYNDICALISATION ET LE PROGRAMME D'ASSURANCE-EMPLOI EN VIGUEUR.

Bruce Little

LE TAUX DE CHÔMAGE NATUREL PAR PROVINCE

CONCLUSION D'UNE ÉTUDE : LES PRAIRIES ONT ATTEINT LE PLEIN-EMPLOI

Le taux de chômage au Canada reste toujours bloqué à plus de 9 %, mais les trois provinces des Prairies sont parvenues à ce que nombre d'économistes considèrent comme le plein-emploi, d'après une étude de Nesbitt Burns Inc.

Sherry Cooper, économiste en chef chez Nesbitt, croit que le taux de chômage en Alberta, en Saskatchewan et au Manitoba est passé en dessous de ce qu'elle appelle le taux de chômage naturel, ce qui a causé une pénurie de main-d'œuvre généralisée et une forte pression sur les salaires.

Mme Cooper prétend que la performance de ces trois provinces montre que les gouvernements des autres provinces ne devraient pas tenter de régler leurs problèmes de chômage en augmentant les dépenses publiques. «Le Manitoba, l'Alberta et la Saskatchewan furent les premières [provinces] à éliminer le déficit budgétaire, à se lancer dans un plan de remboursement de la dette et à prendre des mesures d'allégement fiscal», souligne-t-elle dans un rapport qu'elle a rédigé conjointement avec Alex Araujo, économiste chez Nesbitt. «La baisse des taux de chômage n'est pas due aux projets de création d'emploi des gouvernements – bien au contraire.»

Les économistes affirment que le taux de chômage naturel au Canada – défini comme le plus bas taux compatible avec une inflation stable – est tombé à 7,5 % dans les années 90, alors qu'il était de 8,5 % dans les années 80, tout en soulignant les énormes disparités régionales.

En recourant à une technique élaborée par les analystes de la Réserve fédérale américaine, ils ont calculé que le taux de chômage naturel oscille entre 5,5 % en Ontario et 16,5 % à Terre-Neuve.

L'Ontario, qui enregistrait un taux de chômage de 8,2 % au troisième trimestre de cette année, est encore loin – 2,7 % – du niveau où la province commencera à ressentir des pressions inflationnistes.

À la fin des années 80, bien des résidants de l'Ouest du pays ont accusé l'économie en surchauffe de l'Ontario d'être responsable de l'augmentation des taux d'intérêts de la Banque du Canada qui a précipité l'économie dans une récession. À ce moment-là, la Colombie-Britannique et l'Alberta se remettaient à peine d'une longue récession.

Mme Cooper considère que le taux de chômage naturel «reflète bien le chômage structurel dans une région donnée». Le taux de chômage structurel, particulièrement élevé dans certaines régions, est surtout dû à la composition démographique, au niveau de formation des travailleurs, à leur mobilité et à l'importance de l'emploi saisonnier.

L'étude démontre que le Québec et les quatre provinces de l'Atlantique ont un taux de chômage naturel dépassant 10 %, en raison entre autres de la proportion inférieure de la main-d'œuvre ayant une formation universitaire par rapport aux autres provinces. De plus, les provinces de l'Atlantique comptent beaucoup d'emplois saisonniers et une proportion de jeunes (particulièrement touchés par le chômage) supérieure à celle du reste du Canada. Le taux élevé du chômage naturel au Québec reflète «la relative immobilité de la population active», qui ne se déplace pas «en raison des barrières linguistiques».

Par ailleurs, la diversification de l'économie, le niveau de formation de la population et le foisonnement d'industries de haute technologie à Ottawa et dans le sud-ouest de l'Ontario expliquent le faible taux de chômage de cette province.

Dans les Prairies, la pénurie de main-d'œuvre en Alberta a déjà «exercé une pression à la hausse sur les salaires et donné lieu à une importante immigration». Dans la dernière année, les salaires ont augmenté de 5 % dans les trois provinces des Prairies, comparativement à une augmentation de 3 % dans le reste du Canada. Comme ces trois provinces ne représentent qu'un cinquième de l'économie canadienne, «cela ne risque pas de provoquer une augmentation nationale importante des salaires», croit pourtant Mme Cooper.

Toujours selon le même rapport, le taux de chômage naturel de la Colombie-Britannique, qui est de 7,5 %, est supérieur à celui de l'Alberta (6 %), sa voisine, d'une part «en raison d'une importante industrie saisonnière et du militantisme syndical» et, d'autre part, à cause de l'attitude du gouvernement, perçue comme «peu propice aux affaires».

Lors d'une conférence de presse, Mme Cooper a fait remarquer que le salaire minimum en Colombie-Britannique avait augmenté de 40 % depuis l'avènement au pouvoir du NPD en 1991. Lors de la prochaine augmentation, qui devrait prendre effet en avril, il atteindra 7,15 $ de l'heure, alors qu'il est de 5 $ en Alberta. Elle a également attiré l'attention sur le fait que le taux de chômage chez les jeunes, nombreux à travailler au salaire minimum, s'élève à 16,5 % en Colombie-Britannique, contre 10,7 % en Alberta.

En dépit d'un taux de chômage élevé dans bien des régions du Canada, l'étude considère que «une création d'emplois insuffisante ne représente pas le problème national redouté par beaucoup. Il existe une forte demande de personnel qualifié dans bien des domaines, en particulier en marketing, en programmation informatique et dans le secteur de la technologie du pétrole et du gaz».

SOURCE: *The Globe and Mail*, 15 novembre 1997, p. B3.

CHAPITRE 10

L'IMPORTANCE DES COUTUMES DANS LE SYSTÈME MONÉTAIRE PARAÎT ÉVIDENTE LORSQU'ON S'ATTARDE À OBSERVER DES CULTURES AUX HABITUDES FORT DIFFÉRENTES DES NÔTRES. L'ARTICLE SUIVANT DÉCRIT LA MONNAIE UTILISÉE SUR L'ÎLE DE YAP. EN LISANT CET ARTICLE, ESSAYEZ DE DÉTERMINER S'IL S'AGIT DE MONNAIE-MARCHANDISE, DE MONNAIE FIDUCIAIRE OU D'UNE COMBINAISON DES DEUX.

Art Pine

LA MONNAIE SUR L'ÎLE DE YAP
IMMOBILISATIONS OU SÉCURITÉ DE L'INVESTISSEMENT DANS LA PIERRE

YAP (MICRONÉSIE) – Sur cet îlot du Pacifique Sud, la vie est douce, mais la monnaie est dure.

Partout ailleurs, le système monétaire international tremble sur ses fondements, les taux d'intérêt flottants sapent la fiabilité des marchés et les dévaluations de la monnaie ne sont pas rares. Mais sur l'île de Yap, la devise est solide comme le roc. En fait, *c'est* du roc : du calcaire, plus précisément.

Depuis près de deux millénaires, les habitants de Yap payent leurs achats importants – terrains, canoës ou permission de se marier – avec de grandes roues de pierre. Yap est un territoire sous la tutelle des États-Unis ; cependant, si on retrouve le dollar américain dans les épiceries et les stations-service, cela n'empêche pas la circulation de la monnaie de pierre, tout comme perdurent l'ancien système de castes, les paréos traditionnels et les jupes de fibres.

John Chodad, qui vient d'acheter un terrain à bâtir avec une roue de pierre de 75 centimètres, déclare qu'il « est plus simple d'acheter une propriété avec des pierres qu'avec des dollars dont on ne comprend pas la valeur ».

Comme les roues de pierre et l'argent de poche ne font pas bon ménage, les habitants de l'île se servent d'autres moyens d'échange, comme la bière, pour les petites transactions. La bière est offerte comme paiement pour toutes les petites besognes, y compris la construction. Les 10 000 insulaires consomment de 40 000 à 50 000 caisses de bière par an, principalement de la Budweiser…

La monnaie de pierre a cours sur l'île de Yap depuis qu'un guerrier du nom d'Anagumang y a apporté les premières immenses pierres des carrières de calcaire de l'île voisine de Belau, il y a 1 500 ou 2 000 ans. S'inspirant de la Lune, il leur a donné une forme circulaire. La suite fait partie de l'histoire.

Les habitants de Yap disposent les roues le long de leur maison ou les alignent dans les « banques » des villages. La plupart mesurent entre 80 centimètres et 1 mètre de diamètre, mais certaines dépassent les 3 mètres. Elles sont toutes percées d'un trou en leur centre, de façon à pouvoir les transporter en les enfilant sur un tronc d'aréquier pour les rouler. Il faut parfois une vingtaine d'hommes pour les déplacer.

Selon la coutume, les pierres perdent toute valeur si elles sont brisées. Jamais un habitant de Yap ne voudrait être payé avec un morceau de pierre. Plutôt que de risquer de les casser, ou de s'y briser le dos, les insulaires préfèrent laisser les plus grosses en place et notent mentalement le transfert de propriété – un peu comme les lingots d'or qui servent aux transactions internationales et qui changent de main sans quitter les coffres de la Réserve fédérale de New York…

L'utilisation de ces grandes pierres comme monnaie présente plusieurs avantages. Elle empêche tout marché noir et constitue un obstacle de taille pour les voleurs à la tire. En outre, elle évite les débats stériles sur la stabilisation du système monétaire. Les 6 600 pierres restantes sur l'île assurent la fixité de la masse monétaire…

La monnaie de pierre a acquis une renommée internationale. Washington vient d'apprendre que Tosiho Nakayama, président de la Micronésie, se propose d'apporter l'un de ces disques de pierre dans un avion militaire lors de sa visite aux États-Unis, le mois prochain.

Les représentants officiels déclarent que M. Nakayama veut, par cette contribution symbolique de la Micronésie, « apporter sa pierre » à la réduction du déficit budgétaire américain.

SOURCE : *The Wall Street Journal*, 29 mars 1984, p. AI.

PARMI LES ACTIVISTES SOCIAUX, LA MODE EST À LA CRÉATION DE MICRO-MONNAIES LOCALES, PERMETTANT DE FACILITER LE TROC. CES MONNAIES N'ONT PAS TOUTES LES CARACTÉRISTIQUES DE LA MONNAIE OFFICIELLE. QUELS AVANTAGES ET QUELS DÉSAVANTAGES VOYEZ-VOUS À CES MONNAIES, PAR RAPPORT AU DOLLAR ?

Véronique Chelin

LES NOUVELLES MONNAIES « SOCIALES »

DES MONNAIES SOCIALES DANS LE QUARTIER

Rien de moins qu'une petite révolution économique a lieu en ce moment dans plusieurs pays du monde. Les quartiers montréalais Côte-des-Neiges et Notre-Dame-de-Grâce en sont deux foyers particulièrement actifs. Alors que le gouvernement ne jure que par les diktats du commerce international, des organismes communautaires mettent au point des systèmes de troc et de monnaie parallèles qui pourraient transformer notre relation avec l'argent.

Le principe est d'échanger des biens et des services dans le cadre d'un réseau local sans dépendre de la monnaie officielle. Un exemple ? Marie donne des cours de chant à Luc. Son salaire en monnaie locale est mis dans son compte personnel. Elle l'utilise ensuite pour se faire couper les cheveux par Pierre. Plus le réseau est grand, plus les transactions sont variées et nombreuses.

Dans Côte-des-Neiges, tout a commencé par une initiative originale du Projet Genèse. Cet organisme voué à rendre divers services aux résidents du quartier a mis sur pied un système de troc par lequel les membres échangent des savoirs et des services. Dans ce modèle, une heure de travail en vaut simplement une autre, sans l'utilisation d'aucune autre monnaie de remplacement. Du troc à l'ancienne, finalement.

Mais voilà que des individus déjà impliqués dans ce projet ont décidé d'aller plus loin, en mettant au point des systèmes d'échange beaucoup plus sophistiqués et très prometteurs.

Dans Notre-Dame-de-Grâce, le Réseau d'échanges NDG (ou NDG Barter Network) compte déjà 45 membres et a introduit les « NDG bucks », une devise qui facilite les transactions. Il ne s'agit pas ici de billets imprimés et ornés d'illustres figures, mais plutôt de crédits portés au compte personnel de chaque membre et utilisés ensuite contre des biens et des services d'autres membres de la communauté d'échange.

Joseph Hogan, un autre membre du Projet Genèse, a pour sa part établi un système similaire dans le Mile End, mais il compte l'étendre au quartier Côte-des-Neiges si la demande se fait sentir. Il parle même d'une collaboration éventuelle avec le Projet Genèse : « Je leur ai déjà proposé mon plan. Ils sont d'accord et il ne reste qu'à travailler sur les détails. » Dès le 1er juin, la quinzaine de membres de son Système d'échange communautaire de Montréal pourront effectuer des transactions avec une autre monnaie locale, les « talents ».

« Notre objectif est de créer une communauté saine et un environnement économique basé non sur la compétition, mais bien sur les principes de générosité et d'abondance des ressources locales », déclare Wendy Lloyd Smith, coordonnatrice et fondatrice du Réseau d'échanges NDG. « Avec un tel système de monnaie, poursuit-elle, on utilise de nombreuses compétences qui ne profitent habituellement à personne, et des biens usagés qui, autrement, finiraient au dépotoir. »

Bien sûr, une monnaie parallèle comme le « talent » ou les « NDG bucks » ne fait pas disparaître la pauvreté. « Cela n'élimine pas le besoin d'emploi », concède M. Hogan. Pourtant, un réseau d'échange offre des outils efficaces pour intégrer les pauvres dans la société, en leur permettant de se développer de façon considérable.

Comme l'explique M. Hogan, un bénéficiaire de l'aide sociale reçoit tout juste assez d'argent pour manger et payer le loyer. Avec une devise parallèle, il pourra s'offrir quelques petits « luxes », comme un cadeau pour ses enfants ou une coupe de cheveux. Non seulement cela, mais il pourra aussi utiliser le réseau pour développer de nouvelles compétences ou acquérir l'expérience requise dans son domaine pour trouver ensuite un emploi.

« Il est intéressant d'observer combien les membres du groupe commencent à changer : ils deviennent plus généreux, ils offrent de l'aide et osent en demander », raconte madame Lloyd-Smith. Paula Stuart, une bénévole du Réseau NDG, est également très enthousiaste : « C'est comme une famille, on s'entraide. Wendy m'a aidée à aller chez IKÉA quand je n'avais pas d'auto. »

Et les commerçants ? Ils peuvent écouler les surplus de marchandises dans la monnaie parallèle plutôt que de ne pas vendre du tout. Ils peuvent ensuite utiliser les services offerts dans le réseau – tâches de nettoyage, par exemple. Ils en tirent de nouveaux clients, des services et de la publicité sous forme de bouche-à-oreille.

Mais le plus important, selon Mme Lloyd-Smith, c'est qu'« une monnaie parallèle est issue de la communauté et demeure dans la communauté ». On renforce ainsi l'économie locale, ce qui ne peut manquer de plaire aux entreprises du coin.

« Au début, c'est difficile, car il y a peu de biens et de services disponibles, avoue M. Hogan. Mais plus il y a de monde, plus cela devient efficace. C'est ça, notre défi », ajoute-t-il. Un enthousiasme qui risque bien de faire boule de neige à Montréal.

SOURCE : *Interligne Côte-des-Neiges/Notre-Dame-de-Grâce*, juin 2004, p.1 et 2.

CHAPITRE 11

LORSQU'ILS FONT FACE À UN MANQUE DE LIQUIDITÉS, LES GOUVERNEMENTS SONT SOUVENT TENTÉS DE RÉSOUDRE LE PROBLÈME EN FAISANT TOURNER LA PLANCHE À BILLETS. EN 1998, LES DIRIGEANTS RUSSES N'ONT PAS RÉSISTÉ À CETTE TENTATION, ET LE TAUX D'INFLATION A PLUS QUE DOUBLÉ DANS L'ANNÉE.

Michael Wines

LA RUSSIE LÈVE UNE TAXE D'INFLATION

LA NOUVELLE ÉQUIPE DE DIRECTION RUSSE PAYE SES DETTES EN IMPRIMANT DE LA MONNAIE

MOSCOU – Le nouveau gouvernement russe d'obédience communiste a communiqué aujourd'hui son intention de rembourser ses anciennes dettes et de renflouer ses vieux amis en imprimant des roubles, une décision qui a déclenché immédiatement une forte réaction de la part des alliés capitalistes du président Boris N. Eltsine.

L'administrateur général de la banque centrale a indiqué aujourd'hui même que son organisme se proposait de renflouer un bon nombre d'institutions financières russes en faillite en rachetant leur portefeuille d'obligations et de bons du Trésor d'une valeur de plusieurs milliards de roubles. Le gouvernement a temporairement bloqué 40 milliards de roubles au début de la crise budgétaire, qui remonte au mois dernier, alors qu'il manquait de liquidités pour payer les détenteurs.

Interrogé par l'agence de presse Reuters sur la façon dont le gouvernement, presque insolvable, pourrait se procurer la monnaie pour renflouer les banques, l'administrateur général, Andrei Kozlov, a répondu : « Par des émissions, bien entendu », « émission » étant un euphémisme en ce qui a trait à l'impression de monnaie.

Quelques heures plus tard, à Washington, le sous-secrétaire du Trésor, Lawrence H. Summers, a déclaré devant un sous-comité de la Chambre que la Russie retournerait aux taux d'inflation à quatre chiffres qui ont ruiné les consommateurs et ont failli renverser le gouvernement de M. Eltsine en 1993.

D'après M. Summers, les nouveaux dirigeants russes ne peuvent pas abroger « les lois fondamentales de l'économie ».

SOURCE : *The New York Times,* 18 septembre 1998, p. A3.
© 2004, *The New York Times Co.*

CHAQUE FOIS QUE LE GOUVERNEMENT FAIT TOURNER LA PLANCHE À BILLETS POUR FINANCER UNE GRANDE PARTIE DE SES DÉPENSES, ON ABOUTIT À UNE HYPERINFLATION. LES RÉSIDANTS DE LA SERBIE L'ONT APPRIS À LEURS DÉPENS AU DÉBUT DES ANNÉES 90.

Roger Thurow

HYPERINFLATION EN SERBIE

EN PROMOTION AUJOURD'HUI : 6 MILLIONS DE DINARS POUR UNE TABLETTE DE CHOCOLAT

BELGRADE, YOUGOSLAVIE – À la boutique Luna, une tablette de chocolat Snickers coûte 6 millions de dinars. Ou tout du moins, jusqu'à ce que le gérant Tihomir Nikolic prenne connaissance de la dernière télécopie de son patron.

« Augmentez les prix de 99 % », indique ce document lapidaire. Cela irait même jusqu'à 100 % si les ordinateurs de la boutique, qui ailleurs dans le monde passerait pour un magasin à un dollar, pouvaient accepter les modifications à trois chiffres.

Pour la deuxième fois en trois jours, M. Nikolic recommence à augmenter les prix. Il bloque la porte d'entrée avec une vadrouille pour empêcher les clients de profiter d'une telle aubaine. L'ordinateur recrache des feuilles perforées avec les nouveaux prix et le gérant, aidé de ses deux assistants, découpe les feuilles pour en faire des étiquettes qu'il colle sur les étagères. Ils avaient l'habitude de coller les étiquettes directement sur les marchandises, mais elles finissaient par se recouvrir les unes les autres et devenaient difficiles à lire.

Quatre heures plus tard et la vadrouille en moins, les clients parcourent la boutique, les yeux écarquillés, en tentant de déchiffrer le nombre de zéros sur les étiquettes. M. Nikolic lorgne une autre liste informatique dans l'espoir de comprendre le prix d'un magnétoscope.

« Est-ce que ce sont des milliards ? » se demande-t-il. Il s'agit plus exactement de 20 391 560 223 dinars. Il montre le sigle qui orne son tee-shirt, la marque d'un jus de fruits qu'il vendait auparavant : « Extrême ». Il trouve que c'est une parfaite devise pour la situation économique bizarre de la Serbie. « Ça frise la folie », dit-il.

Que peut-on dire d'autre ? Depuis l'imposition des sanctions économiques par la communauté internationale, le taux d'inflation dépasse 10 % *par jour*, portant le taux annuel à plusieurs quadrillions – un tel chiffre n'a aucun sens. En Serbie, un billet de 10 dollars américains se change pour 10 millions de dinars à l'hôtel Hyatt, 12 millions chez les changeurs véreux du square de la République, et 17 millions dans une banque dirigée par la pègre de Belgrade. Les Serbes se plaignent que le dinar n'atteint pas la valeur du papier hygiénique. Mais pour le moment, du moins, on trouve encore du papier hygiénique partout.

On dit que la planche à billets du gouvernement, cachée dans un parc derrière l'hippodrome de Belgrade, tourne nuit et jour afin de répondre à l'inflation qu'elle contribue à alimenter par son fonctionnement ininterrompu. Le gouvernement, persuadé que cette avalanche de monnaie fera taire la contestation, a besoin de dinars pour payer les employés qui ne travaillent plus dans les bureaux et les usines fermés. Il en a besoin pour payer la récolte des fermiers. Il en a besoin pour financer ses incursions de contrebande et tous les autres moyens d'échapper aux sanctions, ou pour obtenir du pétrole ou les tablettes de chocolat Snickers de M. Nikolic. Il en a également besoin pour aider ses compatriotes qui luttent en Bosnie-Herzégovine et en Croatie.

Les changeurs, capables de détecter la moindre différence de qualité des billets juste au toucher, déclarent que la Monnaie engage même des imprimeurs privés pour répondre à la demande.

« Nous sommes des experts. Ils ne peuvent pas nous tromper », déclare l'un d'eux tout en comptant 800 millions en billets de 5 millions de dinars. « Ceux-là sont tout chauds de la presse », confie-t-il. Il assure qu'ils proviennent d'une banque privée, banque qui les reçoit de la banque centrale, laquelle les reçoit de la Monnaie – un circuit contre nature qui relie le marché noir au ministère des Finances. « C'est de la folie collective », dit-il en riant malicieusement.

SOURCE : *The Wall Street Journal*, 4 août 1993, p. A1.

COMME NOUS L'AVONS DÉJÀ VU, UNE MODIFICATION IMPRÉVUE DU NIVEAU DES PRIX CAUSE UNE REDISTRIBUTION DE LA RICHESSE ENTRE LES EMPRUNTEURS ET LES DÉBITEURS. CELA NE SE PRODUIRAIT PAS SI LES ENGAGEMENTS DE PAIEMENT ÉTAIENT FORMULÉS EN TERMES RÉELS ET NON EN TERMES NOMINAUX. EN 1997, LE TRÉSOR AMÉRICAIN A COMMENCÉ À ÉMETTRE DES OBLIGATIONS DONT LE RENDEMENT EST INDEXÉ SUR LE NIVEAU DES PRIX. DANS L'ARTICLE SUIVANT, ÉCRIT QUELQUES MOIS APRÈS LA MISE EN VIGUEUR DE CETTE POLITIQUE, DEUX ÉCONOMISTES DE RENOM DISCUTENT DES MÉRITES DE CETTE MESURE.

John Y. Campbell et *Robert J. Shiller*

INFLATION : COMMENT PROTÉGER VOS ÉPARGNES

LUTTE CONTRE L'INFLATION À LONG TERME

Le secrétaire du Trésor, Robert Rubin, vient d'annoncer jeudi dernier que le gouvernement prévoit émettre des obligations indexées – c'est-à-dire des obligations dont les paiements d'intérêts et de capital seraient corrigés pour tenir compte de l'inflation, garantissant dès lors leur pouvoir d'achat réel à l'avenir.

Il s'agit d'un moment historique. Les économistes ont réclamé durant des années, sans résultat, un tel type d'obligations. Ils furent pour la première fois réclamés en 1822 par l'économiste Joseph Lowe. Vers 1870, l'économiste anglais William Stanley Jevons s'en montra également partisan. Au début du vingtième siècle, le fameux Irving Fisher fit de leur création son cheval de bataille.

Dans les dernières décennies, des économistes de toutes tendances – depuis Milton Friedman jusqu'à James Tobin, en passant par Alan Blinder et Alan Greenspan – s'y sont montrés favorables. Néanmoins, en l'absence de soutien populaire pour un tel type de titre, le gouvernement n'a jamais émis d'obligations indexées.

Maintenant que nous en disposons, espérons que ce manque d'intérêt disparaîtra. Leur succès dépend de la compréhension du public qui les achète. Jusqu'alors, les obligations ont toujours constitué un investissement risqué en raison de l'inflation. En 1966, lorsque le taux d'inflation ne dépassait pas 3 %, si quelqu'un avait acheté des obligations d'État à 30 ans portant 5 % d'intérêt, il pouvait s'attendre à voir son investissement multiplié par 180 %. Cependant, en raison d'une inflation plus élevée que prévu, ces obligations valent maintenant 85 % de leur valeur initiale.

L'inflation modérée des dernières années a rendu les investisseurs moins inquiets concernant son effet sur leurs épargnes. Une telle sérénité s'avère dangereuse : l'inflation, même modérée, risque de raboter vos épargnes à long terme.

Imaginez que vous preniez votre retraite et que vos revenus soient investis dans des bons du Trésor rapportant 10 000 $ par année, quel que soit le taux d'inflation. En l'absence d'inflation, votre retraite vous garantit le même pouvoir d'achat dans vingt ans. Mais si l'inflation s'en mêle, même si son taux ne dépasse pas 3 % par année, dans 20 ans d'ici, vos revenus se limiteront à 5 540 $ d'aujourd'hui. Un taux annuel de 5 % sur la même période ramènera pour sa part votre pouvoir d'achat à 3 770 $, et si l'inflation passe à 10 %, il ne vous restera qu'un maigre 1 390 $. Lequel de ces scénarios est le plus probable ? Personne ne peut le prévoir. L'inflation est tributaire des personnes élues, responsables de la régulation de la masse monétaire.

À un moment où les Américains vivent de plus en plus longtemps et doivent planifier une retraite s'étalant sur plusieurs décennies, les effets insidieux de l'inflation doivent être pris au sérieux. Pour cette seule raison, la création d'obligations indexées sur l'inflation garantit un rendement sur de longues périodes et s'avère donc une bénédiction.

Aucun autre investissement n'offre ce type de sécurité. Les obligations classiques rapportent des montants constants en dollars ; mais les investisseurs devraient s'inquiéter de leur pouvoir d'achat bien plus que des sommes qu'ils reçoivent. Les taux d'intérêt à court terme suivant l'inflation, les fonds du marché monétaire rapportent des intérêts se trouvant en quelque sorte à s'accroître avec l'inflation. De nombreux autres facteurs influencent ces taux d'intérêt et, par conséquent, les revenus de ce type de véhicules financiers ne sont jamais assurés.

Le marché des actions permet des rendements élevés, mais également des pertes importantes. Les épargnants devraient se souvenir du marché à la baisse des années 70, tout autant que des marchés haussiers des années 80 et 90.

Des obligations d'État indexées sur l'inflation ont été mises sur le marché depuis une quinzaine d'années en Grande-Bretagne, depuis cinq ans au Canada, de même que dans bon nombre d'autres pays, comme l'Australie, la Nouvelle-Zélande et la Suède. La Grande-Bretagne, arborant le plus important marché des obligations indexées, offre des rendements dépassant de 3 ou 4 % le taux d'inflation. Aux États-Unis, des rendements du même type pourraient faire de ces obligations un produit financier de premier ordre pour l'épargne-retraite.

Espérons que les institutions financières profiteront de ces nouvelles obligations en offrant des produits financiers innovateurs. Les obligations indexées sur l'inflation apparaîtront probablement en premier, mais les rentes indexées et même les hypothèques indexées – les paiements mensuels corrigés pour tenir compte de l'inflation – devraient suivre. [Note de l'auteur: depuis la rédaction de cet article, de nouveaux produits indexés ont été mis sur le marché sans connaître une grande diffusion.]

Même si l'administration Clinton n'en retire pas grand prestige aujourd'hui, une décision d'une telle portée sera reconnue par les historiens de l'économie dans quelques décennies.

SOURCE: *The New York Times*, 18 mai 1996, p. 19.
© 2004, *The New York Times Co.*

CHAPITRE 12

LORSQUE VOUS ENTENDEZ DIRE QUE L'ON CONSTRUIT UNE USINE EN ASIE OU EN AMÉRIQUE LATINE, VOUS ÊTES-VOUS JAMAIS DEMANDÉ QUI FINANÇAIT CE PROJET? LA RÉPONSE RISQUE DE VOUS SURPRENDRE.

Edward Wyatt

NOUS SOMMES AU XXIᴱ SIÈCLE – SAVEZ-VOUS OÙ SE TROUVE VOTRE CAPITAL?

VOUS ÊTES LES NOUVEAUX FINANCIERS DU MONDE

Les investisseurs se sont précipités en Europe de l'Est, juste après la chute du mur de Berlin en 1989, désireux de rafler toutes les bonnes affaires lors de ce qui serait, pensaient-ils, une reprise économique rapide. L'année suivante, le boom technologique attirait leur argent en Extrême-Orient. L'Amérique latine a ensuite connu son heure de gloire – jusqu'à ce que le peso mexicain s'effondre, les investisseurs se jetant alors sur les nations du Pacifique. Aux alentours de 1997, la Russie s'est avérée particulièrement attirante, suivie à nouveau de l'Amérique latine.

Des milliards de dollars tournent autour du globe, apparemment sans rime ni raison, à la recherche d'investissements sur des marchés jusqu'alors peu connus, de Santiago à Kuala Lumpur. Il existe une certaine rationalité dans cette ruée – en dépit de quelques désastres occasionnels, comme celui de la récente fraude de la mine d'or Bre-X, dans laquelle les gestionnaires de fonds communs de placement ont englouti des sommes colossales avant de s'apercevoir qu'il ne s'agissait que de quelques trous dans le sol de Bornéo.

D'abord et avant tout, les actions et les marchés obligataires connaissent une plus grande croissance à l'étranger qu'aux États-Unis, rapportant beaucoup plus aux investisseurs. En 1970, les marchés étrangers représentaient seulement le tiers de la valeur des actions et des obligations mondiales, alors que les États-Unis à eux seuls comptaient pour les deux autres tiers. Mais l'année dernière, les actifs étrangers représentaient 60% des actifs totaux.

Les bourses des économies émergentes comme la Turquie, l'Argentine et l'Afrique du Sud représentent maintenant 14% de la valeur mondiale des actions, par rapport à 4% il y a 10 ans.

Les investisseurs s'y précipitent depuis le revirement des tendances économiques mondiales survenu à la fin de la guerre froide. Les économies étatisées et centralisées ont fait place à la propriété privée des moyens de production. Une telle transformation stimule les nouvelles économies, qui n'ont plus besoin de l'aide des agences de développement international ni des grandes banques new-yorkaises pour obtenir des capitaux étrangers, comme c'était le cas dans les années 70 et 80. Ô surprise! Depuis les années 90, leurs capitaux d'amorçage proviennent des millions d'Américains moyens qui investissent dans les fonds communs de placement.

«Cette tendance venant de l'Amérique a poussé les organismes prêteurs internationaux à encourager le développement de l'entreprise privée, à ouvrir les marchés et à les libérer de la propriété étatique», déclare J. Mark Mobius, responsable du suivi de plusieurs fonds communs de placement Templeton dans les marchés émergents. «Cela débouche sur l'ouverture des marchés des capitaux – obligataires et boursiers – dans de nombreux pays, où aujourd'hui les gens comme moi essaient d'investir l'argent qui est placé dans les fonds.»

Par les temps qui courent, lorsqu'un ministre des Finances d'une nation en voie de développement cherche à encourager les étrangers à investir dans son pays, il courtise beaucoup plus des gens comme M. Mobius que la Banque mondiale ou l'Agence internationale pour le développement.

SOURCE: *The New York Times*, 25 mai 1997,
Week in Review, p. 3
© 2004, *The New York Times Co.*

LES PAYS EN VOIE DE DÉVELOPPEMENT, COMME CEUX DE L'AMÉRIQUE LATINE, INONDERONT-ILS LES PAYS INDUSTRIELS D'EXPORTATIONS BON MARCHÉ TOUT EN REFUSANT D'IMPORTER LES PRODUITS FABRIQUÉS DANS LE NORD ? LES NATIONS EN DÉVELOPPEMENT SE SERVIRONT-ELLES DE L'ÉPARGNE MONDIALE POUR FINANCER LEURS INVESTISSEMENTS ET LEUR CROISSANCE, LAISSANT AUX NATIONS INDUSTRIELLES DES RESSOURCES INSUFFISANTES POUR LEUR PROPRE ACCUMULATION DE CAPITAL ? CERTAINS CRAIGNENT LA RÉALISATION DE CES DEUX PROPHÉTIES. MAIS UNE IDENTITÉ COMPTABLE ET L'ÉCONOMISTE PAUL KRUGMAN NOUS DISENT DE NE PAS NOUS INQUIÉTER.

Paul Krugman

LES FLUX ENTRE LE SUD EN VOIE DE DÉVELOPPEMENT ET LE NORD INDUSTRIEL

L'ÉCONOMIE IMAGINAIRE

Les rapports des organisations internationales sont généralement accueillis par une série de bâillements bien mérités. Il arrive cependant qu'un de ces rapports laisse entrevoir un changement fondamental d'opinion.

Il y a quelques semaines, le Forum économique mondial – qui rassemble chaque année une brochette exceptionnelle de l'élite politique et économique mondiale à Davos, en Suisse – a publié son rapport annuel sur la compétitivité des pays. Ce rapport a fait les gros titres des journaux en sacrant les États-Unis « économie la plus compétitive au monde » et en reléguant le Japon à la deuxième place.

La partie la plus révélatrice de ce rapport n'est cependant pas son classement de la concurrence, qui est sans grand intérêt, mais plutôt son introduction, qui présente une vision très claire de l'avenir de l'économie mondiale.

Cette vision, partagée par bien des puissants de ce monde, est à la fois convaincante et alarmante. Elle est aussi totalement absurde. Et le fait qu'une telle baliverne soit prise au sérieux par des gens qui se pensent très ferrés en économie est en soi un présage inquiétant pour l'économie mondiale.

Le rapport conclut que la diffusion de la technologie moderne dans les nouvelles nations industrialisées aboutira à une désindustrialisation des pays à salaires élevés : les capitaux se dirigeront vers le tiers-monde et les producteurs de ces nations inonderont le marché mondial de leurs produits industriels à bas prix.

Le document prévoit une accélération de cette tendance qui touchera le secteur des services après avoir dévasté celui de la fabrication, laissant un choix difficile aux pays à salaires élevés : la réduction des salaires ou l'augmentation future du chômage.

Une telle vision a de quoi inquiéter. Néanmoins, en tant que description du passé récent, elle est passablement inexacte.

Les économies du tiers-monde connaissant une croissance accélérée ont, certes, augmenté leurs exportations de produits manufacturés. Mais de nos jours, ces exportations ne représentent qu'un faible pourcentage du revenu des pays industrialisés. En outre, les nations en voie de développement intensifient également leurs importations.

Dans l'ensemble, l'effet de la croissance du tiers-monde sur les emplois industriels en Occident reste minime : l'augmentation des exportations vers les nations nouvellement industrialisées a créé presque autant d'emplois que les importations en ont fait disparaître.

Qu'en est-il des flux de capitaux ? Les chiffres paraissent impressionnants. L'année dernière, 24 milliards de dollars ont été investis au Mexique et 11 milliards en Chine. Le volume total des capitaux du monde industrialisé se déplaçant vers les nations en développement atteignait environ 60 milliards de dollars. Cette somme, qui semble énorme, n'est pourtant que menue monnaie en comparaison des investissements mondiaux, qui se chiffrent annuellement à 4 billions (4 000 milliards) de dollars.

Autrement dit, cette description qui montre l'économie occidentale fortement éprouvée par la concurrence des nations à bas salaires tente peut-être de représenter le monde d'aujourd'hui, mais elle tient du fantasme et ne correspond en rien à la réalité.

Mais si cette description ne se vérifie pas aujourd'hui, s'applique-t-elle à l'avenir ? Certes, l'accroissement des exportations de biens manufacturés du Sud vers le Nord est susceptible de provoquer une perte nette d'emplois industriels, mais uniquement si cette perte n'est pas compensée par la croissance des exportations du Nord vers le Sud.

De toute évidence, les auteurs du rapport prévoient un excédent commercial important pour les nations sous-développées. Mais la réalité comptable nous rappelle inévitablement que le pays qui connaît un excédent commercial doit également investir dans les autres nations. La désindustrialisation à grande échelle surviendra seulement si les nations à bas salaires deviennent des exportateurs majeurs de capitaux vers les pays à salaires élevés, ce qui semble improbable. De toute façon, cette affirmation vient en contradiction avec la prévision d'un afflux massif de capitaux vers les nations en voie de développement.

Par conséquent, ce rapport sur la concurrence des nations offre non seulement une vision qui ne correspond pas à la réalité, mais qui présente également des contradictions. Pourtant, il semble que cette conception soit partagée par un nombre croissant d'hommes et de femmes très influents. Et cela ne laisse pas d'être inquiétant.

Ceux qui se préoccupent de la concurrence des bas salaires ne deviennent pas automatiquement des protectionnistes. Les auteurs du rapport sur la concur-

rence des nations se targueront d'être des défenseurs du libre-échange. Néanmoins, le fait que de telles idées acquièrent une certaine respectabilité laisse craindre que le consensus intellectuel, qui a présidé à la relative liberté du commerce à l'échelle mondiale et a permis à des centaines de millions d'habitants du tiers-monde de goûter pour la première fois à la prospérité, risque de s'effriter.

SOURCE: *The New York Times,* 26 septembre 1994, p. A17.
© 2004, *The New York Times Co.*

LA CHINE EST EN TRAIN DE DEVENIR LA NOUVELLE PUISSANCE ÉCONOMIQUE MONDIALE. ON LA CRAINT, ON LA COURTISE ; IL RESTE À LA COMPRENDRE ET À L'APPRIVOISER.

Maurice N. Marchon

AVEZ-VOUS PEUR DE LA CHINE ?

Certaines entreprises sont carrément paralysées par la peur. Elles sentent leur dernière heure venue, comme si c'était la fin. D'autres se frottent les mains en pensant aux occasions d'affaires. Le réveil de la Chine ne laisse personne indifférent. On ne parle même plus de réveil : la Chine est la puissance économique émergente. Quel effet cela aura-t-il sur les entreprises et sur la situation de l'emploi en Amérique du Nord ?

Disons les choses franchement : toute résistance est inutile. La Chine est devenue la plate-forme de production la plus avantageuse pour les entreprises manufacturières des pays industrialisés. Il est donc impératif, pour elles, de transférer vers cette nouvelle frontière de la mondialisation la production et l'assemblage d'une gamme de plus en plus étendue de composants et de produits manufacturiers. Et les pays ou les régions qui résisteront à cette division internationale du travail de plus en plus poussée verront leur niveau de vie se dégrader.

Les entreprises n'ont pas le choix : c'est en innovant et en préservant les activités de création, de distribution et de service à la clientèle qu'elles seront le plus rentables et qu'elles pourront, malgré tout, créer des emplois.

Cette situation est en partie causée par la concurrence internationale et la délégation des tâches à des pays où le coût de la main-d'œuvre est meilleur marché qu'aux États-Unis. En décembre 2003, les prix des biens durables ont diminué au taux annuel de 3,9%, malgré l'impact potentiellement inflationniste de la dépréciation du dollar américain.

C'est aussi parce que le taux d'inflation est très faible que les taux d'intérêt à court et à long terme sont si bas. Lorsque l'inflation est maîtrisée et que l'économie d'un pays ne crée pas suffisamment d'emplois, la banque centrale peut se permettre de diminuer le taux d'intérêt à court terme pour stimuler la demande finale. Aux États-Unis, les dernières statistiques en matière d'emploi viennent confirmer que l'économie américaine crée des emplois malgré les pertes massives que subissent les entreprises manufacturières.

En effet, depuis le début de la dernière récession, en mars 2001, et jusqu'en janvier 2004, pas moins de 2,6 millions d'emplois ont disparu dans les entreprises manufacturières américaines. Récemment, Alan Greenspan, le président de la Réserve fédérale, mentionnait qu'un million de travailleurs quittaient leur emploi chaque semaine, dont 40 % involontairement, souvent à cause de fermetures d'entreprises ou à la suite d'une relocalisation. Chaque semaine, aussi, tout près d'un million de personnes trouvent un nouvel emploi ou reprennent le travail après une période de chômage. De septembre 2003 à janvier 2004, l'emploi total a commencé à augmenter au rythme mensuel moyen de 58 000 emplois. C'est encore trop peu, mais on s'attend à une accélération de la création d'emplois chaque mois en 2004.

Les emplois manufacturiers désertent les États-Unis...

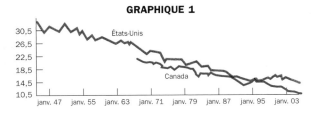

GRAPHIQUE 1

L'histoire se répète

En 1810, 83 % de la population active des États-Unis travaillait dans l'agriculture, comparativement à seulement 1,8 % en 2003. Au fil des siècles, l'augmentation de la productivité dans le domaine de l'agriculture a permis le transfert des emplois du secteur primaire vers le secteur secondaire (qui comprend le secteur manufacturier) et le secteur tertiaire (les services). Depuis la fin de la Deuxième Guerre mondiale, un processus similaire s'est engagé dans le secteur manufacturier. En janvier 1947, 32,9 % des personnes employées travaillaient dans le secteur manufacturier aux États-Unis, alors qu'en janvier 2004, ce pourcentage est tombé à 11 % (voir graphique 1).

Au cours de la même période, le pourcentage des emplois du secteur des services est passé de 60,5 % à 83,3 %. Cette perspective à long terme illustre à quel point le transfert des emplois manufacturiers qui se fait aujourd'hui en faveur de la Chine se faisait, il y a quelques années, vers le Mexique, l'Asie du Sud-Est, etc. Il est important de réaliser que ce phénomène n'est pas nouveau et que le processus est loin d'être terminé. Le secteur manufacturier canadien a échappé pendant quelques années à la diminution du pourcentage des emplois dans ce secteur (voir graphique 1) grâce à la dépréciation du dollar canadien, qui avait diminué le coût relatif de la main-d'œuvre canadienne. L'appréciation récente du dollar canadien va certainement se faire sentir au cours des prochaines années, et nous prévoyons que le pourcentage des emplois dans ce secteur suivra à nouveau le parcours observé aux États-Unis (voir graphique 1).

Il ne fait aucun doute que les importations chinoises aux États-Unis ont récemment fait des pas de géant. En janvier 2000, le pourcentage des importations en provenance de la Chine s'élevait à 7,9 % des importations totales de marchandises, et le déficit annuel de la balance commerciale avec la Chine s'élevait à 70 milliards de dollars américains. En décembre 2003, ce même déficit avec la Chine s'élevait à 124 milliards de dollars, et le pourcentage des importations de marchandises en provenance de ce pays s'élevait à 12 % des importations américaines de marchandises (voir graphique 2).

Sur une moindre échelle, en valeur absolue, le déficit commercial annuel du Canada avec la Chine s'élevait à 13,9 milliards de dollars canadiens en 2003, et le pourcentage des importations de marchandises en provenance de la Chine a atteint 5,6 % en 2003 (voir graphique 3). Les entreprises canadiennes ont donc également compris qu'elles avaient tout intérêt à chercher à minimiser leurs coûts de production en utilisant des composants ou des produits directement importés de Chine, pour préserver leur compétitivité.

...pour migrer vers la Chine...

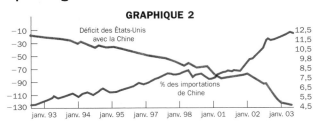

GRAPHIQUE 2

C'est en innovant et non pas en basculant vers le protectionnisme que nos entreprises prospéreront et que nous ferons progresser notre niveau de vie.

Les Chinois sont aussi des consommateurs

Par ailleurs, il est faux de croire que la Chine soit capable de produire seulement en utilisant sa main-d'œuvre abondante : elle est également devenue un grand importateur d'équipements et de matières premières de toutes sortes. En 2003, son surplus de la balance courante n'était que d'une quinzaine de milliards de dollars américains. En janvier 2004, l'administration des douanes de Chine évaluait les exportations mensuelles de marchandises à 35,71 milliards de dollars américains, par rapport à des importations de 35,74 milliards de dollars. La Chine est devenue une source d'exportation importante pour les pays d'Asie, y compris le Japon. En novembre 2003, les exportations de ce dernier vers la Chine étaient 21 % plus élevées qu'en novembre 2002. La croissance rapide des importations chinoises de matières premières est devenue un facteur très important dans la fixation du prix de ces dernières.

...et le Canada suit la même tendance.

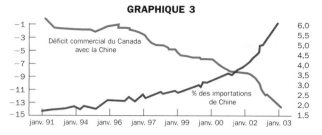

GRAPHIQUE 3

C'est notamment le cas du cuivre, du nickel, du pétrole et des graines de soya, dont les prix ont bondi respectivement de 59 %, 121 %, 31 % et 60 % au cours de la dernière année, se terminant en janvier 2004. Le Canada est un pays exportateur net de ressources naturelles et se retrouve donc en bonne position pour bénéficier de la hausse du prix relatif des matières premières. Ce dernier est mesuré par le rapport entre l'indice CRB (Commodity Research Bureau) au comptant composé du prix de 22 matières premières et de l'indice des prix industriels américains (voir graphique 4).

De 1980 à 2001, le prix relatif des matières premières a connu une baisse tendancielle, malgré quelques périodes de rebondissement cycliques ou temporaires. Depuis deux ans, nous assistons à un renversement de tendance qui devrait se poursuivre au cours des prochaines années. Premièrement, parce que la Chine deviendra un importateur de plus en plus important de ressources naturelles pour satisfaire les besoins de sa plate-forme de production manufacturière, et pour soutenir le développement de sa demande intérieure, qui s'accroîtra avec l'augmentation de son niveau de vie. Deuxièmement, parce que le dollar américain continuera de se déprécier par rapport à l'ensemble de ses partenaires commerciaux

afin de diminuer le déficit de la balance courante des États-Unis, qui s'élève à près de 5 % du PIB. Un déficit aussi imposant ne pourra pas être indéfiniment financé par une importation aussi massive de capitaux.

C'est d'ailleurs la raison pour laquelle le dollar américain se déprécie depuis février 2002. Le graphique 4 montre que lorsque le dollar américain s'apprécie (ce qu'il a fait de 1980 à 2001), le prix relatif des matières premières diminue. Par contre, lorsque le dollar américain se déprécie par rapport à un ensemble élargi de devises, le prix relatif des matières premières se raffermit, comme c'est le cas depuis deux ans.

La dépréciation du dollar américain fait grimper les prix des matières premières.

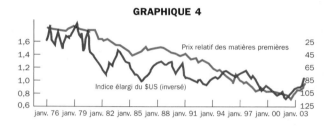

GRAPHIQUE 4

Nous devrions donc assister à une amélioration du prix relatif des matières premières qui se poursuivra au cours des prochaines années, mais non sans périodes de revirement temporaire des prix. Nous assisterons alors à une certaine redistribution sectorielle et régionale de l'activité économique au Canada. Les provinces riches en ressources naturelles seront gagnantes à coup sûr, mais les provinces où l'activité manufacturière est la plus développée devront se diversifier, s'adapter et innover, pour créer des emplois et améliorer le niveau de vie de leurs habitants.

SOURCE: *Commerce*, avril 2004, p. 75.

CHAPITRE 13

M. Jim Stanford, économiste au Syndicat canadien des travailleurs de l'automobile, s'en prend ici au déficit commercial canadien avec la Chine. Ses arguments sont souvent repris par d'autres groupes de pression, qui voient les importations comme une mauvaise chose. Remarquez les failles dans son raisonnement.

Jim Stanford

NOTRE DÉFICIT COMMERCIAL AVEC LA CHINE

SUPPLIONS LA CHINE : PUNISSEZ-NOUS, PUNISSEZ-NOUS, S'IL-VOUS-PLAÎT !

Des officiels chinois ont laissé entendre récemment que, si le gouvernement canadien continue à appuyer l'indépendance du Tibet, il pourrait y avoir des répercussions sur notre commerce bilatéral. Nous devrions accepter ce défi. La raison ? Notre commerce avec la Chine nous cause plus de tort qu'il ne nous amène de bénéfices.

Il y a une décennie, nous avions une relation commerciale modeste et équilibrée. Depuis cette époque, nos exportations vers la Chine ont crû de 2 milliards de dollars, mais nos importations ont augmenté 8 fois plus. Cela fait de la Chine notre second partenaire commercial et le déficit bilatéral de 15 milliards de dollars est le plus important de toutes nos relations bilatérales. Ce déséquilibre représente au moins 50 000 emplois perdus au Canada.

Cette saignée augmentera sans doute au cours des prochaines années, à mesure que les exportations chinoises deviendront plus diversifiées et plus sophistiquées du point de vue technologique. Cessez de penser à des jouets en plastique de chez McDonald's ; commencez à penser à des voitures, des ordinateurs et des avions.

Les adeptes du libre-échange ont une réponse toute trouvée : la Chine est un pays à haute intensité et à faible coût de main-d'œuvre. Il est bon pour nous d'importer de ce pays des biens à haute intensité de main-d'œuvre et d'y exporter des biens intensifs en connaissance. C'est ainsi que les « avantages comparatifs – ou relatifs » fonctionnent.

Cependant, ce modèle de libre-échange est utopique, surtout lorsque vient le temps d'expliquer le commerce canado-chinois. Le boom économique chinois ne reflète pas une surabondance de main-d'œuvre (ce que l'on retrouve dans tous les pays en développement). Il reflète une stratégie délibérée et semi planifiée [sic] de développer des avantages dans des industries de plus en plus sophistiquées, à l'aide d'interventions puissantes de l'État : un capital physique subventionné, des investissements en infrastructures, une devise gérée et – bien sûr – une main-d'œuvre docile et peu payée.

De plus, notre part infime dans la croissance chinoise – 5 milliards $ d'exportations annuelles, sur un PIB de près de 10 billions $ – ne reflète pas nos « cerveaux ». Ce sont nos industries de ressources traditionnelles (minerais, agriculture et autres ressources) qui attrapent les miettes du miracle économique chinois. Croyez-le ou non, le commerce avec la Chine ne fait que renforcer notre statut historique d'exportateur de matières premières, alors même que la Chine s'efforce de fuir son rôle de fournisseur de main-d'œuvre à bon marché.

Des solutions de marché ne nous permettront même pas de ralentir la destruction massive d'emplois provenant du commerce bilatéral avec la Chine. Investir en éducation n'est pas une panacée : les travailleurs chinois, indiens ou autres sont tout aussi capables d'acquérir des habiletés que les Canadiens. Réduire les taux d'intérêt n'est pas non plus une solution, même si cela peut contribuer à défaire une partie des dommages causés par l'augmentation récente du dollar. Inciter la Chine à laisser flotter sa devise (la tactique américaine actuelle) ne changera pas grand-chose : le yuan pourrait doubler de valeur demain, et les entreprises continueraient quand même à affluer en Chine.

Ultimement, nous aurons besoin de mesures directes pour limiter les déséquilibres commerciaux et forcer les planificateurs chinois à acheter autant de nous que nous achetons d'eux. Par chance, en nous menaçant à cause de notre hospitalité envers le dalaï-lama, les Chinois nous ont facilité la tâche. Laissons-les démolir eux-mêmes cette relation à sens unique.

Utilisant mon tact et mon sens légendaire de la diplomatie, je propose une stratégie en huit points pour détruire notre relation commerciale avec la Chine. Ma stratégie est sûre de provoquer une réaction des apparatchiks chinois, soit la punition que nous méritons si bien :

1. Nommer Iona Campagnolo ambassadrice canadienne à Beijing ;
2. Faire du dalaï-lama un citoyen honoraire du Canada ;
3. Boycotter les Jeux olympiques d'été de 2008, à Beijing ;
4. Envoyer Don Cherry faire les commentaires des matchs de la Ligue tibétaine de hockey ;

5. Inviter le Tibet à se joindre à l'ALENA ;
6. Payer 100 millions $ à des agences de publicité, pour commanditer des activités patriotiques tibétaines ;
7. Organiser un programme officiel d'échanges culturels avec le Tibet ;
8. Envoyer le député fédéral Dennis Mills crier «Vive le Tibet libre» du haut d'un balcon du Palais impérial.

Si tout cela ne fonctionne pas, il nous resterait toujours la possibilité de supplier à genoux les Chinois de nous imposer des sanctions. Il peut sembler idiot de supplier la Chine de nous punir, mais dans ce cas, les faits sont clairs : les Chinois souffriront plus que nous.

M. Stanford nous dit dans sa chronique que le déséquilibre de nos échanges avec la Chine est un grave problème. Mais le Canada est en situation de surplus commercial avec le monde. Quel est donc le problème ? M. Stanford a probablement un déficit commercial avec son dentiste (car il doit lui acheter plus de services que l'inverse) et un surplus commercial avec le Syndicat canadien des travailleurs de l'automobile. S'il croit que cette situation est mauvaise, on pourrait lui suggérer de faire pousser des légumes dans son jardin et de les échanger contre des plombages. Et pourquoi le syndicat qui l'emploie ne le paie-t-il pas en voitures produites par les membres de son syndicat ?

Ce qui compte vraiment, c'est le solde global des échanges de M. Stanford. Si M. Stanford a un surplus commercial, cela signifie qu'il achète moins du reste du monde que le reste du monde achète de lui. Il épargne donc une partie de son revenu et prête cet excédent à d'autres. De la même façon, un déficit commercial global est causé par une épargne agrégée plus faible que l'investissement. Et un surplus commercial (comme celui du Canada) signifie que nous épargnons plus que nous investissons. La Chine n'a rien à voir là-dedans.

Rappelez-vous finalement que les échanges ne sont pas un jeu à somme nulle (voir le chapitre 3, sur les gains des échanges).

Source : *The Globe and Mail*, 26 avril 2004, p. A13

CHAPITRE 14

Nous avons déjà observé comment les fluctuations du prix du pétrole influent sur les niveaux de la production et des prix, en déplaçant la courbe d'offre agrégée. Les fluctuations marquées des prix pétroliers ont donc des conséquences économiques graves. L'article suivant discute des effets d'une hausse du prix du pétrole sur l'économie mondiale.

L'ART DE LA POLITIQUE MACROÉCONOMIQUE

Selon cet article de la revue *The Economist*, les chocs pétroliers présentent un dilemme aux responsables de la politique macroéconomique. Remarquez comment le fait que le pétrole soit importé modifie l'effet du choc, en faisant bouger la courbe de demande agrégée.

COMMENT LES BANQUES CENTRALES DEVRAIENT-ELLES RÉAGIR À UNE HAUSSE DU PRIX DU PÉTROLE ?

L'inflation augmente actuellement. Le taux moyen d'inflation des prix à la consommation de la zone euro a crû de 1,6 % à 2,5 % entre février et mai, bien plus que le plafond fixé par la Banque centrale européenne (BCE). Le taux d'inflation annuel américain (de mai 2003 à mai 2004), qui sera publié le 15 juin prochain, sera sans doute de 3 %, comparativement à 1,7 % deux mois plus tôt. La raison de cette détérioration est à chercher du côté du pétrole. Malgré une légère baisse la semaine dernière, le prix du brut est tout de même 25 % plus élevé qu'il y a un an. Les banques centrales devraient-elles augmenter les taux d'intérêt devant cette augmentation du prix du pétrole ?

Comme Alan Greenspan, le président de la Réserve fédérale américaine, l'a dit cette semaine, la réponse n'est pas claire. En effet, un prix du pétrole plus élevé ne fait pas qu'augmenter l'inflation (ce qui incite à monter les taux d'intérêt), mais réduit aussi la croissance économique (ce qui incite à baisser les taux d'intérêt).

La meilleure façon de comprendre ce phénomène est d'utiliser un graphique standard d'offre et de demande agrégées. Dans le graphique de gauche page suivante, l'économie est en équilibre au point où les courbes de demande agrégée D1 et d'offre agrégée S1 se touchent, au niveau de prix P1 et de production Q1. Une hausse du prix du pétrole touche un pays importateur de deux façons. Premièrement, elle augmente les coûts de production et les profits des firmes, ce qui les amène à offrir moins de biens et de services pour tout niveau des prix. Cela déplace la courbe d'offre agrégée vers la gauche, jusqu'à S2. Deuxièmement, cette hausse du prix du brut transfère des revenus vers les pays producteurs de pétrole (une partie pourra cependant en revenir sous forme d'exportations). Étant donné que les revenus et les dépenses sont réduites dans les pays importateurs de pétrole, leur courbe de demande agrégée se déplace également vers la gauche, de D1 à D2.

Ainsi, l'économie souffre à la fois d'un choc négatif d'offre et d'un choc négatif de demande. La production chute donc nécessairement (à Q2), mais l'impact sur l'inflation est ambigu : en théorie, elle pourrait augmenter ou diminuer, selon la forme des courbes d'offre et de demande et l'importance relative de leurs déplacements. Quelques économistes croient même qu'une hausse du prix du pétrole est déflationniste, ce qui justifierait une baisse des taux d'intérêt. Cependant, c'est peu probable. Les prix vont probablement plutôt augmenter à P2, comme sur le graphique de gauche. Une hausse du prix du pétrole augmente toujours les prix. La question est surtout de savoir si une énergie plus coûteuse va se traduire en salaires et en prix plus élevés partout dans l'économie.

En fait, un prix du pétrole plus élevé n'est ni inflationniste, ni déflationniste en lui-même. Tout dépend de la réaction des autorités monétaires – et donc où la courbe de demande agrégée s'arrête. Le graphique de droite montre comment les responsables de la politique macroéconomique ont répondu au choc pétrolier de 1973-74. En tentant d'empêcher la production de chuter, les gouvernements ont entrepris des politiques monétaires et budgétaires expansionnistes. Par exemple, le taux des fonds fédéraux a été réduit de 11 % à moins de 6 % en 1975, ce qui a produit des taux d'intérêt réels négatifs. Ces politiques ont poussé la courbe de demande agrégée vers la droite, à D3, dans le but de maintenir le PIB réel à Q1. Malheureusement, les prix ont alors fortement augmenté, à P3. Afin de ramener l'inflation à un niveau plus raisonnable, les banques centrales ont, par la suite, appliqué les freins, ce qui a causé une récession plus profonde.

Ayant retenu la leçon, les banques centrales ont augmenté les taux d'intérêt après les chocs pétroliers de 1979-80 et de 1990-91, afin de maintenir l'inflation à un faible niveau. Si l'on revient au graphique de gauche, cela veut dire déplacer encore plus la demande agrégée vers la gauche et, donc, réduire encore plus la production. Notons aussi que les banques centrales doivent augmenter les taux d'intérêt, ne serait-ce que pour maintenir les taux d'intérêt réels constants, si l'inflation a temporairement augmenté.

Une leçon importante du passé est que, même si les banques centrales ne peuvent empêcher le prix du pétrole de pousser, d'un coup, l'inflation à la hausse, elles doivent essayer d'empêcher ce choc de se propager sous forme de salaires et d'autres prix plus élevés. S'il n'y a pas de signe d'augmentation de l'inflation de base (excluant les prix de l'énergie), alors il n'y a pas de raison d'augmenter les taux d'intérêt. On estime qu'un prix du pétrole plus élevé se propage plus rapidement en Europe qu'en Amérique, en raison des marchés du travail plus rigides sur le vieux continent. Si c'est le cas, la Banque centrale européenne a raison d'être vigilante.

La conjoncture économique détermine aussi la réaction des autorités monétaires. Plus l'économie se trouve près du niveau naturel de production (le PIB potentiel), plus le risque de débordement inflationniste est important. En effet, dans cette circonstance, les firmes ont plus de facilité à refiler des hausses de coûts aux consommateurs, sous forme de prix plus élevés. La forte croissance économique américaine récente et la hausse du taux d'inflation aux États-Unis militent donc pour une hausse des taux d'intérêt. Par contre, lorsque le prix du pétrole a subitement augmenté l'an passé, alors que la croissance était anémique et qu'il y avait risque de déflation, la réaction juste était de réduire les taux. Aujourd'hui, il y a beaucoup plus de capacité inutilisée en Europe qu'aux États-Unis : le risque d'une forte augmentation des salaires y est donc plus faible. La BCE surveille tout de même de près les anticipations inflationnistes. Le marché obligataire semble d'ailleurs démontrer une hausse des anticipations inflationnistes, autant en Europe qu'aux États-Unis.

L'impact d'un prix du pétrole plus élevé
Demande et offre agrégées

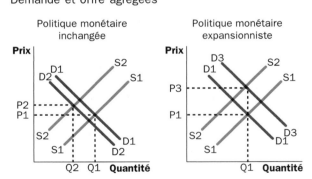

Il y a aussi une différence importante entre le récent choc pétrolier et ceux du passé. Les hausses passées du prix du pétrole ont habituellement été causées par un problème du côté de l'offre. La hausse récente est plutôt due à une forte augmentation de la demande de pétrole, en raison d'une croissance économique très forte, surtout en Chine et aux États-Unis. Le PIB mondial augmente à un taux inégalé en 20 ans. L'an passé, la Chine était, à elle seule, responsable du tiers de l'augmentation de la consommation mondiale de pétrole. L'augmentation du prix du brut est donc une conséquence inévitable, et même souhaitable, d'une croissance mondiale record. Même si la Chine pousse le prix du pétrole à la hausse, il faut noter qu'elle importe aussi beaucoup du reste du monde : cela déplace la courbe de demande agrégée de beaucoup de pays vers la droite. La croissance économique continuant à être robuste, la menace inflationniste est importante. Il ne faudrait donc pas s'étonner si la Réserve fédérale augmentait bientôt les taux d'intérêt.

SOURCE : *The Economist*, 10 juin 2004, p. 76.

CHAPITRE 15

VOICI UN EXEMPLE CONCRET DES INTERVENTIONS DE LA BANQUE DU CANADA, QUI SURVEILLE LA DEMANDE AGRÉGÉE ET APPLIQUE UNE DÉTENTE OU UNE CONTRACTION MONÉTAIRE EN FONCTION DES CIRCONSTANCES. SOYEZ ATTENTIFS À CE QUE DIT LE GOUVERNEUR, M. DAVID DODGE, AU SUJET DE LA CAPACITÉ DE PRODUCTION DE L'ÉCONOMIE CANADIENNE.

LA POLITIQUE MONÉTAIRE À L'ŒUVRE

LA CROISSANCE REDÉMARRE, UNE HAUSSE DES TAUX EST EN VUE

HAMILTON – « La croissance de l'économie redémarre, au Canada comme dans plusieurs autres pays, ce qui signifie qu'il y aura pressions inflationnistes et hausse des taux d'intérêt », a dit en substance, hier, le gouverneur de la Banque du Canada, David Dodge.

Il a fait ces commentaires au cours d'une allocution prononcée devant les membres de la Chambre de commerce de Hamilton, une semaine après que la banque centrale eut décidé de laisser inchangé son taux directeur, qui est actuellement de 2 %.

Les analystes prévoient généralement un resserrement de la politique monétaire de la Banque du Canada d'ici l'automne, et les propos tenus hier par M. Dodge ne feront que renforcer leurs convictions.

M. Dodge a souligné que la croissance de l'économie canadienne, qui s'est établie à 2,4 % au premier trimestre, devrait s'accélérer et dépasser les 3 % pour le premier semestre de 2004. Le niveau de 3 % correspond, selon la banque centrale, au potentiel de croissance de l'économie canadienne. « Nous savons par expérience que lorsque la croissance redémarre et que les économies se rapprochent des limites de leur capacité de production, des pressions inflationnistes commencent à apparaître, a dit M. Dodge. C'est pourquoi il faudra que les autorités monétaires de nombreux pays réduisent la détente monétaire en place et que

les taux d'intérêt de par le monde retournent à des niveaux plus normaux. »

Ce processus d'ajustement des taux est déjà amorcé sur les marchés financiers, qui anticipent le relèvement des taux directeurs, a souligné M. Dodge. « La bonne nouvelle, c'est que tout cela se produit avant que les économies n'atteignent les limites de leur capacité de production et que l'inflation – observée et attendue – ne s'inscrive en hausse. Cette évolution laisse présager une croissance économique soutenue, sans les étranglements du crédit ni l'accélération de l'inflation qui ont marqué les cycles économiques mondiaux par le passé. »

Au cours d'une période de questions qui a suivi son allocution, M. Dodge s'est dit « persuadé (...) que nous pourrons éviter le genre de cycles de crédit que nous avons dû affronter en 1989 et, pire encore, en 1981 ».

M. Dodge a souligné que l'inflation telle que la mesure l'indice des prix à la consommation de Statistique Canada devrait être plus élevée au cours des prochains mois que ce que la banque centrale avait prévu en avril, en raison de la flambée des cours du pétrole.

Il a toutefois précisé que ce facteur ne devrait pas exercer de pressions semblables sur l'inflation tendancielle – qui exclut huit composantes plus volatiles, dont l'énergie -, qui sert de référence à la Banque du Canada dans l'établissement de sa politique monétaire.

De plus, M. Dodge s'est dit agréablement surpris par la vitesse à laquelle les entreprises canadiennes ont su s'adapter à la perte de valeur du billet vert américain par rapport aux autres devises.

« Ce fut très impressionnant », a dit le gouverneur de la banque centrale, qui estime que les entreprises canadiennes ont été parmi les premières à procéder aux ajustements nécessaires.

SOURCE : *La Presse*, jeudi 17 juin 2004, cahier Affaires, p. 7.

EN 2001, UN DÉBAT FAISAIT RAGE AU SUJET DES BAIS-SES D'IMPÔT QUE LE PRÉSIDENT BUSH TENTAIT DE FAIRE ACCEPTER PAR LE CONGRÈS. À CETTE ÉPOQUE, ON PRÉVOYAIT D'ÉNORMES SURPLUS BUDGÉTAIRES POUR LES 10 ANNÉES QUI ALLAIENT SUIVRE. TROIS ANS PLUS TARD, LES BAISSES D'IMPÔT ONT EU LIEU ET LE GOUVERNEMENT AMÉRICAIN FAIT FACE À UN DÉFICIT ANNUEL DE PLUS DE 500 MILLIARDS $US.

Nicholas Kulish

LA POLITIQUE BUDGÉTAIRE DU PRÉSIDENT BUSH
LE POUR ET LE CONTRE DES BAISSES D'IMPÔT DE BUSH

WASHINGTON – Lorsque le président Bush a composé son plan budgétaire, à la fin de 1999, il l'a décrit comme une proposition pour régler les iniquités du système. Maintenant, avec l'économie américaine qui défaille, l'administration américaine décrit le même plan comme un élixir pour régler les problèmes macroéconomiques de court terme.

De nombreux économistes disent que de plus faibles taux d'imposition libèrent du capital financier, ce qui augmente la croissance économique. Mais, pour chacune des prévisions optimistes, on retrouve d'autres experts qui voient se profiler à l'avenir d'importants déficits budgétaires et une hausse des taux d'intérêt, ce qui réduit la croissance.

La plupart des experts sont cependant d'accord pour dire qu'une réduction des taxes et des impôts de 1,6 billion $US (1.6 trillion, en anglais), lorsque répartie sur 10 ans, n'est pas si importante. En fait, elle ne changerait pas grand-chose à la conjoncture économique, si une récession majeure s'annonçait.

« Même si je suis en faveur d'une baisse des impôts et que je crois qu'elle stimulerait l'économie dans une certaine mesure, l'importance et la synchronisation de cette mesure sont incertaines », de dire Mickey Levy, économiste en chef à la Bank of America, à New York.

« J'ai toujours trouvé que la politique monétaire est un meilleur outil pour réguler les fluctuations économiques de court terme. »

Il croit que la baisse des taux d'intérêt entreprise par la Réserve fédérale américaine aura un impact beaucoup plus important sur le ralentissement économique, et que les baisses d'impôt devraient viser des objectifs de long terme.

Si l'on désire que celles-ci aient un effet bénéfique à court terme, il est important de les faire au bon moment. Une baisse d'impôt significative « aura un impact immédiat sur la confiance des consommateurs et des entreprises », affirme Martin Regalia, économiste en chef à la Chambre de commerce des États-Unis. Mais cela ne se produira que lorsque « les gens verront cette loi adoptée ».

Un changement important qui s'est produit depuis peu est que les surplus budgétaires prévus – le dernier à avoir été estimé est celui du Congressional Budget Office, et il prévoit un surplus sur 10 ans de 5,6 billions $US (5.6 trillion, en anglais) – ont amené à peu près tous les experts à promouvoir des baisses d'impôts, même si des désaccords persistent au sujet de leur ampleur.

Alicia Munnel, économiste au Boston College et anciennement membre du Council of Economic Advisers sous Bill Clinton, dit que les surplus prévus justifient une baisse des impôts, mais que le plan Bush « risque d'absorber chaque dollar disponible ».

Alors que le pays vient à peine de sortir d'une série de déficits budgétaires, Mme Munnel croit qu'il serait dommage « de retourner dans le cercle vicieux des déficits, des paiements d'intérêt et des déficits qui croissent ».

Tous les économistes ne sont pas pessimistes. M. Levy, de la Bank of America, croit qu'il y a assez de jeu pour réduire les impôts, rembourser une partie de la dette et augmenter les dépenses dans certains secteurs, dont la défense et l'éducation.

SOURCE: *The Globe and Mail*, 8 février 2001.

LE RECOURS AUX POLITIQUES MONÉTAIRE ET BUDGÉTAIRE AFIN DE STABILISER L'ÉCONOMIE CONDUIT DIRECTEMENT À RÉFLÉCHIR SUR LES INSTITUTIONS EN CHARGE DE CES POLITIQUES. AU CANADA, LA RESPONSABILITÉ DE LA POLITIQUE MONÉTAIRE INCOMBE À LA BANQUE CENTRALE, QUI EST À L'ÉCART DES PRESSIONS DU POUVOIR. EN RAISON DES EFFETS IMPORTANTS DE LA POLITIQUE MONÉTAIRE SUR LA DEMANDE AGRÉGÉE, ON PEUT CROIRE QU'IL EST ILLÉGITIME QUE, DANS UNE DÉMOCRATIE, DE TELLES DÉCISIONS NE SOIENT PAS PRISES PAR DES ÉLUS. TOUTEFOIS, LA GRANDE MAJORITÉ DES ÉCONOMISTES NE PARTAGENT PAS CETTE INQUIÉTUDE.

David Bond

L'INDÉPENDANCE DE LA BANQUE DU CANADA

UN DIRIGEANT INDÉPENDANT DE LA BANQUE CENTRALE VEILLE AU BIEN PUBLIC

En qualifiant le marché haussier des actions et des obligations d'«irrationnellement exubérant», le président de la Réserve fédérale fit plonger les actions le lendemain, faisant craindre un krach semblable à celui d'octobre 1987. Les marchés revinrent à leur niveau antérieur sans que cela empêche le leader républicain du Sénat, Trent Lott, de s'interroger sur la grande indépendance de la banque centrale par rapport au pouvoir politique. Il sous-entendait par-là que Greenspan devrait se montrer plus prudent.

Or Greenspan est la prudence même. Son commentaire n'avait donc rien du lapsus. Il choisit en effet soigneusement ses mots, conscient que chaque phrase prononcée est scrutée minutieusement. En l'occurrence, les marchés boursier et obligataire connaissaient alors ce qu'on appelle une «inflation des actifs financiers», et le président de la Réserve se contentait de rappeler que la croissance ne durerait pas éternellement.

Naturellement, compte tenu de l'importance des capitaux financiers traversant quotidiennement le globe à la recherche des meilleurs rendements, une légère modification des flux d'investissement risque de provoquer un déclin des valeurs, comme celui qu'ont connu la Bourse de New York et le parquet des autres grandes villes au lendemain de cette déclaration. Les marchés sont à la fois sensibles et craintifs, en raison même de l'importance des enjeux, et les responsables des fonds se montrent particulièrement circonspects. Lorsque quelqu'un de l'envergure de Greenspan déclare que les choses ne tournent pas rond, il est bon de se mettre à l'abri avant que le reste du monde ne réagisse. La panique s'empare de la foule et les prix dégringolent.

Ceci suffit-il à justifier la remarque selon laquelle Greenspan se montre beaucoup trop indépendant? Il s'agit là d'une question qui hante tous les dirigeants des banques centrales depuis leur fondation au 18e siècle. Le concept même d'indépendance de la banque centrale (par rapport à toute ingérence politique) provient de sa nécessité.

Vous êtes-vous déjà demandé pourquoi les pièces de 10 et de 25 cents sont cannelées sur la tranche, ou interrogé sur la raison d'être du cordon qui orne la surface des pièces de 5 cents et de 10 cents, du huard ou des nouvelles pièces de 2 dollars? Il s'agit d'une vieille coutume du temps où les gens, y compris les monarques, avaient l'habitude de «rogner» les pièces de monnaie. Le rognage des pièces s'expliquait par le fait que les pièces étaient en argent ou en or et que les gens en prélevaient une partie avant de les remettre en circulation. La multiplication de ces rognures, avec le temps, permettait d'accumuler assez de métal précieux pour le revendre. Les pièces pesaient alors, à la suite de ces rognures répétées, bien moins que leur cours légal. Les rainures en dents de scie ont rendu évident tout «grignotage».

Quel rapport cette histoire a-t-elle avec l'indépendance de la banque centrale? Il s'agit d'une métaphore. En protégeant l'indépendance des banquiers de toute pression politique, on garantit que la valeur de la monnaie ne se dégrade pas sous l'influence des «rognures» d'aujourd'hui, à savoir le recours à la presse à billets pour couvrir les dépenses de l'État.

La mission fondamentale de la banque centrale consiste à protéger la valeur de la monnaie, et cela implique de surveiller l'inflation, y compris celle des actifs financiers. Faites disparaître cette indépendance, et il est alors facile de dévaloriser l'étalon monétaire, comme cela s'est produit en Serbie durant les trois dernières années, ou antérieurement en Argentine et au Chili, et comme cela se produit actuellement en Russie.

Une inflation modeste peut devenir galopante si les responsables politiques s'habituent à la facilité de dépenser sans compter que procure la planche à billets. Dans un tel cas, l'inflation risque d'atteindre 1 000 % par jour, voire par heure. Le résultat est la destruction de l'épargne, le retour au troc et l'arrêt de toute activité économique.

Le sénateur Lott ne plaidait certes pas en faveur de l'inflation; il faisait simplement montre d'une attitude désinvolte face à l'indépendance des banques centrales et à leur mission fondamentale de gestion efficace de l'économie.

Au Canada, nous avons également goûté à l'indépendance des gouverneurs de la Banque du Canada. James Coyne fut mis à la porte en 1961 par le gouvernement conservateur, à la suite d'un désaccord politique fondamental. Par la suite, chacun de ses successeurs a signé un accord avec le gouvernement, stipulant que le ministre des Finances avait le droit d'imposer une politique donnée, auquel cas le gouverneur pouvait exprimer son désaccord et démissionner.

La seule idée d'une démission du gouverneur de la Banque du Canada incite les gouvernements à réfléchir avant d'imposer leur politique. En effet, une telle démission déstabiliserait les marchés monétaires et provoquerait un désastre. Par conséquent, le gouvernement peut obtenir ce qu'il veut, mais cela risque de coûter cher.

Les responsables des banques centrales se montrent parfois exaspérants, mais ils nous protègent.

SOURCE: *The Vancouver Sun*, 24 janvier 1997, dernière édition, p. D2.

CHAPITRE 16

D'APRÈS LA COURBE DE PHILLIPS, LORSQUE LE CHÔMAGE BAISSE, LES PRIX ET LES SALAIRES ONT TENDANCE À CROÎTRE. L'ARTICLE SUIVANT ILLUSTRE CETTE RELATION ENTRE LES CONDITIONS DU MARCHÉ DU TRAVAIL ET L'INFLATION.

Terry McConnell

LES EFFETS D'UN FAIBLE TAUX DE CHÔMAGE

LE POUVOIR AUX TRAVAILLEURS : L'EXPANSION ÉCONOMIQUE DE L'ALBERTA EXERCE UNE PRESSION À LA HAUSSE SUR LES SALAIRES

L'économie florissante de l'Alberta suscite énormément d'espoir dans le milieu syndical, qui considère que l'heure est arrivée de récolter les fruits de la prospérité. On a déjà assisté à deux grèves passablement dures cette année, une à la Canada Safeway et l'autre à la Cargill Foods de High River. Les experts annoncent de nouveaux conflits de travail, puisque les syndicats cherchent à tirer profit de la croissance économique en demandant des salaires supérieurs.

«Tous les agents qui gagnent un salaire, qu'ils soient ou non syndiqués, ont tout intérêt à se montrer très fermes», annonce Les Steele, secrétaire trésorier de l'Alberta Federation of Labour. «C'est une chance à saisir, alors que l'embauche ne ralentit pas et que les travailleurs qualifiés se raréfient».

Les statistiques sur l'emploi semblent lui donner raison. Le taux de chômage général en Alberta se situe à son point le plus bas depuis les 15 dernières années, soit 5,6 %. À Calgary, ce taux est de 6,2 %, alors qu'il s'élève à 6,8 % à Edmonton. Au cours de la dernière année, on a créé 26 000 nouveaux emplois à Edmonton et 5 000 à Calgary. Le taux d'inflation de 2,4 %, très légèrement supérieur à la moyenne nationale, est dû en partie à la hausse des prix dans l'immobilier à Calgary. La disponibilité de l'espace commercial diminue rapidement alors que l'emploi dans le secteur des services augmente; Edmonton a connu une hausse de 35 % de l'emploi dans le secteur des services au cours de la dernière année. Les journaux de fin de semaine de Calgary et d'Edmonton comptent parfois plus de 20 pages d'offres d'emploi. La demande de main-d'œuvre qualifiée est si forte dans certains secteurs que les salaires augmentent de manière spectaculaire. Les réceptionnistes sans expérience peuvent maintenant demander 26 000 $ par année à Calgary, 20 % de plus que l'année précédente.

La demande concernant les géologues, les ingénieurs et les programmeurs est encore plus forte et celle pour certains métiers, y compris les menuisiers, s'explique par le marché de la construction en pleine effervescence. Pour la première fois depuis plus d'une décennie, les travailleurs disposent d'un réel pouvoir de négociation, et selon M. Steele il était grand temps. Au cours des 10 dernières années, «on s'estimait content d'avoir un emploi. Mais ce n'est plus du tout le cas maintenant…»

Les 1 600 travailleurs de Cargill Foods à High River, la plus grande usine de transformation de viande du Canada, ont voté la grève le 10 juillet, soutenus par l'Union internationale des travailleurs et travailleuses unis de l'alimentation et du commerce. Ils viennent d'accepter une entente de trois ans et demi vendredi dernier, leur octroyant une augmentation de salaire et une prime de 150 $ à la signature de la convention collective. La demande de main-d'œuvre spécialisée est tellement forte que certains des travailleurs en grève ont été en mesure de trouver un salaire d'appoint dans les abattoirs de la région pour suppléer à leurs maigres indemnités de grève. «Les gens auront beaucoup moins peur de perdre leur emploi», observe Alvin Finkel, un chercheur sur la vie ouvrière. «Si les travailleurs ne redoutent pas les conséquences d'une grève pouvant les conduire au chômage, les entreprises auront alors bien des difficultés à ne pas céder aux demandes des syndicats.» L'Alberta devient désormais une terre propice au syndicalisme…

Ailleurs dans la province, une grève à l'usine d'alimentation Marriott Corp. de Red Deer se poursuit, alors qu'une autre, ou un lock-out, menace l'usine de traitement de viande de porc Maple Leaf Foods à Edmonton. Du côté du secteur public, les professeurs de la province menacent également de se mettre en grève. Les commissions scolaires de Medicine Hat, Lethbridge, Elk Island et la Commission des écoles catholiques de Calgary ont toutes cédé devant les demandes des professeurs visant le repaiement d'une diminution de salaire de 5 % imposée par le gouvernement provincial en 1993…

Les responsables syndicaux sont convaincus que l'économie provinciale peut encore absorber cette augmentation des coûts de main-d'œuvre sans arrêter la croissance économique ni déclencher l'inflation. « Si le chômage reste très faible, de 3 à 5 %, on assistera alors à certaines pressions inflationnistes », déclare Ian Thorn, représentant national du syndicat Communications, Energy and Paperworkers. « Mais nous n'en sommes pas encore là », reconnaît M. Steele. « Je ne vois pas l'inflation rampante des années 70 et 80, déclare-t-il. Les gens savent à quoi s'en tenir ».

Tout cela donne à penser que les demandes syndicales n'ont rien d'excessif. Selon M. Thorn, « le taux d'inflation, le taux d'intérêt et le taux de chômage sont tous les trois faibles aux États-Unis, sans que cela ait provoqué une augmentation de la demande. Je ne pense pas que l'on assistera à une répétition des années 70 et 80 », ajoute-t-il. Les chefs d'entreprise sont d'accord. D'après le président de la chambre de commerce d'Edmonton, Patrick Adams, l'augmentation des coûts de main-d'œuvre « est l'indice d'une économie plus saine ». Il dit que le milieu des affaires ne s'attend pas en retour à une énorme augmentation des prix.

SOURCE : Extrait de *Alberta Report,* vol. 24, n° 35, 11 août 1997, p. 18-19. Reproduit avec autorisation.

À QUEL MOMENT LE TAUX DE CHÔMAGE EST-IL TROP BAS ? LA RÉPONSE DÉPENDRA DE CE QUE L'ON CONSIDÈRE COMME LE TAUX DE CHÔMAGE NATUREL D'UNE ÉCONOMIE. DANS L'ARTICLE SUIVANT, L'ANCIEN GOUVERNEUR DE LA BANQUE DU CANADA, GORDON THIESSEN (REMPLACÉ DEPUIS PAR DAVID DODGE) EXPRIME SON INQUIÉTUDE DEVANT LA MENACE D'UNE HAUSSE DE L'INFLATION DUE À LA COMBINAISON D'UNE FORTE CROISSANCE ET D'UN TAUX DE CHÔMAGE FAIBLE. SELON L'ÉCONOMISTE TIM O'NEILL, LA BANQUE DU CANADA N'EST PAS CERTAINE DU MOMENT OÙ SE PRODUIRONT DES PRESSIONS INFLATIONNISTES, CAR IL EST POSSIBLE QUE DES GAINS DE PRODUCTIVITÉ PERMETTENT UNE CROISSANCE ÉCONOMIQUE SANS INFLATION. AUTREMENT DIT, LA COURBE DE PHILLIPS POURRAIT SE DÉPLACER VERS LA GAUCHE, PERMETTANT AINSI AU CHÔMAGE DE DESCENDRE SANS FAIRE REMONTER L'INFLATION. DANS UN TEL CAS, LA BANQUE POURRAIT RETARDER L'AUGMENTATION DES TAUX D'INTÉRÊT DESTINÉE À PRÉVENIR L'INFLATION.

Jill Vardy

L'ARBITRAGE À COURT TERME ENTRE L'INFLATION ET LE CHÔMAGE SE DÉPLACE
THIESSEN BRANDIT LA MENACE DES TAUX D'INTÉRÊT

OTTAWA – Gordon Thiessen, le gouverneur de la Banque du Canada, a formulé hier son inquiétude concernant un possible relèvement des taux d'intérêt destiné à limiter la surchauffe de l'économie et à contrer ainsi l'apparition de l'inflation.

Mais le point de surchauffe de l'économie pourrait bien être supérieur à ce qu'il était auparavant. La Banque n'aurait donc pas à intervenir avec autant de zèle, de déclarer M. Thiessen. En s'adressant à la Société canadienne à New York, il a annoncé que l'économie canadienne connaissait une croissance plus forte que prévu, ajoutant que la Banque ne tolérerait aucun retour de l'inflation. « Cette année laisse entrevoir un rythme de croissance maintenu. Selon certains calculs, nous pourrions avoir atteint la pleine capacité », a-t-il ajouté.

« La Banque surveille un grand nombre d'indicateurs pour déceler les signes avant-coureurs d'une surchauffe de la production et des prix. Jusqu'à présent, le niveau d'inflation semble être compatible avec la poursuite de l'expansion économique canadienne. »

Il a indiqué que le taux de chômage pouvait encore diminuer avant qu'une hausse des salaires ne fasse grimper l'inflation.

La Banque du Canada s'affaire depuis un certain temps à déterminer le taux de chômage non inflationniste pour le Canada. Selon M. Thiessen, les gains de productivité rendent difficile la détermination d'un taux de chômage limite.

On s'attend à ce que la Banque du Canada relève de 25 points de base ses taux d'intérêt, alors que la Réserve fédérale se prépare à remonter les siens après sa réunion du 21 mars. Il s'agira de la cinquième hausse des taux d'intérêt américains en huit mois.

«Je pense que la Banque a fait savoir qu'elle était prête à intervenir et à remonter ses taux si la Réserve fédérale décidait elle aussi de les relever le 21 mars prochain», a déclaré Tim O'Neill, économiste en chef à la Banque de Montréal. «Par ailleurs, les autres commentaires de M. Thiessen ne laissent annoncer ni état d'urgence ni panique. Ce relèvement sera plus graduel que radical.»

La Banque du Canada a augmenté son taux d'escompte deux fois cette année, en novembre et février, pour suivre une tendance à la hausse déjà entamée aux États-Unis.

Certes, la croissance de l'économie canadienne est plus forte que prévu. Le produit intérieur brut réel a augmenté de 4,6 %, selon le taux annualisé au cours du quatrième trimestre de 1999. Une telle progression a fait retomber le taux de chômage à 6,8 %, son plus bas niveau depuis presque un quart de siècle.

Malgré tout, les résultats de janvier relatifs à l'inflation ont été meilleurs que prévu, a déclaré M. Thiessen, puisque le taux d'inflation de base se situe autour de 1,3 %, au bas de la fourchette de 1 % à 3 % que s'est fixée la banque centrale.

Selon M. Thiessen, «le rôle de la Banque du Canada est de maintenir une inflation stable et faible. Si elle n'y parvient pas, on risque alors de saboter la croissance et les gains de productivité potentiels.»

Les risques inflationnistes s'aggravent à mesure que l'économie se rapproche de sa pleine capacité, car les travailleurs réclament des augmentations salariales qui peuvent inciter les producteurs à refiler des prix plus élevés aux consommateurs. Mais selon M. O'Neill,

«personne ne connaît exactement la capacité potentielle de l'économie canadienne».

L'économie américaine a enregistré des gains de productivité spectaculaires, et connaît une croissance non inflationniste, en grande partie grâce aux investissements dans la machinerie, les équipements et la technologie. Il semble que le même phénomène se produise au Canada, mais sans qu'il soit possible de savoir jusqu'à quel point.

«Nous nous préparons à intervenir d'une manière moins agressive qu'antérieurement, parce que nous ne savons pas exactement quelles sont les limites de la capacité productive. Nous ne voulons donc pas agir précipitamment. Les États-Unis ont très bien fait de ne pas mettre un frein à leur solide croissance. Les limites sont peut-être plus élevées qu'on ne le pensent», a déclaré M. O'Neill.

Le ratio d'utilisation de la capacité de production au Canada – qui mesure la production observée par rapport à la production potentielle de l'économie – a atteint 86,8 % au quatrième trimestre, par rapport à 85,5 % au trimestre antérieur.

«Cela donne à penser que la marge d'erreur pourrait bien être plus grande, sans conséquences directes à prévoir pour le moment. C'est l'interprétation que je fais du discours du gouverneur de la Banque du Canada», a dit M. O'Neill. «La situation a changé et, par conséquent, la politique monétaire doit s'adapter.»

SOURCE : *National Post,* 10 mars 2000, National Edition, p. C1.

CHAPITRE 17

LA BANQUE DU CANADA DISPOSE SANS AUCUN DOUTE DE L'OUTIL LE PLUS PUISSANT DE POLITIQUE MACROÉCONOMIQUE : LA POLITIQUE MONÉTAIRE. POURTANT, LE GOUVERNEUR DE LA BANQUE DU CANADA N'EST PAS ÉLU. DANS CET ARTICLE, ANDREW COYNE REVENDIQUE POUR LES CANADIENS LE DROIT D'ÉLIRE LE GOUVERNEUR DE LEUR BANQUE CENTRALE.

Andrew Coyne

L'INDÉPENDANCE DES BANQUES CENTRALES

LE JUGEMENT DES URNES

Dans les prochaines semaines, le gouvernement va désigner le nouveau gouverneur de la Banque du Canada. Cette décision s'appuie en principe sur les recommandations du conseil d'administration de cette dernière entité. Paradoxalement, il est peu probable que ce conseil recommande quelqu'un ne convenant pas au gouvernement en place.

Ce genre de manœuvre démontre parfaitement le fait que l'indépendance théorique de la Banque est toujours ambiguë et, ces derniers temps, de moins en moins assurée. Non seulement le ministère des Finances exerce-t-il une pression sur l'institution pour qu'elle stimule la croissance économique, mais il est probable qu'un ancien sous-ministre des Finances figurera au rang des candidats au remplacement du gouverneur. [Remarque de l'auteur : *Coyne avait raison. David Dodge, un ancien sous-ministre des Finances, a été nommé gouverneur de la Banque du Canada en février 2001.*] La Banque, qui a vu son autonomie sapée lors du départ forcé de John Crow, risque bien de devenir la créature du ministère des Finances.

De nouveau, la vieille controverse concernant l'indépendance des banques centrales refait surface. L'issue de la bataille est encore loin. Les «partisans du peuple», dans ce conflit, font valoir les principes démocratiques et considèrent que la banque centrale devrait avoir à rendre des comptes à l'autorité en place. Les «royalistes», pour leur part, défendent le droit divin des banques centrales à décider de manière indépendante de la politique monétaire car, selon eux, en la laissant aux mains du pouvoir politique, on finirait inévitablement par se retrouver avec une inflation élevée. Il leur semble beaucoup plus difficile pour une banque centrale politisée de prendre des mesures impopulaires pour maintenir la stabilité des prix.

Les «royalistes» font remarquer que les banques centrales doivent quand même rendre des comptes, car leurs dirigeants sont nommés par les représentants élus. Selon eux, cela devrait d'une certaine manière tranquilliser les démocrates. On évoque souvent l'analogie avec la Cour suprême qui n'a pas non plus de compte à rendre à qui que ce soit, pour la bonne raison qu'elle doit protéger les minorités contre la tyrannie de la majorité. Dans le cas de la Banque, il s'agit plutôt de protéger la majorité contre elle-même.

Devons-nous absolument choisir entre la démocratie et la stabilité des prix? N'y a-t-il pas de demi-mesure possible? En réalité, il en existe une: élire le gouverneur de la banque centrale.

Tout le débat concernant l'indépendance ou la responsabilité de la Banque vient de l'imprécision des termes: responsable devant qui? Indépendante de quoi? Ne blâmons pas le peuple pour les fautes de leurs dirigeants. Ce n'est pas de la démocratie que la politique monétaire doit être protégée, mais bien du gouvernement. Il est parfaitement légitime que la politique monétaire, dont les effets sont souvent importants, fasse l'objet d'un contrôle démocratique. Mais ce contrôle devrait être direct.

L'idée de séparer la gestion de la monnaie du pouvoir exécutif ne vient pas de la méfiance aristocratique envers la démocratie, mais plutôt de l'idéal du libéralisme classique (le principe de la séparation des pouvoirs – dans ce cas précis, les pouvoirs budgétaire et monétaire). Historiquement, il s'agissait d'empêcher le gouvernement de faire disparaître ses dettes en dévalorisant la monnaie servant à les rembourser. En limitant les pouvoirs du gouvernement, on se conforme simplement à la plus ancienne des traditions démocratiques: l'inflation est un impôt que l'on peut lever sans aucun consentement, et même sans aucun préavis.

Du moins, en théorie. La Banque peut créer une inflation supérieure au taux anticipé par le marché obligataire – comme ce fut le cas dans les années 70, lorsque les taux d'intérêt réels sont devenus négatifs. Il serait maintenant plus difficile de tromper les marchés: de nos jours, le prix des obligations s'effondre comme un château de cartes au moindre souffle inflationniste. Et bien entendu, pour parvenir à réduire le taux d'intérêt réel de façon durable, la Banque devrait parvenir à tromper tout le monde tout le temps.

Tout cela semble indiquer que l'inflation ne constitue plus une menace. La réaction simultanée de millions d'investisseurs dans le monde impose une discipline de fer aux politiques monétaires nationales. Mais ce n'est pas parce que c'est impossible que les gouvernements n'essaieront pas. Tant que les intentions des autorités demeurent incertaines, il existe un danger de se retrouver avec des politiques désastreuses. Dans un monde d'«anticipations rationnelles», l'indépendance de la banque centrale est plus que jamais à l'ordre du jour. Expliquons-nous.

Le marché obligataire n'est pas le seul à faire des paris sur l'inflation. La politique monétaire amène l'ensemble de la société à anticiper l'avenir. Les agents économiques sont à l'écoute des autorités, dans le but de préparer leurs prochaines décisions; les autorités essaient de leur côté de prévoir les réactions du public aux mesures qu'elles comptent mettre en vigueur. Si les agents économiques s'attendent à une montée de l'inflation, ils exigeront des prix, des salaires et des taux d'intérêt plus élevés. Une contraction monétaire et, par conséquent, une baisse de l'inflation, prendra le public par surprise. Cette baisse de l'inflation, associée à une hausse des salaires nominaux, des prix et des taux d'intérêts nominaux, signifiera une augmentation des salaires et taux d'intérêt réels. Résultats: davantage de chômage et une récession.

Par conséquent, si les gouvernements veulent mettre un frein à l'inflation sans déclencher une récession, il faut absolument que les gens comprennent la politique adoptée; il faut également qu'ils croient à la mise en œuvre de cette politique. C'est là tout le paradoxe de la politique monétaire. Plus les gens sont persuadés que les autorités vont suivre une politique monétaire restrictive, moins les coûts de cette politique sont élevés. Les anticipations inflationnistes s'ajustent, afin de maintenir les prix et les salaires à un niveau adéquat.

D'un autre côté, si les agents économiques savent, ou suspectent, que les autorités monétaires essaieront par tous les moyens d'empêcher une récession, ils auront tendance, par leur comportement, à en provoquer une. On assiste alors à une escalade des prix et des salaires, partant du principe que, malgré ses dénégations, la Banque sera toujours prête à stimuler la demande. Les anticipations se vérifient donc jusqu'à ce que la spirale inflationniste atteigne des niveaux incontrôlables. La Banque est alors obligée de décevoir les agents économiques en menant une politique monétaire restrictive.

Il faut donc garantir avant tout la crédibilité de la Banque. Pourquoi une Banque indépendante serait-elle plus crédible qu'une Banque devant rendre des comptes au gouvernement ? Parce que, selon les « royalistes », elle n'est pas responsable de la dette publique. Elle n'aura donc pas tendance à faire tourner la presse à billets pour rembourser cette dette. Autrement dit, elle n'a pas à rendre de comptes démocratiquement, ce qui, de toute façon, n'est pas très crédible.

Il serait sans doute bon d'adopter une loi déclarant l'indépendance de la banque centrale. Mais si la Banque était réellement indépendante, elle ne serait pas démocratique ; et si dans les faits elle n'était pas vraiment indépendante, cette loi serait parfaitement inutile. Dans la pratique, la deuxième option se vérifie souvent : les banques centrales ne sont pas aussi indépendantes qu'elles le prétendent, car elles relâchent la politique monétaire en période électorale, quitte à serrer un peu plus la vis immédiatement après. Il ne peut en être autrement. Il n'y a pas une banque centrale, quel que soit son degré d'autonomie théorique, qui puisse légitimement défier un gouvernement élu démocratiquement et l'empêcher d'obtenir ce qu'il veut. La question n'est donc pas de savoir si la banque centrale devrait être « indépendante » ou « rendre des comptes » : si elle n'a pas de comptes à rendre, elle ne pourra pas être indépendante.

On peut en dire autant de toutes les mesures proposées, au cours de l'histoire, pour forcer les banques centrales à mettre une camisole de force : croissance fixe du stock de monnaie, étalon-or, taux de change fixe et même monnaie émise par des sociétés privées. Toutes ces mesures, sans exception, sont liées à une volonté politique : n'importe quel gouvernement qui aurait assez de cran pour nous remettre à l'étalon-or, voire même pour privatiser la monnaie, n'aurait aucune difficulté à mener une politique monétaire stable.

La volonté politique est issue de la volonté populaire. La préférence des agents économiques pour la stabilité des prix constitue finalement l'unique garantie de la détermination des autorités. Pour cette raison, l'inflation n'est pas due uniquement aux interventions des politiciens dépensiers. Historiquement, on a souvent pu se demander si la banque centrale elle-même voulait vraiment stabiliser les prix. L'indépendance des banques centrales est donc une condition nécessaire, mais pas suffisante, pour garantir la stabilité de la monnaie. Un mandat clair et sans ambiguïté de voir à la stabilité des prix serait tout aussi édifiant pour la Banque que pour le gouvernement.

La solution surgit d'elle-même : oublier l'étalon-or et se mettre à l'étalon-populaire, c'est-à-dire élire le gouverneur de la banque centrale.

J'entends déjà les sceptiques. Les électeurs choisiront-ils une politique monétaire rigoureuse ? Succomberont-ils aux discours trompeurs des partisans de l'inflation ? Il se peut qu'ils se laissent tenter – une fois. La meilleure publicité du monde ne peut pas vendre la même camelote à répétition. De toute évidence, la politique monétaire est un sujet complexe. Mais si vous voulez que les électeurs fassent des choix responsables, il faut leur confier des responsabilités. Ils sont assez grands pour apprendre par eux-mêmes.

Une banque centrale démocratique devrait diffuser ses intentions publiquement, ce qui éviterait les mauvaises interprétations. De même, le public pourrait également s'exprimer de manière plus claire. L'inflation ne devient un enjeu électoral que lorsqu'elle n'est plus maîtrisée. Lors d'une élection portant strictement sur la politique monétaire, les préférences publiques seraient dès lors connues dès le début.

Cela aurait, en outre, le mérite d'informer une tierce partie : les marchés financiers. Si un candidat promettant de relâcher la politique monétaire menait dans les sondages, les taux d'intérêt ne manqueraient pas de grimper ; si au contraire le partisan d'une politique stricte était en tête, ils baisseraient immédiatement. Voilà une excellente façon pour les électeurs d'apprendre rapidement que, pour maintenir des taux d'intérêt faibles, il faut que l'inflation le soit aussi.

Les gens voteraient peut-être, en dépit de l'inquiétude des marchés, pour le candidat prêt à actionner la planche à billets, mais j'en doute. De toute évidence, l'inflation, comme le protectionnisme, ne récolte pas autant de votes qu'on le prétend. C'est pourquoi, lorsque l'inflation a fortement augmenté dans les années 70 et au début des années 80, les électeurs de tous les pays se sont tournés vers des politiciens promettant d'y mettre fin. La potion fut difficile à avaler. Mais ces dirigeants furent élus et réélus.

La question est simple : ou les gens veulent une monnaie stable, ou ils n'en veulent pas. Si c'est leur objectif — ils n'y sont pas souvent parvenu jusqu'à maintenant—, ils ne pourront l'atteindre vraiment que lorsqu'ils auront trouvé le moyen de le faire savoir aux gouvernements et aux banques centrales. S'ils préfèrent l'inflation, alors libre à eux... Après tout, nous sommes en démocratie.

Source : *National Post*, 19 septembre 2000, National Edition, p. C15.

INDEX

GLOSSAIRE

Action: Titre de propriété d'une partie du capital d'une entreprise. (p. 149)

Anticipations rationnelles: Théorie selon laquelle le public utilise l'ensemble des informations disponibles, y compris celles concernant les politiques gouvernementales, pour anticiper l'avenir. (p. 379)

Appréciation: Hausse de la valeur d'une monnaie par rapport à celle d'une ou de plusieurs des autres devises sur le marché des changes. (p. 257)

Assurance-emploi: Programme gouvernemental qui permet aux travailleurs de bénéficier d'une indemnité pendant un certain temps après qu'ils ont perdu leur emploi. (p. 183)

Avantage absolu: Avantage que détient une personne (ou un pays) sur une autre lorsque, avec la même quantité de facteurs de production, sa production est supérieure. (p. 49)

Avantage comparatif: Avantage que détient une personne ou un pays dans la production d'un bien ou d'un service lorsqu'il peut produire ce bien à un coût de renonciation moindre. (p. 49)

Balance commerciale: Différence entre les recettes d'exportation et les dépenses d'importation. (p. 248)

Balance commerciale équilibrée/équilibre des échanges: Situation dans laquelle les exportations et les importations sont égales. (p. 249)

Banque centrale: Institution responsable de la régulation de la masse monétaire (politique monétaire). (p. 207)

Banque du Canada: La banque centrale du Canada. (p. 206)

Barème de demande: Tableau indiquant la relation entre le prix d'un bien et la quantité demandée. (p. 59)

Barème d'offre: Tableau indiquant la relation entre le prix d'un bien et la quantité offerte. (p. 66)

Bien complémentaire: Bien qui est utilisé en même temps qu'un autre bien. (p. 58)

Bien inférieur: Bien (ou service) pour lequel la demande décroît avec l'augmentation du revenu. (p. 58)

Bien normal: Bien (ou service) pour lequel la demande augmente quand le revenu des acheteurs augmente. (p. 58)

Bien substitut: Bien qui peut être utilisé à la place d'un autre. (p. 58)

Capital humain: Les connaissances et les aptitudes que les travailleurs acquièrent par l'éducation, la formation et l'expérience (p. 123)

Capital physique: Le stock d'outils, d'immeubles et d'équipements servant à la production de biens et de services. (p. 123)

Cercle vertueux: Cycle qui apparaît lorsque les surplus (excédents) budgétaires augmentent l'offre de fonds prêtables, ce qui réduit les taux d'intérêt et stimule l'investissement, résultant en une croissance économique plus rapide. Cette croissance entraîne des revenus de taxation plus élevés et des dépenses plus faibles dans les différents programmes de soutien du revenu; cette situation conduit à son tour à des surplus budgétaires plus importants, et ainsi de suite… (p. 165)

Cercle vicieux: Cycle qui apparaît lorsque les déficits gouvernementaux réduisent l'offre de fonds prêtables, ce qui fait augmenter les taux d'intérêt, décourage l'investissement et entraîne une croissance économique plus faible. Cette faible croissance économique a pour résultat des revenus de taxation plus faibles et des dépenses plus élevées pour les différents programmes de soutien du revenu. Cette hausse des dépenses entraîne à son tour des déficits budgétaires encore plus grands. (p. 165)

Ceteris paribus: Locution latine signifiant «toutes choses étant égales par ailleurs», c'est-à-dire toutes les autres variables étant tenues constantes. (p. 60)

Changements marginaux: Petits ajustements effectués à la lisière d'un plan d'action. (p. 6)

Choc d'offre: Événement qui modifie directement les coûts des entreprises et les prix de leurs produits, déplaçant ainsi la courbe d'offre agrégée et, par conséquent, la courbe de Phillips. (p. 374)

Chômage cyclique ou conjoncturel: Écart du taux de chômage par rapport à son taux naturel. (p. 180)

Chômage frictionnel: Chômage causé par le temps qu'il faut aux travailleurs pour rechercher et trouver les emplois correspondant le mieux à leurs capacités et à leurs goûts. (p. 181)

Chômage structurel: Chômage causé par une insuffisance du nombre d'emplois disponibles par rapport au nombre de personnes désirant travailler. (p. 181)

Coefficient de réserve: Fraction des dépôts que les banques conservent comme réserve. (p. 210)

Connaissances technologiques: Les connaissances de la société quant aux meilleures manières de produire les biens et les services. (p. 123)

Consommation: Biens et services achetés par les consommateurs, à l'exception de l'acquisition de logements neufs. (p. 90)

Courbe de demande: Courbe indiquant la quantité demandée d'un bien (ou d'un service) pour chaque niveau de prix. (p. 59)

Courbe de demande agrégée: Courbe indiquant la quantité de biens et de services que les ménages, les entreprises, le gouvernement et les non-résidents souhaitent acquérir pour chaque niveau des prix. (p. 300)

Courbe de Phillips: Courbe qui illustre la relation d'arbitrage entre inflation et chômage. (p. 14, 365)

Courbe des possibilités de production (CPP): Courbe qui trace la frontière entre les combinaisons de biens et de services qu'il est possible de produire avec nos ressources et celles qui sont irréalisables. (p. 23)

Courbe d'offre: Courbe qui montre la relation entre la quantité offerte d'un bien et son prix. (p. 66)

Courbe d'offre agrégée: Courbe indiquant la quantité de biens et de services que les entreprises choisissent de produire et de vendre pour chaque niveau des prix. (p. 300)

Coût de renonciation: Ce à quoi il faut renoncer pour obtenir quelque chose. Meilleure possibilité à laquelle on a renoncé en prenant une décision, en faisant un choix. (p. 6, 49)

Coûts d'affichage: Coûts associés à la modification des prix affichés. (p. 237)

Coûts d'usure: Coût de l'inflation, suscité notamment par le coût entraîné par de plus fréquents déplacements à la banque. (p. 236)

Défaillances du marché: Situations dans lesquelles le marché, livré à lui-même, ne parvient pas à allouer les ressources de manière efficiente. (p. 11)

Déficit budgétaire : Excédent des dépenses par rapport aux recettes gouvernementales. (p. 155)

Déficit commercial : Situation dans laquelle les importations sont supérieures aux exportations. (p. 249)

Déflateur du PIB : Mesure du niveau général des prix, calculé comme le rapport du PIB nominal et du PIB réel, multiplié par 100 (p. 93)

Dépenses gouvernementales : Achats de biens et de services effectués par les différents paliers du gouvernement. Ces dépenses ne comprennent ni les paiements de transfert aux particuliers, ni les subventions, ni les paiements d'intérêts sur la dette. Elles ne comprennent pas non plus les dépenses d'investissement des gouvernements (comprises dans la catégorie de l'investissement). (p. 90)

Dépôts à vue : Un compte bancaire qui permet au déposant de retirer des fonds, sur demande, jusqu'à concurrence du montant déposé. (p. 204)

Dépréciation : Baisse de la valeur d'une monnaie par rapport à celle d'une ou de plusieurs des autres devises sur le marché des changes. (p. 257)

Dépression : Récession particulièrement grave. (p. 296)

Diagramme des flux circulaires : Modèle qui fait état de toutes les transactions entre les ménages et les entreprises dans une économie simple. (p. 21)

Dichotomie classique : Distinction théorique entre les variables réelles et les variables nominales. (p. 227)

Droit de propriété : La possibilité pour un propriétaire d'utiliser ses actifs comme il l'entend, c'est-à-dire de les exploiter et d'en disposer par la vente. (p. 130)

Économie : Étude de l'utilisation de ressources rares pour satisfaire des besoins illimités; étude de la manière dont la société alloue ses ressources rares. (p. 4)

Économie de marché : Économie dans laquelle l'allocation des ressources repose sur les décisions décentralisées des ménages et des firmes interagissant sur les marchés. (p. 9)

Économie fermée : Économie qui n'entretient aucune relation commerciale ou financière avec le reste du monde. (p. 248)

Économie ouverte : Économie qui entretient des relations avec d'autres pays, autant du point de vue des échanges de biens et de services que du point de vue des échanges d'actifs. (p. 248)

Effet de rattrapage : Phénomène selon lequel, pour une même augmentation du stock de capital par travailleur provenant de l'investissement, la productivité dans les pays pauvres a tendance à croître. (p. 127)

Effet d'éviction : Réduction de l'investissement provoquée par l'endettement public. (p. 164)

Effet d'éviction sur les exportations nettes : Réduction de la demande agrégée causée par une politique budgétaire expansionniste dans une petite économie ouverte en régime de change flexible; la hausse des taux d'intérêt augmente le taux de change réel et réduit les exportations nettes. (p. 348)

Effet d'éviction sur les investissements : Réduction de la demande agrégée consécutive à une politique budgétaire expansionniste; la hausse des dépenses publiques fait augmenter la demande de monnaie, ce qui pousse les taux d'intérêt à la hausse et les dépenses d'investissement à la baisse. (p. 346)

Effet Fisher : Répercussion intégrale du taux d'inflation sur le taux d'intérêt nominal. (p. 234)

Effet multiplicateur : Augmentation supplémentaire de la demande agrégée qui se produit lorsqu'une politique budgétaire expansionniste provoque une hausse des revenus et stimule donc la consommation. (p. 342)

Efficience : La capacité de la société à tirer le maximum de ses ressources rares. (p. 5, 138)

Encaisses de règlement : Autre nom des dépôts des banques à charte à la Banque du Canada. (p. 215)

Énoncé normatif : Proposition par laquelle on essaie de déterminer ce que devrait être le monde; jugement de valeur. (p. 26)

Énoncé positif : Proposition par laquelle on essaie de décrire l'état du monde. (p. 26)

Épargne nationale (épargne) : Revenu (PIB) diminué de la consommation et des dépenses publiques courantes. (p. 54)

Épargne privée : Partie du revenu des ménages après impôts qui n'est pas consacrée à la consommation. (p. 155)

Épargne publique : Recettes publiques desquelles sont soustraites les dépenses publiques courantes. (p. 155)

Équation quantitative : $M \times V = P \times Y$. Cette équation définit la relation entre la masse monétaire, la vitesse de circulation de la monnaie et la valeur nominale de la production de biens et de services. (p. 229)

Équilibre : Situation dans laquelle l'offre et la demande sont égales. (p. 70)

Équilibre des échanges/ balance commerciale équilibrée : Situation dans laquelle les exportations et les importations sont égales. (p. 249)

Équité : La capacité de répartir de façon juste la richesse entre l'ensemble des agents. (p. 5)

Excédent commercial/surplus commercial : Situation dans laquelle les exportations sont supérieures aux importations. (p. 249)

Exportations : Biens ou services produits à l'intérieur du pays et vendus à l'étranger. (p. 52, 248)

Exportations nettes : Différence entre les achats par les étrangers de biens et de services produits à l'intérieur du pays (exportations) et les achats par les résidents de biens et de services produits à l'étranger (importations). (p. 90, 248)

Externalité : Effet du comportement d'un agent sur le bien-être d'un tiers. (p. 11,133)

Fonds commun de placement : Institution qui vend des parts au public et consacre les fonds récoltés à l'achat d'un portefeuille d'actifs financiers. (p. 152)

Fuite de capitaux : Réduction soudaine et importante de la demande d'actifs dans un pays donné. (p. 288)

Grève : Arrêt de travail imposé par un syndicat. (p. 188)

Hypothèse du taux naturel : Hypothèse selon laquelle le taux de chômage finit par revenir à son taux normal ou naturel, et ce, quel que soit le taux d'inflation. (p. 372)

Importations : Ensemble des biens et des services achetés à l'extérieur du pays. (p. 52, 248)

Indexation : Réajustement automatique des prix et des salaires en fonction du taux d'inflation. (p. 109)

Indice des prix à la consommation (IPC) : Mesure du niveau général des prix et du coût de la vie, traduisant le coût d'un panier donné de biens de consommation, par rapport au coût de ce même panier au cours d'une année choisie comme année de base. (p. 102)

Indice des prix des produits industriels : Mesure du niveau des prix des biens et des services achetés par les entreprises (p. 105)

Inflation : Augmentation générale du niveau des prix. (p. 13)

Intermédiaires financiers : Institutions financières par l'intermédiaire desquelles les épargnants transmettent des fonds aux investisseurs. (p. 150)

Investissement : Achats d'équipement, de stocks et d'infrastructures, y compris l'achat de logements neufs par les ménages. (p. 90)

Investissement net à l'étranger : Différence entre les achats d'actifs étrangers par des résidents locaux et les achats d'actifs locaux par les étrangers. (p. 252)

Liberté économique : La possibilité d'entreprendre des activités productives avec le moins d'intervention gouvernementale possible. (p. 130)

Liquidité : Facilité avec laquelle un actif peut être transformé en moyen d'échange. (p. 203)

Loi de la demande : Toutes choses étant égales par ailleurs, la quantité demandée d'un bien diminue quand le prix du bien augmente. (p. 58)

Loi de l'offre : Toutes choses étant égales par ailleurs, la quantité offerte d'un bien augmente quand le prix du bien augmente. (p. 65)

Loi de l'offre et de la demande : Affirmation selon laquelle le prix d'un bien s'ajuste de façon à maintenir un équilibre entre l'offre et la demande. (p. 72)

Loi d'Okun : Mesure de l'impact d'une baisse du PIB de 1 % sur l'augmentation du taux de chômage. (p. 379)

Macroéconomie : Études des phénomènes économiques considérés globalement, notamment l'inflation, le chômage et la croissance économique. (p. 25, 84)

Marché : Rencontre entre les acheteurs et les vendeurs d'un bien ou d'un service particulier. (p. 56)

Marché concurrentiel : Marché sur lequel les acheteurs et les vendeurs sont trop nombreux pour que l'un d'entre eux puisse influencer le prix du marché. (p. 56)

Marché des fonds prêtables : Marché sur lequel se rencontrent les agents économiques qui épargnent (offre de fonds) et ceux qui investissent (demande de fonds). (p. 57)

Marchés financiers : Marchés qui permettent aux épargnants de transmettre des fonds aux investisseurs. (p. 148)

Masse monétaire/offre de monnaie : Quantité de monnaie disponible dans l'économie. (p. 208)

Microéconomie : Étude de la prise de décision des ménages et des entreprises et de leurs interactions sur les marchés. (p. 25, 84)

Mobilité parfaite des capitaux : Accès sans restriction aux marchés financiers internationaux. (p. 266)

Modèle d'offre et de demande agrégées : Modèle utilisé par la plupart des économistes pour expliquer les fluctuations à court terme de l'économie. (p. 300)

Monnaie : Ensemble des actifs utilisés à des fins de transactions ; ensemble des actifs utilisés couramment comme moyen de paiement. (p. 202)

Monnaie fiduciaire : Monnaie sans valeur intrinsèque, dont le statut est décrété par le gouvernement. (p. 204)

Monnaie-marchandise : Monnaie qui prend la forme d'une marchandise et dont la valeur serait la même si elle ne servait pas de monnaie. (p. 204)

Moyen d'échange : Intermédiaire donné par les acheteurs et accepté par les vendeurs lors de l'achat d'un bien ou d'un service. (p. 203)

Multiplicateur monétaire : Indicateur qui permet de calculer la quantité de monnaie créée par le système bancaire à partir d'un nouveau dollar de dépôt. (p. 212)

Négociation collective : Processus par lequel les syndicats et les employeurs s'entendent sur les salaires et les conditions de travail des employés. (p. 188)

Neutralité monétaire : Proposition selon laquelle les variations de l'offre de monnaie (de la masse monétaire) n'influent pas sur les variables réelles. (p. 228)

Numéraire : Billets de banque et pièces de monnaie entre les mains du public. (p. 204)

Obligation : Reconnaissance de dette par laquelle une entreprise ou un gouvernement s'engage à verser des intérêts convenus, à des dates déterminées ; titre de créance. (p. 149)

Offre de monnaie/masse monétaire : Quantité de monnaie disponible dans l'économie. (p. 208)

Opérations d'*open market* : Opérations d'achat ou de vente d'obligations d'État par la banque centrale. (p. 213)

Opérations sur le marché des changes : Achat ou vente de devises étrangères par la Banque du Canada. (p. 214)

Parité des pouvoirs d'achat : Théorie selon laquelle une unité de monnaie d'un pays donné devrait pouvoir acheter la même quantité de biens dans tous les pays. (p. 259)

Parité des taux d'intérêt : Théorie selon laquelle les taux d'intérêt réels de différents pays, sur des actifs financiers comparables, devraient être les mêmes partout. (p. 266)

Pénurie : Situation où la quantité demandée est supérieure à la quantité offerte. (p. 72)

Petite économie ouverte : Économie ouverte qui, en raison de sa taille, n'a qu'un impact négligeable sur les prix internationaux, et en particulier sur le taux d'intérêt mondial. (p. 266)

PIB nominal : PIB mesuré en valeur monétaire courante, non corrigé par rapport à l'inflation. (p. 92)

PIB réel : PIB mesuré en unités monétaires constantes ; PIB corrigé par rapport à l'inflation. (p. 92)

Politique commerciale/ politique de commerce extérieur : Ensemble des mesures gouvernementales influençant directement la quantité de biens et de services importés ou exportés par un pays. (p. 285)

Politique monétaire : Politique de régulation de la masse monétaire, gérée par la banque centrale. (p. 208)

Population active : Le nombre total de personnes qui ont un emploi ou qui en cherchent un. (p. 175)

Pouvoir de marché : Capacité d'un agent économique (ou d'un petit groupe d'agents) à influer sur les prix du marché. (p. 11)

Prix d'équilibre : Prix qui assure l'égalité de l'offre et de la demande. (p. 70)

Productivité : Rapport entre la production et la quantité de travail utilisée. (p. 12, 121)

Produit intérieur brut (PIB):
1. Total des revenus gagnés sur un territoire, y compris par les facteurs de production dont la propriété est étrangère.
2. Dépenses totales en biens et services finaux produits sur un territoire. (p. 86)

Quantité demandée: Quantité d'un bien ou d'un service que les consommateurs désirent acheter à un prix donné et dans une période donnée. (p. 57)

Quantité d'équilibre: Quantité offerte et demandée quand le prix assure l'égalité de l'offre et de la demande. (p. 70)

Quantité offerte: Quantité d'un bien (ou d'un service) que les producteurs désirent vendre à un prix donné. (p. 65)

Rareté: Situation où les besoins dépassent les ressources dont on dispose pour les satisfaire. Ce concept illustre le caractère limité des ressources de la société. (p. 4)

Ratio de sacrifice: La réduction du PIB annuel nécessaire, en points de pourcentage, pour réduire l'inflation de 1 %. (p. 378)

Récession: Période pendant laquelle le PIB réel décline et le taux de chômage augmente. (p. 296)

Recherche d'emploi: Processus par lequel les chômeurs recherchent un emploi correspondant à leurs qualifications et à leurs préférences. (p. 182)

Rendements marginaux décroissants: Propriétés selon lesquelles le taux de croissance de la production décroît quand la quantité d'un facteur de production augmente. (p. 126)

Réserve de valeur: Actif que l'on peut utiliser pour reporter vers le futur un pouvoir d'achat. (p. 203)

Réserves: Dépôts que les banques ont conservés sans les transformer en prêts. (p. 209)

Réserves obligatoires: Contraintes imposées par la banque centrale sur le montant minimal des réserves, exprimé en pourcentage des dépôts du public. (p. 214)

Salaire de réserve: Le plus bas salaire accepté par un travailleur, pour un emploi donné. (p. 192)

Salaires d'efficience: Salaires supérieurs aux salaires d'équilibre, volontairement payés par les entreprises, afin d'améliorer la productivité des travailleurs et de réduire leur roulement. (p. 190)

Stabilisateurs automatiques: Modifications automatiques de la politique budgétaire qui stimulent la demande agrégée lorsque l'économie est en récession, sans qu'aucune intervention délibérée soit nécessaire. (p. 356)

Stagflation: Période durant laquelle la production diminue et les prix montent. (p. 318)

Stérilisation: Opération d'*open market* qui vise à annuler les effets d'opérations sur le marché des changes, sur la quantité de monnaie en circulation. (p. 214)

Surplus: Situation où la quantité offerte est supérieure à la quantité demandée. (p. 70)

Surplus budgétaire ou excédent budgétaire: Excédent des recettes par rapport aux dépenses gouvernementales. (p. 155)

Surplus commercial/excédent commercial: Situation dans laquelle les exportations sont supérieures aux importations. (p. 249)

Syndicat: Organisation qui négocie avec l'employeur les salaires et les conditions de travail des employés. (p. 187)

Système bancaire à réserves fractionnaires: Système dans lequel les banques ne conservent en réserve qu'une partie des dépôts. (p. 210)

Système bancaire à réserves totales: Système dans lequel les banques conservent en réserve 100 % des dépôts. (p. 209)

Système financier: Ensemble des institutions qui contribuent à coordonner l'épargne des uns et les investissements des autres. (p. 148)

Tarif douanier: Taxe qu'un gouvernement impose sur les biens importés, c'est-à-dire sur les produits fabriqués à l'étranger et vendus dans le pays. (p. 285)

Taux créditeur: Taux d'intérêt auquel la Banque du Canada rémunère les dépôts des banques à charte. (p. 215)

Taux d'activité: Pourcentage de la population âgée de 15 ans et plus faisant partie de la population active. (p. 175)

Taux de change nominal: Taux auquel on échange la monnaie d'un pays contre une ou d'autres devises. (p. 257)

Taux de change réel: Taux auquel on échange les biens et les services d'un pays contre les biens et les services d'un ou d'autres pays. (p. 260)

Taux de chômage: Pourcentage de la population active en chômage. (p. 175)

Taux de chômage naturel: Taux de chômage autour duquel fluctue le taux de chômage observé. Taux de chômage vers lequel l'économie tend à long terme. (p. 180)

Taux d'escompte: Taux d'intérêt auquel la Banque du Canada prête aux banques. (p. 215)

Taux d'inflation: Taux de variation en pourcentage de l'indice des prix à la consommation entre deux périodes. (p. 104)

Taux d'intérêt nominal: Rendement de l'épargne et coût de l'emprunt non corrigés de l'inflation. (p. 110)

Taux d'intérêt réel: Taux d'intérêt nominal corrigé des effets de l'inflation. (p. 110)

Taux directeur: Taux d'intérêt à mi-chemin de la fourchette opérationnelle de la Banque du Canada, entre le taux d'escompte et le taux créditeur, auquel celle-ci désire que les banques se prêtent des fonds pour une durée de un jour. (p. 215)

Taxe d'inflation: Recette de l'État liée à la création de monnaie. (p. 233)

Théorie de la préférence pour la liquidité: Théorie développée par John Maynard Keynes, selon laquelle le taux d'intérêt assure l'équilibre entre l'offre et la demande de monnaie. (p. 329)

Théorie quantitative de la monnaie: Théorie selon laquelle le niveau général des prix est fonction de la quantité de monnaie en circulation; théorie selon laquelle le taux de croissance de la masse monétaire détermine le taux d'inflation. (p. 226)

Travailleurs découragés: Travailleurs qui quittent la population active, parce qu'ils désespèrent de trouver un emploi. (p. 179)

Troc: L'échange d'un bien ou d'un service contre un autre. (p. 202)

Unité de compte: Étalon de mesure de la valeur. (p. 203)

Variables nominales: Variables mesurées en unités monétaires. (p. 227)

Variables réelles: Variables mesurées en unités physiques. (p. 227)

Vitesse de circulation de la monnaie: Nombre moyen de fois qu'est utilisé chaque dollar pour acheter la production. (p. 229)

SUGGESTIONS DE LECTURES ESTIVALES

Si vous avez apprécié le cours d'économie que vous venez de terminer, peut-être prendrez-vous plaisir à lire l'un de ces livres.

■ **DOUBLE VISION: THE INSIDE STORY OF THE LIBERALS IN POWER,** Edward Greenspon and Anthony Wilson-Smith, Toronto: Doubleday, 1997. Écrit par deux journalistes, ce livre montre de l'intérieur comment le Parti Libéral du Canada, élu en 1993 sur la base d'une plateforme interventionniste, s'est vu contraint de réduire les dépenses du gouvernement afin de restaurer une stabilité fiscale.

■ **THE GREAT CANADIAN DISINFLATION: THE ECONOMICS AND POLITICS OF MONETARY POLICY IN CANADA, 1988-93,** *Policy Study* 19, David Laidler and William Robson, Toronto, C.D. Howe Institute, 1994. Deux spécialistes canadiens des questions monétaires jettent un regard critique sur la politique monétaire canadienne.

■ **HARD MONEY, HARD TIMES: WHY ZERO INFLATION HURTS CANADIANS,** Lars Osberg and Pierre Fortin, eds., Toronto, James Lorimer & Company, 1998. Ce livre, constitué d'essais de nombreux économistes, questionne l'opportunité et la sagesse de la politique monétaire canadienne des années 1980 et du début des années 1990.

■ **THE WEALTH AND POVERTY OF NATIONS: WHY SOME ARE SO RICH AND SOME SO POOR,** David S. Landes, New York, Norton, 1998. Revisitant la problématique mise de l'avant il y a plus de deux siècles par Adam Smith, les auteurs montrent comment certains traits culturels permettent d'expliquer pourquoi certains pays deviennent riches alors que d'autres demeurent pauvres.

■ **GETTING IT RIGHT: MARKETS AND CHOICES IN A FREE SOCIETY,** Robert J. Barro, Cambridge, Mass, MIT Press, 1996. Cette collection d'essais, parus dans le *Wall Street Journal*, permet à l'auteur d'offrir sa vision du fonctionnement de l'économie et d'examiner le rôle que devrait jouer le gouvernement.

■ **HARD HEADS, SOFT HEARTS: TOUGH-MINDED ECONOMICS FOR A JUST SOCIETY,** Alan S. Blinder, Reading, Mass., Addison-Wesley, 1987. Comment faire la promotion de l'efficience économique sans abandonner l'idéal de justice sociale? Cet ancien conseiller du président Clinton offre dans ce livre des pistes de réflexion.

■ **NEW IDEAS FROM DEAD ECONOMISTS,** Todd G. Buchholz, New York, Penguin Books, 1989. Ce petit livre sympathique offre un survol de l'histoire de la pensée économique.

■ **THINKING STRATEGICALLY: A COMPETITIVE EDGE IN BUSINESS, POLITICS, AND EVERYDAY LIFE,** Avinash Dixit and Barry Nalebuff, New York, Norton, 1991. Cette introduction à la théorie des jeux examine comment les gens – du dirigeant d'entreprise au criminel – prennent des décisions stratégiques.

■ **HIDDEN ORDER: THE ECONOMICS OF EVERYDAY LIFE,** David Friedman, New York, HarperCollins, 1996. Ce livre présente une analyse distrayante de la pertinence de l'analyse microéconomique dans l'explication de la vie de tous les jours.

■ **CAPITALISM AND FREEDOM,** Milton Friedman, Chicago, University of Chicago Press, 1962. Écrit par l'un des économistes les plus influents du XXe siècle, ce livre offre un plaidoyer percutant en faveur de l'économie de marché.

■ **LES GRANDS ÉCONOMISTES,** Robert L. Heilbroner, Paris, Seuil, 1971. Ce petit livre abordable présente la vie et les idées de quelques économistes célèbres : Smith, Ricardo, Marx, Keynes, Schumpeter, etc.

■ **MURDER AT THE MARGIN,** Marshall Jevons, Princeton, N.J. Princeton University Press, 1993, et *The Fatal Equilibrium,* Marshall Jevons, Cambridge, Mass., MIT Press, 1985. Dans chacun de ces romans noirs, l'auteur utilise la boîte à outils de l'économiste afin de débusquer le coupable. Étonnant et amusant !

■ **THE AGE OF DIMINISHED EXPECTATIONS: U.S. ECONOMIC POLICY IN THE 1990s,** Paul Krugman, Cambridge, Mass, MIT Press, 1990. Économiste influent, Krugman examine les problèmes que rencontre l'économie américaine et envisage certaines pistes de solutions.

■ **PEDDLING PROSPERITY: ECONOMIC SENSE AND NONSENSE IN THE AGE OF DIMINISHED EXPECTATIONS,** Paul Krugman, New York, Norton, 1994. Cet livre se penche sur l'évolution de la pensée économique et de la politique économique durant les trente dernières années.

■ **THE ARMCHAIR ECONOMIST: ECONOMICS AND EVERYDAY LIFE,** Steven E. Landsburg, New York, The Free Press, 1993. Pourquoi le maïs soufflé coûte-t-il si cher au cinéma ? Landsburg discute certains des petits puzzles économiques qui émaillent la vie quotidienne.

■ **NAKED ECONOMICS: UNDRESSING THE DISMAL SCIENCE,** Charles Wheelan, New York, W.W. Norton & Company, 2002. Cet ancien correspondant pour le magazine *The Economist* présente la plupart des concepts économiques importants, sans artifices et en donnant des exemples tirés de la vie quotidienne.

■ **OPEN WORLD: THE TRUTH ABOUT GLOBALISATION,** Philippe Legrain, London, Abacus, 2001. Le public est fortement divisé quant aux mérites de la mondialisation. Legrain examine les avantages et les coûts de ce phénomène qui nous touche tous.

■ **ECONOMIC MYTHS: MAKING SENSE OF CANADIAN PUBLIC POLICY, FOURTH EDITION,** Patrick Luciani, Toronto, Addison Wesley, 2004. Des applications concrètes, dans un contexte canadien, des concepts développés dans le livre que vous avez entre les mains.